HISTORIA Y CRÍTICA DE LA LITERATURA ESPAÑOLA

III
SIGLOS DE ORO: BARROCO

PÁGINAS
DE
FILOLOGÍA
Director: FRANCISCO RICO

FRANCISCO RICO
HISTORIA Y CRÍTICA DE LA LITERATURA ESPAÑOLA

1
ALAN DEYERMOND
EDAD MEDIA

2
FRANCISCO LÓPEZ ESTRADA
SIGLOS DE ORO: RENACIMIENTO

3
BRUCE W. WARDROPPER
SIGLOS DE ORO: BARROCO

4
JOSÉ CASO GONZÁLEZ
ILUSTRACIÓN Y NEOCLASICISMO

5
IRIS M. ZAVALA
ROMANTICISMO Y REALISMO

6
JOSÉ-CARLOS MAINER
MODERNISMO Y 98

7
VÍCTOR G. DE LA CONCHA
ÉPOCA CONTEMPORÁNEA: 1914-1939

8
DOMINGO YNDURÁIN
ÉPOCA CONTEMPORÁNEA: 1939-1980

HISTORIA Y CRÍTICA DE LA LITERATURA ESPAÑOLA

AL CUIDADO DE

FRANCISCO RICO

III

BRUCE W. WARDROPPER
AURORA EGIDO, LUCIANO GARCÍA LORENZO,
PABLO JAURALDE POU, MIGUEL ÁNGEL PÉREZ PRIEGO,
JUAN MANUEL ROZAS, GONZALO SOBEJANO,
CARLOS VAÍLLO, DOMINGO YNDURÁIN

SIGLOS DE ORO: BARROCO

EDITORIAL CRÍTICA
Grupo editorial Grijalbo
BARCELONA

Coordinación
de
ÁNGELA GARCÍA RUZ
y
MARÍA PAZ ORTUÑO

Traducciones
de
CARLOS PUJOL

Diseño de la cubierta:
ENRIC SATUÉ
© 1983 de la presente edición para España y América:
Editorial Crítica, S. A., Pedró de la Creu, 58, Barcelona-34
ISBN: 84-7423-193-0
Depósito legal: B. 2.968 - 1983
Impreso en España
1983. — HUROPE, S. A., Recaredo, 2, Barcelona-5

EL PRESENTE VOLUMEN
SE PUBLICA EN MEMORIA
DE
AMADO ALONSO, MARCEL BATAILLON,
HANNAH B. BERGMANN, ALFREDO CARBALLO PICAZO,
AMÉRICO CASTRO,
JOSÉ MARÍA DE COSSÍO, OTIS H. GREEN, R. O. JONES,
RAIMUNDO LIDA, RAMÓN MENÉNDEZ PIDAL,
JOSÉ F. MONTESINOS, ENRIQUE MORENO BÁEZ, ALFONSO REYES,
NOËL SALOMON, LEO SPITZER, ÁNGEL VALBUENA PRAT,
KARL VOSSLER, FRIDA WEBER DE KURLAT Y EDWARD M. WILSON

HISTORIA Y CRÍTICA DE LA LITERATURA ESPAÑOLA

INTRODUCCIÓN

I

Historia y crítica de la literatura española quisiera ser varios libros, pero sobre todo uno: una historia nueva de la literatura española, no compuesta de resúmenes, catálogos y ristras de datos, sino formada por las mejores páginas que la investigación y la crítica más sagaces, desde las perspectivas más originales y reveladoras, han dedicado a los aspectos fundamentales de cerca de mil años de expresión artística en castellano. Nuestro ideal, pues, sería dar una selección de ensayos, artículos, fragmentos de libros..., que proporcionara una imagen cabal y rigurosamente al día de las cimas y los grandes momentos en la historia de la literatura española, en un conjunto bien conexo (dentro de la pluralidad de enfoques), apto igual para una ágil lectura seguida que para la consulta sobre un determinado particular. Ese objetivo es aún inalcanzable, por obvias limitaciones de hecho y por la inexistencia en bastantes dominios de los materiales adecuados para tal construcción. Pero no renunciamos a irnos acercando a la meta: *Historia y crítica de la literatura española* sale con el compromiso explícito de remozarse cada pocos años, bien por suplementos sueltos, bien en ediciones enteramente rehechas.

Por ahora, en cualquier caso, la presente obra (*HCLE*), capítulo a capítulo, es un intento de ensamblar en la dirección dicha dos tipos de elementos:

1. Una selección de textos ordenados cronológica y temáticamente para dibujar la trayectoria histórica de la literatura española, en una visión centrada en los grandes géneros, autores y libros, en las épocas y cuestiones principales, según las conclusiones

de la crítica de mayor solvencia. Esos textos, además de organizarse en semejante secuencia histórica, constituyen de por sí una antología de los estudios más valiosos en torno a la literatura española realizados en los últimos años.

2. Cada uno de los capítulos en que se han distribuido tales textos se abre con una introducción y un estricto registro de bibliografía. La introducción pasa revista —más o menos detenida— a los escritores, obras o temas considerados; y, ya simultáneamente, ya a continuación (véase abajo, III, 4), ofrece un panorama del estado actual de los trabajos sobre el asunto en cuestión, señalando los problemas más debatidos y las respuestas que proponen los diversos estudiosos y escuelas, las aportaciones más destacadas, las tendencias y criterios en auge... Como norma general, la bibliografía —nunca exhaustiva, antes cuidadosamente elegida— no pretende tener entidad propia, sino que ha de manejarse con la guía de la introducción, que la clasifica, criba y evalúa.

II

La razón de ser de *HCLE* no radica tanto en ninguna teoría como en el público a quien se dirige. Antes de añadir otras precisiones, permítaseme, pues, indicar los servicios que en mi opinión es capaz de prestar a lectores de preparación e intereses distintos; y perdóneseme si al hacerlo me paso de entusiasta (e ingenuo): no tengo reparo en declarar que en el curso del quehacer me ha ido ganando la convicción de que, si algo vale la buena literatura, individual y socialmente, algo de valor en tales sentidos podía significar nuestra obra.

Pensemos, para empezar al hilo del *curriculum*, en el sufrido estudiante de Letras (y aún del actual Curso de Orientación Universitaria: pero mejor no detenerse en cosa tan esquiva y tornadiza). En los primeros años de facultad, junto a varias asignaturas más, va a seguir dos o tres cursos de literatura española, correspondientes a otros tantos períodos. A un alumno en sus circunstancias, es difícil (o inútil) pedirle que, sobre familiarizarse con un número no chico de textos primarios, se inicie en el empleo de la bibliografía básica; y es cruel y dañino confinarlo a un manual para los datos y las imprescindibles referencias a la erudición y la crítica (que tampoco pueden agobiar la clase). Ahora bien: equidistante del manual y de la bibliografía básica, copiosa en secciones destinadas a abordar directamente los textos primarios, *HCLE* se deja usar con ventaja, de modo gradual y discriminado, para satisfacer las exigencias de esa etapa universitaria.

Tomemos a nuestro estudiante un par de años después. Entonces, verosímilmente, ya no tendrá que matricularse en un curso tan amplio como «Literatura española del Siglo de Oro» —digamos—, sino en otros de objeto más reducido y atención más intensa: «La épica medieval», verbigracia, «Garcilaso», «El teatro neoclásico» o el inevitable (en buena hora) «Galdós». En tal caso, los respectivos capítulos de *HCLE* —con un nuevo equilibrio entre la selección de textos y la *mise au point* que la precede— le permitirán entrar decidida y fácilmente en la materia monográfica que le atañe; y el resto del volumen le brindará unas coordenadas o un contexto que, si no, quizá debería ganarse con más esfuerzo del requerido.

Sigamos. Dejemos volar la loca fantasía e imaginemos que el estudiante de antaño, ya licenciado, ha descubierto ¡y obtenido! un puesto de trabajo como profesor de lengua y literatura en la enseñanza media o en un estadio docente similar. (En España, quién sabe si ello todavía habrá ocurrido tras unas oposiciones a la manera tradicional: el pudor, sin embargo, me veda insinuar la utilidad de *HCLE* para el casticísimo opositor.) Probablemente le cumplirá ahora desempeñar su tarea en condiciones no óptimas: sin tanto sosiego para preparar las clases como todos quisiéramos, tal vez lejos de una biblioteca no ya buena sino mediana, dudando con frecuencia por donde abordar una explicación o una lectura en la forma apropiada para bachilleres en cierne... Pienso, por supuesto, en el profesor novel, a quien *HCLE* se propone ofrecer una variada gama de incitaciones y subsidios para enseñar literatura por caminos más atractivos y pertinentes que los muchas veces trillados. Pero no olvido tampoco al profesor veterano, cuya experiencia se matizará refrescando ciertos temas o explorando nuevas directrices; y que, responsable de un pequeño seminario, con una asignación de fondos siempre demasiado corta, se verá obligado a calcular despacio la «política de compras» o —en plata— en qué libros y revistas se gasta el dinero de que dispone.

O supongamos que el licenciado de nuestra fábula ha querido y podido preparar una tesis doctoral, investigar, consagrarse a la docencia universitaria. También él hallará de qué beneficiarse en *HCLE*. Es evidente que al especialista en un dominio nunca le sobrará enterarse de la situación en otros terrenos, más o menos próximos, pero al fin en continuidad (la *literatura* y hasta la *literaturnost* son en medida decisiva «historia de la literatura»). No es solo eso, con todo: las introducciones a cada capítulo se deben a estudiosos de probada competencia, cuyos juicios tienen valor específico y que entre los comentarios a la bibliografía ajena deslizan multitud de pistas y aportaciones propias, cuando no incorporan, en síntesis, los resultados de investigaciones inéditas. Hay aquí numerosos materiales que ni el erudito harto avezado puede descuidar tranquilamente.

No obstante, me atrevo a suponer que para el especialista *HCLE* será esencialmente una no desdeñable invitación a reflexionar sobre *the state of the art*, sobre la situación de las disciplinas que cultiva y que aquí se le aparecerán compendiosamente con sus logros y sus lagunas, con sus protagonistas individuales y colectivos, en un cuadro que a muchos propósitos no encontrará en otro lugar. En tal sentido, no sólo los balances contenidos en las introducciones, sino la misma antología de la crítica (o de los críticos) que es la selección de textos, esperan valer tanto por las cotas que muestran conquistadas cuanto por los horizontes que estimulan a alcanzar.

No descuido, por otra parte, la posibilidad (confesadamente optimista) de que *HCLE* llegue a lectores que estén fuera del *curriculum* que acabo de esbozar, pero que, presumiblemente con formación universitaria, compartan con quienes están dentro el interés por la literatura. Tras disfrutar con el *Cantar del Cid* o *La Regenta*, tras asistir a una representación de *El caballero de Olmedo* o *La comedia nueva*, es normal que una persona con gustos literarios se quede con ganas de saber más sobre la obra y contrastar su opinión con el dictamen de los expertos. Difícilmente le bastará entonces la información accesible en el manual o en la enciclopedia familiar: en cambio, entre los textos seleccionados en *HCLE* es probable que halle exactamente el tipo de alimento intelectual que le apetece.

A ese vario público busca *HCLE*. Casi como Juan Ruiz, y desde luego con «buen amor», a cada cual, «en la carrera que andudiere», querría este nuestro libro bien dezir: *Intellectum tibi dabo*».

III

Con parejos destinatarios en mente, sospecho que se comprenderán mejor los criterios que han presidido nuestro quehacer.

1. El núcleo de *HCLE* son las obras, autores, movimientos, tradiciones... verdaderamente de primera magnitud y mayor vigencia para el lector de hoy. En especial en el marco de las introducciones, no faltan, desde luego, referencias a escritores, libros o géneros relativamente menores; pero el énfasis se marca en los mayores, y a la línea que ellos trazan se fía la ambicionada organicidad del conjunto. No es una visión de la historia de la literatura sometida a la pura moda del día ni reducida a un desfile de «héroes»: es que sólo así los materiales críticos y eruditos disponibles se podían enhebrar en una serie trabada, dentro de la pluralidad de perspectivas inherente a la empresa. Ejercicio no siempre sencillo ha sido compaginar la importancia real de obras y autores con el volumen y altura de la bibliografía existente al respecto. Vale decir: no por haberse trabajado más sobre una figura de segunda fila había que otorgarle más espacio que a otra de superior categoría y, sin embargo, menos estudiada; pero sí era necesario dejar constancia, en las introducciones, de las anomalías por el estilo y procurar salvarlas con un cuidado particular en la selección de textos.

2. La materia se distribuye en volúmenes (y capítulos) *no* rotulados de acuerdo con un concepto único y sistemático de periodización. Epígrafes como *Siglos de Oro: barroco, Modernismo y 98* o *Época contemporánea: 1914-1939* ni son demasiado satisfactorios ni responden a iguales principios demarcadores; pero pocos sentirán ante ellos las dudas que tal vez les provocarían etiquetas del tipo de * *La edad conflictiva*, * *La crisis de fin de siglo* o * *Del novecentismo a las vanguardias*, y a bastantes quizá se les antojarán una pizca más locuaces que una mera indicación cronológica (que tampoco permite excesivas precisiones). Los problemas de «períodos», «edades», etc., se asedian en detalle en cada tomo que así lo exige: para los títulos me he contentado con identificar *grosso modo* el ámbito de que se trata.

3. Más comprometido era resolver en qué volumen insertar a ciertos autores o cómo reflejar la multiplicidad de sus obras. ¿Cervantes o el *Guzmán de Alfarache* entraban mejor en el tomo II o

en el III? ¿Convenía despiezar a Lope y Quevedo por géneros o reservar capítulos singulares al conjunto de su producción? Los dilemas de esa índole han sido numerosos, y el criterio predominante ha consistido, por un lado, en conceder capítulo exclusivo a las *opera omnia* de cada escritor de talla excepcional —aun si pertenecen a especies diferentes—, y, por otra parte, con más incertidumbre, situarlo en el volumen correspondiente a los años decisivos de su experiencia literaria y vital, a la etapa de sus libros más característicos o al momento en que se definen las líneas de fuerza del movimiento al que se asocia. Así, pongamos, Cervantes me parece que se encuadra con mayor nitidez en la época de su formación que de sus publicaciones («frutos tardíos», sí), mientras el *Guzmán de Alfarache* se aprecia más claramente puesto al lado de la picaresca y de la narrativa toda del Seiscientos, ininteligible sin él (por más que *Ozmín y Daraja* forme prieto bloque con el *Abencerraje*); Guillén o Aleixandre seguramente han escrito más versos, y más excelsos, después que antes de 1936, pero sería un despropósito perturbador dedicarles sección en tomos distintos del que acoge a Salinas y Lorca. Etc., etc. No ha habido inconveniente, sin embargo, en hacer excepciones y, por ejemplo, encabalgar a un mismo autor entre dos capítulos o, más raramente, volúmenes. Los índices de cada entrega y, especialmente, el tomo complementario (véase abajo, 9) paliarán esas perplejidades inevitables: pues, en resumidas cuentas, ni siquiera con el recurso a técnicas cortazarianas (*Rayuela*, 34) puede el lenguaje, lineal, captar la simultaneidad compleja de la historia.

4.   Como se ha dicho, la introducción a cada capítulo intenta pasar revista a los escritores, obras o temas en cuestión, y compaginar ese repaso con un panorama del estado actual de los estudios sobre el asunto considerado. La combinación de ambos factores —historia e historiografía— se mueve entre dos extremos posibles. En unos casos, se echa mano de la simple yuxtaposición: en primer término, se bosquejan rápidamente los hechos históricos que interesan; después, se presentan y se enjuician las conclusiones de la historiografía y la crítica pertinentes. En otros casos, tales elementos se ofrecen más íntimamente unidos, de suerte que la exposición de los hechos se apoye paso a paso en el comentario de la bibliografía, y viceversa. Los autores de las introducciones respectivas han procedido aquí con plena libertad, pero, no obstante, tampoco ahora ha faltado una orientación general. En principio, pues, cuando

una materia se presumía más ardua y lejana al lector (según ocurre
con todo el volumen sobre la Edad Media), se ha tendido a dar
primero un apretado sumario histórico, inmediatamente después
del cual el principiante —saltándose la *mise au point* bibliográfica—
pudiera pasar a la selección de textos, y sólo en un tercer momento, de interesarle, consultar el panorama de la historiografía al respecto. En cambio, cuando el tema del capítulo se creía más llano,
atractivo o conocido, corrientemente ha parecido preferible no establecer fronteras entre historia e historiografía (y la selección de
textos, entonces, se muestra en mayor medida como una ilustración
parcial de algunos puntos llamativos de entre los señalados en la
introducción).

5. Los trabajos históricos y críticos examinados en las introducciones, registrados en las bibliografías y antologados en el cuerpo de cada capítulo no abarcan, desde luego, el curso entero, a través
de los siglos, de los estudios en torno a la literatura española. Salvo
en las necesarias referencias ocasionales, no se discutirán ni se in-
cluirán aquí las opiniones de Herrera sobre Garcilaso, Luzán sobre
Calderón, Clarín sobre Galdós..., ni siquiera de Menéndez Pelayo
sobre casi todo. Para la mayoría de las cuestiones abordadas en los
volúmenes I-V, hemos dado por supuesto que como medio siglo
atrás existía una cierta versión *vulgata* de la historia literaria, y
que en los tres, cuatro o cinco decenios pasados se ha producido
un reajuste en nuestros conocimientos (y sentimientos) al propósito.
Ese nuevo marco, dentro del cual se mueven la crítica y la investigación más responsables y prometedoras, es justamente el ámbito
de la presente obra.

Unas veces, la raya divisoria entre lo actual y lo anticuado (o
definitivamente caduco) la trazan los descubrimientos factuales, aun
si no llegan a tener la extraordinaria importancia del hallazgo de
las jarchas. Otras veces, el cambio brota de una distinta actitud estética, incluso cuando cristaliza de manera menos resonante que la
exaltación de Góngora en 1927. Otras, todavía, es un libro magistral —por ejemplo, *Erasmo y España*— el que divide en dos
épocas las exploraciones de un determinado dominio. Obviamente,
no siempre cabe fijar límites precisos. Pero no por ello es menos
cierto que en los últimos decenios —el arranque se sitúa habitualmente alrededor de las guerras *plus quam civilia*—, en debate con
las viejas certezas, al arrimo de las vanguardias artísticas, en diálogo

con los hechos recién averiguados y las ideas latientes, se han transformado los instrumentos de trabajo y los modos de comprensión en la historia y la crítica de la literatura española. Nuestra intención ha sido levantar acta de cómo se ha operado —cómo se está operando— esa transformación y recoger una parte de sus logros más firmes.

En los volúmenes que llegan hasta finales del siglo XIX, nos hemos concentrado, así, en ese período propiamente «moderno» de los estudios literarios. Para los tomos siguientes, claro está que los términos no eran iguales. Ciertamente, la valoración de Valle-Inclán, Cernuda o Celaya ha conocido vuelcos considerables en pocos años, pero de una entidad diversa a los que se han experimentado en la apreciación de autores más remotos. En los volúmenes VI, VII y VIII, por ende, se ha procurado sobre todo documentar el desarrollo —o el nacimiento— de una crítica honda y significativa sobre los temas contemplados, y, en la selección de textos, se han primado las contribuciones en tal sentido, por encima de los abundantes testimonios demasiado anecdóticos o impresionistas.

6. No me resisto a la tentación de ilustrar con alguna muestra dos tipos de problemas que hemos debido afrontar. Uno bien manifiesto planteaba la larga e ingente actividad de don Ramón Menéndez Pidal. No era el caso reproducir unas páginas del capital trabajo de 1898 en que don Ramón proponía dar el título de *Libro de buen amor* a la obra de Juan Ruiz y le negaba el carácter didáctico: esa propuesta y esa negativa pasaron pronto a la *vulgata* de las opiniones sobre el Arcipreste, la *vulgata* a cuya discusión o refutación atiende *HCLE*. Pero sí había de estar representada aquí la espléndida ancianidad de Menéndez Pidal, cuando el maestro repensaba su interpretación de los cantares de gesta a la luz de las novísimas inquisiciones sobre la epopeya oral yugoslava o cuando, al refundir un tratado de 1924, polemizaba con E. R. Curtius en torno al papel de clérigos y juglares en los orígenes de las literaturas románicas.

De una punta a otra de *HCLE*, a nadie se le ocultará que en buena parte del volumen VIII (*Época contemporánea: 1939-1980*) la dificultad mayor no estaba ya en calibrar y elegir la bibliografía, sino lisa y llanamente en localizarla. Los materiales más decisivos ahí a menudo andan dispersos en las entregas fugaces de los periódicos —que apenas dejan rastro en los repertorios—, en las revistas de la provincia, la clandestinidad y el exilio, y únicamente era hacedero dar fe de una parte de ellos, quizá no siempre con una perspectiva lo bastante completa.

7. En las introducciones, al esbozar el estado actual de los trabajos sobre cada asunto, se ha procurado mantener el número de referencias bibliográficas dentro de los límites estrictamente imprescindibles. Había que citar a los principales estudiosos y tendencias, realzar los libros y artículos de mayor utilidad —por sí mismos o por las indicaciones que brindan para profundizar en el tema—, insistir en lo positivo. Pero convenía reducirse a cuarenta, sesenta o, cuando mucho, un centenar de entradas bibliográficas (y ese extremo sólo se ha alcanzado excepcionalmente), que debieran ser suficientes para apuntar las grandes sendas en la selva feracísima en que se han convertido los estudios sobre la literatura española. Si de pecado se trata, en tales circunstancias, hemos preferido pecar por parcos.

8. Nuestro ideal —según declaraba arriba— sería que la selección de textos formara un todo bien conexo (dentro de la pluralidad de enfoques), apto igual para la lectura seguida que para la consulta de un determinado particular. Capítulo a capítulo, hubiéramos querido conjugar visiones de conjunto, análisis de piezas singulares y ejemplos de la erudición más perspicaz. No siempre era factible: no sólo por nuestras limitaciones, por las lagunas de la bibliografía o por otros impedimentos de diversa especie, sino también, a menudo, porque trabajos de gran valor no se prestaban a ser despojados del fragmento con la relativa coherencia (a nuestro objeto, naturalmente) que permitiera tenerlos representados en la antología. Adviértase que los textos seleccionados habían de versar sobre cuestiones sustanciales, allanar el camino a la lectura de las fuentes primarias, no ser de tono excesivamente especializado para el común de los lectores... Por eso, y no únicamente por una convicción compartida por todos los colaboradores —y que en cierto sentido es la «novedad» esencial del período crítico aquí revisado—, la selección de textos tiende a resaltar las contribuciones más sensibles a los factores propiamente literarios y más diestras en relacionarlos con la entera trama de la historia. Pero, por supuesto, ha sido el estado actual de la bibliografía sobre el dominio quien ha moldeado cada capítulo, y ninguna orientación provechosa ha quedado deliberadamente al margen.

9. Las ocho entregas de *HCLE* tendrán por complemento un volumen que contendrá un diccionario de la literatura española, junto a otros materiales (tablas cronológicas, prontuario de bibliografía, etc.), coordinados todos con envíos al tomo y capítulo de la presente serie donde se traten más por extenso los asuntos ahí presentados desde un punto de vista escuetamente informativo y factual. Ese volumen en preparación espera tener validez autónoma, pero ha sido concebido contando con la existencia de *HCLE*.

En el aludido diccionario figurarán las oportunas noticias biobibliográficas sobre los principales estudiosos de la literatura española, y en particular, claro es, de todos aquellos de quienes se recogen textos en nuestra antología.

10. Empezaba por confesar (I) que *HCLE*, primera aproximación a una meta sin duda ambiciosa, nace con el compromiso explícito de remozarse cada pocos años, bien por suplementos sueltos, bien —apenas las circunstancias lo aconsejen y permitan— en ediciones íntegramente rehechas. Todos los colaboradores estimaremos de veras la ayuda que para tal fin se nos preste en forma de comentarios, referencias, publicaciones...

IV

Pocas veces me ha sido tan necesaria y gustosa una expresión de gratitudes. Gratitud, primero, a los autores de los textos seleccionados que han accedido a su reproducción en las condiciones que imponía el carácter de la empresa (y aquí me importa consignar el inolvidable estímulo que en su día me dispensó don Dámaso Alonso). Gratitud, luego, a los colaboradores de los ocho volúmenes, por la calidad de su esfuerzo y por la paciencia con que han sobrellevado el diálogo conmigo. Gratitud, en fin, a Editorial Crítica, que ha puesto el mayor entusiasmo en el proyecto y ha hecho acrobacias inverosímiles para conseguir que *HCLE* resultara todo lo accesible económicamente y cuidada tipográficamente que cabía en los tiempos que corren.

FRANCISCO RICO

NOTAS PREVIAS

1. A lo largo de cada capítulo (y particularmente en la introducción, desde luego), cuando el nombre de un autor va asociado a un año entre paréntesis rectangulares, [ ], debe entenderse que se trata del envío a una ficha de la bibliografía correspondiente, donde el trabajo así aludido figura bajo el nombre en cuestión y en la entrada de la cual forma parte el año indicado.* En la bibliografía, las publicaciones de cada autor se relacionan cronológicamente; si hay varias que llevan el mismo año, se las identifica, en el resto del capítulo, añadiendo a la mención de año una letra (*a, b, c...*) que las dispone en el mismo orden adoptado en la bibliografía. Igual valor de remisión a la bibliografía tienen los paréntesis rectangulares cuando encierran referencias como *en prensa* o análogas. El contexto aclara suficientemente algunas minúsculas excepciones o contravenciones a tal sistema de citas. Las abreviaturas o claves empleadas ocasionalmente se resuelven siempre en la bibliografía.

2. En muchas ocasiones, el título de los textos seleccionados se debe al responsable del capítulo; el título primitivo, en su caso, se halla en

---

* Normalmente ese año es el de la primera edición o versión original (regularmente citadas, en cualquier caso, en la bibliografía), pero a veces convenía remitir a la reimpresión dentro de unas obras completas, a una edición revisada (o más accesible), a una traducción notable, etc., y así se ha hecho.

la ficha que, a pie de la página inicial, consigna la procedencia del fragmento elegido. Si lo registrado en esa ficha es un artículo (o el capítulo de un volumen, etc.), se señalan las páginas que en el original abarca todo él y a continuación, entre paréntesis, aquellas de donde se toman los pasajes reproducidos. En el presente tomo III, cuando no se menciona una traducción española ya publicada o no se especifica otra cosa, los textos originariamente en lengua extranjera han sido traducidos por Carlos Pujol.

3. En los textos seleccionados, los puntos suspensivos entre paréntesis rectangulares, [...], denotan que se ha prescindido de una parte del original. Corrientemente no ha parecido necesario, sin embargo, marcar así la omisión de llamadas internas o referencias cruzadas («según hemos visto», «como indicaremos abajo», etc.) que no afecten estrictamente al fragmento reproducido.

4. Entre paréntesis rectangulares van asimismo los cortos sumarios con que los responsables de *HCLE* han suplido a veces párrafos por lo demás omitidos. También de ese modo se indican pequeños complementos, explicaciones o cambios del editor (traducción de una cita o sustitución de esta por solo aquella, glosa de una voz arcaica, aclaración sobre un personaje, etc.). Sin embargo, con frecuencia hemos creído que no hacía falta advertir el retoque, cuando consistía sencillamente en poner bien explícito un elemento indudable en el contexto primitivo (copiar entero un verso allí aducido parcialmente, completar un nombre o introducirlo para desplazar a un pronombre en función anafórica, etc.).

5. Con escasas excepciones, la regla ha sido eliminar las notas de los originales (y también las referencias bibliográficas intercaladas en el cuerpo del trabajo). Las notas añadidas por los responsables de la antología —a menudo para incluir algún pasaje procedente de otro lugar del mismo texto seleccionado— se insertan entre paréntesis rectangulares.

VOLUMEN III

SIGLOS DE ORO: BARROCO

AL CUIDADO
DE
BRUCE W. WARDROPPER
Y
AURORA EGIDO, LUCIANO GARCÍA LORENZO,
PABLO JAURALDE POU, MIGUEL ÁNGEL PÉREZ PRIEGO,
JUAN MANUEL ROZAS, GONZALO SOBEJANO,
CARLOS VAÍLLO, DOMINGO YNDURÁIN

PRÓLOGO AL VOLUMEN III

El plan del presente volumen —el tema de cada capítulo y la ordenación del conjunto— lo elaboramos entre Bruce W. Wardropper y yo mismo. La distancia y otros factores impidieron luego que su contribución a la obra fuera tan intensa como en principio ambos habíamos proyectado, pero no que siguiera favoreciéndome con abundantes observaciones y sugerencias. En todo caso, la deuda que este tomo tiene con él es particularmente importante. El estudioso apreciará de inmediato la destreza con que su ensayo «Preliminar» define las grandes líneas de fuerza de la edad barroca —conjugando aportaciones que a veces se juzgan mutuamente exclusivas—, subraya las implicaciones sociales y políticas de la literatura del período o realza ciertos puntos cuya relevancia cada día se ofrece con más claridad (así, por ejemplo, al tratar sobre el substrato conceptista común a toda la producción barroca). Pero yo debo añadir que, aparte su valía en cualquier otro ámbito, el «Preliminar» del profesor Wardropper ha servido aquí para fijar en buena medida el «tono» y el «nivel», así como no pocos aspectos y orientaciones en la selección de los textos antologizados, núcleo de HCLE. De hecho, en más de un caso, esa selección se ha realizado de forma que pudiera pasarse desde el «Preliminar» a los textos correspondientes a los distintos capítulos incluso antes de consultar la información más puntual que se contiene en las respectivas introducciones. Los autores de éstas me han prestado una cooperación y una comprensión impagables para diseñar en tal sentido la estructura del volumen (o, mejor dicho, uno de los posibles itinerarios en el modo de emplearlo). Por muchos motivos, y no sólo por lo extenso de su colaboración, quiero decir mi especial gratitud a Juan Manuel Rozas.

F. R.

Preliminar

TEMAS Y PROBLEMAS DEL BARROCO ESPAÑOL

BRUCE W. WARDROPPER

Hoy en día la expresión «Siglo de Oro» es comúnmente usada para referirse al más grande de los períodos de la literatura española, pero carece de precisión. Si tanto Garcilaso de la Vega (1503-1536) como Francisco Bances Candamo (1662-1704) pertenecen al Siglo de Oro, sin duda alguna lo más adecuado es emplear el plural, Siglos de Oro (como se hace en los títulos de *HCLE*). El marbete «Siglo de Oro», acuñado en España en el siglo XVIII y consolidado en Alemania en el XIX, aún no ha sido adoptado de una manera sistemática: ha coexistido con Edad de Oro, Renacimiento y Barroco, los números de los siglos correspondientes y con algunas otras denominaciones que se comentarán más adelante. Fueron los poetas pertenecientes a la generación de 1927 (muchos de ellos también catedráticos de literatura) los que hicieron que el término arraigara en España, transmitiéndolo así a la mayor parte de los hispanistas extranjeros. Debido a su tufillo de antiguo mito y de gloria imperialista, la expresión suscita complejas cuestiones en las mentes de los españoles conscientes de su historia, cuando vuelven la mirada hacia aquella época de gran florecimiento cultural. Fue entonces cuando la nación consiguió su unidad (aunque siguió habiendo leyes distintas en Castilla y Aragón) y logró su poderío, por más que no tardó en llegar el declive. Sin duda se produjeron genios singularísimos, pero su nombre va vinculado a la imagen de la Inquisición y el racismo, así como a una rígida estratificación social. Para los españoles modernos es un período turbador que tiende a provocar en ellos a un tiempo vergüenza y orgullo. Todo este problema ha sido objeto de un brillante estudio, todavía provisional, pero ya de admirable sensibilidad (Rozas [1976]; véase también Parker [1967] y ahora Pelorson [1982]).

Si pensamos en los grandes poetas líricos —Garcilaso, fray Luis de

León, Herrera, san Juan de la Cruz—, sentimos la tentación de considerar el siglo XVI como el verdadero Siglo de Oro. Pero no hay que olvidar que otros líricos no menores, como Lope de Vega, Góngora y Quevedo, escribieron sus obras maestras en el siglo XVII. El teatro y la novela no alcanzaron su apogeo hasta el XVII. El predominio de todos los géneros mayores en este último período es la causa de que cuando decimos «Siglo de Oro» tendamos a pensar menos en el XVI que en el XVII, que muchos estudiosos de la literatura llaman «la edad del Barroco», término que tiene la ventaja de usarse internacionalmente en la historia literaria, pero que tampoco carece de inconvenientes.

Hay que empezar por reconocer que la palabra *barroco* ha dado origen a tanta confusión como luz ha aportado. Por este motivo algunos hispanistas eminentes evitan emplearla, mientras otros van mucho más lejos y recomiendan con la máxima energía que no se use (Vossler [1942], sobre todo pp. 134-135; Curtius [1948]; Wilson [1967], en nota). Américo Castro (véase Maravall [1975 *a*], p. 15) afirma que es una abstracción impuesta arbitrariamente, que resulta engañosa por cuanto encaja las cuestiones literarias en un molde rígido. El término ya había sido usado, con valor peyorativo, por Menéndez Pelayo, pero hasta que ciertos panoramas de la literatura española escritos por alemanes (Pfandl [1929], Vossler [1934]) no se tradujeron al castellano, no se incorporó con un valor positivo al vocabulario de los especialistas en el dominio, y luego a libros de divulgación y manuales (como el útil repertorio de Alborg [1966]). Esta denominación se usa habitualmente en relación con la literatura alemana, pero los estudiosos de la literatura inglesa suelen evitarla, mientras que los franceses hasta fechas relativamente recientes (véase Rousset [1954]) no descubrieron su Barroco en toda su plenitud. Los hispanistas extranjeros tienden a reflejar la simpatía o antipatía que existe en sus países de origen respecto a la palabra: los alemanes e italianos la manejan con mucha más afición que los franceses, británicos y norteamericanos.

El vocablo *barroco* puede ser útil si se usa para designar un *Zeitgeist* claramente definido, y si puede aplicarse por igual al estilo y a la ideología (Wellek [1946]). Por desgracia, la mayoría de los especialistas no emplean la palabra con tal precisión. Se han hecho grandes esfuerzos para definir el Barroco, hasta el punto de que ha sido posible estudiar la historiografía del Barroco literario (Macrí [1960]), y no falta algún meritorio intento de síntesis aplicado al mundo hispánico (Carilla [1969]). Pero hasta hace poco tiempo la relación entre ideología y estilo ha permanecido borrosa.

La noción de barroco es un trasplante a los estudios literarios de la historia de las artes plásticas. Por esta razón empezó a existir en los estudios literarios como un medio de referirse a las características formales.

Incluso en la historia del arte la palabra fue imprecisa hasta que Wölfflin [1915] empezó a caracterizar sistemáticamente formas renacentistas y barrocas en la pintura. Estableció sus famosos «principios» con los cuales podían reconocerse y diferenciarse dos sistemas de formas. El arte clásico del Renacimiento es lineal, plano, cerrado, múltiple y claro; en contraste, el arte barroco es pictórico, profundo, abierto, sintético y oscuro. Algunos de estos términos pueden ser útiles en crítica literaria. Podemos decir, por ejemplo, que la obra de Calderón *El médico de su honra* es «abierta» (en el sentido de que el desenlace —y por lo tanto la totalidad de la obra— queda abierto a diversas interpretaciones), mientras que todos sus autos sacramentales son «cerrados» (en el sentido de que su arte impone una interpretación dogmática única). Pero de esta terminología sería absurdo sacar la conclusión de que el mismo autor escribe obras renacentistas y barrocas. Al propio tiempo, términos como «pictórico» y «profundo» tienen que violentarse si se extienden a la literatura. Algunas desafortunadas tentativas para aplicar los principios de Wölfflin al análisis de los textos literarios han terminado en el más completo de los fracasos (Roaten-Sánchez Escribano [1952]).

Después de cierto escepticismo inicial, hoy está comúnmente admitido que, al igual que otros países europeos, España tuvo un Renacimiento (véase *HCLE*, II, cap. 1). Sin embargo, los límites históricos del Renacimiento español son difíciles de fijar, y en este aspecto hay diversidad de opiniones. Aquí sólo nos afecta el *terminus ad quem*. Algunos especialistas (Bell [1930], Bataillon [1937], Green [1963-1966]) identifican el Renacimiento con la Edad de Oro, sosteniendo que escritores como Mateo Alemán y Quevedo son figuras renacentistas. Otros, admitiendo que hay una visión del mundo fundamentalmente distinta que separa a escritores como Herrera y Gracián, hablan de un «primer Renacimiento» y de un «segundo Renacimiento». A diferencia de «Barroco», el vocablo «Renacimiento» apenas necesita justificación, dado que no pocos escritores de este mismo período emplearon ya la palabra para expresar el entusiasmo que sentían al participar en una revolución cultural (Garin [1981]). Pero, sin poner en duda la validez del concepto, hay que ser escépticos ante los intentos de aplicarlo al siglo XVII, sobre todo por lo que se refiere a España. Es cierto que, del mismo modo que el Renacimiento español (en palabras de Dámaso Alonso [1942]) «no se volvió de espaldas a la Edad Media», su Barroco asimiló su Renacimiento: sin Garcilaso no hubiera existido Góngora, sin el *Lazarillo* no hubiera sido posible el *Buscón*.

La continuidad entre el Renacimiento y el Barroco se manifiesta de un modo evidente en la abundancia de traducciones e imitaciones de autores clásicos (Beardsley [1970], Lida de Malkiel [1975]), y sobre todo de los latinos. Entre los poetas, indudablemente fue Horacio quien ejerció una influencia mayor (según muestra el magistral panorama de Menéndez

Pelayo [1877], perfilado en trabajos como Rivers [1954]; y véase *HCLE*, II, cap. 1 y *s. v.*). El segundo épodo de Horacio —el famoso *Beatus ille* que Garcilaso, fray Luis de León y otros poetas renacentistas habían reinterpretado (haciendo oídos sordos a los cínicos cuatro versos finales) como un «menosprecio de corte y alabanza de aldea»— siguió inspirando a poetas barrocos como los Argensola, Lope de Vega, Góngora y Quevedo (Agrait [1971]). La presencia de Ovidio en la poesía española también fue grande, pero ha sido poco estudiada: Schevill [1913] dedica escasa atención al siglo XVII. Por supuesto, las *Metamorfosis* de Ovidio fueron la fuente principal de los mitos que los poetas barrocos a un tiempo fomentaron y escarnecieron (Cossío [1952]). A pesar de que —por ejemplo— en 1615 y en 1618 Cristóbal de Mesa realizó espléndidas e influyentes traducciones de las obras de Virgilio, ninguna monografía amplia que se ocupe de las numerosas alusiones, citas e imitaciones de ellas en el período barroco, se ha publicado aún (véase sin embargo Rodríguez Moñino [1930]). En cambio, Marcial ha sido bien estudiado (Giulian [1930]) como modelo del epigrama.

En la imitación del estilo de la prosa clásica, por el contrario, los escritores barrocos tienden a apartarse de lo que se había hecho en el Renacimiento. En el siglo XVI los humanistas reconocían la grandeza del lenguaje exornado de Cicerón, constantemente ordenado y disciplinado por un extraordinario dominio intelectual. Este tipo de expresión se imitó en el latín renacentista y se adaptó asimismo a todas las lenguas vernáculas de Europa, sin excluir la castellana (La Ville de Mirmont [1905], Asensio [1978]). No obstante, la autoridad de Cicerón fue discutida con el argumento de que su estilo era demasiado artificial, sobre todo cuando se imitaba en las lenguas vulgares, a cuyo ritmo coloquial se consideraba forzoso adaptar la prosa literaria. Algunos eruditos abogaban por la brillantez epigramática y las paradojas de los escritores «áticos», como Séneca y Tácito (Williamson [1951], Sanmartí [1951]). En el siglo XVI hubo una gran controversia acerca de los méritos de ambos estilos, y hasta el siglo XVII la polémica no se decidió en favor del ático (que en más de una ocasión vino a convergir con la rica tradición de los emblemas; véase A. Sánchez [1977]). Aunque el estilo ciceroniano no iba a desaparecer, la prosa de autores barrocos de la talla de Quevedo y Gracián condujo el estilo ático hasta los últimos límites de la concisión. La influencia de Séneca sobre Quevedo —por su pensamiento estoico y también por su estilo— ha sido objeto de importantes monografías (Rothe [1965], Blüher [1969], Ettinghausen [1972]).

El estudio del estilo —retórica y poética— es una disciplina de carácter muy tradicional, basada en normas inconmovibles establecidas en la Antigüedad, sobre todo por Aristóteles, Horacio y Quintiliano. Sus principios duraron durante toda la edad barroca, sin más cambio que

alguna variación menor (Lausberg [1960]). Sin embargo, la teoría literaria clásica fue modificada en el Siglo de Oro español por importantes
teóricos (García Berrio [1977-1980]): la *Philosophía antigua poética*
(1596) de Alonso López Pinciano (Carballo Picazo [1953], Shepard
[1962]) y las *Tablas poéticas* (1617) de Francisco Cascales (García Berrio [1975]), aunque puedan parecer muy innovadoras respecto a los preceptos antiguos, no dejan de ser conservadoras si se comparan con lo que
hacían en la práctica los poetas, los dramaturgos y los novelistas. Las
direcciones seguidas por el estilo literario en el Barroco español (Rico
Verdú [1973]) se entienden mejor en el contexto más amplio de su
desarrollo en Europa desde la Antigüedad hasta el presente (Scaglione
[1972]).

El Barroco español hereda también la mayor parte de sus temas del
Renacimiento, que a su vez había tomado muchos de la Antigüedad (sobre todo ello hay copiosos materiales en O. H. Green [1963-1966]). Así,
por ejemplo, la idea, fecundísima, de que el hombre es como un universo
en miniatura, tema —con muchas variantes— que ha sido brillante y
extensamente estudiado por Rico [1970 *b*]. Esta compleja noción, relacionada con la antigua medicina, la astrología y otras pseudociencias,
inevitablemente se esfumó en la literatura del siglo XVIII ilustrado, y no
volvió a reaparecer en su forma originaria. Algo semejante puede decirse
de otra idea muy peculiarmente española y característicamente barroca,
el sentimiento del «desengaño», es decir, la conquista de un conocimiento
de sí mismo y de un conocimiento de la verdadera naturaleza de este
mundo temporal al ir arrancando la corteza de la ilusión y del engaño
(Rosales [1966], Schulte [1969]); la palabra y el concepto nunca más
volverán a aparecer con tanta frecuencia y de un modo tan obsesivo
como los encontramos en la literatura del siglo XVII español. Como las
apariencias nos engañan continuamente, el corolario del desengaño es la
admisión de que el mundo del hombre está desquiciado (por ejemplo, los
indignos gobiernan a los dignos) o que necesita que se inviertan sus valores
(por ejemplo, los hombres pueden ser mejor guiados por un loco juicioso
que por un cuerdo previsor) (Lafond-Redondo [1979]). Al igual que el
tema del «pequeño mundo del hombre», el del «mundo al revés» tiene
una historia que se remonta a la Antigüedad; pero a diferencia del primero, este último ha sobrevivido hasta el siglo XX en el arte popular
(Grant [1973]), ya que el instinto de las saturnales es una constante
humana. Tampoco la locura está ausente en ninguna época, pero, como
Foucault [1961] demostró claramente, es, en particular, una de las mayores preocupaciones de nuestro período. Los múltiples aspectos de la
simpleza, la necedad y la locura conocen un amplio y variadísimo despliegue en la literatura española del Barroco, y se encuentran lo mismo en
tratados que en comedias y novelas (Bigeard [1972], Redondo-Rochon

[1981]). Muy reveladores del cambio de sensibilidad son algunos motivos analizados por Orozco [1947] (desde la «nostalgia del paraíso perdido» hasta «la nueva concepción del espacio y sentido del tiempo como raíz del estilo»), así como el tratamiento literario del tema de la soledad del hombre, comunión con la naturaleza y con Dios en el siglo XVI, fuente de desengaño en el Barroco (Vossler [1941]). Igualmente significativo es el caso de la elegía fúnebre, que en el Renacimiento intenta recuperar por medio del arte de la poesía la belleza y el significado de una vida perdida, mientras que en el siglo XVII aparece más a menudo como un «escarmiento» de lo inevitable que es a fin de cuentas perder los valores de este mundo, enseñanza ejemplarizada en la espantosa corrupción del cadáver (Wardropper [1967], Camacho Guizado [1969]). A la inversa, la divinización de la poesía profana, tanto popular como culta, disminuye ahora en importancia, después de haber alcanzado su apogeo en el siglo XVI (Wardropper [1958]).

Hemos insistido en la continuidad entre Renacimiento y Barroco. Existe, sin embargo, una sensible diferencia entre estas dos concepciones del arte, y esta diferencia ha de atribuirse a cambios sobrevenidos en los horizontes generales de todo el país. A una época de expansión política, social e intelectual había sucedido otra de retracción (Maravall [1975 a]). El *Quijote* es ya trasunto del «contraste tragicómico entre las superestructuras míticas y la realidad de las relaciones humanas», «en el declive de una sociedad gastada por la historia» (P. Vilar [1956]). Un período caracterizado por la investigación crítica en todas las empresas humanas por parte de humanistas como Nebrija (Rico [1978, 1981]) y Erasmo (Bataillon [1937]) había sido sustituido por otro en el cual se desaconsejaba la crítica de los textos bíblicos y de las tradiciones sociales y eclesiásticas. El nuevo período está dominado por un conformismo que suele asociarse, en parte, con la *Ratio studiorum* de los jesuitas (Batllori [1958]), quienes habían reemplazado a los humanistas como educadores de la nación (Gil [1981]). Por encima de todo, el intento de reformar la Iglesia desde dentro (la *reforma católica*), como respuesta a la Reforma protestante, había cedido su lugar a la Contrarreforma, que reafirma e intensifica la tradición eclesiástica. Muchos especialistas, sobre todo católicos, consideran que es precisamente la Contrarreforma lo que proporciona el impulso del Barroco (Sebastián [1981]). Sólo alguna que otra voz aislada pide cautela respecto a tal convicción (Russell [1978]).

No hay la menor duda acerca de que el hecho histórico del siglo XVI que tuvo más influencia en los escritores y artistas católicos de la segunda mitad del siglo fue el sínodo que promovió la Contrarreforma, el Concilio de Trento (Maldonado [1945]). Sus efectos se dejaron sentir de un modo particular en España. Los obispos españoles habían tenido una gran intervención en Trento (García-Villoslada [1979]); y cuando los decretos del Concilio se publicaron en 1564, por orden de Felipe II se incorporaron a las leyes españolas. Algunas de las consecuencias de este hecho para los escritores tuvieron un carácter muy concreto, como la prohibición de presentar suicidios en obras literarias. Mientras que en el primer Renacimiento Juan del Encina y Fernando de Rojas podían introducir impunemente suicidios en sus obras (*Plácida y Vitoriano, Celestina*), después de Trento Cervantes tiene que ocultar el de Grisóstomo (*Quijote*, I, 13-14) usando las palabras clave *desesperar* y *desesperación* (Avalle-Arce [1961]). Otras consecuencias directas de los decretos tridentinos sobre la literatura fueron menos decisivas. El matrimonio secreto, que se toleraba en la vida real antes de Trento, sigue apareciendo en obras teatrales y en novelas, aunque suele situarse en un ambiente histórico remoto o muy vago (Ruiz de Conde [1948], Castro [1925]); es mucho más frecuente en la literatura del siglo XVII que las bodas se celebren en una iglesia, en presencia de testigos y después de la publicación de las amonestaciones (Bataillon [1947]). Pero la influencia del Concilio en los escritores es más sutil y menos fácil de advertir de lo que podría suponerse por estos ejemplos. La Contrarreforma impuso a los autores la conciencia de la necesidad de ser moralmente responsables de sus obras. La mayor parte de la literatura que llamamos barroca se adapta a este principio.

Esta literatura es también profundamente religiosa, incluso en sus manifestaciones profanas. Expresa la trascendencia por medio de la sensualidad, y hasta de la carnalidad. El arte español expresa mejor que el de cualquier otro país el *Verbum caro factum,* el principio de la Segunda Persona de la Trinidad, que, según un gran especialista, está en el mismo corazón de la literatura barroca española: «El fenómeno humano, concreto, primordial, del Barroco español es la conciencia de lo carnal, juntándose con la conciencia de lo eterno» (Spitzer [1943-1944]). Desde esta perspectiva, el español es la quintaesencia del Barroco europeo (Weisbach [1921]).

Hasta hace relativamente poco, los estudiosos de la literatura española han tendido a usar la palabra barroco de una manera imprecisa, designando ya una parte, ya todo el conjunto del siglo XVII. Sin embargo, Valbuena Prat [1937] considera que es una herramienta útil para establecer paralelos entre la literatura y las artes plásticas. Eugenio D'Ors (por ejemplo, en [1951]) puso en circulación la idea de que el barroco es una constante de todas las culturas, que surge de un modo natural e inevitable después de un período de estabilidad clásica con objeto de contrarrestar esta tendencia: «Debe llamarse en arte *clasicismo* la tendencia a la supremacía de las formas que se apoyan, y *barroquismo,* el culto de las formas que vuelan». Cioranescu [1957], más bien con escasa fortuna, trata de situar el Barroco español en un contexto general europeo. Mucho después de que Dámaso Alonso (en la introducción a su edición de *Las Soledades* de Góngora [1927]) hubiese puesto en guardia a sus lectores sobre los peligros inherentes a la palabra barroco, él mismo llega a la conclusión [1950] de que «es insustituible para designar una época del arte europeo que en literatura española tiene su máximo florecimiento en la primera mitad del siglo XVII».

Ahora ve al hombre barroco como una gigantesca *coincidentia oppositorum* de gran belleza y gran monstruosidad; estas oposiciones se mantienen en una tensión que está muy bien simbolizada por Lope de Vega, en quien la atormentada interacción de arte y vida produce una gran diversidad de estilos poéticos. Joaquín Casalduero, en la mayoría de las páginas que ha escrito de [1943] a [1969], aplica términos de arquitectura (gótico, primer barroco, etc.) al análisis de las obras literarias, en particular a las de Cervantes. Después de deducir pragmáticamente por su lectura los rasgos de cada período, aplica el término apropiado, de un modo seguramente demasiado dogmático y mecánico, a unos textos concretos. Orozco Díaz [1947, 1970, 1977, 1980] insiste en los efectos sensoriales producidos en el estilo barroco, especialmente en el de su Granada natal, y ve al hombre barroco atraído y repelido simultáneamente por su mundo. Guillermo Díaz-Plaja [1940], cuya temprana contribución fue bastante influyente, ha sido sin embargo más ecléctico que original o sistemático. Maravall [1975 a] considera el Barroco, mejor que como un estilo, como una estructura cultural que es «dirigida, masiva, urbana y conservadora».

Ninguno de estos enfoques parciales del Barroco reúne el requisito previo para que el término sea válido, según estableció Wellek: el que pueda aplicarse conjuntamente a la ideología y al estilo. En este sentido, la primera brecha se produjo cuando Alexander A. Parker [1952] demostró que la distinción formal entre culteranismo y conceptismo, que los manuales de historia literaria habían estado difundiendo durante un siglo y medio, era falsa: habíamos estado confundiendo la enemistad personal entre Góngora y Quevedo con las diferencias estilísticas. El «idealismo» no es privativo de Góngora, ni el «infrarrealismo» de Quevedo. Como demostró Parker, el proceso metafórico es idéntico en los estilos conceptista y culterano: el «ingenio» que engendra «conceptos» opera con la misma «agudeza» en las *Soledades* que en el *Buscón*. Es este conceptismo el que forma la base del estilo de Góngora, incluso en sus poemas largos; la afectación latinizante que se encuentra en ellos no pasa de ser una fase transitoria en la obra de Góngora. El «conceptismo» resulta ser la clave de toda la literatura barroca europea (véanse también García Berrio [1968], Mazzeo [1964]). La cuestión de los valores en el Barroco (la «ideología» de que habla Wellek) queda resuelta cuando Parker demuestra que depende del grado de éxito con que los «conceptos» transmitan la experiencia humana. El mejor ejemplo de ello se encuentra en el soneto de Quevedo «En crespa tempestad», en el cual los «conceptos» se combinan para mostrar al poeta completamente entregado a la experiencia de la vida, con sus sentidos, su mente y su criterio moral. Parker ha reivindicado triunfalmente este precoz e importante descubrimiento en su estudio sobre el *Polifemo* [1977] (y ahora en [1982]), sabiendo ya que se ha convertido en la nueva ortodoxia (véase también Rivers [1962]). Hay que volver a los problemas fundamentales del conceptismo; pero antes conviene analizar otro término que los estudios literarios han tomado de la historia del arte; nos referimos al *manierismo*.

La mayoría de los historiadores del arte consideran el manierismo como un estilo de transición entre los del Renacimiento y el Barroco. Así es como lo entiende Helmut Hatzfeld [1964], que ha escrito más que cualquier otro acerca de estas cuestiones. El esquema con el que clasifica los diversos estilos, dando «el nombre de un ilustre representante de cada estilo en cuestión», se propone demostrar la función iniciadora de Italia y la tardía adopción de estos estilos literarios por Francia. Ilustra también los peligros que acechan al aplicar términos de la historia del arte a la literatura.

	Italia	*España*	*Francia*
Renacimiento	1500-1530	1530-1580	1550-1590
	Ariosto	Luis de León	Ronsard
	(1474-1533)	(1527-1591)	(1524-1585)
Manierismo	1530-1570	1570-1600	1590-1640
	Miguel Ángel	Góngora	Malherbe
	(1475-1564)	(1561-1627)	(1555-1628)
Barroco	1570-1600	1600-1630	1640-1680
	Tasso	Cervantes	Racine
	(1544-1595)	(1547-1616)	(1639-1699)
Barroquismo	1600-1630	1630-1670	1680-1710
	Marino	Calderón	Fénelon
	(1569-1625)	(1600-1681)	(1651-1715)

No es difícil advertir las incongruencias de esta división: las fechas elegidas excluyen a Garcilaso del Renacimiento español; sitúan a dos poetas casi contemporáneos y que tienen tantos rasgos comunes como Góngora y Marino en dos categorías diferentes. La confusión es completa cuando nos enteramos de que «manierismo» es un «Renacimiento amanerado» y «barroquismo» un «amanerado Barroco». Evidentemente, pese a su abundante uso (Stunding-Kruz [1979]), parece aconsejable abandonar el término «manierismo» para designar un estilo literario y el período al que corresponde.

Al igual que para D'Ors, para Curtius [1948] el manierismo «representa simplemente el común denominador de todas las tendencias literarias que se oponen al clasicismo ... Entendido en este sentido, el manierismo es una constante de la literatura europea». En esta misma acepción usa Hocke [1957,1959] el término; y así puede reunir bajo este epígrafe ejemplos del arte pictórico y literario, no sólo de los siglos XVI y XVII, sino también del XX, que representan una ruptura respecto a las normas y reglas del arte clásico o regular. De este modo, cuando la norma aristotélica de la *imitatio,* que prevalece desde su época hasta el final del Renacimiento, es sustituida por otra nueva, la de la *inventio,* se da una situación artística completamente distinta: en vez de limitarse a ser una copia de la naturaleza, la obra de arte responde a la idea que el artista tiene de la naturaleza. El artista ya no imita a la naturaleza tal como es, sino siguiendo su propia «manera» individual. Por eso trata de representar «correspondencias» entre realidades aparentemente desvinculadas entre sí, expresándolas de una «manera» insólita que producirá *admiratio* en su público (Monge [1966], García Berrio [1980]). Ahora bien, ese género de manierismo puede coexistir con otros estilos dentro del mismo período y del mismo autor. En Góngora, que tenía una formación clásica, este manierismo produce un nuevo fermento que es claramente barroco. Por otra parte, en un Calderón, de formación barroca, este manierismo impone una nueva regularidad en la exuberancia barroca (Monge [1966]; véase también Kossoff [1977]). En este sentido el manierismo es coetáneo del Barroco (véase aun Hauser [1965], Baader [1973], Dubois [1980]).

Ya hemos visto que el conceptismo es la esencia del arte literario barroco. Nos queda todavía analizar los términos con los que tiempo atrás se describían tres estilos del siglo XVII que se consideraban claramente diferenciados: el «estilo llano», el «conceptista» y el «culterano». Se decía que Lope de Vega ejemplarizaba el «estilo llano», la manera sencilla de escribir que se fundaba en el buen uso de la lengua y en rehuir excesos y aberraciones lingüísticas. Quevedo se citaba como el mayor exponente del «estilo conceptista», al que se atribuía una exageración en los juegos de palabras; este estilo se relacionaba de un modo especial con la prosa, aunque solía admitirse que letrillas como «Poderoso caballero / es don Dinero» también pertenecían a su ámbito. Se suponía que el «estilo culterano» caracterizaba principalmente la poesía de Góngora, de un modo particular sus poemas largos, las *Soledades* y el *Polifemo.* Hoy en día reconocemos que en la obra de ese Lope que imaginábamos tan directo de expresión —su teatro, su prosa, su poesía, sus géneros innovadores— abundan los *concetti* y los cultismos léxicos, y que los poemas culteranos de Góngora también están llenos de *concetti.* El conceptismo es el denominador común de los tres escritores. Ya no podemos estar de acuerdo con Menéndez Pelayo cuando dice que «nada más opuesto entre sí que la escuela de Góngora y la escuela de Quevedo». No había tales escuelas (Sarmiento [1958]). Incluso antes de que se publicara el renovador artículo de Parker, los especialistas empezaban a dudar de la teoría de los tres estilos diferentes: Croce [1929] había negado la distinción de Menéndez Pelayo entre «vicio de contenido» y «vicio de forma», sosteniendo que ambos movimientos literarios eran casos particulares del «vicio de forma». Dámaso Alonso [1935] había demostrado que en la poesía de Góngora había muchos elementos conceptistas; Menéndez Pidal [1942] había afirmado que el conceptismo y el culteranismo eran «estilos al fin y al cabo hermanos», y el propio Curtius [1948] había negado la posibilidad de tratar los dos estilos «viciosos» como entidades separadas. Independientemente de Parker, Lázaro Carreter ([1956]; véase también [1974]) había llegado a la misma conclusión en un artículo por desgracia publicado con mucho retraso: «El culteranismo aparece ... como un movimiento radicado en una base conceptista».

El escritor barroco se propone sorprender a su lector con novedades nunca vistas. Al igual que el escritor renacentista que le precedió, se esfuerza por seguir el ideal horaciano de «lectorem delectando pariterque monendo», pero lo hace de una manera muy personal. Es su ingenio, caracterizado por la agudeza y la versatilidad, lo que produce efectos insólitos de extrañeza, y éstos proporcionan a un tiempo agrado e instrucción. El ingenio consigue estos resultados sorprendentes relacionando cosas muy distintas, es decir, por un procedimiento de carácter análogo al metafórico. El color retórico de la metáfora es así la base del «concepto», que en palabras de Gracián puede definirse como una «metáfora ingeniosa». La sacudida que recibe el lector se debe al hecho de que el escritor renuncia al justo medio de Aristóteles: ha abandonado la mesura, la propiedad y la verosimilitud (Monge [1966]).

El culteranismo (palabra formada por analogía con *luteranismo,* como término insultante: Collard [1967]) se caracteriza por un abundante uso de latinismos léxicos y sintácticos, destinados a dar al castellano algo de la dignidad, la sonoridad y la concisión de la lengua latina. Abunda en alusiones mitológicas que, debido a la omisión de nombres propios, a menudo son difíciles de descifrar. Este arte literario *alusivo* es deliberadamente *elusivo* (Alonso [1928]), especialmente en sus metáforas, que, por ser «ingeniosas», son también «conceptistas» (J. M. Blecua [1961], Rivers [1961]). Las metáforas van mucho más lejos de lo que hasta entonces se había intentado en poesía. Sólo un contexto determinado y el propio ingenio del lector le permiten interpretar «nieve» como significando no ya sólo 'blancura' (como hubiera ocurrido en el Renacimiento), sino más específicamente 'las manos blancas de una campesina'. El culteranismo es «la síntesis y la condensación intensificada de la lírica del renacimiento, es decir, la síntesis española de la tradición grecolatina» (Alonso [1935]). Aunque Paravicino usó el culteranismo en sus sermones y otros autores trataron de repetir los experimentos de Góngora, sigue siendo un estilo primordialmente asociado a la no muy extensa poesía lírico-narrativa de Góngora, y por lo tanto con un área de influencia más bien reducida, aunque duradera.

Por su parte, el conceptismo invadió todos los géneros literarios: la narrativa, el teatro y la poesía épica y lírica. Su propósito era usar el «ingenio» con «agudeza», para producir «conceptos» que podían ir desde el simple juego de palabras gratuito a toda la gama de las metáforas, desde la simple comparación a la más compleja de las alegorías. Los españoles siempre se han considerado como especialmente dotados con «agudeza» (Collard [1967]). Al igual que en el culteranismo, en el caso del conceptismo encontramos una falta de la mesura y la proporción clásicas, desplazadas a beneficio de un rico despliegue del ingenio (Molho [1977]).

Así, pues, tanto el culteranismo como el conceptismo llevan a sus últimos extremos unas técnicas que las generaciones anteriores habían usado con moderación. Lo que empuja a los escritores barrocos a incurrir en estos excesos es su visión del mundo como una *coincidentia oppositorum,* que a su vez fomenta su propensión a la yuxtaposición y a la antítesis. En el *Polifemo* de Góngora conviven lo monstruoso y lo bello. En el *Buscón* de Quevedo los reiterados fracasos de un maltratado trepador social se producen ante el telón de fondo implícito de una complacida aristocracia que se sabía a salvo de todas las amenazas procedentes de sus inferiores (Cros [1975]). En ambas obras, representativas de los dos estilos, encontramos un mundo ficticio que es una desrealización de la realidad. Si Góngora recrea su mundo dándole una belleza superlativa que el mundo real no posee, Quevedo recrea el suyo con una forma grotesca, a veces con una fealdad, igualmente exageradas. Pero no hay que cometer el error de creer que el culteranismo idealiza, mientras que el conceptismo degrada. El *Píramo y Tisbe* de Góngora y el ciclo de sonetos que Quevedo dedica a Lisi descartan toda hipótesis de ese tipo. Lo que vemos en la literatura barroca es un procedimiento metafórico destinado a reunir cosas que son conceptualmente distintas.

Explicar todos los conceptos, salvo los más elementales, requiere un esfuerzo mental, y por lo tanto es justo decir que la literatura barroca es difícil. Cuando a esta dificultad se añaden las alusiones y elusiones del culteranismo, no es exagerado afirmar que engendran oscuridad (Menéndez Pidal [1942]). El propio Góngora admitía que las *Soledades* era un poema oscuro. Pero defendía su oscuridad con los mismos argumentos con los cuales los conceptistas defendían la dificultad (Molho [1977]): exigía al lector una flexibilidad y una agilidad que provocaban en él un placer estético y que le guiaban hacia las nuevas verdades ocultas en esta *nueva poesía* (Collard [1967]).

El arte barroco español, que en literatura está dominado por el conceptismo, es producto de una sociedad y de una época que la mayoría de los intelectuales españoles contemporáneos, siguiendo en esto a la generación de 1898, preferirían que no hubiese existido, porque juzgan que fue un período de decadencia represiva. Efectivamente, fueron tiempos de inquietud social, una «edad conflictiva» (Castro [1961]). Sin embargo, si el conceptismo se funda en una visión del mundo como *coincidentia oppositorum,* hemos de considerarlo como una respuesta a un arraigado deseo, a una profunda necesidad de reconciliación. ¿Qué elementos de la sociedad necesitaban reconciliarse?

Probablemente, la división más honda y más dolorosa que existía en esta sociedad era la existente entre cristianos viejos y cristianos nuevos. Los judíos que en 1492 decidieron convertirse al cristianismo y seguir llevando su vida habitual en España en vez de afrontar las incertidumbres de una nueva diáspora, no tardaron en comprobar que iban a sufrir una serie de limitaciones debidas a su origen racial. La Inquisición iba a impedirles, a ellos y a sus descendientes, que volvieran a la fe de sus antepasados; pero a esta restricción se añadía la de los estatutos de limpieza de sangre, factor destinado a impedir que los cristianos sinceros que descendían de judíos pudiesen ocupar puestos de poder y de respetabilidad en la Iglesia y en el Estado (Sicroff [1960]). Antes de que un converso pudiese entrar en una orden militar o religiosa (Wright [1969]), recibir una ejecutoria de hidalguía o aspirar a un empleo en la corte, «primero le espulgan el linaje», como dice el cínico perro cervantino. Probar que se había tenido un solo abuelo judío equivalía a la descalificación. Dado que en los años relativamente tolerantes de la Edad Media los judíos y los moros raras veces se casaban con campesinos, los Sancho Panza de la vida real podían jactarse confiadamente, al igual que su equivalente literario, de que, por muy humilde que fuera su posición social, como mínimo eran cristianos viejos. Su jactancia se convertía fácilmente en insultos dirigidos a los caballeros, que en el *Peribáñez* de Lope se oyen llamar «judíos» e «hidalgos cansados», es decir, cansados de esperar durante tanto tiempo la venida del Mesías (Silverman [1971]). De este modo, si el hidalgo podía expresar públicamente su orgullo por la antigüedad y distinción de su abolengo, este orgullo siempre podía estar amenazado por un campesino que afirmase la limpieza del suyo. La atmósfera fomentaba la división social originando desconfianza, envidia y odio.

Este hecho de la vida del siglo XVII hasta años bastante recientes no había formado parte de la historia intelectual de España. Durante siglos los españoles habían considerado que su país era problemático y que carecía de identidad. Pero la cuestión se planteó en términos vagos e imprecisos hasta que Américo Castro [1948], en una serie de libros y artículos, se empeñó con la máxima energía en imponer al lector de todos los niveles intelectuales y de exigencia una original tesis basada en gran parte en este fenómeno histórico. Al asegurar que «el español» (en idea y en hecho histórico) no empezó a existir hasta que en la alta Edad Media las tres castas de musulmanes, judíos y cristianos no aprendieron a tolerarse entre sí con recelos, Castro trata de explicar la historia posterior de la nación en términos de lo que él llama el «vivir desviviéndose» que se produjo en los siglos siguientes debido a esta situación. Para él, España es algo más que uno cualquiera de los países neolatinos, como Francia e Italia. Su constitutiva herencia medieval consiste en una sutil interacción, por una parte, de las tradiciones normales europeas de carácter eclesiástico y popular, y de otra de las tradiciones exóticas de origen semítico de judíos y árabes, y de mudéjares y mozárabes. El resultado, por lo que respecta al siglo XVII, fue una «edad conflictiva» [1961] —expresión adoptada por los discípulos de Castro (véase Rodríguez-Puértolas [1972])— en la cual los cristianos viejos y los cristianos nuevos tenían que enfrentarse. Un importante número de intelectuales era de origen converso, en parte porque los cristianos viejos no quisieron «empañar su honra castiza cultivando tareas intelectuales y técnicas, consideradas nefandas desde fines del siglo XV, por ser propias (y por ser *juzgadas* propias) de las castas hispano-hebrea e hispano-morisca». Según esta teoría, la sociedad española de la época que estudiamos estaba estratificada e inmovilizada por prejuicios raciales que interferían en los prejuicios de clase comunes a todas las monarquías europeas. Desde este punto de vista la sociedad española es más complicada que otras de Europa. El sentido del honor, que en el resto de Europa era una difícil mezcla de la virtud romana y de la gloria del Antiguo Testamento, en España resultaba algo aún más inquietante por ser sinónimo de la «opinión», el caprichoso grado de crédito que recibe por parte de los demás la afirmación que hace un individuo de ser lo que es. El honor llega a ser algo tan sutil que se convierte en artículo de fe, en una religión vicaria, con una teología vicaria, pero no una divinidad (Dunn [1960], Maravall [1979]).

El vigoroso alegato de Castro en favor de un Barroco conflictivo en España (concebido bajo el signo de la «angustia» existencialista que siguió a la segunda guerra mundial en toda Europa) sin duda alguna ha agudizado nuestra comprensión de este período y de su literatura. Aunque por desgracia ha adoptado algo de la intolerancia de otro fenómeno del siglo XX, la «cruzada» impía. Castro —claro está— no era racista ni hitleriano, sino más bien filosemita, pero hay que admitir que desde que se produjo la matanza de los judíos, la raza se ha convertido en un tema malsonante, casi inmanejable. A pesar de sus buenas intenciones, con objeto de apoyar su tesis Castro se vio empujado a imponer el manto de

la ascendencia judía a escritores (como Cervantes y Góngora) cuya sangre
parece haber sido (por así decirlo) «gótica» en su «limpieza». Bastantes
entre sus lectores sacaron la impresión de que había algo morboso en la
insistencia del gran erudito acerca de los orígenes semíticos de muchos
de los escritores considerados importantes de los Siglos de Oro. En realidad, Castro en sus esfuerzos por imponer su teoría sobre la historia
española, fue más lejos de lo que le permitían las pruebas documentales.
Para algunos de sus discípulos más exaltados sus sugerencias de que algunos grandes escritores podían llevar sangre judía en las venas se convir-
tieron en algo más que sugerencias: en artículos de fe; los indicios acabaron por considerarse como hechos.

Los excesos cometidos por Castro han sido contrarrestados unas veces
con desmesura (Sánchez Albornoz [1956]; véase también Russell [1975]
y Gómez-Martínez [1975]) y otras en un tono mucho más equilibrado de
discusión académica (Asensio [1966, 1967, 1972, 1976], frente a Sicroff
[1972]). Su tesis se ha revelado, no equivocada, pero sí vulnerable, cada
vez que un presunto hecho ha tenido que negarse, o que se ha comprobado que una suposición era engañosa. Lo grave de la influencia de Castro en la historiografía literaria española es que la presentación de su
tesis tenía por objeto encender pasiones partidistas que encresparan los
ánimos: el bando al que se pertenece a veces parece tener más importancia que la verdad. La *reductio ad absurdum* de este capítulo de la historia
intelectual es el rechazo absoluto que hace el ensayista García Sabell de
todo argumento científico que pueda abonar la tesis de Castro: «No nos
importa, o nos importa sólo en forma muy secundaria, si tal hecho aconteció en aquel o el otro año, o si este documento ha de interpretarse en
una u otra forma. Lo que importa es el esquema general». Con gran
pesadumbre hay que decir que el espíritu polémico de Castro ha inducido
a especialistas de menor talla a entregarse a su ideología como si se tra-
tara de unas sagradas escrituras intocables. Al mismo tiempo hay que
reconocer que la insistencia de Castro en las bases protojudaicas de gran
parte de la literatura barroca y en las tensiones que éstas originaron en
ciertos escritores, tanto cristianos viejos como nuevos, por los requisitos
que se exigían para ocupar puestos destacados en la monarquía de los
Habsburgo, ha arrojado nueva luz sobre esta literatura.

Una de las impropiedades en que han incurrido algunos de los discípulos más extremistas de Castro ha sido la identificación de cristiano
nuevo con judío, la misma en que incurre el labriego racista Belardo
(disfraz del propio Lope de Vega) en *Peribáñez*. Como es obvio, en el
siglo XVII los únicos judíos que escribían en español y que se confesaban
fieles a esta religión vivían en el extranjero. Los estudiosos de la lengua
del siglo XV, de los romances y de otras formas folklóricas hace ya tiempo
que son conscientes de lo que debemos a los judíos sefarditas que con-

servaron su idioma español, sus costumbres y la literatura oral durante un destierro de siglos. Menos conocidos, pero muy importantes, fueron una serie de escritores de relieve como Francisco de Castro y Miguel de Barrios, que cultivaron las letras judeoespañolas en ambientes extranjeros (Wilson [1949, 1963], Scholberg [1958, 1962], Glaser [1965]). Más interesante aún que el caso de los expatriados totales, es el de Antonio Enríquez Gómez, alias *Fernando de Zárate*, un converso relapso que con estos dos nombres desde su destierro en Francia escribió obras teatrales para que se representaran en España; aunque condenado a muerte *in absentia* por la Inquisición, volvió clandestinamente a España, y es posible que incluso presenciara la ceremonia en la que se le quemó en efigie en un auto de fe en Sevilla (Révah [1962]; véase también Caro Baroja [1962], Domínguez Ortiz [1971] y Díaz-Plaja [1982]).

En el siglo xx la Inquisición ha sido justificada por escritores ansiosos por desmentir la leyenda negra española. El hecho de que algunos de sus procedimientos legales no fueran muy distintos de los que se usaban en instituciones similares destinadas a la vigilancia de las ideas en otros países por estos mismos tiempos no es un argumento muy sólido, a menos que todo se funde en la patriotería. Hoy la mayoría de los españoles están dispuestos a aceptar las afirmaciones científicas y objetivas acerca de la Inquisición, como las de Kamen [1965], que explican el verdadero efecto que tuvo el Santo Oficio en la cultura del país (véase también Bennassar [1981]). Sin embargo, escritores de la talla de Lope de Vega estuvieron dispuestos a respaldar esta institución con su prestigio intelectual, convirtiéndose en uno de sus «familiares» (es decir, siendo al propio tiempo cómplices y dignatarios) (Márquez [1980]). En parte debido a tales connivencias, España fue el único país europeo en el que apenas se oyeron voces autorizadas de discrepancia religiosa.

Lope de Vega fue, pues, familiar de la Inquisición. No hay razones para poner en duda la sinceridad de sus creencias. En 1614 fue ordenado sacerdote. Y sin embargo confesaría en una epístola dirigida al último de sus amores, Marta de Nevares, que tomaba tan grave decisión sobre todo por motivos terapéuticos:

> Dejé las galas que seglar vestía;
> ordenéme, Amarilis, que importaba
> el ordenarme a la desorden mía.

La anécdota es útil para no abandonarse a generalizaciones excesivas al tratar de la vida religiosa en la España del siglo xvii. En un libro muy convincente, Caro Baroja [1978] ha demostrado que la España del barroco no sólo no fue una nación en la que sólo existía la fe del carbonero, sino que en ella se manifestaba una incontable diversidad de formas de experiencia religiosa, incluyendo el ateísmo, la casuística, la hechicería, el iluminismo, los milagreros, los mendigos falsos y la «hipocresía sincera» de pequeños grupos delictivos (como el de Monipodio en *Rinconete y Cortadillo*) (véase también Caro Baroja [1967]). Estas «formas complejas de la vida religiosa» en los textos literarios sólo aparecen como anomalías, porque únicamente era factible la expresión de la doctrina ortodoxa o de la opinión permitida. No obstante, conviene tener en cuenta que los autos sacramentales de Calderón, que se proponían entre otros fines devolver a la fe verdadera a aquella parte de su público que podía haberse apartado de ella, reconocen implícitamente que el dominio de la Iglesia sobre la conciencia de los españoles no era monolítico. El teatro era un importante medio de propagar el *status quo* no sólo en la Iglesia, sino también en el Estado (Maravall [1972 *a*], Díez Borque [1976]).

Al igual que la Iglesia, el Estado a primera vista parece haber tenido una estructura jerárquica muy definida. La aristocracia estaba claramente dividida en nobles, caballeros e hidalgos, todos ellos gozando de los privilegios de esperar el respeto de los inferiores sociales y de no pagar impuestos (Domínguez Ortiz [1963, 1973]). Los que trabajaban en poblaciones y ciudades también estaban organizados en tres grupos: maestros, oficiales y aprendices (Herrero [1977]). Los labradores, tanto ricos como pobres, eran su equivalente rural (Salomon [1965]). El clero y los religiosos formaban una parte muy visible de esta sociedad, lo mismo en la ciudad que en el campo (Cobos Ruiz [1976]). Pero incluso en el aspecto de la estratificación social hay que ir con cuidado antes de hacer caracterizaciones generales. Cuando un hidalgo se empobrecía, podía entrar al servicio de un noble, convirtiéndose en poco más que un criado. Ya hemos visto qué escaso respeto podían tener de hecho los labriegos a los hidalgos. Hay noticia de hidalgos tan poco respetados, que llegaron hasta a ser amenazados y físicamente maltratados por sus arrendatarios; cuando iban a los pueblos a cobrar los arriendos, a veces se hacían acompañar por criados armados (Bennassar [1975]). Estaban además los trepadores sociales, representados en obras como *El perro del hortelano,* de Lope; se ha comprobado que tales obras reflejaban una realidad histórica (Sage [1973]). Con dinero y una prueba de limpieza de sangre, era posible comprar una ejecutoria de hidalguía (Kamen [1980]), algo que Pedro Crespo se había negado orgullosamente a hacer (en *El alcalde de Zalamea*). Después de haber prestado servicios señalados a la corona, se podía engrosar la turba de pretendientes del palacio real, con la esperanza de ser admitido algún día en una orden militar o de ser recompensado con un empleo o una sinecura en el mar sin fondo de la burocracia.

Sin duda alguna, los que trataban de mejorar su situación social eran la excepción más que la regla. La vida cotidiana permanecía relativamente invariable, modelada por las costumbres, por el ritmo de las estaciones y las fiestas, y por los trabajos de temporada (Defourneaux [1964], Bennassar [1975]). En esta sociedad severamente patriarcal, las mujeres constituían el hogar (Bomli [1950], Aubrun [1965-1967]). Casi todas ellas eran analfabetas (Kagan [1974]).

Un sector de la sociedad que aún no se ha mencionado es el que formaban los pobres, los vagabundos y los mendigos. Parias de ese género los había en todas partes. En toda Europa, pero en cantidad aún mayor en España, donde en el curso del siglo XVII la economía se encontraba en un estado muy precario (Domínguez Ortiz [1960]). En España la importación de metales preciosos de las Indias había creado —ya en el siglo XVI— la clásica situación de la inflación galopante, un exceso de dinero para la cantidad de mercancías demasiado exigua que producía el país (Hamilton [1934]). Debido a la necesidad que tenía el tesoro real de disponer de dinero contante para pagar a las tropas, costear la institución real y otros gastos, los cargamentos de la flota del tesoro eran hipotecados a los banqueros genoveses antes de que llegaran a Sevilla. La economía se subordinó a «los imperativos de una política exterior dinástica» (Domínguez Ortiz [1960, 1969]). El despilfarro de la corte y la inmensa población que se acumuló en la capital generaron la necesidad de servidumbre y de artesanos, y ello atrajo a muchos labradores que privaron así a la tierra de su trabajo productivo. Hasta los últimos años del siglo (Kamen [1980]) la aristocracia no podía ocuparse en el comercio. La pequeña y opulenta clase mercantil era despreciada. Semejante economía estaba pidiendo a gritos una reforma. Desde 1621 una Junta de Reformación aconsejó a Felipe IV que tomara medidas con las que se confiaba mejorarla. Las recomendaciones de la Junta fueron en su mayor parte ineficaces, porque no era posible separar la ética de la economía (Grice-Hutchinson [1978]). Tuvieron como resultado que proliferaran las pragmáticas contra el lujo, y su misma abundancia demuestra que no se cumplían. Turbas de particulares, ridiculizados en toda clase de textos literarios, aspiraban también a aconsejar al rey, proponiendo soluciones rápidas y fáciles para problemas económicos, sociales y militares de los que posiblemente entendían muy poco (Vilar Berrogain [1973]). Aunque la mayor parte de estos «arbitristas» eran ignorantes e irresponsables, no era el caso de todos; y había además voces enérgicas —Pedro de Valencia, Caxa de Leruela, el conde de Gondomar, González de Cellorigo, Saavedra Fajardo, entre otros— que denunciaban alarmadamente, a modo de oposición leal, la errónea política en materia fiscal, económica y social; pero no se les escuchó (Maravall [1972 b, 1981]). Desde el año 1600 todos los españoles veían la decadencia en la que se encontraba España. Después de su derrota en Rocroi (1636), la infantería española perdió su reputación de invencible. La despoblación del campo era un hecho que todos podían ver, aunque hacia fines del siglo la población rural empezó a aumentar ligeramente (Kamen [1980]). Los agobios fiscales y económicos eran especialmente sensibles para los contribuyentes. La realidad de la decadencia nacional no podía pasar inadvertida. Sin embargo, hay que hacer notar que el fenómeno era tan complejo que algunos historiadores muy prestigiosos consideran que el concepto de decadencia española es engañoso (Elliott [1961], Domínguez Ortiz [1969], Kamen [1978]). En cualquier caso, hay una intensa conciencia del declive de España en gran parte de la literatura, sobre todo en la sátira y en los escritos políticos de Quevedo. Por otro lado, la calidad de esta literatura no pareció disminuir. Aun así, exceptuando a Gracián (nacido en 1601), ninguno de los grandes escritores cuyo nombre va unido al esplendor literario del siglo XVII nació exactamente en este siglo (Cruickshank [1978]).

La misma vida en la corte era un síntoma de la decadencia general. El gradual acaparamiento de poder político por parte de Olivares representaba una sutil usurpación del que correspondía al rey. Parte de su estrategia para distraer a Felipe IV de los asuntos de Estado consistió en aficionarle a las artes, y luego en condescender en la pasión que sentía por ellas (Brown-Elliott [1980]). Aunque la arquitectura (la construcción del palacio del Retiro) y la pintura (el nombramiento y ennoblecimiento de Velázquez como pintor de la corte y el fuerte impulso que recibió la colección de cuadros que más tarde albergaría el Museo del Prado) fueron las artes que más se beneficiaron del ansia de poder de Olivares, la literatura también recibió alguna ventaja accidental. Los *Diálogos de la pintura* de Vicente Carducho y los tratados análogos de Francisco Pacheco están llenos de comparaciones literarias y de poesía sobre pintura y pintores. Las artes plásticas y la literatura se complementan tan bien entre sí, no sólo en los estudios de iconología, sino en general en el campo de la historia intelectual (Gállego [1972], Brown [1978], Sebastián [1981], Calvo Serraller [1981], Marías-Bustamante [1981]), que el Barroco ha llegado a definirse programáticamente como una simbiosis o integración de las diversas artes. El desarrollo de los mayores adelantos técnicos introducidos en el teatro español en la sala del palacio del Retiro condujeron a encargar obras que permitieran aprovechar sus inmensos recursos. De no haber existido éstos, no tendríamos las comedias mitológicas del último período de la vida de Calderón (Shergold [1967], Arróniz [1977]). Los decorados de Cesare Lotti fueron muy admirados, incluso por visitantes que procedían de su Florencia natal; y no menos se celebraron los elementos musicales, que cobran en Calderón un relieve superior, incluso, al ya muy destacado que tienen en toda la cultura de la época (Querol [1981]). Aunque los autos sacramentales de Calderón (Shergold-Varey [1961]) no fueron encargados por la corte sino por el municipio de Madrid, sus primeras representaciones siempre fueron honradas con la asistencia del rey y de sus cortesanos.

Estos últimos podían disfrutar regularmente de diversiones literarias en el Alcázar y en el Retiro, así como en la residencia veraniega de Aranjuez. Antonio Hurtado de Mendoza llegó a ser virtualmente el mayordomo poético de la corte (Davies [1971]).

Al mismo tiempo que el teatro florecía en la atmósfera protocolaria de la corte, conocía también sus mayores éxitos en los teatros públicos, los corrales. La historia de estos corrales empieza en el siglo XVI, pero fueron evolucionando paulatinamente en el XVII hasta convertirse en instituciones públicas con sus peculiares estructuras y costumbres (Shergold [1967], Allen [1980]). Con una asistencia que comprendía a hombres y a mujeres, a personas de alta condición y a las masas, los corrales fueron un foro nacional en el que se expresaban tanto las ideas aceptadas como las nuevas. Aunque en la mayoría de los casos lo que se exaltó en ellos fue la ética de la lealtad al Rey, a la Iglesia y a la Patria (Díez-Borque [1976]), hubo excepciones que debieron de resultar turbadoras para gran parte del público, por ejemplo, las heterodoxas opiniones de Calderón respecto a la realeza (Fox [1981]). Hacia el fin de siglo, en el mismo palacio real, Bances Candamo, en una trilogía de comedias, no vacila en aconsejar a Carlos II acerca de su sucesor, algo que debía de resultar muy poco agradable para el rey (Moir [1970]).

Las actividades públicas, oficiales y privadas, contribuyeron a que se escribieran obras literarias (Simon [1982]), y a su vez fueron incorporadas a ellas. En la vida real, por ejemplo, había certámenes literarios (Alenda [1903]); en la ficción dramática, a menudo anacrónicamente, como en *El José de las mujeres*, de Calderón, se dan certámenes similares. Las procesiones del Corpus Christi estaban íntimamente vinculadas a los textos de las loas sacramentales y a sus autos. Las fiestas populares (Bennassar [1975]) y las de ceremonia (Varey [1971], Maravall [1975 a], Bonet Correa [1979]) constituyen la base de una parte considerable del teatro y de la narrativa. Hechos e instituciones más externos —tan diversos como los torneos, las academias literarias (J. Sánchez [1961], King [1963]), las universidades, la corte, la Compañía de Jesús, el arbitrismo, el retorno de los indianos, el carnaval (Caro Baroja [1965])— fueron recreados por la imaginación de los escritores para producir mundos poéticos que eran una representación, una reinterpretación y a veces una crítica del mundo español en el que vivían.

Es probable que hasta cierto punto esta literatura modelara las ideas y la conciencia de los españoles del siglo XVII. Indudablemente, el teatro influyó en la mayoría de las esferas sociales en zonas urbanas como las de Madrid y Valencia, dada la fuerza de la palabra hablada, sobre todo cuando está gráficamente subrayada por la acción y el gesto. Pero, por otro lado, prácticamente todas las formas literarias de nuestra época parecen haber tenido una importante difusión oral (Frenk [1982]). A medida que avanzaba el siglo, «se acicalaron los auditorios» (Green [1959]): los autores se quejaban cada vez más del creciente poder e influencia del «vulgo», que según ellos favorecía la afición al sensacionalismo, una insistente demanda de novedades, el gusto por los conceptos extravagantes y por las artificiosidades de lenguaje y retórica (Aubrun [1968], Sentaurens [1974]). Pese a estimables aportaciones parciales (por ejemplo, de Simón Díaz [1981] sobre los escritores al servicio de la aristocracia o la realeza) y al sugestivo intento de N. Salomon [1974] de trazar algunas grandes líneas de fuerza, estamos lejos de poseer un conocimiento adecuado de la sociología literaria de la época. Para estudiar el público lector de la España del Barroco, sin embargo, contamos ya con una excelente metodología (Chevalier [1976 a]); y, gracias a ella, el estudio de los lectores —en los dos siglos de la Edad de Oro— de los libros de caballerías (véase también Eisenberg [1973]), la epopeya renacentista, La Celestina y el Lazarillo ha permitido hacer ya algunos descubrimientos preliminares de gran interés. Todavía se obtienen resultados más sorprendentes cuando se calcula de un modo razonable, es decir, con toda la precisión que nos permite la escasa información que tenemos de la vida editorial del siglo XVII (González de Amezúa [1951], Cruickshank [1976], Moll [1979 a, 1982]), el verdadero número de ediciones y la tirada de cada una de las obras en concreto. El Libro de la oración de fray Luis de Granada, por ejemplo, deja muy atrás en las listas de best-sellers a La Celestina, la Diana de Montemayor, el Quijote e incluso a la Guía de pecadores del mismo fray Luis (Whinnom [1980]). Es evidente que el canon de los textos literarios que leemos hoy en día guarda poca semejanza con lo que realmente se leía entonces en cantidad. No debe preocuparnos este hecho, ya que la obra de arte literaria es a un tiempo ella misma y la aportación de siglos de lectura crítica. Con todo, no dejan de desazonar los juicios literarios que hacen Cervantes (en su Canto a Calíope, y, un cuarto de siglo después, en el Viaje del Parnaso), Lope (en el Laurel de Apolo) y Gracián (en Agudeza y arte de ingenio). Leyéndolos descubrimos que apreciaban la poesía de autores que hoy casi no conocemos, y que en algunos casos nos son completamente desconocidos.

Mucha de la poesía de esta época ha sido olvidada o se ha perdido. En parte este hecho puede atribuirse al descuido con que los poetas trataban su obra (Reyes [1927]). En vida de Góngora, ninguna recopilación representativa de su obra estuvo al alcance del público general. Unos cuantos poemas cortos aparecieron en antologías como el Romancero general; exceptuando estos raros casos de publicación, los lectores de Góngora tenían que conformarse con copias manuscritas de copias manuscritas. Semejante difusión escrita de los poemas de un autor muy conocido creaba inevitablemente un desconcertante surtido de textos adulterados e indignos de confianza; éste es el procedimiento que originó tantas variantes en la transmisión oral de los romances y del resto de la poesía tradicional. El caso de Góngora está lejos de ser único (Rodríguez-Moñino y Brey [1967], Rodríguez-Moñino [1968, 1976], J. M. Blecua [1970], y, en especial, A. Blecua [en prensa]). Algunos poetas renunciaban deliberadamente a la oportunidad de publicar su obra. En estos casos la publicación póstuma podía dar textos corrompidos si algún piadoso editor trataba de mejorar el original. Durante mucho tiempo se creyó que esto era lo que había ocurrido con los versos de Quevedo en manos de González de Salas; pero esta teoría hoy está descartada (J. M. Blecua [1963, 1969-1971], Crosby [1967]). No todos los poetas disponían de medios para publicar su poesía. Era difícil conseguir publicar un libro, a menos que se contara con un mecenas que sufragara parte de los gastos.

Había otros obstáculos entre autores y lectores. Estaba, por ejemplo, el complicado proceso que había que seguir antes de que un libro se publicara, incluyendo la obtención del necesario «privilegio» y la aprobación de los censores (González de Amezúa [1951], Simón Díaz [1971], Moll [1979 a, 1982]). La censura de libros y de comedias correspondía a los Consejos de Castilla y de Aragón; pero los censores inquisitoriales también intervenían en el proceso. Cervantes capta muy bien el núcleo de la cuestión en «el grande escrutinio de los libros» (Quijote, I, 6): los libros personificados se entregan con destino a la hoguera «al brazo seglar del ama», o se salvan de la destrucción por razones morales, estéticas o de prejuicio, cuando no por el simple motivo de que quien hace el escrutinio está cansado. Jamás se ha hecho una acusación más rotunda y convincente de la arbitrariedad inquisitorial. La censura de comedias y de obras escritas no solía perjudicar el texto del autor, aunque en alguna ocasión sí mejoraba su teología (Wilson [1973]). Por otro lado, los padres Horio y Pineda, que trataron de conseguir que se prohibiera la edición Vicuña de las obras de Góngora después de haberse publicado (1627), no hicieron más que demostrar su estrechez mental (Alonso [1963]). La economía del comercio librero probablemente contaba más que cualquier restricción política o eclesiástica a la hora de decidir qué es lo que se permitía leer al público español del Barroco (Cruickshank [1978]). Pero también a los impresores se les ponían límites, sobre todo durante el decenio 1625-1634, cuando atendiendo a la Junta de Reformación, el Consejo de Castilla prohibió que se publicaran «libros de comedias, novelas ni otros de este género» (González Palencia [1946], Moll [1974]). Uno de los efectos que tuvo esta draconiana medida fue favorecer las imprentas de Aragón y de más allá de las fronteras de España: otro fue tentar a los impresores castellanos a falsificar sus portadas, poniendo en ellas fechas falsas o lugares aragoneses de publicación (véase Lope de Vega, «Prólogo» [«AL TEATRO, de don Francisco López de Aguilar»] a La Dorotea; Moll [1979 a, 1982], Cruickshank [1981]).

Algunos autores parecen haber reaccionado ante esta disposición castellana inventando géneros nuevos que no pudieran considerarse incluidos en la categoría vedada. Sin embargo, muchas de estas obras de carácter híbrido se burlaban del objeto de la prohibición intercalando fragmentos narrativos o dramáticos. Tirso de Molina (contra quien iba dirigida de manera principal la acción de la Junta) sin duda había leído el bando cuando publicó sus inclasificables *Cigarrales de Toledo* en 1621; buen aprendizaje para una miscelánea más cautelosa, *Deleitar aprovechando*, de 1625. *La Dorotea* de Lope de Vega (1632), llamada «acción en prosa», es posible que fuese también otro de los resultados del edicto (Moll [1979 *b*]). Lo curioso respecto a este período es que, si se impedía a los dramaturgos que publicaran sus obras en Castilla, no se les prohibía escribirlas, y seguía habiendo empresarios que las hacían representar. Varias de las obras maestras del teatro español pertenecen al decenio durante el cual en teoría la literatura de imaginación había quedado suspendida. Precisamente en estos años fue cuando Tirso consiguió burlar el edicto publicando sus cinco *Partes*. También hay que admitir que las experiencias con géneros híbridos (por ejemplo, *El peregrino en su patria*, de Lope, de 1604, e incluso el *Quijote* de 1605) se habían producido mucho antes de que hubiese una injerencia oficial en la libertad del escritor para publicar obras de ficción. La *imitatio* del Renacimiento estaba cediendo su lugar a la *inventio* barroca, y el culto de la novedad formaba parte del ambiente intelectual del siglo xvii. En materia de innovaciones audaces, nadie desconcertó tanto al público lector como Góngora, quien, en el curso de un mismo año, 1613, dio a conocer —en manuscrito— *Las soledades* y *La fábula de Polifemo y Galatea*. Ambas obras habían sido compuestas para entendidos, para aquellos cuya cultura y agudeza mental podía permitirles el exquisito goce minoritario de admirar sus calidades estéticas a medida que iban desentrañando sus complicaciones. Obras que exigían, y que no tardaron en tener, comentarios eruditos, al igual que la poesía de Dante y de Garcilaso (Gates [1960], y véase cap. 4).

Hay una cierta arrogancia en el hecho de que alguien se proclame a sí mismo miembro de una minoría. Por lo tanto no es sorprendente que Góngora fuese objeto de sentimientos hostiles por parte de los escritores que creían fundar su valor artístico en la moderación clásica o en el aplauso popular. Uno de estos enemigos fue Lope de Vega, quien comprendía perfectamente a las masas y se comunicaba con ellas por medio del teatro. Otro enemigo fue Quevedo, que era tan elitista como Góngora, y alguna de cuyas obras es igualmente intrincada. Su animosidad literaria de hecho fue sobre todo *ad hominem*: intercambiaron agrios insultos poéticos. Pero, como hemos visto, desde el punto de vista literario tenían más cosas en común que diferencias. Ninguno de los dos, ni tampoco ninguno de sus discípulos, cultivaron la orgullosa dificultad de un Gracián, que fue el verdadero elitista del Barroco español.

Aunque Góngora y Quevedo apelaron a menudo a una minoría selecta, también tuvieron grandes éxitos populares con algunas de sus obras, especialmente sus romances, algunos de los cuales llegaron incluso a figurar, en formas corrompidas, en los pliegos de cordel (Wilson [1955, 1957]). De la misma manera que las canciones populares inspiraron a grandes escritores, el pueblo absorbió el arte de los grandes escritores de la época (Torner [1966]). Los romances viejos y nuevos, reproducidos en el folio doblado que constituía un pliego de cordel, que se vendía a bajo precio y en grandes cantidades, fueron a menudo la salvación económica de impresores faltos de recursos (Caro Baroja [1969], García de Enterría [1973]). Y, entre tanto, la antigua tradición de la difusión oral de canciones (Frenk [1971, 1978]), romances (Menéndez Pidal [1938, 1951, 1953]), cuentecillos y refranes (Ynduráin [1969 a], Combet [1971]) se mantuvo entre los campesinos y los moradores analfabetos de las ciudades, de modo semejante a como había existido ya en la Edad Media y en el Renacimiento.

La presencia de lo popular no sólo se manifiesta en obras en las que parece previsible, como comedias y novelas. Los escritos más rebuscados y enigmáticos de Gracián, como la *Agudeza y arte de ingenio,* están llenas de anécdotas populares (Chevalier [1976 b]). Gracias sobre todo a la obra de Chevalier [1971, 1975, 1978], conocemos la ubicuidad de un género popular y oral en prosa, en todas las clases de la literatura escrita, incluso en verso: el cuentecillo tradicional, por fin identificado, clasificado y explicado (véase también Buchanan [1909-1910], Lida de Malkiel [1976], Soons [1976], McGrady [1977]). Se trata de un paso importantísimo hacia la comprensión de las misceláneas en las que se recogían tales cuentecillos —como la *Floresta española* de Melchor de Santa Cruz y los *Cuentos* de Juan de Arguijo (Chenot-Chevalier [1979])— y de las obras más elaboradas que los incorporaban a su texto (como *El pintor de su deshonra,* de Calderón, en la que el gracioso Juanete es aficionado a aducirlos).

Se consiguió una visión mucho más completa de cómo se fundían lo popular y lo culto en la literatura española cuando Menéndez Pidal [1927] acuñó y difundió la expresión «poesía de tipo tradicional» para designar a un tiempo a la verdadera poesía popular y a sus imitaciones, a menudo muy difíciles de distinguir, a cargo de poetas cultos. Aunque la expresión se proponía incluir los romances narrativos, se suele aplicar principalmente a la lírica. Se han publicado ya varias importantes antologías (algunas con importantes estudios preliminares) de ese tipo de lírica (Alonso [1942], Alonso-Blecua [1956], Frenk [1966], Alín [1968]). Muchos de los materiales que contienen pertenecen a la Edad Media y al Renacimiento, pero algunas de las canciones aparecieron por vez primera en forma impresa en nuestro período, en obras de Lope de Vega, Calderón (Wilson-Sage [1964]) y otros.

La poesía lírica de tipo tradicional, a la que M. Frenk prefiere llamar sencillamente popular, por lo que respecta al siglo XVII ha sido examinada con gran brillantez por dicha estudiosa [1978]. El romancero nuevo (o artístico, como suele llamársele) (Menéndez Pidal [1951]) se publicó en su mayor parte en los romancerillos de fines del siglo XVI (Rodríguez-Moñino [1957]), que más tarde se agruparon en el *Romancero general* del año 1600 (González Palencia [1947]). Esta compilación y las que le sucedieron gozaron de gran popularidad en el siglo XVII. El romance mantenía su verso octosílabo y su asonancia continuada, pero cada vez más fue adoptando un movimiento cuaternario; tendía a convertirse en un conjunto sistemático de coplas. Por lo que respecta al contenido, el romance nuevo se enriqueció con temas tales como el morisco y el pastoril. Además de romances, la vasta antología del *Romancero general* contiene una multitud de interesantes composiciones populares que merecen un estudio más detenido: por ejemplo, géneros líricos menores como chanzonetas y ensaladillas, así como canciones de danza tan conocidas como la zarabanda, la chacona y otras. Entre los géneros poéticos no narrativos que figuran en el *Romancero general* y sus secuelas, aún predomina el villancico (Sánchez Romeralo [1969]), que igualmente sigue introduciéndose en otros géneros literarios, lo cual prueba su persistente popularidad. En el Barroco, el villancico evolucionó hacia el género poético característico de esta época, la letrilla, forma que no se definió con claridad hasta que Jammes [1963] publicó la importante introducción a su impecable edición de las de Góngora.

Así, pues, en el siglo XVII había géneros literarios estables, que mantenían una notable continuidad respecto al pasado, y otros innovadores, ya fuera por causa de hibridación o como consecuencia de audaces experiencias. Gran parte de la prosa de ficción permanece fiel a la antigua tradición —predominante en el siglo XVI— de la sátira menipea, mezclando la poesía con la prosa narrativa. Sin embargo, la novela picaresca mantiene el prototipo del *Lazarillo,* aunque insertándolo de forma distinta en la serie literaria (Guillén [1971]) e introduciendo variaciones que pueden ser incluir secciones explícitamente moralizadoras (*Guzmán de Alfarache*) o acentuar los aspectos grotescos y escatológicos (el *Buscón*) (Rico [1970 *a*]). La novela pastoril sobrevive difícilmente en el siglo XVII, tal vez debido a las audaces novedades que introduce en ella Lope de Vega (*La Arcadia, Los pastores de Belén*). Lope se revela como el inventor de un tipo de cuento original, distinto del modelo cervantino al mostrar en las llamadas *Novelas a Marcia Leonarda* una intimidad casi embarazosa con la amada para la que se escribieron (véase cap. 1). Quizá la invención narrativa más trascendental del Barroco sea la novela de ideas de Gracián, *El criticón*.

El teatro sigue el paradigma inicial desarrollado por Lope de Vega; pero incluso en las obras del propio Lope adquiere una flexibilidad que ha de considerarse proteica. Las variaciones de su característica polimetría en épocas diferentes de la carrera del dramaturgo han permitido datar sus obras con una notable precisión (Morley-Bruerton [1940], Marín [1962]). Aunque la polimetría es más escasa en la obra de los sucesores de Lope, éstos amplían considerablemente el paradigma básico, sobre todo Calderón. El entremés (Asensio [1965], Bergman [1965]), es considerado por Lope como el heredero, a través de Lope de Rueda, de la «comedia antigua» de Grecia (Rozas [1976]). El término «comedia» se había ampliado hasta designar toda obra dramática extensa, dejando la popularísima comedia de capa y espada como el principal vehículo propiamente cómico, después del entremés, a lo largo del siglo XVII. La teoría dramática nunca se emancipó del todo del ya superado neoaristotelismo, y por ello no llegó a reflejar la práctica real de los dramaturgos (Newels [1959], Sánchez Escribano-Porqueras [1965]).

En la lírica, además de la aparición de la letrilla, hubo cierta renovación en los géneros que procedían de la Antigüedad (como la oda anacreóntica adaptada al castellano por Villegas), la métrica conoció y consolidó nuevas estrofas (la décima, formada originariamente por la fusión de dos quintillas, se considera invención de Vicente Espinel, y, por ende, a veces es llamada espinela) e incluso se advierten cambios relevantes en el manejo de la rima (Ynduráin [1969 *b*]). Un aspecto menos conocido de la poesía del Siglo de Oro es el que se refiere a la escatología y a las alusiones sexuales. Recientemente, Jammes y otros eruditos franceses han llamado la atención sobre este punto publicando una importante antología (con valiosas notas y un glosario con el equivalente latino de las palabras españolas) (Alzieu *et al.* [1975]; véase también Whinnom [1967]). La mayoría de los textos que contiene esta recopilación son del siglo XVI, pero es una herramienta útil para explicar y justificar este aspecto de la poesía de algunos escritores del siglo XVII, principalmente los poemas menores de Góngora y Quevedo. La obscenidad apenas disimulada aparece en gran parte de la literatura barroca, incluso en comedias de apariencia tan inocente como *Los melindres de Belisa*, de Lope. Esta vertiente vulgar de graves escritores barrocos merece más atención de la que ha recibido hasta ahora, si queremos comprender plenamente la cultura de este período.

La literatura *escrita,* incluso en su forma más popular y barata de pliegos de cordel (y prescindiendo ahora de la amplia divulgación oral que a menudo hubo de tener; véase Frenk [1982]), en cualquier caso era una prerrogativa de sólo un pequeño porcentaje de la población.

Es difícil dar cifras de analfabetismo con cierta aproximación. Los historiadores se limitan a proporcionar ejemplos de sorprendentes casos individuales de analfabetos y de datos fortuitos para tal o cual pueblo. Sin embargo, si todavía en 1860 sólo el 75 por 100 de los españoles sabía leer y escribir (Kagan [1974]), es probable que en el siglo XVII fueran aún menos. Los que habían tenido el privilegio de una educación, la habían recibido en una diversidad de formas que dependía de las decisiones de los padres y de los recursos económicos. Después de cierta instrucción primaria, un estudiante ingresaba en la escuela de gramática, donde aprendía latín; casi todas las poblaciones que contaban al menos con quinientas familias, tenían una de esas escuelas. Era preciso trasladarse a un centro urbano mayor si se quería entrar en un «colegio», la mayoría de los cuales en el siglo XVII estaban regidos por jesuitas. Para la mayor parte de los lectores de literatura, la educación se interrumpía al graduarse en tales «colegios». Las universidades, de las que había treinta y tres en toda España, hacía tiempo que habían dejado de contribuir sustancialmente a la vida cultural, y se limitaban casi siempre a proporcionar burócratas al Estado (Kamen [1980]). Este fenómeno era general en toda Europa; pero así como más allá de los Pirineos las universidades se iban haciendo cada vez más laicas, en España caían cada vez más bajo la influencia de órdenes religiosas cuyo objetivo era mantener la pureza de la filosofía tradicional católica (Kagan [1974], Gil [1981]). En las instituciones españolas, las que recibían el nombre de las siete «cátedras raras» —correspondientes a disciplinas como cirugía, matemáticas y astronomía— a menudo permanecían vacantes por falta de aspirantes cualificados (López Piñero [1979]). De este modo, la vida intelectual en sus niveles superiores se encontraba en España desvinculada de la Europa de Descartes, Comenius, Spinoza y Hobbes (Maravall [1975 a]; Abellán [1979 y 1981] debe manejarse con mucha cautela). De un modo más concreto, no participó como hubiera podido hacerlo en la revolución científica europea que se estaba produciendo en el siglo XVII.

Durante el Renacimiento había florecido una ciencia española (López Piñero [1969, 1979]) que se adelantó a Europa en el terreno de la mineralogía, la navegación o la botánica. Era además receptiva a las ideas extranjeras. La teoría copernicana del universo se enseñaba en Salamanca en la segunda mitad del siglo XVI (Green [1966]). Pero ya en este siglo se ponían obstáculos a esa apertura mental. Los españoles no podían estudiar en el extranjero, salvo en determinadas universidades. El miedo al contagio de la herejía —incluso en Francia— disuadió a muchos aspirantes a viajeros. La crisis política, social y económica que sufría Europa a fines del siglo XVI, en España resultó ser particularmente aguda (López Piñero [1979]). Las clases dominantes acordaron tácitamente dirigir la cultura de tal modo que protegieran sus intereses (Maravall [1975 a]): y ello en España representaba la represión de las nuevas ideas y el dominio de las conciencias. La teología, el derecho, la filosofía, la ciencia y la tecnología quedaron así paralizadas en una ortodoxia dogmática, y hasta los estudios filológicos se resintieron sensiblemente (véase Gil [1981], aunque ahí se eche muy en falta una periodización adecuada). La pureza doctrinal fue salvaguardada por el Santo Oficio y por los índices de libros prohibidos. Los primeros índices (1559, 1583, 1584) contenían los títulos de relativamente pocos textos científicos. En el siglo XVII se operó un cambio espectacular. «Puede afirmarse sin hipérbole que tres cuartas partes de los científicos importantes del siglo XVII figuran en ... los índices de Sandoval (de 1612) y Zapata (de 1632) *como tales científicos*» (López Piñero [1979]). A pesar de todo, los libros prohibidos eran conocidos y leídos, especialmente durante el reinado de Carlos II, cuando la censura se había tornado un poco más laxa (Kamen [1980]). Los mercaderes de las ciudades portuarias no tenían dificultades para hacérselos traer del extranjero. Hacia finales del siglo hubo incluso un esfuerzo consciente para abrir la vida intelectual española a influencias extranjeras. Las academias privadas, los salones y las tertulias ya no se ocupaban solamente de literatura. En ellas se reunían miembros eminentes de la nobleza y notables eruditos (Arco y Garay [1950]), tales como Nicolás Antonio, cuya *Bibliotheca hispana nova,* publicada en Roma en 1672, proporcionaba los nombres y las obras de millares de escritores que habían escrito en España entre 1500 y 1670. El hermanastro de Carlos II, don Juan José de Austria, tomó la iniciativa de invitar a sabios y científicos extranjeros a venir a trabajar a España. El país no sólo no sufría un estancamiento intelectual, sino que, durante el reinado del último monarca Habsburgo, se estaban echando los cimientos de la Ilustración del siglo siguiente (Sebold [1967], Kamen [1980]; y véase cap. 10).

Puede, pues, afirmarse que la nueva ciencia llegó sin duda alguna, aunque de un modo tardío y clandestino, a la España barroca. Pero casi no hay ningún rastro de ella en la literatura de imaginación. La cosmología ptolemaico-escolástica, con su idea de una tierra estática, alrededor de la cual el sol, la luna y los planetas giran en círculos, permaneció invariable en la poesía barroca (Green [1966]). En 1616 Galileo trató de vender sus instrumentos de navegación a la corona española, y mantuvo cordiales negociaciones con los representantes del rey en Nápoles, el virrey conde de Lemos y su secretario, el poeta Bartolomé Leonardo de Argensola. El trato no se cerró. Pero las consecuencias de los descubrimientos de Galileo, a pesar de ser bien conocidos, sólo parecen haber tenido un único eco en la literatura barroca: en *El diablo cojuelo* de Luis Vélez de Guevara, el demonio cita el nombre de Galileo y alude irónicamente a un astrónomo aficionado español como uno de «estos señores antojadizos que han descubierto al sol un lunar en el lado izquierdo, y en la luna han linceado montes y valles, y han visto a Venus *cornuta*». Aunque la alusión sea humorística, es evidente que Vélez conocía algunos de los descubrimientos que Galileo había realizado con su telescopio. Pero ni Vélez ni ningún otro escritor barroco muestra la menor preocupación por las implicaciones de esta ciencia nueva. En términos de historia intelectual, tal como se refleja en la literatura, es difícil establecer diferencias entre los siglos xvi y xvii: la física y la cosmología de Calderón, expresadas con gran claridad en sus autos sacramentales, son esencialmente las mismas que las de Garcilaso (Rivers [1967]).

Un nivel de ideas más bajo que el de la erudición y la ciencia —pero más representativo— es la opinión pública. En el siglo xvi, las Cortes en cierto modo la reflejaban y la daban a conocer al rey. En la edad barroca las Cortes se reunían con mucha menor frecuencia, y no lo hicieron ni una sola vez durante el reinado de Carlos II. El único indicador de la opinión pública es hoy en día el análisis de los arbitristas (Kamen [1980]). Aunque estos consejeros políticos espontáneos fueron ridiculizados en la literatura (Vilar Berrogain [1973]), su discusión de los problemas nacionales resulta interesante porque probablemente es un eco de opiniones generalizadas. Eran muy conscientes de los problemas económicos con los que se enfrentaba la nación: devaluación de la moneda, desigualdad de las cargas tributarias, preponderancia de las importaciones sobre las exportaciones, holgazanería, exceso de consumo acompañado de hambre, y sobre todo inflación. Sus escritos revelan la «conciencia de crisis general», la noción de que el país estaba enfermo (Maravall [1981]). La ideología de los arbitristas y de otros analistas de la enfermedad nacional, dice Maravall, «es un elemento real incorporado a la estructura y que aparece ... en la mentalidad de una época, que es nada menos que la manera de estar esta misma abierta a la realidad». Si la aparición de la nueva ciencia no afectó para nada a los hombres de letras, no puede decirse otro tanto de «la conciencia de crisis general». Ésta es una de las grandes preocupaciones de Quevedo, como lo había sido años atrás de Cervantes. Pero se manifiesta también en las letrillas satíricas y en la poesía utópica de Góngora (Jammes [1967]), en la imagen que Calderón da de los reyes, implícitamente en muchos de los escritos de Gracián y en la crítica que hace Tirso de Molina de la institución de la privanza. Finalmente, las malas costumbres nacionales y las malas condiciones económicas que producían el sentimiento general de malestar, forman «una base social para la picaresca» (Maravall [1981]).

Es posible que —aun después de la Ilustración, la revolución romántica y el retorno del realismo clásico— la «crisis de conciencia general» sea la herencia más significativa que el Barroco legó a la España del siglo xx. En una época en la que el conjunto de Europa ha aprendido de nuevo a apreciar el Barroco en pintura, arquitectura, música y literatura, los españoles de hoy a menudo aún tienden a mantenerse recelosamente en guardia respecto a gran parte de su herencia barroca. Por lo que respecta a este recelo, gran parte de la responsabilidad incumbe a la generación de 1898. El *alter ego* de Antonio Machado, Juan de Mairena, define el Barroco en poesía «como un tránsito de lo vivo a lo artificial, de lo intuitivo a lo conceptual, de la temporalidad psíquica al plano intemporal, como un *piétinement sur place* del pensamiento... (Mairena) vio claramente que el tan decantado dinamismo de lo barroco es más aparente que real, y más que la expresión de una fuerza actuante, el gesto hinchado que sobrevive a un esfuerzo extinguido». Ramón Pérez de Ayala (en *El curandero de su honra*) y Valle-Inclán (en *Los cuernos de don Friolera*) parodian y se burlan del «gesto hinchado» que dicen ver en Calderón. Ortega y Gasset afirma orgullosamente que él, como los mejores españoles, no evoca el nombre de Calderón cuando oye pronunciar la palabra «España». Los ensayos de Azorín sobre literatura revelan una acusada preferencia por el Renacimiento e incluso por el pálido siglo XVIII español sobre el Barroco. Los españoles que (al margen de su afiliación a partidos políticos, aunque frecuentemente con cierta conexión en su afinidad por los ideales de la Institución Libre de Enseñanza) se consideran a sí mismos liberales y progresistas a veces se avergüenzan del fanatismo religioso y el absolutismo político que según creen caracteriza el arte de Calderón y de algunos otros escritores del siglo XVIII. Sus reacciones forman parte de la perpetua preocupación nacional —que es única y paralizadora— por la cuestión de saber en qué consiste ser español (Russell [1959]). Junto con muchos hispanistas extranjeros, son víctimas de la misma trampa en que cayó Américo Castro. No están seguros de si España ha de sentirse orgullosa o avergonzada por el hecho de que en la figura de don Juan Tenorio el español barroco Tirso de Molina crease el mayor y uno de los pocos mitos modernos que es además de carácter universal. El resultado de esta insatisfacción respecto a la literatura barroca española ha sido el relativo olvido de alguno de los aspectos capitales del Barroco por parte de muchos especialistas españoles, que de esta manera han dejado el campo libre a los hispanistas extranjeros.

Afortunadamente, los escritores barrocos que en sus obras parecen menos relacionados con la Iglesia, el Estado y la corte han suscitado admiraciones entre los intelectuales españoles de nuestro siglo. Las comedias de Lope de Vega son generalmente estimadas, aunque raras veces se representan ni siquiera en los teatros oficiales. La generación poética de 1927, compuesta en su mayoría por poetas universitarios, se fundaba en el amor y la admiración por Góngora: Gerardo Diego publicó una *Antología poética en honor de Góngora desde Lope de Vega a Rubén Darío* (1927); García Lorca dio una conferencia en la Residencia de Estudiantes sobre «La imagen poética en don Luis de Góngora». La universalidad de intereses de Jorge Guillén le permitió incluir en *Homenaje* (1967) poemas no sólo sobre fray Luis de León y Góngora, sino también sobre Villamediana, Quevedo y Calderón.

El hecho de que se advierta cierta presencia del Barroco en la literatura española e hispanoamericana contemporánea (véase, por ejemplo, *Diwan* [1979]) permite albergar esperanzas en cuanto al futuro del Barroco en la vida intelectual y erudita de España. El Barroco es una parte de la historia española que no puede dejarse perder. Sus grandes valores esperan un reconocimiento, una aceptación y una valoración más amplios en su país de origen.

BIBLIOGRAFÍA

Abellán, José Luis, *Historia crítica del pensamiento español*, II: *La edad de Oro (siglo XVI)* y III: *Del Barroco a la Ilustración (siglos XVII y XVIII)*, Espasa-Calpe, Madrid, 1979 y 1981.

Agrait, Gustavo, *El «Beatus ille» en la poesía lírica del Siglo de Oro*, Editorial Universitaria, San Juan de Puerto Rico, 1971.

Alborg, José Luis, *Historia de la literatura española*, Gredos, Madrid, 1966 ss.; vol. II: *Época barroca*.

Alenda y Mira, Jenaro, *Relaciones de solemnidades y fiestas públicas de España*, Biblioteca Nacional, Madrid, 1903.

Alín, José María, ed., *El cancionero español de tipo tradicional*, Taurus, Madrid, 1968.

Alonso, Dámaso, «Alusión y elusión en la poesía de Góngora», *Revista de Occidente*, XIX (1928), pp. 177-202; reimpr. en *Estudios y ensayos gongorinos*, Gredos, Madrid, 1955, pp. 92-113.

—, *La lengua poética de Góngora*, Revista de Filología Española, Madrid, 1935, 1950 [2].

—, ed., *Poesía de la Edad Media y poesía de tipo tradicional*, Losada, Buenos Aires, 1942.

—, *Poesía española. Ensayo de métodos y límites estilísticos*, Gredos, Madrid, 1950.

—, «Prólogo» a *Obras en verso del Homero español [Góngora]*, que recogió *Juan López de Vicuña*, ed. facsímil, Consejo Superior de Investigaciones Científicas, Madrid, 1963.

— y José Manuel Blecua, eds., *Antología de la poesía española. Poesía de tipo tradicional*, Gredos, Madrid, 1956.

Alzieu, Pierre, Robert Jammes e Yves Lissongues, eds., *Floresta de poesías eróticas del Siglo de Oro con su vocabulario al cabo por el orden del a.b.c.*, France-Ibérie Recherche, Toulouse-Le Mirail, 1975; ed. aumentada: Crítica, Barcelona, en prensa.

Allen, John J., «Toward a conjectural model of the *Corral del Príncipe*», en *Medieval, Renaissance and folklore studies in honor of John Esten Keller*, ed. Joseph R. Jones, Juan de la Cuesta, Newark, Delaware, 1980, pp. 255-271.

Arco y Garay, Ricardo, *La erudición española en el siglo XVII y el cronista de Aragón Andrés de Uztarroz,* Consejo Superior de Investigaciones Científicas, Madrid, 1950, 2 vols.

Arróniz, Othón, *Teatros y escenarios del Siglo de Oro,* Gredos, Madrid, 1977.

Asensio, Eugenio, *Itinerario del entremés desde Lope de Rueda a Quiñones de Benavente con cinco entremeses inéditos de D. Francisco de Quevedo,* Gredos, Madrid, 1965.

—, «Américo Castro historiador: reflexiones sobre *La realidad histórica de España*», *Modern Language Notes,* LXXXI (1966), pp. 595-637; reimpr. en [1976], pp. 21-83.

—, «La peculiaridad literaria de los conversos», *Anuario de Estudios Medievales,* IV (1967), pp. 327-351; reimpr. en [1976], pp. 85-117.

—, «En torno a Américo Castro. Polémica con A. A. Sicroff», *Hispanic Review,* XL (1972), pp. 365-385; reimpr. en [1976], pp. 119-178.

—, *La España imaginada de Américo Castro,* El Albir, Barcelona, 1976.

—, «Ciceronianos contra erasmistas en España. Dos momentos (1528-1560)», *Revue de litérature comparée,* LII (1978), pp. 135-154.

Aubrun, Charles Vincent, «L'Espagnole du xvᵉ au xviiiᵉ siècles», en *Histoire mondiale de la femme,* ed. Pierre Grimal, Nouvelle Librairie de France, París, 1965-1967, 4 vols., II, pp. 455-488.

—, «Nouveau public, nouvelle comédie à Madrid au xviiᵉ siècle», en *Dramaturgie et société,* ed. Jean Jacquot, Centre National de la Recherche Scientifique, París, 1968, 2 vols., I, pp. 1-12.

Avalle-Arce, Juan Bautista, «Grisóstomo y Marcela (La verdad problemática)», en *Deslindes cervantinos,* Edhigar, Madrid, 1961, pp. 97-119; reed. en *Nuevos deslindes cervantinos,* Ariel, Barcelona, 1975, pp. 89-116.

Baader, Horst, «Zum Problem des Manierismus in der spanischen Literatur des Goldenen Zeitalters», *Studia Iberica. Festschrift für Hans Flasche,* eds. Karl-Hermann Körner y Klaus Rühl, Francke, Berna, 1973, pp. 47-62.

Bataillon, Marcel, *Érasme et l'Espagne. Recherches sur l'histoire spirituelle du XVIᵉ siècle,* Droz, París, 1937; trad. cast. aumentada: *Erasmo y España,* Fondo de Cultura Económica, México, 1950, 1966² (con nuevas adiciones).

—, «Cervantès et le "mariage chrétien"», *Bulletin Hispanique,* XLIX (1947), pp. 129-144; trad. cast.: «Cervantes y el "matrimonio cristiano"», en *Varia lección de clásicos españoles,* Gredos, Madrid, 1964, pp. 238-255.

Batllori, Miguel, *Gracián y el Barroco,* Edizioni di Storia e Letteratura, Roma, 1958.

Beardsley, Theodore S., *Hispano-classical translations printed between 1482 and 1699,* Duquesne University Press, Pittsburgh, 1970.

Bell, Aubrey F. G., «Notes on the Spanish Renaissance», *Revue Hispanique,* LXXX (1930), pp. 319-652; trad. cast.: *El Renacimiento español,* Ebro, Zaragoza, 1944.

Bennassar, Bartolomé, *L'Homme espagnol. Attitudes et mentalités du XVIᵉ au XIXᵉ siècle,* Hachette, París, 1975; trad. cast.: *Los españoles. Actitudes y mentalidad,* Argos, Barcelona, 1976.

—, *Inquisición española: poder político y control social,* Crítica, Barcelona, 1981.

Bergman, Hannah E., *Luis Quiñones de Benavente y sus entremeses. Con un catálogo de los actores citados en sus obras,* Castalia, Madrid, 1965.

Bigeard, Martine, *La folie et les fous littéraires en Espagne 1500-1650,* Centre des Recherches Hispaniques, París, 1972.

Blecua, Alberto, *Manual de crítica textual,* Castalia, Madrid, en prensa.

Blecua, José Manuel, «Don Luis de Góngora, conceptista», *ABC* (27 diciembre 1961); reimpr. en *Sobre el rigor poético en España y otros ensayos,* Ariel, Barcelona, 1977, pp. 83-90.

—, «Imprenta y poesía en la Edad de Oro», en *Sobre poesía de la Edad de Oro,* Gredos, Madrid, 1970, pp. 25-43.

—, «Introducción» a Francisco de Quevedo, *Obras completas,* I, Planeta, Barcelona, 1963, y a la *Obra poética de Quevedo,* Castalia, Madrid, 1969-1971, 4 vols.

Blüher, Karl Alfred, *Seneca in Spanien. Untersuchungen zur Geschichte der Seneca-Rezeption in Spanien vom 13. bis 17. Jahrhundert,* Francke, Berna-Munich, 1969.

Bomli, P. W., *La femme dans l'Espagne du Siècle d'Or,* Nijhoff, La Haya, 1950.

Bonet Correa, Antonio, «La fiesta barroca como práctica del poder», *Diwan,* n.º 5/6 (1979), pp. 53-58.

Brown, Jonathan, *Images and ideas in seventeenth-century Spanish painting,* Princeton University Press, Princeton, 1978; trad. cast.: Cátedra, Madrid, 1981.

— y John H. Elliott, *A Palace for a King. The Buen Retiro and the Court of Philip IV,* Yale University Press, New Haven y Londres, 1980; trad. cast.: Alianza, Madrid, 1982.

Buchanan, Milton, «Short stories and anecdotes in Spanish plays», *Modern Language Review,* IV (1909), pp. 178-184 y V (1910), pp. 78-79.

Calvo Serraller, Francisco, *La teoría de la pintura en el Siglo de Oro,* Cátedra, Madrid, 1981.

Camacho Guizado, Eduardo, *La elegía funeral en la poesía española,* Gredos, Madrid, 1969.

Camamis, George, *Estudios sobre el cautiverio en el Siglo de Oro,* Gredos, Madrid, 1977.

Carballo Picazo, Alfredo, ed., Alonso López Pinciano, *Philosophía antigua poética,* Consejo Superior de Investigaciones Científicas, Madrid, 1953, 3 vols.

Carilla, Emilio, *El Barroco literario hispánico,* Nova, Buenos Aires, 1969.

Caro Baroja, Julio, *Los judíos en la España moderna y contemporánea,* Arion, Madrid, 1962, 3 vols.

—, *El carnaval,* Taurus, Madrid, 1965.

—, *Vidas mágicas e Inquisición,* Taurus, Madrid, 1967, 2 vols.

—, *Ensayo sobre la literatura de cordel,* Revista de Occidente, Madrid, 1969.

—, *Las formas complejas de la vida religiosa (Religión, sociedad y carácter en la España de los siglos XVI y XVII),* Akal, Madrid, 1978.

Casalduero, Joaquín, *Sentido y forma de las «Novelas ejemplares»,* Universidad de Buenos Aires, Buenos Aires, 1943.

—, «Algunas características de la literatura española del Renacimiento y del Barroco» (1969), en *Estudios de literatura española,* Gredos, Madrid, 1973³.

Castro, Américo, *El pensamiento de Cervantes*, Centro de Estudios Históricos, Madrid, 1925; reed. ampliada y con notas del autor y de Julio Rodríguez-Puértolas, Noguer, Barcelona, 1972.

—, *España en su historia. Cristianos, moros y judíos*, Losada, Buenos Aires, 1948, y Crítica, Barcelona, 1982. 2.ª versión: *La realidad histórica de España*, Porrúa, México, 1954; nueva ed. (incompleta), 1962².

—, *De la edad conflictiva (El drama de la honra en España y en su literatura)*, Taurus, Madrid, 1961, 1963².

Cioranescu, Alejandro, *El Barroco o el descubrimiento del drama*, Universidad de la Laguna, La Laguna, 1957.

Cobos Ruiz de Adana, José, *El clero en el siglo XVII (estudio de una visita secreta a la ciudad de Córdoba)*, Escudero, Córdoba, 1976.

Collard, Andrée, *Nueva poesía. Conceptismo, culteranismo en la crítica española*, Brandeis University, Waltham, Mass., y Castalia, Madrid, 1967.

Combet, Louis, *Recherches sur le «Refranero» castillan*, Les Belles Lettres, París, 1961.

Cossío, José María de, *Fábulas mitológicas en España*, Espasa-Calpe, Madrid, 1952.

Croce, Benedetto, *Storia dell' età barocca in Italia*, Laterza, Bari, 1929.

Cros, Edmond, *L'aristocrate et le carnaval des gueux. Étude sur le «Buscón» de Quevedo*, Centre d'Études Sociocritiques, Montpellier, 1975; versión española, revisada: *Ideología y genética textual. El caso del «Buscón»*, Cupsa, Madrid, 1980.

Crosby, James O., *En torno a la poesía de Quevedo*, Castalia, Madrid, 1967.

Cruickshank, Donald W., «Some aspects of Spanish book production in the Golden Age», *The Library*, V, n.º 31 (1976), pp. 1-19.

—, «"Literature" and the book trade in Golden-Age Spain», *Modern Language Review*, LXXIII (1978), pp. 799-824.

—, «The first edition of *El burlador de Sevilla*», *Hispanic Review*, XLIX (1981), pp. 443-467.

Curtius, Ernst Robert, *Europäische Literatur und lateinisches Mittelalter*, Francke, Berna, 1948; trad. cast. aumentada: *Literatura europea y Edad Media latina*, Fondo de Cultura Económica, México, 1955.

Chenot, Beatriz, y Maxime Chevalier, eds., *Cuentos recogidos por Juan de Arguijo y otros*, Excma. Diputación Provincial de Sevilla, Sevilla, 1979.

Chevalier, Maxime, *Cuentecillos tradicionales en la España del Siglo de Oro*, Institut d'Études Ibériques et Ibéro-Américaines de l'Université de Bordeaux III, Talence, 1971.

—, ed., *Cuentecillos tradicionales en la España del Siglo de Oro*, Gredos, Madrid, 1975.

—, *Lectura y lectores en la España de los siglos XVI y XVII*, Turner, Madrid, 1976.

—, «Gracián y la tradición oral», *Hispanic Review*, XLIV (1976), pp. 333-356.

—, *Folklore y literatura. El cuento oral en el Siglo de Oro*, Crítica, Barcelona, 1978.

Davies, Gareth A., *A poet at Court. Antonio Hurtado de Mendoza*, Dolphin, Oxford, 1971.

Defourneaux, Marcelin, *La vie quotidienne en Espagne au Siècle d'Or*, Hachette, París, 1964; trad. cast.: *La vida cotidiana en España en el Siglo de Oro*, Hachette, Buenos Aires, 1966.

Díaz-Plaja, Guillermo, *El espíritu del Barroco* (1940), ed. aumentada, Crítica, Barcelona, 1983.

—, *Rembrandt y la sinagoga española*, Plaza y Janés, Barcelona, 1982.

Díez-Borque, José María, *Sociología de la comedia española del siglo XVII*, Cátedra, Madrid, 1976.

Diwan, n.º 5-6 (1979) y 8-9 (1980): extraordinarios dedicados al Barroco.

Domínguez Ortiz, Antonio, *Política y hacienda de Felipe IV*, Editorial de Derecho Financiero, Madrid, 1960.

—, *La sociedad española en el siglo XVII*, vols. I y II, Consejo Superior de Investigaciones Científicas, Madrid, 1963 y 1970.

—, *Crisis y decadencia de la España de los Austrias*, Ariel, Barcelona, 1971².

—, *Los judeoconversos en España y América*, Istmo, Madrid, 1971.

—, *El Antiguo Régimen: los Reyes Católicos y los Austrias*, vol. III de la *Historia de España Alfaguara*, ed. M. Artola, Alianza, Madrid, 1973.

—, *Las clases privilegiadas en la España del Antiguo Régimen*, Istmo, Madrid, 1973.

—, *Esplendor y decadencia. De Felipe III a Carlos II*, vol. VII de la *Historia de España* de *Historia 16*, extra XIX (octubre 1981), pp. 62-72.

D'Ors, Eugenio, *Tres horas en el Museo del Prado*, Aguilar, Madrid, 1951.

Dubois, Claude-Gilbert, *Le maniérisme*, Presses Universitaires de France, 1979; trad. cast.: *El Manierismo*, Península, Barcelona, 1979.

Dunn, Peter N., «Honour and the Christian background in Calderón», *Bulletin of Hispanic Studies*, XXXVII (1960), pp. 75-105.

Eisenberg, Daniel, «Who read the Romance of Chivalry?», *Kentucky Romance Quarterly*, XXII (1973), pp. 209-233.

Elliott, John H., «The decline of Spain», *Past and Present*, XX (1961), pp. 52-75.

Ettinghausen, Henry, *Francisco de Quevedo and the Neostoic movement*, Oxford University Press, Oxford, 1972.

Foucault, Michel, *Histoire de la folie*, Plon, París, 1961; trad. cast.: *Historia de la locura en la época clásica*, FCE, México, 1967.

Fox, Dian, «Kingship and community in *La vida es sueño*», *Bulletin of Hispanic Studies*, LVIII (1981), pp. 217-228.

Frenk, Margit, ed., *Lírica hispánica de tipo popular*, Dirección General de Publicaciones, México, 1966, y Cátedra, Madrid, 1977.

—, *Entre folklore y literatura. Lírica hispánica antigua*, El Colegio de México, México, 1971.

—, *Estudios sobre lírica antigua*, Castalia, Madrid, 1978.

—, «Lectores y oidores. La difusión oral de la literatura en el Siglo de Oro», *Actas del séptimo Congreso de la Asociación Internacional de Hispanistas*, ed., Giuseppe Bellini, Bulzoni, Roma, 1982, vol. I, pp. 101-123.

Gállego, Julián, *Visión y símbolos en la pintura española del Siglo de Oro*, Aguilar, Madrid, 1972.

García Berrio, Antonio, *España e Italia ante el conceptismo*, Consejo Superior de Investigaciones Científicas, Madrid, 1968.

García Berrio, Antonio, *Introducción a la poética clasicista: Cascales*, Planeta, Barcelona, 1975.

—, *Formación de la teoría literaria moderna*, vol. I, Cupsa, Madrid, 1977; vol. II, Universidad de Murcia, Murcia, 1980.

García de Enterría, María Cruz, *Sociedad y poesía de cordel en el Barroco*, Taurus, Madrid, 1973.

García-Villoslada, Ricardo, ed., *Historia de la Iglesia en España*, III, 1: José Luis González Novalín, ed., *La Iglesia en la España de los siglos XV y XVI*, Biblioteca de Autores Cristianos, Madrid, 1980.

Garin, Eugenio, *La revolución cultural del Renacimiento*, trad. D. Bergadá, Crítica, Barcelona, 1981 (estudios selectos).

Gates, Eunice Joiner, ed., *Documentos gongorinos*, El Colegio de México, México, 1960.

Gil Fernández, Luis, *Panorama social del humanismo español (1500-1800)*, Alhambra, Madrid, 1981.

Giulian, A. A., *Martial and the epigram in Spain in the sixteenth and seventeenth centuries*, University of Pennsylvania, Filadelfia, 1930.

Glaser, Edward, «Two notes on the Hispano-Jewish poet Don Miguel de Barrios», *Revue des Études Juives*, 4.ª serie, IV (1965), pp. 201-211.

Gómez-Martínez, José Luis, *Américo Castro y los orígenes de los españoles. Historia de una polémica*, Gredos, Madrid, 1975.

González de Amezúa y Mayo, Agustín, «Cómo se hacía un libro en nuestro Siglo de Oro», en *Opúsculos historicoliterarios*, Consejo Superior de Investigaciones Científicas, Madrid, 1951, t. I, pp. 331-373.

González Palencia, Ángel, «Quevedo, Tirso y las comedias ante la Junta de Reformación», *Boletín de la Real Academia Española*, XXV (1946), pp. 43-84.

—, ed., *Romancero general*, Consejo Superior de Investigaciones Científicas, Madrid, 1947, 2 vols.

Grant, Helen F., «The world upside-down», en Royston O. Jones, ed., *Studies in Spanish literature of the Golden Age presented to Edward M. Wilson*, Tamesis, Londres, 1973, pp. 103-135.

Green, Otis H., «*Se acicalaron los auditorios*. An aspect of the Spanish literary Baroque», *Hispanic Review*, XXVII (1959), pp. 413-422; reed. en *The literary mind of Medieval and Renaissance Spain. Essays by Otis H. Green*, ed. John E. Keller, Univ. of Kentucky Press, Lexington, 1970, pp. 124-132.

—, *Spain and the western tradition. The Castilian mind in literature from El Cid to Calderón*, University of Wisconsin Press, Madison, 1963, 1964, 1965, 1966, 4 vols.; trad. cast.: *España y la tradición occidental. El espíritu castellano desde El Cid hasta Calderón*, Gredos, Madrid, 1969, 4 vols.

Grice-Hutchinson, Marjorie, *Early economic thought in Spain 1177-1740*, Allen & Unwin, Londres, 1978; trad. cast.: *El pensamiento económico en España (1177-1740)*, Crítica, Barcelona, 1982.

Guillén, Claudio, «Toward a definition of the Picaresque» y «Genre and countergenre. The discovery of the Picaresque», en *Literature as system. Essays toward the theory of literary history*, Princeton University Press, Princeton, 1971, pp. 71-106, 135-158.

Hamilton, Earl J., *American treasure and the price revolution in Spain 1501-*

1650, Harvard University Press, Cambridge, Mass., 1934, 1965²; trad. cast.: *El tesoro americano y la revolución de los precios en España, 1501-1650,* Ariel, Barcelona, 1975.

Hatzfeld, Helmut, *Estudios sobre el Barroco,* Gredos, Madrid, 1964.

Hauser, Arnold, *El manierismo. La crisis del Renacimiento y los orígenes del arte moderno,* Guadarrama, Madrid, 1965.

Herrero, Miguel, *Oficios populares en la sociedad de Lope de Vega,* Castalia, Madrid, 1977.

Hocke, Gustav René, *Die Welt als Lubyrinth. Manier und Manie in der europäischen Kunst von 1520 bis 1650 und in der Gegenwart,* Rowohlt, Reinbek bei Hamburg, 1957; trad. cast.: *El mundo como laberinto. El manierismo en el arte europeo de 1520 a 1650,* Guadarrama, Madrid, 1961.

—, *Manierismus in der Literatur,* Rowohlt, Hamburgo, 1959.

Jammes, Robert, ed., Don Luis de Góngora y Argote, *Letrillas,* Ediciones Hispanoamericanas, París, 1963; versión cast., abreviada y renovada: Castalia, Madrid, 1980.

—, *Études sur l'oeuvre poétique de don Luis de Góngora y Argote,* Féret, Burdeos, 1967.

Kagan, Richard L., *Students and society in early modern Spain,* The John's Hopkins University Press, Baltimore, 1974; trad. cast.: Tecnos, Madrid, 1981.

Kamen, Henry, *The Spanish Inquisition,* Weidenfeld & Nicolson, Londres, 1965; trad. cast.: *La inquisición española,* Crítica, Barcelona, 1979, 1980².

—, «The decline of Spain. A historical myth?», *Past and Present,* n.° 81 (1978), pp. 24-50.

—, *Spain in the later seventeenth century 1665-1700,* Longman, Londres, 1980; versión cast., aumentada: *La España de Carlos II,* Crítica, Barcelona, 1981.

King, Willard F., *Prosa novelística y academias literarias en el siglo XVII,* Real Academia Española, Madrid, 1963.

Kossoff, A. David, «Renacentista, manierista, barroco: definiciones y modelos para la literatura española», en *Actas del Quinto Congreso Internacional de Hispanistas,* Instituto de Estudios Ibéricos e Iberoamericanos, Université de Bordeaux III, Burdeos, 1977, pp. 537-541.

Lafond, Jean, y Augustin Redondo, eds., *L'image du monde renversé et ses représentations littéraires et para-littéraires de la fin du XVIᵉ siècle au milieu du XVIIᵒ,* Vrin, París, 1979.

Lausberg, Heinrich, *Handbuch der literarischen Rhetorik. Eine Grundlegen der Literaturwissenschaft.* Max Hueber, Munich, 1960; trad. cast.: *Manual de retórica literaria. Fundamentos de una ciencia de la literatura,* Gredos, Madrid, 1966, 1967, 1968, 3 vols.

La Ville de Mirmont, H. de, «Cicéron et les espagnols», *Bulletin Hispanique,* VII (1905), pp. 13-33, 93-127, 330-359.

Lázaro Carreter, Fernando, «Sobre la dificultad conceptista», en *Estudios dedicados a Menéndez Pidal,* Consejo Superior de Investigaciones Científicas, Madrid, VI (1956), pp. 355-386; reimpr. en [1974], pp. 13-43.

—, *Estilo barroco y personalidad creadora (Góngora, Quevedo, Lope de Vega),* Anaya, Salamanca, 1967; nueva ed. aumentada, Cátedra, Madrid, 1974.

Lida de Malkiel, María Rosa, *La tradición clásica en España,* Ariel, Barcelona, 1975.

—, *El cuento popular y otros ensayos,* Losada, Buenos Aires, 1976.

López Piñero, José María, *La introducción de la ciencia moderna en España,* Ariel, Barcelona, 1969.

—, *Ciencia y técnica en la sociedad española de los siglos XVI y XVII,* Labor, Barcelona, 1979.

Macrí, Oreste, «La historiografía del Barroco literario», *Thesaurus. Boletín del Instituto Caro y Cuervo,* XV (1960), pp. 1-70 = «La storiografia sul barocco letterario», *Lavori ispanistici,* Università degli Studi di Firenze, Ed. D'Anna, Messina-Florencia, 1979, pp. 41-103.

Maldonado de Guevara, Francisco, «La teoría de los estilos y el período trentino», *Revista Internacional de Estilística,* III (1945), pp. 473-494.

Maravall, José Antonio, *Teatro y literatura en la sociedad barroca,* Seminarios y Ediciones, Madrid, 1972.

—, *La oposición política bajo los Austrias,* Ariel, Barcelona, 1972.

—, *La cultura del Barroco. Análisis de una estructura histórica,* Ariel, Barcelona, 1975, 1980².

—, *Estudios de historia del pensamiento español. Serie tercera: siglo XVII,* Ediciones Cultura Hispánica, Madrid, 1975.

—, *Poder, honor y élites en el siglo XVII,* Siglo XXI, Madrid, 1979.

—, «Interpretaciones de la crisis social del siglo XVII por los escritores de la época», en *Seis lecciones sobre la España del Siglo de Oro (Literatura e historia). Homenaje a Marcel Bataillon,* eds. Pedro M. Piñero Ramírez y Rogelio Reyes Cano, Universidad de Sevilla-Université de Bordeaux III, Sevilla, 1981, pp. 111-158.

Marías, Fernando, y Agustín Bustamante, *Las ideas artísticas de El Greco,* Cátedra, Madrid, 1981.

Marín, Diego, *Uso y función de la versificación en Lope de Vega,* Castalia, Valencia, 1962.

Márquez, Antonio, *Literatura e inquisición en España 1478-1834,* Taurus, Madrid, 1980.

Mazzeo, Joseph Anthony, «A seventeenth-century theory of metaphysical poetry» y «Metaphysical poetry and the poetic of correspondence», en *Renaissance and seventeenth-century studies,* Columbia University Press, Nueva York, 1964, pp. 29-43, 44-59.

McGrady, Donald, «Notes on the Golden Age *Cuentecillo* (with special reference to Timoneda and Santa Cruz)», *Journal of Hispanic Philology,* I (1977), pp. 121-145.

Menéndez Pelayo, Marcelino, *Horacio en España,* Medina, Madrid, 1877; hay reediciones.

Menéndez Pidal, Ramón, «La primitiva poesía lírica española» (1919), en *Estudios literarios,* Espasa-Calpe, Buenos Aires, 1938, 1942³, pp. 197-264.

—, «Poesía popular y poesía tradicional en la literatura española», en *El romancero,* Páez, Madrid, [1927].

—, «Oscuridad, dificultad entre culteranos y conceptistas», *Romanische Fors-*

chungen, LVI (1942), pp. 211-218; reed. en *Castilla: la tradición, el idioma,* Espasa-Calpe, Buenos Aires, 1945, pp. 219-232.

—, «El romancero nuevo», en *De primitiva lírica española y antigua épica,* Espasa-Calpe, Buenos Aires, 1951, pp. 71-96.

—, *Romancero hispánico,* Espasa-Calpe, Madrid, 1953, 2 vols.

Moir, Duncan W., ed., *Francisco Bances Candamo, Theatro de los theatros de los passados y presentes siglos,* Tamesis, Londres, 1970.

Molho, Maurice, «Concept et métaphore dans Góngora», *Europe: Revue Littéraire Mensuelle,* n.º 577 (1977), pp. 91-139; trad. cast., revisada y abreviada: «Sobre la metáfora», en su *Semántica y poética (Góngora, Quevedo),* Crítica, Barcelona, 1977, pp. 13-20.

Moll, Jaime, «Diez años sin licencia para imprimir comedias y novelas en los reinos de Castilla 1625-1634», *Boletín de la Real Academia Española,* LIV (1974), pp. 97-103.

—, «Problemas bibliográficos del libro del Siglo de Oro», *Boletín de la Real Academia Española,* LIX (1979), pp. 49-107.

—, «¿Por qué escribió Lope *La Dorotea?*», *1616,* II (1979), pp. 7-11.

—, «El libro en el Siglo de Oro», *Edad de Oro,* Universidad Autónoma de Madrid, I (1982), pp. 43-54.

Monge, Félix, «Culteranismo y conceptismo a la luz de Gracián», en *Homenaje. Estudios de filología e historia literaria lusohispanas e iberoamericanas publicados para celebrar el tercer lustro del Instituto de Estudios Hispánicos, Portugueses e Iberoamericanos de la Universidad Estatal de Utrecht,* Van Goor Zonen, La Haya, 1966, pp. 355-381.

Morley, S. Griswold y Courtney Bruerton, *The chronology of Lope de Vega's comedias,* The Modern Language Association of America, Nueva York, 1940; trad. cast., revisada: *Cronología de las comedias de Lope de Vega,* Gredos, Madrid, 1968.

Newels, Margarete, *Die dramatischen Gattungen in den Poetiken des Siglo de Oro,* Steiner, Wiesbaden, 1959; trad. cast.: *Los géneros dramáticos en las poéticas del Siglo de Oro,* Tamesis, Londres, 1974.

Orozco Díaz, Emilio, *Temas del Barroco. (De poesía y pintura),* Universidad de Granada, Granada, 1947.

—, *Manierismo y Barroco,* Anaya, Salamanca, 1970; Cátedra, Madrid, 1975².

—, *Mística, plástica y Barroco,* CUPSA, Madrid, 1977.

—, «Características generales del siglo XVII», en J. M. Díez Borque, ed., *Historia de la literatura española,* Taurus, Madrid, 1980, vol. II, pp. 391-522.

Parker, Alexander A., «La agudeza en algunos sonetos de Quevedo. Contribución al estudio del conceptismo», en *Estudios dedicados a Menéndez Pidal,* Consejo Superior de Investigaciones Científicas, Madrid, 1952, III, pp. 345-360.

—, «An Age of Gold. Expansion and scholarship in Spain», en *The Age of the Renaissance,* ed. Denis Hay, McGraw Hill, Nueva York, 1967, pp. 221-248; trad. cast.: *La época del Renacimiento,* Labor, Barcelona, 1969, pp. 235-248; extracto en *HCLE,* II, pp. 54-70.

—, «Introduction» a Luis de Góngora, *Polyphemus and Galatea. A study in the interpretation of a Baroque poem,* ed. A. A. Parker, con traducción de Gilbert F. Cunningham, University of Texas Press, Austin, 1977.

—, «"Concept" and "Conceit"...», *Modern Language Review,* LXXVII (1982), fascículo 4.

Pelorson, Jean-Marc, «La noción de "Siglo de Oro"», en M. Tuñón de Lara, ed., *Historia de España,* vol. 5, Labor, Barcelona, 1982, pp. 295-301.

Pfandl, Ludwig, *Geschichte der spanischen Nationalliteratur in ihrer Blütezeit,* Herder, Freiburg i. Br., 1929; trad. cast.: *Historia de la literatura nacional española en la Edad de Oro,* Gili, Barcelona, 1933.

.Querol, Miquel, *La música en el teatro de Calderón,* Diputación de Barcelona-Instituto del Teatro, Barcelona, 1981.

Révah, I. S., «Un pamphlet contre l'Inquisition. La seconde partie de "La política angélica" de Antonio Enríquez Gómez (Rouen, 1649)», *Revue des Études Juives,* CXXI (1962), pp. 81-168.

Redondo, Augustin y André Rochon, ed., *Visages de la folie (1500-1650),* Université de Paris III, París, 1981.

Reyes, Alfonso, *Cuestiones gongorinas,* Espasa-Calpe, Madrid, 1927.

Rico, Francisco, *La novela picaresca y el punto de vista,* Seix Barral, Barcelona, 1970.

—, *El pequeño mundo del hombre. Varia fortuna de una idea en las letras españolas,* Castalia, Madrid, 1970; ed. aumentada: Alianza, Madrid, en prensa.

—, *Nebrija frente a los bárbaros,* Universidad de Salamanca, Salamanca, 1978.

—, «Un prólogo al Renacimiento español. La dedicatoria de Nebrija a las *Introduciones latinas* (1488)», en *Seis lecciones sobre la España de los Siglos de Oro (Literatura e historia). Homenaje a Marcel Bataillon,* Universidad de Sevilla-Université de Bordeaux III, Sevilla, 1981, pp. 59-94.

Rico Verdu, José, *La retórica española de los siglos XVI y XVII,* Consejo Superior de Investigaciones Científicas, Madrid, 1973.

Rivers, Elias L., «The Horatian Epistle and its introduction into Spanish literature», *Hispanic Review,* XXII (1954), pp. 175-194.

—, «El conceptismo del *Polifemo*», *Atenea,* CXLII (1962), pp. 102-109.

—, «Nature, art and science in Spanish poetry of the Renaissance», *Bulletin of Hispanic Studies,* XLIV (1967), pp. 255-266.

Roaten, Darnell H., y F. Sánchez Escribano, *Wölfflin's principles in Spanish drama 1500-1700,* Hispanic Institute, Nueva York, 1952.

Rodríguez-Moñino, Antonio, *Virgilio en España. Ensayo bibliográfico sobre las traducciones de Diego López (1660-1721),* Centro de Estudios Extremeños, Badajoz, 1930.

—, ed., *Las fuentes del Romancero general (Madrid, 1600),* Real Academia Española, Madrid, 1957, 12 vols.

—, *Construcción crítica y realidad histórica en la poesía española de los siglos XVI y XVII,* Castalia, Madrid, 1968.

—, *La transmisión de la poesía española en los Siglos de Oro,* Ariel, Barcelona, 1976.

— y María Brey, *Catálogo de los manuscritos poéticos castellanos de The Hispanic Society of America (Siglos XV, XVI, XVII),* Hispanic Society of America, Nueva York, 1967.

Rodríguez-Puértolas, Julio, *De la Edad Media a la edad conflictiva*, Gredos, Madrid, 1972.

Rosales, Luis, *El sentimiento del desengaño en la poesía barroca*, Cultura Hispánica, Madrid, 1966.

Rothe, Arnold, *Quevedo und Seneca. Untersuchungen zu den Frühschriften Quevedos*, Droz, Ginebra y Librairie Minard, París, 1965.

Rousset, Jean, *La littérature de l'âge baroque. Circé et le paon*, José Corti, París, 1954; trad. cast.: *Circe y el pavo real*, Seix Barral, Barcelona, 1972.

Rozas, Juan Manuel, *Significado y doctrina del «Arte nuevo» de Lope de Vega*, Sociedad General Española de Librería, Madrid, 1976.

—, «Siglo de Oro. La acuñación del término», en *Historia de la literatura española en la Edad Media y Siglo de Oro*, Universidad Nacional de Educación a Distancia, Madrid, 1976.

Ruiz de Conde, Justina, *El amor y el matrimonio secreto en los libros de caballerías*, Aguilar, Madrid, 1948.

Russell, Peter E., «The Nessus Shirt of Spanish History», *Bulletin of Hispanic Studies*, XXXVI (1959), pp. 219-226; trad. cast. en *Temas de «La Celestina» y otros estudios del «Cid» al «Quijote»*, Ariel, Barcelona, 1978, pp. 479-491.

—, «El Concilio de Trento y la literatura profana. Reconsideración de una teoría», en [1978], pp. 441-478.

Sage, Jack W., «The context of comedy. Lope de Vega's *El perro del hortelano* and related plays», en *Studies in Spanish literature of the Golden Age presented to E. M. Wilson*, ed. Royston O. Jones, Tamesis, Londres, 1973, pp. 247-266.

Salomon, Noël, *Recherches sur le thème paysan dans la «comedia» au temps de Lope de Vega*, Féret, Burdeos, 1965.

—, «Algunos problemas de sociología de las literaturas de lengua española», en J.-F. Botrel y S. Salaün, eds., *Creación y público en la literatura española*, Castalia, Madrid, 1974, pp. 15-39.

Sánchez, Aquilino, *La literatura emblemática española (Siglos XVI y XVII)*, Sociedad General Española de Librería, Madrid, 1977.

Sánchez, José, *Academias literarias del Siglo de Oro español*, Gredos, Madrid, 1961.

Sánchez Albornoz, Claudio, *España, un enigma histórico*, Emecé, Buenos Aires, 1956, 2 vols.

Sánchez Escribano, Federico y Alberto Porqueras Mayo, eds., *Preceptiva dramática española del Renacimiento y el Barroco*, Gredos, Madrid, 1965; nueva ed. aumentada, 1972.

Sánchez Romeralo, Antonio, *El villancico*, Gredos, Madrid, 1969.

Sanmartí Boncompte, F., *Tácito en España*, Consejo Superior de Investigaciones Científicas, Barcelona, 1951.

Sarmiento, Edward, «Sobre la idea de una escuela de escritores conceptistas en España», en *Homenaje a Gracián*, Institución Fernando el Católico, Zaragoza, 1958, pp. 145-153.

Scaglione, Aldo, *The classical theory of composition from its origins to the present*, University of North Carolina Press, Chapel Hill, 1972.

Schevill, Rudolph, *Ovid and the Renascence in Spain,* University of California Press, Berkeley, 1913.

Scholberg, Kenneth R., ed., *Francisco de Castro, Metamorfosis a lo moderno y otras poesías,* El Colegio de México, México, 1958.

—, *La poesía religiosa de Miguel de Barrios,* Ohio State University Press, Columbus, 1962.

Schulte, H. F., *The Spanish press 1470-1966,* University of Chicago Press, Chicago, 1968.

Schulte, Hansgerd, *«El desengaño». Wort und Thema in der spanischen Literatur des Goldenen Zeitalters,* Fink, Munich, 1969.

Sebastián, Santiago, *Contrarreforma y Barroco,* Alianza Editorial, Madrid, 1981.

Sebold, Russell P., «A statistical analysis of the origins and nature of Luzán's ideas on poetry», *Hispanic Review,* XXXV (1967), pp. 227-251; trad. cast.: «Análisis estadístico de las ideas poéticas de Luzán. Sus orígenes y su naturaleza», en *El rapto de la mente. Poética y poesía dieciochescas,* Editorial Prensa Española, Madrid, 1970, pp. 57-97.

Sentaurens, Jean, «Sobre el público de los "corrales" sevillanos en el Siglo de Oro», en *Creación y público en la literatura española,* ed. J.-F. Botrel y S. Salaün, Castalia, Madrid, 1974.

Shepard, Sanford, *El Pinciano y las teorías literarias del Siglo de Oro,* Gredos, Madrid, 1962.

Shergold, N. D., *A history of the Spanish stage from Medieval times until the end of the seventeenth century,* Clarendon, Oxford, 1967.

— y J. E. Varey, *Los autos sacramentales en Madrid en la época de Calderón 1637-1681,* Ediciones de Historia, Geografía y Arte, Madrid, 1961.

Sicroft, Albert A., *Les controverses des statuts de «pureté de sang» en Espagne du XVe au XVIIe siècles,* Didier, París, 1960.

—, «Américo Castro and his critics. Eugenio Asensio», *Hispanic Review,* XL (1972), pp. 1-30; trad. cast. en *Papeles de Son Armadans,* n.º 199 (1972), pp. 5-50.

Silverman, Joseph H., «Los "hidalgos cansados" de Lope de Vega», en *Homenaje a William L. Fichter. Estudios sobre el teatro antiguo hispánico y otros ensayos,* ed. A. David Kossoff y José Amor y Vázquez, Castalia, Madrid, 1971, pp. 693-711.

Simón Díaz, José, «El libro español antiguo. Análisis de su estructura» y «Algunas censuras de libros», en *La bibliografía. Conceptos y aplicaciones,* Planeta, Barcelona, 1971, pp. 119-226 y 269-308.

«Los escritores-criados en la época de los Austrias», *Revista de la Universidad Complutense,* 1981, pp. 169-177.

—, ed., *Relaciones de actos públicos celebrados en Madrid (1541-1560),* Instituto de Estudios Madrileños, Madrid, 1982.

Soons, Alan S., *Haz y envés del cuento risible en el Siglo de Oro. Estudio y antología,* Tamesis, Londres, 1976.

Spitzer, Leo, «El Barroco español», *Boletín del Instituto de Investigaciones Históricas,* Buenos Aires, XXVIII (1943-1944), pp. 12-30; reed. en sus *Romanische Literaturstudien 1936-1956,* Max Niemeyer, Tübingen, 1959, pp. 789-802; y en su *Estilo y estructura en la literatura española,* Crítica, Barcelona, 1980, pp. 310-325.

Studing, Richard, y Elizabeth Kruz, *Mannerism in art, literature and music: A bibliography,* Trinity University Press, San Antonio, 1979.

Szarota, Elida Maria, *Künstler, Grübler und Rebellen. Studien zum europäischen Märtyrerdrama des 17. Jahrhunderts,* Francke, Berna, 1967.

Torner, Eduardo M., *Lírica hispánica. Relaciones entre lo popular y lo culto,* Castalia, Madrid, 1966.

Valbuena Prat, Ángel, *Historia de la literatura española,* Gili, Barcelona, 1937, 2 vols. 1960⁶, 3 vols.

Varey, John E., «La creación deliberada de la confusión. Estudio de una diversión de Carnestolendas de 1623», *Homenaje a William L. Fichter,* ed. A. David Kossoff y José Amor y Vázquez, Castalia, Madrid, 1971, pp. 745-754.

Vilar, Pierre, «Le temps du Quichotte», *Europe* (enero 1956), pp. 1-16; trad. cast. en su libro *Crecimiento y desarrollo,* Ariel, Barcelona, 1974².

Vilar Berrogain, Jean, *Literatura y economía. La figura satírica del arbitrista en el Siglo de Oro,* Revista de Occidente, Madrid, 1973.

Vossler, Karl, *Introducción a la literatura española del Siglo de Oro,* Cruz y Raya, Madrid, 1934.

—, *La poesía de la soledad en la poesía española,* Revista de Occidente, Madrid, 1941.

—, «Trascendencia europea de la cultura española», en *Algunos caracteres de la cultura española,* Espasa-Calpe, Buenos Aires, 1942, pp. 87-150.

Wardropper, Bruce W., *Introducción al teatro religioso del Siglo de Oro (La evolución del auto sacramental 1500-1648),* Revista de Occidente, Madrid, 1953; nueva ed. revisada: Anaya, Salamanca, 1967.

—, *Historia de la poesía lírica a lo divino en la cristiandad occidental,* Revista de Occidente, Madrid, 1958.

—, ed., *Poesía elegíaca española,* Anaya, Salamanca, 1967.

— y Elder Olson, *Teoría de la comedia. La comedia española del Siglo de Oro,* Ariel, Barcelona, 1978.

Weisbach, Werner, *Der Barock als Kunst der Gegenreformation,* Cassirer, Berlín, 1921; trad. cast.: *El Barroco, arte de la contrarreforma,* Espasa-Calpe, Madrid, 1942.

Wellek, René, «The concept of Baroque in literary scholarship», *Journal of Aesthetics and Art Criticism,* V (1946), pp. 77-109; ampliado en sus *Concepts of Criticism,* Yale University, 1963; trad. cast.: Biblioteca de la Universidad Central de Venezuela, 1968.

Whinnom, Keith, *Spanish literary historiography. Three forms of distortion,* University of Exeter, Exeter, 1967.

—, «The problem of the "best-seller" in Spanish Golden-Age literature», *Bulletin of Hispanic Studies,* LVII (1980), pp. 189-198.

Wilson, Edward M., «The poetry of João Pinto Delgado», *Journal of Jewish Studies,* I (1949), pp. 131-143; trad. cast.: en *Entre las jarchas y Cernuda. Constantes y variables en la poesía española,* Ariel, Barcelona, 1977, pp. 221-244.

Wilson, Edward M., «Quevedo for the masses», *Atlante*, III (1955), pp. 151-166; trad. cast. en [1977], pp. 273-297.

—, «Tradition and change in some late Spanish verse chapbooks», *Hispanic Review*, XXV (1957), pp. 194-215.

—, «Miguel de Barrios and Spanish religious poetry», *Bulletin of Hispanic Studies*, XL (1963), pp. 176-180.

—, *Some aspects of Spanish literary history*, Clarendon, Oxford, 1967; trad. cast. en [1977], pp. 15-54.

—, «Inquisitors as censors in seventeenth-century Spain», en *Expression, communication and experience in literature and language*, ed. Ronald G. Popperwell, The Modern Humanities Research Association, Londres, 1973, pp. 38-56; trad. cast. en [1977], pp. 245-272.

— y Jack W. Sage, *Poesías líricas en las obras dramáticas de Calderón. Citas y glosas*, Tamesis, Londres, 1964.

Williamson, George, *The Senecan amble. A study in prose form from Bacon to Collier*, University of Chicago Press, Chicago, 1951.

Wölfflin, Heinrich, *Kunstgeschichtliche Grundbegriffe. Das Problem der Stilentwicklung in der neueren Kunst*, Bruckmann, Munich, hacia 1915; trad. cast.: *Conceptos fundamentales en la historia del arte*, Espasa-Calpe, Madrid, 1952³.

Wright, L. P., «The Military Orders in sixteenth- and seventeenth-century Spanish society», *Past and Present*, n.° 43 (1969), pp. 34-70; trad. cast. en J. H. Elliott, ed., *Poder y sociedad en la España de los Austrias*, Crítica, Barcelona, 1982.

Ynduráin, Francisco, «Refranes y "frases hechas" en la estimativa literaria del siglo XVII», en su libro *Relección de clásicos*, Prensa Española, Madrid, 1969, pp. 299-331.

—, «La rima como figura poética», en [1969], pp. 280-296.

JOSÉ ANTONIO MARAVALL

LA CULTURA DEL BARROCO:
UNA ESTRUCTURA HISTÓRICA

Barroco es, para nosotros, un concepto histórico. Comprende, aproximadamente, los tres primeros cuartos del siglo XVII, centrándose con mayor intensidad, con más plena significación, de 1605 a 1650. Si esta zona de fechas está referida especialmente a la historia española, es también, con muy ligeros corrimientos, válida para otros países europeos. [...] La cultura barroca no se explica sin contar con una básica situación de crisis y de conflictos, a través de la cual vemos a aquélla constituirse bajo la presión de las fuerzas de contención, que dominan pero que no anulan —por lo menos en un último testimonio de su presencia— las fuerzas liberadoras de la existencia individual. Esas energías del individualismo que se trata de someter de nuevo a la horma estamental, en conservación de la estructura tradicional de la sociedad, se nos aparecen, no obstante, de cuando en cuando, bajo un poderoso, un férreo orden social que las sujeta y reorganiza; pero, por eso mismo, se nos muestran constreñidas, en cierto grado deformadas, por el esfuerzo de acomodación al espacio social que se les señala autoritariamente, como esas figuras humanas que el escultor medieval tuvo que modelar contorsionadas para que cupieran en el espacio arquitectónico del tímpano o del capitel en una iglesia románica. Siempre que se llega a una situación de conflicto entre las energías del individuo y el ámbito en que éste ha de

José Antonio Maravall, *La cultura del Barroco. Análisis de una estructura histórica*, Ariel, Barcelona, 1980², pp. 24, 91, 95-96, 108-109, 112-113, 123-124, 132-133, 164-165, 168-170.

insertarse, se produce una cultura gesticulante, de dramática expresión. Vossler hace una consideración interesante respecto a Lope: si las gentes hubieran estado menos oprimidas, sus personajes hubieran sido menos desenvueltos. [...]

Los españoles del XVII, muy diferentemente de los de la época renacentista, se nos presentan como sacudidos por grave crisis en su proceso de integración. [Ello se traduce en un estado de inquietud —que en muchos casos cabe calificar como angustiada—, y por tanto de inestabilidad, con una conciencia de irremediable «decadencia» que los mismos españoles del XVII tuvieron, antes que de tal centuria se formaran esa idea los ilustrados del siglo XVIII.] El repertorio temático del Barroco corresponde a este íntimo estado de conciencia (pensemos en lo que en el arte del XVII representan los temas de la fortuna, el acaso, la mudanza, la fugacidad, la caducidad, las ruinas, etcétera. [La situación de conflictividad es normal en la base del Barroco.] Es un estado interno de desarreglo, de disconformidad. Esas tensiones que de ahí surgen afectan a la relación de nobles y pecheros, de ricos y pobres, de cristianos viejos y conversos, de creyentes y no creyentes, de extranjeros y súbditos propios, de hombres y mujeres, de jóvenes y viejos, de gobierno central y poblaciones periféricas, etc. Motines, alborotos, rebeliones de gran violencia los hay por todas partes.

[Para responder a todo este múltiple y complejo hervor de disconformidad y de protesta] la monarquía absoluta se vio colocada ante dos necesidades: fortalecer los medios físicos de represión y procurarse medios de penetración en las conciencias y de control psicológico que, favoreciendo el proceso de integración y combatiendo los disentimientos y violencias, le asegurasen su superioridad sobre el conjunto. [Contra una situación tan grave y tan amenazadora,] la monarquía, junto a sus instrumentos de represión física, acude a vigorizar los medios de integración social, poniendo en juego una serie de recursos técnicos de captación que constituyen la cultura barroca. [La cultura del Barroco es un instrumento operativo], cuyo objeto es actuar sobre unos hombres de los cuales se posee una visión determinada (a la que aquélla debe acondicionarse), a fin de hacerlos comportarse, entre sí y respecto a la sociedad que forman y al poder que en ella manda, de manera tal que se mantenga y potencie la capacidad de autoconservación de tales sociedades, conforme aparecen estructuradas bajo los fuertes principados políticos del momento. En resumen, el Barroco no es sino el conjunto de medios culturales de muy variada clase, reunidos y articulados para operar adecuadamente con los hombres, tal como son entendidos ellos y sus grupos en la época cuyos límites hemos acotado, a fin de acertar prácticamente a conducirlos y a mantenerlos integrados en el sistema social. [...]

El siglo XVII, si reduce sus pretensiones de reforma y novedad, no por eso pierde su confianza en la fuerza cambiante de la acción humana. Por ello, pretende conservarla en su mano, estudiarla y perfeccionarla, prevenirse contra usos perturbadores, revolucionarios, diríamos hoy, de la misma y, a cambio de tomar una actitud más conservadora, acentúa, si cabe, la pretensión dirigista sobre múltiples aspectos de la convivencia humana: una economía fuertemente dirigida, al servicio de un imperialismo que aspira a la gloria; una literatura comprometida a fondo en las vías del orden y de la autoridad, aunque a veces no esté conforme con ambos; una ciencia, tal vez peligrosa, pero contenida en manos de unos sabios prudentes; una religión rica en tipos heterogéneos de creyentes, reunidos en una misma orquesta por la Iglesia, que ha vuelto a dominar sobre el tropel de sus muchedumbres, seducidas y nutridas con novedades y alimentos de gustos raros y provocantes. [...]

La difusión de patrones de la literatura y del arte barrocos —y no menos de cualesquiera otras formas de vida, por ejemplo, las de la vida religiosa— se produce desde los centros de poder social hasta los rincones apartados. Con una apreciable diferencia en el tiempo, pero que, sin embargo, permite reconocer una velocidad considerable de propagación, se difunde la cultura barroca desde aquellos puntos en que se localizan los centros de poder —generalmente, ciudades importantes o, más aún, políticamente importantes— hasta zonas rurales que viven bajo la irradiación de aquellos otros núcleos. [...] Toda la multiplicidad de controles que rigen en el Barroco se vincula al centro de la monarquía. Ésta es la clave de bóveda del sistema, como alguna vez hemos dicho. Con razón ve Bodini que, bajo la imagen del «Sol», identificado con el monarca absoluto, La vida es sueño es una obra —podríamos añadir que grandiosa adrede— dedicada a la exaltación de la monarquía. [...] Se produce la pretensión, en tan amplia medida lograda, de penetrar en el recinto de la interioridad de las conciencias, según denunciaba Antonio López de Vega: la soberanía de los que mandan «se ha extendido a querer subordinar también los entendimientos y a persuadirnos que no sólo los debemos obedecer y servir con los miembros, mas aun con la razón, dando a todas sus determinaciones el mismo crédito que a las divinas, y con repugnancia muchas veces de éstas y de la ley natural en que se fundan». Se ciegan así las fuentes internas del pensamiento y de la personal capacidad de creación. [...]

La época que hemos tomado en cuenta es un período polémico a todos los niveles, en todos los campos. Por todas partes hallamos empeñada una fuerte controversia, que impone una necesidad táctica de atracción de gentes, cuyo peso, en los enfrentamientos generales, puede ser decisivo. Por eso se ha dicho que, en las circunstancias del XVII, «persuadir es ahora mucho más importante que demostrar». Si por ese camino el arte se convierte en una técnica de persuasión que va de arriba abajo, en la misma dirección que van la imposición autoritaria o la orden ejecutiva, hemos de matizar esta observación: primero, extendiendo la comprobación de ese carácter, en su doble sentido persuasivo y autoritario, a todas las manifestaciones de la cultura, y, segundo, haciendo observar que una diferencia se da, sin embargo, entre mandato y persuasión: a saber, la de que esta última exige una participación mayor del lado del dirigido, requiere contar con él, en parte, atribuyéndole un papel activo. ¿No hablaba Suárez, en su teología, de la «obediencia activa», definiendo la posición de la criatura respecto a su Creador? Una idea semejante —sostuvimos hace ya muchos años— podía aplicarse a la manera más general de considerar el siglo XVII la posición del súbdito en orden al poder; añadamos que análogamente podría hablarse de una participación activa del público que soporta la acción directiva de la cultura barroca. Sociológica e históricamente, en este sentido hay que interpretar la parte que al gusto del pueblo, como es tan sabido, reconoce Lope en el teatro y no menos en la novela.

Por eso, frente a su destinatario, la cultura barroca se propone moverlo. Tocamos aquí un nuevo y último aspecto de su dirigismo. Uno de los recursos de que se vale para alcanzar tales objetivos —los cuales pueden muy bien ejemplificarse en el arte, pero también en otros campos— consiste en introducir o implicar y, en cierto modo, hacer partícipe de la obra al mismo espectador. Con ello se consigue algo así como hacerle cómplice de la misma: tal es el resultado que se obtiene con el procedimiento de presentarla abierta al espectador, para lo cual se pueden seguir varias vías: o bien un personaje en el cuadro se dirige a quien lo contempla como invitándole a incorporarse a la escena; o bien, con la técnica de la escena inacabada que parece continuarse en el primer plano del espectador, se complica a éste en ella; o bien con el recurso de hacerle coautor, sirviéndose del artificio de que la obra cambie, al cambiar la perspectiva en que el espectador se coloca, etc. (en política, las tesis acerca del papel del individuo en tanto que partícipe en el honor del grupo tienen una fundamentación equivalente). Pero, claro está, a este individuo con quien el siglo XVII se enfrenta hay que moverlo desde dentro. El «mover o admiración» es lo que busca el arte, según López Pinciano. A diferencia de la serenidad que busca el Renacimiento, el Barroco procura conmover e impresionar, directa e inmediatamente, acudiendo a una intervención eficaz sobre el resorte de las pasiones. [...] El Barroco piensa, con su contemporáneo Descartes, que, con frecuencia, los juicios de los hombres se fundan «sur quelques passions par lesquelles la volonté s'est auparavant laissé convaincre et séduire». Y ésta es una tesis que se repite un sinnúmero de veces, dando a esa idea de admiración un carácter dinámico interno. Hay que mover al hombre, actuando calculadamente sobre los resortes extrarracionales de sus fuerzas afectivas.

Antonio Domínguez Ortiz

LA SOCIEDAD ESPAÑOLA EN EL SIGLO XVII

Quien estudie la sociedad española del siglo XVII sólo en los textos legales, e incluso en los textos literarios, encontrará muy pocas novedades respecto al siglo anterior; una simplificación de las pruebas de nobleza y limpieza dictada en 1623 para que no se tuvieran que repetir continuamente las mismas probanzas; una ley sobre com-

Antonio Domínguez Ortiz, *Esplendor y decadencia. De Felipe III a Carlos II*, vol. 7 de la *Historia de España* de *Historia 16*, extra XIX (octubre 1981), pp. 62-72, donde el autor recoge, en especial, las conclusiones de *La sociedad española en el siglo XVII*, vols. I y II, Consejo Superior de Investigaciones Científicas, Madrid, 1963 y 1970, entre otros muchos estudios suyos.

patibilidad de la hidalguía con la posesión de manufacturas textiles promulgada a solicitud de las Cortes de Aragón y algunas otras modificaciones de detalle es todo lo que podría hallarse en la legislación.

En teoría, todo seguía igual; en apariencia, nada cambiaba, lo que era lógico, ya que predominaba la idea de que todo cambio era para peor, y las *novedades,* lo mismo en el terreno de las ideas que de la vida corriente, tenían muy mala fama. Sin embargo, bajo esta apariencia de inmovilismo absoluto, en aquel siglo, como en todos los siglos, se producían cambios. Esta es una verdad admitida; en lo que no hay coincidencia es en cuanto al sentido de los cambios.

En el siglo XVI, sobre todo en la dinámica Castilla, la movilidad social fue intensa; los hombres no sólo se desplazaban físicamente, recorriendo los caminos de España, de Europa y del océano; también se movían dentro de unos marcos sociales en teoría muy rígidos impulsados por dos móviles: el honor y el dinero. La meta final era avanzar puestos en la escala social; los plebeyos querían convertirse en hidalgos, los hidalgos en caballeros, los caballeros en títulos. El dinero servía de mucho para conseguir estas aspiraciones.

La cuestión estriba en saber si en el siglo XVII siguieron actuando estas mismas tendencias o se verificó una involución, un retroceso hacia la rigidez y el inmovilismo. No hay que perder de vista un hecho fundamental: aunque en el siglo XVI hubo movilidad y cambio, las metas seguían siendo las tradicionales: consecución de altos puestos en la administración y en la Iglesia, honores, prerrogativas, una ejecutoria de hidalguía, un hábito de las órdenes militares o, si no se podía otra cosa, un puesto de *familiar* de la Inquisición, ayudante secular de aquel tribunal temible; quien lo ostentaba podía alardear, si no de nobleza, por lo menos de limpieza de sangre, y además tenía derecho a ciertas ventajas y exenciones. En cambio, la categoría de burgués acaudalado no seducía; el burgués no tenía la conciencia y el orgullo de su propio valer. Incluso en Cataluña, Aragón y Valencia, más progresivas en este punto que Castilla, el *ciudadano honrado,* que procedía del gran comercio y dominaba los grandes municipios, tendía al abandono de los negocios por la posesión de la tierra y aspiraba a convertirse en *caballero.*

Teniendo esto presente, el cambio experimentado en el siglo XVII no resulta tan grande, y hasta puede dudarse de que existiera algún cambio fundamental en cuanto a los fines; más bien cambiaron los medios, los métodos, los impulsos. Decayeron la industria, la banca, los negocios, acaparados por los extranjeros, pero seguían formándose capitales por variados medios, como los arriendos de rentas, los altos cargos burocráticos y eclesiásticos, las especulaciones sobre granos.

Ante la inseguridad del mundo empresarial y las pérdidas experimentadas por los poseedores de juros [es decir, de Deuda Pública], los antiguos y los nuevos ricos buscaron nuevas inversiones y valores refugio; ante todo, la tierra, que, aunque rentara poco, era un valor permanente (y además, prestigioso). Aumentó la tesaurización; toda familia medianamente acomodada poseía cuadros, tapices y plata labrada y, además, desde que el gobierno comenzó a manipular la moneda de vellón, las monedas de oro y plata quedaron en poder de particulares y sólo se las utilizaba en pagos importantes. Hubo en la época del conde duque de Olivares ventas de puestos de *familiares* e incluso de hábitos de caballeros. Bajo Carlos II disminuyeron estas prácticas sin desaparecer nunca del todo; precisamente en aquel reinado se vendieron muchos títulos de marqueses y condes en cantidades en torno a los treinta mil pesos. Otra repercusión muy notable de la fiscalidad se dio con las ventas de tierras baldías o realengas, que a veces crearon nuevos propietarios, pero, con más frecuencia, se limitaron a sancionar usurpaciones realizadas por los *poderosos*.

No fue aquél, por tanto, un siglo de atonía o estancamiento, sino de febril actividad; el motor seguía siendo el dinero; el dinero propio y la necesidad de dinero del estado. Pero ya no se buscaba en las guerras y los descubrimientos, sino en el favoritismo regio, el dominio de los ayuntamientos, los casamientos ventajosos con sus enormes dotes, el dominio de la tierra y la especulación sobre los productos de la misma. En aquella época cuyos ideales se basaban en el honor, la sangre pura y la actividad desinteresada había una gran apetencia de dinero.

El contraste entre la teoría y la realidad se daba aquí con gran fuerza. Quien reunía dinero se apresuraba a inmovilizarlo, creando un mayorazgo, de cuyas rentas disfrutaría el primogénito sin derecho a enajenar el capital; esta institución del mayorazgo era fruto del hondo sentido familiar, que subordinaba el interés del individuo a la continuidad del linaje, y a la vez era una precaución contra el derroche y la dilapidación, porque aquellos hombres no amaban el dinero sino como medio de ostentación. Gracias a las rentas, el mayorazgo podía vivir en la ociosidad; los más activos, sin embargo, procuraban acumular *bienes libres,* bienes de los que podía disponer a su antojo, y podían lograrlo de varias maneras: con el ejercicio de un cargo o una profesión, practicando el ahorro, contrayendo un matrimonio ventajoso, aunque la mujer tenía en las leyes garantías muy serias para salvaguardar su dote. [...] La mayoría de los simples hidalgos formaban parte de la población rural; los caballeros y títulos, de la urbana. Madrid atrajo un número creciente desde que en 1606 se consolidó su posición como capital; la aristocracia palatina empezó a labrar palacios, aunque este proceso fue muy lento, pues la mayoría de esos palacios (hoy casi todos desaparecidos) se edificaron en el siglo XVIII. En general, la nobleza provincial siguió fiel a las ciudades, grandes o pequeñas, en las que tenían influencia y clientela, y desde las que podía vigilar sus posesiones; el caso era especialmente llamativo en el sur: si Toledo había sido abandonado por muchos de sus antiguos linajes, Cáceres, Lorca, Ecija, Baeza y otras muchas ciudades seguían conservando vitalidad gracias a los títulos, caballeros y mayorazgos que en ellas residían y gastaban sus rentas.

El incremento del número de grandes y títulos fue un fenómeno interior a la clase nobiliaria, donde el papel del hidalgo resultaba cada vez más desdibujado; conseguir un título era un motivo de vanidad, de prestigio, no un aumento de poder, sino una posibilidad de acercamiento a la verdadera fuente de poder, que era la realeza. No importaba si, como ocurrió con el último de los Austrias, el representante de ese poder real era un monarca débil, incapaz; el personalismo medieval, con reminiscencias feudales, quedaba muy atrás; el prestigio de la monarquía, o sea, del estado, era independiente de las cualidades personales de sus representantes. La aristocracia sólo podía participar de su poder a título delegado, frecuentando la corte, donde tenía a gran honor desempeñar cerca del rey los más humildes servicios. Los conatos de rebeldía que aún en el XVI se dieron entre algunos grandes señores en el XVII eran ya impensables. La aristocracia no pensaba en derribar el árbol de la monarquía, sino en agarrarse a él como la yedra y chupar lo que pudiera de su savia: cargos, mercedes, dotes para sus hijas...

[El estamento eclesiástico aumentó considerablemente debido a la crisis general, que impulsó hacia la Iglesia como refugio. Sin embargo, la situación de los eclesiásticos no era siempre alentadora: había enormes contrastes de riqueza y pobreza dentro de la Iglesia española.] El gobierno tendió a apropiarse cantidades cada vez mayores de las rentas eclesiásticas. Ya Felipe II obtuvo de los papas concesiones para hacer contribuir al clero y Felipe IV acentuó esta política, por lo que se produjeron frecuentes tensiones. La Iglesia defendía no sólo su inmunidad tributaria, sino también su fuero judicial y la inmunidad local, o sea, el derecho de asilo, en virtud del cual los delincuentes que se refugiaban en los templos no podían ser extraídos de ellos por las autoridades civiles. [...] La autoridad del rey sobre la Iglesia encontraba su más alta expresión en sus relaciones con la Inquisición, tribunal muy centralizado, al que el rey controlaba estrechamente por medio del nombramiento del inquisidor general, de quien dependían todos los demás. No puede extrañar que los reyes cedieran a veces a la tentación de servirse de la Inquisición como arma política; lo hizo Felipe II en el asunto de Antonio Pérez, después de él Felipe IV, cuando se trató de inutilizar al protonotario Villanueva, tras la caída del conde duque, de quien había sido instrumento, y en las intrigas que rodearon los años finales de Carlos II y el turbio asunto de los hechizos del rey también estuvieron mezclados los inquisidores generales. Algunos fueron a la vez confesores del rey, lo que les confería un poder extraordinario.

[La influencia y popularidad de los dominicos —entre quienes se reclutaban tales confesores— descendieron un poco con las polémicas que sostuvieron con otras órdenes, y por la resistencia que opusieron a la *opinión piadosa* (no llegó a ser dogma hasta el siglo XIX) de la Inmaculada Concepción de la Virgen María, que despertó en todo el pueblo cristiano un entusiasmo extraordinario, convirtiéndose en fuente de inspiración para artistas y poetas. Mientras declinaba el prestigio de los dominicos, se mantenía el de los franciscanos, que habían guardado mejor la pobreza primitiva, olvidada por las demás órdenes. En ese olvido cayó también la Compañía de Jesús, que se orientó preferentemente a la educación de la juventud de las clases altas y medias. Este fue uno de los instrumentos de su poderosa influencia; otro, la dirección espiritual por medio de los ejercicios y del sacramento de la Penitencia.] Jesuitas y franciscanos suministraron los más populares misioneros, aunque también los hubo de otras órdenes. La práctica de las misiones remontaba a la época renacentista, pero fue en la barroca cuando desplegó todos sus recursos, toda su aparatosa teatralidad. Los misioneros convocaban al pueblo y lo conmovían con un conocimiento empírico, pero muy eficaz, de la psicología de las masas: procesiones y otros actos colectivos, sermones en los que se pintaban con los más vivos colores los males del pecado y el rigor de los tormentos eternos, actos públicos de contricción en los que se reconciliaban familias separadas por odios mortales; en suma, un tipo de religiosidad más emocional que profunda y que marcó con honda huella la sociedad hispana.

Toda ciudad ejerce múltiples funciones, aunque haya una predominante. A esta disparidad de funciones corresponde una variedad de grupos sociales. La función de mando estaba representada por miembros de las clases dirigentes: el ayuntamiento, el obispo, el gobernador militar, etcétera. La función comercial, que nunca faltaba, daba lugar a grupos heterogéneos; los grandes mercaderes poseían desde antiguo un puesto preeminente en las ciudades catalanas y valencianas (los *ciudadanos honrados*). En Castilla tuvieron que luchar más para que se reconociera su *status* social, y a pesar de la importancia que adquirieron en ciudades como Cádiz, Málaga, Madrid, donde los cinco gremios mayores acumularon riquezas y prestigio, en gran parte acabaron fagocitados por una sociedad muy apegada a ciertos valores tradicionales. La mayoría de esas familias, incluso las de procedencia extranjera, a la segunda o tercera generación dejaban los negocios, compraban tierras y, a ser posible, un título de Castilla. Si no tenían recursos para tanto trataban de lograr un hábito de las órdenes militares, y si no podían superar las pruebas solicitaban un puesto de *familiar* de la Inquisición, que también confería prestigio, aunque en grado mucho más modesto. [...] A los grandes mercaderes, que formaban pequeños islotes, hay que añadir los comerciantes de tienda y, por último, los *regatones,* que eran mercaderes al por menor y revendedores; situados muy bajo en la escala social, caían bajo el mismo anatema que los que profesaban oficios *viles y mecánicos,* que eran todos los que necesitaban un esfuerzo manual. Los gremios fueron, en buena parte, una tentativa de prestigiar ciertas actividades que, dentro de la sociedad jerárquica, gozaban de escaso aprecio, recurriendo para ello, en ciertos casos, incluso a la exigencia de pruebas de limpieza de sangre para los aspirantes a la maestría. Sin embargo, la función principal del gremio era económica: evitar la competencia y el intrusismo, asegurar a cada agremiado un nivel, casi siempre muy modesto, de subsistencia y unos servicios análogos a los que hoy dispensa el estado por medio de la Seguridad Social a los ancianos, impedidos, viudas y huérfanos. Las contrapartidas de estas ventajas eran el favoritismo en el acceso a la maestría, la falta de iniciativa, la rutina y, a la larga, la imposibilidad de competir con los productos extranjeros y crear una verdadera industria. [...]

La frontera entre artesanos y artistas era imprecisa. Los pintores sostuvieron varios pleitos para que no se les incluyera en el cobro de alcabalas con los artesanos, o para que no se les prohibiera llevar vestidos de seda. Un gran escultor como Martínez Montañés tenía que dirigir su taller con arreglo a las normas de la organización gremial. El mismo Velázquez tuvo dificultades para vestir el hábito de caballero de Santiago que le concedió Felipe IV. Estaban, en cambio, libres de tales trabas los médicos, abogados y otros profesionales.

Las riquezas acumuladas en las ciudades atraían a gran número de mendigos, vagabundos, minusválidos y asociales. Estas masas suscitaban a la vez la caridad y los recelos de los ciudadanos; abundaban las limosnas, los hospicios y hospitales, y también las cárceles y los medios de represión. Un sector amplio, mal definido, de estos bajos fondos inspiró a los autores de las novelas picarescas, cuyo apogeo se sitúa entre mediados del XVI y mediados del XVII. Después el género decae, tal vez por razones de tipo literario, pero probablemente también porque la decadencia de las ciudades arrastró la disminución de la grey picaresca. La disminución se produjo también en el sector esclavista, sobre todo desde la separación de Portugal, en 1640, puesto que los portugueses eran los proveedores de esclavos negros. Siguió habiéndolos, y también turcos y berberiscos, pero en número cada vez menor. [...] Bajo los últimos Austrias se conservaron las líneas maestras de la sociedad rural, aunque no sin cambios significativos. La paulatina concentración de la propiedad trajo como consecuencia una disminución del número de propietarios y un correlativo aumento de los arrendatarios y jornaleros. [...] Hidalgos y labradores enriquecidos formaron, por encima de diferencias estamentales, una burguesía rural que se aprovechó de las ventas de baldíos, de las ventas de oficios municipales, de la política real de favorecer (por dinero) las exenciones de aldeas y constituyó el núcleo del futuro caciquismo rural. Entretanto, la situación de los jornaleros era lamentable; en las épocas de paro, en los años calamitosos sólo les quedaba el recurso a la beneficencia pública y privada; cuando predominaba la demanda de trabajo, las tasas de jornales dictadas por los ayuntamientos limitaban al mínimo sus pobres ganancias. [...] El mundo rural español presentaba una variedad tal y unos contrastes tan fuertes que todo intento de sacar una conclusión global resulta vano. Lo único que puede decirse es que, en aquella centuria que presenció tantas tragedias, no todo fue negativo, ni tampoco se resumen todos los contrastes en la oposición entre señores y vasallos, grandes propietarios y jornaleros. En una situación muy fluida y cambiante, en la que los rasgos capitalistas superaban claramente a los feudales, dentro de la propia masa campesina se ahondaban diferencias y brotaban nuevos grupos sociales difíciles de encuadrar en una clasificación sistemática.

AMÉRICO CASTRO

LA EDAD CONFLICTIVA:
CASTAS, HONRA Y ACTIVIDAD INTELECTUAL

Cuando se leen las obras sobre botánica de Andrés Laguna, García de Orta, Cristóval Acosta en el siglo XVI; los tratados de astronomía y de matemáticas de Pedro Núñez, los estudios jurídicos y sociales de Francisco de Vitoria, la prosa nítida y tajante de los hermanos Valdés, la crítica escrituraria y profana de tanto sabio humanista, y tanta otra cosa, es inevitable preguntarse cómo se detuvo aquella corriente de inteligente actividad. [...] No basta con hablar de decadencia y acudir a circunstancias exteriores (la Inquisición, la Contrarreforma, la despoblación como secuela de guerras y conquistas, etc.); ni tampoco a la famosa «psicología», como si el español no fuera tan apto como cualquiera para la ciencia, como si la vida del hombre no fuera resultado de lo que éste prefiera hacer con su psicología en cada momento. Era necesario, por lo mismo, decir claro el motivo de haber sido El Escorial tumba para libros tanto como para cadáveres regios. ¿Qué decadencia, o qué psicología, determinó que las maravillas acumuladas por Felipe II permanecieran desconocidas, hasta que algunos extranjeros vinieron a exhumarlas en el siglo XIX? [...] Es cierto que Descartes tuvo que huir de Francia y Galileo se vio en aprietos con la Iglesia de Roma. Mas estos y otros hechos no indujeron a franceses e italianos a huir en desbandada de toda actividad cultural no al servicio de la religión, por miedo a ser marcados con el estigma de poseer libre curiosidad intelectual —que eso fue lo acontecido en España.

Como he dicho en *La realidad histórica de España* (1954, último capítulo), la actividad pensante llegó a constituir grave riesgo desde la segunda mitad del siglo XVI. Muchos han creído posible salir del

Américo Castro, *De la edad conflictiva* (*El drama de la honra en España y en su literatura*), Taurus, Madrid, 1961, pp. 33-38, 188-189, 205-206, 40-41.

paso escurriendo el bulto a lo ahí presente como verdad inconmovible. En ningún país de Occidente se produjo tal fenómeno, al menos en forma tan radical; porque se trata de lo radical de aquella situación, y no de otra cosa. Me parece, por consiguiente, que mi examen del tema de la honra (A. Castro [1961]) hará ver que la «cerrazón religiosa», a la cual suele atribuirse el atraso de los españoles, era sólo aspecto de una realidad más profunda. El socorrido comodín de la Contrarreforma —término (*Gegenreformation*) y concepto importados de Alemania— no nos sirve. Desde hace mucho me sorprende que se considere decisiva la comunicación con Europa, lo importado de ella, al examinar el problema de la cultura española. Se achaca la incultura a que el bueno de Felipe II aislara a los españoles tras una cortina de piedad. Con lo cual se acepta implícitamente que la cultura propia no existía, ya que era indispensable importarla. [...] Si los cristianos españoles hubieran poseído de suyo aficiones científicas, se hubieran servido de ellas en mayor o menor grado, pese a todos los aislamientos. Lo cual me hizo ver que no fue el miedo a los luteranos el motivo del aislamiento cultural, sino algo presente y sentido en el latir de la propia vida.

De religiosa, la cuestión se convirtió en esta otra: en la de quién se creía con derecho y con poder para figurar en primera línea dentro del imperio español, para destacarse en modo preeminente y no temer ser relegado a un último término. Durante la prolongada contienda entre hispano-cristianos e hispano-judíos, tras el pleito entre ortodoxia y herejía, se ventilaba, en realidad, el de quiénes iban a ser los «mantenedores de honra» como españoles. Si la necesidad de «mantener honra» hubiese estado subordinada, ante todo, al ideal de establecer el reino de la palabra de Dios, habría bastado con cerciorarse de si los descendientes de hispano-hebreos o de moriscos eran auténticos cristianos en cuanto a su creencia y a su conducta. Mas no fue así, puesto que lo en realidad importante —fuera de algún manifiesto caso de herejía— era el hecho de la ascendencia, o sea si la preeminencia social correspondía a la «casta» de los hispano-cristianos o a la de los hispano-hebreos, no purificados ni salvados de su mácula por la virtud de los sacramentos. Esta incongruencia religiosa fue notada por algunos en los siglos XVI y XVII.

No tomando este punto de vista, no se comprende cómo se afinaba tanto la búsqueda de los rasgos de carácter y de la peculiaridad de las ocupaciones de los hispano-hebreos. Si éstas no hubieran sido fundamentalmente distintas de las de los hispano-cristianos, ¿qué sentido habría tenido señalar como nefandas, como judaicas, tales ocupaciones? De tratarse de una querella puramente religiosa, bastaba con inquirir si el humanista o el científico estaban en regla con la Iglesia, y no si el ser humanista o científico era ya por sí solo un síntoma de ascendencia judaica. Hasta se hurgaba en la cuestión de si el sospechoso era «agudo» de mente, por aquello de «ni judío necio, ni liebre perezosa». El detallarse tanto las preferencias de los hispano-judíos por ciertas clases de trabajos, profesionales y técnicos, revela que la religión era el primer plano de un trasfondo más inquietante, o sea el determinar si el poder y el prestigio de la «casta» dominante de los hispano-cristianos iba o no a ser mermado por el de la casta hispano-hebrea, tan encumbrada, tan «empinada», según escribía el Cura de los Palacios, cronista del reinado de los Reyes Católicos. La casta guerrera y dominadora se caracterizó a sí misma como «limpia», como «límpida» o «linda», como auténticamente *castiza*. No se envanecieron, en cambio, de ser sabios los hispano-cristianos, ni expertos administradores, ni buenos financieros, ni capaces de sacar adelante la difícil situación económica del país. [...]

A medida que avanzaba el siglo XVI las situaciones se hacían más complejas y exacerbadas con los pruritos de limpieza de sangre, vivísimos en todas las regiones, también en Cataluña. Los «impuros» sabían que lo eran. Pese a su nueva cristiandad, a menudo sincera; no obstante las ejecutorias de hidalguía, tan solicitadas entre ellos, y su frecuente bienestar económico, la verdad es que los «no limpios» vivían consumiéndose. Mateo Alemán, en 1599, menciona en su *Guzmán de Alfarache* (II, 3, 8), el caso «de un cristiano nuevo y algo perdigado, rico y poderoso, que viviendo alegre, gordo, lozano y muy contento en unas casas propias, aconteció venírsele por vecino un inquisidor; y con sólo el tenerlo cerca vino a enflaquecer de manera, que lo puso en breves días en los mismos huesos». Lo mismo sucedió —cuenta Mateo Alemán— a un carnero metido en una jaula a cuyo lado pusieron otra con un lobo dentro: «Aunque el carnero comía lo que le daban, hacíale tan mal provecho, por el susto que siempre tenía, que no solamente no medraba, empero se vino a poner en los puros huesos». El converso se sabe enfrentado con una sociedad en donde su «opinión» está en riesgo; trata entonces de atraérsela, o de eludirla y de refugiarse, si puede, en íntimas eminencias. Algunos embistieron contra aquella sociedad en modo crítico, punzante o amargo. La historia literaria convencional ignora o pretende esquivar las conexiones entre ese estado social único en Europa, y ciertas formas y géneros del siglo XVI sin equivalente europeo. Yo he hablado hace muchos años de Renacimiento, de erasmismo, de Contrarreforma, de «huida del mundo», de Barroco, como si la literatura sólo estuviese determinada por circunstancias «hegelianas», extrínsecas y tópicas, y no también, y decisivamente, por las formas y situaciones de vida expresadas en ella, directa u oblicuamente. La cual vida, a su vez, enlaza con tradiciones de vida, de estimaciones y no sólo de temas. Se da, además, en un espacio y en un tiempo.

[Todo esto se refleja en el cuadro de la vida social presentado en la creación literaria. Mientras que para Cervantes nobles y villanos valen no por su ascendencia, sino por su valor moral, las «salidas» del caos español ideadas por Lope de Vega son distintas.] Sus figuras dramáticas expresaban el conflicto de la vida real en muy otra forma. Los labriegos eran sedes de honra en las conversaciones de la gente a causa de su supuesto no judaísmo, pero en el teatro de Lope de Vega la conciencia honrosa del villano sale a luz al enfrentarse con el señor depravado. Aunque el labriego apareciese en escena sostenido por su ejecutoria de cristiano viejo, sus choques con los poderosos se proyectaban sobre un fondo tradicional, sobre el recuerdo de la opuesta relación de los unos y los otros respecto de los judíos, amparados antaño por los grandes. La nobleza se había «contaminado» en sus contactos con el judío, y tal había sido el fundamento de haber tenido que acudir al más bajo nivel en la casta de los electos para estar seguro de haber mantenido aquélla su pureza:

COMENDADOR: ¿Vosotros honor tenéis?
¡Qué freiles de Calatrava!
REGIDOR: Alguno acaso se alaba
de la cruz que le ponéis [de caballero],
que no es de sangre tan limpia.

(*Fuenteovejuna*, II, 4.)

El contraste entre la auténtica limpieza de sangre (la hidalguía) de los labriegos y la muy dudosa de los tradicionalmente reconocidos como hidalgos fue también muy destacada por Lope de Vega en *Peribáñez*. [...]

Esta rápida referencia a la singular estructura de la vida española era necesaria para hacer comprensible el sentido de la honra, de ese «mantener honra» clave de existencia para los creadores de un especial tipo de grandeza, y de grandiosidad. El sentimiento de la honra, de la limpieza de sangre y del ansia de hidalguía necesitan para ser entendidos tener bien presente la totalidad de la estructura y del funcionamiento vital de los españoles. Sin eso, por piramidales que sean los documentos, nunca se nos habría revelado el motivo del marasmo cultural en que, desde el siglo xvi, cayeron Portugal y España, juntos en su raíz y en sus destinos. Y el motivo era muy simple: la casi totalidad del pensamiento científico y filosófico y de la técnica más afinada había sido tarea de hispano-judíos, de la casta hispano-hebrea, integrada antes por judíos de religión, y desde 1492 por cristianos nuevos. [...] Los nombres mencionados al comienzo de estas mis razones (Luis Vives, Francisco de Vitoria, etc.), todos pertenecían a la casta de los hispano-hebreos. Desconociendo, o pretendiendo saltarse tan evidente hecho, el pasado se hace ininteligible. Y entonces la historiografía se vuelve, o fabulosa, o arbitraria, o mendaz, o antisemítica, o ciega.

JUAN MANUEL ROZAS

«SIGLO DE ORO»: HISTORIA Y MITO

El concepto de Siglo de Oro como término literario se acuña, igual que tantos conceptos fundamentales de la vida y de la cultura españolas, en la segunda mitad del siglo xviii, cuando los españoles levantan poco a poco el denso telón de niebla que cubría esa zona de nadie que va desde 1680 a 1750, en esa lenta descomposición del Barroco español. Aunque hay ojos que pretenden ver con claridad a través de la niebla ya en los primeros decenios del siglo (así Feijoo, Luzán, etc.), sin embargo, va a ser a partir de la mitad de la centuria

Juan Manuel Rozas, «Siglo de Oro. La acuñación del término», en *Historia de la literatura española de la Edad Media y Siglo de Oro,* Universidad Nacional de Educación a Distancia, Madrid, 1976, pp. 5, 17, 23, 25, 31-32.

cuando, con la generación plenamente ilustrada, se va a plantear el pasado, presente y futuro de las letras españolas. Esto va a traer como consecuencia el establecimiento de *un antes* y *un después*. Y en el antes una época de esplendor, una *edad dorada,* un *Siglo de Oro,* y luego una decadencia; y en el después, un deseo de reforma, de progreso, de renovación, en busca de una literatura digna de aquel pasado áureo, frente a un anquilosado no querer ver ni admitir, un seguir dentro de tradiciones ya inadmisibles.

Los límites entre la zona del antes y del después son inseguros. Depende de cada estudioso. Y mucho más inseguros son, dentro del antes, los límites entre el oro y la plata y el hierro. Y aun son inseguros los límites entre tradición y renovación, pues tenemos escritores, como Forner, que se contradicen interiormente. [En todo caso], a la altura del neoclasicismo, el Siglo de Oro es una época anterior a una corrupción y decadencia posteriores, producida en el Barroco. El Siglo de Oro es, para ellos, el XVI, y su esplendor se muestra en un género: la lírica. Menos en la novela, a pesar del creciente cervantismo, y menos, mucho menos, en el teatro, en general descalificado.

El romanticismo va a producir la primera gran ampliación del Siglo de Oro. Lo va a llevar a grandes zonas del siglo XVII, nada menos que hasta Calderón, que muere en 1681, y a nuevos géneros, sobre todo al teatro barroco, que ahora experimentará un auge inusitado en la apreciación universal. Como trasfondo de este cambio, vemos el sentido romántico de nuestra literatura, que a los hombres del siglo XIX les parecerá evidente, y que potencia una literatura que, según ellos tiene siempre un aire caballeresco, es un tanto medieval siempre, y cumple tres condiciones que llegarán hasta nuestros días en la formulación de Menéndez Pidal: es una literatura realista, popular y nacionalista. Este proceso está enraizado con otro fundamental para la cultura española: el nacimiento del hispanismo militante. En el mundo germánico, en el anglosajón y en el francés, se va organizando el hispanismo en un momento favorable para la cultura del Siglo de Oro y de la Edad Media. [...]

La labor de Menéndez Pelayo y su generación —la de 1883— dejó propicias las cosas para realizar tres actividades en torno a nuestra literatura, tarea que antes parecía un lujo, pues faltaban cimientos. Ahora se podía: 1) Mitificar y filosofar con nuestra literatura áurea. Ejemplo: *Vida de don Quijote y Sancho,* de Unamuno. 2) Hacer literatura de la literatura. Ejemplo: *Castilla,* de Azorín. 3) Iniciar una sólida labor filológica y medievalista. Ejemplo: la edición y estudio del *Poema del Cid,* de Menéndez Pidal, [bajo cuya dirección el Centro de Estudios Históricos acogió trabajos sobre el Siglo de Oro tan importantes como los debidos a Américo Castro, José F. Montesinos y Dámaso Alonso. Desde los puntos 1 y 2, la generación del 98] fomentó el acercamiento a muchos problemas del Siglo de Oro, especialmente hacia un cervantismo de tipo filosófico o subjetivo que practicaron casi todos (Unamuno, Azorín, Maeztu) y que pasó a la generación siguiente (Ortega, Madariaga, Azaña). Por otra parte, Unamuno, Machado, Ganivet y, mucho más Azorín, fueron divulgadores de la literatura española en general y en particular de los clásicos. Empleo este término, *clásicos,* porque es el preferido por Azorín, que no hay nada más que echar un vistazo a los libros que publica entre los años doce y dieciséis para darnos cuenta de cómo le gusta este término y de lo mucho que ensayó sobre el Siglo de Oro: *Lecturas españolas, Castilla, Clásicos y modernos, Los valores literarios, Al margen de los clásicos, El licenciado Vidriera,* etcétera. Aunque el aspecto filológico y el erudito —a pesar de sus infinitas lecturas— cae en Azorín del lado subjetivo, y van acompañados de grandes fallos, sin embargo, debe pasar como el prototipo de crítico de buen gusto que encamina a sus lectores hacia los textos clásicos. De hecho, la generación siguiente y mucho más la del 27 le son deudores en su formación, sobre todo a la hora de elegir lecturas. [...]

Si fueron los románticos, empezando desde el extranjero, los primeros en ampliar aguas arriba del XVII, a través de su teatro, el Siglo de Oro, van a ser ahora los hombres de la generación del 27 los que, en una segunda ampliación, van a completarlo, rescatando diversos valores fundamentales, como Góngora y el gongorismo, la poesía tradicional, ciertas zonas de Lope, el auto sacramental, etc., del Siglo de Oro, especialmente del Barroco, que todavía estaban sin descubrir y, sobre todo, sin admirar. Precisamente la generación del 27 reunía una serie de valores que la hacían propicia para esta ampliación. En primer lugar, sentían un prurito de universalidad que les avergonzaba del trinomio *realismo-popularismo-nacionalismo* que el siglo XIX había ajustado a nuestra cultura clásica. Por eso, ellos buscaron ciertos valores universales, europeos, de gran calidad estética, de sentido elitista. Góngora será causa y efecto de esos sentimientos. En segundo lugar, es una generación dotada de una sensibilidad muy grande y a la vez con una vocación filológica evidente. Dámaso Alonso, Jorge Guillén, Pedro Salinas, Gerardo Diego han sido catedráticos de literatura, y muchos más que no habían empezado la docencia en serio antes de la guerra civil, como Cernuda o como Chabás, vivieron de la literatura española como profesores en universidades de América. En tercer lugar, fue una generación liberal que apadrinó de una forma ejemplar todas las tendencias que estéticamente lo merecían. Y así, al mismo tiempo que entraba con ellos literatura de extrema izquierda, se rescataban zonas literariamente católicas de nuestro Siglo de Oro. [...]

El concepto Siglo de Oro responde a un mito que recorre la cultura occidental desde Hesíodo a Cervantes, y llega resonando hasta nosotros. España ha sentido la necesidad de dar este nombre a la etapa mayor de su cultura, especialmente en lo literario. Como tantas veces, el mito es una justificación y un deseo, poéticamente enlazados por una seriación literaria. Una justificación para un mal y un deseo de que el mal cese. Hubo una vez una edad dorada, un paraíso terrenal, y a él podremos volver, dice el hombre. Nostalgia de lo perfecto, desde lo imperfecto. De lo completo, desde lo incompleto. Del cosmos, desde el caos. Nostalgia de lo eterno, desde lo mortal.

En los países occidentales, España es el único, de los vivos, que ha montado su historia desde un mito clásico, el Siglo de Oro. Denominación aparentemente paralela es la francesa de *Siglo de Luis XIV,* pero en el fondo, muy distinta, por no entrañar temporalidad ni nostalgia, ni insatisfacción desde *un antes* y *un después.* Lo que quiere decir el hecho de que España haya montado la explicación de su cultura sobre una época que ha denominado Siglo de Oro es que ha tenido siempre presente —con desasosiego— la temporalidad y la dualidad de un tiempo de oro y un tiempo de hierro. Esto muestra, naturalmente, un especial talante, una forma de ver el mundo, una moral y un enfoque dual de las virtudes teologales nacionales: esperanza, desesperanza.

Esto sólo se ha producido, tan tajantemente, en nuestra cultura. Esta estructura tripartita (Edad Media - Siglo de Oro - Edad Contemporánea), esa estructura con un corte tan tajante entre el apogeo y la decadencia, entre el oro y el hierro, es algo que —evidentemente exagerado, reelaborado artísticamente— sólo se da plenamente en la cultura española. Esta estructura responde a una visión de la historia de España que se podría simbolizar en una de las empresas de Saavedra Fajardo. Una flecha en el aire: *O sube o baja.* En efecto, tajante, el español no ha admitido medianías ni mezclas. Soberbia imperialista o complejo de mendigo. No es para tanto. No lo ha sido. El siglo XVIII, que es cuando se crea la denominación mítica, es un siglo maravilloso por cien razones. Pero no se trata de combatir el mito, porque unamunianamente nos envolverá. Se trata de entenderlo distanciadamente. España ha necesitado ese mito para explicarse a sí misma. El mesianismo, primero, y luego la decadencia humillada, ese sube y baja del inmenso imperio que se abre en 1492 y se cierra sólo en 1898, da a nuestra historia un aire de empresa: *O sube o baja.*

¿Debemos seguir alimentando el mito? ¿Destruirlo? Ni lo uno ni lo otro. Dejarlo cual está. Ni fomentarlo, ni envolverse en peleas quijotescas con él. No se puede ignorar que España ha vivido pendiente de esa flecha. Que los muertos entierren a los muertos. Pero nosotros conservaremos sus tumbas con respeto y con amor. Quiero decir que el Siglo de Oro debe ser estudiado, cuidado, conservado. Pero no transportado, ni vivificado a nuestra época. Debe ser estudiado, pero sin añoranzas ni nebulosas. Para nosotros es un período de nuestra historia y su nombre se debe lexicalizar todo lo posible a la hora de estudiarlo, como por fortuna se va ya produciendo, hasta que llegue a significar a la manera que lo hace el sintagma «Edad Media».

EMILIO OROZCO

BARROCO Y MANIERISMO

La auténtica creación del Barroco llega esencialmente al espíritu no por una inmediata y directa comunicación, ni menos aún por los medios y caminos de lo racional, sino impresionando sensorialmente, incluso asombrando y deslumbrando. Superficialidad, recargamiento ornamental y decorativismo, junto a la profundidad, gravedad y tras-

Emilio Orozco, *Manierismo y Barroco*, Anaya, Salamanca, 1970, pp. 22-23, 30-32, 36-37, 39, 41-44, 49-53, 57-59.

cendencia. Incluso la más terrible lección moral y ascética cumple
su fin y consigue su plena eficacia a través de esa vía de los sentidos.
[...] No es extraño, así, que el movimiento de revalorización y comprensión del estilo barroco se desarrollara siguiendo el mismo paso
de lo estilístico formal a lo interno, vital y psicológico. Primero se
analiza y caracteriza su morfología, se fijan las categorías o símbolos
de la visión, los conceptos fundamentales wölflinianos que establecen
su contraposición con lo clásico [véase arriba, p. 7]; después —todavía— se ahonda en la psicología del estilo, se busca su espíritu.
Y no es extraño tampoco que en esta progresiva comprensión del
Barroco se partiera de las artes plásticas y se trasladara después la
atención al campo de la poesía y de la música. El porqué de esto
último es bien claro: es lo visual y pictórico lo que preside el desarrollo y vida de las formas en el Barroco. Así, la previa comprensión
del fenómeno en las artes plásticas fue lo que hizo posible iluminar
el análisis de la obra poética, incluso intentando trasladar a ella los
mismos símbolos de la visión. Y subrayemos además otro hecho: esa
vuelta hacia el Barroco era estimulada consciente e inconscientemente por una apetencia que arrancaba de las inquietudes artísticas
del momento. [...]

La primera conclusión a que llegaron los estudios barroquistas
fue a considerar el Barroco, no como una degeneración, sino como
una transformación y término del estilo renacentista. Inicialmente,
la materia, la sustancia, las formas a través de las cuales se expresa
el nuevo estilo, son las mismas renacentistas, sólo que, progresivamente, se desmesuran, se agitan y se retuercen, al mismo tiempo
que lo ornamental rompe sus cauces e incluso llega a ocultar lo constructivo. Parece como si en este mundo de «formas que vuelan» todo
gravitara en lo ornamental, en lo sensorial. El Barroco, pues, se expresa con formas ajenas entablando una lucha con ellas, que es la
base de ese gran drama que supone siempre el barroquismo, acabando con el equilibrio, la armonía, la claridad racional del clasicismo, haciéndole así decir a esas formas lo contrario de lo que por sí
mismas representaban. [...]

Lo esencial y característico es algo que, arrancando de lo más
hondo de la realidad de la época, de la naturaleza y de la vida, se
enfrenta con violencia con el cuerpo doctrinal de la poética aristotélica. Se enfrenta y lucha desgarrando, como el nuevo espíritu lucha
y retuerce en la arquitectura las formas clásicas renacentistas y como

en la poesía formas petrarquistas se sustancializan, hinchan o desha-
cen por el ímpetu de la incontenible necesidad expresiva de lo humano individual y de época. Y fijémonos bien cómo esos arranques
de vida y naturaleza brotan desde dentro del campo de los doctos
teorizantes, incluso de los mismos que, especialmente, teorizan apoyándose en esa tradición clasicista aristotélica. Y además, la declaración de este nuevo impulso es cosa que se hace con plena conciencia de su novedad. Pero, aclaremos también, no es un fenómeno que
se produce como cambio o evolución intelectual o artística, sino como
una irrupción desbordante de la vida. [...]

Si destacamos en el pensamiento artístico y literario, como algo básico para la comprensión de la psicología del estilo, este fenómeno de la
consciente penetración de la vida en la racional doctrina clasicista, es para
explicarnos mejor los esenciales cambios que ofrecen los géneros y temas
renacentistas en la poesía y arte del Barroco, como asimismo para descubrir el fundamento de los nuevos géneros que surgen, como el teatro
y la picaresca en la literatura y el nuevo sentido del retrato, cuadro de
paisajes y el bodegón en la pintura. Así, en el desarrollo del cuadro
mitológico, comprendemos ese fuerte tirón de la vida que lo descom-
pone y hasta vacía de su ideal contenido, de sus bellas formas y de su
sentido íntimo. [Baste recordar la visión de ironía, de burla o de tono
picaresco y familiar con que las divinidades clásicas, incluso el heroico
Marte, se ofrecen en los lienzos de Velázquez.] Cuando se analizan las
formas, géneros y temas de la lírica barroca, procedentes de la tradición
renacentista, sorprende aún más la violencia de la irrupción de lo real,
humano y afectivo, que queda incluso subrayado con la palabra vulgar e
iliteraria que contrasta con la construcción e imágenes de origen culto. [...]

Si se ha llegado por la crítica a confundir Barroco y Manierismo,
e incluso, referido a lo literario, se ha querido identificarlos —Curtius [1948] sólo habla de Manierismo—, esa identificación se debe,
sobre todo, a haber partido en su análisis desde zonas estilísticas
puramente morfológicas. Las semejanzas externas y las coincidencias
en algunos artistas —como el Greco o Góngora— de recursos barrocos y recursos manieristas ha podido también contribuir a esta
confusión. No es extraño que el criterio formalista exaltado en la
teoría de la pura visibilidad haya contribuido, por la necesidad de
marcar una etapa de la evolución del Renacimiento al Barroco, a
considerar el Manierismo sólo como un paso entre ambos estilos.

[.Pero] las complicaciones constructivas, como los movimientos violentos de los lienzos manieristas y barrocos, no se pueden considerar como iguales; en realidad, por su sentido, pese a la apariencia, representan lo contrario. En los dos, es verdad, vemos una alteración de las formas clasicistas, tanto en lo literario como en la plástica, pero esa alteración se produce en el cuadro manierista como algo que le sobreviene a los cuerpos y formas desde fuera, como algo racional, previo e impuesto. Porque las figuras movidas de los cuadros manieristas son esencialmente figuras *puestas, colocadas* en posturas difíciles, incómodas, en las que, incluso, podrían mantenerse algún tiempo —aunque sea unos instantes—, sin más dificultad que el soportar esa incomodidad. La figura barroca, en cambio, es la figura sorprendida en un momento de su transitorio y agitado moverse, algo pasajero, imposible de mantenerse, como es imposible detener ese tiempo fugitivo que simboliza el antes y después que nos sugiere toda figura plasmada en un movimiento apasionado. Igualmente en la lírica de fines del siglo XVI se intensifican los artificios de correlación de poemas y plurimembración de versos; esto es, la fijación de unos cauces rígidos por entre los cuales ha de fluir retenidamente el pensamiento poético; ello no es lo mismo que la libre y complicada construcción sintáctica impuesta desde dentro como una necesidad expresiva de la más íntima agitación del poeta.[1] [...]

1. [«Creemos queda claro e indiscutible la relación de ambas manifestaciones estilísticas con el clasicismo renacentista que les precede y asimismo la contradicción que de éste representan. Ambos estilos se producen como una transformación que se verifica desde dentro del mundo de formas y temas de la tradición clásica renacentista que se utilizan y alteran con violencia en una actitud y expresión que supone su radical contradicción. Y así si el artista manierista, lo mismo que el poeta, maneja los elementos, temas y formas del clasicismo y los ordena, relaciona y complica de acuerdo con una nueva voluntad artística que impone un ideal contrario al espíritu de equilibrio, naturalidad y armonía, que imperaba en el pleno Renacimiento, no será extraño que el Barroco suponga la misma utilización de las formas, temas y motivos de esa tradición clásica y al mismo tiempo la persistencia de todas las complicaciones y artificios introducidos por el Manierismo. Los dos movimientos artísticos están en relación directa como continuación de la tradición formal y temática del Renacimiento; y si en general la actitud manierista precede a la barroca no puede hacerse una regular delimitación, sino sólo marcarse un general proceso, que puede producir en algún caso la reacción barroca en un arranque individual inmediato a lo clásico renacentista, y asimismo un coincidir sincrónico de ambas actitudes. En consecuencia la delimitación cronológica no puede establecerse

Sería fácil caer, tras la palabra «natural», en un error: en interpretar lo barroco sólo como la imposición de la naturaleza. Así se podría pasar también erróneamente a la simple identificación de barroquismo y realismo, como se ha proclamado más de una vez. El ejemplo de España puede aclararlo como ninguno. Lo que se impone y lucha dentro del pensamiento y formas clasicistas no es lo natural de la naturaleza, sino, precisamente, lo no natural, lo vario, lo injertado, lo fiero, incluso lo feo y lo monstruoso; lo contrario a lo armónico, equilibrado e igual. Con este fondo de especial sentido de la naturaleza y de lo humano comprenderemos también mejor esas deformaciones monstruosas de la poesía satírico-burlesca de la época y de figuras de la picaresca, de ese realismo con acierto llamado descendente, que extrema sus rasgos en Quevedo. E igualmente se aclara de otra parte la deformación que la tendencia estilizadora y metafórica realiza con el gongorismo en la poesía de tradición renacentista. Recordemos la fábula de *Polifemo*, de Góngora; ningún mejor fundamento a la visión desmesurada descriptiva de lo humano y de la naturaleza que aquel sentido de monstruosidad antes destacado. Nada más monstruoso que aquella naturaleza que se vivifica y humaniza, *bostezando* por la boca de la cueva de Polifemo y dejándose *peinar por los arados,* y aquella humanidad que se petrifica en un inmenso cuadro de paisaje: un *monte de miembros eminente,* por el que corre el torrente de las barbas como las *oscuras aguas del Leteo,* cuyo *zurrón* es todo un *cercado* y el cayado el *pino más valiente.* [...]

---

con fijeza y regularidad, y —por otra parte— la simultaneidad de lo manierista y lo barroco ha de darse a veces; y lo mismo el enlace y fusión de elementos. La delimitación y caracterización que podemos intentar es la determinada por la diversa naturaleza de los dos distintos impulsos estético-psicológicos. Por esto ante un poeta como Góngora o un pintor como el Greco podemos hablar de Manierismo y de Barroco. Porque si en general parten de una concepción estética manierista, seducidos por los módulos, complicaciones y sutilezas de un intelectualismo artístico, de otra, un íntimo impulso barroco les hace progresivamente buscar una nueva complicación, no impuesta, sino proyectada por su natural y una expresividad vitalmente exaltada, seducida por los más varios y ricos efectos sensoriales de luces, colores y efectos sonoros; pero todo ello se produce como el espontáneo brotar de una actitud dentro de otra y moviéndose y expresándose en un mundo de formas y lenguaje artístico que procede de la tradición renacentista y manteniendo incorporadas las complicaciones ya dadas en su propio estilo manierista. No es extraño que la crítica ante el conjunto de su obra haya querido descubrir dos épocas o estilos; porque hay en efecto una trayectoria estilística y superposición de esa actitud o estilo manierista y de otra barroco» (pp. 174-175).]

El hombre del Barroco se encuentra así entre dos fuerzas o impulsos que le mueven, no en esa sola línea ascensional, que le levanta, como se sintió mover el hombre de la Edad Media. Su ansia de lo infinito se la ha avivado la espiritualidad contrarreformista, las próximas y abundantes experiencias de los místicos, los vivientes ejemplos de santidad. Pero al mismo tiempo se siente animado de otro impulso que le mueve en sentido horizontal hacia lo terreno, hacia la concreta realidad que le rodea: hacia lo humano y hacia la naturaleza, cuyas bellezas externas y algo de sus secretos ha descubierto el Renacimiento. Esa atracción de la realidad toda —hacia todo en lo que alienta la vida o se proyecta lo humano—, le hace recrearse sensorial y hasta sensualmente en la concretez y finitud de todos sus halagos corporales. No es extraño, aunque sí paradójico, el que el artista resalte con vigor lo finito y concreto de toda la realidad visible, al mismo tiempo que descubre, como nunca, su relación y depender de lo eterno. [...] Ese doble impulso de atracción apasionada hacia la realidad concreta y de huida ascética hacia lo infinito, explica la doble tendencia del Barroco: a profundizar y espiritualizar todo lo sensible, de una parte, y hacer sensible de otra por medio de la alegoría todo lo espiritual. Pensemos en el auto sacramental —«sermón en representable idea», como le llamó Calderón—, y pensemos en el emblema, género preferido para la expresión del pensamiento filosófico, político y moral del Barroco. Este doble impulso nos explica el sentido trascendente del realismo del Barroco que España extrema por identificarse con su sentido de la vida: el descubrir tras de todo, su existir y depender del creador. Porque la explicación última de esa doble tendencia está en la sustancia misma del cristianismo. [...]

Esa atracción por lo humano individual, por la naturaleza y por la realidad toda, es lo que nos explica el extraordinario enriquecimiento de la temática artística y literaria del Barroco. Es el momento en que se impone como género el cuadro de paisaje. En él la naturaleza predomina sobre la figura humana que queda empequeñecida mientras que aquélla se presenta movida, haciendo sentir el latir de su fuerza interior. El artista gozará lo mismo representando el *primer término desmesurado* que la lejanía que nos sugiere la emoción de espacio, de profundidad y hasta de infinitud. Pero sobre todo es el momento en que se impone la pintura de retrato. Y, fijémonos, cómo no es una preferencia surgida sólo en el gusto artístico, sino que el ansia de retratarse se produce como un afán general de época, cual si todos quisieran contemplarse y al mismo tiempo eternizarse en un momento de su vivir. [...] Junto a esta preponderancia del retrato, lo que más sorprende en la temática del Barroco, es la aparición como tema independiente de individualizados trozos de naturaleza o pormenores [de lo más humilde y elemental].

La explicación de este esencial rasgo, de la visión de profundidad, de la concepción del espacio continuo, principal conquista de la pintura del Barroco, así como el rasgo más característico de la representación de las formas en todas las artes de la visión, como es el movimiento, nos puede llevar a la explicación última, al sentimiento eje que muestra la profundidad espiritual y la exaltación vital de que arranca el estilo. Es ello el agudo sentimiento de la incontenible fuerza del tiempo. Porque el verdadero protagonista del drama del Barroco es el tiempo. Así, si la pintura ha buscado y hallado esa visión y sentimiento de profundidad que nos atrae y arrastra hacia el fondo del cuadro, si nos lleva hacia esos *lejos* de que tantas veces nos hablan los poetas, si nos obliga a sentirnos envueltos en ese espacio continuo, es porque esta visión espacial es la única en que puede ser representado plásticamente el tiempo. Esta visión de profundidad es la forma visual sobre la que se puede proyectar la sucesión de los actos como se desarrollan en la conciencia. [...]

El otro rasgo externo más característico de la plástica barroca, el movimiento —que ya Buckhardt, junto con la emoción, señalaba como raíz del estilo—, igualmente es expresión de lo temporal. Como es sabido, tiempo y movimiento son dos conceptos que mutuamente se explican. La figura en movimiento nos refuerza la conciencia de que contemplamos algo que pasa, nos sugiere el antes y el después. [...] Toda la riqueza y minuciosidad descriptiva; todos los valores plásticos, recursos del poeta del Barroco que se expresan en la nueva temática, cobran su plena emoción con este agudizarse el sentimiento de lo temporal. Y, precisamente en lo español, ese general sentimiento de desengaño, con la derrota y caída de su poder, se extrema, y caldea aún con más vívida emoción la conciencia de la fugacidad del tiempo. No sólo el melancólico tema de las ruinas, sino los seductores del jardín y de la flor descubren insistentemente esta lección moral y ascética. La emoción del pasado y la inquietud del futuro penetra hasta la médula de la creación artística. ¡Cuántas antítesis entre lo pasado y lo venidero se repiten en nuestra lírica!

Noël Salomon y Maxime Chevalier

CREACIÓN Y PÚBLICO: PARA UNA SOCIOLOGÍA LITERARIA DE LOS SIGLOS DE ORO

1. De acuerdo con P. Macherey, acepto decir que el escritor produce sus obras en «determinadas condiciones» y que es —cualquiera que sea su intimidad o subjetividad— elemento de una situación y de un sistema. Sus textos se alimentan, incluso a nivel del material de la escritura y del «lenguaje-objeto», de cuanto hace las relaciones del hombre con el mundo y de los hombres entre sí, relaciones en las cuales entran ideas, valores, sentimientos o «formas». Por lo tanto, es una «visión del mundo», en relación armoniosa o conflictiva con una determinada sociedad, la que el sociólogo de la literatura se esfuerza en definir primero. La «visión del mundo» es el orden instaurador del trabajo creador y práctico. Aduciremos un ejemplo. Obvio es que las églogas de Garcilaso constituyen una ordenación de signos lingüísticos (por decirlo al estilo de P. Macherey: la ordenación de un «material para escribir») en armonía con la ideología de un grupo bastante minoritario (un círculo de «cortesanos» impregnados de la «sociabilidad» al itálico modo) y una tradición cultural (el neo-platonismo petrarquizante). En este sentido podremos decir, aunque parezca violento, que la «producción» de las églogas de Garcilaso empezó siendo un «trabajo colectivo». Lo cual no significa que no acabaron siendo expresión de la toma de posición personal e individual de un poeta en el inmenso debate de las obras realizadas en el siglo XVI.

Desde luego, por lo que hace a la «visión del mundo» en la que se alimenta un texto, dos situaciones deben considerarse, teóricamente, desde un punto de vista sociológico: ora el autor (el «escrip-

I. Noël Salomon, «Algunos problemas de sociología de las literaturas de lengua española», en J.-F. Botrel y S. Salaün, eds., *Creación y público en la literatura española*, Castalia, Madrid, 1974, pp. 15-39 (19-31).

II. Maxime Chevalier, *Lectura y lectores en la España de los siglos XVI y XVII*, Turner, Madrid, 1976, pp. 13, 19-21, 25-29.

tor») trabaja de acuerdo con la ideología dominante de su época, ora, al contrario, dicha ideología le estorba y le inhibe. Sabido es que la segunda situación se dio en proporciones variables durante la Contrarreforma y es por lo que Ortega y Gasset no vaciló en hablar de la «heroica hipocresía» de los escritores de aquel entonces. Queda claro que unos hechos como la Inquisición, las censuras o autocensuras, o cualquier otro factor ideológico o social que ejerce una presión en el creador no pueden dejarse a un lado por el sociólogo. Empero éste no deberá despreocuparse del peligro de esquematismo; un texto no es necesariamente el vocero de una sola ideología (verbigracia, la de una sola clase, o la del sujeto escritor); existe en él una pluralidad de discursos (de su época, de la historia pasada, de la que se está anunciando) y, como lo admitió el postformalista ruso Bajtin, «los autores son escriptores que confrontan puntos de vista, "voces", "conciencias"». Los textos son polifónicos desde el punto de vista de la ideología y no pueden reducirse sólo a la práctica de clase de los autores. De ello tenemos un ejemplo palmario con el Quevedo de los *Sueños*: la ideología feudal (antimercantil y anticapitalista) de aquel dueño de feudo los penetra y cruza, mezclándose de un modo contradictorio con una denuncia de las taras y un desenmascarar sin piedad de la España todavía feudal de su tiempo. [...]

Dicho esto, resulta interesante interrogarse sobre el origen social de tal o cual autor y conocer su *status* en la sociedad. Conviene preguntarse: ¿Poseía bienes, tierras, rentas, o, por el contrario, era pobre? ¿Desempeñaba algún cargo público? ¿Recibía la ayuda de determinado gobierno? ¿Encontraba en la Iglesia su base social? ¿Vivía o no, y en qué proporción, de la labor de su pluma? Interrogantes así —con tal que no se interpreten mecánicamente las respuestas y sin pasar por la mediación de las formas de conciencia— no resultan ociosas. [¿Cuál fue la existencia económico-social de Góngora?] Robert Jammes [véase cap. 4] arrojó alguna luz sobre el particular y así comprendemos mejor algunos motivos de la poesía de circunstancia del canónigo cordobés, primero enemigo de la corte y luego «cortesano». [...] A este nivel de la «sociología de la escritura», el problema fundamental es el del vínculo económico que existe entre el «autor-escriptor» y su «producción-creación». Se trata de saber si su obra es para él «valor de uso» o «valor de cambio» (mercancía para el mercado). ¿Es para él un «oficio» o una actividad gratuita la tarea creadora?

En la literatura castellana hasta fines del siglo XVI, vemos aparecer nítidamente dos categorías de autores: a) *los escritores aristócratas,* para quienes tomar la pluma es un arte noble del espíritu, un como lujo en su existencia social palaciega. Sirvan de ejemplo el marqués de Santillana o Garcilaso de la Vega; b) *los escritores artesanos,* para quienes escribir es una profesión, una actividad para ganar el pan cotidiano. Entran en esta categoría los juglares medievales, los poetas maestros de capilla (Juan del Encina, Lucas Fernández) por los años 1500 y los poetas secretarios «capellanes» del tipo de Lope de Vega hacia el año 1600. Unos y otros viven de su pluma a la sombra del roble señorial. En la órbita de los *mecenas* son una especie de «becarios» (asistidos socialmente), que experimentan, a veces, el sentimiento de estar en una situación parasitaria más o menos humillante. Lo importante para el sociólogo de la literatura es el eco de tal relación social hasta en la estructura y la tonalidad de ciertas obras. Me refiero, por ejemplo, a las escenas rituales del pastor que pide su sueldo, una recompensa, un premio, etcétera, en el teatro primitivo de Juan del Encina o de Lucas Fernández. Pienso también en los numerosos «pasos» de la comedia lopesca en los cuales el dramaturgo se introduce con un disfraz convencional para halagar retóricamente a una gran casa o para solicitar con falsa ingenuidad una prebenda. Podemos decir que, en estas escenas, el dramaturgo juega con los temas de su existencia social y que expresa a nivel de lenguaje el vínculo verdaderamente *feudal* que le ata servilmente a un señor en cuanto «productor» de literatura.

En realidad, a las dos categorías que acabamos de establecer, cabría agregar una tercera, para la España del Siglo de Oro. Si bien algunos escritores como Lope de Vega aprovecharon, refunfuñando a veces, el régimen del *mecenazgo* (duques de Alba, de Sessa, conde de Lemos, marqués de Sarria, etc.), encontraron también en el desarrollo del teatro (considerado por ellos un género menor, una como infraliteratura) un medio de vida no desdeñable.[1] Hacia 1610,

---

1. [Alberto Blecua, en varios trabajos, ha disentido de las opiniones del profesor Salomon, refiriéndose en especial a la actividad poética en la España de los siglos XVI y XVII: «Siento discrepar del llorado maestro de Burdeos, pero esta clasificación tan generalizadora impide observar una realidad más compleja. El conde de Orgaz, relata en una de sus anécdotas Santa Cruz, "tenía por necio al que no sabía hacer unas coplas y por loco al que hacía dos". Y, en efecto, como el fin de la poesía según las doctrinas aristotélico-horacianas era

con una comedia, Lope cobraba un poco más de 300 reales y él mismo no tuvo empacho en proclamar que escribía tales obras para venderlas. De esta comercialización se indignó precisamente Cervantes, al quejarse de que las comedias se hubieran convertido en «mercadería vendible». Nadie puede negar que la inserción de las comedias en el circuito «producción-consumo» tuvo consecuencias en la escritura estereotipada del género, porque no podemos ignorar la confesión clara del «Fénix» en el *Arte nuevo de hacer comedias para este tiempo,* donde nos revela su conciencia de «fabricante», así como los secretos de su taller. Allí se define verdaderamente (por decirlo con palabras de Brecht respecto a sí mismo) como un «escriptor de obras teatrales». De modo que a propósito de Lope es menester hablar de un régimen de *semimecenazgo.* Al sociólogo de la literatura le interesa sobremanera su caso en un país donde el sentimiento de la «propiedad literaria» no resultó muy marcado durante siglos. Lope lo descubrió y lo explayó varias veces, precisamente con motivo de sus comedias.

el de enseñar deleitando, podían componer "poesía" todos aquellos venerables varones que en la actualidad no se dignarían tomar la péñola para asuntos semejantes. Como, además, la envoltura poética resultaba siempre benéfica para la enseñanza —o maléfica, de ahí los detractores del dulce encanto de lo "verosímil"—, acudieron a ella todos aquellos escritores didácticos que con ese medio podían conseguir fines más útiles para la república cristiana. La "poesía", en prosa o verso, no fue patrimonio de ningún grupo determinado, aunque sería ocioso advertir que sólo la población más culta reunía las condiciones exigidas para ser poetas en hipótesis. Pero este número no es pequeño: unos 500.000 españoles (y rebajo las estimaciones de Kagan [1974]). Hacia 1600 pueden contarse en España hasta 70.000 estudiantes de latinidad. Algunos más tarde cursarían medicina, teología, los dos derechos, artes, pero todos ellos conocían las reglas, los preceptos de las artes retórica y poética requeridos por la convención literaria de la época. Podrían carecer del furor divino, y sin embargo, sus estudios y una muy pujante tradición paliaban aquella falta. Como la literatura es básicamente imitación, no resulta difícil que en épocas de una anormal exuberancia literaria, puedan aparecer poetas procedentes de ambientes no cultos, formados sólo en la literatura vulgar, meros "romancistas". Casos como el de los "ruiseñores" ciegos autores de pliegos sueltos son extremos, pero entre Góngora y aquéllos existe una amplia gama de poetas de muy distinta cultura y situación social que en modo alguno pueden reducirse a los dos o tres grupos señalados por Salomon» (A. Blecua, «El entorno poético de Fray Luis», en V. García de la Concha, ed., *Fray Luis de León,* Actas de la I Academia Literaria Renacentista, Universidad de Salamanca, Salamanca, 1981, pp. 79-80).]

Se me dirá, quizá, que el teatro representa en la literatura un género aparte y que es sometido más que ninguno a la condición social del escritor por depender éste de los que encargan las obras («autores» en el sentido antiguo de «director de compañía»), las compran o las pagan con arreglo al gusto de los consumidores (la «ley de la taquilla» de que depende la actividad teatral). Estoy conforme: la presión económica y social (por parte del escritor y por parte de la llamada del público) se ejerce más o menos directamente en la tarea creadora según el género es confidencial o no. Los sonetos amorosos de Lope tienen algo que ver con la conciencia social de su tiempo —lo mismo que las églogas de Garcilaso—, pero no dependen del ciclo «producción-consumo» en la proporción que estoy evocando a propósito de las comedias. En cambio, la novela es un género que —ya en el Siglo de Oro— se desarrolla en un ambiente donde la correlación entre «productor-creador» y «público-consumidor» ejerce su presión. Se ha hecho poco para arrojar luz sobre dicha correlación en los siglos XVI y XVII, aunque ciertos indicios nos hacen pensar que es éste un campo por explorar. La preocupación de Cervantes por el *lector* es innegable (surge de vez en cuando en la trama del *Quijote*) y también se puede divisar la sombra del público en géneros tan antitéticos como la novela pastoril y la novela picaresca. Me llama la atención el que un autor como Lope (véase el prólogo de sus novelas) haya considerado la novela un «género menor» y de mero *entretenimiento* para el lector. [...]

Al hablar de «sociología del consumo» definimos la obra como respuesta a unos lectores. No ignoro que, al considerarla con este enfoque, adopto una posición violenta para quienes ven lo esencial (la «literariedad») en lo que precisamente no entra en los códigos de la «legibilidad». Quizá me opongan el caso de Góngora —en Francia casi siempre se valen de Mallarmé— y recalquen el aspecto casi totalmente «intransitivo» de *Las Soledades* o del *Polifemo*. Se negarán a considerar a estas obras como tránsito histórico, situado en determinada fecha, con un *antes* y un *después*, cosa que estoy haciendo implícitamente al estudiarlos en su aspecto de diálogo con unos lectores. Les contestaré que el estudio de la «legibilidad» —sin interés, al parecer, para ellos— no debe en absoluto estorbar su concepción lingüística de la *escriptibilidad* (por decirlo en términos de R. Barthes). Les ruego acepten con un poco de tolerancia que una ciencia que de buenas ganas se define por el momento como «auxiliar» se interese por lo que no les interesa. También tenemos derecho a constatar que, entre otras cosas, Góngora fue *sociológicamente* uno de los escritores más importantes. No podemos olvidar que su poesía culta fue recibida en cuanto mensaje y *significado* (y no sólo en cuanto *significante*). En ella hay una correlación entre el poeta y los objetos, así como un discurso sobre el hombre, que de ninguna manera puede reducirse al mero quehacer lingüístico. En fin, resulta interesante desde un punto de vista científico la búsqueda del significado de su universo poético situándolo dentro del ambiente intelectual y social de una época. Por ello tienen muchísima importancia las «lecturas» de Góngora que nos brindan los comentarios del siglo XVII, empezando por el de Salzedo Coronel.

La pregunta que acabo de formular es, en realidad, la tercera y última de las enunciadas por J. P. Sartre en *Qu'est-ce que la littérature?*: «¿Cómo se difunden las obras, qué acogida reciben?». Para contestarla debemos contemplar primero el estado de las técnicas de la comunicación. Tiempo ha que, en España, Ramón Menéndez Pidal se dedicó al estudio profundizado de esta condición del hecho literario, especialmente al analizar los fenómenos de transmisión de los romances y de la llamada poesía «tradicional». Bien sabido es que vio en el modo oral y colectivo de la transmisión un factor de verdadera «creación» ya que, según él, *vive* (es decir *se transforma*) un romance al pasar de una boca a otra, de una generación a otra, de un medio cultural a otro. [...] Antonio Rodríguez Moñino [1968, 1976], que en paz descanse, hizo hincapié en la difusión de la literatura durante el Siglo de Oro, mediante el *manuscrito* (copias y copias de copias de autógrafos elevados a la potencia *n*). Basten estos ilustres ejemplos para subrayar que en España no se esperó el día de hoy para dedicar a las formas de la «comunicación literaria» la atención que se merecen. De hecho, unos estudios profundizados parecen necesarios en algunos de estos dominios: el de la propagación por la vía del *manuscrito,* por ejemplo. Todos conocen el debate que existe en torno a la «popularidad» del *Lazarillo de Tormes.* Algunos como el hispanista francés A. Rumeau (apoyado por Claudio Guillén [1971]), fundándose en el número exiguo de las ediciones (apenas una media docena antes de 1599) opinan que esta obra no fue muy conocida en la España de la segunda mitad del siglo XVI. Sin embargo, recientemente, Francisco Rico [1970] ha defendido la tesis opuesta, advirtiendo que no se puede apreciar la irradiación de un texto del siglo XVI al considerar únicamente sus ediciones y reediciones: señala que deben tenerse en cuenta la circulación de los *manuscritos* y la técnica de la *lectura colectiva*. La advertencia de F. Rico, aunque ha quedado a nivel de la hipótesis (para confirmarla sería preciso hallar algunas copias de manuscritos), no deja de ser interesante. Por lo que hace a la lectura colectiva, creo yo, en efecto, que se practicó mucho más de lo que parece y no pienso que se pueda considerar mera invención «literaria» el procedimiento de Cervantes al intercalar en el *Quijote* una novela leída en el «maravilloso silencio» de una venta. Pienso así porque tenemos otros indicios para confirmar la existencia de tal hábito de lectura en público. [...]

Otro problema que se debe plantear es el del consumo y de la recepción (la «lectura») de las obras por el público en una determinada época. Cabe hacer la radiografía de dicho público sin confundirlo mecánicamente con la sociedad. Me explico: Si bien el público *está* en la sociedad y lleva su impronta, no se reduce *totalmente* a ésta: se trata de un cuerpo intermediario, complejo y contradictorio, situado entre ella y la obra y a veces de duración breve (caso del teatro). Realizar la «sociología del público» será, por lo tanto, llevar a cabo el análisis de la diversidad de las capas sociales de que consta (nivel económico-social, mentalidad, gusto, tendencias de la imaginación, etc.). También cabrá determinar las zonas de éxito o fracaso en función de dichas capas. Quienes no hace mucho hablaron de «sociología del gusto» despejaron el camino hacia una verdadera «sociología del público»: sólo carecían de las bases de una información positiva en el campo económico-social o cultural, que es lo que precisamente se intenta sentar ahora. Verbigracia, Maxime Chevalier [1976] nos proporciona certidumbres sobre el público «hidalgo» de la novela de caballerías o sugerencias en torno a la lectura de la novela pastoril.[2] De igual modo, Jean Sentaurens, fundándose en series

2. [Véase también más abajo, pp. 84-86. Por otro lado, Margit Frenk [1982] ha escrito recientemente: «Si los receptores de la literatura eran tan pocos y necesariamente tan intelectuales (como concluye M. Chevalier [1976]), hay una serie de cosas que no entendemos. ¿Cómo es que los escritores, sobre todo a partir de Mateo Alemán, se dirigen una y otra vez al *vulgo,* o sea, a un público amplio, generalmente juzgado ignorante? ¿Cómo es que ese "vulgo" asistía sin cansarse a los corrales donde se representaba un teatro que, para ser mínimamente comprendido, requería de sus oyentes una cierta cultura literaria? Sin una familiaridad con la literatura por parte de los estratos sociales que

cifradas que sacó de archivos de protocolos, nos permite reconstituir el perfil del público de los corrales sevillanos hacia 1600 en su nivel genuinamente económico. [...] Sea lo que fuere, existen todavía

---

Chevalier excluye de su lista, tampoco se explicaría, por ejemplo, lo que dice Cervantes en el prólogo al primer *Quijote*: que si pidiera sonetos laudatorios "a dos o tres oficiales ['artesanos'] amigos, yo sé que me los darían, y tales, que no les igualasen los de aquellos que tienen más nombre en nuestra España". Quizá ya es tiempo de enfocar bajo otro ángulo, no sólo la cuestión de los sectores sociales que tenían acceso a las obras literarias en el Siglo de Oro, sino también la de los vehículos por los cuales esas obras llegaban al público. Hay que tener muy en cuenta cuán reciente era la invención de la imprenta y percatarse de que su rápido auge no pudo haber desterrado de la noche a la mañana los ancestrales hábitos de "consumo" de la literatura» (véase más abajo, pp. 86-89). «El hecho de que hoy concibamos la lectura como un proceso silencioso y solitario distorsiona nuestra concepción de la literatura de épocas anteriores. Quienes nos interesamos por la cultura del Siglo de Oro español debemos esforzarnos por captar la realidad viva de la transmisión y la recepción de los textos en ese período. Habría que tratar de precisar en qué medida seguía vigente el antiguo carácter oral y colectivo de la lectura.» La profesora Frenk se refiere «a la difusión oral de textos *escritos,* no a la de los que venían circulando oralmente —romances, cantarcillos, cuentos, refranes— desde antes del siglo XVI. Necesitamos deslindar ambos tipos, por más contactos que haya habido entre ellos. Unas cuantas citas mostrarán, por lo pronto, que todavía en el siglo XVII la lectura solía identificarse con la audición. "*Leerás* sin pena lo que de las divinas y humanas letras nos *oyeres*", dice Lope en el prólogo a los *Pastores de Belén* (1612). En 1609 Antonio de Eslava declara querer aliviar la pesadumbre de las largas noches invernales "halagando *los oídos del lector*". En el *Casamiento engañoso* el alférez Campuzano le dice a su amigo: "¿No se holgará vuesa merced, señor Peralta, de ver *escritas* en un coloquio las cosas que estos perros ... hablaron?". Y Peralta contesta: "de muy buena gana *oiré ese coloquio*"». De hecho, ricos y pobres, doctos e indoctos *escuchaban* incluso la lectura de extensas novelas no dialogadas; si los libros de caballerías se leían en voz alta, con más razón otras novelas de dimensiones más reducidas. «Frente a la chimenea doméstica, en los mesones, durante las largas caminatas se leían novelas cortas o bien se contaban de memoria, sin el libro a la vista: se "recontaban" más o menos libremente». De igual manera sucedía en la poesía lírica donde la voz detenta aún más «el monopolio de la transmisión». El teatro es el género oído por excelencia: «hasta 1630-1640, la parte "espectacular" del teatro, todo lo que percibía la vista casi no contaba; el público iba a los corrales para oír ... En el Siglo de Oro todo eso que hoy llamamos literatura entraba, pues, mucho más por el oído que por la vista y constituía un entretenimiento más colectivo que individual» (Margit Frenk [1982], pp. 102-103, 105-106, 110, 113, 114).]

protocolos de notarios de los siglos XVI y XVII, inventarios de bibliotecas, epistolarios inéditos, cuyo conjunto representa una mina de in-
formaciones hasta la fecha explotada de manera insuficiente. [...]
   Es menester, pues, abordar el estudio de la lectura de las obras
con un enfoque de semántica histórica. Por este aspecto la «sociología de la literatura» interfiere con la «historia de las mentalidades»
y puede prosperar en armonía con ella: diré más, contribuye a enri-
quecerla con matices preciosos. Digo «matices», porque no cabe duda
de que una sociología de la *lectura* fina es una sociología *plural* de
las lecturas. Rechaza la noción de «lector medio» en pro de un abanico diversificado de los distintos tipos de lectura que, en una época
determinada, pueden coexistir a propósito de un mismo texto. Resulta trillado decir que la comedia lopesca o tirsiana era recibida a
varios niveles por las capas jerarquizadas del público de los corrales
(aristócratas o grandes de los aposentos, mujeres de las cazuelas,
mosqueteros y vulgo de patio). De igual modo, podemos recordar que
la novela picaresca (llamada con excesiva premura «género popular»
en algunos manuales) se prestó a lecturas más o menos «populares»,
así como a lecturas más o menos «cultas». Para aducir un ejemplo,
repetiré que, para algunos como Zorita, el enigmático *Lazarillo de
Tormes* fue meramente un libro divertido, mientras que para otros,
como el inquisidor Fernando de Valdés, olía a tal irrespeto en lo
tocante a la Iglesia que mereció figurar en el *Catálogo de libros prohibidos* de 1559. Cosas por el estilo pasaron con los *Sueños* de Quevedo. Existen otros muchos ejemplos: *La Celestina* (ejemplar o inmoral y lascivo), el *Guzmán de Alfarache* (cínico y desesperado o
profundamente teológico), el *Quijote* (recopilación de chascarrillos y
aventuras graciosas o biblia de sabiduría). La literatura española abunda en testimonios que comprueban los desniveles que pueden existir
entre los distintos mensajes de una misma obra. Dicho otra vez en
palabras de los postformalistas rusos: un texto es el soporte de una
verdadera «polifonía» de las lecturas. No pocas discusiones sobre el
significado plural de las obras célebres a las que aludimos, adquiri-
rían creo yo, un cariz más riguroso si los investigadores se dedicaran
a reconstruir *empíricamente,* experimentalmente, la base histórica en
la cual deben sentarse sus interpretaciones. Digo *empíricamente* o
experimentalmente porque no estoy seguro de que la vía especulativa
y filosófica escogida por ciertos sociólogos de la literatura continuadores del gran G. Lukács y del brillante Lucien Goldmann sea otra

cosa que un callejón especulativo a veces dogmático, y por lo tanto sin salida. Sin incurrir en no sé qué neopositivismo estéril y ramplón tengo fe en la dignidad del hecho y en la necesidad de establecerlo *históricamente,* experimentalmente, sin *a priori,* lo que significa que yo creo en una *erudición* completa y ambiciosa.

II. Las primeras preguntas que surgen al plantear el problema de la lectura en el Siglo de Oro son tres: ¿quién sabe leer? ¿Quién tiene posibilidad de leer libros? ¿Quién llega a adquirir la práctica del libro? Tres preguntas que corresponden a otros tantos fenómenos que hemos de definir sucintamente. El primero es de índole sociocultural: el analfabetismo. El segundo es de orden económico: el precio de los libros. El tercero es de naturaleza cultural: me refiero a la falta de interés por la lectura, y, más concretamente, a la falta de interés por la literatura de entretenimiento. [...]

Un 80 por 100 de la población española por lo menos —todos los aldeanos, la enorme mayoría de los artesanos— queda excluida, por el único motivo del analfabetismo, total o parcial, de la práctica del libro. A los que pondrían en duda este porcentaje, recordemos las palabras de Henri-Jean Martin, el mejor conocedor de estos problemas a la altura del siglo XVII: «Las únicas personas capaces de leer y escribir corrientemente eran en aquel entonces éstas cuyo oficio lo exigía». Dadas estas circunstancias, las categorías de la población española del Siglo de Oro entre las cuales se pueden reclutar los lectores de libros son las siguientes: *a)* el clero; *b)* la nobleza; *c)* los que llamaríamos hoy «técnicos» e «intelectuales»: altos funcionarios, catedráticos, miembros de las profesiones liberales (letrados, notarios, abogados, médicos, arquitectos, pintores); *d)* los mercaderes; *e)* fracción de los comerciantes y artesanos; *f)* funcionarios y criados de mediana categoría.

Existe otra limitación, de orden económico ésta: el precio de los libros. [Sería útil conocer este dato para estudiar] la evolución de tales precios a lo largo de los siglos XVI y XVII, y lo que representaba la cantidad necesaria a tal compra con relación a las rentas de un caballero o al sueldo de un funcionario. No existe en la actualidad ningún estudio de este tipo. Mientras no dispongamos de él, un aspecto importante de la historia de la cultura española —la posibilidad material de comprar libros, base económica del fenómeno de la lectura— se nos escapará en gran parte. Lo único que podemos afirmar es que el papel, y por lo tanto el libro no resulta barato en los siglos XVI y XVII. [...]

Los textos del Siglo de Oro abundan en quejas sobre el poco interés que demuestran los caballeros por las actividades de orden intelectual. [Exclama Juan de Mal Lara, no sin exageración retórica: «Ha venido la cosa a tales extremos que aun es señal de nobleza de linaje no saber escribir su nombre».] Pero sería erróneo generalizar observaciones como la de Mal Lara. Larga sería la lista de los nobles que protegieron o cultivaron las letras, desde Garcilaso de la Vega hasta el príncipe de Esquilache, pasando por Diego Hurtado de Mendoza, Luis Zapata, Alonso de Ercilla, Francisco de Quevedo, el conde de Lemos o don Fernando Afán de Ribera, duque de Alcalá y marqués de Tarifa. Estas figuras excelsas destacan sobre un fondo mucho más extenso, puesto que proporcionan los hidalgos españoles «gran parte, si no la mayoría, de los escritores del XVII». Además la proporción de gentileshombres que poseen sólidos conocimientos irá creciendo a lo largo del siglo XVII, según van intensificando los jesuitas su esfuerzo en favor de la educación de los primogénitos de las grandes casas. De la aristocracia procedieron sin ninguna duda buena parte de los lectores de las obras de entretenimiento.

En cambio parece ser que los mercaderes, la clase propiamente burguesa de la España del Siglo de Oro, no manifiesta gran interés por la literatura de ficción. Los mercaderes podrían comprar libros, podrían leer libros. Pero no suelen hacerlo. Se trata, al parecer, de un fenómeno general en la Europa de los siglos XVI y XVII. [B. Bennassar, en su libro sobre *Valladolid au Siècle d'Or,* revela que los mercaderes llegan a poseer] unos libros de devoción, tal cual manual de comercio y algún que otro libro de viajes. En cuanto a la literatura de entretenimiento, no entra por sus puertas ni llega a los estantes de sus bibliotecas, cuando las tienen. [...] De lo poco que sabemos podemos concluir que los mercaderes, comerciantes y artesanos no forman, en España por lo menos, buena clientela de la literatura de ficción. Tampoco compran muchos libros de entretenimiento los clérigos. Los que compran estos libros son letrados y, sobre todo, caballeros e hidalgos, aunque una porción de éstos no demuestra marcada afición a las actividades intelectuales.

Es este hecho fundamental que hemos de tener en cuenta si queremos entender la predominancia de la ideología aristocrática en la

forma primitiva de literatura de consumo que representa la novela
cortesana del siglo XVII. Cierto que esta predominancia se explica
por la importancia social de la nobleza en España y la debilidad
correlativa de la burguesía en el mismo país. Pero también se justifica
por el hecho de que los elementos más activos y adinerados que integran dicha burguesía compran muy pocos libros de entretenimiento.
Una literatura animada por la ideología burguesa mal puede en estas
condiciones arraigar en la España del Siglo de Oro.

ALBERTO BLECUA, KEITH WHINNOM, JAIME MOLL Y DONALD
W. CRUICKSHANK

MANUSCRITOS, IMPRESOS Y MERCADO EDITORIAL

I.   Algún bibliófilo renacentista, a pesar de que la imprenta ya
llevaba más de medio siglo funcionando, se negó a que en su biblioteca pudiera entrar otro tipo de libro que no fuera manuscrito.
Y desde luego, un bibliófilo exquisito no podía ver con buenos ojos
el invento nuevo cuyos productos en serie no podían competir en
belleza con los manuscritos miniados en vitela, piezas únicas e irre-
petibles. Estos bibliófilos refinados eran, por descontado, casos extremos, y en general la imprenta recibió todo tipo de alabanzas y Gu-
tenberg pasó a engrosar las listas de los inventores de las cosas...
Sin embargo, el manuscrito siguió desempeñando utilísimas funciones
como difusor de todo tipo de escritos. Al entrar en Sierra Morena
don Quijote y Sancho hallan un «librillo de memoria» que estaba

I.   Alberto Blecua, *Manual de crítica textual,* Castalia, Madrid, en prensa
(fragmento del cap. III).
II.   Keith Whinnom, «The problem of the "best-seller" in Spanish Golden-
Age literature», *Bulletin of Hispanic Studies,* LVII (1980), pp. 189-198 (193).
III.   Jaime Moll, «Diez años sin licencias para imprimir comedias y novelas
en los reinos de Castilla: 1625-1634», *Boletín de la Real Academia Española,*
LIV (1974), pp. 97-103 (98-99, 101-102).
IV.   D. W. Cruickshank, «"Literature" and the book trade in Golden-Age
Spain», *Modern Language Review,* LXXIII (1978), pp. 799-824 (821-823).
Los párrafos de transición entre texto y texto son de B. W. W.

ricamente encuadernado. Lo abre don Quijote y «lo primero que halló en él escrito, como en borrador, aunque de muy buena letra, fue un soneto ...» (I, 23). Más adelante, en la venta, se leerá la novela de *El curioso impertinente* que un viajero había olvidado; se trata de un manuscrito de ocho pliegos de los que el cura está dispuesto a sacar una copia si su lectura le contenta (I, 32). El mismo olvidadizo viajero había dejado otra novelita manuscrita, hallada en el forro de la maleta, que se titulaba *Rinconete y Cortadillo* (I, 47). Hoy, un manuscrito de esta joya cervantina se custodia en la Biblioteca Nacional.

Hay géneros, como es el de la lírica, que han llegado hasta nosotros gracias a las copias manuscritas. Numerosísimas obras de teatro han podido sobrevivir a través de este medio de difusión, al igual que bastantes obras comprometidas por su carácter satírico, político o religioso. No se trata, pues, de un fenómeno accidental sino de una costumbre que convivió con la imprenta, aunque, ocioso es decirlo, la difusión de una obra manuscrita es notablemente más reducida que la de la obra impresa. Y ocurre, además, que rara es la obra de gran difusión manuscrita que no alcanzara a ver la luz pública, salvo impedimentos muy poderosos (la censura, por ejemplo). Los libreros e impresores sabían también leer y detectar qué obra podría dar buenos beneficios económicos...

De entre todos los géneros, el lírico es el que se presta más, debido a su carácter unitario y breve, a la transmisión en forma manuscrita. Un soneto, una canción, una epístola, una elegía, una égloga son estructuras breves y cerradas, pero —a excepción de en los pliegos sueltos— no pueden imprimirse si no constituyen un conjunto más amplio. De ahí que el molde normal de transmisión sea la antología de uno o varios poetas. Recordemos que no existe el oficio de poeta y que reunir un cancionero personal podía ser tarea de toda una vida. Dado el peculiar concepto de la poesía en la época, los poetas accidentales fueron muy numerosos; de ahí que rara vez publiquen unas composiciones que han nacido al calor de un determinado acto social. Por otro lado, los poetas consagrados no necesitaban acudir a la imprenta para que su fama se extendiera a través de los manuscritos. Su interés por la publicación de sus obras fue muy limitado, a pesar de los numerosos lamentos retóricos por la corrupción que sufrían sus textos en el dilatado trasiego de las copias a mano.

En general, los aficionados a los versos iban constituyendo pacientemente antologías manuscritas con aquellas composiciones que se acomodaban a sus gustos. Estos «cartapacios» suelen llevar los títulos de *Poesías varias* o *Diferentes poesías* y gracias a ellos es posible reconstruir buena parte de la poesía de aquellos siglos. Suelen variar según el talante de su compilador, pero habitualmente se observa en estas colecciones un «espíritu de época» que permite distinguir por sus contenidos las fechas de compilación. Por lo general acostumbran a mantener una cierta distribución de las obras por grupos temáticos o métrico-temáticos, formando pequeños núcleos con piezas de un mismo autor. Puede haber en ellas un cierto color de grupo poético local, pero no es la norma: los poetas o los poemas célebres, pertenezcan a una u otra zona geográfica, figuran habitualmente en estos cartapacios. [...]

Los borradores autógrafos conservados indican que los autores componen sus obras al igual que un poeta moderno [véase abajo, pp. 162, 432 y 589]. Pero éstos, en su inmensa mayoría, no acostumbran a difundir sus versos por vía manuscrita. O los editan en los periódicos y revistas poéticas, o los guardan hasta constituir un volumen y darlo a la imprenta. Sin embargo, la lírica de los Siglos de Oro posee un marcado carácter público hoy inexistente. El romancero es el caso extremo de esa vertiente pública y social. Juan Rufo tildaba a los poetas de locos porque «se confesaban a gritos», y, en efecto, la vida sentimental de Lope, por ejemplo, circuló cantada en romances por España hasta fechas recientes. Pero no sólo ocurrió este tipo de difusión con los romances. Numerosos poemas se transmitieron a través del canto. Además, los poetas antiguos componían sus textos para que fueran leídos o escuchados de inmediato. Unos van endezados a sus damas —el billete amoroso en verso—; otros a próceres; otros para celebrar cualquier acto público; otros para satirizar individuos y costumbres; otros para difundir una mayor o especial religiosidad. En las academias y salones cortesanos la composición «de repente» no es un accidente esporádico. En otras ocasiones, cuando se trata de obras de mayor empaque que el de una breve pieza lírica, los poetas leen sus versos en público o envían copias a sus amigos o a los poetas consagrados para que den su aprobación. El caso de Góngora es ejemplar: las *Soledades* fueron leídas por distintos críticos en quienes confiaba el cordobés antes de difundirlas en copias manuscritas por los corrillos literarios cortesanos.

Se sabe que Pedro de Valencia leyó un original con lecciones distintas de las hoy conservadas, e igualmente sabemos que Andrés de Almansa y Mendoza fue el encargado de difundir por Madrid los poemas mayores de Góngora.

Así, una vez compuesto el poema, éste se difundía de inmediato en copias manuscritas que se incorporaban a los cartapacios de poesías varias compilados por los aficionados; a veces también, esta transmisión podía ser cantada u oral. La obra se separaba definitivamente de su autor para convertirse en un bien mostrenco, patrimonio de una comunidad que, como en ningún otro momento histórico, acudió al verso para expresar sus anhelos, sus creencias, sus desdichas, sus amores, sus odios. Ciegos, estudiantes, soldados, frailes, organistas, secretarios, juristas, médicos, profesores, nobleza alta y baja, dama y hasta alguna ilustre fregona compusieron alguna vez versos para cumplir, por vocación o por obligación, con esa exigencia social que consistía en hacer poemas.

Dada la peculiaridad de la creación poética de aquel tiempo, la copia podía efectuarse en circunstancias y con medios muy variados y, en general, llevada a cabo por copistas no profesionales. Todo ello contribuirá a que rara vez la integridad del texto pueda conservarse en su estado original. Los lamentos de los poetas por la deturpación de sus obras, cuando no por los hurtos y las falsas atribuciones, sobrepasan en algunos casos el simple tópico retórico. Hay que tener en cuenta, en primer lugar, que, al igual que ocurre con la literatura vulgar medieval, las copias están hechas no tanto para conservar un texto como para gozar de él, usarlo, leerlo. Al no tratarse siempre de amanuenses profesionales, el copista ocasional puede prestar poca atención al modelo; o, al revés, demasiada atención, porque al ser aficionado a los versos, puede corregir todos aquellos lugares que en su opinión se hallen corruptos. La memoria en la mayoría de estos casos es potencia nociva, bien porque el copista sepa de antemano el texto que copia, bien porque conoce una lengua poética con escasas variables y puede introducir cambios inconscientes en el texto.

[Si en ciertos aspectos el manuscrito y la difusión oral (véase arriba, pp. 80 y 81, n. 2) ejercían una función tan importante como los textos impresos, el mercado de éstos no siempre coincidía con las categorías literarias que hoy aceptamos. En los Siglos de Oro, los compradores de libros (véase pp. 84-86) a menudo prestaron poca atención a las que nosotros consideramos las obras maestras de la época y mostraron en cambio gustos que se nos antojan curiosamente pasados de moda.]

II. Resumir cuanta información puede reunirse partiendo de las bibliografías generales no es tarea fácil; no todos los datos son de fiar; y casi con absoluta seguridad, habré omitido algunas obras de gran difusión; y si doy cifras, por lo que acabo de decir ya se echa de ver que su aparente precisión no puede ser más engañosa. No obstante, no es imposible formular algunas conclusiones generales que no es probable que futuras y más detalladas investigaciones puedan llegar a desmentir. Desde luego, el hecho más llamativo —aunque ahora no volveré a ocuparme de este aspecto de la cuestión— es el de que la lista de los libros reimpresos con mayor frecuencia durante los siglos XVI y XVII guarda muy poca semejanza con el panorama de la literatura de los siglos de oro que solemos describir a nuestros estudiantes.

Dejando de lado esta cuestión, probablemente lo más llamativo por lo que se refiere al siglo XVI es el hecho de que, a pesar de que había una multitud de escritores nuevos, la producción librera de este período está dominada por los escritores del siglo XV. La Celestina —sin contar sus continuaciones e imitaciones— encabeza la lista de éxitos, pero el Laberinto de Mena, la anónima traducción en verso de Esopo que se hizo en el siglo XV, las Coplas por la muerte de su padre de Jorge Manrique, el Retablo de la vida de Cristo, de fray Juan de Padilla (obra de la cual no existe una edición completa moderna), la Pasión trobada y la Cárcel de amor de Diego de San Pedro y el Amadís de Montalvo, alcanzaron también grandes éxitos de venta, y entre Mena, Rojas, Montalvo, San Pedro y los demás, sólo seis autores del siglo XVI consiguieron cifras de reediciones estimables.

Según todos los cálculos estadísticos de que disponemos, La Celestina fue sin ningún género de dudas la obra de imaginación que tuvo mayor éxito durante todo este período de los siglos de oro, y sólo pasa a un segundo lugar si concedemos que el Amadís abarque todas sus continuaciones. En un segundo y tercer puesto de las obras de imaginación encontramos el Guzmán de Alfarache y la Diana de

Montemayor. Tras ellas, en cuarto lugar, junto con el *Amadís* y la *Cárcel de amor*, está el *Quijote*. Aunque en la actualidad se hayan publicado alrededor de novecientas ediciones españolas de la obra maestra de Cervantes, no deberíamos olvidar que en el siglo XVII sus dos docenas de ediciones indican que era un libro mucho menos leído que el *Guzmán*, del que se habían hecho treinta y nueve. De hecho el *Quijote* y la *Diana* descienden dos puestos en la lista —y el *Guzmán* uno— si también catalogamos como de imaginación dos obras que afirmaban no serlo. Una es el *Marco Aurelio* de Guevara, que alcanzó casi cincuenta ediciones, y la otra la *Historia de los vandos de los Zegríes y Abencerrajes*, más conocida por las *Guerras civiles de Granada*, de Ginés Pérez de Hita. Sus treinta y cinco ediciones la sitúan muy por delante del *Quijote*, e inmediatamente después del *Guzmán*.

Los volúmenes de poesía profana raras veces alcanzaron cifras de consideración. De todos los poetas de los siglos de oro, el más divulgado fue Garcilaso, pero no tanto como Juan de Mena o las traducciones en verso de Esopo y de la *Eneida* de Virgilio. En el siglo XVI su mayor rival fue Ercilla, con su *Araucana*, pero la misma *Araucana* resulta también eclipsada por los poemas narrativos religiosos del siglo XV.

[Las posibilidades de elegir lecturas a veces se limitaban debido a interferencias oficiales, como la negativa del Consejo de Castilla —entre 1625 y 1634— a autorizar, por razones morales, la impresión de «libros de comedias, novelas ni otros de este género». Tal prohibición parece haber tenido ciertos efectos interesantes en el comercio librero y también en la literatura.]

III.   La reacción de los libreros-editores —y, no sabemos en qué medida, de los autores— no se hizo esperar. Aprovechándose de la estructura político-administrativa de la España de los siglos XVI y XVII, que se traducía en el aspecto editorial en la diversidad de legislación y jurisdicciones para el libro en los distintos reinos, falsean las indicaciones tipográficas, simulando ediciones hechas en los reinos de la Corona de Aragón, o imprimen ediciones contrahechas a otras originales de dichos reinos. Y algunos autores, a pesar de las prohibiciones de imprimir sus obras fuera de los reinos de Castilla sin licencia del Consejo de Castilla, también aprovecharon la multiplicidad legislativa y jurisdiccional. [La suspensión de la concesión de licencias para comedias y novelas es comprobable bibliográficamente.] La edición de nuevas obras en los reinos de la Corona de Aragón es también un hecho constatado. Lope de Vega publica en Barcelona, en 1634, la comedia *El castigo sin venganza*. Juan Ruiz de Alarcón publica en Madrid, en 1628, la primera parte de sus comedias, pero la licencia y privilegio fueron otorgados el 16 de marzo de 1622, antes de la suspensión de concesión de licencias. En cambio, su segunda parte de comedias, de 1634, es impresa en Barcelona, por Sebastián de Cormellas. *El Buscón*, de Quevedo, se publica en Zaragoza, en 1626.

El autor se encuentra imposibilitado de publicar normalmente sus creaciones y ve cómo obras suyas, que circulaban en copias manuscritas, quizás incluso hechas por libreros para suplir la falta de ediciones, en versiones alejadas del original, son clandestinamente —o de manera legal en los otros reinos, pero sin su control— impresas. [...] Desconocemos, por ahora, la tensión existente entre los partidarios de la literatura y los «reformadores». Tampoco sabemos las causas que permitieron la reanudación de la concesión de licencias en 1635. Interesante nos parece señalar la aparición en 1632, debidamente autorizadas, de dos obras que podían hacer pensar en una suavización de la prohibición, pero más bien creemos que son fruto del ingenio de sus autores para lograr la licencia del Consejo de Castilla y el privilegio real: *La Dorotea, acción en prosa* —privilegio de 10 de julio de 1632— y el *Para todos. Exemplos morales, humanos y divinos, en que se trata diversas ciencias, materias y facultades* —de 3 de febrero del mismo año—. La primera no es comedia ni novela, en sentido estricto. La segunda, causa de agriadas polémicas, intercala comedias y novelas. Dentro de esta línea podemos también situar la obra de Tirso de Molina, *Deleitar aprovechando*, cuya licencia y privilegio es de 6 de agosto de 1634, con un título que augura «fruto y prouecho común».

[Una de las consecuencias de este decenio de prohibición fue incrementar la ya considerable producción, por parte de impresores españoles que se encontraban en una situación apurada, de libros efímeros y de gran venta (tales como pliegos de cordel, relaciones de sucesos y comedias sueltas) ya que estas publicaciones proporcionaban beneficios económicos rápidos. Ese tipo de obras, reñidas con la literatura de calidad, abastecían a las masas y ejercían un efecto depresivo sobre los escritores. Este hecho puede contribuir a explicar otros dos: que los grandes escritores del Barroco, con la única excepción de Gracián, nacieran todos en el siglo XVI; y que en el siglo XVII la calidad de la literatura disminuyó en ciertos aspectos.]

IV. Naturalmente, era posible escribir para los «discretos» y para el «vulgo», aunque fuese más difícil. Como han argumentado críticos muy eminentes, una de las virtudes de la literatura española de los siglos de oro estribaba en su proximidad a sus orígenes populares. La circunstancia de que grandes autores a menudo se inspiraran en materiales populares para sus mejores obras significaba que incluso los públicos más amplios podían encontrar algo a su gusto en su obra. Mientras hubo genios como Lope y Calderón que se inspiraban en fuentes populares y convertían un romance o un relato de gran difusión en una gran comedia, la literatura española pudo mantener un alto nivel sin buscar refugio en un «paraíso cerrado»; pero cada vez había más escritores que utilizaban elementos, por así decirlo, vulgares, para componer obras no menos vulgares.

Nadie puede negar que la «literatura» trivial y los escritores triviales, en términos puramente numéricos aumentaron cada vez más en la España del siglo XVII. Ni tampoco puede negarse que su número fue también en aumento desde el punto de vista proporcional: cuando Gracián muere en 1658, Calderón es el único gran escritor vivo en España, y ello debido a un hecho casi fortuito, su longevidad. Cuando murió en 1681 no había nadie que pudiera ocupar su lugar. ¿Qué se había hecho de la nueva generación? Indudablemente algunos malgastaron su talento en imitaciones serviles. ¿Hubo otros que nunca se exigieron mucho a sí mismos porque les pareció más fácil escribir obras de poca monta para las que había un público siempre receptivo? M. C. García de Enterría supone que así ocurrió, al menos en el campo de la poesía: «Los poetas cultos, en la segunda mitad del siglo XVII, se dedican a la imitación de la poesía de cordel ... La poesía vulgar no experimenta así la urgencia de elevarse estéticamente si ve que son los otros quienes se rebajan hasta ella» [1973]. Cervantes dice que había escritores de esa clase, escritores que a principios del siglo XVII desperdiciaban auténticas dotes en obras baladíes. Pero ¿cuántos eran? ¿Cuántas grandes obras no llegaron a escribirse nunca porque sus autores estaban demasiado ocupados ganándose fácilmente la vida con una literatura de tercer orden? Éstas son preguntas a las que nadie puede contestar. [...]

Aunque sea lo más fácil, no deberíamos echar la culpa a los impresores. Teniendo que hacer frente a costos cada vez mayores y con capitales invertidos que iban menguando, trataban de sobrevivir haciendo el uso que podían de dos circunstancias muy concretas: la proximidad de la literatura española de los siglos de oro a sus orígenes populares, lo cual significaba que el «vulgo» nunca había permanecido completamente al margen ni siquiera de la literatura de calidad; y la revolución de la enseñanza en la España urbana del siglo XVI, que creó numerosos lectores potenciales en las ciudades (el declive de este fenómeno educativo en el curso del siglo XVII afectó al índice de analfabetismo, pero sólo de una manera gradual). Desgraciadamente para el nivel general de la literatura, la mayor parte de este numeroso público al que los impresores se veían obligados a abastecer, no distinguía entre la gran literatura y las obras de nula ambición, y se mostraba dispuesto a consumir un tipo de obras que las autoridades juzgaban nocivo. El declive literario se hubiera producido igualmente sin la intervención de las autoridades; se encontraba ya en un estado muy avanzado antes de que intervinieran. Sus decretos fueron una consecuencia, no una causa, del malestar económico. Si llegaron a tener algún efecto, éste fue el de aumentar el apremio comercial, y añadir la coacción de escribir lo que las autoridades consideraban ortodoxo y moralmente edificante. Estos apremios nunca son buenos para la literatura, aunque dudo que las coacciones morales fueran importantes en el caso de España. Si hubo alguna ley que tuviera efecto en la literatura española de los siglos de oro, no fue ninguna de las que dictaron los legisladores, sino las simples leyes económicas de la oferta y la demanda. Los hombres que componían romances no se preocupaban de quién dictaba las leyes del país.

MARGIT FRENK

PLENITUD LITERARIA DE LA CANCIÓN POPULAR

[Hacia 1580] ocurren cambios fundamentales en todo el ámbito de la cultura española. Podría hablarse de un general «aburguesamiento». La cultura deja de ser privilegio de la aristocracia cortesana, para convertirse en patrimonio de todos, particularmente de la burguesía urbana. La transformación se ve con plena claridad en el teatro, que, encerrado antes en las salas de los palacios, sale a la calle y se hace espectáculo «nacional». Al cambiar el público de la literatura, cambia muy a fondo el carácter de ésta. Y uno de los cambios consistirá precisamente en una especie de «folklorización». Para complacer y atraer al hombre de la calle, se tocan las cuerdas que más le suenan; no es que se le devuelva intacta su propia literatura: se le ofrece algo parecido, pero infinitamente renovado, remozado, capaz de deslumbrarlo y conquistarlo. [...]

Los poetas cultos de fines del siglo XVI crean para el pueblo español una nueva poesía popular, tan vieja y a la vez tan atractivamente distinta, que no puede sino invadir el gusto de la gente, haciendo caer en el olvido los cantares antiguos. La seguidilla y la cuarteta octosilábica, viejas formas españolas, se convertirán en vehículo principal de la invasión; a través de ellas fluirá todo un mundo poético de recentísima invención, que quedará grabado durante siglos en la imaginación del pueblo y marcará el rumbo de su propia producción.

En la nueva época (1580-1650) las formas poéticas en metros cortos, que son las que acogen elementos de tipo popular, se divulgan primero en un conjunto de pliegos sueltos y paralelamente en una serie de libritos de bolsillo, las nueve partes de la *Flor de varios romances,* que luego habrán de reunirse en el gran *Romancero general,* de 1600. En el si-

Margit Frenk, «Dignificación de la lírica popular en el Siglo de Oro», *Estudios sobre lírica antigua,* Castalia, Madrid, 1978, pp. 47-80 (66-67, 69, 73, 77-80).

glo XVII se publicarán otras compilaciones en pequeño formato, como el *Jardín de amadores,* el *Laberinto amoroso,* la *Primavera y flor de los mejores romances.* Además, toda esa poesía circulaba en gran número de cancioneros manuscritos [véase arriba, pp. 86-89], algunos de los cuales se conservan en bibliotecas de España e Italia. En la mayoría de esos cancioneros colectivos, impresos y manuscritos, las composiciones aparecen sin nombre de autor. Consta, sin embargo, la enorme participación de Lope de Vega y de Góngora, piedras angulares de este nuevo edificio lírico. [...]

La poesía profana se sirve de estribillos populares en letrillas, en romances y romancillos y en ensaladas. La *letrilla* o *letra,* usada preferentemente para temas burlescos y satíricos, es heredera formal del villancico; como él, consiste en un estribillo desarrollado en un número variable de estrofas, que terminan las más veces con el final del estribillo; como él, suele acoger estribillos de tipo popular. Pero, en contraste con lo que ocurre en los villancicos del período anterior, los estribillos arcaicos son escasos en las letrillas; más frecuente es que los poetas utilicen estribillos semipopulares de moda o refranes («Cual más, cual menos, toda la lana es pelos») o que escriban sus propios estribillos popularizantes («¡Cómo se aliña la niña, / madre mía, cómo se aliña!»; «Poderoso caballero / es don Dinero»).

El terreno que la lírica popular ha perdido en la forma villancico, lo recupera en un género antes casi ajeno a ella: el *romance.* Uno de los rasgos que distinguen al Romancero nuevo del viejo es justamente su lirismo, lirismo que se manifiesta en el estilo y además en la intercalación de cantares. Entre los romances y romancillos con estribillo predominan los que tienen un estribillo hecho a propósito (frecuentemente de dos endecasílabos), pero no son raros los que adoptan un cantar popular, [intercalan toda una letrilla de estribillo folklórico o consisten en verdaderas *ensaladas* —como se les llamó— de cantarcillos.]

La poesía religiosa de este período acogerá la lírica folklórica con más entusiasmo que la poesía profana, y con mayor asiduidad que la poesía religiosa de la etapa anterior. En los últimos años del siglo XVI y los primeros del XVII se publican varios cancionerillos con villancicos devotos de carácter notablemente popularizante. [La nueva época creará su propio estilo de lírica religiosa popularizante]: sus máximos exponentes serán poetas de primera magnitud, como Lope y Góngora, y poetas menores, como el delicado fray Joseph de Valdivielso o como Alonso de Ledesma [véase cap. 7] y Miguel Toledano. El estilo nuevo, por lo demás, se vaciará a menudo en moldes viejos, como el del villancico con estribillo amatorio de carácter popular al cual las coplas vienen a dar un sentido religioso. [...]

Los antiguos cantares del pueblo [se aprovechan, pues,] en la poesía lírica, profana y religiosa, a partir de 1580. Pero el provecho más hondo y significativo que toda esa escuela lírica sacó de la poesía folklórica radica en la creación de nuevas formas poéticas, de nuevos géneros que, arrancando de esa poesía, toman un rumbo diferente y descubren mundos insospechados. Ahí está el verdadero «popularismo» de esta época, cuyo alcance y cuyas múltiples manifestaciones están todavía por estudiar.

La dignificación literaria de la canción lírica popular alcanza su máxima expresión en el teatro de la gran época. Lo que en Gil Vicente había sido descubrimiento personal y casi único, será ahora costumbre y casi norma del género. La lírica musical de tipo popular se convertirá prácticamente en uno de los elementos constitutivos de la comedia, del auto sacramental y de algunas formas menores como el entremés y el «baile». Que esto pudiera ocurrir, se debió, sin duda, a Lope de Vega. Lope —dice Henríquez Ureña— «incorporó en el teatro toda la poesía del pueblo»; y además de la poesía del pueblo, la que él y sus seguidores crearon en el estilo popular antiguo, lo mismo que en ese nuevo estilo popularizante antes mencionado. Casi todas las formas líricas en metros breves incluidas en las *Flores de varios romances* —las letrillas, los romances y romancillos con estribillo o con una letra intercalada, las ensaladas, las seguidillas— pasan a formar parte del teatro profano y del religioso, y con ellas los cantares populares. Por otra parte, el teatro da acogida a formas no representadas en los cancioneros, notablemente a los desarrollos con estribillo intercalado, de evidente raigambre folklórica.

> *Deja las avellanicas, moro,*
> *que yo me las varearé;*
> *tres y cuatro en un pimpollo,*
> *que yo me las varearé.*
>
> Al agua de Dinadámar,
> *que yo me las varearé;*
> allí estaba una cristiana,
> *que yo me las varearé;*
> cogiendo estaba avellanas,
> *que yo me las varearé.*
> El moro llegó a ayudarla, etc.

Este cantar nos muestra cómo también la temática se ha enriquecido. El teatro dignifica, por primera vez, los cantos de segadores, espigadoras, viñadores, los cantares de bienvenida, las canciones asociadas con bodas, bautizos y toda clase de fiestas populares. Frecuentemente esos cantares van acompañados de baile y de música instrumental, y se intercalan en escenas de celebraciones aldeanas; pero no sólo: son muchas más las situaciones en que entran los elementos lírico-musicales, y muy variadas las funciones que desempeñan dentro de la economía total de la obra: como *leitmotiv,* para dar color local (como en los casos citados), para crear un vago ambiente de fondo, para comentar los sucesos acaecidos o presagiar los venideros, y muchas otras. [...]

La novela de esta época, como la de la etapa anterior, sólo muy de vez en cuando inserta cantares populares. [Donde la segunda etapa en la dignificación de la canción popular lleva gran ventaja a la anterior a 1580] es en el interés humanístico, no porque haya abundancia de autores y obras que recojan textos y testimonios, sino por la gran importancia que para el folklore poético han tenido tres escritores: Rodrigo Caro, cuyo tratado *Días geniales o lúdricos* (1626) describe un sinnúmero de juegos infantiles, incluyendo las rimas que los acompañan [véase cap. 7]; Sebastián de Covarrubias, que en su *Tesoro de la lengua castellana* (1611) documenta muchas voces con «cantarcillos triviales» [...]; y, el más importante para nosotros, Gonzalo Correas. Verdadero folklorista *avant la lettre,* este helenista de Salamanca recogió varios centenares de canciones populares que incluyó entre los «refranes, frases proverbiales y otras fórmulas comunes de la lengua castellana» que integran su riquísimo *Vocabulario* (h. 1627), y con los cuales ilustró su exposición gramatical y su estudio de las formas métricas en el *Arte de la lengua española castellana* (1625). [...] El caso de Correas es absolutamente excepcional en esa época; habrán de pasar más de dos siglos para que se emprenda un acopio y un análisis métrico sistemáticos de la poesía folklórica como los que él supo llevar a cabo.

A no ser por Gonzalo Correas, muchos cantarcillos no consignados en ninguna otra fuente se habrían perdido de manera irremisible. Porque, de un lado, el pueblo mismo iba ya sustituyendo por las nuevas seguidillas y coplas sus antiguas canciones (algunas sobreviven como por milagro en zonas marginales y arcaizantes), y porque, de otro lado, no tardaría en decaer el interés de los literatos por esas producciones: quedarían relegadas a ciertos géneros menores de la poesía lírica (villancicos religiosos) y del teatro (mojigangas y bailes), que todavía en la segunda mitad del siglo XVII y durante el siglo XVIII incorporan de vez en cuando alguna que otra muestra del antiguo arte lírico popular.

La dignificación de la canción popular es un fenómeno común a toda la cultura renacentista europea. En Francia, Italia, Alemania, Inglaterra, los escritores se complacen en utilizar los cantares folklóricos, en formas a menudo parecidas a las comunes en España. Parece, sin embargo, que ningún país dio a esa tendencia el riquísimo y múltiple desarrollo que alcanzó en la Península Ibérica; en ninguno lo popular hundió sus raíces tan profundamente en la poesía y en el teatro. El estudio cabal de la literatura española del Siglo de Oro, sobre todo en esos dos aspectos, no es concebible sin un análisis de sus elementos folklóricos.

RAMÓN MENÉNDEZ PIDAL

EL HERMETISMO BARROCO: OSCURIDAD Y DIFICULTAD COMO IDEALES ESTILÍSTICOS

A comienzos del siglo XVII los teorizantes de la literatura, apoyados, como era de rigor, en abundantes textos de autores clásicos, condenaban unánimes la oscuridad en el estilo, como uno de los vicios evidentes. La oscuridad es simplemente «abominable» hasta para el joven don Luis Carrillo en su *Libro de la erudición poética* (1607) que es un manifiesto del nuevo gusto entonces incipiente. Por esto, en el mismo instante en que Góngora envía desde Córdoba a Madrid su nueva obra las *Soledades* (1613), la crítica de los más diversos matices notó en aquella poesía la oscuridad como punto vulnerable y totalmente indefendible. [En particular] Jáuregui se muestra insensible totalmente a la nueva manera de arte, despreciador intransigente del poema gongorino al par que de todas sus imitaciones. Se halla dis-

Ramón Menéndez Pidal, «Oscuridad, dificultad entre culteranos y conceptistas», *Romanische Forschungen*, LVI (1942), pp. 211-218; reed. en *Castilla: la tradición, el idioma*, Espasa-Calpe, Buenos Aires, 1945, pp. 219-232.

puesto a admitir la oscuridad en las sentencias y pensamientos, en el argumento mismo de la obra, porque la grandeza de la materia trae consigo el no ser manifiesta al vulgo; pero esto más que «oscuridad» debe llamarse «dificultad»: obras «difíciles», más bien que «oscuras». Sentado esto, el gongorismo, dice Jáuregui, trata asuntos muy llanos y claros, la acción es simple, el discurso de los sucesos es sencillo, los conceptos son flojos, y, sin embargo, el lenguaje, sólo el lenguaje, es de profundas tinieblas: «aun no merece su habla en muchos lugares el nombre de oscuridad, sino de la misma nada», «lo único claro es que allí no se dice nada». [...] Jáuregui, rodeado de un imponente aparato de crítica docta y filosófica, resume su unilateral doctrina sentenciando que «la oscuridad es un vicio, el más cierto y menos sufrible». Ésta era entonces, como casi siempre lo es, la opinión más común e inconmovible.

No la contradecían ni aun los defensores más decididos del poeta cordobés. No trataban de justificar la oscuridad, ni siquiera la escudaban bajo el concepto análogo de dificultad; lo que hacían era negarla en redondo. Vázquez Siruela, hacia 1628, escribía: la oscuridad tan censurada en Góngora no es tal oscuridad, sino «abundancia de luz», brillo cegador como el del sol, pues consiste en abundancia de ornamentos que son «lumbres de la oración». [...] Pero es el caso que Góngora no quiso defenderse así, ni aparecer sumiso a la general opinión condenatoria del gran vicio literario: [antes bien,] se jacta de haber subido la lengua vulgar a la perfección y complejidad de la latina, convirtiéndola en un «lenguaje heroico, que ha de ser diferente de la prosa, y digno de personas capaces de entenderle; ... pues no se han de dar las piedras preciosas a animales de cerda». Para ésos, capaces de comprender el arte, la oscuridad es *útil* por cuanto aviva el ingenio, y es además *deleitable,* porque «como el fin del entendimiento es hacer presa en verdades, ... en tanto quedará más deleitado en cuanto, obligándole a la especulación por la oscuridad de la obra, fuera hallando, debajo de las sombras de la obscuridad, asimilaciones a su concepto».

En esta declaración de principios no es cosa nueva el que Góngora, al revés de Lope, crea que el arte debe ser para pocos, a modo de un hábito que separe al hombre culto del ignorante. Cosa parecida se había propuesto Herrera, y por eso los apologistas del poeta cordobés le presentaban y le presentan como el legítimo continuador de las doctrinas estéticas sentadas por el poeta sevillano. Pero entre

Herrera y Góngora existe una diferencia esencial: el uno condena la oscuridad y el otro la adopta. Esto es lo ciertamente nuevo en la mencionada declaración: la oscuridad concebida como promotora de una actividad especulativa, por más que ésta se refiera principalmente no a verdades del pensamiento (como las palabras de Góngora pudieran hacer creer) sino a verdades de la imaginación, ejercitándose sobre la mera comprensibilidad de la expresión poética, según censuraban Jáuregui y Cascales. En este terreno, el poeta de las *Soledades* se alaba de haber latinizado la lengua común, no al sencillo modo de Herrera, sino convirtiéndola en una lengua de arcanidad magnífica, tan arcana al vulgo como la lengua de Roma; y razona este mérito propio, encareciendo la utilidad que halla el entendimiento en ser trabajado por una oscuridad y un estilo intrincado como el de Ovidio. En consecuencia, además de la latinización en vocabulario, hipérbaton, fraseología, adopta una expresión indirecta que se mueve continuamente entre metáforas y alusiones eruditas, y lo hace siempre consciente del valor de la oscuridad como factor estético, que promueve el placer intelectual de la especulación, a la vez que actúa como incitante sugestivo, pidiendo al lector, no la simple recepción pasiva de la belleza poetizada, sino la cooperación con el poeta, escrutando, bajo las sombras, ocultas posibilidades de hermosura.

Esa decidida declaración de Góngora quedó inédita y olvidada. No la combatieron los muchos adversarios del poeta, ni insistieron en ella los muchos defensores. Es notable que Salazar Mardones, al estudiar «las razones en que pudo don Luis fundarse para la jactancia que fingió haber tenido de la oscuridad de sus versos», no menciona la expresada opinión, ni nada que se le parezca. Y, sin embargo, en ella acierta el poeta con los fundamentos de una característica capital de todo arte barroco, la repulsa de la claridad; y en el grado extremoso a que él llevó esa característica se halla la principal originalidad del gongorismo. Así Góngora en su audaz declaración nos muestra conocer perfecta y penetrantemente lo que deseaba realizar, de ahí que lo realizó en modo insuperable: esa poesía que es de continuo un ágil rehuir la expresión directa, un encubrir aquello que quiere representar, velándolo detrás de toda clase de significados traslaticios y de complicaciones verbales. Como el autor se proponía, el ánimo del lector se siente atraído hacia las emociones de la emboscada y del salir con bien, por entre las asechanzas del decir encubierto: se engolfa en el placer descubridor, tan atractivo en la caza o en la adivinanza popular o en la alta investigación científica. El procedimiento en sí, esa expresión indirecta, pertenece a la poesía de todos los tiempos; su frecuencia o su continuidad es lo especial de la época barroca y sobre todo del gongorismo. [...]

Fuera del gongorismo la oscuridad perdió su estimación ante el concepto análogo de la dificultad que Jáuregui le ponía enfrente: oscuridad, lo tocante a la expresión, vicio condenable; dificultad, lo referente al asunto y pensamientos, moralidad defendible y aun preciada. Quevedo combatió la oscuridad, satirizó despiadadamente a Góngora, al culterano umbrático y a su turbia «inundación de jerigonzas». Él no quiere ser oscuro, sino ingenioso. [...] De igual modo dentro del conceptismo, Gracián tampoco aboga por la oscuridad, por más que, no indiferente como Quevedo, sino decidido, profesa firme aversión a la claridad. [Gracián propugna lo difícil, no lo oscuro, y no como problema, sino como litigio que hay que vencer mañosamente.] Mientras Góngora con su oscuridad piensa sólo en negarse a los entendimientos inferiores, Gracián, con su arcanidad o dificultad, no desdeña el propósito malicioso de aturdirlos o deslumbrarlos. Una segunda razón para no jugar a juego descubierto, para huir a toda costa la llaneza, es que «los más no estiman lo que entienden, y lo que no perciben lo veneran... Será celebrado cuando no fuere entendido... Para los más es necesario el remonte: *no se les ha de dar lugar a la censura, ocupándolos en el entender*; todo lo recóndito veneran por misterio». En esto Gracián ejercita una milicia de malicia, no sólo aquella que él decía milicia contra malicia. Agradezcámosle aquí la franca claridad, que no todo es sentimiento estético en el arte de lo oscuro y lo difícil.

FÉLIX MONGE, ANDRÉE COLLARD, ALEXANDER A. PARKER

CONCEPTISMO Y CULTERANISMO

1. El poeta barroco (y antes ya el manierista) tiene gran interés en causar asombro, en maravillar. Tal objetivo se postula explícitamente en España y fuera de ella con pretensión de convertirse en eje del quehacer poético. Dice el italiano Marino: «È del poeta il fin la meraviglia. / Chi non sa far stupir vada a la striglia». Se pretende volver, es cierto, a la interdependencia y ligazón aristotélicas entre la *elocutio* y la *dispositio* (en el Renacimiento predominaba el interés por la *elocutio* estricta), esto es, *docere* y *delectare,* orden y ornato. Pero con una diferencia fundamental. La norma aristotélica de la imitación, imperante hasta entonces, ha sido sustituida por la de la «invención». La obra de arte ha de responder a la «idea» del artista y no ser mera copia de la naturaleza. [...] Los teóricos literarios barrocos se apoyaban en una base aristotélica. Aristóteles, en efecto —para el cual todo discurso es por naturaleza metafórico—, recomienda en su *Retórica* al poeta y al orador el uso de metáforas elegantes, dotadas de evidencia y obtenidas preferentemente por antítesis. La contraposición facilita la aprehensión de relaciones, y aprender con facilidad es un placer para todos. En tales metáforas la expresión ha de ser rápida (eliminando nexos verbales) y enérgica (que haga resaltar las cosas). De tal idea de la metáfora literaria par-

---

I. Félix Monge, «Culteranismo y conceptismo a la luz de Gracián», en *Homenaje. Estudios de filología e historia literaria lusohispanas e iberoamericanas publicados para celebrar el tercer lustro del Instituto de Estudios Hispánicos Portugueses e Iberoamericanos de la Universidad Estatal de Utrecht,* Van Goor Zonen, La Haya, 1966, pp. 355-381 (358-359, 361-362, 371-376).

II. Andrée Collard, *Nueva poesía. Conceptismo, culteranismo en la crítica española,* Castalia, Madrid, 1967, pp. 11-17.

III. Alexander A. Parker, «La agudeza en algunos sonetos de Quevedo. Contribución al estudio del conceptismo», en *Estudios dedicados a Menéndez Pidal,* Consejo Superior de Investigaciones Científicas, Madrid, 1952, III, pp. 345-360 (345-353).

tieron los retóricos barrocos para la suya de la «metáfora ingeniosa», del «concepto», principal fundamento del conceptismo, el estilo literario defendido y exaltado por ellos; [pero dejaron de lado la exigencia de mantenerse siempre en el justo medio y, sobre todo, el principio central de la mímesis.]

La *Agudeza y arte de ingenio* responde a la necesidad, repetidamente expuesta por Gracián, de dar método y reglas a lo que antes se había desatendido: los antiguos hallaron «métodos al silogismo, arte al tropo», pero omitieron hacer lo mismo con la agudeza, «remitiéndola a la sola valentía del ingenio». «Eran los conceptos hijos más del esfuerzo de la mente que del artificio.» «Ármase con reglas un silogismo; fórjese, pues, con ellas, un concepto. Mendiga dirección todo artificio, cuanto más el que consiste en la sutileza del ingenio.» No bastan, pues, la *Lógica* (arte del silogismo) y la *Retórica* (arte del tropo). Es necesaria una disciplina —un arte— nueva e independiente en que se contenga el artificio de la sutileza. [...]

Para Tesauro (el teórico italiano más importante del Barroco), el *ingenio* es una «fuerza» del intelecto dotada de dos cualidades: la perspicacia y la «versabilità» (ellas le permiten encontrar en cosas desemejantes la semejanza y ligar nociones distintas entre sí). Gracián lo considera causa principal de la *agudeza* (las otras son la *materia,* el *ejemplar* y el *arte*): [«perenne manantial de conceptos y un continuo mineral de sutilezas».] «Consiste también en artificio, y el superlativo de todos.» El artificio correspondiente a la agudeza —el «artificio conceptuoso»— consiste «en una primorosa concordancia, en una armoniosa correlación entre dos o tres cognoscibles extremos, expresada por un acto del entendimiento». Y tal acto del entendimiento (el que «exprime la correspondencia que se halla entre los objectos») es el *concepto.* La agudeza es «pasto del alma», la sutileza «alimento del espíritu». Los conceptos son «vida del estilo, espíritu del decir» y, para el entendimiento, lo mismo que «para los ojos la hermosura, y para los oídos la consonancia».

[¿En qué relación se encuentra el nuevo «arte» de la agudeza y el ingenio con la retórica tradicional? En la de *forma* a *materia,* según el sentido que tienen ambos términos en filosofía a partir de Aristóteles. Gracián lo advierte una y otra vez:] el ingenio y la agudeza, «informan» —dan forma— a la materia de las figuras retóricas, de los tropos. La agudeza pasa a ocupar el primer lugar y las figuras retóricas quedan reducidas a instrumentos de que se sirve aquélla para «exprimir cultamente los conceptos». Son solamente «fundamentos materiales de la sutileza» y, a lo más, «adornos del pensamiento». Está, pues, claro que Gracián no condena el ornato retórico. Afirma solamente que debe estar al servicio de la agudeza. Y las palabras, consecuentemente, subordinadas al concepto: «Son las voces lo que las hojas en el árbol, y los conceptos el fruto»; «Preñado ha de ser el verbo, no hinchado, que signifique, no que resuene». Lo conceptuoso es subordinante por ser el «espíritu del estilo». Los «conceptos», a su vez, «vida del estilo». Y los dos estilos «capitales» —asiático y lacónico— «han de tener alma conceptuosa» y participar del ingenio. La perfección estilística, sin embargo, no se apoya sólo en los pensamientos, sino también en las palabras: «Dos cosas hacen perfecto un estilo: lo material de las palabras y lo formal de los pensamientos, que de ambas eminencias se adecúa su perfección». Queda así afirmada la licitud —incluso la conveniencia— del adorno para la perfección del estilo. No ha de olvidarse, claro está, la condición subordinada del ornato, pero, en conclusión, la obra perfecta resulta de la conjunción de la agudeza y el ornamento: «cuando se junta lo realzado del estilo y lo remontado del concepto hacen la obra cabal». Gracián, en realidad, acepta todos los estilos con tal de que tengan «alma conceptuosa»; «pero cada uno en su sazón y todo con cordura». [...]

Nada, pues, hasta aquí, contra el uso del ornamento, de la «cultura» en la obra literaria, ni de oposición entre ésta y la agudeza. Muy al contrario, alude repetidamente con elogio a la presencia simultánea de ambas: «compiten en celada la cultura y la agudeza». [...] Así se explica su admiración por Góngora, «aquel que fue cisne, fue águila, fue fénix, en lo canoro, en lo agudo, y en lo extremado». Y «fue fénix», sobre todo, como dice más adelante, del «estilo aliñado», el «artificial» por excelencia, aquel que, teniendo «más de ingenio que de juicio», «atiende más a la frase relevante, al modo de decir florido». Lo mismo que «Hortensio» (se refiere a Paravicino), «juntó lo ingenioso del pensar con lo bizarro del decir». Por ello es digno el poeta de toda alabanza. Advierte sin embargo Gracián una desproporcionada estima del ornato —en detrimento de la agudeza— en la literatura de su época: «Esta diferencia hay entre las composiciones antiguas y las modernas: que aquéllas todo lo echaban en concepto, y así están llenas de alma y viveza ingeniosa; éstas, toda su eminencia ponen en las hojas de las palabras, en la escuridad de la frase, en lo culto del estilo, y así, no tienen tanto fruto de agudeza». Lo que se repudia aquí inequívocamente es la alteración del equilibrio deseable entre el adorno retórico y los «conceptos». Y aún hay peor. Los malos imitadores de Góngora —aquellos que quisieron seguirle «como Ícaros a Dédalo»— que, según los punzantes versos que cita de Bartolomé Leonardo de Argensola, «Con mármoles de nobles inscripciones ... / fabrican hoy tabernas y mesones». El resultado es «un estilo culto bastardo y aparente que pone la mira en sola la colocación de las palabras, en la pulideza material de ellas, sin alma de agudeza». Un estilo de este género es absolutamente vituperable: «Esta es una enfadosa, vana, inútil afectación, indigna de ser escuchada». Y recuerda que, incluso en la Retórica, es «más principal» el ornato para el sentido que el ornato para las palabras. El elogio a la utilización de la «cultura», del ornamento en la obra literaria, se convierte así en censura si se abusa de él.

II.   Desde los primeros versos del *Polifemo* aparece subrayado el giro adversativo «culta sí, aunque bucólica Talía», que anticipa la tónica del poema: asunto rústico cantado en verso culto, verso hasta aquí reservado para temas heroicos. [...] Sugiriendo, pues, una intención que luego no mantendrá Góngora con el rigor clásico que pedían sus adversarios, la fórmula antitética *culta-bucólica*, así como toda la primera octava del poema, resume los rasgos del sistema gongorino, los más vistosos de los cuales son italianizantes y de tradición greco-romana. La voz *culta* recibe, además, el peso del verso inicial («Esta que me dictó rimas sonoras»), de origen latino también, llamando fuertemente la atención sobre sí.

La formación del término *culteranismo* no está bien documentada en el XVII. Al parecer tuvo en su principio sentido favorable, y estrictamente aplicable al neologismo, al cultismo.

Los versos en que Lope transmite el tan traído y llevado *culteranismo* son harto conocidos: «Allí nos acusó de barbarismo / gente ciega vulgar, y que profana / lo que llamó Patón *culteranismo*». L.-P. Thomas señaló que, como se ve por el empleo de *profanar,* el vocablo *culteranismo* tenía sentido favorable. Es decir, la «gente ciega vulgar», fanática del cultismo, ha acusado a Lope de bárbaro inculto. Lope se burla de estos versificadores, le dan lástima los «círculos y ambages con que se oscurecen, por llamarse *cultos,* tan lejos de imitar a su inventor, como está del primer cielo de la Luna el lucidísimo Empíreo». Para Lope, los profanadores del cultismo (los culteranos) no son en verdad cultos; son los que sin ton ni son abusan del «culteranismo», puesto de moda a partir de Góngora, aunque no por él inventado. Ni Lope ni la mayoría de los anticulteranos mentaban a Góngora con esta palabra.

El presunto inventor del término *culteranismo,* el preceptista Bartolomé Jiménez Patón, considerado alguna vez como «el gran teorizador retórico del barroco» (Antonio Vilanova), lo habrá forjado, quizá, para caracterizar las aportaciones lingüísticas que venían enriqueciendo el lenguaje desde Juan de Mena. Lope, al repetirla, conserva sin duda este sentido técnico: «Aquí las redondillas admiradas / de Italia, nuestra lengua ennoblecieron, / que como Castellanas no sufrieron / ser de frase estrangera adulteradas; / éstas, como doncellas recatadas, / huyen *culteranismos* / porque sólo permiten *hispanismos,* / y acabar por contrarios, / si bien términos varios, / como vemos que suena / bien, mal, amor, olvido, gloria y pena». [Las redondillas, forma española, no admiten extranjerismos.] Por un lado, el pasaje no indica que Lope pensara en Góngora como fundador del movimiento que la crítica posterior consagró con el nombre de culteranismo (en otro lugar alude a cierto *insigne* poeta [Góngora] que perdió todo el aplauso general «después que se pasó al culteranismo»). Por otro lado, se nota una marcada intención de menosprecio de la «frase extranjera», compartido por muchos de los escritores de su tiempo: Góngora perdió el aplauso *general* sólo porque se pasó al pre-existente culteranismo.

En la *Epístola a un señor de estos reinos,* Lope sigue ironizando a costa de los «poemas nuevos», «esta nueva lengua» que ignora la claridad castellana buscando «para cada verso tantas metáforas, gastando en los afeites lo que falta de facciones y enflaqueciendo el alma con el peso de tan excesivo cuerpo». Así mantiene la oposición entre lo castellano —lo claro— y lo extranjero —lo nuevo, lo recargado y ornamental—. Es probable que, además de preferencias de orden estético, la insistencia de Lope en mantener el contraste entre castellano y extranjero contenga veladas alusiones a los cristianos nuevos, como sin duda ocurrió en el antigongorismo de Jáuregui y Quevedo.

En cuanto al adjetivo *culterano,* base de *culteranismo,* parecería humorísticamente calcado sobre *luterano* [según propone J. Corominas], aunque no hay prueba textual en apoyo de tal suposición. La forma adjetival no parece existir antes de 1622. La utiliza Quevedo junto con otras formas análogas que inventó para escarnecer a los *cultos* —incluso Góngora—: *cultedad, cultosa, cultero, cultería, cultigratia* [*Incipit cultigratia*], *culterano* y *culterana* (la persona: un culterano, una culterana; la cualidad: el habla o estilo culterano). Sería absurdo suponer sin más que la noción de herejía luterana sea la base de esta jocosa agrupación, pero esto no invalida del todo la hipótesis de Corominas. Independientemente de la voz y del fenómeno que ella designa, el ambiente venía saturándose de alusiones a los cultos y parecidas «herejías» —no sólo literarias— desde Castillejo, quien satirizaba a los petrarquistas comparándolos con las *sectas* anabaptista y luterana. Pero en la manera como lo recordó Lope en los pasajes citados, es improbable que *culteranismo* conllevara para él insinuaciones de luteranismo.

La crítica anticulterana se enlaza con la crítica de la lírica petrarquista (cuyos temas y cuyo sistema metafórico, agotados ya, se repetían mecánicamente en los malos poetas) y con el artificioso lenguaje cortesano. Los nuevos críticos se encontraban en terreno conocido y se sirvieron mucho de los términos usados antes para designar aquel fenómeno. Así se explica la perduración de la idea de 'nuevo dialecto' o jerga extraña. Pero los contemporáneos de Góngora distinguían muy bien entre la buena imitación y la mediocridad, esa misma mediocridad que antes había despreciado y combatido a Garcilaso, mereciendo las iras de Castillejo y el menosprecio de los más entendidos, como, por ejemplo, Cervantes y el mismo Góngora. La «ciega plebe» llamaba *culta* a la mala imitación gongorina y de esta designación se burlaban los verdaderos cultos. L.-P. Thomas ha ilustrado con amplia documentación el uso satírico de la voz *culto*. Bástenos recordar un ejemplo: «Ya veo que la ciega plebe se alarga hoy a llamar *cultos* los versos más broncos y menos entendidos: tanto puede con su lengua la rudeza, ¡bien interpretan la palabra cultura!» (Jáuregui).

Culto, en sentido satírico, rarísimas veces aplicado a Góngora, señalaba la imitación extravagante del lenguaje gongorino. Vázquez Siruela separaba a los imitadores en dos categorías. Por un lado los que «usando de las voces *canoro, erige, purpúreo, gigante de cristal*» se figuran seguir al maestro y sólo logran hacerse odiosos. Por otro lado, los que «compensan los daños que estas tristes Almas puedan haber hecho» imitando con genio a Góngora. Lope se burla de los poetas que «con aquellas transposiciones, cuatro preceptos y seis voces latinas o frases enfáticas, se hallan levantados adonde ellos mismos no se conocen». [...] Espinosa Medrano también rechazará al versificador que se «tiene persuadido a que el alma de Góngora se le pasó a sus carnes» con usar «dos hipérbatos, seis voces, y *plumas calzada* o *aljófares vestido*». Lo excesivo del ataque satírico-burlesco de Quevedo, así como la ausencia total de referencias favorables a Góngora en ninguno de sus escritos, nos impide decidir si distinguía entre Góngora y sus émulos. Por lo pronto, parece que no: «Quien quisiere ser Góngora en un día» alterna con una variante, «Quien quisiere ser culto en sólo un día», en unos versos donde propone como receta un sinnúmero de palabras sacadas de las *Soledades*. Como decía Lope, la poesía de Góngora «no es verde hierba para todos prados», pero aquella distancia entre Góngora y sus peores secuaces, bien percibida por los contemporáneos españoles y americanos, se perdió de vista en la centuria siguiente. *Gongorismo y culteranismo* vinieron a ser sinónimos; todos conocemos el resultado de esta confusión.

III. Aunque es justificable y útil mantener una distinción entre el culteranismo y el conceptismo, no se puede dar la razón a Menéndez Pelayo cuando afirma que no hay «nada más opuesto entre sí» que estos dos estilos. Es verdad que la «*Agudeza y arte de ingenio* no es de ningún modo una Retórica culterana: ... es una Retórica conceptista». Pero, ¿cómo puede justificarse la afirmación de que «es precisamente lo contrario», si Gracián no se cansa nunca de darnos a entender que su poeta predilecto era Góngora, y si éste le proporciona la mayor parte de las agudezas que comenta? Tan conceptista era Góngora como Quevedo, o aun más todavía. El que los dos poemas *cultos* de Góngora no sean pomposa palabrería se debe, en primer lugar, a la agudeza o agilidad intelectual que muy a las claras se manifiesta en cada uno.

Un estudio reciente y valioso ha derrocado la oposición tradicional entre el culteranismo y el conceptismo, pero establece otra, que para mí es igualmente inaceptable. Según Manuel Muñoz Cortés, la diferencia está en el idealismo del uno y el infrarrealismo del otro. [Pero] esta no es diferencia genérica, sino distinción de modalidad. El procedimiento metafórico, que se reconoce ser idéntico en los dos estilos, es lo genérico, y es preciso tener un vocablo técnico para caracterizarlo. Se suele emplear el término *barroco*. Yo prefiero *conceptismo*, porque el limitar la idea de *ingenio* a lo infrarreal violenta las teorías literarias y la terminología de la época. [...] Tan *ingenioso* es Góngora cuando dice de Galatea que «segur se hizo de sus azucenas», como cuando dice que la entrega de una mujer a un viejo rico la motivó «interés, ojos de oro como gato, / y gato de doblones, no Amor ciego». Tan conceptuosa es una imagen como la otra.

Creo, pues, que el procedimiento metafórico característico de la época debe denominarse *conceptismo,* y que será útil emplear la palabra *culteranismo* para denotar, en primer lugar, la latinización del lenguaje (cultismos, hipérbaton, etc.), y en segundo lugar, el empleo de las metáforas genéricas típicamente gongorinas (*nieve, oro cristal,* etc.). Aunque estas últimas se basan, lógicamente, en *conceptos* implícitos, su empleo sistemático les priva de todo elemento de penetración intelectual; vienen a ser nada más que «bello eufemismo», como ha dicho Dámaso Alonso, y constituyen un lenguaje poético nuevo y *culto* del que podía burlarse despiadadamente un conceptista como Quevedo. Aplicado un injerto a un patrón, la nueva planta podrá crecer más vigorosa y lozana que la especie original, pero conservará sus características genéricas. El culteranismo me parece ser un refinamiento del conceptismo, injiriendo en él la tradición latinizante. El conceptismo es la base del gongorismo; más todavía, es la base de todo el estilo barroco europeo. [...]

La naturaleza esencial del *concepto,* en que se basa este estilo, es el establecer una relación intelectual entre ideas u objetos remotos; remotos por no tener ninguna conexión obvia o por ser en realidad completamente disímiles («relaciones ficticias y arbitrarias», se les suele llamar). El haber un abismo entre los términos de la comparación, el cual se pretende salvar por medio de un salto del *ingenio,* es lo que diferencia al *concepto* de la metáfora normal. En los antiguos tratados de retórica esta metáfora violenta o disonante se llamaba *catachresis.* [Para no caer en una catacresis ridícula], el efecto que debe producir un *concepto* bien ideado es comparable al del relámpago en una tempestad nocturna: ilumina con repentina brillantez los objetos que la oscuridad no dejaba distinguir.

[Ocurre así en el soneto quevedesco «Afectos varios de su corazón, fluctuando en las ondas de los cabellos de Lisi»]:

En crespa tempestad del oro undoso
nada golfos de luz ardiente y pura
mi corazón, sediento de hermosura,
si el cabello deslazas generoso.
Leandro en mar de fuego proceloso
su amor ostenta, su vivir apura;
Ícaro en senda de oro mal segura
arde sus alas por morir glorioso.

> Con pretensión de fénix, encendidas
> sus esperanzas, que difuntas lloro,
> intenta que su muerte engendre vidas.
> Avaro y rico y pobre, en el tesoro,
> el castigo y la hambre imita a Midas,
> Tántalo en fugitiva fuente de oro.

La experiencia en que se basa el soneto no puede ser más sencilla: el poeta mira a la mujer amada deslazar el cabello. Éste se transforma en seguida mediante cuatro *conceptos*: 1) por estar suelto es un golfo o mar, y por ser rizado es un mar de ondas agitadas que amenazan muerte al nadador; 2) por ser dorado es el oro material, o sea un tesoro codiciable, y también 3) la luz del sol y el espacio que atraviesan sus rayos; 4) siendo los rayos del sol, es fuego que quema y mata. Y el cabello es todo esto, no por progresión, sino simultáneamente, lo cual se expresa por medio de las catacresis: *crespa tempestad, oro undoso, golfos de luz, mar de fuego, senda de oro*. Estos *conceptos* no son alarde de una imaginativa exuberante, sino elementos esenciales en la reconstrucción ideal y valoración de lo que el poeta había experimentado. El primer cuarteto nos comunica maravillosamente la intensa reacción sensual del corazón del poeta, «sediento de hermosura». La imagen «tempestad» se aplica al cabello deslazado de la amada para revelar el estado de trastorno en que se encuentra el poeta. La tempestad es a la vez un torrente impetuoso y un relampagueo de «luz ardiente y pura»: la vista del cabello deslumbra al poeta y le enciende el corazón, al mismo tiempo tiene que luchar a nado con el torrente que le arrebata. Luego, después de la reacción sensual, sobreviene la intelectual: la mente pondera y valora este estado de trastorno. Aquí vuelve a entrar la agilidad conceptista: se salta del nivel sensual y afectivo al mitológico-moral, no arbitraria, sino lógicamente. Vemos ahora que las catacresis iniciales tomaron esa forma para facilitar esta transición. La «crespa tempestad», el «oro undoso» y el «nada golfos» conducen a Leandro; por ser «de luz ardiente» el golfo en que nada el poeta surge la imagen de Ícaro volando por la «senda de oro», y la muerte de éste «por arder las alas» conduce inmediatamente al fénix. Además, el oro evoca a Midas y la sed que padece el poeta (por traslación desde la imagen general de agua) nos lleva a Tántalo.

Con estas alusiones e identificaciones se nos abre un mundo entero de experiencia humana. El poeta está sediento de hermosura, pero la de la dama es intangible. Lo tempestuoso y ardiente de la pasión, el «mar de fuego proceloso», impele a arriesgarlo todo por la gloria que se anhela, pero al mismo tiempo prepara la muerte que premió el arrojo de Leandro y la ambición de Ícaro. Pero esta muerte ardiente en el fuego de la pasión, ¿no conducirá a nueva vida? ¿No es la pasión un fénix capaz de renovarse indefinidamente?, pregunta el corazón. No, contesta la mente. (Hay que notar que es el corazón el que tiene «encendidas sus esperanzas», pero es el poeta mismo quien las «llora difuntas».) No; porque la sed del corazón no se puede aplacar; la fuente huye de Tántalo. El castigo de la pasión es tener el hambre perpetua de Midas mientras está a la vista lo que promete satisfacerla. Aunque la pasión conduzca a la muerte, hay siempre la tentación de extender las alas, como Ícaro, «por morir glorioso». Pero no; la hermosura es inasequible; la pasión no puede asirla ni hacerla eterna. Detrás del fuego glorioso de la vida están las tinieblas de la frustración. El poeta fluctúa atenaceado entre la promesa de la gloria y la seguridad del vacío. Tiene a la mano el tesoro de la hermosura, pero la fuente de oro le escapa fugitiva, dejándole pobre y hambriento. La guerra que se hacen la pasión y la razón es la condición atormentada del hombre.

He aquí un ejemplo perfecto, logrado con sumo arte, de la tensión barroca, la cual consiste aquí en entregarse plenamente a la experiencia de la vida con la totalidad del ser, con los sentidos, las pasiones, la inteligencia y el juicio moral. No se habría podido presentar esta tensión con tanta fuerza y economía sin las alusiones mitológicas; éstas, por su parte, hubieran sido imposibles sin las imágenes conceptistas. Por medio del conceptismo se logra comprimir en catorce versos de intensa poesía un mundo entero, no ya la experiencia privada de Quevedo, sino la experiencia de la humanidad entera a través de los tiempos.

Otis H. Green

«NI ES CIELO NI ES AZUL»:
SOBRE EL «ESCEPTICISMO» DEL BARROCO

[A propósito del lenguaje español en el siglo xvi, observaba Menéndez Pidal]:

Las ideas dominantes han cambiado radicalmente [alrededor de 1600.] En este período de Cervantes, escribe ... Argensola el conocidísimo soneto

Otis H. Green, «Three cosmological problems», *Spain and the western tradition. The Castilian mind in literature from El Cid to Calderón*, II. University of Wisconsin, Madison, 1964, pp. 64-74; trad. cast. de Cecilio Sánchez Gil, Gredos, Madrid, 1969, pp. 77-88 (78-81, 84,86).

sobre los encantos de aquel blanco y carmín de doña Elvira, beldad mentirosa no igualada por la de ningún rostro verdadero. ¡Cuántos comentarios se han hecho sobre esta poesía, con ineptas mudanzas de su pensamiento final! Pero su verdadero sentido no se nos revela hasta que no recordamos la insistencia con que en los períodos anteriores eran condenados los afeites femeninos, pues el arte no debe engañar al espíritu humano que descansa firme en la bondad y hermosura de todo lo natural. *Ahora para el poeta de fines del siglo XVI* la verdad y la belleza ya no son una misma cosa; la naturaleza ha perdido su divino prestigio: nos engaña, el cielo azul «ni es cielo ni es azul», sentencia inquietante que Calderón repetirá en *Saber del mal y del bien*: «ni es cielo ni es azul». La confianza en lo natural falta; la confianza en la sencilla veracidad del lenguaje, también ...

Me propongo demostrar en las páginas siguientes que esta concepción no tiene nada que ver con la «nueva ciencia», que, en realidad, es la «vieja ciencia»; y que, de hecho, dejaba tan impertérritos a los españoles de la Edad de Oro como hoy nos deja a nosotros la observación de que el remo que entra oblicuamente en el agua no se ha doblado propiamente y que, en rigor, el sol no «sale».

[El aludido soneto de Bartolomé Leonardo de Argensola dice así]:

Yo os quiero confesar, don Juan, primero,
que aquel blanco y color de doña Elvira
no tiene de ella más, si bien se mira,
que el aberle costado su dinero.

Pero tras eso confesaros quiero
que es tanta la beldad de su mentira,
que en vano a competir con ella aspira
belleça ygual de rostro verdadero.

Mas ¿qué mucho que yo perdido ande
por un engaño tal, pues que sabemos
que nos engaña así Naturaleza?

Porque ese cielo açul que todos vemos
ni es cielo ni es açul. ¡Lástima grande
que no fuera verdad tanta belleça!

[No hay ahí nada que se deje relacionar] con la ciencia de Copérnico ni de Galileo. Fray Juan de Pineda consideraba esa noción como aristotélica. Según esta teoría, el primer cielo propiamente tal, el de

la luna, estaba demasiado lejos para que pudieran percibirlo los ojos
y era incoloro por naturaleza:

La quarta condición necessaria para que la cosa se vea es que no sea
de tanta transparencia que no halle la vista resistencia en que se ceve,
so pena de no formar visión: como nos acontece con el aire, que, aunque tiene cuerpo, es tan sutil y transparente, que no lo percibe la vista,
ni al cielo por su mucha distancia: y aun por ventura el cielo, si es
quinta essentia, como quiere Aristóteles, no tiene color alguna, como no
es capaz de impressiones peregrinas, y sin estas no se pueden engendrar
las segundas qualidades, vna de las quales es el color. Quanto más que
antes del cielo está el fuego, que oviera de ser visto primero, y si no se
vee por le faltar materia en que se cevar para resplandecer... también
es común lenguaje que le falta al cielo; y es tan diáfano y transparente
que passan los rayos de las luminarias celestes por él como por vidrio
muy claro: y nuestra vista se desvanece por la región del ayre sin ver
nada, porque con lo claro de abaxo y lo escuro de arriba se haze la
muestra de aquel azul que nos parece cielo y no es nada.

El tratar de encontrar en los libros de Aristóteles esa idea tan
categóricamente expresada por Pineda, es condenarse al fracaso. Esa
noción de «ni es cielo ni es azul» la sacaron más bien los españoles
del siglo XVI de los comentaristas aristotélicos. [Venegas expresa una
idea análoga a la de Pineda]:

Los cielos, si los pesássemos, no pesarían vna onza ni vn alfilel: son
tan sólidos y maciços que ni azero ni diamante les podría hazer mella.
No tienen color, que el azul que vemos acá no dista diez leguas de la
tierra: porque es la juntura de la tiniebla de partes de arriba con la
reuerberación de los rayos del sol que sube [sic] de partes de abaxo:
porque no es otra cosa color azul sino blanco y negro mezclado, como si
mezclássemos vna salsera de cal molida y otra de poluos de carbón: ha-
ríamos vn azul muy perfecto.

Así, pues, Pineda y Venegas nos aseguran en los años 1589 y
1540, respectivamente, que el azul que perciben nuestros ojos en el
cielo es una ilusión, producida relativamente cerca de la superficie
terrestre por la mezcla de la luz blanca reflejada desde la superficie
de la tierra con el negro de lo que hoy llamamos la estratosfera. Esto
implica la creencia de que sólo existe en los cielos una luz, la del sol;
de lo contrario, sería imposible la idea de una estratosfera totalmente

oscura, sin más luz que la reflejada de las «partes de abajo». No conozco ningún pasaje en que Aristóteles afirme la teoría de Pineda y Venegas en términos tan claros y categóricos como los que emplean estos autores. [Pero, en todo caso, la frase de Argensola,] «ni es cielo ni es azul», era un tópico científico derivado de la filosofía griega, y ciertamente así lo reconocían sus contemporáneos. Él lo asoció con la falibilidad de los sentidos y con el «engaño» de los ojos. ¿Es ésta una afirmación revolucionaria? Véase cómo empieza el monólogo de la comedia de Calderón, *Saber del mal y del bien*, en el que aparece la frase de Argensola: «Que tal vez los ojos nuestros / se engañan, y representan / tan diferentes objetos / de los que miran, que dejan / burlada el alma ...». En *El criticón*, Gracián pone en boca de un personaje la observación de que no existen «verdaderos colores en los objetos: que el verde no es verde, ni el colorado colorado, sino que todo consiste en las diferentes disposiciones de las superficies y en la luz que las baña». En el tercer capítulo de *Sobre los colores*, de Aristóteles, se indica claramente esa inseguridad de las facultades visuales humanas: «nosotros no vemos ninguno de los colores en toda su pureza real, sino en combinación con otros; o cuando no, mezclados con sombras y rayos luminosos; y así, aparecen diferentes de como son. Por lo mismo, se ven distintas las cosas según se miren en la penumbra o a la luz del sol, a una luz fuerte o suave, y según el ángulo desde que se contemplen». [De hecho, el supuesto «escepticismo» del soneto de Argensola no refleja sino una convicción normal en la época, y desde siglos atrás. Por último]: ¿aprueba el poeta los cosméticos en contraposición a la «complexión» natural? [Menéndez Pidal aclara el soneto recordando que en épocas anteriores] se había condenado el que las mujeres realzasen sus encantos recurriendo a medios artificiales. Pero la verdad es que en todos los tiempos y en todas las épocas han condenado la cosmética los poetas que escriben como moralistas. Otra cosa totalmente distinta es cuando escriben como poetas por el puro placer de crear una obra literaria. De hecho, nuestro mismo poeta, en una epístola poética a don Nuño de Mendoza, afirma que todos los cosméticos son «risa a la vista, hedor a las narices, / mentira aborrecible a todo el cielo / y a los que dél cayeron infelices». De todo lo que antecede podemos concluir que el soneto de Argensola es un juguete literario, un alarde español de «agudeza y arte de ingenio».

José María López Piñero

TRAYECTORIA DE LA CIENCIA MODERNA EN ESPAÑA

La sociedad española del Renacimiento estuvo sometida a una gran tensión para mantener, por un lado, la hegemonía política y militar en Europa, y para realizar, por otro, la tarea del descubrimiento, conquista y colonización de América. Esta tensión planteó una serie de exigencias prácticas, cada una de las cuales reclamaba el desarrollo de una o varias disciplinas técnicas. La respuesta a dichas exigencias constituye la clave explicativa de las principales contribuciones españolas a la renovación científica de la época. En su mayor parte corresponden a saberes aplicados como la náutica, la ingeniería naval, la cartografía y la ingeniería militar, en las que nuestro país ocupó durante casi un siglo un puesto dirigente. Lo mismo cabe decir de otros aspectos de la ciencia aplicada, como las técnicas minerometalúrgicas y de ensayadores, la ingeniería civil o la cirugía, en la que fue también notable nuestra contribución. Pero sobre todo, la tensión citada condujo a que España se mantuviera en primera línea en la comunicación a Europa de las nuevas realidades americanas. [...] La numerosa e importante serie de los naturalistas y geógrafos españoles del Renacimiento contribuyó poderosamente a preparar el desbordamiento de los esquemas científicos tradicionales con un fabuloso aporte de los nuevos materiales americanos desconocidos por los clásicos.

Otro factor que explica la presencia de España en las corrientes renovadoras de la ciencia renacentista es la estrecha relación que mantuvo con el resto de los países europeos, hasta que el triunfo de la mentalidad contrarreformista en el último tercio del siglo impuso el aislamiento ideológico y el predominio del escolasticismo. Con anterioridad a este proceso España participó plenamente en los principales planteamientos críticos a los saberes clásicos.

José María López Piñero, *La introducción de la ciencia moderna en España*, Ariel, Barcelona, 1969, pp. 16-25, 33-37.

Bastará que recordemos algunos ejemplos destacados. En la tendencia de origen nominalista que desarrolló las primeras formulaciones matemáticas de las leyes que gobiernan los fenómenos físicos, desempeñaron un importante papel autores españoles como Juan de Celaya, Luis Núñez Coronel, Domingo de Soto, etc. Destacados astrónomos prácticos, en especial Jerónimo Muñoz, contribuyeron con datos de observación a la crítica de la cosmología aristotélica. Aparece una nueva forma de concebir el ser humano en las obras de varios científicos españoles, como los naturalistas José de Acosta y Bernardino de Sahagún, los médicos Juan Huarte de San Juan y Gómez Pereira y el filósofo Juan Luis Vives. Este último fue, al mismo tiempo, un destacado protagonista de la renovación de los planteamientos epistemológicos.

También fue innegable la receptividad ante las novedades aparecidas en otros países. Como ejemplos destacados recordaremos lo sucedido con la doctrina heliocéntrica de Copérnico y con la nueva anatomía vesaliana. Frente a la hostil acogida que en toda Europa se dispensó a la primera, encontramos en España actitudes abiertamente favorables, como la del teólogo Diego de Zúñiga —cuyo libro sería condenado en Roma junto al del mismo Copérnico en 1616— y la de la Universidad de Salamanca, única de Europa que la admitió en su enseñanza. La obra de Copérnico fue, además, parcialmente incorporada por otros autores españoles de este período, como Diego Pérez de Mesa, Simón Pérez Abril, Francisco Suárez Argüello y Andrés García de Céspedes. En cuanto a la anatomía vesaliana, encontró en la escuela valenciana encabezada por Luis Collado y Pedro Jimeno un activo centro de cultivo, gracias al cual el nuevo pensamiento morfológico se impuso en las cátedras de anatomía de varias universidades españolas, e influyó en las obras de grandes figuras de la medicina interna y de la cirugía. De esta escuela valenciana salió la primera defensa de Vesalio frente a los feroces ataques que, desde el tradicionalismo, le había hecho el profesor parisino Silvio. Por otra parte, el tratado anatómico del español Juan de Valverde fue una de las obras que, a través de numerosas ediciones en varios idiomas, más contribuyeron a difundir en toda Europa las nuevas orientaciones morfológicas.

Tan satisfactorio panorama comenzó, sin embargo, a cambiar radicalmente de signo a partir del último tercio del siglo XVI. El primero y más visible de los factores negativos fue el triunfo, ya aludido, de la mentalidad contrarreformista, que trajo como consecuencia el predominio del escolasticismo y la imposición del aislamiento ideológico. La evolución de la física en nuestro país es un claro ejemplo de cómo el escolasticismo contrarreformista cortó el desarrollo de la crítica de los esquemas tradicionales. Al ignorar los planteamientos nominalistas, incluso los tratados de filosofía natural más importantes y difundidos, como el escrito por el jesuita valenciano Benito Perera, significaron un auténtico paso atrás, ya que volvieron en lo fundamental a las tesis aristotélicas. A la misma mentalidad se debió que sobre los astrónomos españoles pesara de modo terminante la prohibición de adherirse a la doctrina heliocéntrica, desde que ésta fue condenada por la Sagrada Congregación del Índice (1616). La consecuencia más perniciosa del triunfo de la Contrarreforma fue, no obstante, el aislamiento ideológico de nuestro país, impuesto con la finalidad de defenderlo de las ideas heterodoxas. Este proceso histórico, que podemos simbolizar en la famosa prohibición de Felipe II de que los españoles estudiaran o enseñaran en otros países, privó a la ciencia española de todos sus medios normales de comunicación con la europea, cuando ésta se encontraba en una fase decisiva de transformación.

El triunfo de la mentalidad contrarreformista, sin embargo, fue solamente uno de los factores que pesaron negativamente en el desarrollo de nuestra ciencia. La gran tensión a que, como antes hemos visto, se vio sometida la sociedad renacentista española, junto a su innegable acción estimulante, fue la causa de un proceso de repercusión muy perniciosa. La necesidad de que todo el esfuerzo se centrara en los aspectos aplicados hizo que se descuidara el desarrollo de la ciencia pura. En otro lugar [1979] he estudiado con algún detalle la absorción por las aplicaciones prácticas de disciplinas como las matemáticas y la astronomía, cultivadas en nuestro Renacimiento casi totalmente al servicio de la náutica, del cálculo mercantil y de la ingeniería civil y militar. A partir de la segunda mitad del siglo XVI, incluso en las obras de mayor relieve, tendió a anquilosarse y a no estar al día la base doctrinal de contribuciones técnicas muchas veces brillantes. El abandono de la ciencia pura fue, de esta forma, un factor decisivo en el agotamiento de la ciencia renacentista española.

Otra circunstancia negativa fue el exterminio de la comunidad hispano-judía, que había sido durante la Edad Media el más importante núcleo social desde el punto de vista del cultivo de la ciencia. Como es sabido, fue eliminada en el período que iniciaron las grandes matanzas de 1391 y que culminaron en la expulsión de 1492. La parte de dicha comunidad que había intentado integrarse en la sociedad española sufrió, además, la feroz persecución de la Inquisición, que convirtió a los «conversos» en auténticos desplazados sociales. Para el desarrollo científico español ello significó una pérdida de enorme transcendencia, pues le privó de uno de los cauces naturales por los que nuestra gran tradición medieval debía haber pesado en los tiempos modernos. Recordemos, por último, que en el paso del siglo XVI al XVII la crisis económica y política interfirió también negativamente en el citado desarrollo.

[Aunque la ciencia moderna había sido preparada ya desde la baja Edad Media, sus primeras manifestaciones maduras tuvieron lugar en el siglo XVII. Entonces, se inicia la nueva física, a partir de Kepler, Galileo y Descartes; la química moderna, con Robert Boyle; las matemáticas (el álgebra literal y los logaritmos); la fisiología, con el descubrimiento de la circulación mayor por William Harvey. Además, se continúa la línea anatómica vesaliana y Sydenham formula el concepto básico de la patología moderna. En fin, la técnica supera definitivamente su viejo divorcio de los saberes científicos.] España no participó en ninguna de estas primeras manifestaciones maduras de la ciencia moderna. Durante casi un milenio nuestro país había ocupado un puesto de importancia en el panorama científico europeo, pero en este período realmente crucial se cerró en sí mismo, permaneciendo totalmente al margen de las corrientes europeas. [¿Cuándo tuvo conciencia el país de tal ausencia? Porque es evidente que cuando dicha conciencia tomase alguna fuerza, se iniciarían los primeros intentos de introducir en España la ciencia moderna.]

Desde este punto de vista puede dividirse la ciencia española del siglo XVII en tres períodos distintos. Durante el primero, que corresponde aproximadamente al tercio inicial de la centuria, nuestra actividad científica fue una mera prolongación de la renacentista, completamente de espaldas a los nuevos planteamientos. El segundo período, que comprende a grandes rasgos los cuarenta años centrales del siglo, se caracteriza por la introducción en el ambiente científico español de algunos elementos modernos, que fueron aceptados como meras rectificaciones de detalle de las doctrinas tradicionales, o simplemente rechazados. Solamente en las dos últimas décadas del siglo, rompieron abiertamente algunos autores españoles con los esquemas clásicos e iniciaron la asimilación sistemática de las nuevas corrientes.

Durante las primeras décadas del siglo XVII el nivel de la ciencia española fue todavía considerable. En varias disciplinas, los autores españoles realizaron contribuciones originales de importancia. Por otro lado, el prestigio y la influencia de nuestra ciencia se mantenía todavía en los demás países europeos, especialmente en materias como la náutica, la minerometalurgia, la ingeniería militar, la historia natural y la medicina. [...] Pero todo ello no debe hacernos olvidar que esta continuación, en gran parte brillante, de nuestro saber renacentista, se realizó al margen de las nuevas corrientes que empezaban entonces a cobrar fuerza en otros países del Occidente europeo. Todavía más, a espaldas de los planteamientos renovadores de los propios científicos españoles del siglo XVI.

En el segundo de los períodos citados, las circunstancias cambiaron radicalmente. Los científicos españoles no podían ya desconocer las nuevas ideas, y mucho menos realizar al margen de las mismas contribuciones de interés. Se vieron, en suma, obligados a enfrentarse con la ciencia moderna. Como antes hemos adelantado, algunos autores aceptaron las novedades que parecían innegables, pero como meras rectificaciones de detalle que no afectaban la validez general de las doctrinas tradicionales. Otros, por el contrario, prefirieron negar incluso lo innegable antes de comprometer en algo la coherencia de estas últimas. «Moderados» e «intransigentes» coincidían, no obstante, en su firme adhesión a los principios clásicos. [...]

La ruptura con los esquemas tradicionales y la asimilación sistemática de la ciencia moderna aparece ya en la obra de algunas figuras del período central del siglo, como los físicos, astrónomos y matemáticos Juan Caramuel y José Zaragoza. Las especiales circunstancias que concurrieron en sus biografías impidieron, sin embargo, que desempeñaran el papel de auténticas cabezas del movimiento de renovación. Este último se inició como fenómeno histórico años más tarde, en el tercero de los períodos en que esquemáticamente hemos dividido la ciencia del siglo XVII español. Su punto de partida, como antes apuntamos, fue la conciencia de que España había permanecido al margen del nacimiento de la ciencia moderna. Tal conciencia la expresaron públicamente por vez primera un grupo de científicos que en los últimos años del siglo rompieron abiertamente con los principios tradicionales, denunciaron el atraso científico español y proclamaron la necesidad de introducir en España de forma íntegra las nuevas corrientes. La sociedad en la que vivieron, y principalmente sus opositores aferrados a la tradición, los conoció con el nombre entonces despectivo de *novatores*. [Entre ellos son nombres fundamentales Juan Bautista Juanini, Crisóstomo Martínez y Juan de Cabriada, en la medicina y los saberes químicos y biológicos relacionados con ella; o, junto a Caramuel y Zaragoza, Tomás Vicente Tosca, Juan Bautista Corachán o Antonio Hugo de Omerique, en la renovación de las ciencias matemáticas, astronómicas y físicas.]

Según lo que venimos diciendo, los *novatores* del reinado de Carlos II fueron la raíz directa de lo que después sería la ciencia española durante la Ilustración. De acuerdo con los datos de la más reciente investigación histórica, la España en la que vivieron fue también, bajo muchos aspectos, la primera raíz de lo que luego sería el país en la centuria dieciochesca. La ruptura de unas estructuras que se habían mantenido durante casi dos siglos es evidente en casi todos los terrenos. Desde el punto de vista demográfico es incuestionable la nueva distribución de la población española de forma cada vez más favorable a la periferia, frente al terminante predominio del centro existente durante el siglo XVI. Todavía más acusado es el fenómeno en el terreno económico. En primer lugar, la depresión económica de 1605-1610 había afectado con fuerza especial a Castilla. En segundo término, hacia 1680 —década en la que puede centrarse el inicio de la renovación científica— dio comienzo un lento proceso de recuperación de. la periferia peninsular, mientras que la economía castellana se hundió por la catástrofe monetaria acaecida aquel mismo año. En conexión con estos cambios de la economía real, aparecen en este momento los primeros atisbos de un reformismo económico que preludia muchas características de los años ilustrados. En Aragón un grupo renovador presidido por la interesante figura de Juan Pablo Dormer trabaja incansablemente para reactivar la industria y el comercio; en 1684 una Junta de Comercio se apunta el notable éxito de la supresión de los peajes interiores. En Cataluña, también en torno a 1680, otro grupo encabezado por Narcís Feliu de la Penya insiste igualmente en la necesidad del trabajo y del comercio. Un poco más tarde (1685) el ministerio Oropesa iniciará en Castilla ensayos de colbertismo que dominan algo el caos. El mismo Oropesa había procurado ya traer algunos artesanos extranjeros y había tratado de reglamentar los gremios, limitar el latifundismo y favorecer la decaída industria textil. Una ley de 1682, que reaccionaba contra la «deshonra legal» del trabajo, expresa muy bien el tránsito a una nueva España. De acuerdo con ella, no se perdía la condición de noble por el hecho de poseer fábricas o industrias, con tal que los titulares no trabajasen con sus propias manos.

En el terreno político se producen también cambios en el mismo sentido. Basta citar el «neoforalismo» que tan agudamente ha estudiado Joan Reglà. Resulta especialmente interesante para nosotros que la personalidad que lo encabece sea precisamente Juan José de Austria, ya que el hijo bastardo de Felipe IV es un ejemplo típico de la nobleza preilustrada interesada activamente en la ciencia y la técnica modernas, que actuó de mecenas de los *novatores*.

1. LOPE DE VEGA: POESÍAS Y PROSAS

JUAN MANUEL ROZAS

Al estudiar a Lope surgen cinco problemas que se engarzan para formar una cadena de dificultades. Su gigantesca producción y la variedad de géneros que practicó son los eslabones más evidentes.[1] Del segundo nace el tercero: la situación central de su obra en el momento más brillante de nuestra literatura, y su múltiple y no deseada guerra literaria con los mayores genios de su tiempo, y, como contrapeso, la abundancia de discípulos y prosélitos que le apoyaron. El cuarto eslabón es su desmesurada y atractiva biografía, que potencia, a su vez, el quinto: esa rica vida y esa extensa obra se unen mucho más insistentemente de lo que suele ocurrir en otros escritores.

1. Las obras no dramáticas fueron catalogadas por Millé [1928 a]. Es importante el *Catálogo de la Exposición* de [1935], con reproducción de numerosas portadas. El editor Sancha y el erudito Cerdá y Rico (Madrid, 1776-1779) reunieron en 21 vols. la colección más completa que de ellas tenemos, añadiendo importantes textos sobre el poeta: *Sermones fúnebres*, la *Fama póstuma* y las *Essequie poetiche* (cf. Hempel [1964]). La Biblioteca de Autores Españoles, en su vol. 38, publicó, al cuidado de Cayetano Rosell (1856), una amplia selección, que se sigue reeditando. Guarner, en 1935, preparó unas *Obras* en edición popular, y otra comercial preparó Sáinz de Robles [1946]. Ante esta situación, es inestimable la cuidadosa edición de *Obras poéticas* de Blecua [1969], conteniendo completos los cinco libros fundamentales de la lírica. El ambicioso proyecto de Entrambasaguas [1965] quedó detenido en el primer tomo. Muy importantes son las *Obras sueltas* editadas en facsímile por Pérez Gómez [1968-1971]. Zamora Lucas [1941, 1961, 1965-1967] recoge las aprobaciones y poemas del Fénix en libros ajenos. Textos inéditos o poco conocidos de poesía han sido reunidos, procedentes de anteriores investigaciones propias, por Entrambasaguas [1942 a, 1942 b]. A la vista de estos esfuerzos, se comprende que sólo en equipo podría realizarse una auténtica edición de 'Obras completas', técnicamente no demasiado difícil por lo que respecta a las no dramáticas. El *Vocabulario* de Lope lo ha formado Fernández Gómez [1971].

Tal abundancia y variedad de obras y problemas ha producido una
larguísima bibliografía crítica [2] en la que, si no es fácil establecer con
claridad etapas, sí podemos detectar cuatro impulsos decisivos que significan cambios en la visión sobre la vida y obra de Lope. El primero, de
origen positivista, y que arranca del sorprendente hallazgo de sus cartas
al duque de Sessa, camina desde La Barrera y Menéndez Pelayo a Menéndez Pidal, Rennert-Castro y Amezúa. En él priva la labor biográfica, documental y de fuentes. Pero ya estos últimos críticos publicaron excelentes
y novedosos trabajos (véase especialmente Menéndez Pidal [1935]) al
mismo tiempo que el lopismo cambiaba de tono, en un segundo impulso,
en torno a la nueva estilística europea y a la cultura española del veintisiete. En los años veinte y treinta, en efecto, con la fecha cenital de 1935,
en el fructífero tricentenario, se aglutinan una serie de estudios de gran
detalle filológico y estilístico y de una gran comprensión y modernidad
a la hora de relacionar su vida con su obra. Montesinos y Vossler son los
mayores exponentes de ese cambio. Pero muchos de los maestros de la
estilística (Spitzer, los dos Alonso, Hatzfeld, etc.) han insistido, antes o
después, en aplicar sus métodos a Lope, partiendo de un momento en
que también los creadores españoles (Bergamín, Lorca, Diego, Alberti,
etcétera) se sentían lopistas. Una total y positiva valoración del Barroco
(todo Góngora, todo Lope, todo Calderón) sustentaba estos estudios,
mientras que el historicismo se renovaba en otros lopistas, como Millé
o Entrambasaguas. Los anteriores esfuerzos habían logrado mayores adelantos respecto a la vida y la lírica que en la prosa y en el teatro. Hacia
éste, en un tercer impulso, y tras el hito del establecimiento de la cronología por Morley y Bruerton (véase cap. 3), se dirigen ahora muchos esfuerzos en busca de un sistema coherente con el que interpretar el teatro
barroco. Aunque el centro de atención sean Calderón, los diversos géneros
de la comedia y el lugar teatral, el lopismo, en concreto, también se be-
neficia obviamente de esos esfuerzos encabezados por Wilson y Parker,
Sloman y Wardropper, Varey y Shergold. En los últimos lustros, en un
cuarto impulso, al tiempo que se nota un creciente interés por la prosa,
con sus aspectos genéricos y la erudición que acarrea (La Arcadia, La
Dorotea, en los trabajos de Morby, por ejemplo), los estudios se hacen
más teóricos: ya sea en una vertiente formalista en el análisis de la poesía
o de la preceptiva teatral —con mucha atención por el Arte nuevo—,

2. Pueden consultarse las bibliografías de Simón Díaz y Juana de José
[1955], adicionada en 1961; Parker y Fox [1964], con fichas que abarcan
desde 1937 hasta 1962; Grismer [1965, 1977²]; y McCready [1966], que
abarca desde 1850 hasta 1950. Quedan fuera, por tanto, los últimos años, cuya
producción ha de buscarse en bibliografías generales o periódicas (Nueva revista de filología, Revista de Literatura, Bulletin of the Comediantes, etc.).

ya sea en perspectiva sociológica —desde la fundamental aportación de Salomon—; y en los últimos años se ha empezado a aplicar la semiología y la lingüística del texto a la obra de Lope.

La vida de Lope Félix de Vega Carpio, que podemos seguir gráficamente en sus numerosos retratos (Lafuente Ferrari [1935]), es larga e intensa: nace el 25 de noviembre de 1562 (o 2 de diciembre, según McCready [1960]) y muere el 27 de agosto de 1635. Pensando en su obra, podemos dividirla en cinco grandes capítulos —dos de los cuales se montan, en parte cronológicamente—, tomando como base otros tantos nombres de mujer, en torno a los cuales Lope crea verdaderos ciclos poéticos: Elena Osorio (*Filis*); Isabel de Urbina (*Belisa*), su primera esposa; Micaela de Luján (*Camila Lucinda*); Juana de Guardo, su segunda mujer, con su hogar fijo madrileño y casa propia, seguido de su crisis religiosa y su sacerdocio tras enviudar; y Marta de Nevares (*Marcia Leonarda* o *Amarilis*). Al final, muerta ésta, nos enfrentamos con la soledad de los tres últimos años. La simple enunciación de estos nombres nos plantea el problema de los seudónimos y máscaras del Fénix, y de las personas sobre las que creó literatura, aspecto tratado por Morley [1951] y Lapuente [1981].

Sabemos poco de sus primeros años —la juventud fue estudiada por Millé [1928 *b*]— hasta sus amores con la Osorio, entre 1583 y 1587. Al ser reemplazado por un rico rival, arremetió contra ella y su familia en unas sátiras que le llevaron al destierro. El proceso fue documentado por Tomillo y Pérez Pastor, en 1901, y los poemas, editados por Entrambasaguas [1933]. Al ser recreada esta pasión en *La Dorotea*, ya en la vejez, ha sido materia ampliamente tratada por los estudiosos de esta obra, y últimamente, en particular, por Trueblood [1974]. El destierro dura desde 1588 hasta 1595. En 1588 se casa con Isabel de Urbina, seguramente se embarca en La Invencible, pasa un tiempo en Valencia y fija su residencia en Alba de Tormes al servicio del duque de Alba. Los investigadores del ciclo de *La Arcadia*, especialmente Osuna [1973] y Goyri [1953] han estudiado este período. Al volver a Madrid conoce a Micaela Luján, tal vez en 1599 (no sabemos con seguridad la fecha; la Celia, considerada por algunos críticos como ella, es para la mayoría Antonia Trillo, sobre lo que recientemente ha insistido McGrady [1981]). Estos apasionados amores duran hasta 1608 y llenan muchas páginas de su obra, como ha documentado Castro [1968, apéndice D]. El capítulo de Camila se revuelve cronológicamente con el de Juana de Guardo, pues desde 1598 Lope mantiene un doble hogar al casarse con ésta. Hacia 1609 se vislumbra una crisis espiritual en el poeta, que se hace muy viva tras la muerte de su esposa y la del hijo de ambos, Carlos Félix, en 1611 y 1612, respectivamente. Es entonces cuando Lope se hace sacerdote. Su vida de clérigo fue historiada por Morcillo [1934] y ha sido interpretada inteli-

gentemente por Ricard [1964]. Lope fue al sacerdocio sincera y leal-
mente, pero su carácter y su ambiente no le ayudaron a ser consecuente
con su nuevo estado —para entrar en el cual no reflexionó lo suficiente
sobre sí mismo— y lo vivió más bien como una aventura personal que
eclesiástica.

En 1605 se inicia su epistolario con el duque de Sessa, al que servirá
de secretario íntimo durante el resto de su vida. Estas cartas son el principal documento para conocer su personalidad, siempre que distingamos
una evidente máscara de servidor que se coloca en ellas. Fueron conocidas
ya desde mediados del siglo pasado por Durán, Schack y La Barrera, pero
por razones puritanas no fueron editadas hasta que lo hizo Asenjo Barbieri
en una pequeña parte y bajo seudónimo, en 1876. González de Amezúa
[1935-1943] las publicó completas, en dos tomos, con otros dos, *Lope
de Vega en sus cartas*, como estudio preliminar que constituye una amplia
y excelente biografía de la segunda mitad de la vida del Fénix. Actualmente trabaja en el mejor entendimiento de este epistolario N. Marín,
de lo que ya ha dado algunos adelantos, el último en [1981]. El estudio
de Amezúa documenta suficientemente su última y honda pasión, la que
vive con Marta de Nevares, desde 1616 hasta la muerte de ella en 1632,
con todos los problemas materiales y morales que acarrea en la vida del
Lope sacerdote vivir unido a una mujer casada y luego viuda y enferma.
Sobre los últimos años del poeta, en los que se encuentra solo —su hija
Marcela se había hecho monja, Feliciana se casa, Lopito muere en un
naufragio y Antonia Clara se fuga—, debe verse también otro estudio de
Amezúa [1934] y el magnífico prólogo de Asensio [1963] a su edición
de *Huerto deshecho*, que muestra que este poema no trata de la famosa
fuga, pues había sido publicado suelto anteriormente. Los últimos días
nos los cuentan las fervorosas páginas de su discípulo y primer biógrafo
Montalbán en la *Fama póstuma* (1636) (y véase ahora Rozas [1982]).

La biografía de La Barrera (muy ceñida a los datos) fue ampliamente
superada por la de Rennert-Castro (especialmente útil tras las adiciones
de Lázaro) [1968]. Este libro es, además, una documentada e inteligente
mirada de conjunto a la obra no dramática, rasgo que lo hace todavía de
indispensable consulta. En [1932] publica Vossler su *Lope de Vega y
su tiempo*, que, en conjunto, resulta aún admirable, a pesar de ciertas
idealizaciones y su parcial conocimiento del epistolario. Algunos juicios
de Vossler sobre varias obras (*La Dorotea* o el *Arte nuevo*) han sido el
verdadero motor del lopismo hasta nuestros días. De las tres biografías
escritas por Entrambasaguas, la segunda [1946], dirigida a un público
amplio, da una extensa visión del mundo de Lope. Son muy clarificadoras, precisamente por haber nacido para las aulas, las *vida y obra* de
Zamora [1961] y Lázaro [1966]. Sólo en los últimos años han preocupado monográficamente los problemas monetarios del poeta, fundamental

problema por razón de ser nuestro primer escritor con fuerte sentido profesional y creador de un compacto público, y por haber ganado considerables sumas —ya mencionadas por Montalbán— que gastaba generosamente. Han hecho su balance económico Guillermo de Torre [1963] y Díez Borque [1972].

La situación histórico-literaria en que se abre y cierra la obra de Lope, el período en el que la literatura española adquiere hegemonía europea, nacionalizando de modo muy original los tres géneros fundamentales de la tradición grecolatina e italiana —Cervantes (*Novelas ejemplares*), Góngora (*Soledades*) y él mismo (la comedia)—, y el que no renunciase a casi ninguno de los vigentes, le otorgan un lugar privilegiado, si bien conflictivo, para estudiar los grandes problemas teóricos y creativos del Barroco español. Hacia 1580 empieza a darse a conocer, en parte de la mano del romancero nuevo (véase también *HCLE*, vol. 2), una constelación de grandes figuras que entre 1605 y 1615 —años de *climax* en años de crisis— convivirán con las de la generación anterior, la de Cervantes, y con la posterior, la de Quevedo. Su convergencia en la corte, en un momento de gran prestigio y animación del hecho social de la literatura, va a traer como consecuencia que sus relaciones —por exceso de personalidad y falta de espacio artístico para todos— sean muchas veces conflictivas. Lope se encuentra mezclado, por su peso específico y por su variedad, en casi todas las polémicas teóricas y aun vitales de esos años. Por un lado, choca con los aristotélicos, tanto en el frente teatral como en el de la épica culta, cuestión, en lo externo, ampliamente historiada por Entrambasaguas [1933-1934, 1946²]; por otro, se enfrenta con Cervantes y su supremacía en la novela, estando de por medio el espinoso problema de Avellaneda; por otro, ha de luchar con Góngora y sus seguidores, problema que ha estudiado Orozco [1973], analizando los textos de la polémica, a los que se han de añadir los estudios sobre el gongorismo de Lope: Dámaso Alonso [1950] y Diego Marín [1955], para la poesía, y Hilborn [1971], para el teatro. Prueban cómo Lope, tras el *boom* gongorino, si reacciona hábilmente contra el cordobés, a la vez le admira e imita, sobre todo en torno al ciclo de *La Filomena* y *La Circe*. Y aún de ésta nacen otras polémicas menores, como la cuestión con Jáuregui, en relación con el estilo llano y los *Orfeos*, estudiada por J. H. Parker [1953]. Mas al mismo tiempo Lope tuvo la satisfacción de verse arropado por numerosos defensores que le colocaron en el pedestal, no sólo del teatro (cf. Sánchez Escribano-Porqueras [1972²]), sino también de la poesía, como ha documentado Romera [1935], hasta ser un modelo, entre los clásicos, en la *Elocuencia* (1604, 1621²) de Jiménez Patón, como han detallado Rozas y Quilis [1962]. Lope, por carácter y por estrategia, logró que otros peleasen por él, al tiempo que se ganaba la simpatía personal de muchos nobles e intelectuales, sin escatimar elogios, como muestran

sus epístolas y, en grado sumo, el *Laurel de Apolo*. Su actitud es la de
aparecer como un eterno envidiado a causa de su *natural*, y aun de su
arte, equilibrado entre lo tradicional y lo contemporáneo; y admirado,
dentro y fuera de España, como prueba su relación con Marino, «el Góngora italiano», por el que se supo plagiado y al que elogió siempre, buscando su amistad (Dámaso Alonso [1972] y Rozas [1966]). Toda esta
voluminosa e intensa guerra literaria, con sus importantes teorizaciones,
necesitaría de un estudio de conjunto que mirase a la vez a los distintos
frentes, y atendiese a la cultura literaria del Fénix, sobre la que hay ya
importante documentación en Vossler [1933], Jameson [1936, 1937],
Morby [1958 y 1975], Vosters [1977], y también al *Laurel de Apolo*
(1630), en el que elogia a más de 300 poetas, verdadero manual bibliográfico en verso, como le llamó Rodríguez Moñino.[3]

Al lado de su frondosa variedad, la unidad de toda la obra de Lope
es evidente, aunque estemos lejos todavía de un estudio integrador. Los
libros de conjunto han hilvanado diacrónicamente su producción y los
estudios parciales sobre cada género o metro sólo han lanzado tímidas
miradas hacia los restantes. Tenemos que partir de la realidad de que la
obra dramática y la no dramática han caminado por la crítica, y lo harán
mucho tiempo, casi completamente divorciadas. Concentrándonos en su
obra no dramática, la sistematización de su estudio deberá hacerse atendiendo a tres premisas: 1) es la biografía de Lope, a través de los ciclos
señalados, la que mejor puede servir de eje integrador a su creación;
2) sobre ella hay que situar los tres géneros mayores y tratar de ver paralelamente su evolución: lírica, épica, novela; 3) esta evolución debe mirar
insistentemente a los tres temas personales que su vida y obra muestran:
amor humano, conciencia religiosa y guerra literaria.

El ciclo de Filis (1583-1587) se centra en la lírica, en el soneto y el
romancero, más bien morisco, con ausencia de épica y de novela, aunque
de él surja la gran realización final, *La Dorotea* (1632). El de Belisa (y la
casa de Alba) (1588-1596) une ya al romancero, ahora más bien pastoril,
el verso de arte mayor (en la égloga, por ejemplo), para centrarse en las
prosas y versos de una novela, *La Arcadia* (1598), mientras que aparece
la épica, sin duda influida por su destierro: *La Dragontea* (1598) (viajes
marinos), e *Isidro* (1599) (vuelta a su ciudad). El de Lucinda (¿1599-
1608?) y el del hogar y crisis religiosa, en vida y muerte de Juana, su
«no-Laura» (1598-1615) se superponen. El de Lucinda florece en las *Rimas*
(1602), y culmina en el soneto, amén de los poemas épicos más italia-

3. Quien quería editarlo, mas sólo publicó sobre el libro un trabajo [1969].
Sobre tan importante obra no hay trabajos de crítica, aunque sí de erudición
que relacionan a Lope con diversos grupos poéticos regionales: vallisoletanos,
manchegos, valencianos, etc. Las fábulas mitológicas que el poema contiene
fueron analizadas por Cossío [1952].

nistas (*Angélica*, editada con las *Rimas*, y *Jerusalén*, 1609). El ciclo espiritual se centra en la línea de las *Rimas sacras* (1614) y los *Soliloquios* (1612), mas también en la espiritualización contrarreformista de sus novelas, *El peregrino en su patria* (1604) y *Los pastores de Belén* (1612). En estos dos ciclos, y con independencia del amor humano o divino, aparece su preocupación teórica por la literatura y sus primeras guerras (*El peregrino, Arte nuevo*, epístolas tempranas). El ciclo de Amarilis será (*La Filomena*, 1621, y *La Circe*, 1624), en gran parte, una *apología pro domo sua*, en lo literario y en lo social: fama y exilio, amores sacrílegos, intentos de ser cronista nacional y católico, ya en prosa, ya en verso (*Triunfo de la fe*, 1618; *Corona trágica*, 1627). Ahora los frentes enemigos son ya cuatro: el viejo de los aristotélicos, en teatro y en épica, el gongorino y, ahora póstumo, el cervantino, en las novelas a Marcia Leonarda, donde, además, se inicia el proceso final de creación distanciada. La defensa de su literatura y de su situación moral y social se localiza de forma específica en sus epístolas en verso. Quedan, como magnífico epifonema, sus últimos años, en los que culmina lo empezado antes, logrando —irónica, distanciada y artísticamente— reflexionar, por fin, sobre su vida-obra: lírica de Burguillos (1634), que lleva dentro la épica paródica de *La gatomaquia*, y la «acción en prosa» de *La Dorotea* (1632). Lo que se abrió con *La Celestina* —novela y drama— se cerraba con *La Dorotea*, que va además empedrada de lírica oculta en métrica tradicional. Toda una síntesis del Siglo de Oro.

La mejor antología y la mejor presentación de la lírica sigue siendo la de Montesinos [1926-1927] que fue leída, al salir, con mucho aprovechamiento por los poetas del neopopularismo. Su estudio, reproducido en [1967], parte de dos premisas fundamentales: Lope buscó armonizar la antigua poesía española, portadora de conceptos, con la italiana, que le ofrecía el ornato conveniente; la adecuación entre vida y obra es fundamental pero peligrosa si no se distingue entre la experiencia vivida y la experiencia poética. Desde este postulado, no tenido en cuenta por el positivismo, Amado Alonso [1936] estudiará la relación e independencia entre vida y creación en diferentes textos. La amplia introducción de Montesinos trazaba también el primer panorama, buscando aunar metros y cronología. Muchos de sus apartados (romancero, letras para cantar, sonetos, redondillas, versos de *La Arcadia*, de *El peregrino*, la poesía sacra, las epístolas de *La Filomena* y *La Circe*, y los poemas de *La Dorotea* y de *La vega del Parnaso*) han servido de eje para trazar posteriores monografías. En lo que toca a la poesía de arte mayor, Dámaso Alonso [1950] trazó una diacronía desde el estilo, buscando un Lope, sucesivamente, humano, manierista, gongorino y filosófico. Son sumamente clarificadoras la introducción general y las parciales a los cinco libros poéticos editados por Blecua [1969].

En los ciclos de Filis y Belisa, el romancero nuevo ocupa una posición central. La crítica ha tenido que bucear en el *Romancero general* (1600 y 1604), en su *Segunda parte* (1605) y en otros menores qué poemas eran de Lope, pues allí aparecen anónimos (véase Menéndez Pidal [1953]). Esta labor la han realizado principalmente Millé [1928 *a*], Montesinos [1924-1925 y 1926-1927], Entrambasaguas [1935] y Carreño [1979]. Éste divide su estudio general sobre el romancero de Lope en cuatro apartados fundamentales: el morisco y el pastoril, escritos en los ciclos que ahora nos ocupan, y el espiritual y filosófico, respectivamente, en torno a la crisis espiritual y a *La Dorotea*. Pero el ciclo de Belisa o de Alba comprende diversos géneros dentro y fuera de *La Arcadia*, y ha sido Osuna [1973] el que lo ha fijado y analizado en relación con la novela. Claro está que en esas dos primeras etapas Lope ha escrito muchos sonetos, pero es en el ciclo de Camila Lucinda donde mejor nos podemos centrar en la estrofa de catorce versos y en sus problemas formales y temáticos (cf. Castro [1968, apéndice D] y Montesinos [1924-1925]). Las *Rimas* (1602) incluyen 200. De la primera edición tenemos una reproducción, de Diego [1963], que amplía mucho los dedicados a Camila, y de la de 1609, una facsímil (Nueva York, 1903). En sus sonetos amorosos Lope parte de los cancioneros petrarquistas dándoles nuevo espíritu y modernidad. Del petrarquismo, Scheid [1966] ha señalado tanto imitaciones formales (del adínaton a la correlación) como temáticas. (La correlación en Lope ha sido seguida diacrónicamente por Dámaso Alonso [1960].) La forma de los sonetos fue tratada por Jörder [1936]. Estos trabajos van más allá de las *Rimas*, pero a sus sonetos ha vuelto con nueva metodología García Berrio [1980]. Algunos sonetos famosos, como los de los mansos o el de Judith, han merecido reveladores análisis de Lázaro [1956], Spitzer [1964] y Case [1975]. Como telón de fondo debe consultarse el libro de Müller-Bochat [1956] que relaciona los diversos géneros poéticos de Lope con la literatura italiana, de lo bucólico a lo épico.

La lírica sacra, que en Lope es con frecuencia verdadera poesía existencial, aparece monográficamente en las *Rimas sacras*, de 1614 (facsímil de Entrambasaguas, 1963). El romance y el soneto siguen siendo muy importantes (para el primero, puede verse el capítulo correspondiente de Carreño [1979]). En 1619, sin conocimiento de Lope, se sacó un *Romancero espiritual* (ed. Guarner [1941]) tomando los textos de las *Rimas sacras* y de *Los pastores de Belén*. Los *Soliloquios* (1612) fueron comentados en prosa por el propio Lope (1626). Hatzfeld [1964] los ha estudiado integrándolos en su visión del Barroco. Sobre la poesía sacra hay varios artículos, como los de Guarner [1976] y Müller-Bochat [1963], pero falta un estudio de conjunto.

En el ciclo de Amarilis destacan dos libros: *La Filomena* (1621) y

La Circe (1624; hay facsímil, 1935). *La Filomena* es un libro de combate, y no sólo por el poema mitológico que le da título. Su segunda parte es un ataque a Torres Rámila y a otros enemigos de Lope. La polémica, como señalamos, fue estudiada por Entrambasaguas [1933-1934]. El gongorismo de la primera parte de la obra ha sido detallado por Diego Marín [1955]. La fábula de *La Circe*, que abre el libro, también misceláneo, al que da nombre, ha merecido mayor atención crítica. Su estructura y significado como un poema sobre la naturaleza humana, con más elementos líricos y dramáticos que descriptivos, han sido analizados por Aubrun [1963], quien ha hecho, en colaboración con Muñoz Cortés, una cuidada edición [1962]. Estos dos libros de Lope contienen otros poemas mitológicos que han sido estudiados por Cossío [1952]. En los últimos años se viene insistiendo en el análisis de esa genial máscara de Lope que es Burguillos, valorando sus *Rimas* de 1634 (hay facsímil, 1935) muy favorablemente (Vitiello [1973], Carreño [1981] y Blecua [1976]), incluida *La gatomaquia*, que veremos más adelante. Hasta aquí el Lope poeta culto. Con el lírico popular, faceta en la que ocupa un lugar preeminente dentro de la dignificación de la poesía tradicional a partir del Renacimiento y a la que ha dedicado Frenk Alatorre diversos trabajos (véase «Preliminar»), alguno [1963] centrado en Lope, nos proyectamos sobre el teatro, donde adquiere una importantísima función.

Los poemas épicos, si exceptuamos la *Jerusalén*, no han sido suficientemente analizados. De una forma general podemos decir que sólo sus fuentes, literarias e históricas, se han estudiado, habiendo sido, incluso este género, soporte de varias investigaciones sobre la erudición clásica de Lope: Jameson [1936, 1937, 1938]. Müller-Bochat [1956] ha relacionado excelentemente a Ariosto y Tasso con la épica lopiana. Un estado de la cuestión y una breve descripción del conjunto de los poemas puede verse en Pierce [1968]. El primer poema épico publicado por Lope fue *La Dragontea* (1598), que fue reimpresa por el Museo Naval [1935] con un breve prólogo de Marañón y acompañada por un volumen de documentos sobre Drake y España, tema de la obra. Sobre sus fuentes hay varios trabajos ya antiguos, el último de Jameson [1938]. En 1599 publica el *Isidro* (facsímil, 1935). Los estudios de García Villada [1922] y de Castro [1968] sobre su popularismo, costumbrismo, religiosidad y versificación en quintillas, son hoy fácilmente superables. Para ello es interesante consultar las declaraciones de Lope en los procesos de beatificación y canonización del santo, publicadas por el padre Rojo [1935]. Peor conocida es *La hermosura de Angélica*, editada en 1602 con las *Rimas*, y que no tiene edición moderna. Su relación con Ariosto ha sido excelentemente analizada por Chevalier [1966]. Mucho más abundante es la bibliografía sobre la *Jerusalén conquistada* (1609). La historia de su crítica, desde las polémicas que desató en su época, ha sido tratada ampliamente por Entrambasaguas [1951-1954] en su cuidada edición. Su relación con Tasso, el tratamiento de la historia y su sentido de la verosimilitud han sido detalladas excelentemente por Lapesa [1946]. Pierce [1943] la ha valorado convenientemente tras estudiar su estilo y estructura. Es obra de altibajos, de gran interés para la historia del género, y (en sus 22.000 versos) contiene multitud de bellísimas estrofas, como la que empieza *Durmiendo estaba el persa*, analizada monográficamente por Diego [1948]. Fuera de sus fuentes, poco sabemos de la *Corona trágica* (1627), sin edición moderna, y escasamente apreciada por la crítica. Al final de su vida, en las *Rimas de Burguillos*, aparece *La gatomaquia*, editada por Rodríguez Marín [1935], quien resuelve muchos problemas de tipo erudito. Pero su sentido paródico, y aun autoparódico, en relación con el teatro y la épica del Fénix, podemos comprenderlo mejor desde el estudio de Macdonald [1954]; en lo que tiene de parodia de la comedia lopista ha insistido recientemente Pedraza [1981] (y cf. aun Rozas [1982]).

Cerca de la épica debemos colocar el *Triunfo de la fe en los reinos del Japón*, obra en prosa, única en la que Lope actuó como verdadero historiador. Cummins [1965] ha realizado una erudita edición, en la que estudia el libro en su ambiente —el primer catolicismo en Oriente—, concreta sus fuentes y valora su estilo como un cuidadoso empeño del género histórico-sacro.

El Lope poeta y dramaturgo no puede esconder el hecho de ser uno de los novelistas más notables y completos de su tiempo. Sólo la novela picaresca, igual que a Cervantes, dejó de interesarle. Pero abordó la pastoril, en *La Arcadia*; la histórica (y además pastoril y sacra), en *Los pastores de Belén*; la bizantina, en *El peregrino*; y la novela ejemplar (con recuerdos moriscos y turcos a veces) en las dedicadas a Marcia Leonarda, en las que sigue e intenta rivalizar con el autor de *La gitanilla*. El aprecio por su narrativa viene aumentando en los últimos años, al tiempo que se la ha ido conociendo mejor (excepto *Los pastores de Belén*, 1612, ed. Fernández Ramírez [1930], muy abandonada por la crítica), hasta el punto de que podría ya intentarse un extenso y armonioso libro sobre Lope novelista. Hoy debemos conformarnos con el excelente, aunque breve, análisis de F. Yndiáin [1962], atento tanto a la morfología de los textos como a las ideas del Fénix sobre los diversos géneros narrativos. Sin disputa, la novela mejor conocida es *La Arcadia*, de la que se han ocupado, en varios e inteligentes trabajos, Morby y Osuna. El primero ha dejado resueltos los problemas bibliográficos, textuales y de fuentes —el libro es un empedrado de erudición, sacada de libros de consulta, como Titelmans o Castriota—, sintetizando sus anteriores esfuerzos en la introducción y notas de su edición [1975]. Osuna [1973] ha estudiado su génesis y circunstancia, en torno a la corte del duque de Alba, y su situación de obra central en todo un ciclo del Fénix, y ha analizado su forma interna, superadora de ciertos convencionalismos del género, en especial en relación con el tiempo y el sentido dramático. Además, Scudieri [1965] ha tratado otras cuestiones, en especial su estilo, y Ricciardelli [1966] ha mostrado su relación y originalidad dentro del género, centrándose en los modelos italianos. Útiles ediciones han dado Peyton [1971] y Avalle-Arce [1972], ambas con buenas introducciones, más breve, sagaz e ideológica la segunda, que profundiza en su estructura y su género como manifestación de los conceptos postridentinos. (Sobre el tema del peregrino en el Barroco son indispensables las investigaciones de Vilanova para la poesía y la novela [1949]; otras referencias se hallarán en el prólogo de Avalle.) Tienen considerable interés para un lector moderno las cuatro novelas a Marcia Leonarda (aparecidas una en *La Filomena* y tres en *La Circe*), que tempranamente lograron una erudita edición de los Fitzgerald [1915] y un extenso análisis de Cirot [1926]. Tanto éste, como después Ynduráin [1962], Wardropper [1968] y Rico [1968] han destacado la eficacia artística de los paréntesis frecuentes en los que el narrador se dirige a la destinataria haciendo crítica literaria y creando un sugestivo ambiente psicológico y artístico (véase también Sobejano [1978]). Sólo *La desdicha por la honra* ha merecido un serio estudio monográfico, que parte del descubrimiento de la fuente (el *Nuevo tratado de Turquía*, de Octavio Sapiencia) realizado por Bataillon [1947]. (En prensa estas páginas, M. Scordilis [1981] ha dedicado a las cuatro novelas un discreto libro de conjunto.)

Y al final —y al principio— *La Dorotea*, la gran obra autobiográfica, que cuenta los amores juveniles con Elena Osorio y que cruza, aflorando de vez en vez, toda la vida literaria de Lope, con esa serie de pre-Doroteas (en *La Angélica*, el *Isidro*, la lírica, etc.), en un ademán verdaderamente genial de persistencia y cambio, magistralmente estudiado por Morby [1950]. No podemos creer a Lope cuando asegura que la obra es sólo una corrección de un texto juvenil, pero sí es posible la existencia de una versión temprana perdida, como asegura en su *Égloga a Claudio*. En su ausencia, la pre-Dorotea más evidente es, como ya señaló Menéndez Pelayo, el *Belardo furioso*. Tras el trabajo de Morby, en el decenio de los cincuenta avanzaron mucho los estudios sobre la obra. Blecua [1955] daba la primera edición importante, captando muy bien el punto de vista del autor sobre los personajes y sobre sí mismo. Tras él, Monge [1957] analizaba globalmente la obra: desde el estado de los estudios a su relación con *La Celestina*, aportando mucho sobre los personajes y su expresión literaria. Morby en [1958] lograba una excepcional edición, vertiendo en su estudio y notas una síntesis de todos los hallazgos anteriores, ajenos y propios, con una explicación convincente sobre el género —*acción en prosa* la llama Lope— en esa lentitud y falta de movimiento de la obra en comparación con el teatro lopiano (por otro lado, véase arriba, p. 27). Pero estos tres críticos no operaban en vacío, sino desde los logros de tres grandes maestros anteriores: Vossler [1932], Spitzer [1932] y Montesinos [1935]. La aportación del primero es el inicio del definitivo entendimiento de la obra: de su sentido de desengaño, de la dualidad de vivencias del Lope joven y viejo, de la saturación de literatura, de la forma de lírica teatral, y de la diferencia entre Celestina y Gerarda, ésta más frívola y divertida, más libre y espiritual, y menos decisiva en el desarrollo del drama. Spitzer estudia los valores barrocos de la obra, especialmente en la expresión lingüística de los personajes, llena de artificio y de retórica. Montesinos ve en la actuación del autor-personaje una especie de figura del donaire de la obra, desde fuera de ella, y el desdoblamiento parcial de Lope en don Bela y, sobre todo, el sentido de expiación, moral y estético, que al escribir Lope cumple. Sobre las bases de los descubrimientos anteriores, Trueblood fue cercando la obra en varios artículos que han desembocado en un excelente y voluminoso libro [1974] que analiza la experiencia vital y la expresión artística del texto, es decir, el eterno problema de Lope, vida *versus* obra. Sus doce capítulos resuelven los cuatro grandes problemas del libro: la génesis, desde la relación histórica de Elena Osorio a la escritura definitiva (I-VI); la relación entre historia y poesía (VII); la presencia de los distintos géneros y su estilización (VIII-X) y el significado, desde el desengaño y la autoconfesión purificadora, ética y aún más estética.

BIBLIOGRAFÍA

Actas [1981] = *Actas del I Congreso Internacional sobre Lope de Vega*, Edi-6, Madrid, 1981.

Alonso, Amado, «Vida y creación en la lírica de Lope de Vega», *Cruz y Raya*, n.º 34 (1936), pp. 63-106; reimpreso en *Materia y forma en poesía*, Gredos, Madrid, 1955, 1960², pp. 133-164.

Alonso, Dámaso, «Lope de Vega, símbolo del Barroco», en *Poesía española*, Gredos, Madrid, 1950, pp. 447-510.

—, «La correlación poética en Lope. (De la juventud a la madurez)», *Revista de Filología Española*, XVIII (1960), pp. 355-398.

—, «Marino, deudor de Lope (y otras deudas del poeta italiano)», en *En torno a Lope*, Gredos, Madrid, 1972, pp. 13-108; reimpreso en sus *Obras completas*, Gredos, Madrid, 1974, vol. III, pp. 741-833.

Asensio, Eugenio, ed., L. de V., *Huerto deshecho (Madrid, 1633)*, Madrid, 1963.

Aubrun, Charles V., «Caducidad y perennidad en la poesía de Lope», en *Materia y forma en poesía*, Gredos, Madrid, 1955, 1960², pp. 126-135.

—, «*La Circe*. Estudio de estructura», *Cuadernos Hispanoamericanos*, LIV (1963), pp. 213-248.

—, y Manuel Muñoz Cortés, ed., L. de V., *La Circe*, Institut d'Études Hispaniques, París, 1962.

Avalle-Arce, Juan Bautista, «Lope y su *Peregrino*», *Modern Language Notes*, LXXXVII (1972), pp. 193-199.

—, ed., L. de V., *El peregrino en su patria*, Castalia (Clásicos Castalia, 55), Madrid, 1973.

Bataillon, Marcel, «*La desdicha por la honra*: génesis y sentido de una novela de Lope», *Nueva Revista de Filología Hispánica*, I (1947), pp. 13-42; reimpreso en *Varia lección de clásicos españoles*, Gredos, Madrid, 1964, pp. 373-418.

Blecua, José Manuel, ed., L. de V., *La Dorotea*, Universidad de Puerto Rico y Revista de Occidente, Madrid, 1955.

—, ed., L. de V., *Obras poéticas, I. Rimas. Rimas sacras. La Filomena. La Circe. Rimas humanas y divinas del licenciado Tomé de Burguillos*, Planeta (Clásicos Planeta, 18), Barcelona, 1969.

—, ed., L. de V., *Rimas humanas y divinas del licenciado Tomé de Burguillos*, Planeta (Universales Planeta, 5), Barcelona, 1976.

Carreño, Antonio, *El romancero lírico de Lope de Vega*, Gredos, Madrid, 1979.

—, «Los engaños de la escritura: las *Rimas de Tomé de Burguillos* de Lope de Vega», en *Actas* [1981], pp. 547-563.

Case, Thomas, «Further considerations on *Al triunfo de Judith*», *Romanische Forschungen*, LXXXVII (1975), pp. 82-89.

Castro, Américo [1968] = véase Rennert, Hugo A.

Catálogo de la Exposición Bibliográfica de Lope de Vega, organizada por la Biblioteca Nacional, prólogo de Miguel Artigas, Madrid, 1935.

Cirot, Georges, «Valeur littéraire des nouvelles de Lope de Vega», *Bulletin Hispanique*, XXVIII (1926), pp. 321-355.

Cossío, José María de, «Lope de Vega», en *Fábulas mitológicas en España*, Espasa Calpe, Madrid, 1952, pp. 318-356.

Cummins, J. S., ed., L. de V., *Triunfo de la fe en los Reynos del Japón*, Tamesis Books (Colección Tamesis, Textos, I), Londres, 1965.

Chevalier, Maxime, *L'Ariosto en Espagne*, Universidad de Burdeos, Burdeos, 1966.

Diego, Gerardo, *Una estrofa de Lope de Vega*, Discurso de ingreso en la Real Academia, Santander, 1948.

—, ed., L. de V., *Rimas*, Taurus (Palabra y Tiempo, 14), Madrid, 1963; 1982².

Díez Borque, José María, «¿De qué vivía Lope de Vega? Actitud de un escritor en su vida y ante su obra», *Segismundo, Revista Hispánica de Teatro*, VIII, n.ºs 15-16 (1972), pp. 65-90.

Entrambasaguas, Joaquín de, «Una guerra literaria del Siglo de Oro: Lope de Vega y los preceptistas aristotélicos» (1933 y 1934), ampliado en *Estudios sobre Lope de Vega*, 3 vols., Consejo Superior de Investigaciones Científicas, Madrid, vol. I, 1946, pp. 63-417 y vol. II, 1947, pp. 7-411.

—, «Los famosos libelos contra unos cómicos de Lope de Vega» (1933), en *Estudios sobre Lope de Vega*, Consejo Superior de Investigaciones Científicas, Madrid, vol. III, 1958, pp. 7-74.

—, «Poesías de Lope de Vega en un romancero de 1605» (1935), en *Estudios sobre Lope de Vega*, III, pp. 377-410.

Entrambasaguas, Joaquín de, *Cardos de jardín de Lope. Sátiras del «Fénix»*, Consejo Superior de Investigaciones Científicas, Madrid, 1942.

—, *Flor nueva del «Fénix». Poesías desconocidas y no recopiladas*, Consejo Superior de Investigaciones Científicas, Madrid, 1942.

—, *Vivir y crear de Lope de Vega*, Consejo Superior de Investigaciones Científicas, Madrid, 1946.

—, ed., L. de V., *La Jerusalén conquistada*, 3 vols., Consejo Superior de Investigaciones Científicas, Madrid, 1951-1954.

—, ed., L. de V., *Obras completas*, tomo I, Consejo Superior de Investigaciones Científicas, Madrid, 1965.

Fernández Gómez, Carlos, *Vocabulario completo de Lope de Vega*, 3 vols., Real Academia Española, Madrid, 1971.

Fernández Montesinos, José = véase Montesinos, José F.

Fernández Ramírez, Salvador, ed., L. de V., *Los pastores de Belén*, Renacimiento, Madrid, 1930.

Fitzgerald, John D., y A. Leora, eds., L. de V., *Novelas a Marcia Leonarda*, *Romanische Forschungen*, XXXIV (1915), pp. 278-467.

Frenk Alatorre, Margit, «Lope, poeta popular», *Anuario de Letras*, III (1963), pp. 253-266.

García Berrio, Antonio, «Construcción textual en los sonetos de Lope de Vega: tipología del macrocomponente sintáctico», *Revista de Filología Española*, LX (1978-1980), pp. 23-157.

García Villada, Zacarías, «El *Isidro*, poema castellano de Lope de Vega», *Razón y Fe*, LXIII (1922), pp. 37-53.

González de Amezúa, Agustín, «Un enigma descifrado, el rapto de la hija de Lope de Vega», *Boletín de la Real Academia Española*, XXI (1934), pp. 357-404 y 521-526; reimpreso en *Opúsculos histórico-literarios*, Consejo Superior de Investigaciones Científicas, Madrid, 1951, II, pp. 287-356.

—, ed., L. de V., *Epistolario*, 4 vols., Real Academia Española, Madrid, 1935-1943.

Goyri de Menéndez Pidal, María, *De Lope de Vega y del Romancero*, Librería General (Biblioteca del Hispanista, 1), Zaragoza, 1953.

Grismer, Raymond L., *Bibliography of Lope de Vega*, 2 vols., Minneápolis, 1965; reimpreso por Kraus, Millwood, Nueva York, 1977.

Guarner, Luis, ed., L. de V., *Romancero espiritual*, Jesús Barnés, Valencia, 1941.

—, «La poesía sacra de Lope», en *En torno a Lope de Vega*, Valencia, 1976, pp. 157-185.

Hatzfeld, Helmut, «Los soliloquios amorosos de un alma a Dios de Lope de Vega», en *Estudios sobre el Barroco*, Gredos, Madrid, 1964, pp. 333-345.

Hempel, Wido, «*In onor della fenice iberica». Uber die «Essequie poetiche di Lope de Vega»*, Klostermann (Analecta Romanica, 13), Francfort del Mein, 1964.

Hilborn, H. W., «El creciente gongorismo en las comedias de Lope», en *Homenaje a William L. Fichter*, Castalia, Madrid, 1971, pp. 281-294.

Jameson, A. K., «Lope de Vega's knowledge of classical literature», *Bulletin Hispanique*, vol. XXXVIII (1936), pp. 444-501.

Jameson, A. K., «The sources of Lope de Vega's erudition», *Hispanic Review*, V (1937), pp. 124-139.

—, «Lope de Vega's *La Dragontea*: Historical and literary sources», *Hispanic Review*, VI (1938), pp. 104-119.

Jörder, Otto, *Die Formen des sonetts bei Lope de Vega*, Halle, 1936.

Lafuente Ferrari, Enrique, *Los retratos de Lope de Vega*, Biblioteca Nacional, Madrid, 1935.

Lapesa, Rafael, «La *Jerusalén* del Tasso y la de Lope», *Boletín de la Real Academia Española*, XXV (1946), pp. 111-136; reimpreso en *De la Edad Media a nuestros días*, Gredos, Madrid, 1967, pp. 264-285.

Lapuente, Felipe-Antonio, «Más sobre los seudónimos de Lope de Vega», en *Actas* [1981], pp. 657-669.

Lázaro Carreter, Fernando, «Lope, pastor robado. Vida y arte en los sonetos de los mansos», *Formen der Selbstdarstellung, Festgabe Fritz Neubert*, Berlín, 1956, pp. 209-224; reimpreso en *Estilo barroco y personalidad creadora*, Anaya, Madrid, 1974, pp. 149-167.

—, *Lope de Vega. Introducción a su vida y obra*, Anaya, Salamanca, 1966.

Macdonald, Inez, «Lope de Vega's *Gatomaquia*», *Atlante*, II (1954), pp. 1-18.

Marín, Diego, «Culteranismo en *La Filomena* de Lope», *Revista de Filología Española*, XXXIX (1955), pp. 314-323.

Marín, Nicolás, «Algunas precisiones sobre la biografía de Lope en sus cartas», en *Actas* [1981], pp. 631-635.

McCready, Warren T., «Lope de Vega's birth date and horoscope», *Hispanic Review*, XXVIII (1960), pp. 313-318.

—, «Vega Carpio, Lope Félix de», en *Bibliografía temática de estudios sobre el teatro español antiguo*, University of Toronto Press, Toronto, 1966, pp. 314-413.

McGrady, Donald, «*La Celia* de Lope: un misterio resuelto», en *Actas* [1981], pp. 625-629.

Menéndez Pidal, Ramón, «Lope de Vega. El *Arte nuevo* y la nueva biografía», *Revista de Filología Española*, XXII, 1935, pp. 337-398; reimp. en *De Cervantes y Lope de Vega*, Espasa-Calpe, Buenos Aires, 1943, pp. 67-138.

—, «El romancero nuevo» (1949), en *De primitiva lírica española y antigua épica*, Espasa-Calpe (colección Austral, 1.051), Buenos Aires, 1951, pp. 73-112.

—, *Romancero hispánico (hispano-portugués, americano y sefardí). Teoría e historia*, Espasa-Calpe, Madrid, 1953, 2 vols.

Millé y Giménez, Juan, «Apuntes para una bibliografía de las obras no dramáticas atribuidas a Lope de Vega», *Revue Hispanique*, LXXIV (1928), pp. 345-572.

—, «La juventud de Lope de Vega», en *Estudios de literatura española*, Facultad de Humanidades y Ciencias de la Educación de la Universidad de La Plata (Biblioteca Humanidades, VII), La Plata, 1928, pp. 36-79.

Monge, Félix, «*La Dorotea* de Lope de Vega», *Vox Romanica*, XVI (1957), pp. 60-145.

Montesinos, José Fernández, «Contribución al estudio de la lírica de Lope de Vega», *Revista de Filología Española*, XI (1924), pp. 298-311, y XII

(1925), pp. 284-290; reimpreso en sus *Estudios sobre Lope de Vega*, Anaya, Madrid, 1967, pp. 129-213.

—, ed., L. de V., *Poesías líricas*, 2 vols., La Lectura (Clásicos Castellanos, 75 y 78), Madrid, 1926-1927; la introducción está recogida en *Estudios sobre Lope de Vega*, pp. 129-213.

—, «Lope, figura del donaire», *Cruz y Raya*, n.ᵒˢ 23-24 (1935), pp. 53-85; reimpreso en sus *Estudios sobre Lope de Vega*, pp. 65-79.

Morby, Edwin S., «Persistence and change in the formation of *La Dorotea*», *Hispanic Review*, XVIII (1950), pp. 108-125, 195-217.

—, ed., L. de V., *La Dorotea*, Castalia, Madrid, 1958, 1968².

—, ed., L. de V., *La Arcadia*, Castalia (Clásicos Castalia, 63), Madrid, 1975.

Morcillo, Casimiro, *Lope de Vega, sacerdote*, Madrid, 1934.

Morley, S. Griswold, «The pseudonyms and literary disguises of Lope de Vega», *University of California Publications in Modern Philology*, XXXVIII, n.º 5 (1951), pp. 421-484.

Müller-Bochat, Eberhard, *Lope de Vega und die italianische Dichtung*, Akademie der Wissenschaften und der Literatur, Maguncia, 1956.

—, «Lope, poeta sacro», *La Torre*, XI (1963), pp. 65-87.

Museo Naval, ed., L. de V., *La Dragontea*, 2 vols.; prólogo de Gregorio Marañón, Madrid, 1935.

Orozco Díaz, Emilio, *Lope y Góngora frente a frente*, Gredos, Madrid, 1973.

Osuna, Rafael, *«La Arcadia» de Lope de Vega: estructura y originalidad*, Real Academia Española (Anejos del *Boletín de la Real Academia*, 126), Madrid, 1973.

Parker, Jack H., «Lope de Vega, the *Orfeo* and the *estilo llano*», *The Romanic Review*, XLIV (1953), pp. 3-11.

— y Arthur M. Fox, *Lope de Vega studies. 1937-1962. A critical survey and annotated bibliography*, University of Toronto Press, Toronto, 1964.

Paz, Octavio, «Quevedo, Heráclito, Lope de Vega y algunos sonetos», en *El País*, Suplemento de Libros, II, n.º 57 (23-11-1980), pp. 1 y 7.

Pedraza Jiménez, Felipe de, *«La gatomaquia*, parodia del teatro de Lope», *Actas* [1981], pp. 565-580.

Pérez Gómez, Antonio, ed., L. de V., *Obras sueltas*, 4 vols. («... *la fonte que mana y corre...*», XIX, XXII, XXVI y XXVIII), Cieza, 1968-1971.

Peyton, Myron A., ed., L. de V., *El peregrino en su patria*, University North Carolina, Chapel Hill, 1971.

Pierce, Frank, «The *Jerusalén conquistada* of Lope de Vega: A reappraisal», *Bulletin of Spanish Studies*, XX (1943), pp. 11-35.

—, *La poesía épica del Siglo de Oro*, Gredos, Madrid, 1968.

Rennert, Hugo A., *The life of Lope de Vega (1562-1635)*, University Press, Glasgow, 1904; versión cast. en colaboración con Américo Castro: *Vida de Lope de Vega*, Madrid, 1919; nueva ed., con complementos de A. Castro y con adiciones de F. Lázaro Carreter: Anaya, Salamanca, 1968.

Ricard, Robert, «Sacerdocio y literatura en la España del Siglo de Oro. El caso de Lope de Vega», en *Estudios de literatura religiosa española*, Gredos, Madrid, 1964, pp. 246-258.

Ricciardelli, Michele, *L'Arcadia di J. Sannazaro e di Lope de Vega*, Fausto Fiorentino, Nápoles, 1966.

Rico, Francisco, ed., L. de V., *Novelas a Marcia Leonarda*, Alianza Editorial (El libro de bolsillo, 142), Madrid, 1968.

Rodríguez Marín, Francisco, ed., L. de V., *La gatomaquia*, Madrid, 1935.

Rodríguez Moñino, Antonio, «Poesías ajenas en el *Laurel de Apolo*», *Hispanic Review*, XXXVII (1969), pp. 199-206; reimpreso en *La transmisión de la poesía española en los Siglos de Oro*, Ariel, Barcelona, 1976, pp. 29-40.

Rojo, Timoteo, *El pajarillo en la enramada o algo inédito y desconocido de Lope de Vega. Las fuentes históricas del «Isidro»*, Madrid, 1935.

Romera-Navarro, Miguel, *La preceptiva dramática de Lope de Vega y otros ensayos sobre el Fénix*, Ediciones Yunque, Madrid, 1935.

Rozas, Juan Manuel, «Lope en la *Galleria* de Marino», *Revista de Filología Española*, XIL (1966), pp. 91-194; reimpreso en *Sobre Marino y España*, Editora Nacional, Madrid, 1978, pp. 23-67.

—, *Lope de Vega y Felipe IV en el «ciclo de senectute». Discurso...*, Universidad de Extremadura, 1982.

— y Antonio Quilis, «El lopismo de Jiménez Patón. Góngora y Lope en la *Elocuencia española en arte*», *Revista de Literatura*, XXI (1962), pp. 35-54.

Sainz de Robles, Federico, ed., L. de V., *Obras escogidas*, 3 vols., Aguilar, Madrid, 1946.

Sánchez Escribano, Federico y Alfredo Porqueras Mayo, *Preceptiva dramática del Renacimiento y el Barroco*, Gredos, Madrid, 1972².

Scordilis Brownlee, Marina, *The poetics of literary theory. Lope de Vega's «Novelas a Marcia Leonarda» and their cervantine context*, Porrúa, Madrid, 1981.

Scudieri Ruggieri, Jole, «Stilistica e stile nell'*Arcadia* di Lope», *Studi di lingua e letteratura spagnola*, Turín, 1965, pp. 159-181.

Scheid, Sibylle, *Petrarkismus in Lope de Vega Sonetten,* Franz Steiner (Untersuchungen zur sprach un literaturgeschichte der Romanischen Völker, IV), Wiesbaden, 1966.

Simón Díaz, José y Juana de José Prades, *Ensayo de una bibliografía de las obras y artículos sobre la vida y escritos de Lope de Vega Carpio*, Centro de Estudios sobre Lope de Vega, Madrid, 1955; continuada en *Lope de Vega: nuevos estudios*, Consejo Superior de Investigaciones Científicas (Cuadernos bibliográficos, 4), Madrid, 1961.

Sobejano, Gonzalo, «La digresión en la prosa narrativa de Lope de Vega y en su poesía epistolar», en *Estudios ofrecidos a Emilio Alarcos Llorach*, II, Universidad de Oviedo, Oviedo, 1978, pp. 479-494.

Spitzer, Leo, *Die Literarisierug des Lebens in Lope's «Dorotea»*, Rohrschid (Kölner Romanische Arbeiten), Bonn y Colonia, 1932.

—, «Lope de Vega's "Al triunfo de Judith" (*Rimas humanas*, LXXVIII)», *Modern Language Notes*, LXIX (1964), pp. 1-11.

Torre, Guillermo de, «Lope de Vega y la condición económico-social del escritor en el siglo XVII», *Cuadernos Hispanoamericanos*, LIV, n.os 161-162 (1963), pp. 249-264.

Trueblood, Alan S., *Experience and artistic expression in Lope de Vega. The making of «La Dorotea»*, Harvard University Press, Cambridge, 1974.

Vilanova, Antonio, «El peregrino andante en el *Persiles* de Cervantes», *Boletín de la Real Academia de Buenas Letras de Barcelona*, XXII (1949), pp. 97-159.

Vitiello, Justin, «Lope de Vega's *Rimas humanas y divinas del licenciado Tomé de Burguillos*», *Annali dell'Istituto Universitario Orientale*, Sezione Romanza, Nápoles, XV (1973), pp. 45-123.

Vossler, Karl, *Lope de Vega und sein Zeitalter*, Munich, 1932; trad. cast.: *Lope de Vega y su tiempo*, Revista de Occidente, Madrid, 1933, 1940².

Vosters, Simón A., *Lope de Vega y la tradición occidental*, 2 vols., Castalia, Madrid, 1977.

Wardropper, Bruce W., «Lope de Vega's short stories: Priesthood and art of literary seduction», en J. L. Lievsay, ed., *Medieval and Renaissance studies*, Duke University Press, 1968, pp. 57-73.

Ynduráin, Francisco, *Lope de Vega como novelador*, Universidad Internacional Menéndez Pelayo, Santander, 1962.

Zamora Lucas, Florentino, *Lope de Vega censor de libros. Colección de aprobaciones, censuras, elogios y prólogos del Fénix que se hallan en los preliminares de algunos libros de su tiempo con notas biográficas de sus autores*, Larache, 1941.

—, ed., L. de V., *Poesías preliminares de libros*, Consejo Superior de Investigaciones Científicas (Cuadernos bibliográficos, 2), Madrid, 1961.

—, ed., «Poesías de Lope de Vega en libros de otros autores», *Revista de Literatura*, XXVII (1965), pp. 91-140; XXX (1966), pp. 33-139; XXXI (1967), pp. 127-177.

Zamora Vicente, Alonso, *Lope de Vega. Su vida y su obra*, Gredos, Madrid, 1961.

RAMÓN MENÉNDEZ PIDAL

LOPE Y EL ROMANCERO NUEVO

Al entrar Lope en la sociedad romanceril de los Cervantes, los Góngora, los Vargas Manrique, los Liñán de Riaza, los Juan de Salinas, sufrían los romances moriscos y pastoriles, cuya boga era grande, un cambio singular, pasando de tratar asuntos imaginarios novelescos, como solían, a poetizar las aventuras de los poetas mismos, en especial las de Lope en sus amores con Elena Osorio. Así el *Romancero* sigue siendo historia de lo actual, como en la Edad Media; pero ahora viene a ser historia privada de un muchacho inquieto, endiablado, genial, que no concibe la poesía sino en cálida confusión con la vida que le rodea, y que alcanza para su pasión los halagos de la publicidad, no en vagos versos líricos, como todo versificador enamorado, sino en breves narraciones llenas de dramatismo, en los famosísimos romances de *Gazul y Zaida*, de *Belardo y Filis* (1583-1587), o en comedias enteras autobiográficas: *Belardo furioso, El galán escarmentado* y tantas otras; comedias que por otra parte se hallaban muy emparentadas con el romancero desde antes, desde que, casi en su niñez, escribía Lope los *Hechos de Garcilaso*, insertando en sus escenas versos de antiguos romances.

Y cuando de este modo Lope nace a la poesía entre los versos del *Romancero*, el romance era para todo español ejemplo de poesía

Ramón Menéndez Pidal, «Lope de Vega. El *Arte nuevo* y la nueva autobiografía» (1935), en *De Cervantes y Lope de Vega*, Espasa-Calpe (colección Austral, 120), Buenos Aires, 1958², pp. 69-143 (73-74), para los dos primeros párrafos; y «El romancero nuevo» (1949), en *De primitiva lírica española y antigua épica*, Espasa-Calpe (colección Austral, 1.051), Buenos Aires, 1951, pp. 73-112 (75-79, 81-83, 92-93).

natural, que brota sin cultivo. Lope lo explicaba muy bien: «estos romances, señora, / nacen al sembrar los trigos». El mismo concepto aparece expresado doctrinalmente en el prólogo que en 1604 se puso a la reedición del *Romancero general*, donde tantos de aquellos juveniles romances de *Gazul* y de *Belardo* habían sido recogidos. Ese prólogo encarece la espontaneidad de la poesía romancística, que no se cuida de «las imitaciones y adorno de los antiguos»; en ella, dicen, tienen muy poca parte «el artificio y rigor retórico», pero mucha el ímpetu del «ingenio elevado», el cual no excluye al arte, sino que *le excede*, «pues lo que la *naturaleza* acierta *sin el arte* es lo perfecto». [...]

Los romances moriscos, llevan unido a su florecimiento el nombre de Lope de Vega. Antes de que Lope comenzase a ganar fama como autor dramático, obtiene en 1583 su primer gran éxito de popularidad, contando la historia de cierto moro Gazul en unos romances [de inspiración muy autobiográfica] publicados como anónimos, según costumbre, pero conocidos como de Lope por los contemporáneos. El extraordinariamente famoso de tales romances de Gazul, el de *La estrella de Venus*, fue cantado en toda España por grandes y chicos, por cortesanos y labradores; fue glosado muchas veces; fue aludido, como historia divulgadísima, en multitud de obras literarias durante más de tres cuartos de siglo, hasta Calderón en 1660, hasta Miguel de Barrios en 1665, por lo menos, y aún es recordado como poesía famosa por autores posteriores.

> Sale la estrella de Venus
>   al tiempo que el sol se pone
> y la enemiga del día
>   su negro manto descoge;
> y con ella un fuerte moro,
>   semejante a Rodamonte,
> sale de Sidonia airado,
>   de Jerez la vega corre ...
> desesperado camina,
>   que siendo en linaje noble,
> le deja su dama ingrata,
>   porque se suena que es pobre,
> y aquella noche se casa
>   con un moro feo y torpe,
> porque es alcaide en Sevilla
>   del alcázar y la torre ...

Va este Gazul en su camino quejándose de que Zaida olvide tres años de amores para casarse con el rico Abenzaide; llega a Jerez a la medianoche; entra con su caballo por medio del solemne cortejo nupcial; arroja su lanza, matando al desposado, y se retira, desafiador, por entre el alborotado concurso.

La rapidez narrativa, el adorno parco, la sobreabundante y briosa elocuencia, el movimiento dramático, daban al romance un encanto muy superior al de los que entonces se escribían, una animación que parecía renovar, aunque en bien diverso estilo, el vigor de los romances viejos.

Asimilándolo a los viejos, el novelesco historiador de las *Guerras civiles de Granada*, Ginés Pérez de Hita, trata este romance de Gazul como histórico; y lo es sin duda, pero con una historicidad particular, pues no es la aventura de ningún moro granadino, sino del mismo Lope. He aquí por qué el *Sale la estrella de Venus* recibió calor de vida tanto en su redacción como entre los primeros que lo lanzaron a la gran popularidad.

Lope, según la opinión que creo más cierta, escribió ese romance cuando era un muchacho de veintiún años. Hacía tres que se había prendado de la que él designa con el seudónimo de Marfisa, cuando nos habla de su primer amor; pero al volver de la expedición militar contra los portugueses de la isla Tercera, halla a su novia casada con un viejo rico que muere al poco tiempo. Este breve matrimonio es el desengaño que el poeta transfiguró en la venganza de Gazul, el moro desdeñado por pobre. Lope, desde la mocedad, padeció toda su vida, junto a la satisfacción por sus altísimas dotes personales, una nunca calmada preocupación por su modesta posición social; la pobreza era siempre para él la «dádiva santa desagradecida», que dijo Juan de Mena, y desahogaba ahora la pena de haberse visto desechado, imaginando la arrogante lanzada de Gazul, como si ella no sólo hubiese causado la muerte del rico Abenzaide, sino también la del rico marido de Marfisa.

En otro romance que comienza *La bella Zaida Cegrí*, llorando Zaida sobre el cadáver de Abenzaide, maldice celosa el nuevo amor de Gazul. Es que hacia 1583 Lope comenzaba sus amores con la célebre Elena Osorio. Y continuó disfrazando en romances moriscos (pero llamándose no ya Gazul, sino Zaide o Adulce), la larga y azarosa historia de esos amores con Elena; cómo en ellos fue desbancado por otro rico, por el borgoñón Francisco Perrenot, sobrino del prepotente cardenal Granvela; cómo, en fin, fue condenado a destierro por vengativas sátiras contra la amada desdeñosa y contra familiares de ella. En la sentencia de destierro, el 7 de febrero de 1588, se conmina a Lope de Vega para «que de aquí en adelante no pase por la calle donde viven las dichas mujeres»; y otro romance, más famoso aún que el de *La estrella de Venus*, y que quizás es obra del mismo Lope, comienza aludiendo a esa sentencia:

Mira, Zaide, que te aviso
que no pases por mi calle,
ni hables con mis mujeres,
ni con mis cautivos trates ...,
que eres pródigo de lengua

y amargan tus libertades,
y habrá menester ponerte,
quien quisiera sustentarte,
un alcázar en el pecho
y en los labios un alcaide ...

Todos sabían, al cantar y al oír este sonadísimo romance, que aludía a la prohibición impuesta a Lope de no pasar por la calle de Lavapiés, donde vivía Elena Osorio; y con este incentivo de actualidad, los lindísimos versos, por su garbo, por su pasión, por su fastuoso colorido morisco, alcanzaron boga sin igual. Otro romance nos informa de la inmensa popularidad del *Mira Zaide que te aviso*: «Háganme vuesas mercedes / merced de desengañarme, / si hay entre todos alguno / que conozca al moro Zaide, / y díganme qué es la causa / que no hay pequeño ni grande / que mil veces no le avise / "que no pase por su calle". / Apenas ha amanecido, / cuando ya, haciendo jarabes, / el boticario le avisa /. "que no pase por su calle"». [...] Y así grandes y chicos, hasta el caminante que va a cien leguas de su casa o el marinero engolfado en alta mar, le avisan «que no pase por su calle». «¿Qué tiene este triste moro? / ¿Está tocado de landre, / que así desterralle quieren / de todas las vecindades? / ¿Adónde ha de ir el cuitado, / pues en el mundo no cabe?» Pero esta bromeante descripción de la universal popularidad del romance morisco acaba muy en serio, censurando la dureza del prolongado destierro que padecía Lope y tachando de innoble la implacable venganza de un rival poderoso: «Merezca el humilde moro / que su destierro se acabe, / que quien de humilde se venga, / humilde venganza hace».

En este final tenemos la prueba de que el *Mira, Zaide* era para el público trasunto manifiesto de la sentencia judicial de 1588 contra Lope de Vega. Los romances volvían a ser alguna vez, como en estos casos que recordamos, poesía noticiera de sucesos actuales, ruidosos, señalados, como durante la edad heroica lo fue la epopeya en tiempo de los infantes de Lara, o los romances en tiempo de Abenamar y de Sayavedra. Pero, por desgracia, la edad heroica había pasado, y no hay sino una edad chismográfica en que el sentimiento poético divulgable sólo sirve a los enredos y hablillas de los cenáculos literarios; aunque, bien mirado, los borrascosos conflictos pasionales de un Lope de Vega, a pesar de su limitado personalismo, bien pueden mantener gran interés humano al lado de la muerte trágica de un oscuro Sayavedra. Y de hecho, el *Mira, Zaide*, después de ser muy citado, imitado y contrahecho en la literatura de su época, conservó hasta hoy cierta tradicionalidad en boca del pueblo. [...]

Que el éxito de los romances pastoriles se debe a Lope de Vega, cuyo nombre pastoril era Belardo, y a Liñán, llamado Riselo, nos lo declara el romance puesto como prólogo a la cuarta parte (1592) de la *Flor de varios romances nuevos*, donde, según una tosca ficción, los asnos romancistas que enturbian las aguas del Tajo, del Tormes y del Henares, maltratan a Calíope, «y a no ser favorecida / de Riselo y de Belardo, / la pobre musa pasara / con mucha coz mucho daño». Lope de Vega, bajo el pastoral pellico, cantó la misma serie de sus azarosos amores que cantó bajo las galas moriscas, y también tuvo éxitos halagüeños. El principal lo alcanzó con *Las tórtolas*, romance seguido de redondillas; fue publicado en la primera parte de la *Flor*, 1589, como anónimo, no hace falta decirlo, pero sabiendo todos que era de Lope, y podemos suponer que éste lo escribió cuando andaba desterrado por Toledo en 1588:

> El tronco de ovas vestido
> de un álamo verde y blanco
> que entre espadañas y juncos
>   bañaba el agua del Tajo,
> y las puntas de su altura
> del ardiente sol los rayos,
> y en todo el árbol dos vides
>   entretejían mil lazos ...,
> éste con llorosos ojos
>   mirando estaba Belardo,
> porque fué un tiempo su gloria,
>   como agora es su cuidado ...

Entre las ramas, imagen antes de su felicidad y ahora de su infortunio amoroso, contempla dos tórtolas que se arrullan y besan sus picos; desesperado de envidia, arrojándoles una piedra, deshace el nido; pero ve que a poco las espantadas tórtolas, en un pino cercano, vuelven a besarse. Olvidado de su pena, Belardo considera la fuerza incontrastable de los lazos de amor, y espera que también él volverá a juntarse con Filis. Es decir, Lope abrigaba la esperanza de recobrar algún día el amor de Elena Osorio.

Innumerables remembranzas a las apedreadas tórtolas se hicieron en poesías y en prosas, en broma y en serio; tantas, que Lope se sentía como un toro garrochado por las burlas, cuando exclama en otro romance: «¡Mal hayan las tortolillas, / mal haya el tronco y el olmo, / de do salieron las varas / que el vulgo ha tirado al toro!».

En morisco o en pastoril, a las nueve partes de la *Flor* fue a parar, como poesía anónima de la colectividad, toda la biografía sentimental de Lope de Vega, con toda la versátil y vehemente afectividad del poeta. El remordimiento por los celos que causaba a su mujer, doña Isabel de Urbina, cercana ya a la muerte (¿octubre? de 1594) produce el más tierno y hermoso romance de Lope:

Descolorida zagala,
a quien tristezas hicieron
perder el color de rosa
en el abril de su tiempo,
toda la aldea murmura
tan melancólico extremo,

y dicen que tanto mal
es del alma y no del cuerpo.
Siendo vuestra condición
y vuestros ojos risueños,
que mataban de alegría,
están de tristeza muertos ...[1]

1. [Al mismo ciclo y período del destierro valenciano pertenece otro conocidísimo y hermoso romance: «Hortelano era Belardo / de las huertas de Valencia, / que los trabajos obligan / a lo que el hombre no piensa ...». «En estas huertas —comenta A. Carreño [1979], pp. 161-165— y pasado el rigor del invierno, siembra Belardo trébol, albahacas, lirios, toronjil, apio, almendras, cardos, ortigas, lechugas, mastuerzo y ajenjos, trocando la aplicación casera de estas hierbas y sus funciones terapéuticas en referentes que aluden al intrincado mundo del amor renacentista y a sus tratamientos farmacéuticos. La relación, detallada, concisa, convierte el texto, a su vez, en un documento de horticultura medicinal de la época (*herbarius medicinalis*). Al ir sembrando Belardo sus plantas las clasifica y define en relación con las diversas etapas amorosas de las mujeres: según sus estados (preñadas, casadas, viudas) y edades (niñas, muchachas, viejas): "El trébol para las niñas / pone al lado de la huerta, / por que la fruta de amor / a las tres hojas aprenda. / Albahacas amarillas, / a partes verdes y secas, / trasplanta para casadas / que pasan ya de los treinta", etc. De cortesano viste Belardo un espantajo para que las aves no se acerquen a comer las semillas. Pero las ropas con que lo viste son las mismas que él, en un tiempo, usó en la corte. Con sombrero "boleado" le adorna cuello y cabeza; lo viste con jubón de raso; le coloca la más "guarnecida cuera", y le amaña incluso calzas a la moda española y tudesca. Y un buen día, regando Belardo su huerta, reconoce en el espantapájaros sus viejas prendas: despojos ahora del amor, pero en otro tiempo "trofeos vivos / de esperanzas muertas". Un breve romancillo narra la historia de tales despojos. Con dichas galas, "usadas en su edad primera", enamoró Belardo (y burló) a una doncella con quien se casa y pronto abandona (Isabel de Urbina): la melancólica Belisa de romances pastoriles. Pero: "Supo mi delito / aquella morena / que reinaba en Troya / cuando fue mi reina. / Hizo de mis cosas / una gran hoguera, / tomando venganza / en plumas y letras". El espantajo viene a ser la máscara interior y exterior ("que bien parecéis / de dentro y de fuera") de Belardo: su representación carnavalesca. La metamorfosis es lúdica y paródica. El galán Belardo se ha transformado en un figurín al aire, colocado en el alto de una higuera, quien espanta a los pájaros para que no coman las semillas que él (el Belardo-jardinero) sembró en el huerto. La historia se nos presenta a base de una estructura temporal binaria (antes/ahora) y metafórica: el espantajo símbolo de un estado presente, emblema y figura paródica de quien, en un tiempo, fue amante y cortesano. ... El romance se divide en dos partes. La formulación de la primera guarda relación simétrica con la segunda, como lo muestra la misma ordenación sintáctica de los versos. El discurso poético se desarrolla, en la segunda parte, en presencia de un objeto visible: el espantajo. Ante él declama Belardo, en un romancillo heptasilábico, la breve y cantarina apología. El narrador que inicia la com-

[En la arrogante glorificación del romancero que se lee en el citado prólogo (1604) a la reedición del *Romancero general*], la palabra *arte* se toma por el conjunto de reglas o preceptos de escuela, y *naturaleza* significa la disposición natural del poeta, apoyada en la tradición cultural de su pueblo. Se enuncian así, en ese prólogo, principios de estética neoplatónicos que Lope de Vega sustentaba a la par, en el mismo año 1604 del *Romancero*, al reeditar sus *Rimas* o composiciones doctas, de estilo italiano, entre las cuales incluía, igualándolos con ellas, dos poemas en romance sobre la creación del mundo y sobre la muerte de Felipe II. Esta mezcla de los versos italianos y los romances, dos escuelas métricas antagónicas, había que justificarla, y Lope dice a este propósito:

... los Romances no me puedo persuadir que desdigan de la autoridad de las Rimas, aunque se atreve a su facilidad la gente ignorante, porque no se obligan a la corresponsión de las cadencias. Algunos quieren que sean la cartilla de los poetas; yo no lo siento así, antes bien los hallo capaces no sólo de exprimir y declarar cualquier concepto con fácil dulzura, pero de proseguir toda grave acción de numeroso poema. Y soy tan de veras español, que por ser en nuestro idioma *natural* este género, no me puedo persuadir que no sea digno de toda estimación.

En estas últimas palabras recuerda Lope una sentencia ciceroniana: «Omnia quae secundum naturam sunt, aestimatione digna sunt». Y junto a esta sentencia, entonces muy válida entre los poetas naturistas, circulaba otro dicho de Cicerón, invocado también por Lope en su *Peregrino*: «que eran mejores las cosas que la naturaleza hacía que las que el arte perficionaba»; así, al fin, toda la exaltación del romancero iba a apoyarse en la idea de Platón comentada por Montaigne: a la Naturaleza se deben las cosas más grandes y bellas, mientras al Arte las menores e imperfectas.

posición de la primera parte, en tercera persona ("Hortelano era Belardo"), es sustituido por el Belardo/hablante ante el tú (espantajo/oyente) de la segunda. La comparación implícita establece a su vez dos términos temporales ya aludidos: antes/ahora. El símil es de este modo vínculo retórico entre el objeto real y el metafórico, entre un referente (el espantajo) y la materia referida (la vida amorosa de Belardo), entre los signos cifrados (despojos) y la alegoría correlativa: "¡galas y penachos / de mi soldadesca, / un tiempo colores / y agora tristezas!". En este acto visual de reconocer Belardo sus ropas e identificarse con el objeto que las viste, radica la génesis de los varios niveles de significación que plantea el romance, estableciéndose una semántica correlativa y por oposición».]

José F. Montesinos, Dámaso Alonso y Octavio Paz

COORDENADAS POÉTICAS

I. Es cierto que Lope cultivó siempre con fervor los metros y los temas tradicionales, que tuvo los metros y estrofas italianos por algo advenedizo; pero no es menos exacto que nuestro poeta se envanecía de este despojo que vino a enriquecer el Parnaso nacional. No se olvide —vamos a ver en seguida frases que lo prueban— que Lope tuvo los tiempos del *Cancionero general* (1511) por una edad bárbara en que algunos altos ingenios luchaban en vano por superar un estado de cultura deficiente. Sólo algún destello de genio, deslucido por la forma ruda, permite vislumbrar las altas dotes de los viejos maestros. Y esto es todo. Para Lope, la antigua escuela castellana suponía un estadio sobrepasado; aquellos poetas le merecieron siempre una viva simpatía, pero nunca los consideró como modelos. Al adoptar las formas tradicionales, aspiró a ennoblecerlas; esto y no más suponen sus romances artísticos, en cuya composición seguía las mismas corrientes que la juventud literaria de su época. En ese intento de ennoblecer las formas, sus ideales eran muy distintos de los de un Castillejo, por ejemplo. En el Lope más popular y tradicional no falta nunca un matiz, un rasgo culto, clásico, renacentista.

Lo que admiraba en sus antecesores no eran las formas, sino los contenidos. ¿Qué eran para Lope los contenidos del poema? Una palabra los resume, una palabra que nos sale al paso cada vez que abrimos un libro suyo o de alguno de sus contemporáneos: el *concepto*.

El concepto es difícil de definir; sus caracteres, su gravedad, su densidad eran cada vez distintos. Muchas veces se reduce a un simple juego de palabras; otras es una *pointe* ingeniosa, un discreteo, una sutileza. Cuando Lope abre el *Cancionero general* u otro libro viejo, lo que le

I. José F. Montesinos, «Las poesías líricas de Lope de Vega» (1926-1927), en *Estudios sobre Lope de Vega*, Anaya, Madrid, 1967, pp. 129-213 (130-133).

II. Dámaso Alonso, «Lope de Vega, símbolo del Barroco», en *Poesía española*, Gredos, Madrid, 1950, pp. 445-510 (422, 428, 439, 445-447, 456-458, 466-468, 476-477).

III. Octavio Paz, «Quevedo, Heráclito, Lope de Vega y algunos sonetos», en *El País*, Suplemento de Libros, II, n.º 57 (23-11-1980), pp. 1 y 7 (7).

atrae son los versos del comendador Escrivá: «Ven, muerte, tan escondida ...»; y para él, la *profundidad* —entiéndase, sutileza, ingeniosidad— del concepto es algo más específicamente nacional —y poético— que el octosílabo en que la composición está escrita; si echa algo de menos, es, por cierto, el endecasílabo, es decir, la forma moderna, adornada, impecable, y el lenguaje rico y matizado. Pero oigamos sus propias palabras: «Cuestión ha sido muchas veces controvertida entre los hombres doctos si los antiguos poetas españoles fueron más excelentes que los modernos, porque de las sentencias, conceptos y agudezas arguyen que si alcanzaran este género de versos largos que Garcilaso y Boscán trasladaron de Italia, no fueran menos hábiles en escribirle que los que ahora le ejercitan, pues nacen en edad que le hallan tan cultivado que primero comienzan por él que por el propio ... Cuando vuelvo los ojos a las agudezas de los poetas españoles antiguos, considero que en este tiempo fueran aquellos ingenios maravillosos, y en razón de la bárbara lengua de que usaban, me acuerdo de lo que dijo Lipsio de nuestro toledano historiador el arzobispo don Rodrigo ..., que había escrito bien *quantum potuit in tali aevo ...*». Y aquí viene el entusiasmarse con Escrivá y otros. Nótese bien: ni un momento de duda sobre el progreso realizado, ni un momento de duda sobre la superioridad de los metros adquiridos. La excelencia de lo antiguo es la del concepto, que en cada caso puede ser salvado, trasvasado a nuevos odres. Hasta este último proceder puede ser ejemplificado en su obra. Uno de los mejores sonetos de las *Rimas humanas* (1634), el CLXXXIX, «Querido manso mío ...», termina en un juego de palabras, «ganado», «perdido», que Lope encontró en alguna vieja compilación, en los versos que cita: «Si vais a ver el ganado, / muy lejos estáis de verme ...»; sobre los que advierte: «Pues en razón de algunos epigramas, estoy por pensar que amoroso no le tiene la lengua latina mejor que éste».

Lo que Italia, lo que el Renacimiento podía prestar a la cultura española era la forma, el ornato, posible ahora que España poseía un tipo de verso «que sufre tantas exornaciones y figuras, tantas locuciones y imitaciones». Dentro de esas fórmulas monumentales, la profundidad, la sutileza española pervivía, esencia inalterable. Y no sólo para Lope era una dichosa realidad este carácter distintivo del genio poético de Italia y España. En una comedia hecha sobre motivos lopescos, exaltación entusiasta del arte de Lope, Tirso escribió, allá por los años de 1620: «... Italia toda es hablar / y España toda es conceptos».

La fórmula de arte que más hubiera complacido a Lope, la que de todas sus palabras sobre la poesía parece deducirse, hubiera sido la correspondiente a una solución intermedia: el concepto español con exorno italiano. Pero Lope sabía muy bien que los esplendores retóricos de la poesía de Italia tenían más remotos orígenes. En último término, el modelo de la forma era el modelo clásico, el modelo latino.

Este modelo clásico no era sólo un ideal que orientaba, como una estrella, las aspiraciones del escritor. La poesía latina era además la cantera de que podían extraerse los más diversos materiales. Sabido es que en los días de Lope la utilización de los lugares comunes era indispensable al poeta. El carácter de los despojos adquiridos era muy diferente. De una parte, los mitos y fábulas clásicos se habían incorporado de tal modo a la cultura del siglo XVII que aludir a ellos era cosa obligada. Léanse estas palabras de la dedicatoria de la *Angélica*: «Usar lugares comunes, como engaños de Ulysses, salamandra, Circe y otros, ¿por qué ha de ser prohibido, *pues ya son como adagios y términos comunes y el canto llano sobre que se fundan varios conceptos?* Que si no se hubiera de decir lo dicho, dichoso el primero que escribió en el mundo... Ni es bien escribir por términos tan inauditos que a nadie pareciesen inteligibles ...». En las palabras que subrayamos se encuentra de nuevo la fórmula de Lope: el despojo de los clásicos, revestimiento monumental de conceptos. Y son en este sentido —y en otros— un interesante documento ilustrativo de ese aspecto importante de la cultura renacentista. Pero la alusión al mito o a la fábula era la más externa e indirecta imitación. Había otra, mucho más importante, que habrá que examinar en detalle el día que haya de estudiarse a fondo nuestra lírica clásica. Ni siquiera habría que acudir siempre a las fuentes antiguas; en los infinitos centones y polianteas del tiempo, tan explotados por Lope en prólogos y dedicatorias —y hasta en comedias—, hay elementos abundantes. Cuando quiere defender sus versos, la defensa consistirá en una serie de citas de poetas antiguos o modernos que ya dijeron lo mismo.

II.   Cuando nos acercamos a la poesía de Lope, a una buena parte de su poesía, [notamos una sensación de sinceridad y de verdad, vivida, realísima.] Esta nota de frescura y verdad, este estar, día a día, hora a hora, convirtiendo en materia de arte la sustancia de su vida, es totalmente nuevo en poesía española y aun europea, [por lo menos con esa amplitud, con esa generosidad, con esa constancia.] No sólo es nuevo, sino que es aislado. Sólo en el siglo XVII lo podía hacer un gran temperamento desbordado como Lope, y no tiene continuación en el XVIII. Lope —se ha dicho varias veces— empalma en este sentido con el romanticismo.

[Junto a ese Lope humano, lleno de vida y emoción, en seguida hallamos también, sin embargo, un segundo Lope en cuyos poemas priva el manierismo petrarquista], una veta de tradición culta, completamente dentro de las normas renacentistas. La adopción de un método estilístico riguroso nos descubre en este Lope, tan alabado en los libros por su espontaneidad y su natural frescura, las más diabólicas, estrictas, matemáticas y frías complicaciones.[1] No, no se puede confiar ni en la mujer... ni en Lope. Él también se llamaba mudanza.

[Un tercer Lope, un Lope gongorino, se nos descubre en sus libros poéticos de entre 1621 y 1624.] Si se toma *La Circe* en su conjunto (y lo mismo se podría hacer con *La Andrómeda* o con toda la primera parte de *La Filomena*) y se compara con poemas tempranos de Lope como *La hermosura de Angélica* (¡y, no digamos, con *La Dragontea*!), en seguida se ve que la, diríamos, tensión estética ha tenido notable aumento.

Lope sigue narrando y narrando con fluidez, pero hay en su estilo una mayor preocupación de belleza: ha suprimido aquellas divagaciones familiares y avulgaradas, aquellas interminables retahílas de amontonados objetos; abundan ahora las imágenes valientes proyectadas sobre un campo de belleza intuitiva; el poeta hace con frecuencia esfuerzos por apretar su verso, y así, por ejemplo, el final bimembre de la octava, que ya existía aquí y allá en sus primeros poemas, es más frecuente en estos tardíos (aunque aún no tanto como en Góngora), y, sobre todo, resalta más la intencionalidad estructural de estos finales, ayudada a veces por contrastes de varios tipos: [«... es Venus de aquel mar, del sol estrella», «... adonde coge flores deja arenas», «... la que lienzo vistió

---

1. [Así, por ejemplo, en un soneto que se estructura en «dos pluralidades de correlación reiterativa (tipo que llamo por diseminación y recolección)», según la fórmula A₁ A₂ A₃ A₄ A₅ / A₁ A₂ A₃ A₄ A₅. «De sus dos pluralidades, la primera está "diseminada" por los cuartetos (*humo*, verso 1; *nada*, v. 2; *viento*, v. 3; *polvo*, v. 5; *sombra*, v. 7) y la segunda está recolectada en el verso último del soneto: "El *humo* que formó cuerpo fingido, / que cuando está más denso para en *nada*; / el *viento* que pasó con fuerza airada / y que no pudo ser en red cogido; / el *polvo* en la región desvanecido / de la primera nube dilatada; / la *sombra* que, la forma al cuerpo hurtada, / dejó de ser habiéndose partido, / son las palabras de mujer. Si viene / cualquier novedad, tanto le asombra, / que ni lealtad ni amor ni fe mantiene. / Mudanza ya, que no mujer se nombra, / pues, cuando más segura, quien la tiene, / tiene *humo, polvo, nada, viento y sombra*"» (p. 438).]

nácares viste» (*La Circe*); «... tú quejas en desdén, yo en nieve amores»,
«... guerra de burlas y temor de veras» (*La Filomena*).] No le iba bien,
en cambio, el hipérbaton a Lope, cuya sintaxis algo más complicada que
en los años mozos, suele seguir siendo fluida. Por eso nos choca aún
más cuando, aunque pocas veces, usa ahora en alguna ocasión un hipérbaton muy gongorino: «Ella, mirando al joven semideo, / mayores de
dolor extremos hace» (*La Andrómeda*). Y es curioso que lo emplee en
posición tan resaltada como la del primer verso de *La Filomena*: «Dulcísima de amor ave engañada ...».

La huella de Góngora es evidente en estos poemas publicados
en 1621 y 1624. Es una huella discontinua, que hay que rastrear.
Lo que escribe Lope sigue teniendo su sello: gracia, agilidad, afectos
humanos, de repente versos que se iluminan con nítida luz, aún de
vez en cuando caídas de prosaísmo (pero mucho menos que en *La
Dragontea* o que en *La Angélica*) y —casi siempre— apresurada superficialidad. Este apresuramiento es quizá lo característico: Lope es
un narrador, y aún narra creyendo que lo interesante es la historia
que se cuenta; es el ritmo y el amontonamiento de Ariosto (mejor que
de Tasso). No embute el mismo Ovidio más casos en pocos versos,
que historias y episodios Lope de Vega en su embarullada *Andrómeda*. [...]

El 28 de abril de 1613 está firmado el autógrafo de *La dama
boba*, y en esta comedia creo que existe una huella de una especial
reacción de Lope frente al gongorismo triunfante (triunfante, por lo
menos, en el escándalo, porque para Lope escándalo era triunfo).
En esa obra, Lope el fácil, Lope el superficial, ha incluido un soneto
filosófico tan difícil que su dificultad obliga al autor a hacer que los
personajes lo comenten; la explicación dura toda una escena. He
aquí el soneto:

> La calidad elementar resiste
> mi amor, que a la virtud celeste aspira,
> y en las mentes Angélicas se mira,
> donde la idea del calor consiste.
> No ya como elemento el fuego viste
> el alma, cuyo vuelo al sol admira,
> que de inferiores mundos se retira
> a donde el Cherubín ardiendo asiste.
> No puede elementar fuego abrasarme,
> la virtud celestial, que vivifica,

envidia el verme a la suprema alzarme;
que donde el fuego angélico me aplica,
¿cómo podrá mortal poder tocarme?,
que eterno y fin contradicción implica.

Aquí no hay suntuosidad, no hay lujoso colorido, ni alusiones mitológicas; si hay cultismos, están empleados en un sentido que llamaríamos frío, técnico. Pero, ¿verdad que en dificultad vale bien Góngora? Pues, lo mismo que Góngora, mirado de cerca, es bastante fácil.

Pero, ¿Lope se había sacado todo eso de la cabeza? Apresurémonos a decir que el contenido del soneto no pasa de ser una especie de resumen en catorce líneas de la idea central de la obra de Giovanni Pico della Mirandola (1463-1494), *Heptaplus: De septiformi sex dierum Geneseos enarratione*. La actividad filosófica de Lope era, pues, no nos engañemos, bien modesta: la de un simple resumidor. Y, sin embargo, no cabe duda de que Lope estaba muy orgulloso de su soneto. Sí; ese soneto se convierte en una obsesión para Lope. Publicado primero —comentado por los personajes— en la representación de la obra; lo imprime luego con la comedia en la *Novena parte* (1617); luego, sin comentario, con *La Filomena* (1621), y en fin, con *La Circe* (1624), y esta vez con un comentario en prosa en forma de epístola a López de Aguilar, que es en parte prosificación del comentario en verso de *La dama boba*, y en parte un amontonamiento de erudición filosófica. [...]

Me basta con esto: hay una veta de poesía filosófica y oscura, un Lope poeta filosófico germinante allá por sus cincuenta años cumplidos, que formaría como un cuarto Lope junto a los tres que habíamos considerado. Este cuarto Lope, lo mismo que el tercero, es, a mi juicio, un intento de encontrar vía artística al contacto del arte de Góngora. El gongorismo le hizo ensayar dos caminos (y de los dos hay evidentes pruebas en los sonetos de *La Circe*): la competencia con el mismo Góngora en un arte formal (tercer Lope o Lope gongorino), la competencia con el mismo Góngora en un arte de pensamiento oscuro (cuarto Lope o Lope filosófico). En estas dos direcciones, en las dos y en cualquiera de las dos, Lope participaba de esa densidad, de esa gravedad (o por peso de la forma exterior o por el modo de plasmar la forma interna) característica del barroquismo. [...]

Este poeta, que se deja contagiar de gongorismo o que reacciona contra el gongorismo buscando profundidad de pensamiento, era él mismo una fuerza barroca; era una fuerza barroca no ya sólo como tercer Lope o cuarto, sino como primero y segundo, y representa al barroquismo desde luego con más variedad y aún con más impulso vital que Góngora. Lo que ocurre es que —este impetuoso, este atolondrado— no tiene tiempo ni sentido para desarrollar una técnica personal depurada, como Góngora; vive un poco de tomar y utilizar con su genio todas las técnicas cuajadas que el mercado literario le ofrece. O en su exasperación llega hasta lo más difícil, lo que a tantos poetas ha hecho fracasar: el intento de una poesía filosófica. (Gracias que le duró poquito.)

Sí, él tenía el ímpetu barroco, y aún en su vida y su obra la abundancia y la plenitud.

Un solo ejemplo como prueba: [a propósito] de la poesía de Góngora, hemos señalado como una de las características de la nueva vitalidad que traspasa la forma renacentista en el momento barroco esos lujosos, recargados desfiles de seres de la naturaleza, frutos, animales terrestres, platos de una comida, aves de cetrería, pescados, que nos sorprenden y nos deleitan en su apretada variedad en las *Soledades* y en el *Polifemo*. [Pues bien], esa técnica está en Lope. ¡En Lope, nada menos que en *La Arcadia,* en 1598, quince años antes del *Polifemo*! Allí existen la sucesión y la rápida caracterización:

> Perdices le ofrecería,
> vivas en la misma percha,
> con el pico y los pies rojos
> que estampan en el arena;
> las calandrias que madrugan;
> las mirlas a quien enseña
> Naturaleza a cazar
> las hormigas con la lengua...
> los ánades, de oro y verde
> bordadas las plumas nuevas
> del cuello, y de azul las alas,
> que bien nadan y mal vuelan;
>
> los pavos donde los ojos
> de Argos sirvieron de rueda...
> Las guindas rojas maduras,
> los madroños de las sierras
> donde el erizo en sus puntas
> los ensarta como cuentas;
> la castaña, armada en balde;
> los membrillos de las vegas,
> que al miedo el color hurtaron
> y la forma a las camuesas...
> la endrina con la flor cana
> y la olorosa cermeña [...].

Un hecho es evidente: Lope parece adelantarse a todos los miembros de su generación en este uso, y tiene tan grabada la abundancia y variedad de las formas de la naturaleza, que las series descriptivas surgen por todas partes en su poesía: lo mismo en sus canciones populares que en su lírica italianizante, que en su teatro; esa plenitud que le traspasa, característicamente barroca, viene a ser también caracterizadoramente suya. [...]

El arte barroco se pone otra vez frente a la naturaleza: la toma en su plenitud y en su hervor. Y, al contemplarla, surge un nuevo deseo de rápida aprehensión, un nuevo realismo; un realismo en miniatura dentro de la tendencia irreal que culmina en Góngora. Otros poetas hacen lo mismo. Pero el primer gran portador de estos elementos de Naturaleza es Lope. Góngora viene en ello detrás. El iniciador barroco es, pues, Lope en este aspecto, y no Góngora.

III. En los grandes renacentistas, como Ronsard y Garcilaso, el cuerpo femenino emerge entre las aguas del río o las ramas del boscaje con la misma tranquila soberanía con que aparecen el Sol y la Luna en el horizonte. Aparición que es una metamorfosis: esos cuerpos, *miraculeusement mués*, como dice Ronsard, eran arroyos, piedras, árboles, ciervos, serpientes. El siglo siguiente estiliza y martiriza al cuerpo. Sin embargo, en algunos momentos de la poesía de Lope de Vega resplandece de nuevo y su desnudez acaba por triunfar de la gazmoñería clerical y de la retórica barroca. En Quevedo, la desnudez sangra entre las espuelas de un deseo cruel y no hay más triunfo que el de las cenizas. Su petrarquismo exacerbado es la otra cara de su misogamia y de su afición a las putas. [Es verdad que los sonetos de amor de Quevedo son estremecedores, pero lo son porque en ellos el cuerpo, condenado a morir, se quema en las brasas del deseo insatisfecho. Es el amor como martirio. La sensualidad no saciada se vuelve obsesión, rabia y delirio.]

Lope nos cura de Quevedo: es el gran poeta del amor humano, el amor deseante y colmado, feliz y despechado, engañado y desengañado, delirante y lúcido. Lope de Vega no sólo es el polo opuesto de Quevedo y de Góngora: también es su contraveneno. Acepto que los dos últimos son, en cierto sentido, más originales, novedosos y sorprendentes, sobre todo Góngora, gran inventor de límpidas arquitecturas. Sin embargo, en la acepción literal de la palabra, el verdadero original es Lope: su poesía nace de lo más elemental y primordial. Además, es más vasto y más rico, *sabe* más de los hombres y de las mujeres, de sus cuerpos y de sus almas. El famoso soneto de Quevedo *Amor constante más allá de la muerte* —que Dámaso Alonso considera, con cierta exageración, «probablemente el mejor de la literatura española»— nos conmueve por su sombría intensidad y su loco deseo de vencer a la muerte; al mismo tiempo revela un desconocimiento de la realidad del amor y de su naturaleza contradictoria.

El amor humano es inseparable de la conciencia de la muerte, pero
en un sentido radicalmente distinto al de Quevedo; para el amante,
la muerte amenaza constantemente al cuerpo amado: perder el cuerpo
del otro o la otra es perder también el alma propia. Sin esta solicitud
por la persona amada no hay amor, sino, a lo más, deseo. Y tal vez
tampoco deseo, porque el deseo es sed de ver y tocar un ser vivo.
La amada de Quevedo es una ficción literaria y filosófica; en cambio,
las mujeres de Lope existen: al oír al poeta las oímos a ellas.

En la lírica europea del primer tercio del siglo XVII, los dos grandes poetas del amor total —quiero decir: del amor completo y recí-
proco entre el hombre y la mujer— son, para mí, Donne y Lope de
Vega. La mente del primero era más rica, compleja y libre, pero el
español lo superó en la facultad creadora —o, más bien, recreado-
ra— de imágenes y emociones, vueltas palpables como presencias
físicas. El defecto de Lope —pienso en el poeta lírico— es la abundancia monótona: su facilidad y maestría técnica lo llevaron a escribir
innumerables variaciones del mismo soneto. Esta falsa riqueza no
debe ocultarnos a la verdadera. Nos hace falta una selección realmente
moderna de su poesía, y, sobre todo, nos hace falta que alguien haga
con él lo que Dámaso Alonso hizo con Góngora o Eliot con Donne:
situarlo, insertarlo en la tradición moderna.

Unir los nombres de Lope y de Donne puede parecer forzado: el
wit del poeta inglés está más cerca del *ingenio* de Quevedo que de
la escritura de Lope, que dejaba «oscuro el borrador y el verso claro».
Tampoco olvido que Donne fue un intelectual y un polemista como
Quevedo, mientras que Lope fue un poeta lírico que escribió sonetos, letrillas y romances que todo el mundo cantaba, un dramaturgo
inmensamente popular y un autor de novelas y obras de entretenimiento. Pero hay algo que une a estos dos temperamentos tan distintos: la pasión del amor y la pasión religiosa. Estos dos amores se
cruzan en algunas almas: Donne y Lope pertenecen a esa familia espiritual. Los dos fueron mundanos y libertinos, los dos buscaron el
sol del poder, los dos fueron clérigos, los dos escribieron algunos de
los poemas amorosos y religiosos más intensos de la lírica europea.
Ya sé que este género de comparaciones, fundadas en el gusto tanto
o más que en la razón, no necesitan pruebas ni demostraciones. No
obstante, sobre todo por el placer de leerlo de nuevo, vale la pena
citar el soneto LXI de las *Rimas humanas*. Cada uno de sus versos

describe con admirable justeza un movimiento o un estado de la pasión amorosa:

> Ir y quedarse y con quedar partirse,
> partir sin alma e ir con alma ajena,
> oír la dulce voz de una sirena
> y no poder del árbol desasirse;
>   arder como la vela y consumirse
> haciendo torres sobre tierna arena;
> caer de un cielo y ser demonio en pena
> y de serlo jamás arrepentirse;
>   hablar entre las mudas soledades,
> pedir prestadas sobre fe, paciencia,
> y lo que es temporal llamar eterno;
>   creer sospechas y negar verdades,
> es lo que llaman en el mundo ausencia,
> fuego en el alma y en la vida infierno.

El mundo de Quevedo es otro. Un mundo a un tiempo más vasto y más estrecho: la reflexión moral y la acción política, la conciencia a solas con ella misma o frente a la ciudad y la historia —dos formas de la soledad—. Su vida transcurre entre el cuarto de estudio y las antecámaras de los grandes, la taberna y el burdel, el sitio apartado donde se reúnen los coaligados y los mentideros de los ambiciosos. En la expresión de ese mundo Quevedo no tuvo rival en su siglo ni lo tiene ahora. Hay que leerlo para saber qué son, realmente, las noches y los días del solitario, el acicate del apetito insaciado, el peso de la sombra de la muerte en la conciencia, las vigilias del rencor, las caídas en la melancolía, el encontrado ir y venir de la cólera al ludibrio y, en fin, toda esa gama de sentimientos y sensaciones que va de la desesperación a la resignación orgullosa. Hecho de contrastes y oposiciones geométricas, violento y simétrico, sentencioso y sarcástico, Quevedo se burla de sí mismo y de los otros, se detiene un momento para contemplar su rostro en «las aguas del abismo / donde se enamoraba de sí mismo», y al verse, no sonríe ni se apiada: se inmoviliza en un rictus. Desconoce la duda y la verdadera ironía. Aunque Lope de Vega tampoco es irreprochable, sus flaquezas son verdaderas flaquezas, fallas de la voluntad y no del entendimiento. De ahí que lo perdonemos más fácilmente. En Quevedo hay algo demoníaco: el orgullo (¿o el rencor?) de la inteligencia. Por esto, sin duda, nos atrae tanto a los modernos.

158   LOPE DE VEGA: POESÍAS Y PROSAS

Amado Alonso, Fernando Lázaro Carreter
y José Manuel Blecua

LA CREACIÓN LÍRICA

1. Lejos de ser su literatura como una distracción de su vida o
como un medio de ganársela, la creación poética fue su forma vital
más intensa. También en su poesía —¿cómo podría ser de otro
modo?— se ponía Lope entero. Nos encanta su gracia formal, nos
abruma su portentosa fecundidad, nos transporta su arte llanamente
virtuoso, nos asombra su poder de invención, único en la historia
del mundo; pero lo que nos sacude los cimientos del alma y nos la
enriquece y agranda es la incesante y proteica presencia de su personalidad, que llena, rebasa y desborda toda forma literaria o artística.
En los versos de amor, ¡qué gozo de leña seca invadida hasta la entraña, por el fuego callado, hecha brasa de pasión! Los días de amor
vivido están aquí en sus versos, aprisionándolo en una atmósfera de
fuego delicioso:

> Dulce prisión y dulce arder por ellos;
> sin duda que su fuego fué mi esfera,
> que con verme morir descanso en ellos.

A veces finge resistir un poco para mayor goce de rendición:

> Yo, triste, que por ella muero y ardo,
> la red quise romper, ¡qué desvarío!,
> pues más me enredo mientras más me guardo.

i. Amado Alonso, «Caducidad y perennidad en la poesía de Lope», en
Materia y forma en poesía, Gredos, Madrid, 1960², pp. 126-135 (128-130, 133-
135).
ii. Fernando Lázaro Carreter, «Lope, pastor robado. Vida y arte en los
sonetos de los mansos» (1956), en *Estilo barroco y personalidad creadora*, Anaya,
Madrid, 1974², pp. 149-167 (157-158, 162-166).
iii. José Manuel Blecua, ed., Lope de Vega, *Obras poéticas*, vol. I, Planeta (Clásicos Planeta, 18), Barcelona, 1969, pp. 1.321-1.326.

Y siempre la misma entrega total, la misma *efusión* en la amada; sus pensamientos

> Atrevidos al sol llegar querían
> y morir en sus rayos abrasados,
> de cuya luz contentos y engañados
> como la ciega mariposa ardían.
> ... Pluguiera a Dios duraras, dulce engaño,
> que si ha de dar un desengaño muerte
> mejor es un engaño que da vida.

En los versos de contrición y misticismo, la misma entrega total. ¡Cómo lamenta el haber gastado su vida en servir a bellezas mortales y su poesía en celebrarlas! Ahora querría llorar lo que cantó, y no tener más corona de laurel que la de espinas del Señor.

> —Y que desde hoy con nuevo celo ardiente
> cantaré vuestro nombre soberano
> que a la hermosura vuestra eternamente
> consagro pluma, voz, ingenio y mano.

La identidad de índole poética se echa de ver en la idéntica actitud gozadora-pasiva de Lope, en ese báquico tragar en inundación sus actuales experiencias vitales: también la corona de espinas de Cristo le corona ahora de laurel: Lope «sigue cantando», y no con «nuevo», sino con el mismo «celo ardiente» de siempre. El hermoso verso «cantaré vuestro nombre soberano» es ya cima de frenesí, pues «soberano» no es palabra que está ahí por su significación lógica de una objetividad, sino como expresión expansiva de supremos valores y de la total adhesión emocional de Lope; y en el verso final cifra el mismo deleite en dejar traspasar toda su persona viviente por las nuevas experiencias psíquicas con la misma embriaguez espiritual con que antes se dejaba inundar por el amor femenino. Y para que todavía veamos a Lope místico más idéntico a sí, observemos que estos arranques poéticos no son provocados por el espectáculo de la grandeza de Dios, de su poder, de su justicia tremenda, de su sabiduría ni de ningún otro atributo divino más que por el de su «hermosura». Puede componer una canción de cuna para el Niño-Dios, pero en ella, otra vez, pondrá una savia caliente de vitalismo, una blandura tierna de vida auténtica:

Pues andáis en las palmas,
ángeles santos,
que se duerme mi niño,
tened los ramos.
Palmas de Belén,
que mueven airados

los furiosos vientos
que suenan tanto,
no le hagáis ruido,
corred más paso,
que se duerme mi niño,
tened los ramos. [...]

Lope no es un poeta difícil ni mucho menos: «con razón Vega, por lo siempre llana», le reprochaba Góngora; pero quien esté realmente deseoso de gozar íntegramente su poesía no tendrá más remedio que esforzarse un poco para acomodarse históricamente al clima del poeta. [...]

En este sentido, hasta lo que hoy aparece resueltamente como escoria y ceniza guarda todavía un calor de rescoldo. Piénsese, sí, hasta en esa profusa mitología que se entromete por entre los más íntimos sentimientos poetizados por Lope: Venus, Amor, Diana, Apolo, Teseo, Palas, Pegaso, Hércules, Medea y todo el nomenclátor de la epopeya y de la leyenda clásica. Y en esa erudición exhibida a cada poco por Lope de todo el saber antiguo y moderno, que para hablar de años trae a cuenta la eclíptica y para piropear a la real o supuesta poetisa peruana Amarilis la llama «de la línea equinoccial sirena». Redúzcase esta mitología y esta erudición al momento espiritual del poeta de donde van surgiendo, y se verá que hasta en esa aparente cascarilla hay pulpa expresiva. ¡Cuánto amor a la poesía misma y a la gran literatura hay en este juego mitologista! Los nombres que en los viejos poetas de Grecia tenían un hondo sentido religioso y en sus sucesores griegos y latinos un valor simbólico y exaltador de las fuerzas de la naturaleza, aquí, en Lope, ya no son más que piezas ornamentales y retóricas. Pero este sentido ornamental y retórico todavía guarda otra significación extrínseca: el contento de sentirse el poeta inscripto en la gloriosa tradición poética greco-romana. Esos nombres, para el poeta —y para el lector que convivía gozoso en aquel siglo el renacimiento de las viejas culturas—, tenían dentro de sí como una resonancia de eterna hermosura, un poder de evocación del riquísimo patrimonio poético recientemente recobrado. Este mismo sentido tradicional, por lo menos, ha de verse en las hipérboles y comparaciones convencionales que caen fuera del gusto moderno: «más que arenas tiene la mar; hermosura que apaga la del sol; todos los labios, claveles; todos los dientes, perlas; todas las mejillas, rosas; todas las frentes, auroras; los amantes, como la vid y el olmo, como la hiedra y el árbol»; y la geografía de los griegos sobrevivida, y a veces sobrepuesta a ella la modernísima: los de la India y del Nilo, los de la Frigia y de la Libia, los de Heraclia y Pirra, juntos con los del mar Caribe, como concretización del concepto «todos».

11.   [Justamente apreciados son los tres sonetos en que Lope de Vega poetiza el desvío de Elena Osorio mediante la alegoría del pastor a quien abandona su manso preferido (*Vireno, aquel mi manso regalado*; *Querido manso mío que venistes*), o a quien un rico mayoral se lo arrebata (*Suelta mi manso, mayoral extraño*).] En *Suelta mi manso*, Lope ha renunciado al fin principalísimo de los otros dos poemas, esto es, a intervenir, de algún modo —zahiriendo, con el primero; suplicando, con el segundo— en la voluntad de Elena Osorio. [...] Nuestra idea se concreta en esta hipótesis; el soneto *Suelta mi manso* es posterior a los otros dos que desarrollan la alegoría *manso - pastor*. Representa, dentro de este pequeño ciclo, el punto de máxima divergencia entre realidad y literatura, el de mayor objetivación del tema, enfocado ahora, casi exclusivamente, en su vertiente artística. No quiere esto decir que el poema no esté dictado por una emoción sincera; Elena Osorio, el gran amor de su adolescencia, aquella mujer con cuyo aliento nació el primer bozo de nuestro poeta, fue siempre, o presencia arrebatada o recuerdo cálido, en el Fénix. Su pulso se estremecía aún cuando, ya viejo, la evocaba en *La Dorotea*.

La idea de que este asombroso soneto no aspira a salir del recinto literario en que ha nacido es clave para nuestra argumentación. No quedan en él las fáciles alusiones personales que laten en los otros; no hay, tampoco, rigurosa verdad histórica, puesto que ha quedado excluido de él el efectivo y lacerante apartamiento voluntario de Filis. Lope ha creado una emoción nueva y literaria, al desarrollar un solo aspecto de aquellos sucesos, esto es, la intervención del rico mayoral que retiene al amado manso, y al llevar la poetización hasta el límite de suponer al corderillo forzado al apartamiento. Todo el soneto es una nueva fábula, fraguada artísticamente mediante el sacrificio y sublimación de un hecho dramático de la vida de Lope. [...]

> Suelta mi manso, mayoral extraño,
> pues otro tienes de tu igual decoro,
> deja la prenda que en el alma adoro,
> perdida por tu bien y por mi daño.
>
> 5   Ponle su esquila de labrado estaño,
> y no le engañen tus collares de oro;
> toma en albricias este blanco toro
> que a las primeras yerbas cumple un año.

Si pides señas, tiene el vellocino
10   pardo, encrespado, y los ojuelos tiene
como durmiendo en regalado sueño.

Si piensas que no soy su dueño, Alcino,
suelta y verásle si a mi choza viene,
que aún tienen sal las manos de su dueño.

Suelta mi manso debió de escribirse más tarde que *Vireno, aquel
mi manso regalado* y *Querido manso mío que venistes.* Lo anima una
intención de preferente estirpe artística, ya en la primera redacción,
anterior a 1600, que fue acendrada aún cuando lo dispuso para su
edición definitiva en las *Rimas* (1602). Podemos comprobarlo examinando las variantes de la [*primera*] versión, publicada por Hill y
Entrambasaguas. Son éstas:

1   Suelta mi manso, *pastorcillo* extraño
3   *Vuelve* la prenda, que en el alma adoro
5   Ponle su esquila *y su grosero paño*
    no me le engañen tus collares de oro
8   que a las primeras yerbas *hace* un año
10   *negro,* encrespado, y los ojuelos tiene
12   Si *dudas* que *yo* soy su dueño *indino*
    suelta y verásle *que* a mi choza viene.

El estudio de estas variantes da un nuevo motivo para admirar el
talento poético de Lope, y su consciente caminar hacia la perfección.

¿A qué obedeció la corrección del primer verso? ¿Por qué *pastorcillo* dejó paso a *mayoral*? No sería improbable que por ese trabajo de acendramiento estético ahora mismo aludido. *Pastorcillo,*
sobre todo *pastorcillo extraño,* destilaba el desprecio de Lope; la
mano que tachó y escribió *mayoral* ha dejado ya mucho de los restos
de pasión que aún la movían en su primer intento. La corrección
contribuye a dignificar al rival —tan consideradamente aludido después en *La Dorotea*— y da un giro polar al segundo verso. Con ello
salía ganando el soneto en «decoro» poético: sólo estableciendo distancia social entre el raptor y el poeta era posible la súplica de éste.

El anhelo de mayor coherencia poética explica la corrección del verso 3;
deja se liga mejor con la idea expresada en los dos versos finales. Más
acertado es también el arranque del segundo cuarteto: *y su grosero paño*
era una intromisión que perturbaba la antítesis *esquila - collares de oro.*

Pero fijémonos en que para conseguir este más exacto artificio retórico, el poeta ha tenido que eliminar una alusión clara a la realidad. Elena, en efecto, debía de vestir mal; su galán no podía regalarla más que con versos. En algunos lugares de *La Dorotea* se alude a ello; Gerarda, por ejemplo, comienza a minar la voluntad de Teodora aludiendo al tosco vestuario de su hija («... dice que por devoción y promesa trae un hábito de picote»); y Teodora hace suyas estas observaciones, cuando increpa a Dorotea: «¡Tú pobre, yo sin honra; tú con hábito de picote todo un año!». Al realizar, pues, esta sustitución, Lope ha sacrificado lo real a lo retórico, el objeto poco pertinente (el grosero paño de un manso) a lo perfectamente bucólico (la esquila de estaño); en suma, una vez más ha trocado la realidad en ficción poética.

El dativo ético de la versión manuscrita *no me le engañen*, era más expresivo que la corrección impresa; Lope debió preferir sacrificarlo a la conjunción *y*, que al ligar los versos 5 y 6 ponía en contraste más llamativo los extremos de la antítesis citada. El *cumple* del verso 8 sustituye con propiedad al vocablo neutro *hace*. Y la corrección *piensas*, del verso 12, permite mayor exactitud gramatical que *dudas*, con su régimen sacrificado al metro. En el mismo verso, *Alcino* por *indino* ha sido justificado así por Entrambasaguas: «Este nombre Alcino es sin duda una modificación hecha por el orgullo de Lope al texto primitivo para borrar el tono humilde y rendido que en otro tiempo hubo de adoptar al hacer el soneto». Pero, si así fuera, ¿cómo explicar el *pastorcillo* del verso 1? Y, sobre todo, ¿cuál fue aquel otro tiempo? Sospechamos que Lope se limitó a sustituir un feo ripio, por otro mejor trabado.

El arreglo del penúltimo verso es quizás el mayor acierto de este definitivo pulimento que el Fénix dio a su poema antes de incluirlo en las *Rimas*. Había logrado, en efecto, un admirable triunfo expresivo con *suelta y verásle*. Ese enclítico referido a *verás* y no a su lógico predicado *suelta*, resuelve, sí, un problema de ritmo, que se haría imposible con *suéltale y verás*, pero desempeña una función de mayor entidad. En efecto, este último *verás* no exige ver con los ojos de la cara; pero, en *suelta y verásle* el poeta prevé, gozándose en ella, la dolorida mirada con que el rival acompaña la marcha del bellísimo manso a la choza de su primer dueño. La subordinada siguiente encabezada con *qué* (versión manuscrita) no añadía nuevos factores expresivos a lo ya logrado; mas he aquí que el retoque final confiere una repentina emotividad al verso. El esquema *imperativo + futuro + que* o *cómo* [*dale esta píldora y verás que* (o *cómo*) *mejora*] formula, en español, la confianza del hablante en el resultado de la acción subordinada (*mejora*), si se cumple la condición expresada por el imperativo. Con *si*, en cambio, el mismo esquema (*dale esta píldora y verás si mejora*) desarrolla una tensión entre la confianza del hablante y la incredulidad del oyente: la convicción del primero choca con la del segundo. Pues bien, el choque entre su fe absoluta y la suficiente seguridad del raptor es lo que Lope ha logrado con este leve retoque, que comporta una lección eminente de sentido lingüístico: *suelta y verásle si a mi choza viene.*

La búsqueda y consecución de un mayor «decoro» poético en la segunda redacción del soneto queda especialmente patente en la corrección del décimo verso. El vellocino negro de la primera es ahora pardo. ¿Por qué? Sería sugestivo poseer pruebas de que Elena tenía negro el pelo; y, en efecto, en el romance *Hortelano era Belardo*, es aludida como «aquella morena / que reinaba en Troya». La eliminación de *negro* sería entonces signo concluyente de que Lope orientaba sus retoques hacia un olvido completo de lo real. Pero es el caso que no escasean las alusiones al cabello de Filis, comparado con hebras doradas o rayos de sol, en la obra de Lope. ¿Era esto último pleitesía al tópico? Quizá, pero no debemos montar sobre esta hipótesis innecesaria una conclusión. Porque para mostrar hasta qué punto Lope ha tendido, en la última redacción del soneto III, a la coherencia pastoril, al «decoro» del poema, basta con leer en Covarrubias, *s. v.* «pardo»: «Color que es el propio que la oveja o el carnero tiene».

Los elementos del soneto que han permanecido inalterados confirman irrefutablemente el sereno ánimo de Lope al componerlo. Ya hemos aludido a algunos. Fijémonos ahora en los versos 7-8: «toma en albricias este blanco toro / que a las primeras yerbas cumple un año». Aceptando la composición del poema como inmediato trasunto de los hechos, Amado Alonso comenta: «Si Lope padeció en su vida real, aún en la sola intención, un momento humillante de regateos por la dama birlada, ¿qué queda de ello en esta purísima voz?». Tiene razón el ilustre maestro: nada ha quedado; pero vamos más lejos: nada hubo. No acertemos a ver chalaneo en donde, con toda probabilidad, Lope no quiso sino buscar verosimilitud, fiel sometimiento a la tradición eglógica, llena, desde Teócrito y Virgilio, de ofrendas de reses, con frecuencia blancas, a la persona requerida de amores o favor. Un ejemplo familiar a Lope, que ilustra nuestra afirmación, es el de la égloga IX del mantuano. Moeris, el viejo criado de Menalcas, va a ofrendar cabritos al extraño que ha despojado a su señor: «O Lycida, uiui peruenimus, aduena nostri / (quod nunquam ueriti sumus) ut possessor agelli / diceret: "Haec mea sunt; ueteres migrate coloni". / Nunc uicti, tristes, quoniam fors omnia uersat, / hos illi (quod nec uertat bene!) mittimus haedos» (vv. 2-6).

Por último, ¿qué se hizo del «mirar gracioso» con que la bestezuela aparecía en *Vireno*? Ahora «los ojuelos tiene / como durmiendo en regalado sueño». Aquellos ojos casi delincuentes de Filis se han tornado apacibles, tranquilos, y a ellos asoman las más plácidas y regaladas soñaciones. De la mirada inquieta y provocadora del soneto *Vireno, aquel mi manso regalado*, a estos ojuelos, media la distancia que separa el manantial tumultuoso, de las serenas y reposadas aguas del río.

III.   Coincidiendo con la vejez, tan propicia a la visión burlesca e irónica de la realidad, y con la tragedia de vivir con una Amarilis ciega, y a ratos loca, Lope se sacó de la manga un *alter ego*, Tomé de Burguillos, al que ya había presentado con poemas burlescos en las justas poéticas celebradas en Madrid con motivo de la beatificación (1620) y canonización (1622) de san Isidro.

Cuando publica las *Rimas humanas y divinas del licenciado Tomé de Burguillos* (1634), ha muerto ya Amarilis, acaba de escribir *La Dorotea*, y desaparece su hijo Lopito, para quien está escribiendo precisamente *La gatomaquia*. Lope, con su gracia habitual, dice en el prólogo al lector cómo al marchar a Italia Tomé de Burguillos le pudo arrancar sólo *La gatomaquia* y cómo recogió las otras rimas de diferentes sujetos. Hasta se inventa una pequeña y graciosa biografía, asegurando «que no es persona supuesta, como muchos presumen, pues tantos aquí le conocieron y trataron, particularmente en los premios de las justas, aunque él se recataba que le viesen, más por el deslucimiento de su vestido que por los defectos de su persona». Asegura con seriedad haberle conocido en Salamanca, donde fue su condiscípulo y que «parecía filósofo antiguo en el desprecio de las cosas que el mundo estima». En cuanto a la dama de sus pensamientos, sospecha «que pudiera ser más alta de lo que aquí parece, porque como otros poetas hacen a sus damas pastoras, él la hizo lavandera, o fuese por encubrirse, o porque quiso con estas burlas olvidarse de mayores cuidados». La Aprobación de Quevedo, sin embargo, ya aclara al lector quién es el autor, asegurando que «el estilo es no sólo decente, sino raro, en que la lengua castellana presume vitorias de la latina, bien parecido al que solamente ha florecido sin espinas en los escritos de Frey Lope Félix de Vega Carpio, cuyo nombre ha sido universalmente proverbio de todo lo bueno».

Estas *Rimas humanas y divinas* contienen numerosos poemas de muy distintas facturas, intenciones y fechas, aunque del conjunto resulte una veta de humor gracioso, irónico y burlón, muy acorde con la estética del Barroco y también con la del propio Lope, que desde muy joven demostró su innata alegría. No deja de ser curioso que una deliciosa canción, la que principia «Ya, pues, que todo el mundo mis pasiones / de mis versos presume» date casi de su boga como poeta romanceril, cuando todo el mundo cantaba los amores de Belardo, Vireno, Gazul. Al menos, una versión distinta, anterior en treinta años, figura en las *Flores de poetas ilustres* de Pedro Espinosa (Valladolid, 1605, pero con la aprobación de 1603). Sirve, además, para demostrar otra vez cómo el torrencial Lope tenía tiempo y humor para corregir, al cabo de los años, un poema burlesco. Compárese sólo el principio de las dos versiones: «Pues que ya de mis versiones y pasiones / todo el mundo presume, / y no hay necio que pierda su alcaldada, / quiero mudar de estilo y de razones ...», en 1634; «Ya, pues, que todo el mundo mis pasiones / de mis versos presume, / culpa de mis hipérboles causada, / quiero mudar de estilo y de razones ...», en 1603. [Y también otros poemas se pueden fechar con muchos años de anticipación.]

La mayor parte son sonetos amorosos, dedicados a cierta Juana, lavandera del Manzanares, que constituyen un *canzoniere* bastante burlesco y gracioso, donde se ponen en chunga todos los tópicos de la poesía amorosa de los siglos XVI y XVII. Incluso no teme ser él mismo objeto de la burla:

> Bien puedo yo pintar una hermosura,
> y en otras cinco retratar a Elena,
> pues a Filis también, siendo morena,
> ángel, Lope llamó, de nieve pura.

Llega a parodiar hasta la fecha en que se enamoró, de uso tan frecuente en la lírica petrarquista, lo mismo que parodia la introspección psicológica, el paisaje y todos los recursos habidos y por haber. Pero también aparecen en broma otros temas muy barrocos, como el soneto «A un peine, que no sabía el poeta si era de boj u de marfil»; o parodiará sus propios sonetos filosófico-amorosos, que tanto le encantaban diez años antes. [Véase arriba, p. 152.]

Pero no todos son poemas donde se burla del amor, porque hay varios que aluden otra vez a la nueva poesía, tan obsesiva para el buen Lope, o a temas bien diversos. Y con frecuencia los aciertos abundan, a veces con una gracia y finura sorprendentes. Así en el soneto «¡Oh qué secreto, damas, oh galanes», se lee: «No es esto filosófica fatiga, / trasmutación sutil o alquimia vana, / sino esencia real que al tacto obliga». O el final del soneto en que describe «a un amigo el suceso de una jornada»:

> Partióse el rey, llevóse los amantes,
> quedó al lugar un breve olor a Corte,
> como aposento en que estuvieron guantes.

Los hallazgos al fin de los sonetos tienen la misma precisión de cierre perfecto que los más serios y de más empaque. Lope era expertísimo en el arte de terminar un soneto, donde residía, para él, la gracia y la dificultad. Véase este ejemplo:

> Saldrá el aurora con su dulce risa
> y Amor verá en sus pies, con breve holanda,
> levantarse azucenas en camisa.

Pero también hay bastantes sonetos escritos «en seso», [como los dedicados a Bartolomé Leonardo o «A la muerte de una dama, representante única».] En un caso, creo que se refiere claramente a Góngora, después de leer el cruel soneto «Patos del aguachirle castellana», donde se halla el conocido verso «con razón vega, por lo siempre llana»:

> Livio, yo siempre fui vuestro devoto,
> nunca a la fee de la amistad perjuro;
> vos, en Amor, como en los versos, duro,
> tenéis el lazo a consonantes roto.
> Si vos imperceptible, si remoto;
> yo blando, fácil, elegante y puro,
> tan claro escribo, como vos escuro:
> la vega es llana, y intrincado el soto.
> También yo soy del ornamento amigo;
> sólo en los tropos imposibles paro,
> y deste error mis números desligo.
> En la sentencia sólida reparo,
> porque dejen la pluma y el castigo
> escuro el borrador y el verso claro.

Otros poemas, colocados al final del volumen, salvo los «divinos», ofrecen algún interés, más biográfico que poético, como el que comienza «Cisne Palavicino» o las graciosas quintillas dedicadas a Antonia Clara con la glosa de «Hoy cumple trece, y merece / Antonia dos mil cumplir; / ni hubiera más que pedir / si se quedara en sus trece».

De todos los poemas extensos de Lope, *La gatomaquia* es, sin duda, el que ha obtenido más éxito desde el siglo XVII a nuestros días. Es una imitación burlesca, más que parodia, de los poemas cultos a los que el propio Fénix fue tan aficionado. Y cualquier lector sabe muy bien que hay una tradición muy arcaica de este género poético, tradición que no interrumpe la Edad Media y vuelve con brío en el Renacimiento con los poemas macarrónicos de Teófilo Folengo. Que pasados sus setenta años, Lope logre tener una fantasía espléndida y todos los recursos poéticos en la mano, además de innumerables recuerdos literarios, de observaciones deliciosas y de un vocabulario prodigioso, es algo pasmante.

Como es sabido, *La gatomaquia*, en siete silvas o cantos, narra la historia de Marramaquiz, enamorado de la linda y coqueta Zapaquilda, a la que también pretende con más éxito Micifuz. Vanos resultan los esfuerzos y regalos de Marramaquiz, incluso las consultas al mago Garfiñano con su consejo de que le dé celos con otra gatita, Micilda. Dispuesta la boda de Micifuz y Zapaquilda, Marramaquiz rapta la novia, huye y se encierra en su fortaleza. Micifuz, con enorme aparato, lo sitia; intervienen los dioses olímpicos, y en una salida es muerto Marramaquiz por el tiro de un cazador regio, con lo que termina el obstáculo que se oponía a las bodas de Micifuz y Zapaquilda.

El tema se prestaba para que Lope hiciese gala de toda su fantasía, que no era corta, y de todas sus gracias. [Aunque se haya opinado] que el Fénix «empezó a escribir su obra sin tener perfecta idea de su resolución y desarrollo: creaba a medida que iba avanzando en ella», lo que puede ser cierto, es evidente que el poema, por otra parte, tiene una regularidad perfecta y meditada. A. del Campo destaca la originalidad de la acción y además el hecho de que la silva admita «toda clase de ampliaciones y reducciones, caprichosos juegos de consonancias y versos largos y cortos». Como Lope conoce perfectamente todos los recursos épicos, los parodia sin dejar ninguno, ni el propio comentario sobre los sucesos, ni la sentencia oportuna. Destacar todos los aciertos de Lope, desde las graciosas comparaciones («Tiestos de Talavera / prevenía el verano»), a los retratos, descripciones, juegos psicológicos, parodias épicas, sería copiar casi de nuevo el poema. Lope pasa revista a la sociedad de su tiempo, sirviéndose de la gatuna, pero sobre todo del tema amoroso, que Lope conocía tan bien, como ha visto I. Macdonald [1954].

Rafael Lapesa

LA JERUSALÉN CONQUISTADA

Lope de Vega, que en sus años juveniles había seguido las huellas de Ariosto en la *Hermosura de Angélica* (empezada en 1588, impresa en 1602), decide en la madurez de su vida componer una epopeya heroica, la *Jerusalén conquistada* (1609), concebida como prosecución de la *Jerusalén* tassiana, pues dice en el prólogo: «La primera parte desta historia ha sido cantada del Tasso».

El asunto es la tercera cruzada, con todos sus antecedentes y con la suerte ulterior de sus principales personajes: Saladino vence a Guido de Lusignán, rey de Jerusalén, se apodera de la Ciudad Santa y cerca a Guido en Tiro; cunde el hambre entre los sitiados, muriendo la reina Sibila y sus cuatro hijos. Dios, conmovido por los ruegos de Jerusalén, envía un ángel a Ricardo Corazón de León, que se halla peregrinando por España, con el mandato de que oponga sus armas a las de Saladino. Le acompaña Alfonso VIII de Castilla, enamorado de Leonor, hija de Ricardo, y con él van multitud de caballeros españoles. Imitándolos, los niños toledanos organizan una cruzada infantil y mueren en Valencia a manos de los moros. Saladino levanta el cerco de Tiro, pues recibe noticias de que llega a tierras de Asia el emperador de Alemania, Federico Barbarroja; pero éste se ahoga cuando estaba bañándose en el río Cidno, y el ejército imperial, diezmado por la peste, vuelve a Europa. La alegría de Saladino se ve empañada al saber que se aproximan los españoles mandados por Alfonso VIII: un cautivo español, de forma análoga al relato de la historia portuguesa en los *Lusiadas*, cuenta los hechos principales de la Reconquista, a partir de don Rodrigo y la pérdida de España. Reunidos en Sicilia, embarcan hacia Oriente Felipe Augusto de Francia, Ricardo Corazón de León y Alfonso VIII; los poderes infernales levantan una tempestad que hace peligrar la expedición, pero la Virgen María obtiene del Señor que los mares vuelvan a serenarse. Los cruzados tienen que vencer la resistencia de la isla de Chipre. Ismenia, reina de Limisol, apresa al rey castellano, y enamorada de él, participa en las luchas posteriores, fingiéndose varón, al lado de Alfonso, que, no obstante, sigue fiel a Leonor. Ricardo y Alfonso llegan a Jaffa y se

Rafael Lapesa, «La *Jerusalén* del Tasso y la de Lope» (1946), en *De la Edad Media a nuestros días*, Gredos, Madrid, 1967, pp. 264-285 (271-275, 280-284).

reúnen con Felipe y Guido, que asedian Tolemaida; cae la ciudad tras un largo sitio, y Ricardo ordena dar muerte a los cautivos en represalia de las crueldades cometidas contra los cristianos. La envidia consigue desavenir a Ricardo y Felipe, que regresan a Francia, aunque sus caballeros continúan la empresa. Los cristianos toman y saquean Tiro. Ricardo se corona rey de Jerusalén y quedan concertadas las bodas de Alfonso con Leonor. En una batalla campal que tiene lugar entre Belén y Jerusalén, los sarracenos son nuevamente derrotados. El héroe español Garcerán Manrique, que por casualidad había sabido quién era Ismenia y se había prendado de ella, consigue a fuerza de servirla que la doncella acceda a ser su esposa.

Tal debía de ser el contenido primitivo del poema, planeado en dieciséis libros, según anunciaba el autor en 1604, en el prólogo de las *Rimas*: «Pronto tendrás los XVI libros de la *Jerusalén*, con que pondré fin al escribir versos». Después, bien fuera por espontáneo deseo de emular los veinte cantos del Tasso, bien por imposición ajena, Lope añadió cuatro libros más. Este apéndice cuenta cómo Ricardo, sabedor de que Felipe ha entrado en sus tierras como enemigo, abandona la cruzada. Lo mismo tiene que hacer Alfonso, pues Castilla ha sido atacada por los moros. El poema termina con el relato de los amores de Alfonso y la judía de Toledo, la prisión de Ricardo en Austria y la muerte de Saladino. Claramente se ve lo postizo de estas adiciones: antes de ellas el desenlace era más airoso, pues no quedaba patente el fracaso de la cruzada; la coronación de Ricardo era, ya veremos por qué, el fin propuesto; la lid campal y la solución venturosa del amor de Garcerán por Ismenia, aunque en la redacción definitiva caen fuera de los dieciséis cantos primeros, debieron pertenecer a ellos: en un principio eran el remate correspondiente al triunfo de Godofredo sobre la hueste egipcia y a la reconciliación de Armida con Rinaldo en la *Gerusalemme*.

Móviles de diversa índole llevaron a Lope a componer su epopeya. En primer lugar, la ambición literaria: [los triunfos obtenidos en la lírica, el romancero, el teatro, halagaban su vanidad de artista, mas no satisfacían otras aspiraciones]; lo consagraban como poeta popular, pero tachado de doblegar su arte al gusto de la multitud. Por eso Lope buscó la fama de poeta sabio durante muchos años, tantos como se mantuvo en él la pugna entre el respeto a una doctrina estética, la de Aristóteles, y la brillante experiencia de los éxitos que lograba desacatándola. La *Jerusalén conquistada* fue la obra de más empeño con que Lope trató de ganar la estimación de los letrados. Ni la *Angélica* o la *Dragontea* antes, ni después los poemas mitológicos, supusieron un esfuerzo comparable.

Las letras españolas no tenían una epopeya culta semejante, no ya a la *Eneida*, sino a las más cercanas de Camões y Tasso. En el ambiente se sentía la necesidad de una creación grandiosa que contentara el orgullo nacional, más empinado que nunca al doblar el mil seiscientos, cuando ya se había iniciado el declive del poderío político y militar y empezábamos a vivir de glorias pretéritas. Lope soñó dar a España el poema heroico de que carecía. «Yo le he escrito —dice al conde de Saldaña— con ánimo de servir a mi patria, tan ofendida siempre de los historiadores estrangeros, y por culpa de las passadas guerras de moros, tan falta de los propios.» [...]

Es posible, por último, que Lope tuviera el aliciente de alguna invitación o encargo regio. Tal vez quisiera Felipe III, que ostentaba entre sus títulos el de rey de Jerusalén, ver hispanizado el tema de las cruzadas, al cual daba actualidad la lucha contra los turcos. Lope, que sin duda pretendería captarse la protección del monarca, se afanaría por cumplir las indicaciones venidas de él, de su valido el duque de Lerma, o del hijo de éste, el conde de Saldaña.

[Hay en el poema] una exuberante floración de episodios desconectados con la marcha ulterior del asunto, y abundancia de digresiones innecesarias. Lope encuentra ocasión hasta de pintar la felicidad de su hogar pecador con Micaela de Luján, o de saludar a los amigos después de siete años de estar en Asia con Alfonso VIII. [...]

Lope había consultado numerosas fuentes históricas citadas frecuentemente por él con alarde erudito y seleccionadas, al parecer, en cada caso según las conveniencias artísticas. El poema es fiel a la historia en casi todo lo que no se refiere a la actuación de los españoles, a la figura de Ismenia (aunque una hija del rey de Limisol quedó en poder de los cruzados) y a la coronación de Ricardo. Pero como el asunto, por obra de una exaltación patriótica desmesurada, toma como eje las proezas de los españoles, lo esencial de la *Jerusalén* es imaginario y la historia queda reducida al telón de fondo. Es inevitable la sensación de extrañeza al encontrar en Tierra Santa, aun antes de la supuesta expedición de Alfonso VIII, a un don Juan de Aguilar, maestre del Temple; a dos vírgenes españolas, Blanca y Sol que defienden con las armas su castidad y reciben el martirio; o a nueve paladines —comparables a «los nueve de la fama»— procedentes de las diversas regiones peninsulares, que demuestran su valor derrotando a nueve campeones sarracenos y sucumben a las saetas de los turcos. Después, a cada momento surgen un Garcerán Manrique, un Osorio, un Garcipacheco o cualquier otro español comportándose con bravura extraordinaria o desaforada altanería.

Lope vive cuando el equilibrio sereno, la *gravità riposata* que admiraba Castiglione en nuestros antepasados, dejaba paso a la arrogancia y al gesto espectacular. El hidalgo respondía con fieros y bravatas a la creciente hostilidad con que tropezaba fuera de España; la rodomontada encubría la quiebra del aplomo, el asomar de la desconfianza respecto a la propia fuerza. Lope admiró siempre los hechos excesivos, las ejemplaridades hiperbólicas: recordemos *Las famosas asturianas*, *La corona merecida*, *El castigo sin venganza*, *El médico de su honra*. En la *Jerusalén*, como tiene que inventar a cada paso un sustitutivo de la verdad histórica ausente, necesita extremar la superioridad de los españoles sobre sus compañeros de cruzada. Y así, los pinta animados de valor sobresaliente, eternos pendencieros, siempre con el orgullo linajudo a flor de boca y siempre con la mano en la espada. Puntillosos en grado sumo, no consiente la menor desconsideración a su rango: Garcipacheco, enviado a Saladino con un mensaje, toma asiento delante de él sin permiso del soldán. Únicamente pueden vencer esta soberbia el respeto al rey o a la religión: Garcerán, yendo como peregrino al Santo Sepulcro, ofrece el rostro a las bofetadas de dos turcos, vejatorio portazgo que habían de pagar los visitantes cristianos. La exacerbación del sentimiento monárquico se evidencia en el ahínco con que los españoles se disputan, como una reliquia, la flecha que ha herido a Alfonso VIII. En todo extraordinarios y desmedidos, dirá Saladino a Garcipacheco: «¿Qué fin ha de tener vuestra arrogancia, / pues ni cortés ni graue satisfize / de vuestra condición la exorbitancia?».

El aspecto externo de la vida guerrera, el lujo de las armas, la gala y la bizarría, son objeto de especial complacencia; ostentosas descripciones, mucho más abundantes que en la *Gerusalemme*, continúan una práctica literaria española ya visible en el *Romancero*: «Con un sayo de rojo tamenete, / desnudo el brazo, que de perlas ciñe, / en un melado tremecén ginete, / que enseña, pica, hiere, alienta y riñe, / con alfange labrado en Tafilete, / a ver si en sangre sus azeros tiñe, / con años deziséys Aradín sale, / que no hay león que su fiereza iguale». Pero también se dan cuadros de sabor realista donde se sorprende el palpitar de la intrascendente actividad cotidiana: sirva de ejemplo la descripción del campamento, donde apenas hincadas las tiendas, el atambor «la resonante caja ... hace mesa de juego», mientras otros soldados roban las reses de los pastores vecinos y venden «colgadas en los ganchos / de los propios marciales instrumentos / las partes de las carnes, y los ranchos / juntan para comer los elementos»; igual nos podría ilustrar el embarque de los franceses en el libro XIV.

La complejidad de la vida no quedaría bien reflejada si se proyectara en un solo plano; siguiendo la tradición hispánica de mezclar lo cómico con lo heroico y lo trágico —*Mío Cid*, la *Celestina*, el *Quijote*, el teatro del seiscientos— Lope inserta de vez en cuando notas humorísticas, justificadas con que «Aristóteles dice en la Poética que se ha de humillar alguna vez el estilo grave de la tragedia». Así ironiza sobre el hidalguismo hispánico, enumera las maravillas de España con una larga serie de chistes, o pinta los desdenes ruborosos de Isabela, dos veces viuda, ante un nuevo pretendiente: «No era vergüenza virginal aquella: / dos vezes Isabela era casada, / biuda era Isabela, y no era en ella / nueva cosa el amar ni el ser amada; / mas la desigualdad de alguna estrella, / la condición esquiva y recatada, / o no agradarle el conde, que es lo cierto, / la memoria llenauan tras el muerto».

FRANCISCO YNDURÁIN, RAFAEL OSUNA, JUAN BAUTISTA AVALLE-ARCE Y BRUCE W. WARDROPPER

PROSAS NARRATIVAS

I. A la poca atención, más bien ninguna, que dedicaron a la novela los humanistas y preceptistas, que no encontraban dónde situar un género del que no había preceptos, puede sumarse la falta de una crítica literaria con entidad y sistema. Por eso los juicios de Lope sobre la novela son los que se admitían entre los cultos, y si alaba, imita y menciona a Heliodoro o a Tacio, no hace sino seguir el juicio de un Alonso López Pinciano, quien trae a Heliodoro a cuento de la peripecia trágica del reconocimiento o en parangón con los modos del narrar épico. En cambio, sabe notar los artificios narrativos de la novela bizantina, que aprovecha con asiduidad. Le vemos justificando la narración pastoril por razones de estilo, digamos, en términos modernos, por ser la de este género literario una prosa poética. No es sorprendente que le parezca humilde el estilo de las «novelas» [es decir, de las *novelle*, las 'novelas cortas'; véase p. 456], prisionero de la vieja clasificación clasicista del estilo en «sublime, medio y humilde».

[El prejuicio de que el gusto no es bastante, sino que debe ir acompañado de doctrina, se impone en todo momento.] Pero lo más extraño hoy resulta la acumulación de elementos que integran una novela, las digresiones con piezas teatrales (las cuatro de *El peregrino en su patria*), juegos, festejos, poesías no siempre a tiempo y sazón ingeridas, u otros

I. Francisco Ynduráin, *Lope de Vega como novelador*, Publicaciones de la Universidad Internacional Menéndez Pelayo, Santander, 1962, pp. 68-77 y (para los párrafos finales sobre *La Arcadia*) 10-15.

II. Rafael Osuna, *«La Arcadia» de Lope de Vega: génesis, estructura y originalidad*, Real Academia Española (Anejos del *Boletín de la Real Academia*, XXVI), Madrid, 1973, pp. 239-243 (pero las citas de *La Arcadia* se toman de la edición de E. S. Morby, Castalia, Madrid, 1975).

III. Juan Bautista Avalle-Arce, «Lope y su *Peregrino*», *Modern Language Notes*, LXXXVII (1972), pp. 193-199 (195-197, 199).

IV. Bruce W. Wardropper, «Lope de Vega's short stories: Priesthood and art of literary seduction», en *Medieval and Renaissance studies*, ed., J. L. Lievsay, Duke University Press, Durham, 1968, pp. 57-73 (59, 62-64, 69, 71-72).

pasajes extravagantes —a veces en los dos sentidos— que hacen del curso de la fábula novelesca un continuo Guadiana. Pero esto era algo buscado, sin duda, incluso en las obras más recortadas, como en las «novelas» *a Marcia Leonarda*. Al recapitular sus escritos, en la *Égloga a Claudio*, hace mención «de las novelas, donde / se alternan verso y prosa».

[El formulismo de la composición y del estilo son notorios]: presentación de personajes, escasa variedad de éstos, que son tipos y no individuos, aventuras repetidas con escasa variedad, aunque quieren ser maravillosas y sorprendentes, conflictos amorosos de planteamiento y desarrollo estereotipado, temporalización esquemática y sin verismo, estos y otros manierismos resultan más marcados si se miran desde nuestra lejanía. (¿Qué parecerá nuestra novela a los que la lean dentro de tres siglos? Desde ahora se le advierten formalismos bien rígidos.) Es la servidumbre del escritor a los modos de su tiempo y país; pero Lope supo moverse dentro de ellos con agilidad, inventiva y variedad.

Y, sobre todo, tenía un sentido tan literario, que ve sin fallo el lado mítico de cualquier situación y la potencia al plano de la fábula. En los comienzos de *Las fortunas de Diana*, el que va resultar galán, ve un momento a la que será su dama y apenas pueden cambiar una frase de pasada. Basta para que el incendio amoroso prenda. ¿Con tan poco basta? Aquí se acuerda Lope de otra situación semejante, del primer diálogo entre Calisto y Melibea, punto de arranque de la trágica historia, porque «decía un gran cortesano que si Melibea no respondiera entonces ... ni había libro, ni los amores pasaran adelante». A vueltas de la ironía, recordemos que en otra ocasión ha dicho que sólo los casos maravillosos son dignos de ser contados: he ahí la maravilla, aunque se repita mil veces, de un amor que surge ineluctable en un instante. Qué nos importa si ocurre así o no en la realidad; Lope escribe no lo que es, sino lo que debe ser, con arreglo a esa oposición entre verdad histórica y verdad poética. Su novela nada tiene que ver con un realismo de copia, ni tal sentido del arte estaba en su horizonte mental, ni debemos tratar de buscarlo si no queremos caer en el más disparatado anacronismo. [...]

Sabemos, es verdad, que Lope nunca buscó la naturalidad, pese a tantas invocaciones de la naturaleza como superior al arte. Lo dijo repitiendo un tópico que corría con fortuna en aquellos tiempos, y amparado en autoridad tan indiscutible como Cicerón, cuyo texto se citaba hasta la saciedad. Una cosa es lo que decía, otra lo que hacía. No sé qué pueda tener de natural su estilo (¿hay estilo natural?) ni que haya manera de ver más antinatural, artística quiero decir, que la de Lope. Si oye unos pájaros cantar, le recuerdan los tonos de Juan Blas de Castro, su amigo íntimo; si ve un paisaje, le «parece un agradable lienzo de artificiosa pintura»; si Dorotea se desmaya, mármoles y lienzos del Buonarota o del Tiziano acuden a perfeccionar la vista de la hermosa... Lo natural llegaba a Lope a través de la estilización del arte: para cada gesto, para cada situación, para cada suceso, tenía a punto el modelo literario o artístico congruente que conformase la impresión y su paso a expresión.

Un ejemplo notable de estilización es la temática amorosa en novela y teatro. Lo que tiene de convencional supera siempre a su naturalidad, y por fortuna. Lo que hemos de tener en cuenta es que todo arte es antinatural —si vale la perogrullada— y que el ilusionismo que requiere para comunicarse, suele variar con los tiempos y con las escuelas. [Pero la estilización afecta asimismo al modo] de mover una fábula, sea dramática, sea novelesca, por medio de una intriga fecunda en peripecias externas: me refiero al disfraz de la dama en caballero, confusiones, nocturnidad, puertas múltiples, fugas, apariciones inesperadas, en fin, toda la gama de la comedia, sea o no imitada precisamente de una novela.

[Esos procedimientos se apuntan ya en *La Arcadia* (1598), donde] a la consabida narración de amores en diverso estado de fortuna se añade una generosa y excesiva dosis de erudición, de elementos alegóricos y de complicadas competiciones y exhibiciones deliberadamente nada realistas. Con ello se ha ido olvidando la simplicidad de composición de la obra homónima de Sannazaro para rellenar un tanto excesivamente un marco antes tan claro y armonioso. He ahí un ejemplar más (y no sólo en la obra de Lope) de cómo se interpretó y modificó un género italiano a la manera hispana, que no tolera el encuadre y la proporción renacentistas. [...]

Así abre Lope su *Arcadia*: «Entre las dulces aguas del caudaloso Erimanto, y el Ladon fértil, famosos y claros ríos de la pastoral Arcadia ...». No hay duda —aunque luego no sostenga sin desmayo el tono—, lo que se quiere es una prosa que bien podemos llamar poética; con lo que se ha notado algo esencial a la novela pastoril: su preciosismo de raigambre clasicista. Y no se olvide que la evocación de formas expresivas clásicas, el hacer resonar en lengua vulgar los primores de los poetas latinos, que sólo podrán percibir los iniciados en la cultura clásica, era uno de los valores supremos buscados por los escritores italianos y, no tanto, por los nuestros. Lope y sus colegas de novela pastoril sabían que había de cuidarse un estilo determinado, y se suponía en los lectores un goce correlativo a esta manera. [...] En cuanto al modo de componer la novela, sigue Lope las huellas de Montemayor y Cervantes en cuanto que cada suceso amoroso suele ser contado por uno de los enamorados, y que éstos nos aparecen vagando por selvas y prados, en encuentros fortuitos que llevan la escasa acción como el capricho de un azar que ata y desata los relatos. Pero en Lope no deja de haber una cierta ironía sobre el procedimiento, toda vez que ha tomado el punto de vista de un narrador que maneja los hilos de su trama y, a las veces, la explica o justifica. Así, por ejemplo: «Este es, pastores del dorado Tajo, el teatro de mis historias; que ya sabéis que es obligación del que comienza alguna, la descripción del lugar donde sucede ...». Toda la obra, entonces, se presenta como una narración o, mejor, como un cuento, sostenido por los «sabed» y fórmulas semejantes con que el autor se dirige a un supuesto auditorio, no presentado por lo demás.

II.   Estructurar *La Arcadia* a modo de comedia en tres actos es fomentar ideas superficiales. Una división tal es arbitraria y puede hacerse de otras obras cuyos autores jamás escribieron teatro. El querer identificar, sobre todo, el libro V de la novela con el tercer acto de una hipotética comedia trasvasa los límites de la buena lógica. No buscar, por otra parte, elementos dramáticos en un dramaturgo tan imponente y fecundo como Lope, que además cultivó la novela contra su «inclinación», sería pecar de escepticismo. Apresurémonos a dejar ya asentado que *La Arcadia* está concebida, a pesar de sus elementos dramáticos, como una novela; como una novela pastoril, se entiende, en la que el elemento lírico es de primordial importancia. Ello no obsta para que se encuentren situaciones, y no pocas, que están vistas como las vería quien tuviera presente un escenario.

Después de la descripción con que se abre el libro, existe algo que ya nos pone sobre aviso. Abandonando el uso de la tercera persona, el escritor se dirige, por medio del vocativo, a los pastores del Tajo, a los que encaja una larga parrafada sobre el asunto de su *Arcadia*: «No se os representan aquí las grandezas de Alejandro ..., no la tragedia de Pompeyo ...», etc., «sino las rudas zampoñas y los salterios humildes ... Oíd, pues ..., el suceso de un pastor extranjero de su ventura y de esta tie-

rra ...» (67-68). Este anuncio de su libro, dirigido a un senado, sugiere
en seguida el paralelo con la función que la loa cumplía respecto a la
comedia. No sólo su localización, sino su fondo y su lenguaje, refuerzan
la asociación.

Si continuamos leyendo, nuestras sospechas se corroboran. En efecto,
todo el primer libro está estructurado de forma dramática. Parece como
si Lope tuviera un escenario ideal en su imaginación, constreñido por el
cual no puede seguir los pasos de sus personajes, a los que trae a estas
tablas imaginarias para que un público los vea. Obsérvese que toda la
acción se desarrolla «al pie de un pino excelso» (71), donde al principio
aparece Belisarda, a la que luego se junta Anfriso. Vanse ambos y asoman
Galafrón y Leriano; éstos se marcharán cuando Leonisa, Alcino, Menalca
e Isbella vengan. Cuando a éstos se junta Olimpio, márchase toda la com-
paña, que se verá sustituida por siete nuevos pastores. Son seis escenas
las que dividen este primer libro, cuyo decorado no cambia en ningún
instante. El que la última esté más poblada que las demás no deja de
tener cierto carácter coral también de valor escénico, al que se alía el
efecto dramático producido por el ataque de locura de Celio, que lleva
la terminación del libro a un clímax. Aunque los escenarios inmóviles no
son infrecuentes en la pastoral, en ningún caso se llega a estos extremos.

El libro II se abre con una escena que parece sacada de la comedia. Se cuenta en ella la despedida de Anfriso de su pastora en estos
términos: «el pastor de Belisarda paseaba la puerta de su choza con
un gabán leonado labrado todo de unas cifras de seda blanca que en
unas memorias asidas enlazaban unas palmas» (134). El que sea de
noche, hora que sugiere un mundo cortesano, y el vestido del pastor,
más propio de galán, hacen pensar en principio en una escena de reja
de nuestro teatro.

Cuando llega la hora «en que podían hablarse —lo que supone
un previo concierto de poco viso bucólico—, salió Belisarda a la
puerta de su choza». Aquí se sucede una conversación mientras que
Silvio, amigo de Anfriso —repárese en la presencia de amigos del
galán en la comedia en situaciones semejantes—, queda aparte, significativamente, guardando la calle. A continuación la conversación se
interrumpe porque «algunos pastores de Salicio —que es el rival del
héroe— hicieron ruido». Parten por ello los dos amigos; o como
dice Lope: «siguieron la calle toda hasta salir del aldea». Obsérvese
que la escena ha tenido lugar en una población, no en el campo;
delante, además, de la casa de la dama. Nada de esto consuena con
el escenario natural de la bucólica.

Otra situación que Lope estructura para un público no lector es la que tiene lugar cuando Anfriso, que está en «la fuente de las tres diosas», ve venir a Anarda e inmediatamente después, por otro lado, a Belisarda y Leonisa (324 ss.). Escóndese de éstas antes de que lo vean, lo que estas últimas, que a su vez lo han visto, hacen también: en el escenario entra sola Anarda. Sale a sorprender a ésta Anfriso de repente y comienza a requebrarla sabiendo que dará achares a su escondida pastora. La tortura de ésta se ve remediada por la llegada de Olimpio, en el que en seguida ve la posibilidad de vengarse de Anfriso. Se requiebran Anfriso y Anarda, por un lado, y Belisarda y Olimpio, por otro, todos cuatro, sin olvidar a Leonisa, en el mismo escenario formando dos grupos que fingen ignorarse.

No deseamos apurar un terreno donde fácilmente se incurre en la inexactitud. De pasada, sin embargo, queremos llamar la atención sobre el momento en que Belisarda, que está sola en escena, recita unos versos (251-252). No creemos exagerar al ver aquí un finísimo momento teatral: aquel en que un solo personaje llena con unos versos la pausa requerida para dar lugar a que la mecánica de la acción ajuste su engranaje. Por si fuera poco, los versos que recita la pastora son un soneto, bueno «para los que aguardan».

Otros elementos dramáticos son dignos también de mencionarse, sobre todo a la luz que proyectan los ya señalados. Así la introducción de Cardenio, que tantos rasgos del gracioso posee; recordemos que por estas fechas Lope lo introducía también en su comedia. Asimismo el que el protagonista tenga dos criados, Lealdo y Floro, que le traen y llevan noticias; es decir, que cumplen una función mecánica en la obra. Un novelista hubiera resuelto esto con cualquier recurso narrativo como, por ejemplo, la epístola; no recordamos nada parecido en la tradición pastoril. El monólogo de Anfriso a comienzos del libro III, especialmente a finales de la página 205, adquiere una intensidad dramática muy viva por medio de interrogaciones sucesivas. El rápido cambio de escenario implícito en las idas de Anfriso a Cilene, Italia y el Ménalo sugiere también el movimiento teatral de la comedia nueva.

No tiene nada de extraño, a la luz de lo que llevamos dicho, que años más tarde volviera Lope sobre esta su novela para adaptarla al teatro, con sólo cambios menores, en la obra que lleva el mismo título. La novela, a su vez, posee idéntico argumento que una obra teatral anterior: *Los amores de Albanio y Ismenia.*

III. La práctica de incluir poesía dramática en una obra narrativa estaba bien autorizada en la novela pastoril, y el propio Lope así lo había hecho en *La Arcadia*, al insertar en el libro III la égloga

representable de Montano y Lucindo. Las diferencias son que en
El peregrino en su patria (1604) las obras dramáticas llegan a cuatro,
y sirven de columnas para sustentar el peso narrativo de esos cuatro
libros. Y además, en el *Peregrino* el amor cantado en esas obras dramáticas, y en tantas otras poesías líricas, es el amor divino, y no el
humano, como en *La Arcadia*. Por aquí creo yo que nos acercamos
a las verdaderas razones de Lope para incluir esos autos, razones
consecuentes y consonantes con el fuerte ambiente religioso de toda
la obra. Me parece que nos hallamos ante una nueva muestra del
propósito didáctico que orienta a toda la literatura postridentina.
Porque a través de los autos sacramentales ciertas doctrinas teológicas llegaban eficazmente al público de los corrales o de las plazas.
Ahora se trata de que esas mismas doctrinas lleguen al público lector
de novelas, envueltas en las páginas del *Peregrino*. Visto desde este
ángulo, el *Peregrino* es un panegírico religioso, con fuertes dosis de
propaganda, todo muy propio de las directivas del Concilio de Trento
acerca de los usos de la literatura.

[El libro se ha clasificado como novela bizantina, pero] la denominación es poco afortunada, ya que encubre más de lo que revela
acerca de la naturaleza real de novelas como nuestro *Peregrino* y el
Persiles cervantino. Por lo pronto, los elementos caballerescos, sentimentales, pastoriles, y hasta picarescos, que éstas contienen, des-
quician el marco de la bizantina. Y además, si bien la aventura y la
peripecia tienen en nuestras novelas la misma importancia seminal
que en la bizantina, pronto se echa de ver que esto es algo sólo
estructural. Desde el punto de mira conceptual, estas nuevas novelas
están imantadas por la religión católica, y no el azar. Las peripecias
del *Peregrino* o del *Persiles* son, en su esencia experiencias religiosas. Esta es la característica sustancial de la novela de aventuras del
siglo XVII español, que en esta medida ya no se puede llamar novela
bizantina.

Antonio Vilanova [1949] ha demostrado que la figura del peregrino
ha sido desde los tiempos bíblicos el símbolo de la vida del hombre
cristiano, o sea que se trata de lo que podemos denominar *peregrinatio
vitae*. En segundo lugar, desde la época del *Filocolo* de Boccaccio, el peregrinaje simbólico se seculariza, y se considera al hombre como el peregrino de amores, o sea que nos hallamos ante una *peregrinatio amoris*.
La ambivalencia consiguiente del simbolismo influirá en Lope, y asimismo
en Cervantes, en cuyas novelas el estar enamorado es la condición esencial

del peregrino cristiano. Y por último, las letras españolas habían creado en la segunda mitad del siglo XVI una réplica totalmente secularizada del peregrino tradicional en la figura del pícaro. Este es el hombre que viaja en busca del éxito material, resolviendo, de paso, la paradoja práctica de vivir sin trabajar. Desde mi atalaya de hoy, podemos definir a la picaresca como la *peregrinatio famis*. Y no olvidemos que la verdadera picaresca también está imantada por los conceptos postridentinos.

Todo esto gravita sobre *El peregrino en su patria* de Lope. Pero desde el propio título Lope imprime a su obra un giro muy personal y paradójico. Porque ocurre que la voz *peregrino* tenía dos significados principales: ['quien está fuera de su tierra' y 'quien va a Santiago o de allí vuelve'.] Evidentemente, era consustancial a la idea de peregrinación el hecho de estar desarraigado de la patria. Por consiguiente, Lope introduce su nueva novela con una paradoja conceptual: un peregrino en su propia patria. Desde un punto de vista conceptual, esto implica un desafío a la novela picaresca, ya que era el pícaro quien había dado vida a la paradoja de un peregrino en su patria, pero así como las peregrinaciones de éste forman el registro del progreso del vicio, el protagonista de Lope registra la peregrinación de la virtud. Vista así, la novela de Lope se nos aparece como una superación espiritual de la picaresca, ya que está animada por la suposición fundamental de que el camino del hombre en la vida es un camino de perfectibilidad. Confrontado con los edictos de Trento, y con la solución literaria a que había llegado Mateo Alemán en su *Guzmán de Alfarache* (1599), Lope formula en su *Peregrino* una nueva y original respuesta a los mismos problemas.

Además, y ahora desde un punto de vista práctico, el hecho de que la patria del peregrino de Lope sea su propria España contemporánea, implica una voluntariosa y efectiva nacionalización de un género clásico. Ercilla había nacionalizado la epopeya clásica, Jerónimo Bermúdez y el mayor de los Argensola habían intentado hacer lo propio con la tragedia, y Garcilaso había impuesto su impronta genial a la égloga virgiliana. Lope, que ya había liquidado el problema de la adaptación de la comedia, ahora, con el *Peregrino*, coloca a la novela bizantina a la altura de las circunstancias de la España de 1600.

La actualización del género es tan íntima y personal (de Lope, en fin), que el protagonista, Pánfilo de Luján, es un madrileño amigo del autor, y que ostenta el mismo apellido que la amante de turno. Y la propia vida del autor se vuelca en parte en estas páginas, al recrear imaginativamente sus amores juveniles con Elena Osorio. Un hito más en el camino hacia *La Dorotea*, por cierto, pero de original desenlace, ya que aquí los amantes entran en religión. Declino con firmeza todo intento de psicoanalizar tan sugestiva solución, pero sí quiero recordar que pocos años más tarde Lope entraría, en efecto, en religión. Al llegar a este punto, Lope no sólo ha hecho materia poética de su vida, sino que en alguna oscura manera su poesía ha llegado a ser augurio de su vida. [...]

«Novela harto cansada y pedantesca», la llamó La Barrera en un momento de malhumor. El criterio de *cansada* es subjetivo, y a ello no hay más que responder que «de gustos no hay nada escrito». Pero el criterio de «pedantería» es histórico, y a esto sí se puede objetar con razones de orden asimismo histórico. Porque si bien es muy cierto que Lope en el *Peregrino* hace un derroche fastuoso y señorial de erudición, esto sólo es consecuencia lógica del concepto cardinal en la preceptiva y la literatura de aquellos siglos, que consideraba a la poesía como ciencia. Don Quijote, tan ducho en menesteres poéticos como caballerescos, decía que «la Poesía ... es como una doncella tierna y de poca edad ... a quien tienen cuidado de enriquecer, pulir y adornar otras muchas doncellas, que son todas las otras ciencias, y ella se ha de servir de todas, y todas se han de autorizar con ella» (II, 16). Si Lope en su *Peregrino* ya había practicado este concepto con desmesurada ciencia y erudición, achaquémoslo al hecho de que su vida y su obra fueron una búsqueda de lo descomunal como norma. Bien cierto es que en el *Peregrino* hay demasiada erudición, y también demasiadas aventuras, y demasiada comedia, lo que aconsonanta la novela a la vida-obra de su autor, que fue una afirmación de demasía.

IV. Cuando digo que las *Novelas a Marcia Leonarda* están dirigidas a Marta de Nevares, no me refiero solamente a que vayan dedicadas a ella. Como dice Lope, las novelas están *escritas* «a la señora Marcia Leonarda». En la práctica ello significa que interrumpe frecuentemente su narración para hablar directamente con la dama. Mientras se desenvuelve la historia, conversa con ella, bromea con ella, la lisonjea, la instruye, la galantea.

Estos relatos pertenecen a Marta en un sentido muy singularmente real. Para demostrar lo que quiero decir, permítaseme dar dos ejemplos de cómo Lope hace participar a Marta en sus cuentos. En un pasaje más bien solemne —está describiendo la pompa del palacio del Gran Turco en Constantinopla—, se dirige a ella con una deliciosa aunque deliberada ingenuidad para decirle: «Aquí doble vuestra merced la hoja» (102).* En otra ocasión, cuando acaba de describir el vestido que lleva Laura, un personaje que desde el comienzo ha identificado con su lectora favorita, dice a Marta: «Caerá vuestra merced fácilmente en este traje, que, si no me engaño, la vi en él un día tan descuidada como Laura, pero no menos hermosa» (109). En una narrativa de esa clase el lector común es un extraño, casi un fisgón o un *voyeur* que asiste a intimidades que los amantes hubieran debido ocultar en vidas herméticamente cerradas e inaccesibles a los intrusos. [...]

No pretendo que estos cuentos sean gran arte. En *Las fortunas de Diana* y en las otras tres «novelas», Lope muestra con toda naturalidad que su único propósito es divertir a su amada. No parece hacerse ninguna ilusión, ni deja que ella se haga tampoco ilusiones, acerca de la verosimilitud de su historia. «Paréceme —dice a Marta en un momento dado— que le va pareciendo a vuestra merced este discurso más libro de pastor que novela; pues cierto que he pensado que no por eso perderá el gusto el suceso» (53-54). En otra ocasión revela el artificio del arte de narrar explicándole la técnica del suspense: «¿Quién duda, señora Leonarda, que tendrá vuestra merced deseo de saber qué se hizo nuestro Celio, que ha muchos tiempos que se embarcó para las Indias, pareciéndole que se ha descuidado la novela? Pues sepa vuestra merced que muchas veces hace esto mismo Heliodoro con Teágenes, y otras con Clariquea, para mayor gusto del que escucha, en la suspensión de lo que espera» (60). Lope llega incluso a admitir que se aprovecha de la ignorancia de su amada respecto a las reglas de la narración: «Atrévome a vuestra merced con lo que se me viene a la pluma, porque sé que, como no ha estudiado retórica, no sabrá cuánto en ella se reprehenden las digresiones largas» (61).

Estos relatos son, pues, deliciosos cuentos para la hora de acostarse, y su único objeto es agradar por medio de la secreta intimidad del autor con una lectora especialísima, creando un estado de ánimo propicio para irse a la cama. [...] Cuando Celio persuade a Diana con sus lágrimas para que le deje pasar la noche con ella, Lope involucra a Marta en esta seducción imaginaria pidiéndole su parecer: «Dígame vuestra merced, señora Leonarda: si esto saben hacer y decir los hombres, ¿por qué después infaman la honestidad de las mujeres? Hácenlas de cera con sus engaños, y quiérenlas de piedra con sus desprecios» (34). ¿Qué mejor modo de conquistar el corazón de una mujer que presentarse ante ella

* [Las referencias a página remiten a la edición de Francisco Rico (1968).]

como feminista? Pero en un relato, esta implicación activa de un determinado lector plantea algo más que un problema de relaciones personales.

Aunque las «novelas» de Lope no alcancen la categoría de gran arte, al menos suscitan una importante cuestión estética que desborda el provincianismo de los estudios hispánicos. Debido sobre todo a que reducen la distancia estética a casi nada, porque trasladan la literatura muy cerca de los mismos límites de la vida en el tiempo humano, estos relatos lopeveguescos pierden el derecho a ser considerados como gran arte. [Lope escribió tanto (probablemente más que cualquier otro hombre), que su vida personal y su literatura aparecen inextricablemente unidas. Escribir era para él ingrediente principal de su apretada existencia.] No cabe ninguna duda de que en su papel de narrador a Marcia Leonarda Lope adopta una postura afectada. A quien vemos contando una historia o haciendo un comentario a su amada, no es propiamente al mismo Lope; más bien a Lope como Lope se veía a sí mismo en una relación ideal con Marta. No obstante, el narrador imaginario de estos cuentos se parece más a la figura histórica del autor de lo habitual en otros casos.

[Marcia Leonarda es seducida por medio de la literatura.] En las narraciones de Lope, las técnicas de seducción son de dos clases, directas e indirectas. Cuando el autor presenta a la Gran Sultana de Turquía en *La desdicha por la honra*, recordamos que dijo a Marcia Leonarda en la dedicatoria de *La viuda valenciana* que la muerte de su marido la había sacado de la esclavitud en los serrallos de Constantinopla. Inevitablemente, al leer el cuento Marta se identifica a sí misma con la sultana cristiana y con todo lo que le ocurre. Éste es un ejemplo de seducción indirecta continuada. Pero el método es directo cuando Lope, en *La más prudente venganza*, le cuenta la historia del dios griego Himeneo y comenta: «No pienso que le habrá sido a vuestra merced gustoso el episodio, en razón de la poca inclinación que tiene al señor Himeneo de los atenienses» (123). Con estas palabras le recuerda lo desdichada que fue su vida matrimonial, insinuando que no tiene que pensar en volver a casarse, ya que su amante actual no puede dejar de ser célibe. Astutamente, viene a decirle que de la necesidad haga una virtud, que acepte satisfecha una relación que de vez en cuando debía de inquietarla. Porque esto es retórica y no una búsqueda de la verdad, Lope no insiste en las ventajas que podría tener si pudiese casarse con su amante.

Así, pues, en cierto sentido estas «novelas» son el equivalente de cartas de amor: expresan por escrito el amor de un hombre por una mujer. La sutil y compleja declaración de amor es su función literaria principal. Los numerosos comentarios que se dirigen a Marcia Leonarda no son accidentales. Son los pilares que sostienen los arcos de la narración. Son estos comentarios los que distinguen de un modo más evidente las «novelas» de Lope de las de Cervantes. Aunque en Lope la narración es demasiado endeble y ligera para que la tomemos en serio, cumple un objetivo: refuerza la retórica del comentario; proporciona a manera de marco una secuencia de hechos ordenados; determina su contenido. Pero el gran hallazgo de Lope en el relato fue el efecto de subordinar el argumento a las intervenciones del autor, revolucionaria perversión de un género que en España aún estaba en mantillas.

EDWIN S. MORBY Y ALAN S. TRUEBLOOD

LA DOROTEA

I. George Meredith (1897) ve en la comedia española una gran velocidad, como la de unos títeres: «La comedia podría representarla una cuadrilla del cuerpo de baile; y en el recuerdo, su lectura se resuelve en un animado movimiento de pies». Opinión quizás injusta, y desde luego basada en un conocimiento muy incompleto del teatro español. Tiene, no obstante, su grano de justicia, suficiente para que algunos hispanistas, llevados por el recuerdo conjunto de la comedia lopesca y de *La Celestina*, hayan criticado la pobreza de acción de *La Dorotea*. Poquísima hay en realidad, si se piensa en el usual bullicio de las comedias situadas en el Madrid de ese tiempo.

I. Edwin S. Morby, ed., Lope de Vega, *La Dorotea*, Castalia, Madrid, 1968², pp. 18-21, 28-29, 32-33.
II. Alan S. Trueblood, *Experience and artistic expression in Lope de Vega. The making of «La Dorotea»*, Harvard University Press, Cambridge, 1974, pp. 202-208.

La que presenciamos directamente se resume en unas líneas: proposición de Gerarda a Teodora; riña entre Teodora y Dorotea; ruptura de ésta con don Fernando; huida de don Fernando; tentativa de suicidio de Dorotea. Esto en el acto primero, el más movido. En los siguientes: don Bela, recibido por Dorotea; encuentro de éste con don Fernando; reconciliación de los amantes; reproches de Marfisa a don Fernando y arrepentimiento de éste; muerte de Gerarda. Apenas se representa más: visita de Marfisa a Dorotea; comida en casa de Teodora; cambio de saludos entre Dorotea y Marfisa en el Prado; rompimiento del retrato y quema de papeles. Y esto es ya forzar las definiciones, pues ni todo ello es acción propiamente dicha, ni falta allí el elemento narrativo, vehículo principal de la parte restante, la que no se presencia directamente.

Esta otra parte abarca bastante, incluso cosas que en cualquier comedia probablemente habrían transcurrido ante los ojos del público: vida y amores de don Fernando antes del rompimiento con Dorotea; ausencia y vuelta a Madrid; desenamoramiento y ruptura definitiva; nuevos amores con Marfisa; muerte de don Bela. Incidentes, como se ve, relacionados sobre todo con don Fernando (ya se le llame Belardo, ya de otra manera), figura en torno a la cual suele Lope construir esa serie de avatares de *La Dorotea* en que maneja la misma materia. Lo que sugiere de paso que su piedra de toque, al convertir el oro de alquimia de esos avatares en el oro de ley de la acción en prosa, haya sido la posibilidad, tardíamente encontrada, de situar a Dorotea en el centro. Por algo se llamaba *Belardo* la primera versión completa del tema, y *Dorotea* la definitiva.

En cualquier comedia habría habido también, seguramente, más ocasiones de enfrentar entre sí a los personajes principales. Sólo analizando una por una las escenas se echa de ver algo que por atrevido e inesperado podría pasarse por alto, pero que indirectamente explica gran parte del misterio de esta aparente falta de movimiento de *La Dorotea*: la rareza con que dialogan cara a cara los personajes centrales (don Fernando y Dorotea; don Bela y Marfisa). *La Dorotea* traza el fin de los amores de don Fernando y Dorotea, pero éstos sólo dos veces se cruzan la palabra (I, 5; IV, 1). [...] Debe observarse con qué frecuencia se trata no de reflejar instantes sucesivos, sino de superponer al presente el instante pasado, gracias a la narración, los recuerdos o las cartas. [Especialmente notables son las cartas,] en que late viva e inmediata la emoción del pasado, directamente yuxtapuesta a la del presente. Piénsese en la primera carta de Dorotea (I, 4), compuesta a raíz de una riña, repasada después de otra, y en lo que estas ternuras revelan sobre un pasado muy distinto del presente, y muy parecido; en lo que dejan entrever de otras cartas futuras, igualmente rendidas; de otras paces igualmente inestables. [...]

Según el prólogo *Al teatro*, *La Dorotea* es obra antigua. La dedicatoria precisa todavía más, atribuyendo el original a la época anterior a la expedición de la Invencible (1588), ocasión de haberse extraviado. Y es verdad que la materia fechable de la acción en prosa se remonta a los primeros días de 1588, fecha de la recepción en la corte de los condes de Melgar, cuyas bodas son tema del soneto de V, 3; siendo igualmente verdad que las cuatro «barquillas» del tercer acto fueron compuestas y engastadas en el libro entre el 7 de abril y el 6 de mayo de 1632, o sea entre la muerte de Marta de Nevares, lamentada en ellas, y la aprobación de Valdivielso. [...] Sobre una cosa no puede haber la menor duda: en *La Dorotea* corren parejos dos tiempos, el de los sucesos reales que le sirvieron de base, y el de la hipotética revisión.

[Cierto es que toda verdadera iluminación debe venir de dentro, del texto mismo de la obra.] Pero en cuanto pueda darse clave fuera de ella, hay que buscarla en las versiones anteriores de la misma materia. Sabido es que éstas son primero romances, sonetos, comedias pastoriles que tratan alguna parte o el conjunto del mismo núcleo de acción: el mayoral rico y poderoso que quita al pastor traidoramente su manso; la pastora ya rogada, ya despreciada, ya amante, ya desdeñosa... Sabido es también —al fin, no nos libramos de la autobiografía— que Lope en estas obras poetiza goces y sinsabores que realmente pasó con individuos conocidos, en parte siguiendo, en parte creando una moda en que Vossler seguramente pensaba [al escribir que «en la España de entonces se literatizaba la vida y se vivía la literatura».] Más tarde, mucho antes de publicar *La Dorotea*, coloca estos elementos en un ambiente contemporáneo. Pero lo interesante ahora es ver cómo se repiten los mismos personajes, las mismas situaciones, en unos campos ideales en que los sentimientos son todo, sin intromisiones inoportunas de los prosaísmos de la vida. Se repiten hasta menudos detalles, tan inconfundibles como los personajes mismos a través de las diferentes transformaciones que adoptan. Sin exageración, puede hablarse de un microcosmos intacto, transferible en el lugar y en el tiempo, entretejido de vida y literatura, sin que se sepa a punto fijo dónde poner las fronteras. Empezó siendo vida y se convirtió en literatura, transformándose el poeta madrileño, como otros muchos, en pastor arcádico (naturalmente, acompañado de su dama convertida en pastora).

No sorprende que estos personajes, habiendo cobrado una existencia independiente en Arcadia, como si dijéramos, revelan atavismos al encontrarse de repente en Lavapiés. Quieren vivir, como antes, con belleza; no se resignan al prosaísmo ambiente. Si se expresan demasiado bien, si son muy amplios sus ademanes para su mundo, es que éstos son resabios de Arcadia, como lo son también los deseos de tener la pasión por juguete, de saborear tanto el dolor como el goce; en fin, de justificarse, no por obras ni por fe, sino por la sola poesía.

No hay mejor ejemplo que el de Dorotea abandonada, que se figura otra Dido, y que como otra Dido vuelve contra sí los filos de un diamante a falta de espada. Esto, preguntando qué memoria habrían dejado de la crueldad de don Fernando los antiguos que escribieron ingratitudes de hombres. Siempre este tan comentado recurrir del caso concreto al gran dechado de los arquetipos históricos y literarios, este suicidio de mujer bachillera que si no supiera leer probablemente no tragaba el diamante, porque así no tendría modelo, porque así don Fernando, siendo todo lo cruel e ingrato que se quiera, todavía no sería el hombre más cruel de todos los tiempos. Lo que es otra cosa muy distinta. A ingratitudes de Eneas, suicidios de Dido. ¿Cómo podía ser de otra manera, si hasta para Teodora un amante que se cansa es Eneas o el rey don Rodrigo?

Esto es vivir y morir la literatura, lo que no invalida como expresiones de verdadero dolor ni el suicidio ni la carta en que se explica, ni el acto impulsivo primero, ni la justificación que le sigue. Lope de tal manera se anticipa a la psicología moderna, que sólo recientemente se inventó nombre para este procedimiento, que es el de racionalización. Aunque importa hacer dos distinciones: por un lado, estos personajes racionalizan sus acciones adecuándolas a patrones literarios; por otro, no racionalizan únicamente *a posteriori*. Dorotea se traga el diamante por impulso, pero este impulso lo tiene muy preparado, de tanto verse Diana de Montemayor o Dido cartaginesa.

[En la comedia], galán y gracioso enfrentan el mundo con actitudes directamente opuestas. A aquél, irreflexivo, espíritu aventurero y enamorado, en realidad no le entiende éste, incapaz de volar en alas de la imaginación, atado a lo más terreno. Pero en la comedia, es al galán a quien se le da la razón. El mundo *es* lo que el galán sueña. En cambio en *La Dorotea* es Lope mismo la figura del donaire que pincha la pompa de jabón exquisitamente irisada. Al contrario de la comedia, aquí es sueño la aventura, del que se despierta al desengaño de la realidad.

El Lope viejo socava con su ironía toda arrogante torre de viento, sobre todo cuanto más arrogante, siendo la mayor maravilla cómo la torre todavía queda en pie. Una aventura amorosa desembocó en un desengaño indulgente, sereno y, como de buena ley, compenetrado de esa melancolía varonil y grave que se hace cargo de las *lacrimæ rerum* sin aumentar su volumen. No menos de cuarenta años tardó el poeta en alcanzar esa cumbre de serenidad. Aun en medio de otros amores, fuente también éstos de literatura, siguió obsesionándole el antiguo tema de Elena-Filis-Dorotea, sin que supiese despojarse de rencores; hasta que por fin, no sabemos por qué iluminación, le penetró el sentido y encontró la *katharsis*. Y este sentido no fue únicamente el desolador de su *Coro del ejemplo*. Si no, ¿cómo explicar el vaticinio de César (V, 8), en que pronostica el futuro de don Fernando, resumen, en unas líneas, de todo lo que iba a pasarle al personaje más adelante, pero que la Fama al final abrevia todavía más, condensándolo todo en la frase «Lo que resta fueron trabajos de don Fernando»? Lo que resta, o sea lo más granado de una vida, que se dice ha de ser larga. Lo antecedente, tema de *La Dorotea*, es lo que ha valido la pena de detenerse en ello.

Para mi gusto, fuera del *Quijote*, no hay en la época mayor obra en prosa que esta *Dorotea*. Y si es mayor el *Quijote*, la ventaja no se debe a la ejecución, más desigual, menos armoniosa en Cervantes; ni a una superior penetración psicológica, ni siquiera a un mayor dominio del castellano más rico y jugoso, sino a un horizonte que abarca todo el destino humano. *La Dorotea* se restringe demasiado a los afectos para sufrir tal comparación, lo que equivale a decir que fue Cervantes mayor que Lope como hombre y como artista. También una aventura amorosa podía haber sido lente que enfocase el cosmos. Esta vez no fue tanto, ni lo ha sido realmente nunca, aunque, como observa Vossler, el tema fundamental de *La Dorotea* no es muy diferente del de Cervantes, y hasta podía haber prometido más que el frágil trampolín de que se sirvió éste. Pero tampoco fue únicamente lo que podría inferirse de los coros finales de cada acto, en que el autor creyó destilar su enseñanza, reducida a unas desconsoladoras verdades sobre el amor, de una eficacia que nada desmintió tanto como la biografía del Fénix.

La muerte de Gerarda no nos parece trágica, sino cosa de esperpento. La de don Bela, sí. La diferencia corresponde a una diferencia en el tamaño de los dos como seres humanos. La tragedia pide cierta grandeza, antaño exteriorizada por los recursos de hacer príncipe o capitán al héroe, reina a la heroína, y de poner coturnos a los actores. Como se ha dicho infinitas veces desde Aristóteles, tal figura de estatura extraordinaria adolece siempre de algún defecto trágico, motivo de su fatal caída. La verdadera tragedia de *La Dorotea* es la muerte de la ilusión juvenil. Esto, si es reconocer un defecto, es también reconocer un valor. Si no, no existiría esta tragedia irónica que para la razón ni siquiera lo es, porque es bueno y santo el desengaño, y que sólo es tragedia para el corazón, con *ses raisons que la raison ne connaît pas*. Lope señala irónico el defecto, observa la paradoja. Pero ni Cervantes mató con su ironía la caballería de España [como cantaba lord Byron], ni Lope mata con la suya la quimera pasional.

II.   Lope tiene un visible interés por hacer conocer a sus lectores las raíces personales de *La Dorotea*. En el Prólogo, al lector se le dice inequívocamente: «El assunto fue historia y aun pienso que la causa de auerse con tanta propiedad escrito» (52). La misma afirmación hace la Fama en el breve epílogo: «No quiso el poeta faltar a la verdad, porque lo fue la historia» (457). En dos ocasiones Lope se permite un inciso para que Julio y Fernando comenten que con sus acciones han violado las unidades de tiempo y de lugar: en el viaje de tres meses que hacen a Sevilla, y en el subsiguiente lapso de tiempo que va de abril a enero. En ambos casos Fernando se justifica apelando a la fidelidad a la *historia*: «Es historia verdadera la mía» (236); «La fábula ... por su gusto en esta ocasión se casó con la historia» (405). Es posible que Lope esté aludiendo sarcásticamente a los preceptistas aristotélicos, con los que venía polemizando, pero es evidente su interés por insistir en el carácter personal del asunto que está tratando. (El horóscopo del futuro de Fernando no deja ninguna duda acerca de la relación existente entre Fernando y el autor.) Esta confesión contrasta con las pantallas que Lope suele emplear cuando hay implicaciones biográficas: las máscaras que adopta en los romances, la tendencia a despersonalizar los sonetos, incluso el carácter oblicuo de *Belardo el furioso*. A pesar de que después de haber transcurrido tantos años no hay ninguna necesidad de ser prudente, no se trata tan sólo de escribir de un modo más franco y en un tono más confesadamente personal. Lope está también mostrándonos la importancia que tiene para él crear la ilusión de una fidelidad pormenorizada a la vida, de situar a sus personajes en un mundo en el que el tiempo del reloj es una inesquivable dimensión del vivir y no es posible escapar a los efectos limitadores del espacio, un mundo condicionado y concreto en el que los ideales se supeditan a contingencias materiales y en el que se respetan las incertidumbres, las complejidades y los confusos móviles que siempre se dan en todas las relaciones humanas.

Lope no sólo era consciente de esa necesidad: incluso se entretuvo en reflexionar al propósito más lúcidamente que antes durante la prolongada gestación de *La Dorotea*. Es el caso del artista que se formula preguntas acerca de sí mismo y se ve impulsado a un mayor grado de lucidez con el aumento de la experiencia. En *La Dorotea* adopta nuevas tendencias artísticas sin renegar de las anteriores. Ahora podía analizar una multitud de variaciones poéticas del pasado respecto a la experiencia con Elena Osorio, y su misma diversidad pudo hacer que, mientras volvía la vista hacia el origen común de todas ellas, prestase atención al proceso de transmutación que también les era común. Lo que caracteriza a *La Dorotea* no es tan sólo el afán de Lope por presentar el contexto al mismo tiempo que el significado de una experiencia. Es más bien la relación que establece entre ambas cosas. El mundo de la *historia* se convierte en el subsuelo en el que la poesía crece ante nuestros ojos. De ese modo la obra ilumina el proceso creativo, no se limita a ser su producto. Ahora Lope se ha detenido para reflexionar sobre esa metamorfosis de la historia personal en poesía que ha llegado a ser su segunda naturaleza. Además de insistir en las bases históricas de *La Dorotea*, el Prólogo nos dice también con no menos insistencia que «*La Dorotea* es poesía», evidenciando que Lope aspira solamente a un efecto realista, es decir, de verosimilitud, no a la verdad literal. [...] En la redacción primitiva la atmósfera del cosmos artístico debía de estar más próxima a la de la calle de Lavapiés. Pero sin duda incluso entonces Lope había cribado, ampliado, transformado los hechos en crudo de la experiencia, convirtiendo el aspecto «histórico» de la obra en una dimensión de su *poiesis* como es en 1632. Las afirmaciones de respeto a la verdad biográfica que hemos visto en las citas deben tomarse a modo de síntoma, no como un reflejo de los hechos. Puede ser cierto, como dice Lope, que el tiempo de la obra corres-

ponda al tiempo de los hechos reales. (En cualquier caso la unidad
de lugar no se rompe por el viaje de Fernando a Sevilla, a pesar de
lo que dice Julio, según el cual «salir del lugar es absurdo indiscul-
pable» (236), ya que Fernando se limita a estar ausente, y el lugar
de la acción sigue siendo Madrid.) Al hacer que Fernando afirme
que «la fábula ... se casó con la historia», Lope espera que el lector
recuerde la observación de Aristóteles (*Poética*, IX, 9) de que «unos
hechos que han sucedido realmente responden a la ley de lo probable
y de lo posible», y por esta razón son ya poéticos. Se muestra com-
prensiblemente ansioso por atribuir una nobleza literaria a la *acción
en prosa*, sugiriendo que encaja en una de las categorías previstas
por Aristóteles y por los preceptistas contemporáneos, pero ésta es
una indicación *a posteriori*. Lope emplea el lenguaje aristotélico con
su característica vaguedad, y no expresa la supeditación a una doctrina, sino una intuición personal de la íntima relación que hay en
su arte entre *Erlebnis* ['vivencia'] y *Dichtung* ['poesía'], que es
ahora el centro de su interés. Aunque el *assunto* sea *historia*, la *acción en prosa* es en sí misma *poesía*, nos dice el Prólogo. Al llamarla
así, Lope afirma su libertad para ser un cronista ficticio de sí mismo
y su aspiración no a una fidelidad literal, sino a una fidelidad más
amplia a su experiencia total de la naturaleza humana.

Una observación de E. C. Riley a propósito de Cervantes puede
servirnos como ayuda en este caso. El crítico observa que Cervantes
está preocupado por un aspecto del problema de la verosimilitud
que había sido muy descuidado en la antigüedad: «la diferencia entre
lo que hubiera debido ser y lo que pudo ser». Riley escribe que «su
verosimilitud total incluye "lo que hubiera debido ser" como parte
de una experiencia que "pudo ser"». Aunque Lope no profundiza
tanto en el problema de la historia y de la poesía, ni tiene una visión
tan ambiciosa, no obstante a su manera ofrece una verosimilitud de
lo posible, de lo que hubiera podido suceder, y la convierte en un
vehículo de lo ideal. Más que transferir la experiencia al reino de lo
novelesco, *La Dorotea* presenta una proyección de lo que, en circunstancias diferentes, hubiera podido ocurrir, la sucesión de hechos que
hubieran podido darse de no producirse la explosión de los libelos
y del proceso. Al propio tiempo, se incorpora al relato una dimensión estéticamente idealizada de esta misma relación, un talante que
se debe a la inventiva de los personajes, como un elemento clave en

su experiencia. La historia de Fernando y Dorotea se convierte en una destilación de todas las demás de la vida de Lope, fundiéndose en ella los impulsos eróticos y creativos. Es una quintaesencia, y aunque su ejemplaridad es en último término más vivencial que ortodoxa, a Lope no parece preocuparle cualquier posible disparidad entre sus intuiciones y el clima moral de su época. Su conciencia está tranquila. El tiempo de su vida al que corresponde una tan amplia experiencia está próximo a acabarse. Lope puede ver sus propias verdades como siendo a la vez representativas e irreprensibles.

Puede arrojarse alguna luz sobre la cuestión de la *historia* y la *poesía* preguntándonos por un momento si *La Dorotea* podría considerarse como una versión del siglo XVII de la autobiografía literaria, o como un *Bildungsroman* [o «novela pedagógica» que describe la formación de un personaje] *avant la lettre*.[1] Basta suscitar esa cuestión para aludir a la

1. [En una perceptiva reseña (en *Nueva Revista de Filología Hispánica*, XXV, 1976, pp. 419-428), Francisco Márquez Villanueva comenta: «Plantea Trueblood, con gran acierto, si el anómalo autobiografismo de *La Dorotea* no nos sitúa ante el fenómeno de un *Bildungsroman avant la lettre*. La quiebra de tal modelo asentaría en que el protagonista del *Bildungsroman* llega a entender su propia experiencia como una iluminación de orden moral que falta por completo a Fernando o a cualquier otro de los personajes de *La Dorotea*, que acaban todos tan perdidos como empezaron. Es muy cierto, pero la cuestión no puede ser abandonada en el momento en que empieza a abrírsenos una luminosa perspectiva. En efecto, *La Dorotea* no es un *Bildungsroman*, pero ello se debe a que éste responde a una estética aún no del todo desligada de la idea clasicista del arte moral. El *Bildungsroman* no es, en una palabra, molde adecuado para *La Dorotea* porque la obra del Fénix ha roto con el neoaristotelismo, sin escándalo ni remordimientos, de un modo radical y resulta así infinitamente más *moderna* (y ni por asomo *romántica*). J. F. Montesinos llamaba también a *La Dorotea* "una *Educación sentimental* del siglo XVII", frase e intuición felices salvo por el detalle de que ni Lope ("nemo dat quod non habet") pretende "educar" a sus personajes ni éstos son tampoco "educables", pues se hallan para siempre esclavizados de sus temperamentos y no son capaces de escarmentar ni en cabeza propia. Y si no hubieran sido así *La Dorotea* no contaría como obra maestra». Y añade también el profesor Márquez: «Desde el punto de vista de la estricta moral cristiana *La Dorotea* es, sin duda, una de las obras más inmorales y cínicas que se hayan escrito jamás. Sus críticos se habrían ahorrado muchas páginas y no pocos tropiezos si hubieran partido siempre del hecho palmario de hallarse ante los amores de una cortesana con su rufián. Lope no vela allí ninguna sordidez, se sustrae a un tratamiento de ejemplaridad y hasta se atreve, virtualmente, a proclamar la belleza de tanto pecado archimortal. El grande y decisivo problema que plantea *La Dorotea* no es así otro que el de su mera existencia, el de explicar cómo fue posible que una sociedad inqui-

peculiaridad de la obra en una época y un país que no cultivaba la autobiografía profana (excepto en el caso especial y ficticio de la picaresca),
y donde el desarrollo personal no era objeto de la narrativa novelesca
[véase abajo, pp. 454 ss.]. Evidentemente, como autobiografía, el significado decisivo que Lope descubre en el núcleo de su experiencia es algo
que pasó inadvertido en su época. Pero, dejando completamente de lado
el problema del género, sin lugar a dudas *La Dorotea* es algo más que
una autobiografía literaria. Como artista-autobiógrafo, Lope se siente enteramente libre para alterar la forma y el sentido del pasado con objeto
de satisfacer necesidades expresivas del presente. De este modo evita un
problema inherente a todos los escritos autobiográficos: la deformación
del pasado por la inesquivable proyección en él de la perspectiva del
presente. En efecto, al escribir explícitamente *poesía* más que *historia*,
convierte en ventaja la desventaja del autobiógrafo. Aunque nosotros
podemos descubrir rasgos del autor en su protagonista, Lope, a diferencia
del que escribe una autobiografía, no sugiere una continuidad de desarrollo entre el yo que se describe y el yo que se recuerda. Debemos, pues,
concluir que sólo hasta cierto punto Fernando es una imagen del autor.

Su insistencia en que «el assunto fue historia», en que la obra se
basa en una historia personal, apunta hacia el hecho de que, al igual que
en el *Bildungsroman*, se ha elegido una determinada experiencia formativa
del pasado y una situación crucial del desarrollo de la vida de un protagonista que cristaliza en ella, y que le conducen hasta los umbrales de la
madurez. No obstante, en el *Bildungsroman* la experiencia del protagonista es vista claramente por el autor desde una perspectiva moral, y su
sentido moral es también captado por el personaje. Su crecimiento en
la esfera moral, su adquisición de valores, es el centro de la obra. Pero
aunque Lope da ciertas indicaciones de una perspectiva moral, no puede
decirse que Fernando haya aprendido nada en este sentido. Al final está
a punto de acceder a un ámbito mayor, pero el proceso que le ha llevado
hasta allí se ha descrito en términos psicológicos más que morales; en el
mejor de los casos verá su experiencia regida por la mutabilidad y la

---

sitorial e intelectualmente retrógrada, cual la española de 1632, pudiera dar de
sí semejante testimonio de libertad creadora. Porque Lope no es, por supuesto,
un decadentista, un byroniano ni un cantor de las *Fleurs du mal*, sino un buen
hijo de la España de su tiempo, sacerdote y familiar del Santo Oficio. *La Dorotea* atestigua que en aquélla era posible escapar, por alguna vía paradójica, de
los condicionamientos ideológicos más propios de la época para dar paso a un
arte basado en el puro hecho humano sin disfraz, muletas ni anteojeras. Lope
y Cervantes, que vivían en la misma calle madrileña, echaban a andar en direcciones opuestas y venían a darse un día de cara, en la cumbre de un monte de
modernidad situado en los antípodas».]

suerte. Por lo que respecta a *La Dorotea* los límites de las designaciones resultan claros si tenemos en cuenta el cambio de enfoque fundamental que hay entre *Belardo el furioso* y *La Dorotea*. Como indica el título, la figura femenina, que desde el punto de vista biográfico es el antagonista, es la que ocupa ahora el centro de la acción. Fernando es una máscara del Lope joven sólo en la medida en que es el poeta —cualquier poeta— en su juventud. Le veremos yendo mucho más lejos que su creador al adoptar una postura nueva y en cierto sentido opuesta a la suya, la del joven en su calidad de poeta.

De Lope no puede esperarse que compartiera con los escritores de autobiografías literarias y del *Bildungsroman* una preocupación por la atmósfera, por transmitir las sensaciones de un mundo del que se ha adquirido una experiencia inmediata en el curso de la vida; él no se contenta con permanecer dentro de los límites de la convención literaria. Para la creación de semejante atmósfera, un vehículo en prosa más que en verso, era a sus ojos esencial.

En el Prólogo se muestra muy preocupado por este asunto. Lo primero que le inquieta es indudablemente explicar que la *acción en prosa*, a pesar de estar escrita en tal forma, es poesía. La forma métrica es la tradicional, pero no es esencial, porque la obra es una imitación de la verdad según unos principios estipulados de decoro: «Puede assimismo el poeta vsar de su argumento sin verso, discurriendo por algunas decentes semejanças» (50). No hay nada insólito en esta afirmación de que la poesía no depende de la forma métrica, como ya habían dicho a menudo los comentaristas de la *Poética* de Aristóteles. Lo que Lope ha imitado, se nos dice después, no son muchos individuos, sino las cualidades genéricas y los impulsos que representan: «los afectos de dos amantes, la codicia y trazas de vna tercera, la hipocresía de vna madre interessable, la pretensión de vn rico, la fuerça del oro, el estilo de los criados» (52). Sin embargo, al decir por qué *La Dorotea* se escribió en prosa, Lope hace una observación reveladora: «Siendo tan cierta imitación de la verdad, le pareció que no lo sería hablando las personas en verso como las demás que ha escrito» (51). Lope afirma suavemente lo contrario de lo que ha estado proclamando: haciendo que los personajes hablen en prosa, contribuye a una mayor imitación de la verdad que si hablaran en verso como en sus comedias. Probablemente ni siquiera reparó en esta incongruencia crítica, porque el Prólogo no es una exposición sistemática, sino una serie de comentarios yuxtapuestos de un modo casi accidental. La incongruencia lógica demuestra que, a pesar de lo que dijeran los teóricos, Lope estaba convencido de que la prosa expresaría mejor que el verso una realidad vivida más que imaginada. Cuando el Prólogo habla de la «propiedad» con que se ha escrito la obra, no sólo se está refiriendo a una supuesta verosimilitud, sino a la idoneidad de la prosa para reflejar el carácter prosaico de la vida ordinaria. La naturaleza peculiarmente personal de la historia que Lope estaba «imitando» aquí, su deseo de captar, no sólo de vez en cuando en la obra, sino continuamente, la atmósfera de un mundo cotidiano, que evocase, a pesar de todas las transformaciones, aquél en el que el poeta había vivido —recogiendo, por así decirlo, ecos de voces recordadas—, le hicieron descartar la convención de la forma métrica y el escenario y los actores. En su mente la prosa era una garantía de autenticidad de un género peculiarmente personal: «A los demás señores hablo yo en verso, y a Vex ᵃ en prosa, con que he dicho la verdad de lo más interior de mi corazón», asegura a su protector el duque de Sessa.

La insistente suposición de que en *La Dorotea* hay un pasado personal que se recupera en todos sus pormenores, aunque no todo tenga que tomarse al pie de la letra como autobiográfico, traslada a la esfera del arte una tendencia de los últimos años de Lope que a mi entender ahora desempeña un papel decisivo: la necesidad de confesarse. La manera exhaustiva como se trata la historia de Fernando y Dorotea, la cuidadosa atención que se presta a la atmósfera ambiental, revela un intento artístico de explorar hasta el máximo los materiales de que dispone. Como si después de repetidos encuentros con él a lo largo de toda su vida, Lope ahora se viese empujado a una confrontación decisiva. Lo que pretende es una presentación estética de los hechos, pero el impulso debió de verse robustecido por las crisis de conciencia que empezaron alrededor de sus cincuenta años, los continuos exámenes interiores que acompañaron a su vocación sacerdotal, la práctica diaria de la confesión que caracteriza los años finales. En ciertos pasajes de *La Dorotea* en los que se intercalan elementos biográficos muy acusados, advertimos esa necesidad de confesión en lo que podría llamarse una forma no particularizada, no depurada estéticamente. Éste es el caso del insólito detallismo que figura en el relato incluido en IV, 1 de la vida anterior de Fernando-Lope, la morosidad con que se narran las vicisitudes de sus experiencias posteriores como rival de don Bela (V, 3); hasta la inclusión del horóscopo del porvenir sólo se redime parcialmente por una razón de ser artística. Gran parte de esos relatos pertenecen a un substrato de confesiones en bruto, todavía incoativamente personales y artísticamente inoperantes, sugestivas como *pentimenti* que no aparecen con toda claridad en el lienzo acabado. Lope parece impulsado por la necesidad de hacer por fin a su manera la confesión que no había llegado a hacer. Fernando-Lope cuenta cómo accedió a compartir a Dorotea con don Bela, aceptando el oro de don Bela por un intermediario, disfrazándose de mendigo para calmar las sospechas de don Bela y teniendo finalmente conflictos con la justicia; detalles tan humillantes y tan fuera de lo común, que sugieren algún oscuro impulso por parte de Lope de llegar hasta el fondo de sus recuerdos y liberarse al final de su vida de un agobiante pasado. Estos materiales en bruto se utilizan por una necesidad personal de carácter psicológico y espiritual, [y ayudan a comprobar] con qué facilidad las esferas de lo sagrado y de lo profano se superponen en Lope.

No obstante, esos casos extremos sin depurar son excepciones, porque *La Dorotea* es el fruto de un examen de conciencia orientado desde el punto de vista estético, no religioso, un examen de la capacidad de un artista, de sus recursos artísticos y de las posibilidades creativas de los materiales que tenía en reserva. La absolución a que aspiraba no era sacramental, sino estética, no era la reconciliación de un alma con Dios, sino de un artista con su experiencia, del corazón de Lope con el mundo. Sin querer llevar el paralelo demasiado lejos, advertimos que ese proceso origina el equivalente profano del gozo espiritual, un sentimiento semejante al de la liberación personal, una ligereza de espíritu, incluso un júbilo. La firme serenidad de la visión de Lope, su cariño indulgente por el mundo que ha creado, y al mismo tiempo su emancipación de él, constituyen aspectos de un mecanismo psicológico análogo al que se da en la confesión religiosa.

KARL VOSSLER

LOPE EN SUS CARTAS

Cuando se lee el epistolario de Lope con el duque de Sessa, desde 1605 hasta su fin, se entera uno de las contradicciones divertidas y lamentables, lastimosas y tragicómicas en que se enmaraña y al mismo tiempo de la curiosa agilidad con que sabe resolverlas. El sexto duque de Sessa, don Luis Fernández de Córdoba Cardona y Aragón, tenía veintitrés años entonces, y Lope cuarenta y tres. [Sessa era uno de los hombres más galantes de su tiempo, ingenio apasionado, conocedor y coleccionista de obras poéticas; sostenía un extenso, florido y sotil epistolario erótico-literario con damas y damiselas. No sólo quería los servicios de Lope para sus propios devaneos, sino que también quería participar en el goce de los secretos, de las cuitas y pasiones de su poeta. Sin reserva y sin pudor se le confió éste y se estableció entre ambos pecadores una especie de hermandad en la que el gusto de la aventura erótica del uno competía con el del otro y se hacía más intenso.] Lo que da a este compadrazgo un cierto encanto es únicamente el ingenio y el espíritu de Lope, mal empleados aquí, pero estimulados sin duda. El lenguaje de las cartas de Lope al duque es, con frecuencia, muy oscuro para nosotros y hay en sus giros alusiones y jocosidades cuyo alcance no nos es dado medir. Por lo general vivían ambos en Madrid y casi se veían diariamente. La frescura de la expresión recuerda, a menudo, el tono de *La Dorotea*, [y muestra siempre] la fuerza natural intacta con que su personalidad se afirma, incluso en el envilecimiento, la espontaneidad con que en él se compadecen cálculo e instinto, astucia y sinrazón, abnegación y egoísmo, abyección y amor. [...]

Lo que hizo Lope por su duque no se redujo a palabras lisonjeras, versos de ocasión y dedicatorias de comedias. Llegó a prestarle, mientras fue joven el duque, verdaderos servicios de alcahuete. Incluso

Karl Vossler, *Lope de Vega y su tiempo* (1932), trad. cast. de Ramón de la Serna, Revista de Occidente, Madrid, 1940², pp. 71-73, 75-79 (pero las citas remiten a la edición por A. González de Amezúa del *Epistolario de Lope de Vega Carpio*, 4 vols., Real Academia Española, Madrid, 1935-1943).

llegó, medio en broma, medio en serio, a ensalzarle los encantos eróticos de su propia amiga, fingiéndose celoso para salpimentar la «gracia». Lo más notable, sin embargo, que pudo ofrecer, y lo hizo generosamente, fue el ejemplo de su propia conducta vital escandalosa, horrible, seductora, loca y abigarrada como la más divertida de sus comedias, cuyo espectáculo hizo ver al duque entre bastidores.

En agosto de 1613 enviudó Lope y a principios del año siguiente vistió el hábito sacerdotal. «El ánimo dispuse al sacerdocio, / porque este asilo me defienda y guarde.» «Dejé las galas que seglar vestía; / ordenéme, Amarilis, que importaba / el ordenarme á la desorden mia», dice en sus versos. En su prosa confidencial al duque la cosa presenta bien distinto aspecto. Desde Toledo, donde había de tener lugar su toma de hábito, escribe el 15 de marzo de 1614:

Llegué, presenté mis dimisorias al de Troya, que así se llama el Obispo, y dióme Epístola; para que Vuestra Excelencia sepa que ya me voy acercando a capellán suyo; y sería de ver cuán a propósito ha sido el título, pues sólo por Troya podía ordenarse hombre de tantos incendios; mas tan cruel como si hubiera sido el que metió en ella el caballo, porque me riñó porque llevaba bigotes; y con esta justa desesperación yo me los hice quitar, de suerte que dudo que Vuestra Excelencia me conozca ... Aquí me ha recibido y aposentado la señora Gerarda con muchas caricias; está mucho menos entretenida y más hermosa. Besa los pies de Vuestra Excelencia, y me manda le escriba mil recados (n.º 138).

Esta «Gerarda» era la comedianta Jerónima de Burgos, famosa por su arte y malfamada por su vida. Lope había compuesto para ella, en la primavera de 1613, una de sus más bellas comedias, *La dama boba*, y ya en Segovia había vivido con ella. Pronto se adueñó otra de su voluntad. «Que para huir de una mujer no hay tal consejo como tomar posta en otra, y, trote o no trote, huir hasta que diga la voluntad que ha llegado donde quiere, y que no quiere lo que quería», escribe al joven duque; y en otra ocasión se expresa así: «Ya estos delitos míos corren con mi nombre, gracias a mi fortuna; que no me han hallado otra pasión viciosa fuera del natural amor, en que yo, como los ruiseñores, tengo más voz que carne. Veinte días hablé con *La Loca*, y lo he pagado hasta en mis descendientes como pecado original» (n.º 264). Con esta loca —se trataba de la comedianta Lucía Salcedo— fue acaso con la que más comprometió su persona y su hábito sacerdotal.

Era pleno verano de 1616 cuando repentinamente se trasladó de Madrid a Valencia con el pretexto de visitar a su hijo, que allí vivía como monje descalzo. ¿Existió alguna vez semejante hijo, o es que se apoderaron del poeta, con violencia despiertos, los recuerdos de alegres días de juventud pasados en Valencia? Se había enterado de que su antiguo señor, el marqués de Sarria, ahora conde de Lemos, regresaba a la hermosa Valencia, cumplida su misión como virrey de Nápoles y que traía con él una compañía de comedias a la que pertenecía «la loca». Quería ir a su encuentro y celebrarlo, rejuvenecerse cerca de la que amó primero y luego detestó, quería recibir nuevos estímulos para su labor dramática, y lo que consiguió fue atrapar un tabardillo de todos los demonios que le obligó a guardar cama durante diecisiete días, ponerse en ridículo ante todo el mundo y regresar en septiembre flaco y mohíno. «… y hablen en mí … como hablan en los grandes; que no es mucho que si en el mar de la murmuración se pierden bajeles de alto borde, se anegue mi barquilla, tan miserable, que apenas se ve en las aguas, y que por cosa inútil la pudieran perdonar las olas de la ociosidad y los vientos de la envidia» (n.º 265). Sin embargo, el mismo año le fue otorgado a Lope, por mediación de Sessa, el cargo de procurador fiscal de la Cámara apostólica. La opinión pública olvidó pronto: no exigía de los religiosos canónicos rigores de conducta. ¿Qué hubiera sido de la literatura y del teatro en España si se hubiese vedado su cultivo a la gente de hábito?

Por lo demás, Lope, que tropieza y cae tan fácilmente como un niño que aprende a andar, está dispuesto siempre a levantarse de nuevo, incansable de buenos propósitos, remordimientos, penitencias, contriciones y plegarias, que sustituye luego por nuevas recaídas pecaminosas, de modo que este caer y levantarse llega a constituir en él un hábito conocido y se nos aparece como el verdadero estilo normal de la Humanidad devota y pecadora, segura de la gracia, dirigirse a la cual con pretensiones de mejoramiento y reforma sólo a un hereje se le puede ocurrir. A sus apuros de conciencia, por lo tanto, por muy sincera y vivamente que los sintiese él mismo, no podemos atribuirles mayor importancia que a los ataques de mareo que perturban al pasajero de una nave tan segura y poderosa como era la Iglesia en la España de entonces. El hecho de que en esta nave (por no salir de la imagen) no fuese Lope pasajero, sino ordenado marino, y que debiera estar, por lo tanto, a prueba de mareo, no hace sino aumentar la comicidad de las situaciones en que se coloca.

Meses después de su consagración sacerdotal le negó la absolución su confesor si persistía en su faena de corrector de estilo de las cartas galantes del duque.

Heme entristecido de suerte que creo no me hubiera ordenado si creyera que había de dejar de servir a Vuestra Excelencia en alguna cosa, mayormente en las que son tan de su gusto; si algún consuelo tengo, es saber que Vuestra Excelencia escribe tanto mejor que yo, que no he visto en mi vida quien le iguale; y pues esto es verdad infalible y no excusa mía, suplico a Vuestra Excelencia tome este trabajo por cuenta suya, para que yo no llegue al altar con este escrúpulo, ni tenga cada día que pleitear con los censores de mis culpas; que le prometo que me aventaja tanto en lo que escribe como en el haber nacido hijo de tan altos príncipes. No había osado jamás decir esto a Vuestra Excelencia, por mi amor inmenso y mis infinitas obligaciones, trampeando cada día lo mejor que podía el modo de confesarme; ya ha llegado a no ser posible menos (n.º 153).

Pero el duque no quiere prescindir del arte de su secretario, e irritado le aconseja tomar otro confesor, lo que pone en mayor aprieto a Lope, que replica: «Estos no son escrúpulos, sino pecados para no hallar la gracia de Dios, que es lo que yo agora deseo». Acaso para influir en el ánimo del severo confesor fra Martín de San Cirilo, o para reconciliarse con él, le dedica Lope, en el otoño del mismo año, sus *Rimas sacras*.

Otro breve ejemplo nos demostrará hasta qué punto se enhebraba el siglo en su sacerdocio. En el verano de 1616 pretendió en Ávila una capellanía y predicó en esta ciudad «como un Demóstenes». De retorno a Madrid ya, le detuvo en Segovia el empresario Sánchez hasta que acabó de componer la prometida pieza *El mayor imposible*, regalándole con truchas, en medio de un calor sofocante y una plaga de insectos. «*El mayor imposible* —escribe al duque—, así se llama una comedia que le escribí, si no lo fue el poderlo hacer con la mayor cantidad de pulgas que desde las plagas de Egipto ha visto el mundo» (n.º 209).

Cuando años más tarde incluso el animoso Sessa se dejó reiteradamente invadir por la melancolía, el remordimiento y el temor de la muerte, decidiendo dictar su testamento, fue Lope el encargado de quitar a su señor semejantes escrúpulos de la cabeza.

Pero admírome mucho que en tiempo de tan excesivos calores Vuestra Excelencia trate de hacer testamento; que, si bien ningún discreto le guardó para con calentura, casi es lo mismo la que tiene el tiempo; alabo el pensamiento, estimo el ejemplo, y en caniculares es alta materia del estado de la salud recordarse de la muerte. Sólo no querría que este impulso procediese de melancolía; porque si Vuestra Excelencia, señor, da en hipocondríaco, todos somos perdidos, y en dos palabras convertiremos la[s] andola[s] en quiries. Gran seso dan los sucesos: no hay que culpar los años, que en Vuestra Excelencia son muy pocos, y no le ha puesto ceniza en un cabello la cuaresma de los desengaños. Justo es sentir; pero... señor, dio un hombre en Salamanca en decir que no podía salvarse. Lleváronle a un religioso, gran letrado, y dijo que lo miraría despacio. Volviéronsele otro día, y díjole que era verdad que estaba condenado para siempre, porque él lo había hallado así en sus libros. El hombre entonces, llorando, dijo: —Pues, Padre, ¿y la sangre de Dios?— A quien el fraile replicó: —Pues, perro, si sabes eso, ¿para qué dices que no te puedes salvar? Largo es el cuento; la aplicación es breve. Pues, señor duque, ¿y la sangre del Gran Capitán? ¡Cuerpo de tal!, ¿el valor no ha de tenerse asimismo en todo acontecimiento? A fee que si yo estuviera con más salud, que no había de estar Vuestra Excelencia ocioso; que de eso nace estar triste (n.º 526).

Para darle ánimos le incluye un soneto que parodia muy divertidamente el estilo culterano en boga y que se reproduce en La Dorotea («Pululando de culto, Claudio amigo, / derelinco la frasi castellana ...»). Cuando escribió esta carta de consuelo, tan rebosante de frescura, tenía setenta años o poco menos, el destino le había asestado rudos golpes y sus hombros de titán soportaban el peso de una labor enorme.

2. EL TEATRO EN EL SIGLO XVII

PABLO JAURALDE POU

Dos actitudes críticas opuestas —escribía José Bergamín [1933]— han determinado largamente la imagen del teatro clásico español, «para exaltarlo, una, y la otra, para denigrarlo; la primera fue la de los románticos del XIX; la segunda lo había sido la de los neoclásicos, academistas del XVIII. Entre estas dos actitudes, el eclecticismo naturalista y positivista posromántico quiso equilibrar su criterio, presumiendo de ecuanimidad, y no logró, por consiguiente, más que una inconsecuencia y una incomprensión poética doble. Por eso nos encontramos hoy, ante el conjunto arquitectónico de ese teatro, como ante un laberinto cerrado del que no podemos salir porque no hemos podido entrar; ante el cual lo primero que necesitamos es conocer la entrada para poder saber, después, si de lo que se trata es de que encontremos la salida». No es fácil, ciertamente, equilibrar datos, interpretaciones y gustos (personales o de época) al enfrentarse con ese «laberinto teatral del XVII». Pero el estado actual de la crítica y la erudición permite ya penetrar en él con una cierta idea de cómo moverse en sus incontables avenidas y recovecos.

Por de pronto, no es dudoso que el auge del teatro durante el último tercio del siglo XVI y a lo largo del XVII tuvo su origen inmediato en una especie de concierto económico con los hospitales y cofradías piadosas de las grandes ciudades y, por este medio y algo más tarde (hacia 1630 en Madrid), con los ayuntamientos. Lo historió cumplidamente la vieja crítica: Casiano Pellicer, Schack, Pérez Pastor, Sánchez Arjona, Rennert, etc. Pero así no se explicaban ni las causas de su repentina popularización ni las características peculiares de la «comedia nueva».

El estudio de la tradición literaria, en este sentido, daba escasos resultados, ya que parecían mayores las novedades que la herencia. La tradición teatral de los primeros autores del siglo XVI parece haberse roto a mediados de siglo (Arróniz [1969], pero véase Surtz [1979]). Los puntos de referencia más sólidos podían hablarnos de formas de teatro popular en continuo desarrollo (Varey [1957], Caro Baroja [1974]), de compañías teatrales italianas venidas a la Península (Falconieri [1957], Arróniz [1969]), de obras y autores que se aprovechan de esa circunstancia, particularmente en Lope de Rueda (véase HCLE, vol. 2, cap. 10; Arróniz [1969] lo trata fundamentalmente desde esta perspectiva; para el entremés, Asensio [1965]), así como de un foco teatral importante en la Valencia burguesa y mercantil del último tercio del siglo XVI (Froldi [1968²], Weiger [1976], Arróniz [1977], Sirera [1981], Oleza [1981 b]). Reconstruir el perfil de esas y otras manifestaciones hasta llegar a la época de esplendor durante la primera mitad del siglo XVII significa de todos modos plantearse el problema con mayor amplitud, pero no solucionarlo. ¿Por qué el auge de manifestaciones teatrales durante todo ese período?

Para contestarnos, contamos ahora con excelentes instrumentos críticos, entre los cuales la espléndida serie documental que vienen editando Varey y Shergold ([1960, 1971, 1973, 1975 y 1979]) y la historia de la actividad escénica por este último [1967] destacan por su riqueza informativa, muy lejos ya de las viejas aproximaciones: Lessing, Tieck, Schaeffer, Klein, Schlegel, Schack, etc.[1]

El origen y características esenciales del teatro español del Siglo de Oro se ha indagado a partir de los elementos básicos de estas manifestaciones dramáticas. Ahora bien, la definición misma de la «comedia nueva» ha podido hacerse desde múltiples perspectivas: como género dramático, como espectáculo, como quehacer literario, etc. El común denominador

1. La parte correspondiente a este período se halla tratada, claro es, en otras historias teatrales de carácter general, entre las cuales conviene destacar las de Valbuena Prat [1969] y la de Ruiz Ramón [1979]. Por otro lado, en cuanto a las obras de conjunto, la más completa se debe a Aubrun [1968], sin olvidarnos de otras introducciones análogas, desde la muy breve de Carilla [1968], pasando por las equilibradas de M. Wilson [1968] y Leavitt [1971 y 1972], hasta la más ambiciosa de Wilson-Moir [1974] o las aproximaciones más parciales de Weiger [1978], desde la perspectiva del teatro valenciano, y Surtz [1979], que resalta la tradición prelopesca de ciertas convencionalidades teatrales. Algunos clásicos de la crítica se han reeditado recientemente, caso de Rennert [1909, en 1963] y Crawford [1937, en 1967]. En el terreno de las bibliografías hay que partir todavía de La Barrera [1860], también reeditado en [1968 y 1969]; pero existen aportaciones bibliográficas que van cubriendo el campo cada vez con más detalle (McCready [1966]; Artiles y Madrigal (cf. abajo), sobre la honra y el honor; Flanigan [1976], acerca de la crítica sobre el drama litúrgico; Griffin [1976], que recoge lo referente al drama escolar de los jesuitas; y véanse abajo los capítulos 3, 8 y 9), complementando la información puntual y sistemática de revistas especializadas como el Bulletin of the Comediantes o la Revue d'histoire du théâtre. Entre las españolas, algunas se asoman muy de vez en cuando a nuestros clásicos: Primer Acto, Pipirijaina, etc.

se deja extraer rápidamente: manifestaciones esencialmente urbanas tuvieron aceptación en amplias capas de la población, sirvieron como vehículo a obras literarias muy características, «comedias nuevas». Pero si señalar los rasgos fundamentales de esta nueva comedia es relativamente fácil —tres actos, polimetría, intriga secundaria, humor, papeles como el del «gracioso», etc.—, referirse a su función y a su configuración ideológicas es algo más complejo y discutido. La tesis de Reichenberger [1959, 1970 y 1975] vino a formular modernamente —es decir, con un matiz inmanentista o literario— lo que la crítica tradicional —Menéndez Pelayo, Pfandl, Vossler incluso— llamaba significativamente «teatro nacional»: una empresa colectiva creada primeramente por el genio de Lope y de la que era protagonista todo el pueblo español. El dramaturgo es la voz que moldea artísticamente los ideales, convicciones, aspiraciones y creencias de su público. Para Reichenberger la estructura de la comedia nueva sigue el módulo de «orden perturbado a orden restablecido» y se asienta sobre los pilares básicos de la honra y de la fe. Así «singulariza» la «comedia española» del Barroco.

Además de haberse puesto en entredicho esa singularidad directamente (Bentley [1970]), el método de análisis del «metateatro», formulado teóricamente por Abel [1963], pero que ya había servido a la crítica anglosajona para dilucidar aspectos teatrales del Barroco peninsular (Wardropper [1958, 1970]), vino a señalar la identidad de muchos aspectos entre el teatro isabelino y el español, con lo que se negaba la «singularidad» de este último (Sloane [1970], O'Connor [1975], Casa [1976], Lipman [1976], McCrary [1978], Madrigal [1979]). El término «metateatro» recubre una gama muy amplia de posibilidades dramáticas a partir de la idea de que la vida, previamente a la escritura del dramaturgo, está ya dramatizada. Como se observará, idea esencial en obras como El gran teatro del mundo o La vida es sueño. Curiosamente, e ignorando todo el alud crítico desatado por la obra de Abel [1963], Daniel Devoto [1979] ha recopilado en un documentadísimo trabajo aspectos de lo que él llama el «antiteatro» calderoniano, es decir, uno de los resultados o posibilidades del metateatro. El panorama de tan debatida cuestión puede conseguirse últimamente en E. W. Hesse [1977] o Madrigal [1979].

Más elaborada y con el respaldo de muy sugestivos estudios sobre obras, autores y aspectos concretos [1953, 1962, 1974], tanto suyos como de otros colegas (Wilson [1936 y 1946, principalmente]), la tesis de A. A. Parker [1957] se basa en caracterizar el teatro clásico español por la subordinación del tema a una finalidad moral por medio de la justicia poética, lo que explica como esenciales el predominio de la acción sobre la caracterización y del tema sobre la acción (léase con las relativamente suaves objeciones de Pring-Mill [1968]).

La crítica anglosajona ha venido desde entonces ensayando un modo de acercamiento temático y psicológico al teatro español clásico, en la línea de Wilson y Parker, método que, con mucho, domina hoy en la crítica hispánica. Cierta tediosa asepsia en la utilización de estos procedimientos críticos y la sensación de que muchas cosas importantes —de la estructura poética, del carácter espectacular del texto considerado y de la vertiente ideológica— escapan al análisis de la crítica anglosajona han provocado reacciones dispares, muy saludables (véase el severo análisis de Rubio [en prensa], el «vuelco» de Sanchis Sinesterra [1981], o las lamentaciones sociológicas de Maraniss [1978]).

Otro notable hispanista inglés, Bruce W. Wardropper, ha ensayado la caracterización de la comedia española del Siglo de Oro [1961, 1966, 1974], incluso desguazando un campo harto complejo a base de reencontrar los subgéneros de la auténtica comedia o confrontándolo con posturas teóricas lejanas al hispanismo [1978]. En el intento de descubrir la madeja poética de la obra teatral [1973], Wardropper ha sospechado que las principales técnicas usadas por los dramaturgos para conseguir esa estructura poética fueron adaptaciones al teatro de rasgos típicos de la lírica, como el uso de una idea como tema poético, las imágenes, el metateatro y la ironía. Por ese camino ya se han lanzado a trabajar nuevos investigadores (Gitlitz [1980]). Sobre su metodología caen objeciones parejas a las que se hacen a toda la crítica anglosajona anterior, y en este último caso la de reducir la manifestación teatral a mero texto poético.

Resulta muy llamativo, por otro lado, en el actual panorama de la crítica teatral el abanico de métodos distintos. La crítica temática y psicológica —a la que hemos aludido más arriba— sigue siendo la base fundamental para la explicación concreta de obras, temas y aspectos dramáticos, es cierto; pero se han ensayado o se están ensayando ya los métodos utilizados en ciencias afines o propuestos por la epistemología moderna. Kuhn está en la base de los ensayos de Forastieri, que intentan además conservar una raíz marxista [1976, 1978]. Propp es el modelo lejano de los intentos formalistas de Weber de Kurlat [1975 a, 1975 b, 1976, 1977] por hacerse con la morfología de la comedia. Chomsky es el teórico de fondo de quienes como Fischer [1979] ensayan la globalización del fenómeno («reader-response criticism»), por encima de la mera consideración de la obra, etc. Los resultados de todo ello habrán de verse en el futuro, cuando de posturas gnoseológicas se pase a tareas concretas y métodos asequibles al resto de la crítica por su rigor, efectividad y claridad. Más aventurados parecen los procedimientos basados en corrientes filosóficas muy localizadas (Parr [1974], y sobre todo Wade [1974]); y de menor aunque valioso alcance los que se apoyan en procedimientos de exacta cuantificación (Weiger [1980]). Nos referiremos, en fin, algo más abajo a las corrientes socioliterarias de la crítica teatral.

Cuando el género comienza a triunfar, autores, preceptistas y hasta moralistas se plantean la espinosa cuestión de carearlo con presuntos modelos, particularmente con la comedia y la tragedia clásicas. La comparación pone en evidencia la parcial heterodoxia de las nuevas manifestaciones teatrales, por lo que pronto surgen detractores y panegiristas en una polémica sin fin (Cotarelo [1904], Metford [1951], Wilson [1961, 1967], García Berrio [1978]) que enriqueció las preceptivas de la época (Sánchez-Porqueras [1972²], Newels [1974]). Ante todo se discutían las denominaciones mismas de aquellas manifestaciones teatrales: comedia, tragedia, tragicomedia (Morby [1943], Moir [1965], Ruggerio [1972], Newels [1974]). Lo esencial ha sido constatar el abuso del término «comedia», justificar la utilización del híbrido «tragicomedia» (una consideración geográficamente más extensa en Herrick [1962]; véase también Smith [1978] y últimamente Bradbury [1981]) y encontrar el modelo teórico válido para la tragedia de determinadas obras de nuestro Barroco.

Quizá ningún otro aspecto haya desatado tanta literatura crítica en este terreno como el de la naturaleza de la tragedia española del siglo XVII (Mac Curdy [1971 y 1973]). Después de las sesudas consideraciones de Morby [1943], los estudios de Parker [1962, 1974], la monografía de Mac Curdy sobre Rojas Zorrilla [1958], y las consideraciones de Watson [1963], C. A. Jones [1970], Horst [1977], Edwards [1978] y Mac Curdy [1979], se suele admitir que existió un modelo de tragedia (Levitan [1977] para el caso de Lope; Neuschäter [1973] para el de Calderón) que presenta las variantes obvias, con respecto a la clásica, de las concretas circunstancias de la España católica de los Austrias. A la luz de estas circunstancias, el sentido de culpa, el libre albedrío, los elementos humorísticos a veces insertos, etc., encuentran una explicación lógica que da cuenta de su uso peculiar. En efecto, lo esencial de la tragedia (Steiner [1961], y véase el último resumen de Oostendorp [1981]) choca frontalmente con el concepto cristiano de providencia divina. Sin embargo, aunque no hubo en la sociedad española una crisis de fe, sí que hubo (Cruickshank [1981]) una crisis de valores, situación que puede conducir a un modelo de tragedia peculiar: por ejemplo, la de aquellos que tratan de vivir de acuerdo con valores inadecuados o imposibles en su contexto histórico. Lo único que ocurre, si aceptamos tales presupuestos, es que el concepto de tragedia se ensancha hasta abarcar a toda la literatura problemática.

La polémica sobre la tragedia animó quizás a considerar también la comedia a la luz de los modelos clásicos y a señalar de esta manera mejor sus rasgos esenciales y distintivos. Es una tarea que puede seguirse sobre todo a través de los estudios de Wardropper [1961, 1966, 1978], quien recuerda ensayos similares de Rothberg [1963] y las objeciones que encontró para una consideración «seria» del género, por ejemplo en C. A. Jones [1971]. Pero el criterio de Wardropper parece imponerse en la crítica actual (Horst [1977]), que entronca de este modo con la perspectiva también trascendente de la crítica sociológica (Wardropper [1978], Maravall [1972 y 1975]). (Para la comedia de capa y espada, véase también Gregg [1977-1978].)

El interés que despertaron estos problemas en su época explica el brote de dramaturgos que se afanaron por escribir auténticas tragedias o, por lo menos, no tan alejadas de los preceptos aristotélicos, si no buscando el modelo senequista (Mac Curdy [1964]). El gozne entre unos y otros se halla en algunos de los dramaturgos aludidos arriba y en Cervantes (véase HCLE, vol. 2, y Meregalli [1980]); por eso su historia crítica resulta tan controvertida y compleja.

En cuanto al problema de las clasificaciones, íntimamente unido al de las polémicas de los preceptistas, ha tenido escaso tratamiento crítico (Keller [1953 y 1954]), contentándose los estudiosos las más de las veces con aceptar, a regañadientes, la clasificación de Menéndez Pelayo; esto es, una clasificación fundamentalmente temática, que distinguía entre piezas cortas (autos sacramentales, autos del nacimiento y coloquios, loas y entremeses) y comedias, subdividiendo éstas en religiosas (asuntos del Antiguo Testamento, del Nuevo Testamento, de vidas de santos y leyendas y tradiciones devotas), mitológicas, sobre historia clásica, sobre historia extranjera, crónicas y leyendas dramáticas de España, comedias pastoriles, caballerescas, de argumento extraído de novelas, de enredo y de costumbres (urbanas, picarescas, rurales y palatinas). De todos modos, cualquier intento de establecer distingos y naturaleza de los géneros dramáticos supone una clasificación (ejemplos clarísimos: Weber de Kurlat [1976 y 1977], Wardropper [1978]).

El punto de referencia constante para estas cuestiones teóricas es el Arte nuevo (1609) de Lope de Vega, asediado por la crítica para extraer, a pesar de sus ambigüedades de fondo y estilo, una doctrina clara sobre la comedia nueva (véase cap. 3).

No es del todo arbitrario distinguir durante el período que va de 1575 al último tercio de la centuria siguiente una serie de etapas primordiales. De 1575, aproximadamente, a 1587 ocurre la llegada masiva de las compañías italianas a la Península, lo que significa el triunfo de la comedia del arte (Listerman [1976]), el desarrollo urbano del teatro, su comercialización en teatros —y posiblemente para un público— de modo estable, y la tecnificación de la puesta en escena. Durante el período siguiente, 1587 a 1620 aproximadamente (véase Shergold [1967] sobre la coyuntura de 1604, pero refiriéndose tan sólo a una nueva etapa escénica), se da el momento de esplendor de los corrales y la nacionalización de las compañías. Durante los años siguientes, hasta mediados de siglo, junto al teatro de corrales se desarrollan, sobre todo en representaciones palaciegas, técnicas cada vez más sofisticadas y complejas, con las que se representan obras que han derivado hacia el enredo puro, por una parte, o hacia la densidad y profundidad temática de parte del teatro calderoniano, por otra. El teatro del siglo XVII tendrá aun larga vida en la centuria siguiente, por lo menos en el favor del público, cuando ya la creación de obras nuevas y realmente valiosas languidezca (Andioc [1976], y véase abajo, cap. 9).

Las manifestaciones teatrales durante estos períodos sufren transformaciones de todo tipo que afectan tanto a la estructura y contenido de la obra, del texto, como a las cualidades aspectuales que derivan de la forma dramática: escenario, representación, actores, público, subgéneros, etcétera. Todas estas transformaciones, empero, poseen el denominador común dramático de la época: la «comedia nueva» en los corrales y, posteriormente, en los corrales y en los teatros cortesanos.

El primer paso, por tanto, que conduce a esos aspectos comunes consiste en el tránsito de un teatro itinerante a un teatro urbano fijo, lo que se produce con la llegada de las compañías italianas —desde 1575, aproximadamente—. Las innovaciones aportadas por la comedia del arte a través de las compañías italianas (Falconieri [1957], Listerman [1976], Arróniz [1977], Antuono [1981]) se refieren primeramente al enriquecimiento y tecnificación progresiva de la puesta en escena (Shergold [1956 y 1967], Arróniz [1977]), pero afectan a numerosos otros aspectos y hábitos dramáticos, como la modificación del calendario (aumentando los días de representación), los toldos de los corrales, posiblemente la presencia de la mujer actriz en escena, los aspectos de las figuras cómicas y quizá del mismo «gracioso», etc.

La primera obra de teatro representada bajo los auspicios de un hospital fue la de Madrid de 1568 para la Cofradía de la Pasión y Sangre de Jesucristo. La novedad se reprodujo rápidamente en otras grandes ciudades, con circunstancias peculiares en cada caso: Sevilla (1585), Valladolid (1575), Zamora (1574), Valencia (hacia 1566), Barcelona (1579), Zaragoza (1588), Granada (1588), Toledo (1576), Murcia (1592), Córdoba (1602), etc. En 1594 se documenta ya en el Nuevo Mundo. Lima, y en seguida (1597) en México capital. El triunfo de la comedia en los corrales, así como la efervescencia teatral en otros aspectos (Varey [1957]), atañe también al auge de las representaciones palaciegas, que hasta cierto punto habían tenido un desarrollo independiente. En 1607 la corte abandona el rígido escenario de los salones del Alcázar. A partir de 1622 los monarcas impulsan la construcción de coliseos en los Reales Sitios —El Buen Retiro, Aranjuez— que imitan primero y desarrollan después la estructura de los corrales de comedias (Shergold [1958, 1963 y 1967]). Al menos a partir de 1600, por otra parte, la afición se extendió a zonas rurales, a donde llegaban aprovechando ferias y fiestas las giras de las compañías reales o en donde representaban todavía las de «la legua» (Salomon [1960 y 1965], Sánchez Romeralo [1981]).

Los corrales de comedias (Falconieri [1965], Shergold [1967], Arróniz [1977], Allen [1980]) fueron inicialmente los patios interiores de alguna manzana de casas en donde se montaba un escenario simple y se habilitaban para los espectadores tanto el espacio descubierto restante del patio como las habitaciones («palcos») que daban a él. Un patio típico, como el Corral de la Cruz en Madrid, medía 14 por 18 metros. Generalmente se cubría con toldos para protegerse del sol, pues cuando llovía había que suspender la representación, a pesar de las localidades cubiertas: los palcos, desde luego, y algunas gradas a ambos lados del patio, a izquierda y derecha del escenario, con cabida para poco más de cien personas. Como no era posible cambiar la «estructura» del corral, las ampliaciones se consiguen abriendo más balcones («palcos», «cazuela», «desván», «tertulia»...), o incluso construyendo para ello más pisos en las casas colindantes, de modo que el teatro crecía hacia arriba, de una forma muy característica, todavía apreciable en los viejos teatros de hoy, que hasta hace poco se construían respetando aquella estructura.

El corral tenía entradas independientes para las diversas localidades —jerarquizando económicamente al público—, para mantener en gradas y patio la separación de sexos, ya que las mujeres, cuando no iban a los palcos, se sentaban en la «cazuela», palco corrido frente al escenario, que a veces tuvo dos partes, la baja o galerón corrido, y la alta que lindaba con la «tertulia» o desván reservado a los religiosos. Pero esta separación de sexos no se hacía en el caso de los «palcos», localidades por ello más caras que se solían alquilar por años a nobles o personas de elevada posición económica. Algunos «palcos» se reservaban para las autoridades.

La administración de los corrales fue cuestión muy debatida a lo largo del tiempo (Varey-Shergold [1960, 1971, 1973, 1975, 1979]). Toda una serie de ingredientes —exóticos hoy— pueden ayudar a completar este breve cuadro; su noticia proviene tanto de la literatura de la época (Recoules [1968], J. Hesse [1965]), novelistas y costumbristas sobre todo, como de la riquísima documentación exhumada por Varey y Shergold y que ha servido para clarificadores ensayos posteriores, como el resumen de Díez Borque [1978].

La representación teatral fue al comienzo un ingrediente festivo más del día feriado; pero según conseguía el favor del público, y el beneficio económico, fue ocupando los días laborables —martes y jueves al comienzo— hasta llegar a la representación diaria. Los corrales se cerraban el miércoles de ceniza y se abrían después de Pascua; las mejores épocas, al decir de los arrendatarios, eran las del Corpus y el otoño. Solían comenzar a las dos o las tres de la tarde en invierno y hacia las tres o las cuatro en verano. Duraban entre dos horas y media y tres horas, pero tenían que concluir —por razones morales y de policía— ·antes del anochecer. El teatro se llenaba bastante antes de la hora de comienzo. Hay espectadores que se llevan vituallas para comer allí; otros compran en el patio mismo frutos secos, dulces y frutas; se bebe «aloja». Todo parece indicar un ambiente animado y festivo.

Como no existe telón de boca, el principio del espectáculo tiene que hacerse llamando la atención del público para imponer silencio, cuando se trata de una comedia mediante un efecto escénico (por ejemplo: *Amar sin saber a quién*, de Lope; *Por el sótano y el torno*, de Tirso; o *La vida es sueño*, de Calderón). Pero generalmente el espectáculo se comienza con una «loa» precedida o acompañada de un «tono» o canto con música de guitarras y vihuelas. La «loa», como su nombre indica, era una pieza corta, generalmente un monólogo recitado para predisponer favorablemente al público hacia la obra y la compañía, halagándole, o simplemente para ir consiguiendo su audiencia (Rico [1971 a], Flecniakoska [1968 y 1975]). Sigue el primer acto de la comedia. Por lo general las escenas iniciales fijan el tono de la obra y sirven para suplir la pobreza de decorados: los protagonistas, mediante largos parlamentos, tienen que dar a entender al público que se trata de un contexto mitológico, bíblico, pastoril, etc. El escenario no se queda vacío prácticamente nunca, ni siquiera durante los entreactos: la música, las canciones, el baile, algún largo y socorrido monólogo suspende a veces la acción para posibilitar el descanso o el cambio de indumentaria de los actores.

Acabado el primer acto se solía representar un entremés, género dignificado por Cervantes y cuyo itinerario ha sido trazado magistralmente por Asensio [1965] (véase también Jack [1923], Heidenreich [1962], Bergman [1965], y cap. 9). Sigue el segundo acto de la comedia. Entre los dos últimos actos suele romperse la unidad y la posible tensión dramática intercalando esta vez un baile o una jácara cantada. Cuando se ha representado el tercer acto, el espectáculo se cierra con alguna «mojiganga» o fin de fiesta, mezcla de música, baile y bullicio.

Un desarrollo tan peculiar del espectáculo permite considerar que la comedia es la parte esencial de un festejo mayor (Rico [1971 b], Díez Borque [1978]). Es difícil juzgar, con todo, si tantas interrupciones —normales, aunque no obligatorias— provocaban deliberadamente un «distanciamiento» brechtiano o eran tan sólo el desarrollo natural de un ardid que venía condicionado por el espacio y el público de los corrales.

Una obra duraba en cartel uno o dos días; como cosa excepcional, se mantenía hasta cuatro o cinco. Esto es importante, porque permite suponer un público bastante fijo, que exigía constantemente la renovación del espectáculo.

Durante el período de esplendor de la comedia, el escenario (Jacquot [1964]) fue muy pobre: la imaginación del público y los diálogos de los actores debían convertirlo en soporte fantástico de mil sitios distintos. Se trataba sencillamente de un tablado —bastante alto: por encima de los dos metros, para suplir la falta de desnivel del patio— de unos siete por cuatro metros. El hueco que cubría se utilizó, en la parte anterior como guardarropa y en la posterior como vestuario. A partir de 1620 en este foso se colocará la máquina de la tramoya. El escenario tiene normalmente tres niveles: balcón, tablado y foso o trampillas. No se conoció la cortina de boca hasta 1629; pero sí una cortina de fondo que sirve para sugerir la decoración, para las «apariencias». El vestuario de las actrices solía situarse detrás de los pilares que se levantan sobre el tablado y separado por un tabique, es decir, encima del de los hombres. Ambos se unían por una escalera. Sobre el vestuario de las mujeres un techo plano sirve, arriba, de corredor. Por la complicación paulatina del escenario y más adelante (hacia 1644 en Madrid) aparecerá encima un segundo corredor (la «torre», la «montaña», etc.). A estos corredores que limitan frontalmente con una barandilla se llega por una escalera posterior o lateral.

Aunque desde 1622 —fiesta de Aranjuez, representación de *La gloria de Niquea*, de Villamediana— se conocen las posibilidades de la iluminación artificial, los corrales no la utilizaron, en contraste con el teatro cortesano, que cada vez prodigaba con mayor ingenio los juegos luminosos.

Según Lope eso era suficiente para la «obra de ingenio»: un tablado, dos actores y una pasión. Pero cuando arremete —por ejemplo, en *Lo fingido verdadero* (1608)— contra el exceso de tramoya (Asensio [1981]), nos sugiere un público cada vez más ávido de un aparato escénico ingenioso y complejo. Curiosamente, porque la relativa sencillez de la tramoya era uno de los rasgos peculiares de la comedia nueva, frente a las obras de un Cervantes —digamos—, de a veces ricas acotaciones escénicas.

El proceso de enriquecimiento y tecnificación de la puesta en escena ha sido magistralmente estudiado por Shergold [1967] y bien matizado por Arróniz [1977], y cuenta hoy con valiosos estudios concretos (Shergold [1958, 1968], Baulier [1945]) que se deben completar con el manejo de un juego de ediciones en las que se preste importancia a estos aspectos. Arróniz [1977] recapituló en cuatro los elementos escenográficos esenciales: las apariencias, los escotillones del tablado, la tramoya y el pescante. Ya nos hemos referido a la cortina de fondo que sirve para las «apariencias» y a los escotillones que van a dar al foso. La tramoya fue primitivamente una especie de catafalco en forma de pirámide invertida, manejada en su vértice inferior por unas cuerdas; pasó luego a designar toda clase de efectos para la elevación, descenso, apariciones y desapariciones de actores u objetos. El pescante cumplía en parte una misión similar, pues se trataba de una grúa sencilla, más o menos grande. En cuanto al vestuario, el más lujoso y complejo fue el empleado en los autos sacramentales. La documentación recogida y ordenada por Esquerdo [1978] revela su variedad. Particularmente llamativos y buscados fueron los efectos sonoros y, en consecuencia, el papel de la música (Lundelius [1961], Sage [1956], Recoules [1972, 1974 y 1975], Pérez Sierra [1980]; véase cap. 8). El grado de complejidad escénica estaba en relación con el tema y el carácter de la obra: sabido es que las comedias de «capa y espada» eran las más sencillas (Gregg [1977-1978]); por el contrario, las de «santos» servían —milagros, apariciones, hechos sobrenaturales, etc.— para una ostentación de medios escénicos. Lo mismo se puede decir de la aparatosidad de las representaciones del Corpus (Varey [1964]), frente a la relativa sencillez de los corrales.

El año 1622 representa de modo claro el inicio de una tramoya a la italiana, bastante más compleja, que puso de moda un escenógrafo italiano —el capitán Fontana— y de la que el propio Lope se sirvió para sus tres comedias sobre San Isidro. En 1626 llega a la corte —también contratado por los monarcas— el florentino Cosme Lotti, un auténtico mago de la escenificación. Tres años después puso en escena *La selva sin amor*, de Lope, azarzuelada y, por primera vez, con telón de boca. El teatro portátil en que se representó estaba totalmente cubierto —requisito para la luz artificial— con un decorado en perspectiva e iluminación específicamente teatral. El tablado, por lo menos alguna de sus partes, se hallaba por debajo del espectador. Todo ello significa el divorcio entre teatro popular y teatro cortesano, que no hará más que aumentar en lo que resta de siglo, con una notable y llamativa incidencia sobre el texto dramático (Varey-Shergold [1963], Arróniz [1977]).

Durante la etapa lopista se disocian definitivamente el autor de la obra y el director de la compañía. Aquél venderá en adelante la obra al director de la compañía (el «autor», en el lenguaje de la época), quien la aprovechará libremente (Aubrun [1968]). El inicio de la cadena de producción tiene como centro, pues, al dramaturgo, quien a veces escribe su obra por encargo —cofradías, ayuntamientos, órdenes religiosas, casas nobiliarias, etc.—. En etapas tardías fue frecuente escribir obras en colaboración (un ejemplo: O'Connor [1974]), aspecto mal estudiado todavía. El dramaturgo, al vender su obra, pierde sus derechos, no sólo económicos, sino incluso sobre la integridad y pureza del texto. Sólo en 1651 Calderón reclamará derechos de autor sobre obras representadas por compañías no autorizadas. La compañía, que a veces cuenta con su propio «remendón» de comedias, la adapta, la representa y, si es buena, la vende a otro autor o a un impresor. Así se imprimieron las «sueltas» o, con mayor frecuencia, las colecciones, «partes», con las que habían gozado del favor del público o eran de algún autor renombrado. Y de aquí derivan complejos problemas textuales a los que la crítica no ha hecho más que asomarse (E. M. Wilson [1959], Hunter [1970], Cruickshank [1972 y 1973], Engelbert [1971], Lancashire [1976]; véanse capítulos 8 y 9).

A partir de 1608 existen doce compañías reales o grandes, frente a otras menores e itinerantes que se denominaban «de la legua». Las grandes compañías contaban con una treintena de actores, de los cuales la mitad eran «figurantes», y entre la otra mitad no podían faltar las primeras figuras: el galán y la dama, el «barba» para papeles graves, el gracioso y la criada, la dueña (Prades [1963]). Sobre el modo de representar alcanzamos poquísimo (Rozas [1980]). Los actores debían saber, además de las técnicas propias, bailar y cantar. La sospecha más generalizada es que su actuación debía de ser retorizante y recargada. Las investigaciones en este sentido se han ido por la senda de su condición social y avatares biográficos (Cotarelo [1915-1916], y sobre todo en los casos de investigación local, de la que sólo cito un ejemplo: Aguilar Priego [1965]). Las compañías reales representaban asiduamente en una misma ciudad, daban giras buscando las ferias de los pueblos, descansaban y se reorganizaban durante Cuaresma para enriquecerse, si eran del agrado del público, con las representaciones del Corpus.

La tradición crítica ha elaborado un corpus de temas, motivos y rasgos típicos del teatro español del Siglo de Oro. Son obras las nuestras que reducen la tajante oposición tragedia-comedia (véase arriba) basada en los preceptos clásicos; que rompen también con otras normas, sobre todo al dividir la obra en tres actos y al no respetar las famosas tres unidades, fundamentalmente las de tiempo y lugar. Emplean una expresiva variedad de recursos métricos (Bruerton [1956], Morley-Bruerton [1968²], Marín [1968²], Williamsen [1977 y 1978], Bakker [1981]) en sus aproximadamente 3.000 versos de media (Rozas [1976]). Intercalan —ahora ya no en el espectáculo teatral, sino en la obra misma— ingredientes musicales y de entretenimiento. Conceden un especial relieve a la «figura del donaire», contrapunto festivo del protagonista cuyos orígenes han sido muy discutidos (Place [1934], Herrero García [1941], Brotherton [1975]), y una de cuyas funciones fue la de transmitir al público, casi confidencialmente, una versión más desenfadada y familiar de lo que ocurre en escena (Ley [1954], Leavitt [1955], Mac Curdy [1956], Montesinos [1925, en 1967], Forbes [1975], Kinter [1978]). A veces centrada en el gracioso, a veces como estructura típica, la intriga suele ser doble (D. Marín [1958]; y algún estudio concreto como el de Rauchwarger [1976]) y servir de enlace entre los diversos personajes. Ello contribuye a la concepción dinámica de la obra y al desenlace rápido, primando la acción sobre la densidad ideológica. Todo relacionado con un público —aunque habría que hacer distingos de períodos— que no hubiera soportado otro tipo de obras, y relacionado con el trasfondo ideológico de la cultura barroca (Maravall [1975]). El público acepta toda clase de convenciones y se sorprende con las variaciones formales sin aceptar crudamente las ideológicas. Como una convención más (Ruggerio [1972-1973], Recoules [1974], Surtz [1979]), la comedia admite abundantes «apartes» y monólogos.

Temáticamente abundan los asuntos amorosos: gran parte de las comedias se constituyen en torno al papel de la mujer en la sociedad esquematizada idealmente en la comedia (tesis fundamental de Wardropper [1978]; motivo también de estudios más fronterizos como los de Bravo Villasante, acerca de la mujer vestida de hombre [1976], o el de McKendrick [1974], y hasta de congresos: Actas [1979]). Dominan también los temas de religión y honra (la bibliografía crítica sobre este último aspecto es ya muy abundante: véase Artiles [1969], Madrigal [1977]; por otro lado, Correa [1958], Jones [1958], Ricart [1965], Beysterweldt [1966], y arriba, «Preliminar»), con toda clase de subtemas. Los «defectos» que se suelen aducir, como contrapartida, derivan precisamente de esta contextura: falta de caracterización, y por tanto individuaciones poco convincentes; excesivo virtuosismo en los efectos; superficialidad en los asuntos, etc. Sea como fuere, la comedia quedó pronto configurada como manera, como conjunto de elementos disponibles para infinidad de combinaciones. Este manierismo produce el aire similar que tiene la gran masa de comedias de la época y la dificultad de atribución cuando no se conoce el autor. Cuando no se dan índices diferenciadores claros, los datos objetivos cobran particular relieve; por eso no es casualidad que se hayan utilizado los usos métricos para la datación y atribución de obras (Morley-Bruerton [1968], y véase cap. 3). Existe otro rasgo diferenciador poco explotado por la crítica: la caracterización estilística, que sigue normalmente las pautas de los estilos de la época y que pudiera comenzar a estudiarse a partir de ese gesto teatral de toda la cultura barroca (Orozco [1969]), o de rasgos de estilo tan evidentes como la correlación calderoniana (D. Alonso [1951]) o el léxico culto de algunos escritores (Hilborn [1958]), contrabalanceado por otros ingredientes, como la utilización del romancero (Porrata [1972]).

Una de las cuestiones más espinosas acerca de la comedia es la que hace referencia al público (Aubrun [1968], Flecniakoska [1968], Shergold [1968], Maravall [1972], Díez Borque [1978], Oleza [1981 a]). La tradición crítica se viene regalando con la doble idea 1) de que eran espectáculos fundamentalmente populares y 2) de que, sin embargo, hermanaban aristocracia y pueblo. Esta idea se halla formulada con cierto rigor en los historiadores franceses del siglo XVIII español (véase particularmente Andioc [1976]), pero se encuentra también en la historiografía

anglosajona —Lynch— y española —Domínguez Ortiz—, a partir de
otro dato: la ausencia de una auténtica clase media en la España del Barroco como un elemento degradante y particularizador de la cultura, en
un proceso que recuerda mucho al descrito por Erich Auerbach para la
baja latinidad. El etiquetado «comedia nacional» intentaba dar esa idea
de colectividad sin cesuras, unida por los mismos ideales e intereses.
Frente a esta tradición, tres opiniones diversas se pueden encontrar entre
la crítica más reciente: la defendida por Maravall (en [1972] específicamente, en [1975] para toda la cultura barroca; véase también Díez Borque
[1978] y Maraniss [1978]) que piensa en un espectáculo —cultura de
masas dirigida y conservadora— para la plebe de las grandes ciudades.
La de otra importante facción crítica (esencialmente Arróniz [1977] y
Oleza [1981 a]), que piensan en un público fundamentalmente burgués,
«artesanos y pequeños comerciantes de las ciudades». Y, finalmente, la
sugestiva y concienzudamente expuesta por N. Salomon ([1965] y de
manera sucinta en [1968]), que consigue salvaguardar el concepto de
«obra de arte» y explicar cómo cada pieza segrega significados y emociones distintos según qué público acude a ella, y así razona que la representación funcione tanto en medios urbanos como rurales para muy distintos públicos. De hecho es lo que vienen indicando los escasos estudios
documentales realizados en este sentido (Sentaurens [1974]). Otros datos
objetivos nos dicen que una comedia representada en los corrales de
Madrid podía ser vista por entre tres mil y cinco mil personas. Entre
este público se detecta continua e inequívocamente la asistencia de la
aristocracia, el patriciado urbano y la alta burocracia. La clase media
—oficiales, estudiantes, comerciantes, religiosos, etc.— parece haber constituido el filón de público más fiel. Pero un dictamen claro sobre esta
cuestión no se podrá emitir hasta haber tenido acceso a muchos datos y
haber trazado el vaivén ideológico de las comedias desde finales del siglo XVI hasta la época de Calderón, situando además este nuevo entretenimiento entre el abanico de posibilidades que se le ofrecían al público
(para la relación con la novela, véase Morínigo [1949] y, desde otra
perspectiva, Yudin [1969]).

La mayoría de lo expuesto concierne también al auto sacramental
(Wardropper [1953], Flecniakoska [1961], Bataillon [1964], D. Ynduráin [1981]), espectáculo híbrido —celebración eucarística y fiesta religiosa— de orígenes discutidos (González Ollé [1967 y 1969]), pero que
en todo caso se remonta al menos a finales de la Edad Media. Dado su
carácter didáctico, es fundamental el ingrediente alegórico, en tanto que
la vertiente teatral se inclina hacia la espectacularidad. Los valores escénicos del auto resultan por ello hinchados ostensiblemente (Varey y Shergold [1964]). Generalmente se organizaban por las corporaciones locales,
como un elemento más de la fiesta. Unos enormes carros, decorados

adecuadamente, como escenarios móviles, recorrían la ciudad representando el auto ante el monarca, el ayuntamiento, el pueblo. El número de representaciones variaba. Parece evidente el contagio entre los autos y otras representaciones; en común tenían al menos las compañías de representantes y los dramaturgos, pues prácticamente todos contribuyeron, como si de un género más se tratase, al tema. La historicidad de los autos sacramentales resulta de todo ello mucho más evidente (Bataillon [1964]): historicidad que también produjo al declinar el Barroco que los autos sacramentales fueran considerados como típica muestra degradada de una cultura.

BIBLIOGRAFÍA

Abel, Lionel, *Metatheater*, Hill and Wang, Nueva York, 1963.

Actas [1979] = Actas del II Coloquio del Grupo de Estudios sobre el Teatro Español (GESTE), *La mujer en el teatro y la novela del siglo XVII*, France-Ibérie Recherche, Toulouse, 1979.

Aguilar Priego, Rafael, «Aportaciones documentales a las biografías de autores y comediantes que pasaron por la ciudad de Córdoba en los siglos XVI y XVII», *Boletín de la Real Academia de Ciencias, Bellas Letras y Nobles Artes de Córdoba*, n.º 84 (1965), pp. 281-314.

Alonso, Dámaso, «La correlación en la estructura del teatro calderoniano», en *Seis calas en la expresión literaria española* (1951), Gredos, Madrid, 1970[4], pp. 109-175; y en Durán-González [1976], II, pp. 388-454.

Allen, John J., «Toward a conjectural model of the *Corral del Príncipe*», en *Medieval, Renaissance and folklore studies in honor of John Esten Keller*, ed. J. R. Jones, Juan de la Cuesta, Newark, Delaware, 1980, pp. 255-271.

Andioc, René, *Teatro y sociedad en el Madrid del siglo XVIII*, Castalia, Madrid, 1976.

Antuono, Nancy L., «Lope de Vega y la *commedia dell'arte*: temas y figuras», en *Cuadernos de Filología*, Facultad de Filología de la Universidad de Valencia, III, 1-2 (1981), pp. 261-278.

Arróniz, Othón, *La influencia italiana en el nacimiento de la comedia española*, Gredos, Madrid, 1969.

—, *Teatros y escenarios del Siglo de Oro*, Gredos, Madrid, 1977.

Artiles, J., «Bibliografía sobre el problema del honor y de la honra en el drama español», en *Filología y Crítica Hispánica, Homenaje al profesor F. Sánchez Escribano*, Madrid, 1969.

Asensio, Eugenio, *Itinerario del entremés. Desde Lope de Rueda a Quiñones de Benavente*, Gredos, Madrid, 1965.

—, «Tramoya contra poesía. Lope atacado y triunfante», en *Actas del coloquio Teoría y realidad en el teatro español del siglo XVII. La influencia italiana*, Instituto Español de Cultura, Roma, 1981, pp. 257-270.

Aubrun, Charles V., *La comedia española, 1600-1680*, Taurus, Madrid, 1968.

—, «Nouveau public, nouvelle comédie à Madrid au XVIIe siècle», en Jacquot [1968], pp. 1-12.

Bakker, Jan, «Versificación y estructura de la comedia de Lope», *Diálogos Hispánicos de Amsterdam*, II (1981), pp. 93-101.

Barrera y Leirado, Cayetano Alberto de la, *Catálogo bibliográfico y biográfico del teatro antiguo español, desde sus orígenes hasta mediados del siglo XVIII*, Madrid, 1860; ediciones facsimilares en Tamesis Books, Londres, 1968, y Gredos, Madrid, 1969.

Bataillon, Marcel, «Ensayo de explicación del "auto sacramental"» (1940), en *Varia lección de clásicos españoles*, Gredos, Madrid, 1964, pp. 183-205.

Baulier, Francis, «La mise en scène dans deux pièces de Lope de Vega», *Bulletin Hispanique*, XLVII (1945), pp. 57-70.

Bentley, Eric, «The universality of the *comedia*», *Hispanic Review*, XXXVIII (1970), pp. 147-162.

Bergamín, José, *Mangas y capirotes. (España en su laberinto teatral del XVII)*, Plutarco, Madrid, 1933; Argos, Buenos Aires, 1950; Ediciones del Centro, Madrid, 1974.

Bergman, Hannah E., *Luis Quiñones de Benavente y sus entremeses*, Castalia, Madrid, 1965.

—, ed., *Ramillete de entremeses y bailes nuevamente recogido de los antiguos poetas de España. Siglo XVII*, Castalia, Madrid, 1970.

Beysterweldt, A. A., *Repercussions du souci de la pureté de sang sur la conception de l'honneur dans la «comedia nueva» espagnole*, Brill, Leiden, 1966.

Blecua, Alberto, ed., Lope de Vega, *Peribáñez, Fuenteovejuna*, Alianza Editorial, Madrid, 1981, pp. 8-10.

Bradbury, Gail, «Tragedy and tragicomedy in the theatre of Lope de Vega», *Bulletin of Hispanic Studies*, LXVIII (1981), pp. 103-111.

Bravo Villasante, Carmen, *La mujer vestida de hombre en el teatro español*, SGEL, Madrid, 1976.

Brotherton, John, *The «Pastor bobo» in the spanish theatre before the time of Lope de Vega*, Londres, 1975.

Bruerton, C., «La versificación dramática española en el período 1587-1610», *Nueva Revista de Filología Hispánica*, X (1956), pp. 337-364.

Carilla, Emilio, *El teatro español en la Edad de Oro*, Centro de Estudios de América Latina, Buenos Aires, 1968.

Caro Baroja, Julio, *Teatro popular y magia*, Revista de Occidente, Madrid, 1974.

Casa, Frank P., «Some remarks on professor O'Connor's article "Is the Spanish *comedia* a metatheater?"», *Bulletin of Comediantes*, XXVIII (1976), pp. 27-31.

Correa, Gustavo, «El doble aspecto de la honra en el teatro del siglo XVII», *Hispanic Review*, XXVI (1958), pp. 99-107.

Cotarelo y Mori, Emilio, *Bibliografía de las controversias sobre la licitud del teatro en España,* Madrid, 1904.

—, «Actores famosos del siglo XVII», *Boletín de la Real Academia Española*, II (1915), pp. 250-293, 425-457 y 538-621, y III (1916), pp. 1-38 y 151-185.

Crawford, J. P. Wickersham, *Spanish drama before Lope de Vega*, University of Pennsylvania Press, Filadelfia, 1937²; 1967³ (con suplemento bibliográfico de Warren T. McCready).

Cruickshank, W., «Some uses of paleographie and orthographical evidence in *comedia* editing», *Bulletin of Comediantes*, XXIV (1972), pp. 40-45.

—, ed., P. Calderón de la Barca, *El médico de su honra*, Castalia, Madrid, 1981.

— y E. M. Wilson, *The textual criticism of Calderón's comedias*, Gregg Internacional-Tamesis Books, Londres, 1973.

Devoto, Daniel, «Teatro y antiteatro en las comedias de Calderón», en *Les cultures iberiques en devenir. Essais publiés en hommage à la mémoire de Marcel Bataillon*, Singer Polignac, París, 1979, pp. 313-344.

Díez Borque, José M.ª, *Sociedad y teatro en la España de Lope de Vega*, Antoni Bosch, Barcelona, 1978.

Durán, Manuel y Roberto González Echevarría, *Calderón y la crítica: historia y antología*, Gredos, Madrid, 1976, 2 vols.

Edwards, Gwyne, *The prision and the laberinth: Studies on calderonian tragedy*, University of Wales Press, Cardiff, 1978.

Engelbert, «Wie ediert man Dramen?», en *Texte und Varianten*, Munich, 1971.

Esquerdo, Vicenta, «Indumentaria con la que los cómicos representaban en el siglo XVII», *Boletín de la Real Academia Española*, LVIII (1978).

Falconieri, John V., «Historia de la *commedia dell'arte* en España», *Revista de Literatura*, XI (1957), pp. 3-37, y XII (1957), pp. 69-90.

—, «Los antiguos corrales en España», *Estudios Escénicos*, XI (1965), pp. 91-118.

Fischer, Susan L., «Reader-response criticism and the *comedia*: Creation of meaning in Calderón's *La cisma de Inglaterra*», *Bulletin of Comediantes*, XXXI (1979), pp. 109-125.

Flanigan, C. Clifford, «The liturgical drama and its tradition: A review of scholarship, 1965-1975», *Research Opportunities in Renaissance Drama*, XVIII (1975), pp. 81-102, y XIX (1976), pp. 109-136.

Flecniakoska, J.-L., *La formation de l'auto religieux en Espagne avant Calderón (1550-1635)*, Dehan, Montpellier, 1961.

—, «*Comedias, autos sacramentales* et *entremeses* dans les miscelanées», en Jacquot [1968], pp. 117-123.

—, «La loa comme source pour la connaissance des rapports troupe-public», en Jacquot [1968], pp. 111-116.

—, *La loa*, SGEL, Madrid, 1975.

Forastieri Braschi, Eduardo, *Aproximación estructural al teatro de Lope de Vega*, Hispanova, Madrid-San Juan, 1976.

—, «Morfo-logía e Ideo-logía en el teatro del Siglo de Oro», en *Ideologies and Literature*, I (1978), pp. 57-67.

Forbes, F. William, «The *gracioso*: Toward a functional revaluation», *Hispania*, LXI (1975), pp. 78-83.

Froldi, Rinaldo, *Lope de Vega y la formación de la comedia. En torno a la tradición dramática valenciana y el primer teatro de Lope*, Anaya, Salamanca, 1968².

García Berrio, Antonio, *Intolerancia del poder y protesta popular en el Siglo de Oro. Los debates sobre la licitud moral del teatro*, Universidad de Málaga, 1978 = *Formación de la teoría literaria moderna*, vol. II, Universidad de Murcia, 1980, pp. 483-546.

Gitlitz, D. M., *La estructura lírica de la comedia de Lope de Vega*, Albatros, Valencia, 1980.

González Ollé, Fernando, «El primer auto sacramental del teatro español», *Segismundo*, n.ᵒˢ 5-6 (1967), pp. 179-184.

—, «La *Farsa del Santísimo Sacramento*, anónima, y su significación en el desarrollo del auto sacramental», *Revista de Literatura*, n.ᵒˢ 71-72 (1969), pp. 127-165.

Gregg, Karl C., «Toward a definition of the *comedia de capa y espada*», *Romance Notes*, XVIII (1977-1978), pp. 103-106.

Griffin, Nigel, *Jesuit school drama: A checklist of critical literature*, Grant and Cutler, Londres, 1976.

Heidenreich, Helmut, *Figuren und Komik in den Spanischen «Entremeses» des Goldenen Zeitalters*, Ludwig-Maximilians Universität, Munich, 1962.

Herrero García, Miguel, «Génesis de la figura del donaire», *Revista de Filología Española*, XXVI (1941), pp. 46-78.

Herrick, M. T., *Tragicomedy. Its origin and development in Italy, France, and England*, University of Illinois Press, Urbana, 1962.

Hesse, E. W., *Interpretando la comedia*, J. Porrúa Turanzas, Madrid, 1977.

Hesse, J., *Vida teatral en el Siglo de Oro*, Taurus, Madrid, 1965.

Hilborn, H. W., «Comparative "culto" vocabulary in Calderón and Lope», *Hispanic Review*, XXVI (1958), pp. 223-233.

Horst, Robert, «From comedy to tragedy: Calderón and the new tragedy», *Modern Language Notes*, XCII (1977), pp. 181-201.

Hunter, W. F., «Métodos de crítica textual», en *Hacia Calderón*, Berlín, 1970, pp. 13-28.

Jack, William S., *The early «entremés» in Spain. The rise of a dramatic form*, University of Pennsylvania, Filadelfia, 1923.

Jacquot, J., «Les types de lieu théâtral et leurs transformations de la fin du Moyen Âge au milieu du XVIIᵉ siècle», en *Le lieu théâtral a la Renaissance*, CNRS, París, 1964, pp. 473-509.

—, ed., *Dramaturgie et société. Rapports entre l'œuvre théâtrale, son interprétation et son public au XVIᵉ et XVIIᵉ siècles*, CNRS, París, 1968, 2 vols.

Jones, C. A., «Honor in Spanish Golden Age drama: Its relation to real life and to morals», *Bulletin of Hispanic Studies*, XXXV (1958), pp. 199-210.

—, «Spanish honour as historical phenomenon, convention and artistic motive», *Hispanic Review*, XXXIII (1965), pp. 32-39.

—, «Tragedy in the Spanish Golden Age», en *The drama of the Renaissance. Essays for Leicester Bradner*, E. M. Blistein, ed., Providence, 1970, pp. 100-107.

—, «Some ways of looking at Spanish Golden Age comedy», en *Homenaje a W. L. Fichter*, J. Amor y A. D. Kossof, eds., Castalia, Madrid, 1971, pp. 329-339.

Keller, J. E., «A tentative classification for themes in the *comedia*», *Bulletin of Comediantes*, V (1953), pp. 17-23.

—, «Present status of motiv classification», *Bulletin of Comediantes*, VI (1954), pp. 12-14.

Kinter, Barbara, *Die Figur des Gracioso im Spanischen Theater des 17. Jahrhunderts*, Wilhelm Fink, Munich, 1978.

Lancashire, Anne, ed., *Editing dramatic texts, English, Italian, and Spanish*: *Papers given at the Eleventh Annual Conference on Editorial Problems*, Garland, Nueva York, 1976.

Leavitt, S. E., «Notes on the *gracioso* as a dramatic critic», *Studies in Philology*, XXVIII (1931), pp. 847-850.

—, «The *gracioso* takes the audience into his confidence», *Bulletin of Comediantes*, VII (1955), pp. 27-29.

—, *An introduction to Golden Age drama in Spain*, University of North Carolina Press, Chapel Hill, 1971.

—, *Golden Age drama in Spain: General consideration und unusual features*, University of North Carolina Press, Chapel Hill, 1972.

Levitan, A. T., *Lope de Vega y su tragedia «al estilo español»*, Emory University Press, 1977.

Ley, Charles D., *El gracioso en el teatro de la Península (siglos XVI-XVII)*, Revista de Occidente, Madrid, 1954.

Lipmann, Stephen, «Metatheater and the criticism of the comedia», *Modern Language Notes*, XLI (1976), pp. 231-246.

Listerman, Randall W., «Some material contributions of the "Commedia dell'arte" to the Spanish theater», *Romance Notes*, XVII (1976), pp. 194-198.

Lundelius, R., *Physical aspects of the Spanish stage in the time of Lope de Vega*, University of Pennsylvania Press, Filadelfia, 1961.

Mac Curdy, Raymond R., «More on "The *gracioso* takes the audience into his confidence": The case of Rojas Zorrilla», *Bulletin of Comediantes*, VIII (1956), pp. 14-16.

—, *Francisco de Rojas Zorrilla and the tragedy*, University of New Mexico Press, Albuquerque, 1958.

—, «La tragédie néo-sénéquienne en Espagne au xviième siècle, et particulièrement le thème du tyran», en *Les tragédies de Sénèque et le théâtre de la Renaissance*, J. Jacquot, ed., París, 1964, pp. 73-85.

—, «Lope de Vega y la pretendida inhabilidad española para la tragedia: resumen crítico», en *Homenaje a W. L. Fichter*, J. Amor y A. D. Kossoff, eds., Castalia, Madrid, 1971, pp. 525-535.

—, «The "problem" of Spanish Golden Age tragedy: A review and reconsideration», *South Atlantic Bulletin*, XXXVIII (1973), pp. 3-15.

—, «A critical review of *El médico de su honra* as tragedy», *Bulletin of Comediantes*, XXXI (1979), pp. 3-14.

Madrigal, José A., *Bibliografía sobre el pundonor: el teatro del Siglo de Oro*, Ediciones Universal, Miami, 1977.

—, «Fuenteovejuna y los conceptos de metateatro y psicodrama: un ensayo sobre la formación de la conciencia en el protagonista», *Bulletin of Comediantes*, XXXI (1979), pp. 15-23.

Maraniss, James E., *On Calderón*, Columbia y Londres, 1978.

Maravall, José Antonio, *Teatro y literatura en la sociedad barroca*, Seminarios y Ediciones, Madrid, 1972.

Maravall, José Antonio, *La cultura del Barroco*, Ariel, Barcelona, 1975.

Marín, Diego, *La intriga secundaria en el teatro de Lope de Vega*, University of Toronto Press, 1958.

—, *Uso y función de la versificación dramática en Lope de Vega*, Hispanófila, Valencia, 1968².

McCrary, William, «The *duque* and the *comedia*: Drama and imitation in Lope's *Castigo sin venganza*», *Bulletin of Hispanic Philology*, II (1978), pp. 203-222.

McCready, Warren T., *Bibliografía temática de estudios sobre el teatro español antiguo*, Universidad de Toronto, Toronto, 1966.

McKendrick, Melveena, *Women and society in the Spanish drama of the Golden Age: A study of the «mujer varonil»*, Cambridge University Press, Nueva York-Londres, 1974.

Meregalli, Franco, «Aproximaciones al teatro de Cervantes», *Boletín de la Real Academia Española*, LX (1980), pp. 429-442.

Metford, J. C. J., «The enemies of the theatre in the Golden Age», *Bulletin of Hispanic Studies*, XXVIII (1951), pp. 76-92.

Moir, Duncan, «The classical tradition in Spanish dramatic theory and practice in the seventeenth century», en *Classical drama and its influence. Essays presented to H. D. F. Kitto*, M. J. Anderson, ed., Methuen, Londres, 1965, pp. 191-228.

Montesinos, José F., «Algunas observaciones sobre la figura del donaire en el teatro de Lope de Vega», *Homenaje a Menéndez Pidal*, I (1925), pp. 469-504; y en *Estudios sobre Lope*, Anaya, Madrid, 1967.

Morby, E. S., «Some observations on "tragedia" and "tragicomedia" in Lope», *Hispanic Review*, XI (1943), pp. 185-209.

Morínigo, Marcos A., «El teatro como sustituto de la novela en el Siglo de Oro», *Revista de la Universidad de Buenos Aires*, 1 (1949), pp. 41-61.

Morley, S. G. y C. Bruerton, *The chronology of Lope de Vega's comedias*, The Modern Language Association of America, Nueva York, 1940; trad. cast. puesta al día: *Cronología de las comedias de Lope de Vega*, Gredos, Madrid, 1968².

Neuschäfer, Hans-Jörg, «El triste drama del honor: formas de crítica ideológica en el teatro de honor de Calderón», en *Hacia Calderón. Segundo coloquio anglogermano*, Berlín, 1973, pp. 89-108.

Newels, Margaret, *Los géneros dramáticos en las poéticas del Siglo de Oro*, Tamesis Books, Londres, 1974.

O'Connor, Thomas A., «On the authorship of *El encanto es la hermosura*: A curious case of dramatic collaboration», *Bulletin of Comediantes*, XXVI (1974), pp. 31-34.

—, «Is the Spanish "comedia" a metatheater?», *Hispanic Review*, XLIII (1975), pp. 275-288.

Oleza, Juan, «Hipótesis sobre la génesis de la comedia barroca», en *Cuadernos de Filología*, Facultad de Filología de la Universidad de Valencia, III, n.ᵒˢ 1-2 (1981), pp. 9-44.

—, «La propuesta teatral del primer Lope de Vega», en *id.*, pp. 153-223.

Oostendorp, Enrique, «Evaluación de algunas teorías en torno a las tragedias de Calderón», en *Diálogos Hispánicos de Amsterdam*, II (1981), pp. 65 ss.

Orozco, Emilio, *El teatro y la teatralidad del Barroco*, Planeta, Barcelona, 1969.

Parker, Alexander A., «Reflections on a new definition of baroque drama», *Bulletin of Hispanic Studies*, XXX (1953), pp. 142-151.

—, *The approach to the Spanish drama of the Golden Age*, Diamante Series, Londres, 1957, 1971²; rev. en *The great playwrights...*, E. Bentley, ed., con el título «The Spanish drama of the Golden Age: A method of analysis and interpretation», Doubleday and Co., Nueva York, 1970, I, pp. 679-707; hay trad. cast. en: Durán-González [1976], I, pp. 329-357.

—, «Towards a definition of Calderonian tragedy», *Bulletin of Hispanic Studies*, XXXIX (1962), pp. 222-237; hay trad. cast. en: Durán-González [1976], II, pp. 359 ss.

—, «*El médico de su honra* as tragedy», *Hispanófila* (número especial dedicado a la comedia), 1974, pp. 3-23.

Parr, James, «An essay on critical method applied to the *comedia*», *Hispania*, LVII (1974), pp. 434-444.

Pérez Sierra, Rafael, «La música en nuestro teatro clásico y el teatro lírico de Calderón», *III Jornadas de Teatro Clásico Español, Almagro, 1980*, Ministerio de Cultura, Madrid, 1981, pp. 255-284.

Place, Edwin B., «Does Lope de Vega's *gracioso* stem in part from harlequim?», *Hispania*, XVII (1934), pp. 257-270.

Porrata, F. E., *Incorporación del romancero a la temática de la comedia española*, Plaza Mayor, Madrid, 1972.

Prades, Juana de José, *Teoría sobre los personajes de la comedia nueva*, Consejo Superior de Investigaciones Científicas, Madrid, 1963.

Pring-Mill, R. D. F., «Los calderonistas de habla inglesa y *La vida es sueño*: Métodos del análisis temático-estructural», en *Litterae Hispanae et Lusitanae*, H. Flasche, ed., Munich, 1968, pp. 369-413.

Rauchwarger, Judith, «Principal and secondary plots in *El esclavo del demonio*», *Bulletin of Comediantes*, XXVIII (1976), pp. 49-52.

Recoules, Henri, «También un canto para tropezar», *Revue des Langues Romanes*, LXXX (1972), pp. 355-367.

—, «Cartas y papeles en el teatro del Siglo de Oro», *Boletín de la Real Academia Española*, XLIV (1974), pp. 479-496.

—, «Ruidos y efectos sonoros en el teatro español del Siglo de Oro», *Boletín de la Real Academia Española*, LV (1975), pp. 109-145.

—, «Les allusions au théâtre et a la vie théâtrale dans le roman espagnol de la première moitié du xviiᵉ siècle», en Jacquot [1968], pp. 133-148.

Reichenberger, A. G., «The uniqueness of the *comedia*», *Hispanic Review*, XXVII (1959), pp. 303-316.

—, «On the uniqueness of the *comedia*», *Hispanic Review*, XXXVIII (1970), pp. 163-173.

—, «A postscript to professor Thomas Austin O'Connor article on the *comedia*», *Hispanic Review*, XLIII (1975), pp. 389-391.

Rennert, Hugo A., *The Spanish stage in the time of Lope de Vega* (1909), Dover, Nueva York, 1963.

Ricart, D., «El concepto de la honra en el teatro del Siglo de Oro y las ideas de Juan de Valdés», Segismundo, I (1965), pp. 43-69.

Rico, Francisco, «Para el itinerario de un género menor: Algunas "loas" de la Quinta parte de comedias», Homenaje al profesor W. L. Fichter, Castalia, Madrid, 1971, pp. 611-621.

—, ed., A. Moreto, El desdén, con el desdén (Las galeras de la honra. Los oficios), Castalia, Madrid, 1971, 1978² (aumentada).

Rothberg, I. P., «Lope de Vega and the Aristotelian elements of comedy», Bulletin of Comediantes, XIV (1963), pp. 1-4.

Rozas, Juan Manuel, Significado y doctrina del arte nuevo de Lope de Vega, SGEL, Madrid, 1976.

—, «Sobre la técnica del actor barroco», Anuario de Estudios Filológicos, III (1980), pp. 191-202.

Rubio, Isaac, «El teatro español del Siglo de Oro y los hispanistas de habla inglesa», Segismundo, en prensa.

Ruggerio, Michael J., «The term comedia in Spanish dramaturgy», Romanische Forschungen, LXXXIV (1972), pp. 277-296.

—, «Dramatic conventions and their relationship to structure in the Spanish Golden Age "comedia"», Revista Hispánica Moderna, XXXVII (1972-1973), pp. 137-154.

Ruiz Ramón, Francisco, Historia del teatro español, I. Desde sus orígenes hasta 1900, Cátedra, Madrid, 1979³.

Sage, Jack, «Calderón y la música teatral», Bulletin Hispanique, LVIII (1956), pp. 275-300; y con el título de «The function of music in the theatre of Calderón», en Critical studies of Calderon's comedias, por J. E. Varey, ed., vol. XIX de P. Calderón de la Barca, Comedias, a facsimile edition, Gregg International-Tamesis Books, Londres, pp. 209-230.

Salomon, Noël, «Sur les représentations théâtrales dans les "pueblos" des provinces de Madrid et Tolède (1589-1640)», Bulletin Hispanique, LXII (1960), pp. 398-427.

—, Recherches sur le thème paysan dans la «comedia» au temps de Lope de Vega, Bibliothèque des Hautes Études, Burdeos, 1965.

—, «Sur quelques problèmes de sociologie théâtrale posés par La humildad y y la soberbia, "comedia" de Lope de Vega», en Jacquot [1968], pp. 13-30.

Sánchez Escribano, Federico, y Alberto Porqueras Mayo, Preceptiva dramática española del Renacimiento y el Barroco, Gredos, Madrid, 1972² (muy ampliada).

Sánchez Romeralo, Jaime, «El teatro en un pueblo de Castilla en los siglos XVI-XVII: Esquivias, 1588-1638», Diálogos Hispánicos de Amsterdam, II (1981), pp. 39-53.

Sanchis Sinesterra, José, «La condición marginal del teatro en el Siglo de Oro», III Jornadas de Teatro Clásico Español, Almagro, 1980, Ministerio de Cultura, Madrid, 1981, pp. 95-130.

Sentaurens, Jean, «Sobre el público de los "corrales" sevillanos en el Siglo de Oro», en Creación y público en la literatura española, J.-F. Botrel y S. Salaün, eds., Castalia, Madrid, 1974, pp. 56-92.

Shergold, N. D., «Ganassa and the "commedia dell'arte" in sixteenth century Spain», *Modern Language Review*, LI (1956), pp. 359-368.

—, «The first performance of Calderon's *El mayor encanto, amor*», *Bulletin of Hispanic Studies*, XXXV (1958), pp. 24-27.

—, *A history of the Spanish stage (from medieval times until the end of the seventeenth century)*, Clarendon Press, Oxford, 1967.

—, «*La vida es sueño*: ses acteurs, son théâtre et son public», en Jacquot [1968], pp. 93-109.

— y J. E. Varey, «Some palace performances of seventeenth century plays», *Bulletin of Hispanic Studies*, XL (1963), pp. 212-244.

Sirera, J. L., «Los trágicos valencianos», en *Cuadernos de Filología*, Facultad de Filología de la Universidad de Valencia, III (1981), pp. 67-91.

Sloane, Robert, «Action and role in *El Príncipe constante*», *Modern Language Notes*, LXXXV (1970), pp. 167-183.

Smith, C. F., «Dialectics of tragicomedy in Tirso's *La mujer que manda en casa*», en *Perspectivas de la comedia*, A. V. Ebersole, ed., Estudios de Hispanófila, Valencia, 1978, pp. 111-118.

Steiner, George, *The death of tragedy*, Londres, 1961.

Surtz, Ronald E., *The birth of a theater. Dramatic convention in the Spanish theater from Juan del Enzina to Lope de Vega*, Castalia y Princeton University Press, Madrid, 1979.

Valbuena Prat, Ángel, *El teatro español en su Siglo de Oro*, Planeta, Barcelona, 1969.

Varey, J. E., *Historia de los títeres en España desde sus orígenes hasta mediados del siglo XVIII*, Revista de Occidente, Madrid, 1957.

—, «La mise en scène de l'auto sacramental à Madrid au xvie et xviie siècles», en Jacquot [1964], pp. 215-225.

— y N. D. Shergold, «Datos históricos sobre los primeros teatros de Madrid: prohibiciones de autos y comedias y sus consecuencias (1644-1651)», *Bulletin Hispanique*, LXII (1960), pp. 286-325.

— y —, *Fuentes para la historia del teatro en España*, Tamesis Books, Londres, 1971 y en publicación. Han aparecido los vols.: III, «Teatros y comedias en Madrid, 1600-1650», 1971; IV, «Teatros y comedias en Madrid, 1651-1665», 1973; V, «Teatros y comedias en Madrid, 1666-1687», 1975; VI, «Teatros y comedias en Madrid, 1687-1699», 1979; VII, «Los títeres y otras diversiones públicas en Madrid, 1758-1840».

Wade, Gerald E., «Elements of a philosophic basis for the interpretation of Spanish Golden Age comedy, en *Estudios ... H. Hatzfeld*, J. Solá-Solé, *et al.*, eds., Hispam, Barcelona, 1974, pp. 323-347.

Wardropper, Bruce W., «Poetry and drama in Calderon's *El médico de su honra*», *Romanic Review*, XLIX (1958), pp. 3-11; hay trad. cast. en Durán-González [1976], II, pp. 482-597.

—, «Lope's *La dama boba* and Baroque comedy», *Bulletin of Comediantes*, XII (1961), pp. 1-3.

—, «Calderon's comedy and his serious sense of life», en *Hispanic Studies in Honor of Nicholson B. Adams*, J. E. Keller y K.-L. Selig, eds., Chapel Hill, 1966, pp. 179-193.

Wardropper, Bruce W., *Introducción al teatro religioso del Siglo de Oro: evolución del auto sacramental antes de Calderón*, Anaya, Salamanca, 1967² (primera edición, 1953).

—, «La imaginación en el metateatro calderoniano», *Actas del Tercer Congreso Internacional de Hispanistas*, El Colegio de México, México, 1970, pp. 923-930.

—, «The implicit craft of the Spanish "comedia"», en *Studies ... E. M. Wilson*, Tamesis Books, Londres, 1973, pp. 339-356.

—, «Lope de Vega's urban comedy», *Hispanófila Especial*, n.° 1 (1974), pp. 47-61.

—, *La comedia española del Siglo de Oro*, en volumen con E. Olson, *Teoría de la comedia*, Ariel, Barcelona, 1978.

Watson, A. I., «*El pintor de su deshonra* and the neo-aristotelian theory of tragedy», *Bulletin of Hispanic Studies*, XL (1963), pp. 17-34.

Weber de Kurlat, Frida, «*El sembrar en buena tierra*, de Lope de Vega», en *Homenaje al Instituto de Filología y Literatura Hispánicas*, Buenos Aires, 1975, pp. 424-440.

—, «*El perro del hortelano*, comedia palatina», *Nueva Revista de Filología Hispánica*, XXIV (1975), pp. 339-363.

—, «Hacia una morfología de la comedia del Siglo de Oro», *Anuario de Letras*, México, XLV (1976), pp. 101-138.

—, «Hacia una sistematización de los tipos de comedia de Lope de Vega», *Actas del Quinto Congreso Internacional de Hispanistas*, 1977, II, pp. 867-871.

Weiger, John G., *Hacia la comedia: de los valencianos a Lope*, Planeta, Barcelona, 1976.

—, «On the application of stylostatistics to the analysis of the *comedia*», *Bulletin of Comediantes*, XXXII (1980), pp. 63-73.

—, «Lope de Vega según Lope: ¿creador de la comedia?», en *Cuadernos de Filología*, Facultad de Filología de la Universidad de Valencia, III (1981), pp. 225-245.

Wilson, E. M., «Los cuatro elementos en la imaginería de Calderón» (1936); y en Durán-González [1976], I, pp. 277-299.

—, «*La vida es sueño*», *Revista de la Universidad de Buenos Aires*, IV (1946), pp. 61-78; y en Durán-González [1975], I, pp. 300-328.

—, «On the Pando editions of Calderón's *autos*», *Hispanic Review*, XXVII (1959), pp. 324-344.

—, «Calderón and the stage-censor in the seventeenth-century. A provisional study», *Symposium*, XV (1961), pp. 165-184.

—, «Nuevos documentos sobre las controversias teatrales: 1650-1681», *Actas del II Congreso Internacional de Hispanistas* (Nimega, 1967), pp. 155-170.

—, y Duncan Moir, *Historia de la literatura española, 3. Siglo de Oro: teatro*, Ariel, Barcelona, 1974.

Wilson, Margaret, *The Spanish drama of the Golden Age*, Pergamon Press, Oxford, 1968.

Williamsen, Vern G., «La función estructural del verso en la comedia del Siglo de Oro», *Actas del Quinto Congreso Internacional de Hispanistas*, 1977, II, pp. 883-891.

Williamsen, Vern G., «The structural function of polymetry in the Spanish *comedia*», en *Perspectivas de la comedia*, A. V. Ebersole, ed., Estudios de Hispanófila, Valencia, 1978, pp. 33-47.

Ynduráin, Domingo, «Los autos sacramentales», *III Jornadas de Teatro Clásico Español, Almagro, 1980*, Ministerio de Cultura, Madrid, 1981, pp. 233-251.

Yudin, Florence L., «Theory and practice of the "novela comediesca"», *Romanische Forschungen*, LXXXI (1969), pp. 584-594.

OTHÓN ARRÓNIZ

EL ESCENARIO Y SU ENTORNO

El sorprendente crecimiento del teatro en la segunda mitad del siglo XVI obedece a razones muy complejas y que no conciernen exclusivamente a España, ya que vemos paralelamente al Siglo de Oro el período isabelino en Inglaterra y el desarrollo en Francia de las salas de *jeu de paume*. A la cabeza de todos estos países, Italia obtiene aún resonantes logros en la especulación teórica y preceptiva, así como en la creación de los primeros teatros modernos.

A razones al parecer evidentes, como la secularización o humanización de la trama cómica, habría que agregar otras de carácter económico, como ese complejo equilibrio entre salarios y precios logrado en España en las dos últimas décadas del siglo XVI y primeras del XVII que produjo «un favorable tenor de vida, no sólo en las grandes urbes, sino en el nivel medio general de la sociedad» (Viñas Mey). La inflación tanto psicológica como económica se tradujo en una extraordinaria manifestación suntuaria, y en un dispendio arrogante y generoso, benéfico a las manifestaciones artísticas.

Las compañías italianas de visita a España en los años 1570-1580 (Juan Ganassa, Massimiano Milamino, Abagaro Francobaldi, Stefanello Botarga, Tristano Martinelli...) orientan el teatro hacia el nuevo público, «el vulgo», compuesto por los artesanos y pequeños comerciantes de las ciudades, y salen así al encuentro del ansia de placer despierta también en ellos como en los miembros de la aristocracia.

Othón Arróniz, *Teatros y escenarios del Siglo de Oro*, Gredos, Madrid, 1977, pp. 247-254.

Entonces se hace más estrecha la relación del teatro con la Iglesia. La Cofradía de la Pasión, promotora en España y en Francia de los corrales aquí y de las salas de juego de pelota al otro lado de los Pirineos, contribuyó eficazmente al establecimiento de los primeros teatros permanentes, y a que éstos fueran administrados por los hospitales. Muchas ciudades en la Península Ibérica y algunas en América aprovecharon el recurso de tolerar un regocijo popular a cambio de algún dinero para obras de beneficencia colectiva. Los corrales, los patios de comedia, y otros teatros de la misma índole, se propagaron así en un corto período de veinte años por todo el ámbito español.

El teatro obtuvo con el patronazgo del Estado y de la Iglesia un apoyo moral del que careció durante la Edad Media. [Véase, sin embargo, abajo, pp. 276-283.] Pero en contrapartida, la sujeción impuesta por la censura (tolerante muchas veces, es verdad) y por la tutela de los hospitales tan necesitados de obtener beneficios, hizo que estos primeros teatros permanentes crecieran en la indigencia, ajenos por su condición económica a las innovaciones técnicas que por entonces se estaban realizando en los principados italianos; y, sobre todo, impuso a la *mise en scène* del Siglo de Oro una severidad tan drástica y permanente que nunca podremos deslindar si era producto de la virtud o de la necesidad.

Los teatros castellanos que nacen en la nueva capital del reino son ejemplo permanente durante siglo y medio de este estado de cosas. Crecen de una manera informe, sin que sea perceptible en su desarrollo el menor planeamiento ni previsión de las necesidades por venir. Se van resolviendo éstas en la medida en que se van presentando, y así se procede a amontonar compartimentos, a abrir huecos, a cubrir ventanas, a instalar celosías, etc., todo aquello dentro de un cinturón pétreo que impide el crecimiento hacia afuera. El corral se desarrolla hacia arriba, hasta ocupar los más mínimos espacios habitables debajo de los tejadillos. En esta anarquía sólo un criterio rector sale a la superficie: el de la separación de clases. En aquel pequeño mundo tan representativo de la dramática realidad española, cada sitio tenía una escalera diferente, un acceso singular que impedía o quería impedir todo rozamiento. Se llegaba a utilizar como entrada las casas vecinas, y aun el techo de estas mismas casas, como era el caso para las mujeres del pueblo. Tres clases se dibujan con precisión en los primeros tiempos: una, mayoritaria y a quien parece destinado el espectáculo, era «el vulgo» de nuestros clásicos. Otra, que oculta su curiosidad vergonzante detrás de las celosías y rejas adaptadas en las paredes colindantes, y una clase intermedia, menor en aquellos años primeros, a quien estaban dedicadas algunas galerías en los costados del teatro.

El teatro castellano fue celosamente conservador en su siglo y medio de vida, y mantuvo el modelo inicial sin modificaciones de importancia, a pesar de haber tenido junto a él, a partir de 1622, al teatro de la corte. Él no cambia, se amplía. Las relaciones de carpinteros y albañiles conservadas en el archivo del Ayuntamiento madrileño son muy claras. Retadoramente igual a sí mismo, el teatro popular español se hundió verticalmente cuando llegó al final de su historia.

La *mise en scène* de los corrales fue aún más transitoria de lo que es regularmente en nuestros teatros. Con las exigencias del público de que se estrenasen continuamente obras nuevas, la instalación escenográfica para una comedia determinada era hecha a golpe de unos cuantos martillazos por los empleados menores de la compañía. Las tramoyas se montan un día y desaparecen al día siguiente. No hay una decoración permanente; el sitio de la acción dramática es vago, deliberadamente impreciso.[1] El tiempo en que se desarrolla la obra es igualmente amplio, y tanto que caben en él, y aun en el transcurso de la misma jornada, meses enteros.

El corral nos aparece así como la evolución, en coto cerrado, de la plataforma escénica renacentista, es decir, del tablado rodeado por

---

1. [«El escenario en sí era una amplia plataforma de madera, situada, o al menos eso es lo que se supone, en un extremo del corral. Las comedias sugieren que un ancho telón cubría la parte posterior. El espacio que hay detrás del telón se conoce con el nombre de "vestuario", ya que allí los actores solían ponerse los trajes; pero las obras demuestran que el telón también podía descorrerse durante la representación para presentar las llamadas "apariencias". Este uso del telón no era un recurso nuevo, puesto que ya hay precedentes en el teatro anterior. También es casi seguro que Lope de Rueda usaba un telón trasero para cubrir su "vestuario" y permitir a los actores hacer sus entradas y salidas. Las dos entradas que encontramos en las obras primitivas pueden asimismo advertirse fácilmente en las escritas para los corrales. En general, parece probable que o bien hubiera entradas acortinadas o bien los actores se limitasen a levantar una punta del telón trasero para salir a escena. Las obras más antiguas suelen requerir trampillas, y sin duda había espacios considerablemente grandes debajo del tablado para permitir un uso adecuado y eficaz. Parece que se disponía también de cierta tramoya para que los personajes pudieran descender de las alturas, como en el "araceli" de las antiguas piezas religiosas, o para permitir "volar" a los actores.» (N. D. Shergold [1967], pp. 207-208.) Véase también *HCLE*, vol. 2, pp. 578-582.]

los espectadores. El patio es la derivación de la plaza pública, y las galerías, aposentos, y cazuelas, son el recuerdo de los ventanales de los edificios abiertos a aquellas explanadas. [...]

Aparece tempranamente en Valencia un teatro —después modelo de otros— inspirado por Italia. Antes que fuesen creados los sitios reales especialmente dedicados a la escena (1622), la Olivera fue el primer coliseo hispano de que tengamos noticia. Allí todo obedece a una planeación cuidadosa. El patio cambia radicalmente, y en lugar de ser el sitio de los «mosqueteros» o espectadores del pueblo que asisten al espectáculo de pie, en Valencia se convierte en una «orquesta» ocupada por la burguesía rica, *sentada* frente al escenario y a los lados de él. El Coliseo además de esta innovación tiene otra muy importante: el techo general que cubre toda la estructura, incluyendo naturalmente el patio y el «ochavo», especie de anfiteatro reservado a nobles y autoridades. La luz ambiental penetra a la sala por ventanas abiertas en las paredes laterales, y en el muro arriba del escenario. Este modelo, con algunas modificaciones, es el que hallaremos en Perú y Nueva España.

Están dadas allí las condiciones para lograr un paso hacia la *mise en scène* moderna, es decir, la iluminación dirigida, la decoración por medio de bastidores, etc. Y sin embargo, por las obras de los dramaturgos valencianos que han llegado hasta nosotros, no es posible notar gran diferencia entre la puesta en escena de los corrales madrileños y la del Coliseo a orillas del Turia. Hay razones para que fuese así: la principal de todas fue aquella prohibición para que las representaciones al pueblo se iniciaran más allá de las dos o dos y media de la tarde. Con ello se evitó (y ésa era la intención) la iluminación artificial, considerándola peligrosa con fundadas razones. En Castilla y en Valencia, en Nueva España y en Perú, el teatro popular seguirá siendo representado a medio día, para sorpresa de los visitantes extranjeros, quienes miraron con extrañeza las características ya anacrónicas de un arte decididamente conservador y tradicionalista.

Agustín de Rojas, en su *Viaje entretenido* (1603), nos hizo saber que las comedias de santos y los efectos escénicos correspondientes fueron puestos de moda algunos años atrás de cuando él escribe, o sea allá por 1580. [Lo corrobora] la predilección de Cervantes y de la generación de los «capitanazos de Lepanto» por las máquinas primitivas que permitían levantar actores del tablado, hacerlos descender hasta el mismo, escamotearlos repentinamente de la vista del público, o hacerlos desaparecer por los escotillones perforados en el escenario.

La maquinaria teatral de esa época consistía en un juego de poleas, en una grúa muy sencilla, y en un artefacto manejado con cuerdas. Era una especie de revólver vertical que al dar vuelta escondía un objeto, una imagen o un actor de los ojos de los espectadores, y volvíalo a presentar, si era necesario. Eran «las apariencias», o apariciones furtivas y espectaculares, generalmente acompañadas de luces y ruidos. En resumen, la «tramoya» como se le denomina genéricamente en adelante, sirve para manejar actores y objetos de su tamaño (serpientes fabulosas, nubes) que NO modifican fundamentalmente la estructura del escenario. Éste sigue desnudo, excepción hecha de ocasiones extraordinarias en que se viste con algunos elementos de carácter más bien simbólico para denotar el lugar de la acción: ramas para un jardín, una silla y una mesa para una sala, etcétera.

La tramoya no es un adelanto, como pensaron algunos contemporáneos, sino más bien la expresión del gusto medieval halagado por estos efectos sorprendentes y milagreros. Por eso la tramoya casó con las piezas religiosas a las que acompañó de ahí en adelante, como había acompañado de ahí para atrás a los misterios del siglo xv. La maquinaria para levantar, bajar, y hacer volar actores; los escotillones y los animales mecánicos e infernales, venían de aquellas obras, y habían sido utilizados abundantemente para ilustrar la salida de Satán de los infiernos y la llegada de los ángeles del cielo.

Al llegar al trono Felipe IV (1621) se inicia un cambio radical en la vida del teatro. El capitán Julio César Fontana es llamado a la corte para las fiestas reales de Aranjuez. La *mise en scène* suya de una obra de Villamediana y otra de Lope de Vega sorprende y deja muchos recuerdos y crónicas. Cuatro o cinco años después llega a Madrid, invitado igualmente por el rey, Cosimo Lotti, creador o inspirador de un teatro portátil semejante a los que se estaban haciendo en Italia. La maquinaria que estos directores e ingenieros trajeron a España es completamente diferente a la tramoya manejada en las comedias de santos, y que ya por entonces era objeto de burla por ingenua, por excesiva, por tramposa. Mientras ésta (la tramoya) servía para mover a los actores dentro de un contexto escénico rígido e inamovible, los ingenios italianos iban dirigidos a modificar el escenario en su totalidad. Por medio de complicados mecanismos pudieron cambiar el decorado —compuesto a mediados del siglo XVII por bastidores— con una velocidad sorprendente, en grado tal que estos cambios o «mutaciones» acabaron por constituir un atractivo en sí y una tentación a los escritores para crear comedias basadas en el juego mecánico.

No fue la tramoya compañera menor de la maquinaria italiana como pudiera pensarse, sino bien visto tenía un sentido casi antagónico. La tramoya trató de crear el efecto milagroso e inesperado fuera del ámbito de lo real, pues precisamente contribuía a la creación de un mundo poblado de apariciones demoníacas y de entes sobrenaturales. La técnica de los italianos pretendía, por lo contrario, idealizar una realidad conocida: era «el teatro del bosque», o «el teatro de marina» o «el teatro de palacio» el que era cambiado rápidamente y sustituido por otro. Era un intento de acercarse a la verosimilitud en la medida en que proporcionaba el marco adecuado a cada escena, pero lo hizo por los caminos de la inverosímil transformación inmediata, repetida, casi mágica, y esto acabó por confundir propósitos, y equiparar en la mente de muchos una técnica con otra. La evolución teatral del siglo XVII apareció en consecuencia como un mero auge de la comedia de tramoyas.

La realidad fue mucho más diversa. Por debajo de este novedoso movimiento de máquinas, el teatro de corte se transformaba radicalmente. La prohibición de no hacer representaciones fuera del horario diurno no valió para palacio. Las sesiones nocturnas contaban con iluminación artificial, gastada a raudales. Aparece con ella, en la tercera década del siglo XVII, el marco del proscenio y su correspondiente cobertura, es decir, el telón de boca. El escenario tiene a partir de entonces, detrás de esta cortina general, un decorado móvil compuesto de bastidores organizados en perspectiva.

Se tenía ya los elementos para introducir o mejor dicho para manifestar un nuevo sentimiento del espacio. El actor estatua iluminado duramente, de manera regular, por todos lados, en la especie de circo tectónicamente cerrado que lo circunda, es sustituido por un conjunto de planos fugitivos, entre los cuales emerge el actor como punto luminoso en medio de las sombras, candelilla móvil en un escenario cambiante en donde la palabra puede dejar lugar a la música.

El Coliseo del Buen Retiro adoptó la forma oval, figura «inquieta, que parece variar a cada instante y no da la impresión de necesidad» (Wölfflin). La masa de las montañas imitadas en el foro y el movimiento constante de los bastidores, todo eso es significativo. Sumidos en la penumbra, los espectadores contemplan el paso de la oscuridad a la luz con un sobrecogimiento no lejano del *stupore*. Estamos, claro, en el Barroco. Pero estamos ya también en el teatro moderno.

RINALDO FROLDI

EL TEATRO VALENCIANO
Y LA FORMACIÓN DE LA COMEDIA NUEVA

El reconocimiento que Juan de Timoneda hizo en Valencia de la validez literaria del teatro de Lope de Rueda, después de su éxito entre el público, tiene un riguroso significado histórico, porque señala el advenimiento de un género nuevo, desligado del rigorismo de modelos literarios clásicos o convenciones de ambientes áulicos, y empeñado, en cambio, en un efectivo esfuerzo de comunicación con un extenso círculo de oyentes. Siguiendo las huellas de Lope de Rueda, otros actores se comprometieron en la empresa y llegaron a ser célebres, pero de ellos no tenemos más que el recuerdo de sus contemporáneos. [Por otra parte siguieron gozando de gran vigencia también los italianos, cuyas actuaciones se documentan, abundantes, durante estos años.]

Todo esto ocurría en una época de indudable crisis de la civilización renacentista italiana, que, en el nuevo clima rigorista y organizador de la Contrarreforma, iba tratando de constituir, por el camino manierista, una cultura diferente que respondiese a las inquietas exigencias nuevas. Estas formas teatrales cómicas italianas, herederas del Renacimiento, habían decaído del plano áulico en el que habían surgido, pero se difundían ahora por toda España, im-

Rinaldo Froldi, *Lope de Vega y la formación de la comedia*, Anaya, Salamanca, 1968², pp. 91-95, 133, 153-159.

portadas de Italia; y penetraba también en las esferas más altas la cultura que aquella crisis iba expresando, y que se caracterizaba, sobre todo, por la exigencia viva de una renovada y ordenada sistematización regida por un fuerte deseo de excepcionalidad espiritual, por un sentido más vivo de la realidad, por la necesidad de una más amplia comunicación, por la conciencia de los valores éticos del arte.

En este clima se explica que en España, ante el éxito de la nueva forma de arte que amenazaba con deslizarse hacia una burda reproducción de la realidad o a esquematizarse en fórmulas, tipos y gestos fijos, con una finalidad meramente y mediocremente edonista, los literatos advirtiesen, por una parte, las inmensas posibilidades del teatro dentro de estas mismas exigencias éticas y estéticas, y, por otra, la necesidad de una disposición del nuevo género en formas de arte más coherentes, con vistas a un orden, a una disciplina y a principios teóricos, que no fuesen, sin embargo, abstracción doctrinal, sino que se organizasen en contacto con la misma experiencia.

Esto significaba, tras el abierto reconocimiento por parte de Timoneda del carácter literario del teatro representado, estrechar aún más los lazos entre literatura y escena. reforzar y profundizar lo que ya Lope de Rueda y Alonso de la Vega habían iniciado, es decir, la reducción de los distintos géneros literarios (en su caso la *novellistica* en especial) al género representable: Timoneda mismo había llegado incluso, si bien con resultados discutibles desde el punto de vista estético, a recrear con la *Filomena* una antigua y trágica fábula mitológica.

Los varios géneros literarios estaban allí prontos a suministrar el material que el género naciente necesitaba, según un proceso explicable y natural, por el cual la tradición más antigua y rica en formas se convertía en guía y sugerencia para la más joven e inexperta.

Este proceso, que tiene su desarrollo en los años que siguen a 1575, ha sido estudiado hasta ahora por la crítica como un repentino despertar de intereses, sobre todo hacia el género trágico, en el que resonaba aún la solemnidad de la épica; casi una violenta oposición al género cómico popular. Así, se ha colocado poco más o menos en la misma línea a autores completamente distintos, como Bermúdez, Rey de Artieda, Lupercio Leonardo de Argensola, Virués, Cervantes, y se ha llegado a ver, por otra parte, en el docto y libresco Juan de la Cueva al iniciador de un teatro nacional popular. Simplificación sumaria y expeditiva, alejada de la realidad histórica.

[El estudio detallado de la actividad teatral durante el último tercio del siglo] confirma la existencia en Valencia de una vivísima tradición teatral cuando Lope de Vega llegaba a esta ciudad por vez primera en 1588 (y por segunda vez en 1599). El mismo Guillén de Castro, que, según algunos, inició en Valencia su actividad de dramaturgo hacia 1583, y según otros, un poco más tarde (de cualquier forma, antes de 1599, año en que se puede hablar razonablemente de una posible influencia lopesca), en aquellas de sus obras que pueden considerarse más antiguas, como, por ejemplo, *El amor constante*, *El caballero bobo*, *Los mal casados de Valencia*, demuestra formar parte de un gusto y de una tradición locales cuyos elementos resultan fácilmente reconocibles. [...]

Se puede observar que Lope, antes de llegar a Valencia, había realizado tan sólo tentativas dramáticas gobernadas por un gusto eminentemente literario, por no decir libresco, incierto entre lo épico y lo lírico. En efecto, *Los hechos de Garcilaso* constituyen un intento de llevar a escena un tema heroico del *Romancero*, mientras que *El verdadero amante* y *La pastoral de Jacinto* escenifican temas pastoriles. *Los celos de Rodamonte* y *Belardo el furioso* se mueven en los dominios de la tradición poética épico-caballeresca. Ninguna de esas obras es «comedia» en su específica significación, ni lo es la que, entre los dramas más antiguos, alcanza los mejores resultados poéticos, es decir, *Las ferias de Madrid*, con su mezcla de temas distintos no resueltos en unidad. Después de estas obras, se nota ya, en *Las burlas de amor* y las demás piezas antes citadas, la existencia de una textura dramática más organizada y unitaria y la presencia de personajes y acciones que legitiman el uso del término «comedia» en su específico sentido histórico.

En efecto, Valencia debió de significar para Lope el encuentro con un teatro que había sabido asimilar plenamente la literatura y crearse un lenguaje propio: sobre todo a través de las obras de Tárrega, el gran exiliado debió de reconocer las infinitas posibilidades que el nuevo género ofrecía. Con las obras escritas en Valencia, Lope revela un sentido más seguro del teatro, cediendo, incluso, a veces, a una excesiva admisión de recursos escénicos de bajo valor. Definitivamente, adoptó la distribución de las comedias en el sintético dinamismo de los tres actos, innovación que, por lo demás, él reconoció a Virués, y de la que no está excluido que hubiese tenido ya noticia en Madrid, antes del destierro. Es también probable que Lope eligiese para su exilio precisamente Valencia por su fama de ciudad rica y culta y, sobre todo, por la curiosidad de conocer aquel ambiente teatral del que habría oído hablar a actores, como su amigo Gaspar de Porres.

Advirtió, por otra parte, la importancia de las figuras cómicas características, que quizá ya conocía del teatro *dell'arte* italiano, pero que estaban bien presentes en el teatro valenciano: motivo que él irá desarrollando hasta la creación de lo que será llamado el «gracioso». Dio una más variada pero más ligera y armoniosa organización métrica a la «comedia», y empezó a definir de un modo apropiado como protagonistas a los personajes del «galán» y de la «dama». Sobre todo, dejando al margen el influjo de la tradición de la lírica y de la épica, descubrió el diálogo brillante y hasta conceptuoso como instrumento fundamental de realización de una acción dinámica, capaz de interesar y mover a un público variado.

El mismo Lope, por lo demás, reconoció la grandeza del canónigo Tárrega, demostrando respetarle y admirarle. Por otro lado, la tradición dramática valenciana encontraba en Lope a quien sabía interpretarla y continuarla, profundizando sus motivos esenciales. No es posible, por tanto, seguir creyendo en una «escuela valenciana» formada por Lope: la verdad es que Lope, con su llegada a Valencia en 1588, aprendió más que enseñó, lo que —desde luego— no quita nada a su grandeza de poeta dramático, capaz, en breve tiempo, de superar a sus modelos y alzarse luego con una verdadera «monarquía cómica».

Una prueba más de la relación de sucesión entre Tárrega y Lope es ofrecida por Baltasar Gracián, que, en el «Discurso XLV» de su *Agudeza y arte de ingenio*, traza una línea fundamental del teatro cómico español y, después de haber hablado de Lope de Rueda, juzga que «el canónigo Tárrega aliñó ya más el verso y tiene muy sazonadas invenciones», para añadir: «*sucedió* Lope de Vega con su fertilidad y abundancia».

En Valencia, además, Lope de Vega tuvo ocasión de discutir sobre teatro, valiéndose de la tradición crítica y académica local, que de allí a poco se manifestaría en la Academia de los Nocturnos; debió así de madurar en él una conciencia crítica más precisa de lo que el teatro representaba en la cultura del tiempo. Cuando más tarde volvió a Valencia, en 1599, ya seguro dominador de la escena española, encontró en Guillén de Castro al que, siendo aún joven, tras sus primeros intentos llevados a cabo en la órbita de la tradición local, tenía genio y capacidad para desarrollarla en formas más decididamente innovadoras y en consonancia con la conciencia de la época.

Es justo distinguir, como hace Juliá Martínez, dos épocas en la producción de Guillén de Castro, porque la segunda llegada de Lope extingue las características de la tradición local; ésta ingresa en la órbita lopesca casi espontáneamente, dado que no presentaba elementos irreductibles con aquella «comedia» de la que, por el contrario, había sido un fundamental esbozo precursor. Por el mismo motivo, Ricardo del Turia y Carlos Boyl, al comienzo del siglo XVII, podrán compartir teóricamente el ideal lopesco de la comedia moderna sin las reticencias ni los rebuscamientos de compromiso de Juan de la Cueva, precisamente porque veían resolverse en Lope, del modo más coherente, la propia tradición local. Bajo todos los aspectos, el encuentro entre Lope y la producción valenciana era la consciente resolución de un proceso histórico.

La «comedia», como toda expresión artística, no es la milagrosa, improvisada y aislada invención de un genio por naturaleza ni tampoco es la impersonal manifestación de una raza o de una nación, sino que se forma en el surco de una tradición literaria constituida por obras de distintas personalidades creadoras, las cuales, interpretando humanas exigencias, no constituyen el objeto de la historia, sino su inteligente sujeto animador. En la tradición dramática valenciana, sin duda la más robusta y consciente del siglo XVI español, Lope de Vega se insertó con un superior vigor poético e ingeniosa fertilidad, dándole nuevo, más rico y más profundo rumbo. No debe, por tanto, extrañar que, después del triunfo de Lope, para la posteridad, la «comedia» llegase a ser por antonomasia «lopesca», lo que no autoriza —desde luego— al historiador a contentarse con semejantes simplificaciones y a olvidarse de todos los hechos y circunstancias, entregándose a lo sugestivo de una fácil mitología sentimental.

BRUCE W. WARDROPPER

LA COMEDIA ESPAÑOLA

Cuando intentamos identificar la comedia española, nuestro primer gran obstáculo es la nomenclatura. Hoy en día, casi todos los españoles piensan en la comedia como en una representación teatral que les hará reír. Sin embargo, para el español del Barroco el término era más complejo. Apoyándose en ejemplos tomados en su mayor parte del Siglo de Oro, el *Diccionario de Autoridades* resume más de un siglo de uso nacional del vocablo: «Obra hecha para el teatro, donde se representaban antiguamente las acciones del pueblo y los sucesos de la vida común; pero hoy, según el estilo universal, se toma este nombre de comedia por toda suerte de poema dramático que se hace para representarse en el teatro, o sea comedia, tragedia, tragicomedia o pastoral. El primero que puso en España las comedias en método fue Lope de Vega». En el siglo XVII, pues, comedia equivalía a drama. Desgraciadamente, se conservó al mismo tiempo el sentido clásico de la palabra, especialmente en la obra de los preceptistas. Con ello, la palabra resultaba ambigua, significando a la vez teatro (el todo) y comedia (la parte). Por un lado, estaba el uso popular (comedia = drama); por el otro, el académico (comedia = drama risible). Cristóbal Suárez de Figueroa se refería a dicha ambigüedad y sus efectos sobre la práctica teatral como a un «gentil quebradero de cabeza»; quebradero de cabeza que sintetizó hábilmente P. José Alcázar al escribir que «toda tragedia es comedia, pero no toda comedia es tragedia». [...] Visto que la palabra «comedia» abarcaba tantas clases de teatro, nuestro problema consistirá en identificar las comedias puras que haya dentro de la masa de lo que Tirso de Molina llamó, más específicamente, «la comedia nueva».

Hoy, en las escuelas y universidades se lee y estudia un breve canon de comedias: lo componen obras como *Fuenteovejuna* y *Peribáñez* de Lope de Vega, *El burlador de Sevilla* y *La prudencia en la mujer* de Tirso

Bruce W. Wardropper, *La comedia española del Siglo de Oro*, en apéndice a E. Olson, *Teoría de la comedia*, Ariel, Barcelona, 1978, pp. 183-242 (189, 191-196, 230, 233-235).

de Molina, o *La vida es sueño* y *El mágico prodigioso* de Calderón de la Barca. Aunque contienen escenas y personajes cómicos («graciosos»), no son comedias en ninguna acepción moderna. *Fuenteovejuna*, por ejemplo, tiene ciertamente un movimiento cómico. Frondoso, el protagonista, está enamorado de Laurencia; después de salvar los muchos obstáculos que se oponen a su amor, consigue su mano. Pero las violencias por las que pasan los enamorados desde el despertar de su amor hasta su fruición matrimonial son mucho más graves —y mucho más persistentes en la memoria del público— que la serie de simples contratiempos que persiguen a los amantes en la comedia pura. Además, el amor de Frondoso por Laurencia no es mero galanteo, sino amor verdadero y —como diría Lope— natural. Al igual que en la comedia, en *Fuenteovejuna* el joven se casa con la muchacha apropiada, pero en este caso sólo después de probar la firmeza de su amor en una ordalía mortal. La acción de la obra define prácticamente el amor como temor por la seguridad del ser amado. Esta concepción del amor es, con mucho, demasiado seria para el talante característico de la comedia. Lo subraya, además, la presencia de los Reyes Católicos en la obra, poniendo de manifiesto que el verdadero amor repercute no sólo en los individuos sino también en la colectividad. El amor personal de los soberanos se consagra en su matrimonio ideal, que ilumina con su resplandor una nación compuesta a su vez de dos reinos que, por decirlo así, han sido unidos sacramentalmente en un matrimonio político. Como tantas veces sucede en la comedia, el amor aparece triunfante; pero aquí las implicaciones del amor son de tal magnitud que *Fuenteovejuna* trasciende la comedia en la acepción corriente de la palabra. Los hechos dramatizados y su significación son demasiado importantes para que pueda hablarse de comedia. Pero el esquema fundamentalmente cómico de esta gran obra nos ayuda a comprender cómo en España la palabra «comedia» se expandió hasta cubrir incluso creaciones teatrales profundamente serias.

Las obras dramáticas más leídas del Siglo de Oro son, en palabras de Giambattista Guarini y Ricardo del Turia, «mistos poemas». Aplicando la distinción aristotélica entre «lo mixto» y «lo compuesto», estos teóricos afirman que, mientras que en los «compuestos poemas» las partes combinadas conservan su forma particular, en los «mistos poemas» la pierden para engendrar una tercera forma.

A esta nueva forma la llaman —y en el siglo xx lo imita, entre otros, Juan Manuel Rozas [1976]— «tragicomedias». «Ninguna comedia de cuantas se representan en España lo es, sino tragicomedia.» Esta afirmación de Ricardo del Turia [cf. n. 1] es errónea, como se verá. «Tragicomedia» es un término originalmente acuñado en broma por Plauto, para desarmar a quienes le censuraban el haber titulado *comoedia* su *Amphitryon*, basándose en que en ella tenían papeles principales dos dioses —Júpiter y Mercurio—, siendo así que desde Aristóteles se definía la comedia como imitación de la vida de la gente ordinaria. Como consecuencia de la negativa de muchos autores a permanecer dentro de los límites estrictos de la comedia y de la tragedia, el término se popularizó; pero nadie lo ha definido a plena satisfacción de todos cuantos lo utilizan. Por ser un término híbrido, Shakespeare lo ridiculizó de manera implícita y en nuestros días lo han rechazado críticos como Lionel Abel [1963]. Sin entrar en la controversia secular en torno a la legitimidad del término «tragicomedia», podemos reconocer, a pesar de todo, que las obras del Siglo de Oro que han despertado un mayor interés por parte de los críticos y espectadores raramente son comedias puras. Son tragedias, como *El castigo sin venganza* de Lope o *A secreto agravio, secreta venganza* de Calderón, o bien formas mixtas, como *El villano en su rincón* de Lope o *Del rey abajo, ninguno* de Rojas Zorrilla. A causa de la intrínseca severidad de la vida intelectual, los especialistas tienden a pasar por alto aquellas obras españolas que se asemejan a la comedia según la cultivaron Aristófanes, Terencio o Maquiavelo, o que se ajustan a definiciones clásicas o modernas.

Las historias de la literatura española suelen manejar el conjunto del drama barroco dividiéndolo en categorías. El inconveniente de estas categorías tradicionales es que dan lugar a una clasificación asistemática del teatro del Siglo de Oro.

Algunas de ellas —tales las «comedias mitológicas», «comedias de historia», «comedias de santos»— se basan en el tema de las obras. Otras —«comedias de costumbres», «de enredo», «de figurón»— se basan en su modo dramático. Por regla general, las obras serias aparecen clasificadas por temas, en tanto que las comedias lo son por modos. Saltan a la vista los reparos que se pueden poner a una clasificación tan poco sistemática. Ni las propias subdivisiones de la comedia son satisfactorias. Obras basadas en costumbres madrileñas, por ejemplo, a menudo están construidas como una serie de enredos. También retratan costumbres comedias de figurón como *El lindo don Diego* de Moreto. Cada subgénero cómico tiende a transmutarse gradualmente en otro. Por esta razón es mejor abstenerse de emplear las categorías tradicionales al escribir acerca de la comedia española.

Si a pesar de toda la confusión terminológica nos alejamos del limitado canon académico de obras «serias» para examinar el teatro del Siglo de Oro en conjunto, descubrimos que hay obras que parecen existir únicamente —o principalmente— con la finalidad de hacernos reír. En las fases tardías de la comedia nueva, *El desdén, con el desdén* de Moreto y *Entre bobos anda el juego* de Rojas Zorrilla han gozado largamente del favor popular. Pero aun al margen del repertorio académico normal hay comedias: *La dama boba, El sembrar en buena tierra* y *El acero de Madrid* de Lope o *La dama duende, Guárdate del agua mansa* y *Casa con dos puertas mala es de guardar* de Calderón. Si bien estas obras se leen, y alguna que otra vez se ponen en escena, han demostrado —con raras excepciones— ser de escaso interés para los críticos literarios. A finales del siglo XVII, Francisco Bances Candamo hacía esta acertada descripción de tales comedias: «aquellas cuyos personajes son sólo caballeros particulares, como don Juan o don Diego, etc., y los lances se reducen a duelos, a celos, a esconderse el galán, a taparse la dama, y, en fin, a aquellos sucesos más caseros de un galanteo». Bances las llama «comedias de capa y espada» porque estos lances de cada día no exigen un vestuario especial, salvo la capa y espada de rigor que el caballero corriente lleva por la calle. Estas comedias de capa y espada, pues, tratan de los equívocos, los celos y las pequeñas intrigas que se dan entre damas y caballeros enamorados. Bances no dice nada de sus desenlaces; no obstante, podemos añadir que en ellas normalmente triunfa el amor, de suerte que el galán desposa a la dama de la que está enamorado y por la que es correspondido. He aquí, pues, una forma de comedia pura en el Siglo de Oro, probablemente la más importante.

La alusión de Bances a «sucesos ... caseros» nos hace ver que las comedias de capa y espada se sitúan en el *hic et nunc*; se proponen reflejar, remedar, satirizar o caricaturizar las maneras de la juventud de la hidalguía urbana. En este aspecto contrastan con obras graves como *Fuenteovejuna* (cuya acción transcurre en el siglo XV) y *La vida es sueño* (situada en Polonia). Los hechos que hay que contemplar con seriedad precisan de una distanciación temporal o espacial respecto del espectador. Por otra parte, la comedia doméstica prende al espectador hasta el punto de llevarle a creer que lo que está viendo —por improbable que parezca— puede tener lugar en su vida o en la de aquellos con quienes mantiene relaciones sociales o tratos comerciales.

Pero existe otra clase de comedia —conocida por Aristófanes o Ionesco— que no discurre sobre la vida cotidiana, sino sobre el vuelo de la fantasía; no trata de lo posible, sino de lo apenas concebible. Tal comedia debe disociar al espectador de los elementos burlescos, placenteros o inquietantes que contempla, alejándolos de él en el espacio o el tiempo. Son de este tipo las llamadas «comedias románticas» de Shakespeare —obras como *La duodécima noche, El sueño de una noche de verano* o *Como gustéis*—, situadas en época imprecisa y en un país lejano o fabuloso. También hallamos obras de esta clase en la España del Barroco. Pueden venir situadas en un supuesto presente y en una ciudad verdadera, como Nápoles: tal es el caso de *El perro del hortelano* de Lope de Vega. El alejamiento de la acción respecto de la *villa y corte* conocida por los espectadores garantiza que en modo alguno se identificarán éstos con la condesa Diana y el humilde secretario al que ama. Análogamente, *El vergonzoso en palacio* de Tirso impide la identificación de los espectadores con los personajes por medio de la localización de la obra en el Portugal rural y provinciano del año 1400. Estas comedias fantásticas —ya sean en griego, en inglés o en castellano— son, más que misteriosas, desorientadoras. Mientras ríe, el espectador se ve turbado por la posibilidad de un significado profundo que escape a su comprensión, o que tal vez no esté presente siquiera en la comedia. Estas obras se basan a veces en fantasías ya existentes de algún autor de ficción en prosa (un *novelliere* italiano, habitualmente); pero, al igual que casi todas las comedias de capa y espada, a menudo son producto de la imaginación desenfrenada del dramaturgo.

Por último, tenemos los entremeses, humildes y humorísticos, que Lope de Vega identifica en su *Arte nuevo de hacer comedias en este tiempo* (1609) con «las comedias / antiguas donde está en su fuerza el arte, / siendo una acción y entre plebeya gente». Los entremeses son piezas cortas de un acto, escritas a veces en prosa y a veces en verso. Por representarse a modo de relleno en los entreactos de las comedias (obras de superior consistencia) se tendía —y se tiende— a ignorarlos, despreciarlos o subestimarlos. Pero ya hemos visto que Lope los tenía por ejemplos distinguidos de la comedia según la definían los preceptistas neoaristotélicos. Aunque eran elementos relativamente insignificantes de una sesión de espectáculo, respetaban fielmente las reglas del «arte»; concretamente, la unidad de acción y la antigua exigencia de que los personajes cómicos pertenezcan al estrato inferior de la sociedad.[1]

En medio de la imprecisión terminológica de la comedia barroca española, [cabe distinguir, pues, tres formas principales del género: comedias de capa y espada, comedias de fantasía y entremeses. Aceptado ello, es fácil separar la comedia de otras especies dramáticas españolas: el drama de honor, por ejemplo, o las obras de ambiente rústico de Lope.]

El aspecto más importante de la comedia española del siglo XVII es que está escrita desde un punto de vista que, pese a representar

1. [El aludido pasaje del *Arte nuevo* es particularmente complejo. Como nota A. Blecua (en el *Boletín de la Real Academia Española*, LVIII, 1978, pp. 422-424), «Lope está tratando, como reza el título, del arte nuevo de hacer comedias en su tiempo. La comedia nueva es, de hecho, un híbrido que no cabe dentro de las definiciones dramáticas tradicionales. Uno de los rasgos fundamentales de esta nueva comedia consiste en la presencia del rey en escena. La comedia entendida a la manera de la definición clásica, por consiguiente, no existe. Al desaparecer la comedia como tal, la zona dramática que ésta ocupaba ha quedado vacía, y sólo un género nuevo, el entremés, ha venido a llenarla parcialmente. Creo que Lope, al igual que el misterioso Ricardo de Turia, su exegeta, se refiere en este pasaje al reajuste que se ha producido en los géneros y en la terminología ("Y assí mismo en aquel breve término de dos horas querían ver sucesos cómicos, trágicos y tragicómicos, dexando lo que es meramente cómico para argumentos de los entremeses que se usan agora") ... Lope no afirma que él llame *entremeses* a las comedias antiguas, sino que "ha quedado la costumbre". Pero esto ha ocurrido "porque entremés de rey jamás se ha visto". Como en otras ocasiones, Lope ha originado una ambigüedad sintáctica en los versos "de donde se ha quedado la costumbre / de llamar entremeses las comedias / antiguas donde está en su fuerza el arte, / siendo una acción y entre plebeya gente, / porque entremés de rey jamás se ha visto ...". El pasaje se entendería: 'Lope de Rueda guardó los preceptos del arte —"una acción y entre plebeya gente"— hasta el punto de escribir comedias en prosa con protagonistas de oficios mecánicos'. Como los entremeses consisten también en una acción llevada a cabo por personajes bajos y están compuestos, por lo general, en prosa, se suele denominar entremeses ... a aquellas comedias antiguas que mantenían el arte. Hoy la comedia exige la presencia del rey en escena. Por este motivo, el vulgo no considera comedias a aquellas obras que carecen de este personaje. Como los entremeses no lo introducen —"porque entremés de rey jamás se ha visto"— ni tampoco aparecía en las comedias antiguas, éstas son denominadas, erróneamente, entremeses. La comedia a la manera clásica —la de Rueda— ha desaparecido, y su lugar ha sido ocupado por el entremés, cuya "bajeza de estilo" ha motivado que el arte de la comedia antigua fuera despreciado y, en contrapartida, ha hecho acto de presencia el rey en la comedia nueva cuando, de acuerdo con las reglas clásicas, sólo podía admitirse en la tragedia».]

el de la mitad de la población, se tiende a descuidar en un mundo sexista: el punto de vista de las mujeres.[2] Algunos de los excesos de

2. [«Normalmente la comedia urbana española nos muestra el triunfo de las mujeres sobre los hombres. Las damiselas burlan a sus guardianes y a sus pretendientes no deseados, manipulando sucesos y personas hasta garantizar que no han de casarse con nadie que no sea el joven del que están enamoradas. En el escenario se conducen de forma contraria a las convenciones —y a la moral, a veces— para lograr sus propósitos ... La mujer es capaz de tomar la iniciativa en el galanteo, contrariamente a lo establecido, porque en la vida real existe una falta fundamental de comprensión mutua entre hombres y mujeres que a la comedia le place sobremanera explotar ... La meta de la mujer en la comedia coincide con la meta de la propia comedia: "casarse". Es decir, levantar una casa o una familia. A menudo se toma este fin de la comedia como un modo de significar que, ya que se añade otra familia al orden establecido, el sistema se enriquece con el incremento. Los jóvenes enamorados, que durante la comedia han venido desafiando las normas sociales, vuelven al seno de la colectividad a través de la institución social del matrimonio. Con ello se tienen dos resultados: los huidos se reintegran a la disciplina de la sociedad, y ésta gana con ese acrecentamiento. Pero el espíritu de la mayor parte de las comedias españolas da a entender que el final es, más que la restitución de dos jóvenes descarriados a la sociedad, una continuación de las travesuras. Parece más probable que en el contexto de la comedia española casarse signifique un juego semejante a los de las niñas: "jugar a las casitas", llevar la casa. La comedia de capa y espada raramente termina con una palinodia; más bien justifica el arrojar el guante a una sociedad juzgada demasiado represiva. Aun cuando la sociedad aparezca triunfante en el ritual del matrimonio, este doblar al final la rodilla ante ella no parece muy sincero.

»A modo de ilustración de este punto, consideremos una comedia de Lope de Vega, *El acero de Madrid*. Nos presenta a una joven educada con gran rigidez que se ingenia para esquivar la vigilancia de su pudibunda tía a fin de celebrar repetidos encuentros con su galán, al que terminará uniéndose como esposa. Para ello, los enamorados deben hacer víctima de un engaño cruel a la tía, una solterona triste, que se creerá objeto del afecto de un apuesto joven. Una vez más, la impresión que perdura no es la del abrazo asfixiante de la sociedad sobre los amantes —pues al final se casan—, sino la del éxito que puede acompañar a la inmoralidad completa. La mayoría de las comedias de Lope nos presentan justamente una joven así, que atrapa al varón gracias a una completa falta de respeto por los tabúes sociales. Una vez alcanzado su propósito de casarse, espera seguir jugando con la casa de muñecas. [Cabe pensar que] tal esperanza es pura ilusión.

»Estas jóvenes vencedoras son indomables en su búsqueda de libertad. Al comienzo de *Las bizarrías de Belisa* de Lope, la heroína es testigo de una riña callejera en la que un joven se defiende valerosamente de varios agresores. Impulsivamente, manda detener su carruaje, se apodera de la espada del cochero y se lanza a la refriega en defensa del bravo y atractivo varón. Juntos escapan en el coche de ella. No es verosímil que un incidente así tuviera lugar la sociedad quedan reducidos con ello a sus dimensiones propias, en tanto que otros valores no son sólo acentuados, sino corregidos. El honor adquiere la importancia secundaria que merece; el amor pierde el aspecto imponente del que le revistieron los escritores varones —con ropajes corteses, neoplatónicos o petrarquistas—. En la comedia, lo grandioso se hace cotidiano. El amor y el honor se colocan con toda sensatez en el contexto del vivir doméstico. La cordura de la mujer reemplaza a la vaguedad emocional del hombre, locura que introduce la confusión en la realidad intersexual.

Esto no equivale a decir que la comedia española sea de un realismo «a ras de suelo». Lejos de ello, la comedia explora, en su particular reino de fantasía, las posibilidades de una vida diferente; en un escenario tangible se da realidad a los sueños. [No refleja la realidad de la sociedad y de sus valores, sino la forma como el público entiende y malentiende los prejuicios, expectativas y mitos sociales relativos a esa sociedad.]

Si los hombres tenían que atender a los complejos y en potencia calamitosos asuntos propios de la época —probar su limpieza de sangre, procurarse un hábito, comprar una ejecutoria de hidalguía, conservar la fortuna o el honor de la familia—, las mujeres eran sus cómplices pasivos. Por estar comprometidas de forma menos activa en tales cuestiones, su perspectiva era más clara. Aunque pocas de ellas escribían teatro, los hombres lo escribían para ellas, como el rey Dinís componía canciones para las mujeres de Galicia y Portugal

---

en las calles de Madrid, si bien documentos de la época dan noticia de algunos sucesos notables de esta índole. Lo que el hecho simboliza de forma preeminente es la libertad de acción de la que gozan —o que se toman— las mujeres según se las representa en las comedias de capa y espada. Belisa y las mujeres como ella a menudo no están bajo la vigilancia de parientes cercanos masculinos. Son ellas las responsables de la conservación de su buen nombre. Esta responsabilidad la toman a la ligera. Están libres de la obsesión por el honor que distingue a los personajes de las obras serias (o que en una comedia de otro tipo —de fantasía—, *El perro del hortelano*, plantea un dilema a Diana). Cuando en una comedia de capa y espada un pariente próximo controla la vida de una mujer, ésta suele mostrarse resentida por ello. En *La dama duende* de Calderón, doña Ángela, una viuda joven, convierte en objetivo central de su aburrida existencia librarse de la tutela de su autoritario hermano para poder disfrutar la vida y encontrar un nuevo marido. Su ansia de libertad la lleva a situaciones comprometedoras, pero también a la consecución de sus objetivos» (pp. 221-224).]

en la lejana Edad Media. Y los hombres escribían para las mujeres desde el punto de vista peculiarmente femenino de víctimas pasivas de un sistema social. Si en la ficción dramática de los hombres se atribuía imaginariamente un papel activo a las mujeres, ello se debía a que en la vida real las mujeres asumían de vez en cuando papeles tan desusados, o bien a que los autores masculinos deseaban que lo hicieran.

En mi opinión, la comedia —y muy especialmente la comedia española del Siglo de Oro— no es cosa de mucho ruido y pocas nueces, sino expresión positiva de la necesidad de cambio, de la necesidad de una sociedad más abierta, de la necesidad de entrada de lo femenino en el gobierno masculino de la sociedad. No sólo constituye la reclamación de un cambio, sino la de una inversión: se pide lo saturnal, se pide el mundo al revés. Al insistir sobre la prioridad de los derechos del individuo sobre los derechos de la sociedad, la comedia española desafía la concepción masculina de la forma de alcanzar la felicidad en una sociedad ordenada. Exhorta, si no a olvidar, sí a soslayar la primacía de la sociedad. Y pregunta: ¿para qué existe la sociedad sino para la felicidad individual? El mensaje de la comedia es el de que los individuos tienen derechos que exceden a los de la sociedad. Este mensaje era, y es, revolucionario. Es la exigencia de un ajuste del hombre (y de la mujer) a la necesidad biológica antes que a la necesidad social. Apoya, así, la visión de la comedia como proceso biológico acorde con el ritmo cósmico que distinguen Cook, Frye y Langer. En efecto, la comedia es alegre, ligera; pero en España no es, en modo alguno, intrascendente.

Jean-Louis Flecniakoska

¿AUTO SACRAMENTAL O COMEDIA DEVOTA?

Se ha repetido hasta la saciedad que el factor decisivo en el desarrollo del auto —visto únicamente como sacramental— radica en la importancia concedida a la adoración del Santísimo Sacramento, remontándose así a la Edad Media. Ahora bien, esto no es nada significativo, puesto que todo el mundo católico celebró simultáneamente y con igual fervor el Corpus Christi. Por otra parte, esta observación es además válida para las otras festividades litúrgicas. ¿Cómo puede concebirse que un culto, sin tornarse suspecto, pudiera cobrar en un solo país un desarrollo tal como para ser único en su género? Por otro lado, antes del nacimiento del auto, los propios españoles adoraron al Santísimo Sacramento a lo largo de siglos. Puede proponerse que el auto es una expresión de la Contrarreforma. La postura, a nuestro juicio, es harto difícil de defender, pues si hay una manifestación externa de la religión que los reformados debieran condenar, esa es precisamente la representación teatral de la vida de los santos, de la Virgen y, con mayor razón, de los misterios del Sacramento por excelencia. El auto no es contrarreformista, sino antirreformista, lo que no significa, en absoluto, lo mismo. Es un teatro conservador: defiende el patrimonio religioso de cualquier ataque exterior.[1] Una

Jean-Louis Flecniakoska, *La formation de l'«auto» religieux en Espagne avant Calderón (1550-1635)*, Montpellier, 1961, pp. 441-449. (Traducción de M. Teresa Ruiz Rosas.)

1. [«El nacimiento de un teatro eucarístico destinado al Corpus nos parece que es no un hecho de *Contrarreforma*, sino un hecho de *Reforma católica*. Como que ese nacimiento pone de manifiesto la voluntad de depuración y cultura religiosa que animaba entonces a la capa selecta del clero, particularmente en España: voluntad de volver las ceremonias católicas al espíritu en que habían sido instituidas, voluntad de dar a los fieles una instrucción religiosa que los hiciese llegar más allá de la fe del carbonero, que les hiciese sentir, si no comprender, los misterios fundamentales de su religión. En resumen, las representaciones teatrales del Corpus comienzan a extraer y subrayar la lección religiosa de esta fiesta por la misma razón que comienzan entonces a propagarse las *doctrinas*, o sea catecismos que apelaban a algo más que a la memoria. Por razones análogas el culto del Redentor vuelve por entonces a tomar la delantera

razón de ser de nuestro teatro puede hallarse en el deseo de mantener en su integridad tanto lo esencial como lo accesorio de la religión romana. Tengamos, sin embargo, cuidado, pues no se trata en ningún caso de un teatro «místico». En el auto no se desarrollan delicados puntos dogmáticos ni meditaciones profundas; consta más bien de lecciones catequéticas de perseverancia. Creyente o no, cualquier lector culto está en condiciones de seguir el argumento religioso de un auto. El objetivo de estas obras es el de recordar a los espectadores, divirtiéndolos, lo que en principio ya les es conocido.

Si bien es evidente que el auto sólo podía desarrollarse en un país católico, el hecho de que España haya sido una nación en la que el catolicismo ha tenido tanto peso, no explica la singular fortuna del teatro de devoción en un acto a lo largo de casi dos siglos. Creemos que la configuración del auto precalderoniano puede comprenderse sobre todo por el extraordinario desarrollo del teatro profano, por la proliferación de la poesía devota y por la afición de los españoles de la época a los espectáculos.

Ciertamente no es casual que el desarrollo del teatro de devoción en un acto se manifieste ya en la plenitud de su forma en el momento preciso en que la comedia también ha alcanzado su madurez. La participación de actores profesionales supone un giro decisivo en la historia de la representación de los autos, y es un hecho que, aproximadamente desde 1570, los actores aficionados fueron prácticamente descartados en las ciudades de cierta importancia. Ahora bien, es justamente a partir de esta época cuando se instalan los corrales de Madrid (1568-1574-1579), Toledo (1574) y Sevilla (1578), en fechas que corresponden a las de composición de las obras del *Códice de Autos Viejos* y del manuscrito 14.864, piezas todavía muy embrionarias. Si el teatro de devoción se halla, hasta aquí, lejos de su forma definitiva, ¿dónde está la comedia? No existe.

Antes de 1563, fuera de las universidades, se escenifican las obras de Lope de Rueda; en 1565 se publica la *Turiana* de Timoneda, y en 1577 las dos tragedias de Bermúdez, *Nise lastimosa* y *Nise laureada*. A partir de 1579 las obras de Juan de la Cueva empiezan a

---

sobre el culto de los santos, lo esencial sobre lo accesorio. El misterio eucarístico reivindica el puesto que le compete en el centro de las diversiones populares del Corpus, pues el alegre tumulto de éstas lo habían hecho perder excesivamente de vista» (M. Bataillon [1940], trad. cit., p. 189).]

ser llevadas a escena en el Corral de Doña Elvira, y en ese momento Cervantes escribe *Los tratos de Argel* y la *Numancia*. Nace la comedia con estos dos autores, pero siguen reponiéndose las tragedias de Gabriel Lasso de la Vega, publicadas en 1587, el mismo año en que Lope de Vega escribió *La pastoral de Jacinto* y *El verdadero amante*. En 1599, Lope compone *El blasón de los Chaves de Villalba* y el auto *Las bodas del Alma*, en tanto que Alonso Remón escribe *El hijo pródigo*; dos años después, Mejía de la Cerda saca a la luz *Las pruebas del linaje humano*, contemporáneo de la comedia *Los amantes sin amor* de Lope.

Al par que la comedia pasaba progresivamente de cinco a tres actos, se multiplicaba la polimetría y las acciones se diversificaban y nacionalizaban, el auto, a su vez, ganaba en extensión, perdía su carácter monostrófico, se apartaba de las Escrituras y, cuando eucarístico, optaba resueltamente por el camino de la alegoría.

En 1609, cuando Juan de la Cueva retoca el manuscrito de su *Ejemplar poético*, y Lope, para justificar su ya abundante obra, escribe el *Arte nuevo de hacer comedias*, habría podido escribirse un «arte nuevo de hacer autos». El auto ya no es la «égloga» a lo divino (al modo de Encina y Montemayor), ni el «paso» a lo divino (como en Sánchez de Badajoz y otros): se ha transformado en una *comedia* de devoción reducida a un acto; de estático ha pasado a ser dinámico, pues los conflictos y el dinamismo que le son propios han aflorado a fin de lograr una verdadera acción dramática. En resumen, el auto, manteniendo los cantos, ha adoptado la variedad de metros y de estrofas que otorgaban a la comedia profana su encanto lírico. Gracias a la alegoría que, desde la Edad Media, persistió en todas partes, y cuyo empleo fue habitual en el teatro de los jesuitas, logra renovar indefinidamente los temas accidentales, que, de esta manera, pueden fundirse con los fundamentales en perfecta armonía. Se alcanza así el arte de la doble exégesis, al que la escenificación de los carros triunfales heredada de las cabalgatas civiles y religiosas, con sus mil artificios, sus fingimientos, sus efectos sonoros y su pirotecnia, proporciona un marco maravilloso y complementario.

En el período que se extiende desde 1609 hasta 1635, no se observa un progreso propiamente dicho en la forma externa del auto; y a medida que se avanza a lo largo del siglo, puede constatarse que todo el esfuerzo de los dramaturgos se apoya en la invención de nuevas acciones alegóricas. Mira de Amescua, Montalbán y Tirso de Molina se esmeraron en encontrar, entre la infinita variedad de temas accidentales, aquellos que, una vez remozados, permitieran exaltar los méritos de la Iglesia, los sacramentos, la Virgen y los santos, mediante la exégesis por parte de los espectadores.

Los avances de la comedia no aclaran por sí mismos ni la supervivencia ni la proliferación de los autos en España; la literatura a lo divino que la precedió y se propagó hasta finales del siglo XVIII había preparado perfectamente al público para la catarsis indispensable. Estrechos lazos de parentesco unieron la poesía devota a nuestro teatro; sin embargo, antes que analogías literarias, creemos, ha de verse una similitud en la forma de concebir la catequesis. No existe una diferencia sustancial entre la lírica a lo divino, el jeroglífico, el catafalco recargado, el retablo y el auto. En todos estos casos, el objetivo es transmitir un mensaje divino mediante materiales concretos, en los que el sentido literal ha sido sustituido por un sentido esotérico con el cual todo el mundo está de acuerdo en virtud de una complicidad tácita.

No debe olvidarse, sin embargo, que la evolución de las condiciones materiales del teatro es, en sí misma, la que probablemente nos facilite la explicación más fiable en cuanto a la fortuna del auto.

En un primer plano hay que situar la existencia de un público. Sin él, y por más que pueda sorprender, no hay representación posible. Quien dice público, dice muchedumbre predispuesta a ver y escuchar la obra del poeta. Pues si las multitudes españolas hubieran mostrado indiferencia por los espectáculos, habría sido inútil escribir tantas piezas de teatro. Por lo demás, no olvidemos que un país posee una literatura dramática en la medida en que hay espectadores, afirmación que sigue siendo cierta. Los dramaturgos escriben para ganarse la vida y los actores salen a escena para subsistir; si se quiere comprobarlo, no hay más que remitirse a los contratos firmados ante notario. Además, ¿para qué componer una obra edificante si está condenada a no edificar a nadie? Sabemos hasta qué punto los españoles eran ávidos de espectáculos; los autores, en consecuencia, no tenían nada que temer.

El auto y la comedia, el dramaturgo y el director de la compañía, estaban ligados en buena medida por razones puramente financieras. Si los municipios, deseosos de asegurar el éxito de las fiestas religiosas y las representaciones de los corrales —fuente de ingresos para los hospitales—, contribuyeron ampliamente al desarrollo del teatro de devoción en un acto, no hay que olvidar que también las hermandades cumplieron un papel similarmente benéfico en las ciudades y pueblos: las octavas, los días de los Santos Patrones y de la Virgen, sirvieron tanto al auto como a la comedia.

El auto se desarrolló y proliferó en España a partir del último cuarto del siglo XVI, porque diversas condiciones se vieron cumplidas: deseo de exaltación de la fe tradicional, atmósfera propicia para la comprensión de la alegoría, público sediento de espectáculos, excelente organización del mundo del teatro y de las fiestas públicas, puesta en marcha de un teatro nacional profano de formas sumamente ágiles y variadas, presencia, en fin, de una pléyade de autores de talento (no olvidemos que el talento tiene también aquí su parte de responsabilidad). Sin la colaboración de Lope de Vega, Valdivielso, Mira de Amescua, ¿en qué se habría convertido el auto? Haber suscitado su contribución es uno de los méritos que deben atribuirse a los responsables de las fiestas y del mundo teatral.

[Con vistas a una definición del auto], hay que evitar, en primer término, hablar de teatro religioso: se trata de un teatro de devoción, es decir, un teatro que pretende ante todo conmover al mayor público posible. Es un teatro didáctico con ambición lírica, que, al igual que la poesía devota, utiliza, adaptándolo, un género pre- o coexistente. En la época de Lope es, pues, antes que nada, una comedia devota. Poco importa que el auto sea representado el día del Corpus u otro día: la estructura interna es la misma. Los autos, sean eucarísticos, marianos, navideños o hagiográficos, implican unos conflictos y unos recursos, una versificación, unos temas, imágenes y metáforas con frecuencia análogos.

Pero esta comedia devota, por razones de orden material (multiplicación de las representaciones en diversos lugares de la ciudad), ha de ser breve: se le reduce así a una sola jornada y se multiplican las «apariencias». De este modo, podría decirse que el auto es una comedia devota en un acto y de gran espectacularidad.

Inmediatamente, se nos objetarán los hechos siguientes: ¿qué se hace del Corpus? A lo cual responderemos que los autos eucarísticos se representaban durante toda la octava e incluso en otras fechas, de las que no podemos prescindir, aunque sean menos numerosas. ¿Qué ocurre con la alegoría, tan importante? Ésta caracterizará de preferencia al auto eucarístico, ya que, según nuestra definición, toda prefiguración también es alegórica, y por ello clasificamos en esta categoría las piezas llamadas bíblicas.

La comedia profana es multiforme, y no por ello se la ha intentado definir ateniéndose sólo a la comedia histórica o de capa y espada. La comedia, por su estructura interna y por las condiciones en que ha sido representada, forma un todo que jamás a nadie se le ocurrió disociar. ¿Por qué no habría de suceder lo mismo con el auto? Los autores de autos no fueron tan exigentes como nosotros, y confundieron bajo este nombre todo lo que era representación devota. ¿O acaso no se lee a propósito del *Milagro de San Andrés*: «un auto de devoçión»; a propósito de *El Rey Assuero y Aman*: «figura el auto figura / de la sacra Encarnacion»; o en la *Farsa de Adán*: «qu'es auto del Sacramento / que enseña la Redención»? En el manuscrito 14.864 encontramos a menudo «comedia y auto sacramental» para designar una misma obra, sea cual fuere su tenor; por otra parte, Covarrubias escribió en 1610: «*Auto*: la representación que se haze de argumento sagrado en la fiesta de Corpus Christi y otras fiestas».

Si la frase «comedia devota en un acto» no parece apropiada para el período anterior a Lope, habrá que llegar simple y llanamente a la siguiente definición: «drama devoto en un acto». A partir de ahí, no habrá sino facilidades para clasificar las diferentes piezas según sean eucarísticas, hagiográficas, marianas o navideñas. Que el auto eucarístico, gracias a la alegoría, conociera una fortuna incomparable y siga siendo el más interesante para nosotros, es cosa que no ofrece duda alguna; pero en el quehacer de historiador hay que respetar incluso aquello que ofrece un interés menor. [...]

Cuando Calderón empieza a escribir sus autos, es decir, en vísperas de la muerte de Lope, el drama devoto en un acto ya ha conquistado sus títulos de nobleza. La estructura del auto está bien definida, los mecanismos de la alegoría se hallan a punto, el público está acostumbrado a las representaciones catequísticas y la organización material del teatro es perfecta. El mérito de Calderón consistirá en continuar escribiendo decenas de autos, no solamente sin disminuir su atractivo, sino incluso agregando a sus obras la dosis de filosofía que con frecuencia faltaba. El drama devoto se convertirá en ocasiones en drama religioso: el genio, aun tomando a manos llenas de entre lo conocido, puede transmitir un calor nuevo a lo que parecía frío para siempre.

Sea cual fuere el juicio personal que se manifieste sobre el auto, es innegable que ofrece una de las formas más originales de la literatura española. Y ello puede obedecer a que se trata del menos literario de los géneros. ¿O acaso no fue compuesto para ser escenificado una o dos veces y después quedar condenado a caer en el olvido? ¿No es por ventura comparable a esas fallas complicadas, lujosas y costosas que se queman en una noche y vuelven cada primavera?

El auto es en primer lugar y ante todo una diversión sacra enmarcada normalmente en la celebración de una festividad religiosa. No hay nada más falso que las representaciones que pueden darse hoy en día. Para entenderlo bien habría que poder circular entre la muchedumbre que salía entusiasmada de las iglesias y acompañaba la procesión; tener acceso a un lugar entre los privilegiados que se sentaban frente al Santísimo Sacramento, a la imagen de la Virgen o de un santo; y allí, con alma de católico romano y de español, seguir las escenas líricas, que se pueden situar tanto en nuestro tiempo como fuera de él y en las que se debaten los angustiosos problemas del origen y el futuro del hombre.

José María Díez Borque

GÉNEROS MENORES Y COMEDIA: EL HECHO TEATRAL COMO ESPECTÁCULO DE CONJUNTO

La representación o conjunto de elementos que formaban el espectáculo que se daba en los corrales, era un conglomerado de formantes distintos en el que la comedia ocupaba el papel central y privilegiado, pero iba acompañada de otros espectáculos,[1] no siempre estrictamente literarios, que contribuyeron, en gran medida, al éxito masivo y formaron —sumados e incarnidados— una unidad orgánica, a pesar de la aparente heterogeneidad. [...]

José María Díez Borque, *Sociedad y teatro en la España de Lope de Vega*, Antoni Bosch, Barcelona, 1978, pp. 269-272, 274, 277-282, 290.

1. No se suelen editar en conjunto la comedia y los «géneros menores» que la acompañaban en la representación pública; me parece excelente idea la de Francisco Rico [1971 *b*] que publica *El desdén, con el desdén* con todos sus acompañantes escénicos, situándola así en su marco espectacular.

Para Vossler [1932] esa acumulación de ingredientes se justifica por un no querer pensar de los espectadores en todo el tiempo que duraba la representación, sintiéndose envueltos en un mundo de excepción que se prolonga al máximo, dilatando la vuelta a la realidad. C. V. Aubrun [1968] y, con él, otros autores proponen una función distinta a estos variados elementos que se suman a la representación de la comedia: «a la vez la aíslan como ficción y la relacionan, artificialmente, con la realidad de cada día. Todo ocurre como si el dramaturgo no solamente rechazase la ilusión cómica, sino que insistiese, por cuatro veces, en denunciarla». No sé hasta qué punto se puede mantener esto, que ya circula como idea repetida. Claro que rompen el encantamiento de la ilusión cómica, pero a cambio de presentar otra forma de espectáculo, tan apetecida como la propia comedia y que —en otro plano— es también una estilización de la realidad que incorpora lo cómico y lo grotesco como fuente de diversión e inscriben, dentro de la «teatralización» de vida y teatro en el XVII, el baile y la danza que, a veces, termina en una mezcla de cómicos y público que bailan juntos la *zarabanda*, potenciando, en un aspecto, el teatro dentro del teatro. Estas formas teatrales que, sólo a efectos distintivos, voy a llamar menores, llevan a las tablas la otra cara de la moneda, es decir, la excesivamente real y grotesca, que la semántica interna de la comedia arroja fuera, pero en un movimiento pendular, pues la tensión hacia la idealización en la comedia, aunque refleje, si no la realidad, al menos las aspiraciones colectivas, es aquí tensión de signo contrario, hacia los tonos fuertes de lo excesivamente real. Quiero decir con esto que lo que se produce, a mi juicio, es una complementariedad o, en otras palabras, una tensión hacia la nivelación de situaciones extremas. Así entiendo la coherencia de todos los componentes de la representación, en cuanto subsidiarios y no opuestos, y en cuanto que se trata de un espectáculo único y excluyente que incorpora formas que. después conseguirían un desarrollo autónomo, sin contar con la comedia como elemento vinculante. [...]

La representación solía comenzar con algún ruido estridente (no había telón de boca) para atraer la atención del público hacia las tablas, y, a continuación, música de guitarra, vihuela, trompeta y chirimías, y, frecuentemente, cánticos (en los contratos, se especifican estos pormenores: primera dama de canto, segunda dama de canto,

músicos, etc.). Sirve esto para dar la bienvenida al público y supone
la incorporación de lo que será, después, forma privilegiada y autónoma en los espectáculos públicos. [...] La comedia, dividida en
tres actos, no soportaba espacios vacíos entre ellos, pero quizás esta
división se justifica —sobre todo— para poder introducir los otros
componentes de la representación, ya que no viene exigida por necesidades de cambios escénicos, y tampoco es explicable desde necesidades de la estructura de la comedia. En estos intermedios se inter-
calaban entremeses y también jácaras, mojigangas, bailes y sainetes.
Pero solía haber un patrón rígido en cuanto al orden en que debían
aparecer, y el público lo conocía: [entre la jornada primera y segunda se intercalaba un entremés, entre la segunda y la tercera un baile,
terminando con el sainete.]

Los géneros no eran tan precisos y definidos, como puede pensarse,
y la propia terminología de la época nos lo descubre: *loa entremesada,
entremés cantado, baile cantado, baile entremesado, jácara entremesada*;
pero esta fluctuación me permite insistir en el aire de familia que tienen
todas estas manifestaciones, como ramas de un mismo tronco y, a la vez,
prueba la variedad de funciones que tenían que cumplir estas formas
menores del teatro. Prueba también su importancia, pues es muy revelador —como insinúa Hannah E. Bergman [1970]— que una época que
se contenta con el casi solo término de «comedia» para la obra larga
[véase p. 239], dispusiera de tal variedad terminológica para las formas
menores. En todo caso, acéptese que las fronteras son borrosas, que las
formas se mezclan y entrecruzan y que, en conjunto, constituyen el inseparable complemento de la comedia, que el público exige violentamente
como algo a lo que tiene derecho, incluso por encima de la propia comedia. [...]

«La LOA inicial aspiraría sencillamente a despertar impaciencia en
el público y acostumbrarlo a mirar la escena y cerrar el pico, de
forma que, por contraste, al iniciarse la acción de la comedia (normalmente con una *mise au point* tan rápida como imprescindible
para la comprensión del asunto), estuviera bien avisado de que ya
no debía perder ni palabra» (F. Rico [1971 *a*]). Crear expectación
y fijar la atención en las tablas eran las misiones de la loa, también
cuando la loa no gustaba y no era bien acogida por los espectadores,
aunque —en este caso— podía acortarse y reducirse al mínimo para
no provocar complicaciones y ponerse en contra el ánimo del público. Creo que toda la preocupación de la loa de conseguir silencio,

epetida tantas veces, prueba que no se trata sólo de una tradición iteraria, en la línea de los prólogos del teatro renacentista, sino una necesidad, porque el público era difícil de callar, [y no se rechazan formas ni temas con tal de conseguir el propósito.]

En una buena comedia el ENTREMÉS, según Rosell, aumenta su categoría; el fracaso de una mala puede ser evitado si se acierta con el entremés. Para muchos espectadores era el entremés la parte fundamental y más apetecida de la representación. Entre la primera y segunda jornada se intercalan, pues, estas breves piezas jocosas y divertidas, que tienen sus raíces en formas dramáticas medievales, perfeccionadas con *pasos* renacentistas con un esquema fijo de tipos, situaciones y recursos [véase *HCLE*, vol. 2]; pero no es esto lo que interesa aquí, sino indagar —como siempre— su función y complementariedad con respecto a la comedia. Por de pronto hay una oposición fundamental que salta a primera vista: los temas nobles, personajes dignos y mundo idealizado de la comedia son en el entremés personajes plebeyos, situaciones cotidianas con el *excesivo* realismo que caracteriza a la caricatura, a la sátira y a la parodia grotesca. Tras adquirir su forma modélica con Quiñones de Benavente [véase cap. 9], que supo acertar con la fórmula para divertir al público, el entremés se constituirá en elemento fundamental, inseparable contrapeso de la comedia. Sigo, pues, en desacuerdo con C. V. Aubrun, que lo considera como recurso voluntario para evitar que el público se entregue plenamente a la comedia haciéndolo despertar, súbitamente, tras haberle permitido la ensoñación.

A los amores y sentimientos sublimes e idealizados en la comedia, el entremés opone formas realistas y materiales, protagonizadas no por quintaesenciados caballeros y damas o labradores idealizados, sino por fregonas, molineras, viejos ridículos, bobos, labradores vulgares. [...] Comedia y entremés son dos deformaciones antagónicas y polares, que se apoyan, ambas, en la exageración, y tienen como justificación las necesidades del espectáculo, complementándose entre sí. A unas relaciones sociales totalmente idealizadas se suman unas relaciones sociales totalmente degradadas y sin posible encuentro entre sí y esta convivencia nace de la exigencia ¿o imposición? al público del espectáculo total que rechaza, por inasequible, una visión crítica de la realidad. [...]

En cuanto a su sentido y funciones, hay que distinguir entre entremé
de *enredo*, en que domina una breve intriga que consiste, fundamental
mente, en la burla y engaño a unos personajes inferiores con los que e
espectador, según apunta Eugenio Asensio [1965] no se identifica, y en
tremés de *costumbres* y *carácter*. [...] En lo formal es posible distingui
—como hace Bergman— entre *entremés representado* que en 200 o 30C
versos presenta un cuadro de costumbres o un pequeño enredo y *entremés cantado*, que suaviza y endulza la sátira con el cántico y el baile.
Para N. D. Shergold [1968] estos entremeses cantados «are often like
miniature comic operas», semejantes a formas escénicas inglesas del mismo
tipo. A mediados del XVII se generalizó terminar el entremés con un breve
baile, que sustituía los bruscos finales a mamporros, que gustaban y gustan a un público general. [En la época que me ocupa, aunque se utiliza
la palabra, no hay diferencias entre entremés y sainete y éste no ha adquirido la especificidad que tendrá posteriormente.]

La JÁCARA era una composición breve que representaban uno o varios
cómicos y trataba de las rivalidades entre jaques, sus fechorías, castigos..., etc. Tiene un origen de germanía, cuyas formas de lenguaje incorpora, incluso. Presenta vivamente hurtos, atropellos, pendencias, y supone
un malsano interés de los espectadores, que gustan de oír las acciones y
aventuras de los que viven fuera de la sociedad (pícaros, ladrones, presi-
diarios, prostitutas, etc.). Solía cantarse con una melodía muy característica,
se podía bailar, e incluso mezclarse con entremeses. La jácara no es, en su
origen, un género teatral, sino un género poético muy popular, conocido
y cantado por todos y que en el corral se convierte en «poesía de complemento» de los géneros esencialmente teatrales. Nos muestra hasta qué
punto la deformación de signo contrario al de la comedia era habitual y
querida por los espectadores. [...]

La MOJIGANGA es otra forma de diversión popular, no dramática en
su origen, y que vendrá, después, a sumarse a la representación de la comedia como núcleo fundamental. E. Cotarelo insiste en que pasa de la
calle al escenario y él mismo la define, de acuerdo con este origen caracterizador: «breve juguete escénico, grotesco por su asunto, sus tipos y
sus disfraces (frecuentemente de animales)». Y todo esto acompañado de
una música estrepitosa y destemplada (pandorga). Conservaba, pues, las
características de su origen como mascarada o procesión de comparsas
ataviadas con pintorescos trajes y disfraces, que solían celebrarse —sobre
todo— para festejar el carnaval. [La mojiganga de ser regocijo privativo
del carnaval, que se extiende a Pascua de Navidad y Corpus, pasa a ser
el componente habitual de la representación que despide a los espectadores una vez terminada la comedia.]

[Los *bailes* introducidos en la representación eran] un género mixto de canto, danza, música y recitación que se suma al cuerpo de la comedia en cuanto que ésta en sí, aparte de sus complementarios, es una forma de espectáculo total que engarza diversos elementos. Al principio, la composición lírica indicaba los movimientos coreográficos, pero de esta descripción cantada o acomodada a los movimientos de los bailarines —como observa H. E. Bergman—, se pasará a una forma más complicada y que vincula el BAILE a los otros géneros menores: se trata de bailes con un poco de argumento, con frecuencia una metáfora continuada que se utilizará satíricamente, pasando del monólogo cantado al diálogo. Esta forma de baile ya no pertenece al cuerpo de la comedia sino que se representa aparte, como complemento, frecuentemente siguiendo al entremés. El paso último en su evolución será el *baile entremesado* o *entremés cantado*, en el que, con un breve argumento, casi todo el diálogo es cantado, empleándose romances y cancioncillas populares y movimientos de bailes del pueblo. Aunque la apoyatura en su evolución sea el entremés, se aparta del realismo y costumbrismo de éste «hacia lo abstracto, la alegoría, la fantasía» (Bergman) y tiene una estructura métrica más rica y variada.

ALEXANDER A. PARKER

UNA INTERPRETACIÓN DEL TEATRO ESPAÑOL DEL SIGLO XVII

En su estructura, el drama español del Siglo de Oro habla su propio lenguaje, que hemos de aprender primero antes de entender adecuadamente lo que dice. Es una estructura gobernada por cinco principios: 1) la primacía de la acción sobre el desarrollo de los

Alexander A. Parker, *The approach to the Spanish drama of the Golden Age*, The Hispanic & Luso-Brazilian Councils, Londres, 1957, pp. 27 (primer párrafo), 3-9, 14-17; trad. cast. en Manuel Durán y Roberto González Echevarría, eds., *Calderón y la crítica: historia y antología*, Gredos, Madrid, 1976, pp. 327-357.

personajes; 2) la primacía del tema sobre la acción, con la consecuente inaplicabilidad de la verosimilitud realista; 3) la unidad dramática en el tema y no en la acción; 4) la subordinación del tema a un propósito moral a través del principio de la justicia poética (que no está ejemplificado solamente por la muerte del malhechor), y 5) la elucidación del propósito moral por medio de la causalidad dramática. Creo que estos cinco principios son esenciales a la formulación de un enfoque crítico del drama español. [...]

La característica genérica del drama español es, por supuesto, que constituye esencialmente un drama de acción y no un drama de personajes. No se propone retratar en forma acabada y completa a los personajes, aunque ciertas obras lo hagan incidentalmente. Algunos de los malentendidos que ha suscitado el drama español, y especialmente las obras de Calderón, se debieron a la desazón experimentada por los críticos ante la ausencia de personajes completamente desarrollados y con plenitud de vida. Debemos, sin embargo, dejar de lado todo prejuicio y aceptar el hecho de que el drama español se apoya en la suposición —que a fin de cuentas está respaldada por la autoridad de Aristóteles— de que lo principal es la trama y no los personajes. Podemos, pues, juzgar la acción por sí misma y ver qué es lo que tiene que ofrecernos en cuanto a valores humanos. Esto no quiere decir que los personajes no sean importantes. Lo que quiere decir es que puesto que los dramaturgos deben presentar dentro de una estricta limitación de tiempo una acción llena de incidentes, no tienen generalmente tiempo para elaborar sus personajes y deben limitar su caracterización a breves pinceladas. Dejan que el público y los autores completen, a partir de estos toques y esbozos, la psicología de los personajes. Y es importante que el lector moderno de las obras de teatro españolas haga lo mismo. El lector moderno debe darse cuenta de que el dramaturgo le ofrece el esbozo del personaje; lo demás corre por su cuenta. [...]

Lo que el dramaturgo nos ofrece no es una serie de personajes cabales, sino una acción cabal. Por acción cabal no solamente entiendo aquella que está integrada, la que al final anuda todos los hilos sueltos, sino también una acción que constituye un conjunto significativo, que descubre un tema que se apoya significativamente sobre la experiencia, un tema que puede ser sacado de la acción particular y universalizado en forma de una apreciación importante sobre algún aspecto de la vida humana. Deseo insistir sobre la distinción entre acción y tema, puesto que es fundamental. La acción es lo que los incidentes del argumento son en sí mismos; el tema es lo que tales incidentes significan. [...] La relación del tema con la acción no tiene nada que ver con el grado de verosimilitud de esta última, sino que descansa íntimamente sobre la analogía. La trama de la obra es meramente una situación inventada y, como tal, una especie de metáfora, ya que su contacto con la realidad no es el de una representación literal sino el de una correspondencia analógica; el tema de la obra es la verdad humana expresada metafóricamente a través de la ficción escénica. [No importa en lo más mínimo si el argumento de la obra no es fiel a la experiencia normal, siempre que el tema sea fiel a la naturaleza humana.]

[El primer punto que debe ser tenido en cuenta al deducir el tema de los hechos de la acción es que los argumentos del drama español están construidos sobre el principio de la justicia poética.] La justicia poética es un principio literario y no un hecho de la experiencia. En la vida real, los malvados pueden prosperar y los virtuosos sufrir. Pero, en la literatura, durante el siglo XVII español se consideró adecuado que el crimen no quedara impune ni la virtud sin premio. El drama español también implícitamente afirma lo inverso: la necesidad del castigo del malvado; es decir, que nadie debería ser castigado y sufrir calamidades sin merecerlo.

Los diferentes tipos de castigo distribuidos a los personajes se escalonan desde el más severo hasta el más leve, con una cantidad de matices intermedios. El castigo más severo es la condenación al infierno. Esto no es común, pero ocurre en dos famosas obras de Tirso de Molina, *El burlador de Sevilla* y *El condenado por desconfiado*. Esto indica, claramente, que la maldad en cuestión ha sido tan grande y premeditada que no hay circunstancias atenuantes que la rediman. El castigo que le sigue en gravedad es la muerte, y luego vienen varios grados de frustración, que consisten en la ruina de los proyectos y esperanzas del personaje. Una forma común de frustración es la no realización de un matrimonio sobre el cual un personaje ha puesto todas sus esperanzas; pero hay muchas otras, algunas de las cuales no son reconocidas en general como tales. Es importante percatarse de que la muerte no es la única forma de castigo en el drama español, y de que su ausencia no implica necesariamente un desenlace feliz en el sentido corriente: el grado de frustración con el cual un personaje se encuentra al final de una obra es la medida en que el dramaturgo condena sus acciones y, por lo tanto, da una pauta para la interpretación del tema. El castigo de este tipo está casi siempre presente hasta un cierto grado, aunque puede ser mitigado por el perdón: en *La vida es sueño*, por ejemplo, Basilio es restaurado en el trono por la generosidad de Segismundo, pero su orgullo ha sido humillado con anterioridad.

La insistencia en la justicia poética puede así hacer que el drama español choque con la teoría dramática tradicional al borrar la distinción clásica entre tragedia y comedia. Un buen ejemplo, interesante para la literatura comparada, es *La verdad sospechosa*, de Alarcón.

Esta es una comedia, y en verdad muy divertida, pero no tiene un desenlace feliz sino desgraciado, ya que el infortunado protagonista pierde a la mujer que ama y es obligado a casarse con la que no ama. Esto es, por supuesto, la frustración que merece por ser un joven jactancioso y engreído, que por pura vanidad ha adquirido el hábito de decir mentiras. Este hábito puede originar una comedia, pero, por eso mismo, ésta no puede, de acuerdo con la concepción española del drama, conducir a una feliz resolución. La dureza del desenlace se ve acentuada por el destino de Lucrecia, que desemboca en un casamiento con un hombre que no la quiere. Por ambas razones, Corneille consideró que el final era contrario al buen gusto dramático, y al adaptar la obra de Alarcón a la concepción francesa del drama alteró el final con el objeto de que, como él mismo lo expresó, la comedia pudiese terminar armónicamente. Para obtener un final feliz, la intención de castigar al mentiroso debe ser abandonada; en consecuencia, en *Le menteur*, Dorante se ve obligado a desembarazarse de sus dificultades gracias a su agilidad mental y a su enamoramiento de la mujer a quien no ha cortejado, realizando así un casamiento feliz. El resultado es que el propósito moral de Alarcón, ejemplificado en el juego de la justicia poética, es abandonado, y Dorante surge como un mentiroso y listo joven que se impone con éxito sobre todo el mundo.

[Las obras en las cuales la justicia poética no acarrea la muerte de los protagonistas] son generalmente malentendidas, ya que el verdadero núcleo de la tragedia queda sin identificar. *El castigo sin venganza* de Lope de Vega es un buen ejemplo.

Aquí, un duque, señor de un estado italiano, es un libertino irresponsable, aunque en otros aspectos es un hombre benévolo y bien intencionado. Nunca se casó, con el fin de conservar su libertad para proseguir sus amores. Como resultado de esto, el único heredero que tiene para sucederlo es un hijo ilegítimo, con el cual se encuentra profunda y genui-

…amente encariñado. Dándose cuenta de que sus súbditos no aceptan de …uen grado la idea de un bastardo que los gobierne, el duque es compe…ido por razones de estado a casarse para tener un heredero. Pero su …orazón no está en el matrimonio y desvergonzadamente menosprecia y …esdeña a su mujer mientras continúa sus amores irregulares. Ella, que …s una joven de espíritu, se ve impulsada a vengarse de las ofensas que él …e causa, pagándole con su propia moneda; obliga a su hijastro a decla…arle su secreta pasión, y cesa de ofrecer resistencia a la pasión que ella …nisma siente. A su debido tiempo, el duque se arrepiente de su conducta …' decide sentar cabeza, y llevar una respetable vida doméstica, sólo para …ncontrar que su mujer ha estado viviendo en adulterio con su hijastro. …úbitamente se da cuenta de que todo esto se debe a su propia culpa, …ero como jefe del estado se ve obligado a castigar con la muerte el …rimen de adulterio. Es cosa terrible para él tener que ejecutar a su propio …ijo, la única persona a la que realmente ha amado, pero no puede eludir …a justicia por la cual él es responsable. El clímax culmina al final de la …bra con la secreta ejecución de la pareja culpable.

La obra ha sido interpretada tomando a la esposa como verdadera protagonista: la heroína trágica cogida en la red de su amor culpable pero comprensible. El duque aparece así como el instrumento por el cual el protagonista encuentra su trágico destino, pero como necesario vengador de su honor introduce la repelente idea de la secreta venganza, requerida por el código de honor español. Pero pareciendo defender así la inhumanidad de este código, Lope desfigura su tragedia humana, porque la obra concluye no con una nota de piedad y temor sino con la exaltación de la rectitud.

Que esta interpretación está equivocada es evidente por el hecho de que el duque no sólo abre y cierra la acción dramática, sino que es el agente que determina todo el curso del argumento. Aun en el breve resumen que he dado, es evidente que, si no hubiese sido un libertino al principio de la obra, no se hubiese visto obligado al final a ejecutar a su mujer e hijo. Todo lo que ocurre en la obra se desprende de sus propias acciones por una cadena ininterrumpida de causas y efectos cuyo primer eslabón ha sido forjado por el tipo de conducta de que él da ejemplo desde la primera escena. Siendo esto así, es imposible que nadie más sea el protagonista. Si la obra es una tragedia, él es el héroe trágico. ¿Pero cómo puede ser él el héroe trágico si la justicia poética no lo alcanza? La respuesta es que sí lo alcanza, porque al final podemos ver que toda la vida del duque yace en ruinas en torno suyo. A lo largo de su vida de libertino, al colocar continuamente sus placeres privados antes que sus deberes públicos, y no enmendándose sino cuando es demasiado tarde, el duque ha arruinado su vida privada al arruinar su matrimonio y verse forzado a matar al hijo que amaba; además, ha arruinado su vida pública puesto que no tiene heredero que le suceda ni legítimo ni ilegítimo. H fracasado tanto en su actividad privada como pública, y la ironía de tod esto se ve acentuada por el hecho de que su posición pública, cuyas res ponsabilidades ha desdeñado, lo fuerza a apedrear con manos culpable a la mujer sorprendida en adulterio. Su castigo entonces es el fracaso, e deshonor, y el tener que vivir sobre las ruinas que él mismo ha creado

Lope no nos dice esto directa y explícitamente, sino que lo sugier indirectamente a través de los incidentes del desenlace.

Espero que surja claramente, de todo lo dicho, que al interpreta el tema de una obra no debemos confiarnos en comentarios explícito o presuponer que lo que cualquier personaje puede decir represent necesariamente la opinión del dramaturgo. Debemos prestar atención primeramente, a la naturaleza o cualidad de los actos que suceder sobre el escenario, estar alerta a todas sus implicaciones, y busca las consecuencias prácticas a que conducen. El tipo de justicia poétic en *El castigo sin venganza* es el que he llamado castigo por frustra ción. A menos que reconozcamos que ésta es una forma de justici poética, y a menos que ampliemos nuestra concepción de la tragedi para abarcar tal forma, no podremos interpretar correctamente e tema de la tragedia de Lope o percibir la ironía que corre a todo lo largo de la estructura de su argumento. La ironía de este tipo es la clave de las tragedias españolas más características, incluyend las tan malentendidas piezas sobre el honor, de Calderón, que no me propongo considerar acá.

El comentario sobre estas obras se desprendió de mi afirmación de que la justicia poética es el primer criterio útil, que ha de apli carse para separar el tema de la acción que lo expone. Pero *El castigo sin venganza* ha servido de ejemplo para un segundo principio útil de interpretación: el de causalidad. Con esto aludo al rastreo de los acontecimientos que conducen al clímax de una obra hasta su causa primera. La aplicación de este principio a la tragedia de Lope revela que el duque no es un personaje secundario, mero intermediario externo de la *peripeteia*, sino que está íntimamente conectado con el conjunto de la acción, más que ningún otro, puesto que es el agente que a la larga, sin proponérselo pero directamente, produce la «catástrofe» o desenlace. Puesto que su conducta, que inició la cadena causal, fue moralmente reprensible, debe compartir la culpa por el mal y la tragedia que le siguen. Este hecho altera la tradicional interpretación del drama, puesto que cambia al duque, de ministro de una supuesta justicia del honor, a víctima irónicamente patética de su propia imprudencia.

JOSÉ ANTONIO MARAVALL, ALBERTO BLECUA
Y NOËL SALOMON

DEL REY AL VILLANO: IDEOLOGÍA, SOCIEDAD Y DOCTRINA LITERARIA

1. Es un tanto ingenua la interpretación que se ha dado a la intervención que se reserva a la monarquía en el mundo de la comedia. Después de lo que nos han hecho ver las investigaciones de Domínguez Ortiz, completando los puntos de vista adelantados por Braudel, sabemos hoy que los reyes de la casa de Austria en el XVII no desmontaron en un ápice el poder de la nobleza; más bien, apoyaron su restablecimiento económico y hasta político. «La realeza castellana se había engrandecido por las ciudades, apoyándose en ellas para oponerse al aumento de la propiedad eclesiástica o señorial. Pero, en el XVI, lejos de continuar por esa vía tradicional, la realeza española ya no disputará la tierra a los feudatarios, la abandonará en sus manos y con frecuencia incluso en detrimento de las ciudades.» Cierto que, por encima, quedará ya la instancia suprema del poder real, pero en el XVII éste deja de oponerse, en términos de una política general y sistemática, a los poderes señoriales. Cuenta con éstos, constituyéndose sobre ellos como un custodio inatacable del orden. Obras como las universalmente conocidas de *Fuenteovejuna*, *Peribáñez* o *El alcalde de Zalamea*, contemplan las excepciones que confir-

I. José Antonio Maravall, *Teatro y literatura en la sociedad barroca*, Seminarios y Ediciones, Madrid, 1972, pp. 122-133.
II. Alberto Blecua, ed., Lope de Vega, *Peribáñez, Fuenteovejuna*, Alianza Editorial, Madrid, 1981, pp. 8-10.
III. Noël Salomon, *Recherches sur le thème paysan dans la «comedia» au temps de Lope de Vega*, Bibliothèque des Hautes Études Hispaniques, Burdeos, 1965, pp. 805-810.

man la regla, esto es, casos de señores que quebrantan las líneas fundamentales de la construcción político-social de la monarquía absoluta, haciendo que se ponga en funcionamiento el resorte supremo con que el organismo social cuenta para restablecer el ordenado conjunto: la potestad real.

Todo el esfuerzo de consolidación del régimen de estratificación social inspirado en el principio de privilegio, tal como se desenvuelve en el siglo XVII, tiene su punto de apoyo en la monarquía. Es decisivo para comprender este aspecto el análisis de una obra como *El villano en su rincón*, de Lope.

Juan Labrador es un rico campesino, propietario de sus tierras, que vive en la aldea y se siente en ella feliz rodeado de los suyos. Por humilde y no menos gozosa aceptación de su baja escala social, tal vez también por gusto del sosiego, no quiere ver al rey ni conocer la corte, aunque se reconoce siempre dispuesto a obedecer a aquél en todo y a sacrificar por él vida y patrimonio. Enterado el rey de su entereza y digna condición, monta toda una enmarañada acción para que el buen aldeano se vea obligado a presentarse en palacio. Y si con sentimientos de hoy probablemente juzgaríamos que, a la inversa de lo que en la comedia lopesca vemos, la buena voluntad y la justicia del rey debieron haberse manifestado, ante un caso así, en respetar el retiro del labrador, para Lope un favorable giro de los acontecimientos supondrá que el rey, contrariamente a lo que nosotros esperaríamos, colmando de mercedes a su leal súbdito, le obligue a permanecer siempre junto a su real persona, a gozar de su presencia y recibir el favor de la comunicación constante con palacio, que es emanación de la majestad. El absolutismo de Lope, trasunto de las monarquías absolutas de la época del Barroco, llega a suponer que la presencia del rey es capaz, por mera acción natural, casi podríamos decir física, de perfeccionar la persona del vasallo que se pone en contacto con aquél, del vasallo sobre quien el rey dirige su mirada: «Es de tus partes aumento / el tenerte el Rey amor. / ¿Qué ingenio no hará mayor / su afición? ¿Qué gentileza, / qué virtud, gracia y destreza?»; y no es precisamente de un rey justo y salomónico de quien, en obras como *Porfiando vence amor*, se predica una *vis perfectiva* de tan suprema calidad.

Es necesaria, viene a sostener Lope, la aproximación al rey y la entrada en el alrededor de la gracia real que es la nobleza, para llevar a plenitud, para perfeccionar una condición personal en su grado más elevado. Frente a la tesis —volviendo al ejemplo de *El villano en su rincón*— que en un principio expone el labrador, «reyes los que viven son / del trabajo de sus manos», la doctrina de Lope, siguiendo las finalidades de la comedia, se resume en que la superior condición del hombre está en insertarse plenamente en la sociedad monárquico-aristocrática y no quedar marginado.

Del folklore castellano, Lope recoge unos versos que [alababan] la figura del hombre rural que, como prudente y sabio, no había nunca abandonado su aldea, «que nunca sirvió a señor / ni vio a la Corte ni al Rey». Esa corriente de estimaciones sobre la vida personal, en su proceso de perfeccionamiento bajo unas formas sociales determinadas, se refleja también en otros casos. En *La luna de la sierra*, también el labrador rico y feliz, en su apartado mundo, declara a su esposa: «Dichoso yo, que al lado tuyo espero / que me despierte el gallo y el lucero ... / No hay reinar como el bien de estar contento»; y más adelante insiste: «... Ni se iguala / con esta dicha otra alguna. / ... ¿Qué rey alcanza / esta quietud, esta paz, / para el cuerpo y para el alma?». Pero esa perfección natural y campesina, de una especie de fisiocracia moral, no termina más que cuando es legitimada —casi habría que decir sacramentada— por la acción de la monarquía. En Corneille, en Molière hay aspectos análogos, frecuentes en los escritores españoles en las décadas centrales del XVII. Para explanar esa doctrina y también para contrarrestar la corriente de pensamiento que podía desarrollarse al amparo de una idealización autónoma semejante de tal figura campesina, Lope escribe *El villano en su rincón*

Si la ordenación de los estratos sociales y sus correspondientes privilegios se basaban, en la Edad Media, sobre la función que de suyo les era propia y radicaba en la misma naturaleza de las cosas, ahora nos encontramos, en cambio, con que la sociedad barroca tiene que proporcionar una nueva e inquebrantable base a esa estratificación privilegiada que sostiene. Tal es la función del poder real concebido como soberano, esto es, como poder superior, absoluto e irresistible.

Esta posición singular del rey queda perfectamente clara en la comedia. Los escritores teatrales de nuestro siglo XVII emplean términos insuperables en la afirmación del carácter absoluto, imposible de resistir, que posee la soberanía del rey.

«No hay a los reyes resistencia humana», sostiene Lope en *Lo cierto por lo dudoso*. El rey «es nuestro dueño absoluto», repite en *El duque de Viseo*. Son incontables sus frases equivalentes. En *La vida es sueño*, Calderón dirá que «... el rey es solo absoluto dueño». Ruiz de Alarcón —y el ejemplo podría con otros multiplicarse hasta el infinito— declara al rey sobre el derecho positivo: no hay ley «que obligue al rey, porque es autor de las leyes» (*Ganar amigos*). [Nadie puede dejar de obedecer al rey: «paciencia y obedecer al poder», es la máxima de Lope (*Porfiando vence amor*) cuando alguno ve caer sobre él el peso de la injusticia real. Y ni siquiera puede llamársele injusticia, porque el arbitrio real está exento de toda fiscalización. El súbdito, pues, no puede emitir un juicio sobre el comportamiento del soberano: «Porque nadie ha de juzgar / a los reyes sino Dios» (Calderón, *Saber del mal y del bien*).] Es curioso advertir que ni los escritores de otros géneros —por ejemplo, la novela— ni mucho menos los moralistas y escritores de política sostuvieron nunca en España el principio del absolutismo monárquico como se exaltó una y otra vez, cientos de veces, en la comedia. Con palabras que sólo pueden encontrarse en el teatro, Lope afirma en *El rey don Pedro en Madrid*: «son divinidad los reyes»; y aún extrema más su tesis, para no dejar rendija alguna al derecho de resistencia: «que es deidad el rey más malo / en que a Dios se ha de adorar», [conceptos] que, si contradicen tantas páginas de Mariana, de Molina, de Suárez, de Rodrigo de Arriaga, son tan abundantes en el teatro. Sólo en textos de Luis XIV o directamente referidos a él, se pueden encontrar, más tarde, en Francia, manifestaciones equivalentes.

Hay un matiz que resulta muy significativo, en relación con nuestra tesis. La comedia trata de implicar a algunos de los estados en la conservación de la sociedad señorial, reconociéndoles una cierta participación en los valores que, según una estricta constitución de la misma, deberían ser monopolizados por la nobleza. Entre ellos está el del honor y, consiguientemente, el deber.de su defensa. A este respecto Juan de la Cueva, que está más cerca de la abierta sociedad renacentista del XVI que de la cerrada reacción señorial del siglo XVII, da por supuesta la igualdad en derecho referida al ser total de la persona, por encima de la división social en grados: «en los casos de honor / los vasallos y el señor / son iguales en poder». Pues bien, en el sistema social del absolutismo monárquico del XVII, base necesaria para la restauración y mantenimiento de un orden de privilegios, incluso la defensa del honor, en noble o en plebeyo, cede ante la superioridad del rey, a quien compete garantizar el orden, y queda por encima de él. Incluso el conocido pasaje calderoniano de *El alcalde de Zalamea* acaba resolviéndose en sentido contrario a lo que parece afirmar, pues es la soberanía del rey la que decide la cuestión, con lo que nos parece que tenía razón Azorín cuando sostuvo que en el teatro había desaparecido la alta moral caballeresca, quizá como resto de otra época. La venganza contra el rey, por ofensas que éste haya cometido contra el honor del vasallo, no es legítima, porque siendo el honor un principio en defensa del orden social establecido y uno de los valores que en éste se integran, la acción vindicativa o de resistencia contra el rey vendría a ser un ataque contra el orden social mismo, en su punto de apoyo más fundamental, y por tanto más grave que la ofensa por aquél cometida.

Tal es la tesis que se explicita en el drama de Lope, *La locura por la honra*. En una de las más perfectas obras de Ruiz de Alarcón, *Los pechos privilegiados*, un conde, que acomete, espada en mano, a quien fraudulentamente ha entrado en su casa pretendiendo abusar de una de sus hijas, al encontrarse con que tal intruso es el rey, retrocede y renuncia a resistirle: «... el Rey sois, / aunque no lo parecéis; / pero conmigo bastó / para que suelte el acero, / sólo el oír que sois vos». La unanimidad de la doctrina es completa. Aunque el rey ataque el honor del vasallo, aunque se le reconozca tirano, no es posible alzarse contra él, porque incluso en tal supuesto, proceder contra él sería traición. Todavía unas décadas antes de la época que consideramos, Juan de la Cueva, fiel a la doctrina del tiranicidio, que desde la fase de la cultura comunal del Medievo llegaría hasta fines del siglo XVI —recuérdese el ejemplo cronológicamente extremo de Mariana—, da por supuesto que es laudable dar la muerte al tirano que ofende a los vasallos, aunque sea un príncipe soberano: «y assí merecéis vida por la muerte / que al Rey disteis», acto merecedor «de eterna gloria y alabanza», según la valoración clasicista que siguió el mismo Mariana al juzgar la muerte dada a Enrique IV de Francia.

Con la reacción monárquico-señorial del XVII, tal manera de estimar cambia de modo diametralmente opuesto. Se supone incluso que emana de la persona del rey como un efluvio sobrenatural que paraliza toda acción de violencia contra aquélla. Lo dice la aldeana montaraz, caída en el más brutal bandolerismo, que, en la pieza de Vélez de Guevara, *La serrana de la Vera*, amenaza con quitar la vida al rey, disparando contra él su arma, pero se ve detenida en su acción, sin saber siquiera que se trata del rey, en virtud de la creencia carismática que acabamos de enunciar: «mas las personas reales / tan grande secreto encierran / que, aun no siendo conocidas, / con el alma se respetan». Y Vélez de Guevara, tan entregado como Lope a la propaganda de la monarquía barroca, bajo los principios que venimos exponiendo, insiste en la otra obra suya, también plenamente representativa de este espíritu, *La luna de la sierra*: el labriego que, herido en su honor —compartiendo en esto sentimientos caballerescos—, va a acometer al ofensor, se ve paralizado al escuchar por primera vez su voz, que hasta entonces no ha conocido y que no es otra que la del rey: «Parece que esas palabras / han puesto respeto en mí», porque ni la legítima venganza es practicable «A esa voz, si fuera rayo, / me detuviera en mi propio / furor ...».

Hasta en patentes casos de tiranía por parte de un príncipe soberano, es «obligación de la ley» respetarle, sostiene Rojas Zorrilla, y en un supuesto tal, su solución es que para salvar el honor no puede hacerse otra cosa que eliminar a aquella persona —esposa, hija, hermana, etc.— que viene a ser causa involuntaria de la ofensa, aunque ella sea inocente y se encuentre sin la menor culpa; o bien, eliminarse uno mismo, después de lo cual la realeza se reconocerá intacta e inmaculada, porque inhumanamente está por encima de la ofensa. Tal es la tesis, tan brutal como significativa, de *También la afrenta es veneno*, drama escrito en colaboración por Vélez de Guevara, Coello y Rojas Zorrilla. Lope, en *La estrella de Sevilla* o en *El duque de Viseo*, desarrolla doctrinalmente la misma concepción de la cruel grandeza del absolutismo monárquico que, como observa Vossler, no permite ninguna rebeldía, ni la menor protesta de la libertad contra la injusta acción del rey. Añadiremos, como un comprobante más, que también Moreto hace suya tal doctrina. También él nos dice que ante la ofensa del rey no cabe resistencia: sólo cabe, para librarse de ella y salvar el honor, suprimir, por inocente que sea, la causa ocasional que le hace al rey incurrir en tiranía. No otra es la tesis de *Primero es la honra*: «que es mi rey el que me ofende / y es su deidad soberana».

En estas comedias que acabamos de citar y en tantas otras más, no encontramos esa galería de príncipes equitativos y salomónicos que admiraba Vossler sino, con mucha frecuencia, ejemplos de reyes brutales y crueles que parecen no conservar de buenos más que una cierta capacidad final de admirar la grandeza del sacrificio humano que ellos mismos, sin más razón que el capricho, han provocado. Pocos ejemplos tan tremendos como el de la citada obra de Rojas, Coello y Vélez de Guevara que acabamos de citar.

Parece que los miembros de los estamentos privilegiados, para contener la presión de otros grupos y conservar sus ventajas económico-sociales (que por este medio habrían de durar por lo menos dos siglos más) aceptaron renunciar a una serie de derechos no sólo de mando o jurisdicción, sino también de resistencia y defensa, que se concentraron en la soberanía real y que hicieron del rey absoluto, soberano, la clave de bóveda del sistema.

II. La teoría dramática del Renacimiento era, claro está, clásica y, sobre todo, clasista.

[Como petición de principio,] esta teoría exigía la radical separación entre tragedia y comedia. Dividida en cinco actos, la tragedia ha de desarrollar una acción que se inicia felizmente y concluye en desdicha. La comedia invertirá el orden de esta acción. Pero esta definición, que atendía tan sólo al cambio de fortuna (felicidad-desdicha; desdicha-felicidad), se complementa con otra que hace referencia a la condición social del protagonista, al *decoro*. Dioses, emperadores, reyes y alta nobleza serán las personas trágicas; la clase media y el pueblo, las de la acción cómica. [...] La tragedia, como corresponde a la calidad social de sus personajes, sólo admitirá el estilo sublime —verso largo, *elocutio* elevada—, y la comedia el estilo medio, el verso humilde y, en general, la prosa. Definición, pues, clasista, que presentaba problemas graves a la hora de hacer corresponder las clases sociales grecorromanas con las europeas de los siglos XVI y XVII. También podían definirse y delimitarse tragedia y comedia por el grado de realidad: la tragedia, como base argumental, partía de un caso histórico; la comedia, de lo verosímil, lo poético, lo inventado por el poeta. Y, en fin, la tragedia atendía, como propósito psicológico, a mover los afectos patéticos del público por medio del terror y de la conmiseración; la comedia, los afectos suaves por medio de la risa. Tanto la tragedia como la comedia se proponían —o decían proponerse— como fin último de toda obra poética el hacer mejores al individuo y a la sociedad: enseñar deleitando. Estas eran, en líneas generales, las características dramáticas que la crítica humanista elevó a la categoría de preceptos. Preceptos inmutables, pues si la *Poética* era un *ars* sus reglas habían de ser universales y perpetuas.

Felipe II, cuenta Lope, no estaba muy conforme con el trasiego de los reyes por los escenarios teatrales. Pero los motivos eran, sobre todo, políticos («o fuese el ver que el arte contradice / o que la autoridad real no debe / andar fingida entre la humilde plebe», *Arte nuevo*, 162-164). Los preceptistas aristotélicos, en cambio, se escandalizaban por motivos poéticos (o en apariencia poéticos). Al morir el siglo XVI, la práctica teatral española, en realidad, había perdido el respeto a Aristóteles, o, mejor, al Aristóteles visto por ojos renacentistas, y se atuvo al más auténtico: al retórico, al que intenta descubrir y sistematizar los medios para ganarse la benevolencia del público. Y, sin embargo, hasta los más fervorosos defensores de los modernos frente a los antiguos, que aceptaban con agrado la presencia del rey en la escena cómica [véase p. 244, n. 1], seguían considerando a los pastores y labradores como personajes bajos, incapaces de calzarse coturnos trágicos, y que todo lo más podían llegar a comparsas de una acción sublime. Bien es cierto que en Italia el pastor virgiliano había hecho una incursión en el estilo trágico, *Il pastor fido*, de Guarini, pero fue piedra de escándalo y la polémica que suscitó es bien conocida. Siendo, como era, pastor idealizado —un pastor cortesano—, sólo se le permitió entrar en la especie híbrida de la «tragicomedia», y esto gracias a que el *Anfitrión* plautino —clásico al fin y al cabo— sirvió como argumento de autoridad.

El teatro español no tuvo grandes dificultades en abandonar la tragedia y la comedia de acuerdo con las definiciones renacentistas: nunca las había practicado. Se produjo un enfrentamiento entre las definiciones que atendían a la acción y a la condición social de los personajes. Existe, y es el más abundante, un tipo de obras, las «comedias», que sólo lo eran por la acción, no por la condición social, pues en ellas, los caballeros y alta nobleza e incluso los reyes son los protagonistas. Hay otro tipo, menos frecuente, que son tragedias por la acción, pero en ellas hacen su aparición personajes cómicos, y, en general, son tragedias mixtas, con doble desenlace ejemplar: el vicio es castigado; la virtud recompensada. Parece claro que el público de los corrales de comedias no era demasiado partidario de experimentar afectos patéticos en el desenlace, aunque a lo largo de la acción gustara de la alternativa de aquéllos y los ridículos en continuo desasosiego anímico. De entre los miles de obras representadas en Europa en aquella época —tiempos teatrales por excelencia— un puñado de obras españolas pertenece a una especie insólita: en ellas el labrador, el villano, contra todo precepto y «decoro», irrumpe como protagonista de la acción trágica. Y para colmo, en una se llegaba a llevar a las tablas una revuelta popular que culminaba con la muerte de un noble tirano, y de solar conocido. *Peribáñez*, *Fuenteovejuna* y el anónimo *Alcalde de Zalamea* constituyen la tríada más singular y anómala de la escena europea hasta el siglo xix. Porque hasta ellas, y después de ellas, el villano, como el pastor, debía permanecer en el rincón cómico del teatro.

Peribáñez y *Fuenteovejuna* se insertan en un grupo de obras, compuestas en su mayor parte por los alrededores de 1610, en las que los protagonistas son labradores, villanos dignos, con honor, y ricos o, a lo menos, que gozan de una más que dorada medianía. Si el pastor virgiliano era un ente ideal que sólo se hallaba en los libros, el labrador que hace su aparición en el teatro y en la novela al alborear el siglo XVII no tenía una tradición literaria definida, aunque sin ella este personaje hubiera presentado perfiles distintos. Cuando un tipo literario no puede explicarse sólo por la literatura, habrá que sospechar que «refleja» una determinada realidad social. El libro, espléndido, de Noël Salomon [1965], monumento del hispanismo, no pretende otro fin. El labrador rico es, en efecto, un tipo social cada vez más numeroso al que una serie de economistas y arbitristas, y tras ellos, los poetas, exaltarán como personaje capaz de fomentar la riqueza nacional. El fisiocratismo parece ser una de las principales corrientes del pensamiento económico del siglo XVII. Recordemos tan sólo la importancia que por aquellos años cobra la figura de san Isidro, y cómo Lope dedica bastantes páginas a su alabanza.

III. El punto de vista aristocrático que por lo común preside la concepción de las comedias conduce a una discusión ideológica a propósito del tema de la ascensión social del labriego enriquecido. La tendencia habitual de los dramaturgos es la de asignar un límite a la promoción social. El respeto a la distinción de las clases feudales está en el mismo corazón de la manera como se aborda el tema. Y, no obstante, no podemos afirmar que todo aliento igualitario esté ausente de las comedias de ambiente rústico. Incluso algunas, debido a la energía con que afirman la dignidad, la honra del villano, han llegado a parecer a ciertos críticos como revolucionarias y subversivas; éste es el caso de *Fuenteovejuna*, *Peribáñez y el comendador de Ocaña* y *El alcalde de Zalamea* (el de Calderón). Sin lugar a dudas, el tema del honor del villano, que se repite en un grupo de obras célebres, plantea un problema delicado. [...]

Es un hecho: se da el caso de que el villano de la comedia reivindica el derecho al honor («honor» u «honra» indistintamente) con una sorprendente insistencia. En *El burlador de Sevilla*, don Juan cuenta cómo se sirvió del honor para poder engañar mejor a un labriego, porque, según dice, los villanos experimentan este sentimiento con gran intensidad: «Con el honor le vencí, / porque siempre los villanos / tienen su honor en las manos, / y siempre miran por sí, / que por tantas falsedades, / es bien que se entienda y crea, / que el honor se fue a la aldea / huyendo de las ciudades». [...]

Basta echar una ojeada al teatro anterior a la comedia de la época lopesca para comprender que esta atribución del honor al villano representa algo nuevo en la escena. El villano inicia su carrera teatral a fines del siglo xv o comienzos del xvi desempeñando papeles cómicos, en los que en el fondo lo risible aparece ligado a una óptica feudal anticampesina o, en el mejor de los casos, paternalista; más tarde, debido a la ideología del «menosprecio de corte y alabanza de aldea», el campesino se convierte en la escena en un personaje ejemplar y moral, al mismo tiempo que lírico y pintoresco; pero estas nuevas perspectivas son también puntos de vista aristocráticos. Antes de 1608-1610 aproximadamente, la época en que surge el grupo constituido por obras como *El cuerdo en su casa, Fuenteovejuna, Peribáñez y el comendador de Ocaña, La santa Juana, La dama del Olivar, La serrana de la Vera* (Luis Vélez de Guevara) y *La luna de la sierra,* no aparece verdaderamente el motivo de la dignidad del villano. Se trata de una pequeña revolución de la ideología teatral, y sin duda debe relacionarse con la revolución que se opera en la opinión pública, por la fuerza de las circunstancias, en beneficio del campesino, hacia fines del siglo xvi. Es indiscutible que en el curso del siglo xvi los labradores de la realidad pidieron cada vez más el derecho al honor. Después del año 1600, la mayoría de los economistas que se ocupan del problema de la crisis agraria, respaldan esta reivindicación y a veces la legitiman. En su *Gobierno político de agricultura* ... (1618), Lope de Deza estima que uno de los medios de hacer atractiva la agricultura consiste en darle ventajas y lustre: «atrayendo muchos ciudadanos a ella, con la honra, con el provecho, y exempciones».

Opinamos que hay que buscar los orígenes remotos de la dignidad del villano castellano, hacia el año 1600, en el movimiento histórico real de la sociedad española en los primeros siglos de la Reconquista. El campesino de Castilla y de León fue muy pronto un hombre relativamente libre, y esta libertad social fue la raíz medieval de su sentido de la dignidad. En el curso del siglo xvi, y especialmente en la segunda mitad del siglo, los problemas económicos hicieron lo demás, motivando que el campesino fuera cada vez más necesario para la buena marcha de la sociedad. La conciencia de su utilidad contribuyó entonces a acentuar en el villano, sobre todo en el villano enriquecido, la noción de sus derechos ante el noble. En la comedia el labrador acomodado relaciona precisamente su honor con sus bienes. La conciencia que tiene de su utilidad social es también una de las bases concretas de su dignidad, y ésta es la causa de que el labrador teatral rechace a veces la calificación peyorativa de «villano». En *Los Benavides* (antes de 1602), el campesino Sancho sostiene con el noble Payo de Vivar la siguiente discusión, que es un buen ejemplo de esa relación entre dignidad y utilidad, y del afán de escapar al menosprecio social:

—¿Qué es lo que quieres, villano?   en el uno y otro nombre?
—No soy villano, señor.   —Que el que es villano es ruin
—Pues, ¿qué eres?   —¿Y el labrador?   [hombre.
    —Labrador,   —Hombre honrado.
como vos sois cortesano.   El labrador, en su aldea,
—¿Qué diferencia has hallado   siembra lo que coméis vos ...

Pero no podemos contentarnos con señalar los fundamentos históricos concretos del sentido de la dignidad del campesino en la comedia; debemos también tratar de precisar las formas ideológicas en que se envolvió para expresarse. Digámoslo antes que nada: la idea igualitaria que hace que en ocasiones el héroe campesino se levante frente al noble no es en su forma la idea de igualdad política que la burguesía revolucionaria francesa iba a hacer triunfar en 1789, sino una reivindicación cristiana que encontramos frecuentemente en el pensamiento medieval: en su base está el dogma de la igualdad sustancial y metafísica de los hombres. La expresión más célebre de este igualitarismo cristiano del campesino teatral es sin duda la que proporciona Pedro Crespo, al proclamar en *El alcalde de Zalamea* (Calderón): «el honor / es patrimonio del alma, / y el alma sólo es de Dios». [Véase abajo, cap. 8.]

Antonio García Berrio

LOS DEBATES SOBRE LA LICITUD DEL TEATRO

Cuando se estudia la evolución del ideario estético-literario en España durante el período que comprende, desde nuestro Renacimiento hasta el comienzo del declive barroquista en torno a 1650, se constata en el ánimo de nuestros teorizadores de Poética el mantenimiento de una constante que podríamos quizá designar, de manera global, como moralista; manifiesta ante todo por su recalcitrante oposición al reconocimiento de las tendencias formal-hedonistas que pugnaban potencialmente en nuestro arte, y que súbitamente estallaron bajo formas más o menos escandalosas como los libros de caballerías, la novela de entretenimiento cervantina, el teatro que proporcionaba «gusto al vulgo» de Lope, el cultismo descarriado de la predicación religiosa y, sobre todo, la apoteosis de la nueva semántica poética en la poesía de escándalo del *Polifemo* y las *Soledades*. [...]

Una sociedad progresivamente bulliciosa y festiva, maniatada y hambrienta, desangrada de guerras y desengañada de paces, que habitaba casas malas y poco confortables y comía peor pan [exigía del arte el cotidiano alimento] del espectáculo alienador, que se servía igualmente, bajo apariencias superficialmente distintas, en corrales y púlpitos. Los moralistas, en mal reprimidos accesos de cólera histérica, cargaban contra el deleite a cada nuevo revés militar en Europa, en el que veían la mano del terrible Dios justiciero del Antiguo Testamento; el rey cedía, y se instauraba un período de rígida etiqueta moral.[1] Pero bastaba alguna victoria pírrica o el matrimonio

Antonio García Berrio, *Intolerancia de poder y protesta popular en el Siglo de Oro: los debates sobre la licitud moral del teatro* (Lección de apertura del curso académico 1978-1979), Universidad de Málaga, Málaga, 1978.

1. [J. Sanchis Sinisterra [1981], pp. 126-128, presenta así «el esquema sucinto del pliego de cargos que la ideología dominante levanta contra el teatro en el período de su mayor apogeo. 1. La exhibición corporal, el artificio lujoso y la extrema licenciosidad que campean en escena producen excitación, envidia y desasosiego en las conciencias, semillas todas del inconformismo. 2. La represen-

de algún rey viudo y vicioso para que Velázquez tomara sus pinceles y pintara *Las lanzas*, o los hospitales de la corte vieran alborozarse sus vacías arcas con la reapertura de los corrales de comedias. Representaban a esta sociedad bulliciosa y mediocre, atormentadamente beata y gozosamente festiva, nuestros poetas, críticos y teorizadores del arte. A ellos cumplía la difícil misión de mediar entre la deformada caricatura de la sociedad española que pretendía imponer un pueblo, que se soñaba pícnico y festivo como los compadres del Baco velazqueño; y, de otra parte, el sueño de los teólogos que se miraban en las delgadeces ascéticas del Greco y Ribera y en los arrobados éxtasis de los monjes de Zurbarán. Por ello, la labor de nuestros poetas y de nuestros teorizadores de la poesía y de las restantes artes, por lo general no eclesiásticos, presenta siempre una tímida pero crecientemente confirmada aquiescencia y simpatía por el vitalismo del arte popular, que poco a poco osó afirmar sus convicciones, interpretando el giro del arte complaciente a los gustos de sus públicos y con independencia de las autoridades de santos, concilios y decretales,

---

tación por gente tan infame de asuntos y personajes sagrados en lugares y tiempos de devoción supone una verdadera profanación, lindante con el sacrilegio. 3. Al atribuirse hipócritamente una función devota y evangelizadora, estos espectáculos ejercen una competencia impía con la verdadera predicación. 4. Las músicas profanas y las maneras efectistas contaminan la liturgia y la sermonística. 5. Pintando con brillantez y artificio los vicios y presentándolos como virtudes, la comedia contribuye a un nocivo trastrueque de los valores establecidos. 6. La verosimilitud y fuerza con que se fingen acciones y sentimientos crea una peligrosa confusión entre apariencia y realidad, y presenta como posibles cosas imposibles. 7. La frecuencia de las representaciones es causa de ociosidad y reduce aún más la escasa productividad del pueblo. 8. El coste de los espectáculos y el precio de las entradas constituyen un derroche innecesario y, en muchos casos, perjudicial. 9. El mantenimiento de obras pías —los hospitales— con los beneficios de una actividad pecaminosa es una ofensa a Dios, que, sin duda por ello, permite tantos males en el país. 10. La asistencia a los espectáculos hace a los hombres débiles y afeminados, y desvía a los pueblos de las cosas de la guerra. 11. De una manera general, el teatro influye sobre las costumbres corrompiéndolas y degradándolas; y ello, entre otras, por las siguientes vías: la inmoralidad de los cómicos, por ser pública y notoria, es causa de escándalo; el lugar teatral, a pesar de todas las precauciones, favorece la promiscuidad; las comedias de asuntos amatorios enseñan comportamientos deshonestos e inducen a actuar libremente, destruyendo la inocencia en quien la tiene. 12. Aparte de los gérmenes antisociales que subyacen en la licenciosidad moral, el teatro degrada el prestigio de la nobleza, de la monarquía y de la iglesia al presentar a sus dignatarios sin la gravedad y propiedad adecuadas».

traídos a colación por los teólogos en defensa de su utópica y aburrida apología de un arte de colegios y una poesía de ñoñez y beatería insufribles.

[El peligro de una ofensiva contra el teatro estuvo paliado en parte por su escaso arraigo] hasta el advenimiento de la revolución de Lope de Vega, así como por el carácter inicialmente religioso de gran parte de las piezas prelopescas; sin embargo, una densa nube de críticas morales va preparando, a partir de 1580, la tensión adversa que culminará, en un momento de crisis general de la política hispánica, con el primer cierre general de teatros en 1598.

Ninguna de tales críticas poseía aún, sin embargo, nivel de profundidad para afectar a la esencia literaria de la comedia, que es lo que aquí realmente nos importa, y que se alcanzará plenamente en interesantes documentos del siglo XVII. Los ataques de estos años atendían a los aspectos escandalosos puramente externos, como son los que atañen a vestidos y actitudes de los cómicos en escena, inmoralidad en su vida privada y, sobre todo, la cuestión batallona que no ha de faltar en ningún escrito

---

Frente a las tesis de J. A. Maravall [1972, 1975] y otros, Sanchis, pp. 102-103, razona: «si nuestro teatro barroco constituye básicamente un domesticado organismo de domesticación colectiva, ¿cómo se explica que su licitud se encuentre constantemente en entredicho, que su práctica se vea una y otra vez sometida a "reformaciones", controles y limitaciones de toda índole, que su misma continuidad resulte amenazada e interrumpida reiteradamente? Porque esto es algo también incuestionable en cualquier análisis objetivo de la escena española durante su período áureo: los anatemas eclesiásticos, las restricciones legislativas, la censura policial e incluso las prohibiciones locales o nacionales acompañan el desarrollo del teatro desde los primeros tiempos de Lope de Vega hasta los últimos años de Calderón, y aún antes y después. ¿Son compatibles tales indicios de peligrosidad social, tantas prevenciones y condenas, con la finalidad conservadora, inmovilista, paralizadora que se atribuye al arte dramático del XVII? ¿Podemos considerar suficiente una interpretación que minimiza la hostilidad de la Iglesia y los recelos del estado, patentes a tantos niveles y de modo tan pertinaz?». De ahí que Sanchis, p. 105, vea más bien en el teatro clásico español «la imagen de una práctica artística en gran medida marginal —liminal, dirían los antropólogos— que se instala en los intersticios de un orden religioso y político tendente a la rigidez y al inmovilismo, que subvierte discreta o descaradamente sus cimientos, que cuestiona sus principios fundamentales, que burla sus sistemas de control y se burla de sus dispositivos punitivos, que sobrevive, en fin —"hidra de siete abominables cabezas"—, a sus tentativas de aniquilación y renace una y otra vez, extendiéndose y propagándose como el fuego».]

sobre el teatro de nuestros empecatados y obsesivos teorizadores y críticos moralistas de los siglos XVI y XVII: la licitud o no de la presencia de mujeres en escena, agudizada en los casos en que por exigencias de la «maraña» —que indiscutiblemente buscaba el lado morboso del recurso tan favorecido de la «mosquetería»— la dama vestía las más ajustadas ropas de galán. [...]

En una consulta o parecer previo a la orden de cierre de 1598, advertimos registrado un dato que nos interesa destacar: el deleite considerado como efecto puramente negativo, inmoral y femenino, nocivo para la moral de las almas y aun para el buen servicio de los súbditos de la corona española: «Destas representaciones y comedias —se dice en el referido texto— se sigue otro gravísimo daño, y es que la gente se da al ocio, deleite y regalo y se divierte de la milicia, y con los bailes deshonestos que cada día inventan estos faranduleros y con las fiestas, banquetes y comidas se hace la gente de España muelle y afeminada e inhábil para las cosas del trabajo y guerra». Nótese cómo la razón política venía a constituirse en refuerzo de poderosa capacidad de sensibilización ante cualquier circunstancia política y militar adversa, para encubrir lo que era una pura y simple negación de la licitud del placer artístico, que nuestros cerrados moralistas clásicos no podían dejar de considerar como sinónimo de descarrío moral.

[A tal actitud se opuso, por ejemplo, el Concejo de Madrid en su *Memorial* a Felipe II «para que levante la supresión en la representación de comedias».] Con sagaz advertencia, estos valedores madrileños del gusto popular y de los intereses de los hospitales recuerdan al monarca la necesidad política de contribuir a distender los ánimos de sus atribulados súbditos. [...] Además de esta proclamación de la licitud y utilidad del deleite, los representantes de la villa de Madrid ensalzan la utilidad de las enseñanzas cómicas: [«la comedia ... es espejo, aviso, ejemplo, retrato, dechado, doctrina y escarmiento de la vida por donde el hombre dócil y prudente puede corregir sus pasiones huyendo de vicios, levantar sus pensamientos aprendiendo virtudes por medio de la demostración, que de todo hay en la comedia, y que tan poderosa es en los actos humanos, de donde suele acaecer que más se aprende con los ojos que puede enseñarse con el entendimiento». Y entrando en la casuística didáctica más usualmente incorporada en la comedia, añaden: «Allí se representa del rey justo el fin dichoso; de la fidelidad, el premio; del secreto, la importancia; del ánimo, la fortaleza; de la traición, el castigo, y de lo bueno y lo malo el último paradero, que, solamente oído con razones puede olvidarse, mas, visto al ojo con demostración imprime en la memoria aun del más espacioso y menos obligado entendimiento, no sólo a dejar el mal, más aun imitar el mismo bien que se ve».]

Los comienzos del siglo XVII, con el relajamiento saludable en la tensión de la vida política interior en la que se mantuviera el país durante las postrimerías del reinado de Felipe II, marcaron una de las efímeras pausas a la cargada atmósfera de coerción moral que dominaba el país. [...]

Nuestros escritores no disimulan su satisfacción por la agilidad artística que les brinda el nuevo estilo. Aparte del caso quizá más revelador en teoría que es el *Cisne de Apolo* de Luis Alfonso de Carvallo, o el tenor igualmente benigno de la *Loa de la comedia* de Agustín de Rojas; las obras de nuestra literatura no revelan menosprecio ni falta de afección a la vida y la literatura teatrales. [...] Juan de la Cueva, Rey de Artieda, Lope en su *Arte nuevo* y en otros muchos documentos crítico-teóricos, Cristóbal de Virués, etc...; todos coinciden en la defensa de la comedia, aunque ninguno de ellos se atreva a exaltar tan rotundamente como Cervantes la importancia fundamental del deleite. Predomina por el contrario en todos ellos la tendencia a captar la benevolencia de teólogos y moralistas, tratando de mediar con la defensa del didactismo moralizador, pero descartando sin entrar en debate explícito las acusaciones de los adversarios sobre la disolución moral del género cómico.

En el segundo decenio del siglo la actitud de nuestros teóricos y literatos experimentó alteraciones notables, al adentrarse la conciencia de afirmación de la comedia de Lope, que venía a marcar la quiebra definitiva del ñoño teatro escolar moralizante. El «gusto» del público, no sólo en contrapartida frente a la irregularidad formal antiaristotélica, sino también contra las tachas de inmoralidad de los teólogos, es invocado por Ricardo de Turia en su general defensa de la «comedia nueva». [Ni Cascales en sus *Tablas poéticas,* ni siquiera los autores de la *Spongia* hacen el menor hincapié sobre problemas morales en sus discursos en torno al nuevo rumbo de nuestro teatro.] Durante el decenio siguiente diríamos que se incrementa, en términos generales, la favorable acogida de nuestros escritores al deleite cómico.

[Numerosos son los documentos de religiosos adversos a la práctica teatral, que contrastan con el grado de mal disimulada simpatía y tolerancia con que la favorecían nuestros escritores.] El mejor botón de muestra es la obra *De spectaculis* del prestigioso y eminente historiador Juan de Mariana, publicada en 1609. En ella se registra quizás el más feroz y directo ataque que conociera la literatura de nuestro Siglo de Oro contra el deleite como producto estético.

Ya desde el mismo comienzo de la obra, en el capítulo primero sobre «la causa que movió a escrivir este tratado», se despliega sin disimulo la adversa opinión de Mariana frente a los peligros de la literatura, que crecen cuanto más perfecta, galana e impecable es la cobertura artística del contenido inmoral: [«porque ¿qué otra cosa contiene el teatro y qué otra cosa allí se refiere sino caídas de doncellas, amores de rameras, artes de rufianes y alcahuetas, engaños de criados y criadas, todo declarado con versos numerosos y elegantes y de hermosas y claras sentencias esmaltado, por donde tenazmente a la memoria se pega, la ignorancia de las cuales es mucho más provechosa?... ¿Por ventura podríase inventar mayor corrupción de costumbres ni perversidad que ésta?»]. Un ideal de ascetismo interno domina el programa de reconstrucción moral de España; Mariana no disimula sus pretensiones: el deleite —sin más distingos ni matizaciones— debe ser desterrado del seno de cualquier sociedad cristiana. [...]

Los desequilibrios de fuerzas, las roturas violentas del sistema de quejas desoídas de los moralistas y la bulliciosa indiferencia del público se agudizaban en ocasión de las crisis políticas nacionales. En tal sentido, 1630 debió marcar una situación de profunda convulsión. [Las desgracias de ese momento] no se tradujeron, con todo, en un cierre general de teatros; pero sí en un positivo redoblamiento en la ofensiva de los moralistas contra el deleite y, en general, el espectáculo escénico; al tiempo que en la literatura, en general, triunfó en nuestros mejores escritores una circunspecta actitud de enfrentamiento moral que dejará sus huellas en los documentos de crítica y teoría que produjeron estos años. [...]

Respondiendo al general carácter precavido de las manifestaciones de nuestros literatos en este período, José de Pellicer y Tovar da amplia entrada en su *Idea de la comedia de Castilla* al tema de la moralización, procurando así salvaguardar su defensa de la comedia, a costa de todas las concesiones posibles, del enfrentamiento directo con los ataques usuales entre los moralistas contra el deleite cómico. Sin embargo, no deja de ensalzar la comedia lopesca como el más alto orbe de perfección literaria, confesando igualmente lo provechoso y saludable de su deleite; del mismo modo que no renuncia a resaltar los elementos didáctico-moralizadores de la misma contra la acusación más generalizada de los moralistas. [...] En el caso de Lope de Vega, principal encausado en el pleito de la licitud de la comedia, sus declaraciones de asentimiento a la exigencia moral en las propias obras, continuas pero sin la sistemática seriedad de las de Quevedo, nos sirven para confirmar el síntoma de ambivalente prudencia de nuestros ingenios, preocupados a la sazón por la marejada de quejas del siempre poderoso estamento clerical. A título de simple recordatorio de tal actitud, téngase presente aquí una vez más el prólogo de una obra crucial en su biografía artística, *La Dorotea*, de 1632, donde proclamaba abiertamente su convicción del utilitarismo didáctico-moral de la comedia, que era tanto como defender la suya frente a la inextinguible hostilidad de un amplio sector de los moralistas.

El golpe de gracia que necesitaba la persistente tradición moralista para lograr definitivamente sus propósitos, se inicia con el derrumbe económico de 1636. [...]

Ya en 1641 sabemos se difundió una ordenanza, hoy perdida, altamente restrictiva contra la comedia. Los funerales de la reina, en 1644, y los del hermoso principito Baltasar Carlos, pintado con mimoso cariño por un Velázquez lleno de desesperadas esperanzas, determinaron cierres ocasionales de los teatros, con lo cual nuestros airados moralistas se iban conformando, pues columbraban tras ello más drásticas y definitivas prohibiciones. A Felipe IV le pasó ya en buena parte el fervor y la lozanía de su sangre moza e inquieta. Su existencia, dilatadamente pecaminosa, le era achacada por una monja llena de desparpajo, sor María de Agreda, como causa de la cólera de Dios contra España. Y el rey decide purgar con los suyos los pecados de la triste España.

La prohibición de 1646 llevaba camino de no remediarse. Con el gozo de los moralistas contrastaba ahora la nostalgia de los auditorios languidecientes, privados de su diversión favorita y sin su válvula de escape más eficaz contra las adversidades y malas nuevas. Ante las protestas de las ciudades y las Cortes del reino, el monarca remite al Concejo el estudio de la situación. Un abogado y literato, Melchor de Cabrera, testimonia en aquel atribulado año de 1646 el parecer franco y abierto de un hombre de la calle, un culto profesional sin los resabios chocarreros de la plebe ni los prejuicios comineros de teólogos y moralistas. Su *Defensa por el uso de las Comedias, y súplica al Rey nuestro señor para que se continúe*, constituye un interesante documento, lleno de ecuanimidad y buen sentido. Cabrera, como era habitual en las discusiones de tan tópicas y radicalizadas actitudes, no trata de mediar o refutar la razón de fondo de los adversarios: la falta de utilidad moral y el mal ejemplo de la comedia. [Él, simplemente, afirma su parecer contrario.] Según era también habitual ya en las apologías de la comedia desde el ataque de Mariana en 1609, el deleite cómico es elevado a la condición de uno de los más estimables y nobles productos de la comedia, [fundamentándolo en la bienandanza de la cosa pública.]

Diversos documentos públicos elevados al rey por el Concejo de Madrid y por los hospitales, los más directos y materialmente perjudicados por el cierre, [solicitaron] permiso para reaperturas limitadas en ocasión de fiestas religiosas durante los años 1647 y 1648. Tal como estaban las cosas, bastaba el más liviano pretexto al contenido bullicio de unas multitudes jubilosas, ya bien nutridas en la adversidad y la derrota, para que los aficionados a la comedia rompieran el cerco de los severos moralistas. La ocasión, bien trivial por cierto en el concierto de los grandes males del país cuya consideración determinara el cierre, se presentó en el mismo año de 1648 con el matrimonio del rey viudo con doña Mariana de Austria. El comisario regio de festejos Ramírez de Prado, furibundo apasionado de las comedias, jugó la baza de las fiestas nupciales para volverlas a instaurar de forma ya inalterable durante las tristes postrimerías del reinado de Felipe IV. [Pero las controversias suscitadas por la nueva reapertura no se hicieron esperar, reiterándose en los términos habituales.]

JOHN E. VAREY Y N. D. SHERGOLD

LA DECADENCIA DE LOS CORRALES
Y EL FLORECIMIENTO DE LA CORTE:
LA VIDA TEATRAL A TRAVÉS
DE LOS DOCUMENTOS (1651-1665)

A lo largo de los años los documentos dan un panorama de lo que era la vida teatral del siglo XVII, tanto en sus rasgos generales como en los pormenores de su rutina diaria. El plan administrativo era sencillísimo: los corrales quedaban municipalizados después de

John E. Varey y N. D. Shergold, *Teatros y comedias en Madrid, 1651-1665. Estudio y documentos*, Tamesis Books, Londres, 1973, pp. 32-40.

la reforma de 1638, y los gobernaba el ayuntamiento, nombrando comisarios de comedias a dos de sus regidores. Los asuntos de importancia se referían al ayuntamiento, cuyas decisiones luego se aprobaban, o se comentaban, por el Consejo de Castilla en nombre del rey. El protector de comedias y de hospitales sirve de eslabón entre el Consejo y la villa, y preside la Junta de corrales, compuesta de él mismo, el corregidor y los regidores comisarios. Los arrendadores entregan sus pagas regulares —o irregulares— al receptor de las sisas de la sexta parte, y éste y sus contadores hacen las cuentas correspondientes y entregan a los tesoreros de los hospitales su subvención municipal. En caso de pleitos salen a la defensa de la villa sus abogados, y el procurador general. El corregidor funciona como juez, pero sus juicios están siempre sujetos, como los del ayuntamiento mismo, a la aprobación del Consejo. Las decisiones de la villa se registran por su secretario en los *libros de acuerdos*, de los que se hacía copia. Estos libros también incluyen una transcripción que resume las discusiones, con el parecer de cada regidor. Para la conveniencia de la Junta de corrales se hace una copia de los acuerdos y discusiones relativos a los teatros, y estas copias se guardan en los expedientes a los que corresponden. El secretario también se halla presente al hacer los contratos de arriendo o de reparaciones. Estos contratos se publican por voz del pregonero público.

Los pleitos nos proporcionan muchos datos sobre la administración de los corrales por parte del arrendador, y dan indicios de su trabajo y de sus apuros. El negocio teatral no se extendía llanamente por todo el año, sino que tenía su máximo rédito en el período entre Pascua de Resurrección y la fiesta del Corpus, en el otoño y principios de invierno, y en Carnestolendas. Durante el verano poca gente iba al teatro, por las grandes calores.

Así, en 1657, Sebastián de Villaviciosa, clérigo, y uno de los testigos en el pleito contra Montalvo y Velarde, afirmó que la época de la suspensión de comedias por el Santo Jubileo —es decir, del 5 de noviembre al 8 de diciembre— «es el de mayor útil de todo el año y en que tiene refacción para poder suplir los del verano y Cuaresma, ... por ser el tiempo en que la gente concurre a ver comedias, respecto de que en el verano no lo hacen por las calores»; los arrendadores podían esperar entonces más de 1.000 reales cada día de cada corral. En el pleito de 1660, contestó Romero a una pregunta del interrogatorio que «desde Pascua de Resurrección hasta el día del Corpus es el mejor tiempo del año, ansí para los autores de comedias como para los arrendadores, porque en el dicho tiempo acude mucha gente porque salen de la Cuaresma y hace fresco y los representantes estudian muchas comedias nuevas y es muy a propósito, y la Villa tiene las mejores compañías de gente lúcida (y) galas, por haber de representar las fiestas del Corpus a S. M., y con lo que en este tiempo ganan se consigue el satisfacerse de las quiebras que hay de representaciones en Cuaresma, caniculares, por las grandes calores, y otros tiempos que hay rigurosos de lluvias en el discurso del año, y si en el tiempo referido de Pascua al día del Corpus faltan las representaciones es cosa muy sabida que los arrendadores pierden muchas cantidades». Haciendo respuesta a la misma pregunta, afirma el autor de comedias Pedro de la Rosa que «por los 47 días que desde el Miércoles de Ceniza hasta el segundo día de Pascua hay de hueco está la gente con deseo de ver comedias y también por ver la novedad en la disposición de las compañías y de qué personajes se han formado». Por esta razón «acude mejor que en otro ningún tiempo del año». [...] Evidentemente, los arrendadores siempre alegan, cuando faltan las compañías, que es una época de máximos ingresos, pero todos concurren en que lo peor del año es el verano. Según el pleito de 1660-1665, don José Ochoa gozaba de un aposento gratuito en el Corral del Príncipe en los días de «comedia nueva, entradas de autores y fiestas del Corpus», que eran sin duda los de mayor concurrencia.

En esta época los actores seguían siendo contratados cada año por el «autor de comedias» [es decir, el 'director de la compañía'] para la temporada de un año desde Pascua de Resurrección hasta Carnestolendas. Un testigo del pleito de 1656-1658 dice que entonces las compañías eran «de partes y no de representación y ración como antiguamente lo eran». Subsistía la costumbre de haber dos tipos de compañía: las de más rango, y las «de la legua», de calidad inferior y confinadas por lo general a representaciones en los pueblos, aunque la de Antonio de Acuña fue llamada a Madrid en 1656, donde fracasó. Las compañías importantes, así como las de menor categoría, hacían una gira continua entre las grandes poblaciones. Los documentos, aunque no siempre especifican representaciones, refieren a compañías llamadas desde, o destinadas a, Burgos, [Valdemoro, Cuenca, Ávila, Valencia, Zaragoza, Segovia y Toledo.]

El papel del arrendador era crítico: hacía el contrato con el *autor de comedias*, y muchas veces le daba una subvención sustancial, así como en 1658 cuando Montalvo dice que «habiendo hecho escritura con Diego Osorio y dádole 3.000 reales de ayuda de costa y pagádole la mitad de las comedias nuevas, se obligó a entrar en esta Corte ocho días antes de Pascua de Navidad y hacer cuatro comedias nuevas y hacer comedias viejas hasta acabar el año».

En 1659 Montalvo hace constar que se contrató con Vallejo para que viniese a Madrid desde Valencia y representase «todos los días sin faltar día ninguno y hacerme 30 comedias, viejas y nuevas», y que le dio 7.000 reales de subvención. Muchas veces los arrendadores insisten en las ayudas de costa que solían dar a las compañías, pagándoles los viajes para que fuesen a representar a Madrid, y dándoles préstamos, «que ordinariamente no se cobran». Hablando de los préstamos, dice un testigo en 1657 que a los autores «les dan algunas ayudas de costa y prestan cantidades de dinero, como constara de las escrituras que en esta razón se hacen a que se remite, que estas cantidades no las pagan con puntualidad, y cuando las pagan se les suele hacer suelta de la mayor parte de ellas». Muchas veces los arrendadores compraban las comedias nuevas a los dramaturgos o partían el coste con el autor de comedias, tal como dice un testigo de 1657, «compras de mitad de comedias nuevas». En dicho año, los arrendadores dieron a la compañía de Acuña «comedias nuevas que estudiasen, y en particular una intitulada *Penar por culpas ajenas*, de don Diego Cornejo». Este dato también viene del pleito de Montalvo de aquel año, testimonio de Luis Torres, representante, el que añade que «la sacó por papeles para que los demás compañeros de la dicha compañía la estudiasen para venirla a representar a Madrid». El contrato hecho con Diego Osorio en 1656 establece que la compañía ha de representar en Madrid cuatro comedias nuevas. Los arrendadores darán además 300 ducados de ayuda de costa para el viaje desde Valencia, y pagarán la mitad de las cuatro comedias que han de ser «nuevas, jamás vistas ni representadas, ... de ingenios de esta Corte conocidos, y las dos de ellas las representará antes del día de Pascua de Reyes del año que viene de 1657 y después continuará con las otras dos».

Los arrendadores también solían pagar la mitad de los gastos de las apariencias necesarias para la representación en los corrales de comedias de obras de espectáculo. La maquinaria de los autos sacramentales, sin embargo, fue costeada por Madrid, y trasladada a las tablas de los teatros públicos después de la fiesta del Corpus; los documentos hablan en 1662 de quitar del Corral del Príncipe «las apariencias que estaban puestas para el auto de Escamilla», y en 1663, de quitar del de la Cruz «los adornos que había para representar el auto de Madrid».

La autoridad de Madrid sobre las compañías de actores fue considerable. Cada año, en Cuaresma, formaba las dos compañías para hacer los autos sacramentales, y fueron éstas que representaban en los corrales después de Pascua de Resurrección hasta la fiesta del Corpus. Los autores de comedias sometían listas de sus actores y actrices, pero los regidores comisarios de los autos tenían el derecho de mandar que pasasen representantes de una compañía a otra, o que entrasen nuevas personas en una u otra tropa. Así pasó en 1660 cuando se reconoció que la compañía de Vallejo era floja y que era necesario reforzarla con representantes mejores. Lo mismo se hacía para suplir la gente necesaria para los festejos reales, donde, por ejemplo, era posible que faltasen músicos o cantantes para representar una zarzuela.

Además de la representación de comedias, festejos reales y autos sacramentales, la documentación habla de funciones de acróbatas y prestidigitadores en los teatros públicos y ante el rey, y, en marzo de 1658, de un entretenimiento que se componía de bailes y entremeses.

Los actores eran, a veces, algo revoltosos, y una de las funciones del arrendador en tales casos era la de imponer disciplina por medio de sanciones financieras, mandando salir, por ejemplo, a la compañía de Acuña después de cierta «pesadumbre» en que resultó herido el primer galán, aunque en este caso también intervino la justicia y el culpable fue llevado a la cárcel. El mismo Sebastián de Prado se encontró preso en 1662. El 3 de enero de 1658, el gracioso de la compañía de Francisco de la Calle hirió en un ensayo a otro actor, de nombre Flores, «con que no pudo representar». Las representaciones fueron afectadas por otros accidentes, así como el malparto de la actriz Francisca María Bezón en 1660, que impidió a Osorio trabajar con su compañía en el Corral del Príncipe, y la caída de una tramoya que sufrió Luisa Romero en un ensayo en el Coliseo del Buen Retiro el 22 de febrero de 1661. También podía afectar a la representación la enfermedad de un noble, tal como la cuartana que atacó al marqués de Heliche en 14 de febrero de 1656, o una de las constantes jaquecas de que sufría la reina, Mariana de Austria. [...]

Los precios de las localidades quedaban establecidos por las condiciones del arriendo, y no podían variarse —por lo menos, oficialmente—, pero en 1665 se mandó que se pusiesen «a la entrada de cada corral, en parte que se vea y lea, memoria de las cantidades que deven llevar y cobrar por cada aposento, entradas, bancos, taburetes tarimones y demás cosas pertenecientes al dicho aprovechamiento, en conformidad de las condiciones de su recudimiento, con distinción y

claridad», bajo pena de una multa de 100 ducados. Los aranceles
tenían que ser impresos. Los criados del arrendador tienen prohibido
por la misma orden exceder de los precios, bajo pena de 20 días de
cárcel. Evidentemente los precios fijados por el arriendo se excedían
en muchas ocasiones, probablemente sobre todo en los días de comedia nueva, etc. Los criados a que se refieren son los cobradores
y repartidores de aposentos. Ellos atendían al alquiler de los bancos,
banquillos, taburetes y tarimones que pertenecían al corral. [Debe
mencionarse] también al alguacil de comedias, oficial menor de la
justicia que asistía a las representaciones. Jerónimo Barragán, «alguacil de las comedias de esta Corte», fue testigo del pleito de 1660,
como asimismo Esteban García. En 1657 encontramos a dos alcaldes
de corte mandando quitar los carteles y volver el dinero a los que
habían entrado ya en los teatros. [...] Hay varias referencias a los
carteles que anunciaban las obras teatrales que iban a ser representadas. Se fijaban en las puertas de los dos corrales de comedias, y
asimismo en postes en la Puerta de Guadalajara, Plaza Mayor, Santa
Cruz, y en la Plazuela del Ángel.

[Las representaciones palaciegas tenían lugar especialmente] en
los sitios reales de la Zarzuela, el Pardo, el Coliseo, Salón y Patinillo
del Buen Retiro, el Salón de Palacio (o del Alcázar) y los jardines.

Un oficial de Palacio llegaba con la orden de que los actores fuesen a
ensayar o representar, viniendo coches para llevar a las actrices. Se men-
cionan varios sitios en que se hacían los ensayos: el jardín del conde de
Monterrey; el Cuarto de los Caballeros; «una casa que el Sr. Marqués
de Liche había mandado alquilar para los ensayos ... que es en la esquina de la Calle del León que da vuelta a la de las Huertas»; «la casa de
los ensayos que llaman de la Conferencia», quizá la misma; «un juego
de argolla donde hay un jardinillo en la Calle de Cantarranas»; la casa de
una de las actrices; la del autor de comedias, y desde luego en los teatros
regios.

Al hacerse una comedia palaciega era generalmente el mayordomo
mayor, o el de semana, quien mandaba que los actores fuesen a Palacio,
y a cuyo cargo quedaba la administración inmediata. En la época que nos
interesa, la puesta en escena de las grandes comedias del Retiro la vigilaba el marqués de Heliche, como alcaide del palacio, y llegó a ser efectivamente el director del teatro de corte en los años de su privanza. Su
caballerizo, don Carlos de Rivas, entregó una comedia a los actores el 5 de
febrero de 1656, y fue por orden del marqués que se repartió a la com-

pañía de Esteban Núñez en Carnestolendas de 1658 «la comedia de los monteros». En 1658 hay una curiosa viñeta de un ensayo en el mismo Buen Retiro. Los comediantes llegaron al palacio en sus coches, como de costumbre, y, celoso de los intereses del arrendador, el escribano se acercó a ellos para preguntarles si venían a ensayar. Contestaron que sí, con lo cual el marqués de Heliche, que les esperaba, acompañado del conde de Monterrey, interrumpió bruscamente, gritando: «¡Pues vengan a empezar!». Poco después, el escribano subió en lo que pudo la escalera que conducía al teatro, y oyó cantar a los músicos de la compañía; pero estaba prohibida la entrada al teatro mismo. El 25 de febrero de 1659, habiendo entrado los actores y músicos de las compañías de Rosa y Osorio en el salón de Palacio, «el Sr. Marques de Liche por su persona cerró la puerta del dicho Salón». En dos ocasiones el escribano vio a don Pedro Calderón: asistió éste a un ensayo en 1659, y otra vez en 1660, en compañía del marqués de Heliche. A veces sólo representa una compañía, y a veces dos; en otras ocasiones se introducen, como hemos visto, actores o músicos de una compañía en la otra, o se manda que los músicos y cantantes den un concierto. En 1662 los músicos de la compañía de Simón Aguado tocaron ante SS. MM. mientras que los reyes paseaban en barca por el estanque del Buen Retiro. Se refieren en 1659 a arpas, violones y guitarras, para la música de una comedia.

A veces se representaba en Palacio una obra del repertorio de los teatros públicos, sin gran ornato, lo que denomina un certificado de 1657 un «particular ordinario».

Pero la mayoría de los certificados son para fiestas de espectáculo, para festejar los años de SS. MM., de un príncipe o de una infanta, y, después de 1660, los de la nueva reina de Francia, María Teresa, y a partir de 1665, de los de la reina madre. También hubo representaciones cuando la reina salía a misa de parida, para celebrar las Carnestolendas y festejar ocasiones tales como el traslado del Santísimo Sacramento a una nueva iglesia. Los titiriteros y acróbatas actuaban en Palacio: un italiano en 1657, dos cuadrillas de volatines en 1661, y más volatines en 1663. Los actores también representaban en tablados en las calles cuando salían los reyes en público. También se alude en los documentos a una representación costeada por el ayuntamiento y ofrecida a los señores del Consejo de Castilla.

Los testigos presentados en los varios pleitos dan una impresión de la gente que se asociaba con el teatro. Incluyen —como era de esperar— a los criados del arrendador, pero además nos encontramos con una gama variada de personas. En el pleito de 1656-1658 se presentaron un clérigo, don Sebastián de Villaviciosa, dos dramaturgos, don Juan de Matos [Fragoso] y don Francisco de Avellaneda, el autor de comedias Antonio de Acuña y el alguacil de la villa Francisco Fernández. En el de 1660-1665 se presentaron varios escribanos y criados del arrendador. Los testigos de 1660 incluyen a Bartolomé Romero, autor de comedias durante treinta años hasta 1659; un barbero cirujano que tenía su tienda «en la Calle del León donde llaman el Mentidero»; algunos criados del arrendador; Pedro de la Rosa, autor de comedias; el bachiller José de la Vega y Córdoba, «presbítero, capellán de la parroquial de Santa Cruz de esta villa de Madrid», e hijo de Andrés de la Vega, famoso autor de comedias; el licenciado Diego Fernández de la Riva, «presbítero, capellán de la parroquia de San Sebastián de esta villa ... Cofrade ... de Nuestra Señora de la Novena de quien son todos los comediantes Cofrades»; Esteban García, alguacil de los corrales de comedias; Pedro Jimeno, maestro de obras; y Pedro Vázquez, cobrador de la compañía de Osorio. El primer testigo, Francisco de Villegas, es un hombre acomodado que, en frase pintoresca de la época, «come de su hacienda». Es uno de esos aficionados que dan al teatro su constante y leal apoyo, y afirma que «desde que tiene uso de razón asiste a los corrales de las comedias de esta Corte y ha tenido mucho conocimiento, trato y comunicación con todas las compañías que han representado en todo este tiempo».

Los documentos nos permiten vislumbrar la manera en que la vida teatral se vinculaba con la de la capital, y evidencian además la enorme importancia del teatro, tanto comercial como estética, en la vida del siglo xvii. Pero además hay alusiones a la decadencia del teatro, en comparación con los años de mayor auge: ya en 1655 dice Montalvo que con la salida de Madrid de la viuda de Riquelme están cerrados los corrales, «sin que haya otras compañías que puedan traerse», y en 1660 todos los testigos son del parecer que, con la ida a Francia de la de Prado, no será fácil encontrar compañías adecuadas para los teatros, por «no haber en estos reinos otra que pueda suplir aquella falta, y si hay alguna son compuestas de gente que no es a propósito». Hay que tener en cuenta que el pleito intenta probar la necesidad de conceder un descuento al arrendador; no obstante, es evidente que estamos presenciando el comienzo de la decadencia de los corrales de comedias, mientras que el teatro de corte entra en la época de su mayor florecimiento.

3. LA OBRA DRAMÁTICA DE LOPE DE VEGA

JUAN MANUEL ROZAS

Tanto Cotarelo en [1935] como Aubrun en [1981] creen ciertas las estimaciones que Lope, a través de su vida, fue haciendo sobre su caudal dramático. Cotarelo interpreta la cifra literalmente; Aubrun esgrime una sugestiva tesis para explicar tamaña abundancia. Son obras de taller: Lope inventa, los discípulos escriben. Creo que los datos del dramaturgo son exagerados y que redondea con ellos una obra menor, pero aún, sin duda, ingente. Cotejemos sus cifras. En 1604, en la lista de comedias que contiene la primera edición del *Peregrino*, da 219 títulos; en la segunda, de 1618, da 466. La diferencia es 247: unas 20 comedias por año, algo menos de dos al mes. Posible, sin necesidad de taller, dentro de las maneras de la época y de lo que sabemos de Lope. Pero en el *Arte nuevo* (¿1604-1608?) ya cuenta 483, y en la *Parte IX* (1618), 800. Sin duda, exagera en estas dos últimas ocasiones. Por otra parte, es extraño, con tantos enemigos al acecho, que nadie en la época le acusase, como tampoco nada documenta la existencia del «taller». Además, la semántica de los textos aducidos por el docto hispanista es ambigua, y más para probar una cuestión tan importante. Con el tiempo, con la ayuda de discípulos y aduladores, Lope debió de ir redondeando las cifras y la exageración fue *in crescendo*. La cifra más alta, la dada por Montalbán —1.800 comedias, más los autos— habría que rebajarla considerablemente, no sabemos en cuanto. Con las obras conservadas se guardan íntegros los conceptos tradicionales de virtuoso, improvisador o genial —según los criterios: Morley y Bruerton [1940, trad. cast.: 1968] catalogan, como conocidas hoy, 317 auténticas, 27 muy probables y 74 dudosas. Sobre la autoría y la autenticidad de los textos no son imposibles aún los hallazgos: *El sufrimiento premiado* la ha editado Dixon [1967] como de Lope, y ha encontrado [1971] el texto auténtico de *Antonio Roca*; Asensio [1975] ha hallado igualmente el texto original de *La historia de Mazagatos*. Otras obras tan famosas como *La estrella de Sevilla* y *La fianza satisfecha*, atribuidas tradicionalmente al Fénix, han de catalogarse, al menos, como dudosas.

La bibliografía de las obras dramáticas la trazó Rennert, partiendo de Chorley. Con algunas adiciones se reproduce en la última edición de Rennert y Castro [1968].[1] En el Catálogo de la Exposición de [1935] se fichan casi medio centenar de textos autógrafos conservados, muchos hoy bien editados; bastantes, de forma facsimilar. Con una obra de Lope, *El bastardo Mudarra*, se inició este tipo de reproducciones, en España, ya en 1846. Gálvez, en el siglo XVIII, copió —y no fue el único— una colección tomada de los autógrafos, estudiada por González Amezúa [1945]. Procedían, como tantos manuscritos de obras y cartas —véase el capítulo anterior— del archivo del duque de Sessa. Para fijar la autenticidad de las obras de Lope se ha desarrollado toda una técnica, basada, en primer lugar, en la versificación, especialmente por los citados Morley y Bruerton, y en ciertos rasgos lingüísticos: Fichter [1952], Arjona [1955], Clarck [1971], etc.

Las tres colecciones más importantes de dramas de Lope son las formadas, sucesivamente, por Hartzenbusch, Menéndez Pelayo y Cotarelo. Hartzenbusch [1853-1860] editó en la Biblioteca de Autores Españoles cuatro tomos de obras. Menéndez Pelayo [1890-1913] publicó quince tomos (el primero es, en realidad, la biografía de Lope hecha por La Barrera). En los últimos años, la nueva BAE ha sumado ambas colecciones (tomo último, XXXIII, en 1972). Los prólogos de don Marcelino se reunieron como *Estudios sobre el teatro de Lope de Vega*, ya en 1919, y luego, en 1949, en la llamada edición nacional de sus obras. Como continuación de la edición de Menéndez Pelayo, la Real Academia encargó una «Nueva edición» a Cotarelo [1916-1930]. Son trece volúmenes, de los cuales los números 10 y 11 corrieron a cargo, respectivamente, de González Palencia, Ruiz Morcuende y García Soriano. Los textos dados por estas tres colecciones no son demasiado fiables. Una labor realmente filológica sólo se empezó, en colección, teniendo como base fundamental a los autógrafos, con las series *Teatro antiguo español* (1916-1940) y *Autógrafos de Lope de Vega* (1934-1935). Una edición de las dedicatorias de todas las comedias la ha realizado Case [1975].

El *Arte nuevo*, lleno de dificultades para una interpretación literal, es la mejor muestra para observar cómo la crítica ha cambiado en lo que va de siglo, con respecto a la preceptiva de Lope. Hasta Vossler [1933], primero en defenderlo, fue menospreciado por el historicismo (Menéndez

---

1.   Para la bibliografía de estudios véase el anterior capítulo sobre Lope. Como hay otro dedicado al teatro barroco en general, no entro aquí en problemas específicos de teatro y sociedad, escenografía, etc., ni tampoco cito trabajos generales que no sean muy importantes para el teatro de Lope.

Pelayo, Morel-Fatio, Farinelli), que lo encontraba indigno de su autor, incoherente, inconsecuente, palinódico y breve, sin fijarse en que es un texto vivencial y poético, y escrito en una coyuntura muy especial. Vossler lo juzga como un poema personal, una confesión de logros y frustraciones, una defensa ante los cultos de su teatro, y lo entronca con la epístola literaria de corte horaciano. Al tomarlo como un poema, como un texto subjetivo, como algo opuesto a un tratado científico, abrió las puertas de su comprensión, juntamente con el análisis que Menéndez Pidal hizo del poema en [1935], en el que muestra cómo Lope era sincero en lo esencial, pues había dudado de la poética clásica siempre, en aras de la libertad creadora y del gusto de su público, valorando más el natural que el arte. A este entendimiento de su género y de su significado se unían los trabajos de Romera Navarro [1935] sobre su contenido doctrinal. Los juicios de Menéndez Pidal han sido matizados por Froldi [1968] y Sánchez Escribano [1972ª], mostrando cómo el dramaturgo aprovechó lo que quiso y pudo de Aristóteles, desde los presupuestos ideológicos y estéticos de un poeta culto de la sociedad barroca, tan lejos del romanticismo como de la expresión de una supuesta colectividad metahistórica. Por otra parte, Montesinos examinaba el título como una paradoja académica —lo que ha sido discutido, no sin razón, por Weiger [1981]. En frase feliz de Montesinos, el *Arte nuevo* intenta realizar la cuadratura del círculo, defender un teatro basado en el gusto de la época sin enfrentarse a la tradición académica. Don José, que en puntos fundamentales está influido por don Ramón, todavía ve la obrita con cierta precaución al señalar que no estuvo a la altura del autor, al contrario de Froldi, más cercano a los presupuestos de Vossler, en torno a la calificación de *sermo horaciano* y, dentro del género, perfecto y válido.

En cuanto a la doctrina se ha ido imponiendo el cotejo del *Arte nuevo* con la *praxis* teatral de Lope, y es interesante destacar que Lázaro Carreter, en una monografía de carácter pedagógico [1966], elaboraba el capítulo de la técnica teatral siguiendo, paso a paso, el dictado de nuestro poema. En los últimos diez años han aparecido, insistentemente, trabajos sobre el discutido texto. En [1971], Juana de José realizaba el primer comentario completo y lo editaba, dando también el facsímil, por la edición de 1613. Lo fechaba entre 1604-1608, y mostraba cómo es un códice coherente dentro de sus circunstancias, aunque todavía toma, en ciertos momentos, una posición cautelosa, explicando que si Lope no fue más explícito fue por no desvelar sus hallazgos. Un segundo comentario lo hace Rozas [1976] valorándolo, sin ambajes, como un texto totalmente positivo y coherente desde sus circunstancias estéticas, sociales y personales, distinguiendo entre lo que tiene de *captatio benevolentiae*, que se debe marginar, y centrándose en la doctrina, que relaciona con la retórica clásica. En cuanto al género, ve en él una epístola de corte horaciano, transformada, mediante el soliloquio, que la teatraliza, en lección académica. Orozco [1978], en un breve e importante libro sobre el género, lo define decididamente como un discurso académico que sigue la retórica aristotélica, insistiendo en su valor de soliloquio y en su teatralización, comparándolo —lo que es de gran interés— con otros discursos en verso de Lope. Últimamente, ante esa dualidad —la doble serie literaria en que se coloca, epístola literaria y discurso académico—, Rico Verdú [1981] muestra que, internamente, ambos géneros no se diferenciaron, ni en la preceptiva ni en la *praxis*, y reajusta la estructura dada por Rozas, también desde la retórica tradicional. Por último, existen valiosas aportaciones sobre aspectos parciales del poema: Lázaro Carreter [1965], Samonà [1965] y King [1980].

Hay que recordar que Lope desperdigó, fuera del *Arte nuevo*, mucha doctrina teatral. Tanto en sus dedicatorias y prólogos, estudiados por Case [1975 y 1978], como dentro de sus obras dramáticas, aspecto al que han dedicado una útil monografía L. Pérez y F. Sánchez Escribano [1961], e incluso en su poesía, como en su *Égloga a Claudio*, a la que Rozas ha prestado atención en un trabajo en prensa. Este poema es, en parte, un abreviado *Arte nuevo* que muestra la situación de Lope en una coyuntura muy distinta —en su vejez— a la de 1609.

El *Arte nuevo* se ocupa, en su parte doctrinal o central, de diez problemas: tragicomedia, unidades, división del drama, lenguaje y personaje, métrica, figuras retóricas, temática, duración de la comedia, uso de la sátira y representación. Tres de estas cuestiones rompen la tradición clásica de forma decidida, hasta constituir la articulación esencial del nuevo teatro: tragicomedia, unidades y polimetría. El problema de los géneros lopistas preocupa mucho a la investigación actual. Como es sabido, Lope habla, en sus textos teóricos, de cuatro. Dejando a un lado el entremés, seguramente equivalente para él a comedia antigua (véase el citado trabajo de Lázaro) y género menor por el que no parece mostrar especial afición, nos encontramos con los términos de «tragedia», «comedia» y «tragicomedia». Mas la cuestión se complica al significar en la época «comedia», obra de teatro en general. De esta manera coexisten dos parejas de términos que pueden confundirse: tragedia y tragicomedia, por un lado; y comedia, como género específico y como denominación de toda pieza teatral (y aun de teatro en general). Hablando de los clásicos, Lope distingue claramente la tragedia, que tiene por argumento la historia, y la comedia, que es un fingimiento. Pero cuando empieza a dar las notas características de su teatro —lo que llamó Tirso «comedia nueva»— define la «tragicomedia» (género polémico y no sólo en España; recuérdese lo que se discutió en Italia en torno a Guarini) con dos rasgos fundamentales: mezcla de personajes elevados y bajos, y mezcla de lo trágico y lo cómico. Y sus propias obras las rotula ya como comedias, ya como tragedias, ya como tragicomedias, sin que a veces, desde unos ortodoxos presupuestos teóricos, nos deje satisfechos su denominación. A su concepto de tragedia y tragicomedia ha dedicado Morby un erudito e inteligente trabajo [1943], en lo que le ha seguido recientemente Bradbury [1981]. Lope conoce el género clásico de tragedia y las teorías renacentistas de él —que Morby examina a la luz del libro clásico de Spingarn— y la sigue en obras que llama tragedias y en algunas que llama tragicomedias, estableciendo así voluntariamente nuevos planteamientos. McCurdy ha hecho historia de las opiniones de la crítica sobre la llamada incapacidad para la tragedia de Lope y sus coetáneos. Parece absurdo pensar que Lope no pudiera escribir, malas o buenas, tragedias. En último caso, las podría haber hecho como imitaciones de los antiguos. Hay que pensar que no quiso hacerlas, ya por convencimiento estético, ético o económico. Sería cómodo obviar, en nuestro tiempo, la denominación y el concepto de tragicomedia. Pero no es posible, al menos en una primera lectura arqueológica, porque los dramaturgos del XVII definieron así, de forma voluntaria, sus obras, e incluso algunos teóricos, como Ricardo del Turia, utilizan este término como el pertinente en su sistema, frente a los preceptistas de corte clásico, Cascales, por ejemplo, a los que les molesta. Para Turia el nuevo teatro es precisamente un *mixto* que configura un género nuevo y distinto a los anteriores. Basta seguir los textos coleccionados por Sánchez Escribano y Porqueras [1972²] para darnos cuenta de cómo el concepto llegó a ser una bandera, cada vez más izada, en los años posteriores a la aparición del *Arte nuevo*.

Sobre la formación del género teatral barroco, sobre todo en el subgénero de villanos dignificados y sus orígenes clásicos, medievales y renacentistas, ha escrito recientemente unas clarificadoras páginas A. Blecua [1981]: la comedia nueva es un cambio notable en la serie literaria occidental, enriquecedor para la misma, pues recoge y sintetiza tradiciones cultas y populares y retórico-literarias, aportando novedades que afectan a la concepción del arte. En especial, en las obras de tema campesino aparece la novedad de «presentar en escena la tipología completa del labrador con formas y funciones distintas a las habituales». Un labrador puede ser ahora un héroe trágico en una estructura de tragicomedia. Al final del Siglo de Oro, Bances Candamo estableció una distinción entre comedias historiales y comedias amatorias, que tal vez podría ser equivalente a nuestra distinción entre dramas y comedias. Moir, explicando a Bances [1970] y de forma general en relación con el teatro clásico [1965], ha estudiado la posición y coherencia del teatro barroco español, conocedor de los clásicos y deseoso de nuevas rutas. Aunque el crítico actual pueda matizar hasta qué punto una obra es tragedia o comedia, no podemos prescindir de lo dicho sobre la tragicomedia por los barrocos, sino manejarlo a la luz de la literatura general y comparada. Tal vez podríamos tomarlo como un valor en una sincronía y en una coyuntura dadas, como un término vivencial y polémico, que los barrocos emplearon, en cierto modo, como un manifiesto de anticlasicismo y de modernidad. No sería, como tragedia y comedia, un término fijo, descriptible y regulable, sino algo fluctuante que recorrería el camino entre ambos, en busca de libertad expresiva, de nueva cosmovisión y de éxito popular. Entre la tragedia ideal y la comedia ideal, la tragicomedia presentaría todos los grados posibles, ya temáticos, ya de personaje, ya de tono y desenlace. Un género movible entre la tragedia, con final luctuoso o no, y aun con pasajes cómicos, y la comedia, con presencia de problemas graves y personajes elevados, incluido el rey, portador de un mensaje de propaganda nacional y aun religiosa, conservadora de un sistema social y económico y de un sentido cristiano de providencia omnisciente y perfecta que se aleja radicalmente del destino de los griegos.

Más recientes son los estudios teóricos sobre la verdadera comedia, en términos actuales, de Lope y su siglo. A ello ha dedicado varios inteligentes trabajos Wardropper, en cierto modo resumidos en su estudio epilogal [1978] al libro de Olson, en el que traza una historia de la crítica sobre el concepto de comedia clásica española, que para él tiene un significado social y serio, y no sólo es un *divertimento*. Sus teorías han sido contestadas, en casos concretos, y más bien en relación con Calderón, por críticos como Jones o Varey. Wardropper establece tres tipos de obras cómicas en nuestro Barroco: el entremés, la comedia de fantasía y la comedia de capa y espada. A la comedia ha dedicado muchos esfuerzos Frida Weber. Su sentida desaparición nos ha privado de una clasificación y de un análisis morfológico completo del género en sus distintos tipos, que había iniciado en varios trabajos [1977].

De las tres unidades clásicas, Lope acepta la de acción, rechaza la de tiempo y no menciona la de lugar, porque no estaba en Aristóteles y para ser consecuente con su negación de la de tiempo, de la que procede, establecida por los neoaristotélicos. La de acción parece tomarla, en principio, a rajatabla: «Tenga una acción, mirando que la fábula / de ninguna manera sea episódica ... / ni que de ella se pueda quitar miembro / que del contexto no derribe el todo». Pero esta aceptación lleva una variante de gran importancia: la aparición de una acción o intriga secundaria que corre paralela a la principal, la complementa y hasta la explica, a veces. Ambas, sumadas, en las obras más logradas, son inseparables en una lectura arqueológica indispensable, y dan una acción única, si compleja, barroca. Esta solución ha sido comprendida en profundidad en tiempos relativamente recientes. Marín [1958] ha dedicado a la cuestión una excelente monografía, y tras el análisis de 146 obras llega a una conclusión positiva para tal técnica, no sólo en cuanto a coherencia temática, sino en el deseo de ser un teatro fiel a la vida y a la época, que quiere hacerlo todo materia representable. Por las dos acciones se llega a dividir el teatro de Lope (en concordancia con lo dicho antes en torno al género) en dos grandes núcleos: el histórico, que contiene lo legendario y hagiográfico, en el cual es casi obligada esa intriga secundaria separable; y el mundo totalmente fingido o novelesco, donde las acciones se integran en una sola trama, sin desarrollo separable. Un ejemplo perfecto del primer tipo es *Fuente Ovejuna*, como veremos.

Entre otras razones, por ser en gran parte de su obra un dramaturgo de la historia, Lope no puede aceptar la unidad de tiempo. A ello, dándose cuenta de que significa perderle el respeto a Aristóteles, le dedica bastantes versos del *Arte nuevo*, y modula así su posición: «Pase en el menor tiempo que ser pueda», «si no es cuando el poeta escriba historia». En este caso, las distancias entre los actos pueden servir de intermedio madurativo y temporal. A veces crea una unidad de tiempo relativa, dentro de cada jornada. Los comentaristas del arte nuevo han dedicado secciones de sus trabajos a este problema, defendido en la época, tras Lope, por la mayoría y atacado por dramaturgos y teóricos de tendencia más clasicista, incluido Cervantes, quien, sin embargo, definirá el proceso —en último término, crear espacio y tiempo libremente— en *El rufián dichoso*, en boca de la mismísima comedia: «El pensamiento es ligero; / bien pueden acompañarme / con él doquiera que fuese ... / A México y a Sevilla / he juntado en un instante ...». Habla de la unidad de lugar, pero subyace la de tiempo. Tirso, entre otros, explica en los *Cigarrales de Toledo* cómo es inverosímil la unidad de tiempo, y Lope escribe una comedia, *Lo que pasa en una tarde* (ed. Merril [1949]), que guarda las unidades, y en la que tal vez tengamos que hacer una lectura paródica de ellas, a juzgar por lo que insiste en el tema el distanciador gracioso.

Si ya la lírica de los cancioneros petrarquistas y de las novelas pastoriles era polimétrica, el Barroco, en todas sus manifestaciones en verso, lo será aún más, como muestran las obras de Lope, Góngora o Quevedo. Así se explica mejor que lo sea la comedia nueva, fijándose una relación entre personaje o situación y versificación. La métrica es tan característica de cada autor, y aun de cada época de un autor, que por ella, tras paciente y brillante trabajo, Morley y Bruerton [1968²] han podido trazar la cronología de Lope y establecer criterios fiables de autoría. El uso y función de las estrofas ha sido estudiado, en un *corpus* no suficiente pero orientativo, por Marín [1968²], sobre un análisis de 27 obras de cuatro etapas (1593-1594, 1603-1604, 1613-1616 y 1630-1634), y desde el concepto de escena mayor o de situación. Los metros castellanos tienen mayor variedad que los italianos, y se especializan más en la tercera época; la décima y el soneto hacen funciones de soliloquio; redondillas y quintillas tienen usos parecidos y son la base del diálogo; el romance, al principio, se utiliza casi sólo en relaciones, pero a partir de la segunda época sus funciones se diversifican; los metros italianos expresan sentimientos nobles y no específicamente escenas ceremoniosas; la silva aparece tardíamente; el metro refuerza la mutación de escena mayor.

Cabría esperar que hubiese una monografía sobre el uso de las estrofas principales, pero la extensa producción de Lope no lo facilita. Sólo el soneto cuenta con varios estudios sobre su función en la comedia: Delano [1929], Jörder [1936] y Dunn [1957]. El primero, ya en [1935], estableció un índice crítico de los sonetos dramáticos de Lope. Muy necesario sería el estudio métrico total —sin olvidar la fonoestilística— de obras enteras, en relación con el género dramático. Podría servir de modelo el análisis de una secuencia de *El castigo sin venganza*, hecho por Dixon [1973]. Las aportaciones al lenguaje teatral de Lope son numerosas, pero atomizadas en los estudios parciales de cada obra. Trabajos que, por el título, parecen prometedores, se quedan en la versificación, como el citado de Romera Navarro [1935], o son apuntes insuficientes que mezclan la lírica y la dramática, como el de Menéndez Pidal [1958]. De nuevo ocurre como en la poesía no dramática, que el culteranismo es lo mejor analizado, con valiosos trabajos de Hilborn [1971] y Samonà [1964]. Sin embargo, con la ayuda de lo que se sabe de su lírica, con su vocabulario ya formado, y teniendo en cuenta lo dicho sobre muchas de sus obras, se podría sistematizar la lengua dramática de Lope. Son excelentes los análisis del lenguaje de *La dama boba*, por Zamora Vicente [1965]; de *La guarda cuidadosa*, por Lázaro Carreter [1971]; de *Peribáñez*, por Wilson [1949]. Tal vez la más importante aportación a la lengua de los personajes es la que aparece diseminada en las páginas de Salomon [1965], pero sólo en la parte del labrador cómico se reúnen ahí, en un capítulo, los rasgos lingüísticos.

La única monografía extensa sobre los personajes de la comedia en su conjunto es la de Juana de José [1963], aunque existan diversos trabajos breves, como el de Esquer [1971]. De José se basa en cinco discípulos de Lope, mas sus conclusiones son orientativas sobre la obra del maestro. El primer capítulo es, además, un detallado estado de la cuestión. En relación directa con el Fénix, ella misma [1971] ha fijado sus ideas anteriores. Son seis los personajes-tipo: el galán y la dama, que desarrollan una intriga amorosa; el gracioso y la criada, que les ayudan; el padre, o viejo, depositario del honor familiar, y el poderoso, que puede trastocar o solucionar la intriga, ya como agonista, ya como juez. Estos personajes se han de entender muchas veces como funciones. La criada es la compañera de la dama, y su oficio y condición dependerá de la calidad de la dama. El poderoso puede recorrer una amplia escala social, desde la nobleza menor hasta la realeza. Sobre estos seis tipos básicos (multiplicados por su *habitat*: mitológico, pastoril, urbano, palaciego) se crean infinitas situaciones, temas y argumentos, tanto de tragedia como de comedia. El papel de la madre es, en términos generales —véase Templin [1935]—, una buscada y dramática ausencia. De estos personajes, sólo el gracioso o *figura del donaire*, la dama y el rey, han sido estudiados suficientemente. El gracioso es el que más cuidados ha suscitado: Montesinos [1925], Herrero García [1941], Ley [1954], Arjona [1939]. A la figura del rey ha dedicado un interesante libro Young [1979], analizando su papel como hombre, como institución y como ser divino. Este personaje está, naturalmente, muy ligado al significado de este teatro. Algún rey, en concreto, de nuestra historia, como Pedro el Cruel, ha sido tema de controversias en relación con Calderón; y, respecto a Lope, ha merecido una monografía de Exum [1974]. La dama, generalizada en mujer, ha sido estudiada por McKendrik [1974], y, como disfrazada de varón, por Romera Navarro [1935] y Bravo Villasante [1955]. Rugg [1965] se ha ocupado del padre. La galería de tipos menores nos lleva a la sociología de este teatro. Arco y Garay [1942], de forma eminentemente descriptiva, y Díez Borque [1976], con un ademán más funcional, nos muestran el larguísimo elenco de indianos, soldados, estudiantes, poetas, moros y judíos, etc. El tipo mejor conocido es, sin duda, el del labrador, por la citada obra de Salomon. El negro ha merecido un fino análisis de Weber [1967], y, más ampliamente, Nagy [1968] ha tratado el mundo celestinesco del teatro de Lope. El Fénix gusta de introducirse en su teatro como personaje. A tan importante rasgo han dedicado su atención Cossío [1948], Morley [1951], Carreño [1982]. El discurso del primero tendría más validez de haber utilizado la cronología, ya aparecida entonces en inglés, de Morley y Bruerton. Por último, Morley y Tyler [1961] han dedicado una larga monografía a los nombres de los personajes que no ha dado frutos tan preciados como el estudio de la versificación.

Menéndez Pelayo [1919-1927] hizo ya un importante recorrido por los temas, motivos y fuentes del drama lopiano. Hay varias monografías sobre ciertos temas o problemas de Lope. Algunos son fundamentales. Desde luego, el honor, eje de tanta obra, al que ha dedicado una monografía Larson [1977]. También la heráldica y su función en los textos, estudiada con fina erudición por McCready [1962]. Y el de los judíos, analizado por Lida de Malkiel [1973] (como ejemplo concreto, véase Silverman [1971]). El citado libro de Arco y Garay es un útil y extenso muestrario temático, aunque su esfuerzo no tuvo una intención sociológica adecuada. De alguna manera es continuador suyo Díez Borque [1976]. Pese al título de su libro, trata de las obras de Lope escritas desde 1617 hasta su muerte. Aunque se centra en la descripción de las relaciones individuales, políticas y sociales, organiza hábilmente sus materiales buscando el significado total de ese teatro mediante la fórmula simplificadora, si con frecuencia cierta, de la propaganda de la monarquía señorial, consolidadora de los privilegios de la nobleza y de los labradores ricos (cf. Stern [1982]). Su búsqueda pierde de vista el género literario y la serie literaria en que trabaja, como consecuencia de derivar su estudio de presupuestos de Maravall, quien, exclusivamente como historiador, le había abierto el camino para este tipo de lecturas, en su libro *Teatro y literatura en la sociedad barroca* [1972]. El crítico literario debe utilizar estos trabajos tomando un punto de vista distinto, desde la realidad del objeto que analiza. La revisión de los valores sociales del teatro español se hacía necesaria, a causa de las apologías que desde la derecha (Menéndez Pelayo, Herrero García, Entrambasaguas) y desde la izquierda (Giner de los Ríos, Bergamín, Arconada) había recibido en el último siglo. Y en este sentido es muy útil que la filología y la crítica acudan a lo que historiadores como Maravall puedan decir al respecto. Díez Borque escribe, a veces, con tono de fiscal, que resulta a trechos tan populista como las obras analizadas, buscando, literalmente y desde nuestro tiempo, «la impostura de Lope». Este vaivén de valoraciones es necesario para iniciar un nuevo camino en el inacabable perspectivismo histórico de la obra de arte. En realidad ya lo había abierto un gran filólogo. Me refiero a Salomon [1965] en su magna obra, modelo para este tipo de estudios. Tal vez por ser extranjero, se enfrentó al teatro de Lope con un especial tino y distanciamiento, con una natural y científica curiosidad. Sus conclusiones son que nos encontramos ante un teatro poético que tiene como base la realidad, que es un reflejo de lo real, una negación de lo real y una idealización de lo real. Así podría compaginarse el que este teatro sirva, en efecto, para abovedar el sistema de privilegios y, al mismo tiempo, para retratar esa situación y, por definición, para experimentar, desde las raíces de un dramaturgo, ciertos tipos y situaciones conflictivas. Siempre dentro del género y desde la ambigüedad del signo estético, siempre poliédrico. Sería absurdo, en fin, olvidar, para el significado de la comedia, los trabajos del hispanismo de habla inglesa, que parecen desplazarse recientemente un tanto desde Calderón hacia Lope, como veremos en obras concretas. De un modo general e introductorio puede partirse del prólogo de Pring-Mill [1961] a la traducción en inglés de cinco obras lopianas. Han influido mucho —y han sido debatidos también— los trabajos generales sobre la interpretación del teatro barroco: Parker [1957] y Reichenberger [1959].

La ordenación del teatro de Lope puede hacerse atendiendo a diversos móviles o criterios: el cronológico, el genérico, el genético-argumental y el temático. La cronología quedó ya en sus líneas maestras establecida en el insustituible trabajo, ya varias veces citado, de Morley y Bruerton [1968²]. Basándose en el uso de la métrica llegaron a fechar todas las obras dentro de unos márgenes no demasiado amplios. Nuevos estudios de cronología, por datos externos o internos —en lo que ha destacado Tyler [1950, 1952 *a* y *b*]—, así como la aparición del manuscrito de Gálvez, que data sus textos, no han hecho sino corroborar la precisión del método (véase también Haley [1971]; y sobre las listas del *Peregrino* los artículos de Morley [1930] y Wilder [1952]). Oleza [1981] ha matizado las fechas del repertorio temprano de Lope. Estas obras primeras y la génesis del códice lopista, así como su relación con el grupo valenciano, merece actualmente la atención de diversos críticos. Las preguntas que se hace Oleza son: ¿Cuál es el papel de Lope?, ¿qué propuestas teatrales traía a Valencia en 1589?, ¿qué propuestas cristalizaron durante su estancia en Valencia y en Alba de Tormes?, ¿son convergentes o alternativas las propuestas valenciana y madrileña? A pesar de los excelentes esfuerzos de Froldi [1968] y Weiger [1978], estas últimas cuestiones están aún por pormenorizar. Dependen, en parte, de los estudios en marcha (Sirera, Cañas, entre otros) sobre teatro valenciano y de su confrontación con la morfología del primer Lope y del *Arte nuevo*. Sobre estas materias han investigado García Lorenzo, Weber, Oleza, Weiger, y otros, ayudados por los datos de que disponíamos sobre la aparición de algún rasgo temático o formal importante en el primer teatro de Lope: la aparición del gracioso, detallada por Arjona [1939], o de la mujer vestida de hombre, por McKendrik [1974]. Oleza analiza 18 obras entre 1580 y 1604. Muestra cómo, en ellas, los subgéneros podrán agruparse en dramas (de hechos famosos, o de honra y venganza) y comedias (mitológicas, pastoriles, palatinas, urbanas, picarescas), lo que ya es un muestrario muy completo de lo que hará en plena madurez. En su primera etapa Lope sabe ya popularizar la espectacularidad cortesana y cortesanizar la espectacularidad popular. Los dos modelos pugnan, lo que ya no ocurre con el Lope posterior (Asensio [1981, en cap. 2]), plenamente compenetrado con la estructura de corral, la que Oleza llama, y no de forma peyorativa, «teatro pobre». Lope se distingue de Tárrega por la poderosa corrección populista que da al teatro desde bases clásicas y cortesanas. Frida Weber [1976] encuentra que, hacia 1590, el *pre-Lope* está desapareciendo rápidamente en la estructura y la técnica y está casi tipificado en la métrica, aunque no domina aún la rápida caracterización de los personajes y su relación con la trama. Sus análisis comparados de *Los hechos de Garcilaso*, *Las ferias de Madrid* y *El príncipe inocente* son especialmente ilustrativos.

Con estas investigaciones llegamos al momento de escribirse el *Arte nuevo* y a la creación del tipo de campesino digno, en lo que podemos entroncar con los estudios de Salomon y, en la línea estructural de Frida Weber, con el importante libro de Forastieri [1976]. De los cuatro últimos lustros de Lope conocemos la fecha cierta de bastantes dramas, muy estudiados, que podrían ser la base de una evolución no desarrollada aún monográficamente, para la que poseemos muchos datos obtenidos al analizar obras concretas como *Santiago el Verde* (1615), *El marqués de las Navas* (1624), *El castigo sin venganza* (1631), *Las bizarrías de Belisa* (1634), etc.

La génesis de un drama de Lope puede estar en muchos lugares, como ya fue detallando la crítica historicista. De hecho, el mayor valor de los estudios de Menéndez Pelayo es el de su sabio cotejo con las fuentes de cada obra estudiada. Lope puede buscar su argumento: en el refranero, Canavaggio [1981]; en las letras para cantar: Frenk Alatorre [1963], García de Enterría [1965], Umpierre [1975]; en el romancero: Menéndez Pidal, Moore [1940]; en la Biblia y la hagiografía, Aragone [1971]; en la mitología, en los *novellieri* y en las crónicas y leyendas nacionales. Estos dos últimos campos son los más acotados. Sus débitos a Bandello fueron estudiados por Köhler [1939] y Gasparetti [1939], su relación con Cintio, por Köhler [1946], y la influencia de Boccaccio, por Metford [1952]. Alguna obra con esta génesis, como *El castigo sin venganza*, procedente de Bandello, ha sido elegida para ilustrar la nacionalización que de la novela italiana hace Lope. Así, en el estudio clásico de Amado Alonso [1952]. Menéndez Pelayo dejó abierto el camino de las relaciones entre las crónicas y leyendas y los dramas históricos lopianos. Después, en estudios concretos de cada obra, modelo *Fuente Ovejuna*, como veremos, se ha profundizado mucho en el carácter de esa influencia. Recientemente se ha intentado teorizar sobre el sentido de la historia de los dramas de Lope: Gilman [1981] y Kirby [1981]. También tenemos diversos estudios desde acotaciones geográficas o nacionales, presididas por la visión de América, analizada por Morínigo [1946]; Hungría, por Bosci [1967], Murcia, por Sebastián de la Nuez [1964], o La Mancha, Rozas [1981]. Existe, incluso, una bibliografía de la comedia histórica de Lope, realizada por Brown [1958].

Con el único fin de poder hacer un recorrido muy abreviado de la producción de Lope —deteniéndome sólo en los dramas más estudiados— organizo su obra —de forma ecléctica y sin demasiada convicción, teniendo en cuenta el género y el tema— en tres grandes grupos: las obras que tienen como base una historia (sea mitológica, bíblica, hagiográfica, cronística o legendaria); las que proceden de una fuente novelesca; y las que crecen desde la propia invención, retratando e idealizando, a la vez, la realidad de su tiempo, ya en tono palaciego, ya en el medio urbano, ya en ambiente pastoril o rústico.

Entre las obras mitológicas mejor editadas destacan *El amor enamorado* (Valbuena Prat [1950]), *El marido más firme*, sobre el mito de Orfeo (McGaha [1981]) y *Adonis y Venus* (Shecktor [1981]). Estos trabajos muestran la dependencia de los textos de Lope de las fuentes clásicas, especialmente ovidiana, y la adaptación al sistema social del XVII con que están realizadas. Es evidente que estas obras mitológicas deben abordarse en su génesis y estructura, con criterio más amplio, tal como ha hecho Rull [1968], con lo que tiene *La viuda valenciana* (comedia de capa y espada influida por Bandello) del mito de Psiquis y Cupido (Apuleyo, *Partinuplés*).

Entre las bíblicas, tema en el que Lope no insistió demasiado, son de las más logradas *La hermosa Ester* y *El robo de Dina*, a las que ha dedicado sendos artículos Glaser [1960 y 1964]. Mucho más extenso es el catálogo de las comedias hagiográficas, algunas propiamente biográficas, como *Juan de Dios y Antón Martín* o *El cardenal de Belén*, sobre san Jerónimo; y otras, más pendientes de lo filosófico, como *Barlán y Josafat*, editada y estudiada por Montesinos [1935], y *Lo fingido verdadero*. *Juan de Dios y Antón Martín*, como otras de su estilo, presenta una clara técnica de reportaje, dramatizando su *curriculum*, en este caso doble, el del maestro y el del discípulo, en el que destaca el del primero en una serie de interesantes secuencias costumbristas, pasando de labrador a soldado, vendedor ambulante de libros de cordel y predicador de las prostitutas a las que llama «las hermanas olvidadas», en una muestra de comprensión muy del santo y muy del dramaturgo. *Lo fingido verdadero* es un impresionante drama religioso, sobre el tema del gran teatro del mundo, en lo que han insistido Vilanova [1950] y Trueblood [1964], y que es, además, una importante muestra de las ideas sobre el teatro de Lope, al ser el protagonista, san Ginés, un actor. Este teatro de santos ha merecido justamente dos monografías: la de Garasa [1960] y la más técnica de Aragone [1971] que ha editado, además, *El cardenal de Belén* [1957] y *Vida y muerte de santa Teresa de Jesús* [1970].

Lo fingido verdadero nos hace pasar a la historia extranjera, mediante uno de sus personajes, Diocleciano, y recordar que la historia romana tiene un puesto en el teatro de Lope, *Roma abrasada*, *El esclavo de Roma*. Obras de historia europea importantes son *El gran duque de Moscovia*, cuyas fuentes han sido estudiadas por Vernet [1949], y *La imperial de Otón*, analizada en el contexto polaco de nuestro teatro barroco por Strzalkowa [1960]. Aunque hay otras varias olvidadas como *Contra valor no hay desdicha*, de historia clásica, en este caso sobre Ciro el Grande, de verdadera importancia para el concepto de la realeza del teatro lopiano. Con todo, donde se acumulan el mayor número de obras histórico-legendarias, gran parte de ellas de un gran peso específico, es en la alta Edad Media y el primer Renacimiento. Tal vez la zona de mayor interés esté en torno al reinado de los Reyes Católicos, en relación con la unificación de España y el sentido de la monarquía a la vez teocéntrica y señorial. Estos temas en el reinado de Felipe III, con la aparición de los privados y la decadencia, eran de obligada atracción en la propaganda política y social que el teatro barroco conllevaba.

El bastardo Mudarra, cuyas relaciones con el romancero fueron estudiadas por Price [1935], es un claro exponente de la epicidad del teatro lopista, como puso de manifiesto la versión brechtiana de Schroeder, montada por Marsillach hace unos años. A su lado hay que citar otras dos sombrías, violentas e importantes tragedias, que en algunos aspectos se apartan de la línea más tópica y estudiada del teatro de Lope: *El duque de Viseo*, editada por Ruiz Ramón [1966] y por Auvert [1969], y *Los comendadores de Córdoba*, analizada, como drama de honor, por un especialista en la materia, Larson [1971]. *El Nuevo Mundo descubierto por Cristóbal Colón* (ed. Entrambasaguas [1963]) es un excelente reportaje sobre cómo se imaginaba Lope América, con el encuentro de la Europa del Renacimiento y el indio, en el que subyace el tema del salvaje, sobre todo si le colocamos al lado *Las Batuecas del duque de Alba*, encuentro entre la civilización y los salvajes de Las Urdes. Otras obras de interés, suficientemente estudiadas, son *Los Benavides*, Reichenberger [1968]; *Las paces de los reyes*, Castañeda [1971²]; *La corona merecida*, Montesinos [1923]; *El galán de la Membrilla*, Marín y Rugg [1962]; *El cordobés valeroso Pedro Carbonero*, Montesinos [1929]; *Carlos V en Francia*, Reichenberger [1962]; *El marqués de las Navas*, Montesinos [1925].

Se ha hablado de trilogía pensando en tres obras maestras que abordan el papel del rey, el noble y el villano en sus relaciones políticas y sociales: *El mejor alcalde, el rey*, *Peribáñez* y *Fuente Ovejuna*. Son, sin embargo, tres obras distintas en su alcance estético y de contenido. En la primera, la más claramente política, el rey actúa directamente en la acción, que aquí es única, por cuya pretendida regularidad fue bien aceptada por la crítica del XVIII y del XIX. En las otras dos, los Reyes Católicos juzgan, al final, una situación social: un caso particular en *Peribáñez*, que ha matado a un comendador para defender su matrimonio, lo que podría ir hoy en la página de sucesos; y un caso general, una revuelta contra el comendador por parte de todo un pueblo, tratado injustamente por él, lo que pasaría a una primera plana, en la crónica sociopolítica. Si en *El mejor alcalde, el rey* se tiende a la unidad de acción, en *Fuente Ovejuna* se busca decididamente la alternancia de dos acciones.

El mejor alcalde, el rey ha sido editada por Gómez Ocerín y R. M. Tenreiro [1931] y por Díez Borque [1973]. Considerada, desde Menéndez Pelayo hasta Díez Borque como un canto al absolutismo monárquico, modernas y más finas disecciones, como las de Halkhoree [1979], Varey [1979] y Bentley [1981], han resaltado su sentido artístico y su significado, llevándolo a un terreno a un tiempo más general y filosófico, en relación con la naturaleza humana, el tratado político y el neoplatonismo; y por otro, a uno muy concreto que empareja el principio del reinado de Alfonso VII con el principio del de Felipe IV. Varey habla de un macrocosmos y un microcosmos, éste concretado en Galicia. Bentley, de la precariedad de la naturaleza humana, «porque la fuente de su fruición es al mismo tiempo agente de su destrucción ... En el bien está el mal, y sólo la discreción y un sentido de responsabilidad impiden el desequilibrio». Lo que la obra se separa de la crónica, ocultando el problema económico y resaltando el amoroso, lo que no ocurre en *Fuente Ovejuna*, está en relación con el interés artístico y con el deseo de mover al público desde el dilema aristotélico entre verdad particular, la trama de una comedia, y la verdad universal, su tema.

Peribáñez es uno de los textos mejor estudiados y editados (Aubrun y Montesinos [1943], J. M. Marín [1979], A. Blecua [1981]). La introducción de Blecua es excelente y tiene la utilidad de plantearse la obra en el subgénero de la comedia de villanos, como tragicomedia o tragedia nueva, de estudiarla paralelamente a *Fuente Ovejuna* y de matizar opiniones de Salomon en varios puntos importantes: no cree en la relación directa entre el caso de Rodrigo Calderón y la obra, que vuelve a centrar en 1604-1608, resumiendo los criterios anteriores de datación sobre los que la crítica ha vuelto una y otra vez. *Peribáñez* destaca por su ambiente rústico, idealizado y muy cuidado estilísticamente, con una perfecta oposición de imágenes, muy coherente, como el toro —signo de violencia y azar— y la cosecha —signo natural y social de la vida cotidiana—. Esto la hace muy personal, frente a otras obras de comendadores en las que el argumento básico tiene el mismo triángulo: labrador, labradora, unidos por el amor y violentados por un poderoso. Es clásico, con toda justicia, el estudio de la imaginería, el lenguaje y la estructura de Wilson [1949]. Sobre su simbolismo ha insistido Dixon [1966]. El problema del honor ha sido planteado monográficamente por Correa [1958] y por Larson [1977], en su obra de conjunto sobre los dramas de honor en Lope. (Véase también el citado artículo de Silverman.)

Fuente Ovejuna es, hoy, el drama de Lope más conocido universalmente. Su fama va ligada a los acontecimientos sociales y políticos de la Europa de los cien últimos años. Conocemos bien los sucesos históricos de los que habla la obra, a los que han dedicado un libro García Aguilera y Hernández Ossorno [1975]; los elementos históricos y su adaptación en el texto, que fueron estudiados por Aníbal [1934] con gran comprensión, por cierto, para la estructura de la obra. López Estrada [1965], al volver sobre las fuentes, su composición y a la comparación con la obra del mismo tema de Monroy —que ha editado juntas [1979ª]— ha demostrado mayor perspicacia. En los últimos años se ha venido sucediendo una valiosa serie de ediciones: Profeti [1978], J. M. Marín [1981], A. Blecua [1981], las tres con introducciones tan diferentes como inteligentes: la primera desde la semiótica; la segunda, la más extensa, fijándose mucho en la fuente y la estructura bimembre; la tercera, en relación con *Peribáñez* y con la serie de los labradores dignos. En este último aspecto habría que partir de las diseminadas e importantes aportaciones del libro de Salomon, tantas veces citado. Muy debatido ha sido el tema de la segunda acción y de las dos lecturas —con o sin ella— que de la obra puede hacerse. Tras la incomprensión de Aníbal, Parker [1953] abre el camino para entender la interdependencia de ambas acciones; Ribbans [1954] explica de forma completa el funcionamiento de ambas en la estructura global de la obra; Rozas [1981] se sitúa precisamente, al analizar el drama, desde la segunda acción, detallando la ecuación que las hace homogéneas y necesarias, y haciendo la historia de las dos lecturas. La primera acción es a la segunda, como la historia a la intrahistoria. Y viceversa. Por otro camino, Spitzer [1955] centró el significado del drama desde el neoplatonismo, y en su sentido amoroso ha insistido Hesse [1968]. Hay que distinguir, como ha hecho A. Blecua, el que la *harmonia mundi* sea un tema central y que en el teatro de Lope los conceptos amorosos tengan toques platónicos, y el funcionamiento dramático del tema del amor. Los personajes y sus nombres han sido tratados por López Estrada [1969]. De Casalduero [1943] a Wardropper [1956] se ha insistido en su significado y estructura. Trabajos parciales, de interés sobre su sentido sentencioso y sobre los emblemas, son los de Pring-Mill [1961] y Moir [1971].

Al lado de *Fuente Ovejuna*, una obra muy distinta, *El caballero de Olmedo*, parece la más leída. Del *Caballero* se han sucedido también las ediciones en los últimos años: Rico (1967, rehecha en [1981ª]), King [1972], Profeti [1981]. Sage [1974] nos ha dado una buena introducción a la obra. Desde el punto de vista del género, es un ejemplo de verdadera tragedia, que camina más que ninguna de las del autor hacia terrenos de Shakespeare en su nocturno y sobrecogedor acto tercero, que se opone, en varios sentidos, a lo que en el prólogo al lector de *El castigo sin venganza* expresaba Lope, si bien aludiendo a la antigüedad griega: «huyendo de las sombras, nuncio». Como Rico ha explicado, Lope la llama *tragicomedia*, porque «al "arte viejo" no le bastan el final desgraciado, una última verdad y un trasfondo histórico ... Lope lo sabe muy bien, y no siempre quiere perderle el respeto a Aristóteles». Es llamativo, a este respecto, ver que, justo en el centro de la obra (vv. 1.410-1.553), hay un verdadero entremés, un descansadero bien situado, de gorrón y de falsa beata, cuyo análisis nos llevaría hasta el estricto comediógrafo que es

Molière y a su *Tartufo*. Lope y su público tienen en común un cantar, y el poeta saca partido de cada una de sus palabras, desde el *que* incoativo y la *noche* al *Caballero* (nobleza y habilidad en los rejones) que es *flor de Olmedo* y *gala de Medina* —su naturaleza y su artificio respectivamente—. Este es el final y Lope necesita un argumento, que será, como casi siempre, de amores, y lo buscará haciendo un homenaje a *La Celestina*, lo que justificará más la duda de tragedia/tragicomedia. La génesis, el canto del caballero, su leyenda y su historia, nos son hoy conocidas gracias a los estudios de Frenk Alatorre [1973], Anderson Imbert [1952], J. Pérez [1966] y Rico [1975-1980], este último en un trabajo que modifica esencialmente las ideas recibidas sobre las fuentes de la obra, al demostrar que Lope sigue de cerca un *baile* dramático (cf. arriba, p. 259) entonces popularísimo. La investigación ha buscado, además, la estructura y el significado. El problema de la unidad ha sido abordado por Casa [1966] y Gérard [1965]. Éste encuentra unidad de movimiento y tema, dualidad en la acción, de acuerdo con la estética barroca. Se ha hablado también, por Socrate [1965] de manierismo, producto de nuevos planteamientos artísticos de Lope al llegar a la madurez. Este crítico entiende la obra como un hecho artístico de una gran complejidad de niveles literarios. Rico [1967] encuentra la honda dimensión poética del texto en la correlación de valores: amor, muerte, destino, ironía. Sin duda, la presencia del destino, por medio de la anticipación y la ironía, cruza la obra de principio a fin, sobre todo contando con que su solución era conocida por el espectador. Estos análisis (véase también Wardropper [1972]) parecen más convincentes que los que llevan la obra, a veces lejos del sentido literal, hacia la justicia poética, siguiendo el camino inaugurado —pero desde el calderonismo, no lo olvidemos— por Parker (así, McCrary [1966] y Soons [1961]). Me parece difícil ver en Alonso un modelo de pecador, y que el mensaje moral predomine sobre el sentido artístico (véase, con esta misma objeción, King [1971]). Y ésta sería materia a generalizar en casos paralelos como en *El castigo sin venganza* (sentido del honor/sentido artístico).

Una fuerte personalidad tienen las obras que derivan de la novelística italiana, directa o indirectamente (véase los trabajos citados de Köhler, Gasparetti, Metford). En algunos casos, sin tener seguridad de la fuente, se sospecha este origen. El ambiente generalmente altoburgués y palaciego las acerca, a veces, al grupo de comedias —¿inventadas?— palaciegas. Lope se encuentra en los *novellieri*, con frecuencia, argumentos de verdaderas tragedias y entonces sigue el modelo hasta el final luctuoso, como en *El castigo sin venganza*, o *El mayordomo de la duquesa de Amalfi*. En este grupo encontramos, entre otras muchas, *Castelvines y Monteses*, con el tema de *Romeo y Julieta*, que ha merecido atención dentro de la problemática relación de los teatros de Lope y Shakespeare; *La quinta*

de Florencia, analizada por Bruerton [1950] por sí misma y en relación
con *Peribáñez*; *Servir a señor discreto*, excelentemente estudiada y editada por Weber [1975]. Poca atención ha merecido *El mayordomo de
la duquesa de Amalfi*, interesante en extremo, por mostrar la vida amorosa
secreta entre una señora y su administrador —durante años de vida cotidiana, hogar, matrimonio, hijos— con personajes discretos, que miran
hacia la comedia burguesa del xviii, frente a familiares obcecados en el
honor, que les darán muerte. La obra maestra de este apartado novelesco
es, sin duda, *El castigo sin venganza*, editada suelta por Lope al final de
su vida (1634), sin duda con tono de desafío ante las nuevas corrientes
dramáticas. Hay diversas ediciones modernas: Van Dam [1928, abreviada
en el aparato crítico en 1968] y Kossoff [1970]. Procedente de Bandello,
la nacionalización de la fuente, como señalé, ha sido analizada cuidadosamente por A. Alonso [1952], dentro de la creencia de que estamos ante
un cerrado problema de honor, en la línea en que también la vería Menéndez Pidal [1958]. Hay otras interpretaciones, como la de May [1960],
que caen en encontrar simbolismos (así, Federico, abandonado por el
padre y muerto, como Cristo), muy apartados del sentido literal. La mejor
línea de interpretación —como obra de madurez y de arte muy cuidado,
que muestra la experiencia de Lope ante la presión de los jóvenes dramaturgos en su vejez— es la que va de Wilson [1963] a Dixon [1973].
La elección de un tema de honra y novela parece radicar en el interés por
atraer a un público más popular, mientras que el conflicto y la escritura
de gran perfección en su métrica y estilo, busca al espectador más ilustrado en la poesía dramática. (Entre las obras novelescas y las de ambiente
rústico basadas en las crónicas, cabría colocar ciertas obras pastoriles
como *La Arcadia*, en las que no podemos entrar.)

Las comedias en que Lope no sigue una fuente, sino que inventa
desde las costumbres de su tiempo directamente, extrapolando, a veces,
los problemas más delicados, a otras naciones, pueden situarse ya en ambiente palaciego, como *El perro del hortelano*; ya en la ciudad, como *El
acero de Madrid*; ya en el campo, como *El villano en su rincón*, que
aunque tiene antecedentes, analizados por Bataillon, prefiero situar aquí.
Las urbanas presentan diversos puntos de vista: desde lo picaresco, *El
caballero del milagro* y *El rufián Castrucho*, a lo costumbrista, *El acero
de Madrid*, estudiada por Bergonnioux [1971] y Fichter [1962], o *Santiago el Verde*, editada por Oppenheimer [1940], o *La moza de cántaro*,
editada por González Echegaray [1968] y estudiada por Louis Pérez
[1981], pasando por obras de ambiente más interior y familiar como
La dama boba. Sobre la tipificación de la comedia urbana ha escrito
Wardropper [1978] unas inteligentes páginas, partiendo de una frase
de Lope en *De cosario a cosario*, donde dice que Madrid se compone de
«cosas y casas y casos», y ejemplificando con el análisis de *El sembrar en*

buena tierra, editada de forma magistral por Fichter [1944]. Esta obra
sería, para Wardropper, un modelo de comedia urbana o de capa y espada, divertida y mostradora, a la vez, de problemas sociales, mientras que
El perro del hortelano sería una muestra de comedia de fantasía. *El perro
del hortelano* es uno de los textos más apreciados por la crítica en los
últimos años. Ha sido editada por Köhler [1934, 1951²], Kossoff [1970]
y Dixon [1981 *b*]. Frida Weber la coloca decididamente como muestra del
subgénero, estudiado por ella, de la comedia palatina. El conflicto amoroso
es muy atrayente: la condesa Diana es el perro del hortelano, que ni se
enamora de su secretario, ni lo deja que ame a Marcela. Hay un proceso
de enamoramiento en Diana, muy conseguido psicológicamente (sobre todo,
partiendo de un teatro como el barroco español que se centra en la acción).
Pring-Mill [1961] fue el primero en destacar suficientemente este proceso psicológico y relacionarlo con la acción. La solución de la comedia
ha sido muy discutida. El criado Tristán finge una falsa anagnórisis: el
secretario es hijo de un noble, ya puede la pareja casarse. Pero los dos
enamorados saben que esto es falso. Dos interpretaciones se abren. La de
Sage [1973] y Kossoff, que ven una crítica a los problemas sociales de la
época (así, en lo que toca a los matrimonios entre diferentes clases), y la de
Wardropper [1967] que ve en la obra una muestra de que la vida es una
ilusión. Weber [1975] asume una parte de las dos interpretaciones y
juzga que la invención del gracioso es lo que posibilita la solución dada
por Lope a este «caso». Dicho de otra manera, podemos pensar que la
obra es un experimento de una situación amorosa y de un conflicto, que
es solventado desde la creencia, vital y artística, del ilusionismo, al realizarse la acción en el extranjero, fuera del *aquí* y del *ahora* del dramaturgo.

La coherencia del carácter de Finea en *La dama boba* es uno de los
aspectos más discutidos de los personajes de Lope, desde el libro, ya
clásico, de Schevill. Lo primero que habría que hacer es desandar el camino en busca de la cultura del Renacimiento, superando la perspectiva
de la literatura y el cine psicológicos de los últimos cien años. Finea es
boba al principio de la obra y es discreta al final. Al principio es infantil
y luego aparece como una mujer. También es, al empezar, analfabeta, y
en los dos meses que dura la acción aprende a leer, escribir, etc. El gran
maestro ha sido amor. Sucesivos estudios han aclarado, en el contexto de
la cultura barroca, este cambio. Holloway [1972] centró su explicación
de la obra en el neoplatonismo. Sobre él ha insistido, entrelazándolo con
el tema folklórico que el personaje desarrolla, E. Bergman [1981], a la
vez que explicaba el protagonista masculino en relación con el dinero.
Egido [1978] ha subrayado la importancia de la imagen del amor como
educador en las letras europeas y lo ha aplicado a la obra. Con estos
estudios y con la visión de su sentido cómico de la vida, realizado por
Larson [1969], queda explicada la coherencia de los personajes, en espe-

cial la verdadera metamorfosis, también relacionada con el cambio de la pubertad, de Finea. Pero la estructura dramática de la obra es la que mejor explica el cambio del personaje. Zamora [1965], al hacer un análisis de la obra desde el enfrentamiento, de principio a fin, de las dos hermanas, ha mostrado la habilidad con que Lope va situando en primer plano y en lo alto a Finea. El mismo Zamora [1963] y D. Marín [1976] han editado la comedia.

El villano en su rincón tuvo en Bataillon [1949] un exegeta espléndido en lo que toca a sus fuentes, al tema del beatus ille y del menosprecio de corte, y en lo que atañe a su sentido general que el hispanista francés vio como una moralidad dedicada a la gloria de la monarquía. Pero Bataillon sentía cierta decepción ante el final, pues ante el triunfo de la corte y del rey sobre Juan Labrador parecía incoherente, después de un canto tan apasionado de la alabanza de aldea. Los críticos que han venido después han tomado dos caminos. Por un lado, el sentido político se ha ido desentrañando en los trabajos de Halkhoree [1972], que lo relaciona directamente con las paces y bodas entre Francia y España, y como un ataque a don Rodrigo Calderón (la obra está escrita entre 1611 y 1616); y de Varey [1973], que encuentra la armonía entre el rincón y la corte, entre el labrador y el rey, en la lección mutua que ambos se dan a través de la obra (compárese Salomon [1965]). Por otro lado, Hesse [1970] halló en el amor el tema central de la obra, como el gran igualador de las personas, aunque no renuncia a considerarla en la órbita de los manuales de educación de príncipes. También en este sentido de destacar la importancia del tema amoroso, Wardropper [1971] la califica, sugestivamente, como una venganza tardía de Maquiavelo, en relación con la razón de estado: «Si la política desecha el ideal pastoril en El villano en su rincón es porque absorbe de éste el sentido del poder universal del amor». En cuanto a su erudita escritura, que había sido mostrada ya por Bataillon y por Zamora [1961], al estudiar ambos las fuentes, es importante el artículo de Dixon [1981] al analizarla expresamente como literatura de emblemas, con presencia muy firme de las polianteas.

Lope es autor, en fin, de un buen número de autos sacramentales, como La venta de la Zarzuela o La siega. Son autos muy líricos, lejos aún de la cerrada estructura lógica de Calderón, y en ellos es frecuente el tema amoroso de la esposa, procedente del Cantar de los Cantares. Su estudio ha de hacerse en libros de conjunto sobre el auto, como los de Wardropper [1953], o de Flecniakoska [1961]. La monografía de Cayuela [1935], es decididamente temática. Algunos aspectos de este teatro han sido tratados monográficamente: así, el papel del demonio, por Flecniakoska [1964], y el del honor, por Wardropper [1951].

BIBLIOGRAFÍA

Actas [1981] = Actas del I Congreso Internacional sobre Lope de Vega, Edi-6, Madrid, 1981.

Alonso, Amado, «Lope de Vega y sus fuentes», *Thesaurus*, VIII (1952), pp. 1-24; reimpreso en Gatti [1967²].

Anderson Imbert, Enrique, «Lope dramatiza un cantar», *Asomante*, VIII (1952), pp. 317-322; reimpreso en *Crítica interna*, Taurus, Madrid, 1960, pp. 11-18.

Anibal, C. E., «The historical elements of Lope de Vega's *Fuenteovejuna*», *Publications of the Modern Language Association of America*, XLIX (1934), pp. 657-718.

Antuono, Nancy L. D', «Lope de Vega y la *commedia dell'arte*: temas y figuras», *Cuadernos de Filología*, III (1981), pp. 261-278.

Aragone Terni, Elisa, ed., L. de V., *El cardenal de Belén*, Clásicos Ebro, Zaragoza, 1957.

—, ed., L. de V., *Vida y muerte de santa Teresa de Jesús*, D'Anna, Florencia, 1970.

—, *Studio sulle «comedias de santos» di Lope de Vega*, Università degli Studi, Florencia, 1971.

Arco y Garay, Ricardo, *La sociedad española en las obras dramáticas de Lope de Vega*, Real Academia, Madrid, 1942.

Arjona, J. H., «La introducción del gracioso en el teatro de Lope de Vega», *Hispanic Review*, VII (1939), pp. 1-21.

—, «Defective rhymes and rhyming techniques in Lope de Vega's authograf *Comedias*», *Hispanic Review*, XXIII (1955), pp. 108-128.

Asensio, Eugenio, «Textos nuevos de Lope en la Parte XXV "Extravagante" (Zaragoza, 1631): La historia de Mazagatos», en *Homenaje a la memoria de don Antonio Rodríguez Moñino*, Castalia, Madrid, 1975, pp. 59-79.

Aubrun, Charles V., «Las mil ochocientas comedias de Lope», en *Actas* [1981], pp. 27-33.

— y J[osé] F[ernández] Montesinos, ed., Lope de Vega, *Peribáñez y el comendador de Ocaña*, Hachette, París, 1943.

Auvert Eason, Elizabeth, ed., L. de V., *El duque de Viseo*, Albatros Ediciones, Valencia, 1969.

Bataillon, Marcel, «*El villano en su rincón*», *Bulletin Hispanique*, LI (1949), pp. 5-38; reimpreso en *Varia lección de clásicos españoles*, Gredos, Madrid, 1964, pp. 328-372.

Bentley, Bernard P. E., «*El mejor alcalde, el rey* y la responsabilidad política», en *Actas* [1981], pp. 415-424.

Bergman, Emilie L., «*La dama boba*: temática folklórica y neoplatónica», en *Actas* [1981], pp. 409-414.

Bergonnioux, A., J. Lemartinel y G. Zonana, ed., L. de V., *El acero de Madrid*, Klincksieck, París, 1971.

Blecua, Alberto, ed., L. de V., *Peribáñez, Fuente Ovejuna*, Alianza Editorial (El libro de bolsillo, 845), Madrid, 1981.

Bosci, J. P., «Hungría en el teatro de Lope de Vega», *Revista de Literatura*, XXXI (1967), pp. 95-103.

Bradbury, Gail, «Tragedy and tragicomedy in the theatre of Lope de Vega», *Bulletin of Hispanic Studies*, LVIII (1981), pp. 103-111.

Bravo Villasante, Carmen, *La mujer vestida de hombre en el teatro español (siglos XVI y XVII)*, Revista de Occidente, Madrid, 1955.

Brown, Robert B., *Bibliografía de las comedias históricas, tradicionales y legendarias de Lope de Vega*, Academia (State University of Iowa Studies in Spanish Language and Literature, X), México, 1958.

Bruerton, Courtney, «*La quinta de Florencia*, fuente de *Peribáñez*», *Nueva Revista de Filología Hispánica*, IV (1950), pp. 25-39.

Canavaggio, Jean, «Lope de Vega entre refranero y comedia», en *Actas* [1981], pp. 83-94.

Carreño, Antonio, «Del *romancero nuevo* a la *comedia nueva* de Lope de Vega: constantes e interpolaciones», *Hispanic Review*, L (1982), pp. 33-52.

Casa, Frank P., «The dramatic unity of *El caballero de Olmedo*», *Neophilologus*, L (1966), pp. 234-243.

Casalduero, Joaquín, «*Fuenteovejuna*», *Revista de Filología Hispánica*, V (1943), pp. 21-42; reimpreso en *Estudios sobre el teatro español*, Gredos, Madrid, 1972, pp. 13-44.

Case, Thomas E., *Las dedicatorias de Partes XIII-XX de Lope de Vega*, University of North Carolina (Estudios de Hispanófila, 32), Valencia, 1975.

—, «Los prólogos de Partes IX-XX de Lope de Vega», *Bulletin of the Comediantes*, 30 (primavera 1978), pp. 19-25.

Castañeda, James Agustín, *Las paces de los reyes y judía de Toledo*, University of North Carolina Press, Chapel Hill, 1962; y Anaya, Salamanca, 1971.

Castro, Américo, *véase* Rennert.

Catálogo de la Exposición bibliográfica de Lope de Vega, organizada por la Biblioteca Nacional. Prólogo de Miguel Artigas, Madrid, 1935.

Cayuela, A. M., «Los autos sacramentales de Lope, reflejo de la cultura religiosa del poeta y de su tiempo», *Razón y Fe*, CVIII (1935), pp. 168-190, y 330-349.

Clark, Fred M., *Objective methods for testing authenticity and the study of ten doubtful «comedias» attributed to Lope de Vega*, The University of North Carolina Press, Chapel Hill, 1971.

Correa, Gustavo, «El doble aspecto de la honra en *Peribáñez y el comendador de Ocaña*», *Hispanic Review*, XXVI (1958), pp. 188-199.

Cossío, José María de, *Lope, personaje de sus comedias, Discurso de ingreso en la Real Academia*, Madrid, 1948.

Cotarelo, Emilio, González Palencia, Ruiz Morcuende y García Soriano, eds., *Obras de Lope de Vega*, 13 vols. (Nueva edición), Real Academia, Madrid, 1916-1930.

Cotarelo y Mori, Emilio, «Sobre el caudal dramático de Lope de Vega y su desaparición y pérdida», *Boletín de la Real Academia Española*, XXII (1935), pp. 555-567.

Delano, Lucile K., «An analysis of the sonnets in Lope de Vega's *comedias*», *Hispania*, Stanford, XII (1929), pp. 119-140.

Delano, Lucile K., *A critical index of sonnets in the play of Lope de Vega*, The University Press, Toronto, 1935.

Díez Borque, José María, ed., L. de V., *El mejor alcalde, el rey*, Retorno, Madrid, 1973.

—, *Sociología de la comedia española del siglo XVII*, Cátedra, Madrid, 1976.

Dixon, Victor, «The simbolism of *Peribáñez*», *Bulletin of Hispanic Studies*, XLIII (1966), pp. 11-24.

—, ed., L. de V., *El sufrimiento premiado*, Tamesis Books, Londres, 1967.

—, «El auténtico *Antonio Roca* de Lope», en *Homenaje a William L. Fichter*, Castalia, Madrid, 1971, pp. 175-188.

—, «*El castigo sin venganza*: The artisty of Lope de Vega», en *Studies in Spanish Literature of the Golden Age, presented to Edward M. Wilson*, Tamesis Books, Londres, 1973, pp. 63-81.

—, «Beatus ... Nemo: *El villano en su rincón*, las polianteas y la literatura de emblemas», *Cuadernos de Filología*, III (1981), pp. 279-300.

—, ed., L. de V., *El perro del hortelano*, Tamesis Texts, Londres, 1981.

Dunn, Peter N., «Some use of sonnets in the plays of Lope de Vega», *Bulletin of Hispanic Studies*, XXXIV (1957), pp. 212-222.

Egido, Aurora, «La Universidad de amor y *La dama boba*», *Boletín de la Biblioteca Menéndez Pelayo*, LIV (1978), pp. 351-371.

Entrambasaguas, Joaquín, ed., L. de V., *El Nuevo Mundo* [prólogo y adaptación de J. de E.], Instituto de Cultura Hispánica, Madrid, 1963².

Esquer, Ramón, «La estructura de los personajes en el teatro de Lope de Vega», en *Historia y estructura de la obra literaria*, CSIC, Madrid, 1971, pp. 219-224.

Exum, F., *The metamorphosis of Lope de Vega's King Pedro. The treatment of Pedro I de Castilla in the drama of Lope de Vega*, Plaza Mayor, Madrid, 1974.

Fichter, William L., ed., L. de V., *El sembrar en buena tierra*, Modern Language Association, Nueva York, 1944.

—, «Orthoepy as an aid for stablishing a canon of Lope de Vega's authentic plays», en *Estudios hispánicos, Homenaje a Archer M. Huntington*, Wellesley, 1952, pp. 143-153.

—, «Un ejemplo del genio creador de Lope de Vega: *El acero de Madrid*», *Modern Language Notes*, LXXVII (1962), pp. 512-518.

Flecniakoska, Jean-Louis, *La formation de l'auto religieux en Espagne avant Calderón, 1550-1635*, Montpellier, 1961.

—, «Les rôles de Satan dans les *autos* de Lope de Vega», *Bulletin Hispanique*, LXVI (1964), pp. 30-43.

Forastieri Baschi, Eduardo, *Aproximación estructural al teatro de Lope de Vega*, Hispanova, Madrid, 1976.

Frenk Alatorre, Margit, «Lope, poeta popular», *Anuario de Letras*, III (1963), pp. 253-266.

—, «El canto del caballero y *El caballero de Olmedo*», *Nueva Revista de Filología Hispánica*, XXII (1973), pp. 101-104.

Froldi, Rinaldo, *Il teatro valenzano e l'origine della commedia barocca*, Istituto di Letteratura Spagnola e Ispano-Americana dell'Università di Pisa, Pisa,

1962; trad. cast. ampliada, *Lope de Vega y la formación de la comedia*, Anaya, Salamanca, 1968.

Garasa, Delfín Leocadio, *Santos en escena (Estudio sobre el teatro hagiográfico de Lope de Vega)*, Universidad Nacional del Sur (Cuadernos del Sur), Bahía Blanca, 1960.

García Aguilera, Raúl, y Mariano Hernández Ossorno, *Revuelta y litigios de los villanos de la Encomienda de Fuenteobejuna (1476)*, Editora Nacional, Madrid, 1975.

García de Enterría, María Concepción, «Función de la "letra para cantar" en las comedias de Lope de Vega: comedia engendrada por una canción», *Boletín de la Biblioteca Menéndez Pelayo*, XLI (1965), pp. 3-62.

Gasparetti, Antonio, *Las «novelas» de Mateo María Bandello como fuentes del teatro de Lope de Vega Carpio*, Universidad de Salamanca, 1939.

Gatti, José Francisco, *El teatro de Lope de Vega*, Eudeba, Buenos Aires, 1967².

Gérard, A. S., «Baroque unity and the dualities of *El caballero de Olmedo*», *The Romanic Review*, LVI (1965), pp. 92-106.

Gilman, Stephen, «Lope, dramaturgo de la historia», en *Lope de Vega y los orígenes del teatro español*, en *Actas* [1981], pp. 19-26.

Glaser, Edward, «Lope de Vega: *La hermosa Ester*», *Sefarad*, XX (1960), pp. 110-135.

—, «Lope de Vega's *El robo de Dina*», *Romanistisches Jahrbuch*, XV (1964).

Gómez Ocerín, J., y R. M. Tenreiro, ed., L. de V., *El remedio en la desdicha, El mejor alcalde, el rey*, La Lectura (Clásicos Castellanos, 39), Madrid, 1931.

González Amezúa, Agustín, *Una colección manuscrita y desconocida de comedias de Lope de Vega Carpio*, Centro de Estudios sobre Lope de Vega, Madrid, 1945; reimpreso en *Opúsculos histórico-literarios*, CSIC, Madrid, 1951, II, pp. 364-417. (En los *Opúsculos* faltan las variantes de las comedias.)

González Echegaray, Carlos, ed., L. de V., *La moza de cántaro*, Anaya (Biblioteca Anaya, 85), Salamanca, 1968.

Haley, George, «Lope de Vega y el repertorio de Gaspar de Porras en 1604 y 1606», en *Homenaje a William L. Fichter*, Castalia, Madrid, 1971. pp. 257-268.

Halkhoree, Premraj, «Lope de Vega's *El villano en su rincón*: an emblematic play», *Romance Notes*, XIV (1972), pp. 141-145.

—, «El arte de Lope de Vega en *El mejor alcalde, el rey*», *Bulletin of Hispanic Studies*, LXVI (1979), pp. 31-42.

Hartzenbusch, Juan Eugenio de, ed., L. de V., *Comedias escogidas*, 4 vols., Rivadeneyra (BAE, 24, 26, 41, 42), Madrid, 1853-1860.

Herrero García, Miguel, «Génesis de la figura del donaire», *Revista de Filología española*, XXV (1941), pp. 46-78.

Hesse, Everett W., *Análisis e interpretación de la comedia*, Castalia, Madrid, 1968.

—, «Los conceptos del amor en *Fuenteovejuna*», *Revista de Archivos, Bibliotecas y Museos*, LXXV (1968-1972), pp. 305-323.

Hilborn, Harry W., «El creciente gongorismo en las comedias de Lope de

Vega», en *Homenaje a William L. Fichter*, Castalia, Madrid, 1971, pp. 281-294.

Holloway, James E., «Lope's Neoplatonism: *La dama boba*», *Bulletin of Hispanic Studies*, XLIX (1972), pp. 236-255.

Jones, Royston O., «*El perro del hortelano* y la visión de Lope», *Filología*, X (1964), pp. 135-142.

Jörder, Otto, *Die Formen des Sonnetts bei Lope de Vega*, Halle (Saale), 1936.

José, Juana de, *Teoría sobre los personajes de la comedia nueva en cinco dramaturgos*, CSIC (Anejos de la *Revista de Literatura*, 20), Madrid, 1963.

—, *El «Arte nuevo de hacer comedias en este tiempo»*, CSIC (Clásicos Hispánicos), Madrid, 1971.

King, Willard F., «*El caballero de Olmedo*: Poetic justice or destiny?», en *Homenaje a William L. Fichter*, Castalia, Madrid, 1971, pp. 367-379.

—, ed., L. de V., *The knight of Olmedo*, University of Nebraska, Lincoln, 1972.

—, «Las acciones virtuosas del *Arte nuevo*», *Nueva Revista de Filología Hispánica*, XXIX (1980), pp. 183-193.

Kirby, Carol Bingham, «Observaciones preliminares sobre el teatro histórico de Lope de Vega», en *Lope de Vega y los orígenes del teatro español*, en *Actas* [1981], pp. 329-337.

Köhler, Eugène, ed., L. de V., *El perro del hortelano*, París, 1934; y nueva edición crítica, Faculté des Lettres de l'Université de Strasbourg (Textes d'Étude, 1), París, 1951.

—, «Lope et Bandello», en *Hommage à Ernest Martinenche*, París, 1939, pp. 116-142.

—, «Lope de Vega et Giraldi Cintio», en *Mélanges 1945*, II. Études Littéraires, Universidad de Estrasburgo, París, 1946, pp. 169-260.

Kossoff, David, ed., L. de V., *El perro del hortelano, El castigo sin venganza*, Castalia (Clásicos Castalia, 25), Madrid, 1970.

Larson, Donald R., «*La dama boba* and the comic sense of life», *Romanische Forschungen*. LXXXV (1969), pp. 41-62.

—, «*Los comendadores de Córdoba*: an early honor play», en *Homenaje a William L. Fichter*, Castalia, Madrid, 1971, pp. 399-412.

—, *The honor plays of Lope de Vega*, Harvard University Press, 1977.

Lázaro Carreter, Fernando, *Lope de Vega. Introducción a su vida y obra*, Anaya, Salamanca, 1966.

—, «El *Arte nuevo* (vv. 64-73) y el término "entremés"», *Anuario de Letras*, V (1965), pp. 77-92.

—, «Cristo, pastor robado. (Las escenas sacras de la Buena Guarda)», en *Homenaje a William L. Fichter*, Castalia, Madrid, 1971, pp. 413-427; reimpreso en *Estilo barroco y personalidad creadora*, Anaya, Salamanca, 1974, pp. 169-185.

Ley, Charles David, *El gracioso en el teatro de la península (siglos XVI-XVII)*, Revista de Occidente, Madrid, 1954.

Lida de Malkiel, María Rosa, «Lope de Vega y los judíos», *Bulletin Hispanique*, LXXV (1973), pp. 71-113.

López Estrada, Francisco, «*Fuente Ovejuna*» en el teatro de Lope y de Monroy (*Consideración crítica de ambas obras*), Universidad de Sevilla, Sevilla, 1965.

López Estrada, Francisco, ed., L. de V., *Fuenteovejuna* [seguida de la de Monroy], Castalia (Clásicos Castalia, 10), Madrid, 1969.

—, «Los villanos filósofos y políticos. La configuración de *Fuente Ovejuna* a través de los nombres y "apellidos"», *Cuadernos Hispanoamericanos*, n.ᵒˢ 238-240 (1969), pp. 518-542.

Mac Curdy, Raymond R., «Lope de Vega y la pretendida inhabilidad española para la tragedia: resumen crítico», en *Homenaje a William L. Fichter*, Castalia, Madrid, 1971, pp. 525-535.

Maravall, José Antonio, *Teatro y literatura en la sociedad barroca*, Seminarios y Ediciones, Madrid, 1972.

Marín, Diego, *La intriga secundaria en el teatro de Lope de Vega*, De Andrea (Colección Studium, 22), México, 1958.

—, *Uso y función de la versificación dramática en Lope de Vega*, Adelphi University (Estudios de Hispanófila, 2), Valencia, 1962, 1968².

—, ed., L. de V., *La dama boba*, Cátedra, Madrid, 1976.

— y Evelyn Rugg, ed., L. de V., *El galán de la Membrilla*, Real Academia Española (Anejo del *Boletín de la Real Academia Española*, VIII), Madrid, 1962.

Marín, Juan María, ed., L. de V., *Peribáñez y el comendador de Ocaña*, Cátedra (Letras hispánicas, 96), Madrid, 1979.

—, ed., L. de V., *Fuente Ovejuna*, Cátedra (Letras hispánicas, 137), Madrid, 1981.

May, T. E., «Lope de Vega's *El castigo sin venganza*: The idolatry of the duke of Ferrara», *Bulletin of Hispanic Studies*, XXXVII (1960), pp. 154-158.

McCrary, William C., *The goldfinch and the hawk. A study of Lope de Vega's tragedy «El caballero de Olmedo»*, Chapel Hill, 1966.

McCready, Warren T., *La heráldica en las obras de Lope de Vega y sus contemporáneos*, impresa a costa del autor, Toronto, 1962.

McGaha, Michael D., «*El marido más firme* y *La bella Aurora*: variaciones sobre un tema», en *Lope de Vega y los orígenes del teatro español*, en *Actas* [1981], pp. 431-439.

McKendrik, Melveena, *Woman and society in the Spanish drama of the Golden Age*, University Press, Cambridge, 1974.

Menéndez Pelayo, Marcelino, ed., *Obras de Lope de Vega*, 15 vols., Real Academia Española, Madrid, 1890-1913. (El tomo primero es la biografía de Lope, hecha por La Barrera. Los estudios de cada comedia fueron publicados por la ed. Suárez y luego por el CSIC —ed. nacional—, como *Estudios sobre el teatro de Lope de Vega*. Y los textos se han reeditado, como continuación de la ed. de Hartzenbusch, en la Biblioteca de Autores Españoles, Atlas, Madrid, 1963-1972.)

—, *Estudios sobre el teatro de Lope de Vega*, 6 vols., Suárez, Madrid, 1919-1927; reimpreso en la ed. nacional de *Obras completas*, CSIC, Madrid, 1949, 6 vols. (véase la ficha anterior).

Menéndez Pidal, Ramón, «Lope de Vega, el *Arte nuevo* y la nueva biografía», *Revista de Filología Española*, XXII (1935), pp. 337-398; reimpreso en *De Cervantes y Lope de Vega*, Espasa-Calpe (Austral, 120), Madrid, 1940, pp. 69-143.

Menéndez Pidal, Ramón, «El lenguaje en Lope de Vega», en *El padre Las Casas y Vitoria, con otros temas de los siglos XVI y XVII*, Espasa-Calpe (Austral, 1.286), Madrid, 1958, pp. 99-121.

—, «*El castigo sin venganza*, un oscuro problema de honor», en *El padre Las Casas y Vitoria*, Espasa-Calpe (Austral, 1.286), Madrid, 1958, pp. 123-152.

Merril, Madre, ed., L. de V., *Lo que pasa en una tarde*, Berkeley, California, 1949 (impreso en México).

Metford, J. C. J., «Lope de Vega and Boccaccio's *Decameron*», *Bulletin of Hispanic Studies*, XXIX (1952), pp. 75-85.

Moir, Duncan W., «The classical tradition in Spanish dramatic theory and practice in the seventeenth century», en *Classical drama and its influence*, volumen en homenaje a H. D. F. Kitto, Methuen, Londres, 1965, pp. 191-228.

—, ed., Bances Candamo, *Teatro de los teatros*, Tamesis Books, Londres, 1970.

—, «Lope de Vega's *Fuenteovejuna* and the *Emblemas morales* of Sebastián de Covarrubias Horozco (with a few remarks on *El villano en su rincón*», en *Homenaje a William L. Fichter*, Castalia, Madrid, 1971, pp. 537-546.

Montesinos, José F[ernández], ed., L. de V., *La corona merecida*, Junta para ampliación de estudios (Teatro antiguo español, 5), Madrid, 1923.

—, ed., L. de V., *El cuerdo loco*, Centro de Estudios Históricos (Teatro antiguo español, 4), Madrid, 1922.

—, ed., L. de V., *El marqués de Las Navas*, Junta para ampliación de estudios (Teatro antiguo español, 6), Madrid, 1925.

—, ed., L. de V., *El cordobés valeroso Pedro Carbonero*, Junta para ampliación de estudios (Teatro antiguo español, 7), Madrid, 1929.

—, ed., L. de V., *Barlaán y Josafat*, Centro de Estudios Históricos (Teatro antiguo español, 8), Madrid, 1935.

—, «Algunas observaciones sobre la figura del donaire en el teatro de Lope de Vega», en *Homenaje a Menéndez Pidal*, Madrid, 1925, I, pp. 469-504; reimpreso en *Estudios sobre Lope de Vega*, Anaya, Salamanca, 1967, pp. 21-64.

—, «La paradoja del *Arte nuevo*», *Revista de Occidente*, II (1964), pp. 302-330; reimpreso en *Estudios sobre Lope de Vega*, Anaya, Salamanca, 1967, pp. 1-20.

Moore, J., *The «Romancero» in the chronicle-legend plays of Lope de Vega*, University of Pennsylvania, Filadelfia, 1940.

Morby, Edwin S., «Some observations on *tragedia* and *tragicomedia* in Lope», *Hispanic Review*, XI (1943), pp. 185-209.

Morínigo, M. A., «América en el teatro de Lope de Vega», Instituto de Filología (*Revista de Filología Hispánica*, II), Buenos Aires, 1946.

Morley, S. Griswold, «Lope de Vega's *Peregrino* lists», University of California Publications, en *Modern Philology*, XIV (1930), pp. 345-366.

—, «The pseudonyms and literary disguises of Lope de Vega», University of California Publications, en *Modern Philology*, XXXVIII (1951), pp. 421-484.

— y Courtney Bruerton, *The chronology of Lope de Vega's «comedias»*, The

Modern Language Association of America, Nueva York, 1940; trad. cast.: *Cronología de las comedias de Lope de Vega*, Gredos, Madrid, 1968.

—, y R. W. Tyler, *Los nombres de los personajes en las comedias de Lope de Vega*, 2 vols., University of California Press, Berkeley, Los Ángeles, 1961.

Nagy, Edward, *Lope de Vega y «La Celestina»*. *Perspectiva seudocelestinesca en comedias de Lope de Vega*, Universidad veracruzana, Veracruz, 1968.

Nuez, Sebastián de la, «Murcia en dos obras dramáticas de Lope de Vega», *Anales de la Universidad de Murcia*, XXI (1962-1963), pp. 58-88.

Oleza, Juan, «La propuesta teatral del primer Lope de Vega», *Cuadernos de Filología*, III (1981), pp. 153-223.

Oppenheimer, R., ed., L. de V., *Santiago el Verde*, Preilipper, Hamburgo, 1938; y CSIC (Teatro antiguo español, 9), Madrid, 1940.

Orozco Díaz, Emilio, *¿Qué es el «Arte nuevo» de Lope de Vega?*, Universidad de Salamanca, Salamanca, 1978.

Parker, Alexander A., «Reflections on a new definition of "baroque" drama», *Bulletin of Hispanic Studies*, XXX (1953), pp. 142-151.

—, *The approach to the Spanish drama of de Golden Age*, The Hispanic and Luso-Brazilian Councils (Colección Diamante, 6), Londres, 1957.

Pérez, Joseph, «La mort du Chevalier d'Olmedo, la légende et l'histoire», en *Mélanges à la mémoire de Jean Sarrailh*, París, 1966, vol. II, pp. 243-251.

Pérez, Louis C., y F. Sánchez Escribano, *Afirmaciones de Lope de Vega sobre preceptiva dramática*, CSIC (Anejos de la *Revista de Literatura*, 17), Madrid, 1961.

Pérez, Louis, «*La moza de cántaro*, obra perfecta», en *Lope de Vega y los orígenes del teatro español*, en *Actas* [1981], pp. 441-447.

Porqueras, A., y F. Sánchez Escribano, *Preceptiva dramática española del Renacimiento y el Barroco*, Gredos, Madrid, 1972².

Price, E. R., «The *Romancero* in *El bastardo Mudarra* of Lope de Vega», *Hispania*, Stanford, XVIII (1935), pp. 301-310.

Pring-Mill, Robert D. F., «Introduction» a *Lope de Vega, five plays*, trad. de Jill Booty, Nueva York, 1961.

Profeti, Maria Grazia, ed., L. de V., *Fuente Ovejuna*, Cupsa, Madrid, 1978.

—, ed., L. de V., *El caballero de Olmedo*, Alhambra, Madrid, 1981.

Reichenberger, Arnold G., «The uniqueness of the *comedia*», *Hispanic Review*, XXVII (1959), pp. 303-316.

—, ed., L. de V., *Carlos V en Francia*, University of Pennsylvania Press, Filadelfia, 1962.

—, «The cast of Lope's *Los Benavides*», en *Homage to John M. Hill*, Indiana University, 1968, pp. 161-176.

Rennert, Hugo A., *The life of Lope de Vega (1562-1635)*, University Press, Glasgow, 1904. Nueva versión: Hugo A. Rennert y Américo Castro, *Vida de Lope de Vega (1562-1635)*, Madrid, 1919. Con notas adicionales de F. Lázaro Carreter, Anaya, Salamanca, 1968.

Ribbans, Geoffrey W., «The meaning and structure of Lope's *Fuenteovejuna*», *Bulletin of Hispanic Studies*, XXXI (1954), pp. 150-170; trad. cast. en Gatti [1967ª], pp. 91-123.

Rico, Francisco, «El caballero de Olmedo: amor, muerte, ironía», Papeles de Son Armadans, XLVII, 139 (1967), pp. 38-56.

—, «Hacia El caballero de Olmedo», Nueva Revista de Filología Hispánica, XXIV (1975), pp. 329-338, y XXIX (1980).

—, ed., L. de V., El caballero de Olmedo, Cátedra (Letras hispánicas, 147), Madrid, 1981⁸.

Rico Verdú, José, «La epistolografía y el Arte nuevo de hacer comedias», Anuario de Letras, XIX (1981), pp. 133-162.

Romera Navarro, Miguel, La preceptiva dramática de Lope de Vega y otros ensayos sobre el Fénix, Yunque, Madrid, 1935.

Rozas, Juan Manuel, Significado y doctrina del «Arte nuevo» de Lope de Vega, SGEL (Temas, 9), Madrid, 1976.

—, «Ciudad Real y su provincia en el teatro de Lope de Vega», Cuadernos de Estudios Manchegos, 10, 2.ª época (1980), pp. 141-175.

—, «Fuente Ovejuna desde la segunda acción», en Actas del I Simposio de Literatura Española, Universidad de Salamanca, 1981, pp. 173-192.

Ruffinatto, A., Funzioni e variabili in una catena teatrale (Cervantes e Lope de Vega), Giappichelli, Turín, 1971.

Rugg, E., «El padre en el teatro de Lope de Vega», Hispanófila, 25 (1965), pp. 1-16.

Ruiz Ramón, Francisco, ed., L. de V., El duque de Viseo, Alianza Editorial (El libro de bolsillo, 26), Madrid, 1966.

Rull, Enrique, «Creación y fuentes de La viuda valenciana de Lope de Vega», Segismundo, IV (1968), pp. 9-24.

Sage, Jock W., Lope de Vega: «El caballero de Olmedo», Grant and Cutler (Critical Guides to Spanish Texts, 6), Londres, 1974.

Salomon, Noël, Recherches sur le thème paysan dans la «comedia» au temps de Lope de Vega, Féret et Fils (Bibliothèque des Hautes Études hispaniques, XXXI), Burdeos, 1965.

Samonà, Carmelo, Appunti ed esempi sull'esperienza culterana nel teatro di Lope e della sua scuola, De Santis, Roma, 1964.

—, «Su un paso dell'Arte nuevo di Lope», en Studi di Lingua e Letteratura Spagnuola, Universidad de Turín (Publicazioni della Facoltà di Magistero, 31), Turín, 1965, pp. 135-146.

Sánchez Escribano, véase Porqueras.

Shecktor, Nina, «La interpretación del mito en el Adonis y Venus de Lope», en Lope de Vega y los orígenes del teatro español, en Actas [1981], pp. 361-364.

Silverman, Joseph H., «Los hidalgos cansados de Lope de Vega», en Homenaje a William L. Fichter, Castalia, Madrid, 1971, pp. 693-711.

Socrate, Mario, «El caballero de Olmedo nella seconda epoca di Lope», Studi di letteratura spagnuola, II (1965), pp. 95-173.

Soons, Alan, «Towards an interpretation of El caballero de Olmedo», Romanische Forschungen, LXXIII (1961), pp. 160-168; reimpreso en Ficción y comedia en el Siglo de Oro, Estudios de Literatura Española, Madrid, 1966, pp. 65-74.

Spitzer, Leo, «A central theme and its structural equivalent in Lope's Fuente-

ovejuna», *Hispanic Review*, XXIII (1955), pp. 274-292; trad. cast. en Gatti [1967²], pp. 124-147.

Stern, Charlotte, «Lope de Vega, propagandist?», *Bulletin of the Comediantes*, XXXIV (1982), pp. 1-36.

Strzalkowa, Maria, *Studia polsko-Hiszpanskie*, Nakladem Uniwrsystetu Jagiellonskiego (Rozprawi i Studia, 26), Cracovia, 1960.

Templin, E. H., «The mother in the *comedia* of Lope de Vega», *Hispanic Review*, III (1935), pp. 219-244.

Thomas, Henry, ed., L. de V., *La estrella de Sevilla*, Clarendon Press, Oxford, 1923.

Trueblood, Alan S., «Role-playing and the sense of illusion in Lope de Vega», *Hispanic Review*, XXXII (1964), pp. 305-318.

Tyler, Richard W., «On the dates of certain of Lope de Vega's *comedias*», *Modern Language Notes*, LXV (1950), pp. 375-379.

—, «Suggested dates for more of Lope de Vega's *comedias*», *Modern Languages Notes*, LXVII (1952), pp. 170-173.

—, «Further suggestions for Lope de Vega chronology», *Bulletin of Comediantes*, IV, n.º 2 (1952), pp. 2-3.

Umpierre, Gustavo, *Songs in the plays of Lope de Vega: A study of their dramatic function*, Tamesis Books, Londres, 1975.

Valbuena Prat, Ángel, «En torno a dos temas de Lope», *Clavileño*, I, n.º 4 (1950), pp. 26-28.

Van Dam, C. F. A., ed., L. de V., *El castigo sin venganza*, Groninga, 1928; y Anaya, Salamanca, 1968.

Varey, John E., «Towards an interpretation of Lope de Vega's *El villano en su rincón*», en *Studies in Spanish literature of the Golden Age, presented to Edward M. Wilson*, Tamesis Books, Londres, 1973, pp. 315-337.

—, «Kings and judges: Lope de Vega's *El mejor alcalde, el rey*», en *Themes in drama*, ed., James Redmon, Cambridge University Press, Cambridge, 1979.

Vernet, J., «Las fuentes de *El gran duque de Moscovia*», *Cuadernos de Literatura*, V (1949), pp. 17-36.

Vilanova, Antonio, «El tema del gran teatro del mundo», *Boletín de la Real Academia de Buenas Letras*, XXIII (1950), pp. 157-188.

Vossler, Karl, *Lope de Vega und sein Zeitalter*, Munich, 1932; trad. cast.: *Lope de Vega y su tiempo*, Revista de Occidente, Madrid, 1933.

Wardropper, Bruce W., «Honor in the sacramental plays of Valdivielso and Lope de Vega», *Modern Language Notes*, LXVI (1951), pp. 81-88.

—, *Introducción al teatro religioso del Siglo de Oro*, Revista de Occidente, Madrid, 1953.

—, «*Fuente Ovejuna*: el gusto and lo justo», *Studies in Philology*, LIII (1956), pp. 159-171.

—, «Comic illusion: Lope de Vega's *El perro del hortelano*», *Kentucky Romance Quarterly*, XIV (1967), pp. 101-111.

—, «La venganza de Maquiavelo: *El villano en su rincón*», en *Homenaje a William L. Fichter*, Castalia, Madrid, 1971, pp. 765-772.

—, «The criticism of the Spanish *comedia*: *El caballero de Olmedo* as object lesson», *Philological Quarterly*, LI (1972), pp. 177-196.

Wardropper, Bruce W., «La comedia española del Siglo de Oro», en Elder Olson, Teoría de la comedia, Ariel, Barcelona, 1978, pp. 181-242.

Weber de Kurlat, Frida, «El tipo del negro en el teatro de Lope de Vega: tradición y creación», en Actas del Segundo Congreso Internacional de Hispanistas, Nimega, 1967, pp. 695-704.

—, ed., L. de V., Servir a señor discreto, Castalia (Clásicos Castalia, 68), Madrid, 1975.

—, «El perro del hortelano, comedia palatina», en Homenaje a Raimundo Lida, Nueva Revista de Filología Hispánica, XXIV (1975), pp. 339-363.

—, «Lope-Lope y Lope-prelope. Formación del subcódigo de la comedia de Lope y su época», Segismundo, XII (1976), pp. 111-131.

—, «Hacia una sistematización de los tipos de comedia de Lope de Vega. (Problemática en torno a la clasificación de las comedias)», en Actas del V Congreso Internacional de Hispanistas, Instituto de Estudios Ibéricos, Burdeos, 1977, II, pp. 867-871.

—, «Elementos tradicionales pre-lopescos en la comedia de Lope de Vega», en Lope de Vega y los orígenes del teatro español, en Actas [1981], pp. 37-60.

Weiger, John G., Hacia la comedia: De los valencianos a Lope, Cupsa, Madrid, 1978.

—, «Lope de Vega según Lope: ¿creador de la comedia?», Cuadernos de Filología, III (1981), pp. 225-245.

Wilder, Thornton, «New aids towards dating the early plays of Lope de Vega», en Varia Variorum, Festgabe für Karl Reinhardt, Munich, 1952, pp. 194-200.

Wilson, Edward M., «Images et structure dans Peribáñez», Bulletin Hispanique, LI (1949), pp. 125-159; trad. cast. en Gatti [1967²], pp. 50-90.

—, «Cuando Lope quiere, quiere», Cuadernos Hispanoamericanos, LIV (1963), pp. 265-300.

Zamora Vicente, Alonso, ed., L. de V., El villano en su rincón, Las bizarrías de Belisa, Espasa-Calpe (Clásicos Castellanos, 157), Madrid, 1963.

—, ed., L. de V., Peribáñez y el comendador de Ocaña, La dama boba, Espasa-Calpe (Clásicos Castellanos, 159), Madrid, 1963.

—, «Para el entendimiento de La dama boba», en Collected studies in honour of Américo Castro's eightieth year, Oxford, 1965, pp. 447-459.

Young, Richard A., La figura del rey y la institución real en la comedia lopesca, José Porrúa Turanzas, Madrid, 1979.

VARIOS AUTORES

LA TEORÍA: EL *ARTE NUEVO DE HACER COMEDIAS EN ESTE TIEMPO*

I. El *Arte nuevo* es un poema esencialmente personal y contiene enseñanza objetiva sólo en apariencia, es decir, festivamente. Dada la índole del designio, se le ofrecía como forma natural y tradicional la epístola poética de estilo horaciano. Lope la italianiza al servirse del endecasílabo sin rima y la ironiza además al concluir con rimas las distintas cesuras de sentido e intercalar poco antes del fin cinco dísticos latinos cuyo último verso rima a su vez con el español. Cuando una epístola poética, con tan ligera mano escrita como confesión personal de un maestro sobre lo fuerte y flaco de su manera,

I. Karl Vossler, *Lope de Vega y su tiempo*, Revista de Occidente, Madrid, 1933, pp. 144-145.

II. Ramón Menéndez Pidal, «Lope de Vega, el *Arte nuevo* y la nueva biografía» (1935), en *De Cervantes y Lope de Vega*, Espasa-Calpe (Austral, 120), Madrid, 1958⁵, pp. 69-143 (82-84).

III. Rinaldo Froldi, «Reflexiones sobre la interpretación del *Arte nuevo de hacer comedias*», en *Lope de Vega y la formación de la comedia*, Anaya, Salamanca, 1968, pp. 161-178 (173-174, 177).

IV. José F. Montesinos, «La paradoja del *Arte nuevo*», (1964), en *Estudios sobre Lope de Vega*, Anaya, Salamanca, 1967, pp. 1-20 (6-7).

V. Juana de José, ed., Lope de Vega, *El Arte nuevo de hacer comedias en este tiempo*, Consejo Superior de Investigaciones Científicas (Clásicos Hispánicos), Madrid, 1971, pp. 260-261.

VI. Juan Manuel Rozas, *Significado y doctrina del «Arte nuevo» de Lope de Vega*, SGEL, Madrid, 1976, pp. 43-45 y 52-53.

VII. Emilio Orozco Díaz, *¿Qué es el «Arte nuevo» de Lope de Vega?*, Universidad de Salamanca, Salamanca, 1978, pp. 30-31.

VIII. José Rico Verdú, «La epistolografía y el *Arte nuevo de hacer comedias*», *Anuario de Letras*, XIX (1981), pp. 133-162 (161-162).

se toma por un poema didáctico, se procede injustamente. No puedo adherirme al juicio adverso de su editor, Morel-Fatio, ni al de su sabio crítico Farinelli, que la encuentra en todo y por todo indigna de Lope. Para unos espíritus creadores transcurre el drama íntimo de la creación trágicamente —si se tiene, por ejemplo, una tan severa conciencia artística como tenía Miguel Ángel—, y otros lo toman como una comedia y son capaces de referirse a él festivamente y con una sonrisa parangonarse con otros maestros, con predecesores y rivales y burlarse de pedantes y críticos y llamarse a sí mismos bárbaros y malvados pecadores contra las reglas clásicas, y, humildes y audaces al mismo tiempo, complacerse en los éxitos propios. Es el caso de Lope, para quien tan fácil era el crear y a quien tan poco importunaba la conciencia. Mas no por ello puede decirse que estuviese totalmente ayuno de ella. Pero como poeta popular auténtico y hondo, le estaba permitido desembarazarse de la responsabilidad última de su arte dramático y cargársela, con alegre perplejidad, a la masa de espectadores que le tributaba su aplauso. Este derecho, esta movible alternativa entre su misión poética y su capacidad personal o su fracaso, han sido captados por Lope con increíble seguridad y claridad de visión, y los expresa y nos los comunica por medio de su poema. KARL VOSSLER.

II. No puedo ver en el *Arte nuevo de hacer comedias*, publicado cuando su autor tenía ya cuarenta y siete años (1609), una inconsecuencia, una posición crítica humilde y abatida, una palinodia, una avergonzada retractación, como sentó Menéndez Pelayo; el maestro que tanto glorificó a Lope como poeta, parece buscar un compensatorio equilibrio a sus juicios entusiastas rebajando al artista en el campo de la ideología estética; y muchos otros después lo han rebajado hasta la nada. Menéndez Pelayo creyó demasiado en la inconsciencia del artista al afirmar que Lope *no dudó nunca* de los preceptos que le enseñaron en las escuelas. Yo creo que dudó *siempre*, desde cuando niño de diez años, según él dice, pasó y repasó los libros de la poética; y no sólo duda, sino que desacredita y contradice, como verá el que relea el *Arte nuevo* teniendo en cuenta las ideas naturalistas que lo inspiraron. Verá que el tratadito poético lopeveguesco está informado por esa precipitada información del arte como inferior al natural, y por la idea libertadora de que la poesía dramática moderna debe concebirse exenta del antiguo arte preceptivo, según aquellos versos: «*que los que miran en guardar el* arte, *nunca del* natural *alcanzan parte*»; versos definitivos y esenciales para todo comentario del arte nuevo. [...]

No se puede calificar de «superficial, diminuto ni ambiguo» este tratadito que, como jugueteando, echa a un lado la vieja e inválida preceptiva neoaristotélica, universalmente acatada, y nos inculca el principio de que la mezcla tragicómica, repugnada por la simplicidad del alma clásica, es grata a la mente más compleja del hombre moderno, y con este perder el respeto al Aristóteles de los preceptistas, quiere nada menos que alumbrar una fuente de placer estético oculta para la antigüedad. RAMÓN MENÉNDEZ PIDAL.

III.   Algunos postulados fundamentales del pensamiento estético de Aristóteles habían sido incorporados por el propio Lope (por ejemplo, los de la verosimilitud, unidad de acción, decoro de los personajes), y constituían las bases para el desarrollo de una nueva y personal articulación artística. Por lo demás, la actualización del aristotelismo, fuera del rigorismo interpretativo típico, sobre todo, de los italianos, es característica de toda la cultura estética española entre el quinientos y el seiscientos. [...]

Parece necesario subrayar que Lope cree en una norma interna de la obra de arte, hallada por el artista mismo. El suyo no es puro empirismo, como quizá demasiado a menudo se ha afirmado, no es tanto el naturalismo «acogido a ideas platónicas» de que habla Menéndez Pidal cuanto una consciente reelaboración de algunos temas aristotélicos (los de lo verosímil y el didascalismo estético, sobre todo), coincidentes con algunas exigencias de la vida política, social, religiosa de su tiempo. [...]

Una lectura inteligente del *Arte nuevo* conduce a comprender claramente que el teatro de Lope corresponde a una precisa realidad histórica; no se confunda, por ello, el barroco con el romanticismo, no se haga de Lope una expresión ingenua e impersonal de una colectividad metahistórica, no se disuelva a Lope en un mito extrapoético.

Visto en su exacta perspectiva histórica, Lope se nos aparece como poeta y dramaturgo culto, consciente del lugar eminente que la sociedad de su tiempo concede a los literatos y artistas que, sin turbar el sistema ético, religioso, social y político constituido, antes bien reforzándolo, adoptan una función de guía moral de la opinión (particularmente realizable a través del teatro). RINALDO FROLDI.

IV. Examinemos el título del discurso poético de Lope. *Arte nuevo de hacer comedias en este tiempo, dirigido a la Academia de Madrid.* ¿Cómo es posible que haya pasado inadvertido todo esto? Arte nuevo... Pero ¡esto no tenía siquiera sentido! «Arte» y «nuevo» se excluían; las dos palabras juntas eran lo que un lógico hubiera llamado una *contradictio in adiecto.* El arte no podía ser nuevo porque era eterno, sistema de principios y normas excogitados laboriosamente por la razón humana tras una milenaria experiencia. Las «comedias de este tiempo» eran malas comedias justamente porque no se atenían a un arte que no podía ser nuevo. ¡Y todo el tratado es una lectura de academia, una de aquellas tertulias de «ingenios», patrocinados por algún magnate, que tenían que mostrar ante éste cuán finamente lo eran —aparte el gran placer de mostrárselo unos a otros—! Las palabras del título, cada una y todas juntas, ponen en claro la índole del opúsculo, su «género literario», eso de que tanto caso se hace ahora. Estamos ante una «paradoja académica». [...]

Los papeles leídos en las academias se escribían por encargo de éstas. Los ingenios y señores que asistían a la de Madrid han querido gastarle una broma a Lope y hacerle justificar su teatro en un «Arte nuevo», nada menos. Como las reuniones académicas solían ser semanales, era ponerle en el aprieto de resolver la cuadratura del círculo en siete días. De esto se resiente mucho el *Arte nuevo*, obrita poco meditada y escrita, según toda verosimilitud, con rapidez vertiginosa, como Schack sospechaba y creo que echa de ver todo el que la lea. [...]

Lope escribe, o lee, con la sonrisa en los labios. Esta «palinodia» comienza diciéndole a los académicos que ellos, ciertamente, no escriben comedias, pero saben más que nadie «del arte de escribirlas y de todo»; y luego, refiriéndose a los que se disgustan de que la unidad del tiempo no se observe, añadirá: «pero no vaya a verlas quien se ofende». O aludiendo a su propia fecundidad: «Pero ¿qué puedo hacer si tengo escritas, / con una que he acabado esta semana, / cuatrocientas y ochenta y tres comedias? ¡Y todas menos seis —no sabríamos decir cuáles— pecan contra el arte! Soy un bárbaro terrible, pero ahí están». Él cree, por otra parte, que «aunque fueran mejor de otra manera no tuvieran el gusto que han tenido». Un verso antes había prorrumpido en esta palinodia de las palinodias: «Sustento en fin lo que escribí». Lope no está arrepentido de nada, no tiene por qué estarlo. Ha descubierto una cosa que ignoran los humanistas, los académicos, todos los que no escriben comedias, pero entienden mucho «del arte de escribirlas y de todo»: ha descubierto que el poeta cómico se debe al público, el que sea, bárbaro o no bárbaro. El teatro se justifica por el público que lo alienta. JOSÉ F. MONTESINOS.

v. Llegado el momento de exponer su verdadera opinión Lope hace estas advertencias previas:

a) Se propone escribir un *Arte nuevo*, consustancial al nuevo teatro español, por la razón obvia de que éste es el teatro de su tiempo; teatro del pueblo nacido de la norma suprema del *gusto* popular.

b) Él es un hombre de oficio, un escritor de piezas teatrales, y, por tanto, en su tratado transcenderá esta realidad; es la segunda vez que lo advierte.

c) No es posible redactar un *arte* ecléctico que concilie la doctrina antigua y la nueva. El teatro español secentista está totalmente disociado de los viejos conceptos. También sobre la imposibilidad de este eclecticismo Lope ha advertido ya desde el principio del tratado. Estas leales advertencias van suavizadas por esas frases de sus temores («dorando el error del vulgo»), de sus respetos («... porque el arte verdad dice que el ignorante vulgo contradice») y de sus cautelas («... perdonad, pues debo obediencia a quien mandarme puede»). [...]

El «Preámbulo» introduce la parte doctrinal propiamente dicha. Esta es la parte verdaderamente interesante y valiosa del *Arte nuevo de hacer comedias*, en la que Lope vierte su opinión y experiencia sobre el modo de hacer teatro. JUANA DE JOSÉ.

VI. Tenemos ya aislada una zona, la II, central o doctrinal, entre los versos 147 y 361. En ella está el verdadero *Arte nuevo*; fuera de ella, a un lado y a otro, está esa confusa —por hábil— *captatio benevolentiae*, simpática, humilde e irónica a la vez. Los críticos, con mucha frecuencia, se han engolfado, una y otra vez, en esa «máquina confusa», como dice Lope, importándoles más la intención y la autobiografía que la doctrina que sobre su *Arte* nos da. No caigamos en esa trampa y empecemos por analizar la doctrina, parte fundamental; después, tal vez lo que hayamos visto en esta parte nos hará com-

prender lo accidental, que son las otras dos, a pesar de la intención
y las mañas de Lope.

En esa parte II existen diez apartados fácilmente separables:
1) Concepto de tragicomedia. 2) Las unidades. 3) División del drama. 4) Lenguaje. 5) Métrica. 6) Las figuras retóricas. 7) Temática.
8) Duración de la comedia. 9) Uso de la sátira: intencionalidad.
10) Sobre la representación. Varias consecuencias se pueden extraer
de este esquema. Pero hay una que es inmediata, por lo fundamental, y que no ha sido aprovechada por la crítica. Estos diez núcleos
doctrinales se agrupan entre sí en cuatro mayores, y de esta manera
encajan en los límites de un tratado completo de retórica clásica. [...]

El *Arte nuevo* se escribe para una academia. Y por tanto, sujeto
a una lectura en voz alta, con sus condicionamientos tanto de extensión, como de gesto y tono. Es algo dramático —y en este caso en
el doble sentido del término—, como lo es toda peroración académica. Concretamente, el matiz que podemos observar en el dramatismo
del *Arte nuevo* es el de un soliloquio, con mucho de confesión, ya
irónica, ya con mucho de autodefensa. Así, tenemos que pensar en
la adaptación de la epístola tradicional horaciana a la lección académica, con un público no lector e individualizado, sino oyente que
participa con su presencia viva, en ese soliloquio confesional y auto-
defensivo. [...] JUAN MANUEL ROZAS.

VII. El *Arte nuevo* no es formalmente un poema didáctico ni
una epístola de contenido doctrinal simplemente concebida para ser
leída con forma y tono personal; es esencialmente una pieza oratoria,
un nuevo tipo especial de discurso académico de vivo y cambiante
tono entre engolado y familiar, con sus toques de humor —más cercano a una breve charla de hoy— concebido, espontáneamente, en
relación con el sentido del soliloquio; pero desarrollado atendiendo
a las partes y normas de la retórica aristotélica, aunque dentro de la
libre —y a veces contradictoria— interpretación de ésta que le da
el Barroco. Lope decide actuar como orador, pero consciente de sus
dotes, y de la eficacia de las formas versificadas, contradice lo establecido y así renuncia a la prosa y elige, como forma próxima, el
verso suelto o blando, si bien rompiendo su gris unidad —para refuerzo de su poder comunicativo de recreo y persuasión y para subrayar su estructura y su intención— distribuye su discurso —con
consecuente sentido oratorio— en períodos de varia extensión, y re-

matados con sentenciosos pareados en los que condensa su nueva y personal doctrina gramática ante su expectante auditorio. Lope aquí, mirando la *Retórica* aristotélica —aunque la contradice en lo esencial empleando el verso— da un paso más en aplicar los recursos de la poesía laudatoria. Así nos explicamos mejor su estructura formal; teniendo en cuenta las partes del discurso según la retórica clásica, la distribución en períodos y todos los elementos y recursos propios de la oratoria. EMILIO OROZCO DÍAZ.

VIII. En el *Arte nuevo* encontramos, ya a primera vista, unos recursos externos que aparecen tanto en las cartas en verso (aunque lo más corriente sean los tercetos, no faltan los versos cortos e, incluso, el endecasílabo blanco, quienes además usan las rimas al final de sus epístolas), como en los sermones e intervenciones académicas. No hay nada literario que nos autorice a incluirlo dentro del género oratorio o del epistolar. Extraliterariamente son varias las posibilidades que se nos ofrecen. [...]

La estructura del *Arte nuevo* podría, según esto, representarse así:

EXORDIO

PROPOSITO

	GENERALIDADES		
NARRATIO	{	{	INVENTIO
	NORMATIVA		DISPOSITIO
			ELOCUTIO
PERORATIO			ACTIO

Este esquema lo mismo puede corresponder a la disposición de un discurso que a la de una epístola si prescindimos de la salutación y la data que se hallan ausentes en la mayoría de las escritas en verso. Lo cual confirma cuanto venimos diciendo a lo largo de esta nota: desde la antigüedad clásica no existe ninguna diferencia intrínseca entre una oración y una epístola. JOSÉ RICO VERDÚ.

FRIDA WEBER DE KURLAT

LA FORMACIÓN DE LA COMEDIA: «LOPE-LOPE» Y «LOPE-PRELOPE»

Algunos aspectos de la obra de Lope ya han sido estudiados sin prescindir de la cronología, pero también sin que se los relacionara con suficiente claridad con un teatro que marcha hacia su fórmula, o más bien la no formulación de ciertas convenciones que luego, tácitas, lo caracterizarán. Una de ellas es la presencia del criado gracioso que se considera que aparece en *La francesilla* (1596), con algún csbozo anterior. Lo importante en este sentido es señalar cómo el criado gracioso ofrece tempranamente algunos de sus indicadores más notables en personajes que rodean al protagonista o en éste mismo, hecho que como en *El príncipe inocente* (PRÍO) resulta en una negación de las leyes del decoro que el propio Lope formulara en el *Arte nuevo*. El gracioso surgirá en buena parte de la combinación de la influencia de la comedia romana y de necesidades intrínsecas de la fórmula de la comedia quc Lopc va claborando.

La mujer disfrazada de varón es sorprendida por los críticos en *Los hechos de Garcilaso*, pero su sentido y valores estructurales son tan diferentes de las obras de madurez que sólo vuelve a aparecer en *El favor agradecido* (1593), por lo menos unos diez años después; la «mujer varonil», según el valioso libro reciente de Melveena McKendrik, empieza a aparecer regularmente en 1590 (si bien los ejemplos verdaderamente significativos que estudia son de 1595 y sobre todo a partir de 1600).

Todo esto nos ofrece un punto de partida crítico: personajes muy significativos de la comedia no aparecen en las primeras obras, y al mismo tiempo, el análisis estructural aplicable a obras de madurez, si se extiende a las tempranas, nos permite llegar indudablemente a las conclusiones que justifican el título, aparentemente paradójico, de estas páginas; pero no es un juego de ingenio, sino que se quiere

Frida Weber de Kurlat, «Lope-Lope y Lope-prelope. Formación del subcódigo de la comedia de Lope de Vega y su época», *Segismundo*, XII (1976), pp. 111-131.

llamar la atención sobre el hecho de que los cientos de comedias que nos han llegado del Fénix no pueden estudiarse ya con criterio de unicidad. Repetimos, no es un juego de palabras, sino que encierra una metodología. «Lope-Lope» resume una obra de estructura formalizada, de madurez, típica de su autor y su género; «Lope-prelope» implica que la obra no ha alcanzado la condición señalada. Apuntaremos así algunas características, resultados de análisis comparativos con las obras de Lope en las que el subcódigo que les da su fisonomía, resultante de la definitoria unión de materia y forma o de sustancia del contenido y sustancia de la expresión, se impone con claridad ineludible.

En *Los hechos de Garcilaso* (HECH) la condición de obra inicial es especialmente notable.

1) Estructura bimembre por la cual la sustancia del contenido se escinde en dos partes: la primera, personajes, ambiente, sentimientos «a la morisca»; la segunda, predominantemente en el campo cristiano, y Menéndez y Pelayo ya había dicho que los dos primeros actos no se enlazaban con la acción principal. Lope-Lope habría alternado adecuadamente los dos elementos constructivos de la sustancia hasta enfrentar a Tarfe con el joven Garcilaso, que inicia su carrera de las armas con un triunfo rotundo.

Lo que en HECH es formulariamente $A + B + [a]$, siendo $[a]$ parte mínima de A (en tanto que en el primer miembro A, no aparece ninguna $[b]$) desaparecerá como posible esquema de comedia, puesto que Lope aprenderá de inmediato a alternar A y B de tal modo que el espectador o el lector comprende a ambos como partes constitutivas de la acción que contribuyen a un tema único. Ya en PRÍO (1590) la técnica está bien avanzada, los grupos de personajes y ambientes alternan, a veces un poco mecánicamente, pero de acuerdo con la marcha de la acción y el sentido del tema. Lope habrá adquirido definitivamente una técnica que sólo será susceptible de perfeccionamientos menores, casi preciosistas en comparación con el camino recorrido desde HECH. El aprendizaje corresponde a algo más que la primera década de su carrera. Ya en 1949 el profesor Bruerton había señalado cómo en bastantes comedias del Siglo de Oro y de Lope la división tripartita en actos se correspondía con una división tripartita en cada acto, o sea, distinguía nueve episodios, cada uno a su vez con tres partes. Nada más lejos de la construcción de esta comedia inicial en cuatro actos, y tampoco la maneja Lope en 1590.

2) Utilización, a imitación de los autores contemporáneos y renacentistas, de alegorías como *La fama*, por ejemplo, en diálogos con los héroes o en monólogos (Lope de Rueda, Cervantes, Juan de la Cueva).

3) En el plano de la expresión lingüístico-estilística Lope todavía oscila entre lo lírico y una forma dramática nueva con la que no acierta plenamente. El camino por recorrer es quizá más complejo que el de la estructura, puesto que indudablemente la deficiencia mayor en autores anteriores era o el excesivo prosaísmo y vulgarismo por imitación o seudo imitación de la lengua hablada o el exceso de lirismo. Este último aspecto es el propio de HECH, como también el de las comedias pastorales y aun algunas de las más tempranas entre las novelescas. El lirismo le ofrecía un instrumento más rico y afín con su temperamento, prestigiado por la poesía clásico-renacentista. [...]

Lope no quedaría satisfecho, como lo prueba, entre las obras conservadas, *Las ferias de Madrid* (FER) cuyo realismo llamó la atención de Bruerton: «A mi modo de ver sería difícil descubrir en todo el inmenso dominio de la comedia española una pieza con una parte tan importante de realismo y una estructura tan sencilla»; «... deliciosos cuadros de costumbres que hacen de ésta una pieza única», etc. La métrica permite situarla entre 1585 y 1588, y es indudablemente obra temprana en la que precisamente el realismo señalado y las notas satíricas suponen una exploración, una insatisfacción con los modelos habituales, presente también ésta en la insólita resolución del tema de la honra ofendida por la infidelidad de la mujer casada. Veamos algunos de los aspectos que hacen de ésta una típica comedia pre-Lope.

1) Flojísima trabazón en los personajes que se suceden en escenas y grupos que sólo bien avanzado el acto segundo se relacionan en una acción en desarrollo. Son más bien escenas de sátiras o de costumbres que en nada se asemejan a las que después pueden aparecer supeditadas a una acción de línea definida, y también, como rasgo estructural pre-Lope, abundancia de apartes que revelan al público, muy artificialmente, dada su frecuencia y extensión, el modo de pensar de los personajes y la comprensión más acabada de las situaciones.

2) Importancia de los temas satíricos: las ferias mismas, los comerciantes, los rateros, los galanes pobres que no tienen cómo agasajar a las mujeres, cuya condición de doncellas, damas o «pescadoras» no tiene tampoco contornos precisos que las identifiquen y guíen al espectador. De igual modo recorren las calles de Madrid unos jóvenes que parecen galanes cultos, pero en cierto modo participan de la condición de pícaros o ladrones, simbiosis que Lope no usará después.

3) El *tempo* es más bien lento, por varios motivos que se suman para la obtención de ese efecto: *a*) Conversaciones de damas y galanes

sin relación definida con la acción y tan alejadas de ella como su mezcla a la actividad picaresca ejercida por unos muchachos sobre unos rústicos o villanos que también concurren a las ferias. *b*) Bruerton encontraba en esta comedia la tripartición arriba señalada. Si bien existe entre los segmentos que ocupan el primer y tercer términos de los actos segundo y tercero un cierto paralelismo, hay también otros elementos, y ese carácter de «desfile» que me parece más bien un ensayo que un logro, y en todo caso, en las comedias posteriores en que algo de ello subsiste, es como expresión mínima de ambientación, no esencial, como aquí: cf. *El mesón de la corte, El arenal de Sevilla, El grao de Valencia. c*) Largos y detenidos diálogos de modas cortesanas como conversación de hombres que esperan la llegada de músicos nocturnos (alrededor de 70 versos), sátiras de esas mismas modas. También insistencia en el motivo de los regalos a la dama, el *dar*, pero con extensión e intención que luego Lope reducirá considerablemente y supeditará necesariamente al tema como en *Sembrar en buena tierra. d*) Detención explicativa en el tema objeto del diálogo, en el que no se da sólo lo más caracterizador y de interés para el desarrollo temático o argumental. Hay, pues, un lastre no utilizado (que influye en el aspecto realista puesto de relieve por Bruerton); luego Lope-Lope, en ese tipo de situaciones se valdrá de la mínima alusión caracterizadora. Lo mismo en los juegos de doble sentido, que carecen de la gracia y transparencia que luego adquirirán, y esa cargazón a veces sólo sirve para que resulten ininteligibles, o repetitivos y monótonos.

4) El lector tampoco se siente en el ámbito de la comedia urbana al seguir la acción de personajes llamados Guillermo, Pierres, Adrián, Patricio, Claudio, Estacio, Eugenio, Eufrasia. Su frecuencia, en el corpus de la comedia, es mínima o escasa y por lo general se aplican a extranjeros (cf. *infra* lo referente a los personajes de PRÍO).

5) Ello no implica falta total de coincidencia temática, pero no hay convencionalización. Como no la hay en los nombres, tampoco se da en la insólita solución del tema de la honra de la casada adúltera, la que se resuelve porque el padre mata al marido, aunque razone sobre la imposibilidad de guardar a la mujer como en Lope-Lope, o se esgriman por parte de la dama y el galán algunos tópicos-cliché sobre el amor; o se produzca un diálogo entre marido y mujer, precedido de otro paralelo de la respectiva pareja de criados, en ambos casos sin reconocerse, con progresión de la alabanza al desprecio y la amenaza; o el regalo de joyas con su alto valor semiótico, o la utilización del recurso de engañar con la verdad.

En el plano semántico FER implica una sátira de la sociedad más amarga, con unos galanes cuya pobreza los lleva a trampear a los comerciantes y menestrales, pero se burlan ácremente de los rústicos. El escándalo, en el plano semántico, lo constituye, sin embargo, el tratamiento del tema de la honra, que visto desde el corpus de la comedia resulta inusitado, absurdo, contrario a las leyes que lo rigen estrechamente dentro de la aceptada convencionalidad. [...]

Por sus valores como producción que participa de aspectos ya muy maduros, junto a otros propios del período de iniciación, queremos llamar la atención sobre *El príncipe inocente* (PRÍO), que nos ofrece además la ventaja externa de una fecha muy precisa, 1590, de tal modo que separa las obras de iniciación de las comedias de Belardo-Belisa y las posteriores.

La dificultad del análisis reside en el cúmulo de valores relevantes desde el punto de vista, tanto del presente intento del desarrollo diacrónico interno de la obra de Lope como teniendo en cuenta la morfología de comedia y el tipo de análisis que he aplicado a varias obras de madurez, como *Servir a señor discreto, El sembrar en buena tierra, El perro del hortelano*, etc. Nuestro interés inmediato es, como en los casos anteriores, deslindar lo que es ensayo que luego no continúa y lo que es todavía imprecisión de lo que llamamos subcódigo de la comedia; es evidente que aquí nos encontramos con unos y otros ya propios de Lope-Lope. Ya García Morales había observado: «En las comedias juveniles de Lope, como ésta de *El príncipe inocente*, sorprendemos sin ninguna dificultad las viejas raíces de su teatro y, al mismo tiempo, el camino que le conducirá a su arte maduro».

1) Así como en FER Lope no ha adquirido la forma de la comedia urbana, ni en HECH había dado con la nota decisiva de lo que será la comedia histórica, tampoco PRÍO —aunque en medida menor— es una verdadera comedia palatina de madurez. Y como ocurrirá en obras del grupo inmediatamente posterior, el de Belardo-Belisa, el teatro de Lope se mantiene aquí muy cerca del cuento tradicional, y sobre todo del cuento maravilloso.

El nudo de la comedia gira en torno a la posesión del «anillo [maravilloso]» que por pasar de Alejandro a través de Gelindo a manos de Torcato le asegura a éste la posesión de la princesa (aquí Rosimunda, hija del duque de Cleves). Y llega a Torcato, en un plano superficial por su habilidad e inteligencia en usar de ardides y procurárselo, pero en esencia porque es el heredero legítimo del trono de Frisia, del que había sido desposeído y abandonado en la selva, siendo niño, por su propio hermano, hijo ilegítimo, Alejandro, hasta ahora dueño del anillo. Ese cuento maravilloso, que constituye parte de la macrosecuencia libre de esta comedia, encierra, sin embargo, desde un punto de vista no genético, sino paradigmático, dos microsecuencias que con variantes constituirán secuencias asociadas en el corpus de la comedia lopesca: la entrega de la joya como prenda o señal del contraído compromiso de matrimonio, o de joyas varias con valores emparentados; y el reencuentro del hijo del rey o noble que se creía muerto por haber sido expuesto a las fieras, que pasa del cuento a la comedia, con varias posibilidades, desde (como también aquí) de integrante de la macrosecuencia libre (*El hijo venturoso*) a mera función asociada de referencia comparativa en el plano de la expresión (*El primero Benavídez*). Se trata de variantes de cuentos folklóricos transmitidos desde la Antigüedad.

2) Desde el punto de vista semántico varios aspectos corresponden a Lope-prelope: *a*) La inconsciencia del duque que lleva a la caza del león a sus hijas sin medir el peligro que corren o el natural miedo de las jóvenes, y sus lamentaciones cuando el león escapa a los cazadores, comprendiendo la desgracia que pudo haber ocurrido. *b*) El león sólo sirve para mostrar la impericia de los cazadores, cosa que no tiene importancia en la acción, y no se lo utiliza para mostrar el valor de Torcato, puesto que el león entra y sale de la escena como un inofensivo gatito, sólo para provocar el desmayo de las hijas del duque; y los alardes de valor tanto de Torcato como de Alejandro resultan una pura fanfarronada sin pruebas, y de relevancia mínima en la comedia desde el punto de vista del sistema semiótico. *c*) Debilidad de la justicia poética puesto que a Alejandro, aunque trató de matar o deshacerse de Torcato, siendo niño y legítimo heredero, el duque de Cleves lo casa con su hija Hipólita, que lo amaba desde hacía largo tiempo, y lo nombra heredero del ducado, para que no se quede sin nada habiendo tenido esperanzas de un reino. *d*) Otros aspectos de la comedia, en el mismo sentido, derivan del hecho de que Lope todavía no ha plasmado la figura del gracioso; y, sin embargo, cierto tipo de actuaciones que le son propias en la comedia posterior ya funcionan en la acción dramática sin su presencia. Así Torcato, protagonista-galán del que se descubre que es heredero de un trono, actúa como algunos subtipos del gracioso; primero, rústico o simple; luego, en la corte de Cleves por su condición natural y por el amor de Rosimunda (Lope no lo hace explícito) actúa como el gracioso que urde, trama, inventa con astucia en beneficio propio, haciendo víctimas de sus estratagemas al secretario, a Alejandro, a Hipólita, y hasta engaña a la propia Rosimunda para asegurarse su amor. Ello redunda en una ambivalencia, ambigüedad y falta de decoro del personaje que son totalmente pre-Lope. A su vez, Alejandro tiene un criado, Tacio, más bien consejero y como demuestra la marcha de la acción, buen consejero, que en cambio, en un momento crucial, gratuitamente, y sin consecuencias argumentales, aparece contaminado con el tipo de criado de *La Celestina*, no gracioso.

Sin embargo, si comparamos la construcción de PRÍO con la de FER, el progreso en la trabazón escénica, la soltura para establecer las relaciones de los personajes y la evolución de las situaciones en un grupo estrechamente constituido son realmente extraordinarios.

Ya aparece en esta comedia un soliloquio en soneto (I, 11), en el que Alejandro resume su estado anímico atraído por las dos hijas del duque de Cleves, o sea, que la forma «soneto» ha adquirido ya las que serán estructuralmente sus funciones específicas, y en el plano de la expresión utiliza Lope, como lo hará frecuentemente, símiles y alusiones de mitología clásica, con matiz hiperbólico (aquí Apolo oscurecido por la belleza de la amada). En cambio en el acto II, después de una situación esencial en las relaciones de los protagonistas, Torcato, también en soliloquio, no usa el soneto, sino que expresa la complejidad de sus sentimientos en relación a su situación social en dos octavas. Lope-Lope casi seguramente hubiera recurrido a un segundo soneto que además implicaría una geminación con plena conciencia de los valores que el detectar su presencia supondría en el auditorio paralelismos y oposiciones semánticas entre los dos rivales. El uso de un soneto y luego, en situación similar, dos octavas, nos permite sorprender el comienzo de una convención; la variante de las octavas no agrega valores y hace perder la relevancia que se manifiesta en la repetición de la misma forma en situación similar en boca de dos personajes opuestos. [...]

Los títulos de las comedias pueden ser meramente descriptivos como *Las ferias de Madrid*, *El nacimiento de Ursón y Valentín* entre los de la primera época y de este tipo usó Lope en toda su producción. Otros se adentran en la calificación del protagonista, *La infanta desesperada*, *La desdichada Estefanía*, *El príncipe inocente*. Hacia 1594 se establecerá el título como puente entre la acción y el tema, si bien no existe todavía la trabazón que luego se dará entre el título como tal y su presencia en el plano de expresión de la comedia, repetido como una especie de *leitmotiv* que en variantes o como repetición exacta reaparece en el diálogo en boca de distintos personajes. Ambivalencia significativa y de valor estructural (reiteración, progresión), adquiere ya en *El maestro de danzar* (1593-1594), ya que las danzas que el maestro enseña son metáforas mutuamente entendidas y utilizadas por los directamente implicados en la enseñanza misma y equivalen a 'amar', 'amor', 'amador', 'enamorar'. Todavía ello no se da en PRÍO, pues los calificativos que los otros personajes aplican al protagonista (y aun él a sí mismo) son *simple*, *rústico*, *ignorante*, *tonto agudo*, *necio*. Alguna vez aparece *inocente*, pero no en forma destacada, ni por la frecuencia ni por las ocasiones, como para conferir a su presencia un carácter marcado. [...]

Para esas fechas, Lope construye ya sus comedias con buen número de las que llamamos secuencias asociadas: 1) Niño de sangre real o noble expuesto a las fieras o abandonado en el bosque, recogido por un rústico y educado como tal o aun como semisalvaje, que luego recobrará su posición de nacimiento. 2) Amor de oídas y/o por un retrato. 3) Comedia que se inicia con la llegada de amo y criado a una ciudad que no conocen y cuyo aspecto admiran o simplemente comentan. 4) Escenas de rústicos con juegos típicos, que sólo tangencialmente se relacionan con la acción misma. 5) Rey albergado durante la noche por un labrador debido a que se ha extraviado o no se ha cumplido totalmente la partida de caza que allí lo llevó. 6) Establecimiento de una especial relación entre el rey y el villano, que años después se desarrollará en *El villano en su rincón*. Su estado embrionario está en este período inicial, en Prío y en *Nacimiento de Ursón y Valentín*. 7) Encuentros nocturnos bajo personalidades trocadas que introducen confusiones en amores por la sustitución de una dama o un caballero; o sea, escena nocturna de reja o balcón, con una preparada e intencionada sustitución momentánea de personalidad. 8) Entrega de una joya por el galán o la dama a su pareja, con valor simbólico, que aparece ya en Hech, y se extiende a toda la comedia. 9) En torno a un billete de amor el mensajero provoca una confusión: por lo general confunde al destinatario; aquí, obrando en beneficio propio, el mensajero tergiversa la identidad de quien lo envía. 10) Consejos de amor del criado al amo: un nuevo amor cambiará el desdén en aprecio. 11) Un príncipe despojado de su trono o viendo su reino invadido se refugia en otra corte en la que se enamora de una princesa. 12) Cambio de vestidos entre dos personas, por lo que uno padece la suerte (en este caso recibe los palos) destinados a otro.

En resumen, en 1590, pre-Lope está desapareciendo rápidamente en el plano de la estructura y la técnica; está también bastante avanzada la tipificación básica de la métrica; se observan atisbos de estilo francamente Lope-Lope y va quedando atrás, aunque todavía persiste, cierta grandilocuencia hiperbólica. El autor no domina aún la rápida caracterización de los personajes con absoluta coherencia entre su psicología, la relación con la trama y la repercusión en quienes los rodean: ello ocurre, por ejemplo, con la evolución de Torcato, pero su análisis sobrepasa los lineamientos de la presente investigación.

Noël Salomon

LOS SIGNIFICADOS DE LA COMEDIA

Lo que se nos descubre [al final de una larga investigación], tras seguir cronológicamente los diferentes motivos susceptibles de agruparse bajo los apartados del «campesino cómico», «campesino ejemplar y útil», «campesino pintoresco y lírico» y «campesino digno», son los diversos estratos de significación del tema campesino en la comedia de Lope y de su época. En efecto, tanto en literatura como en música, un tema es por esencia proteiforme, móvil, cambiante (véase arriba, pp. 76, 87-88). Raras veces presenta un solo rostro y un solo sentido. Posee varios seres a un tiempo. Precisamente hemos tratado de mostrar cómo ciertos temas campesinos se han ido formando y deformando desde los orígenes del teatro castellano, a fines del siglo XV, hasta los tiempos de la «comedia nueva», hacia 1580-1640, cuando nadie escapaba a la influencia decisiva del gran Lope de Vega. A propósito de ciertos personajes hemos visto cómo se han elevado desde el plano cómico al plano superior de la tragedia, aunque sin olvidar su origen cómico. Tal motivo rústico puede vincularse al mismo tiempo a lo cómico y a la ejemplaridad, al lirismo y a la comicidad, a lo ejemplar y a lo trágico, etc. Ésta es la razón de que hayamos podido encontrarlo sucesivamente en varias de las diversas categorías que hemos establecido después de un análisis que se proponía reconstruir las líneas esenciales del tema campesino considerado en su conjunto. Éste es el caso, por ejemplo, de la «boda aldeana», que de un modo sucesivo o simultáneo puede ofrecer resonancias cómicas, ejemplares, líricas, pintorescas e incluso trágicas. Se pasa de un carácter a otro por simples modulaciones de voz, ligeras diferencias de tono. Una vez escrita la obra, la puesta en escena y la interpretación de los actores es lo que orienta el texto en un sentido u otro. Por ejemplo, es fácil imaginarse la representación de una

Noël Salomon, *Recherches sur le thème paysan dans la «comedia» au temps de Lope de Vega*, Féret et Fils (Bibliothèque des Hautes Études Hispaniques, XXXI), Burdeos, 1965, pp. 913-916.
Véase también otro extracto de la misma obra en el capítulo 2, pp. 273-275.

comedia como *Peribáñez y el comendador de Ocaña* desde perspectivas muy distintas, en ciertos casos introduciéndonos en el mundo de la parodia cómica, en otros por el contrario proporcionándonos las emociones de la poesía o los escalofríos de la tragedia. La pluralidad virtual de significados de los motivos campesinos en la comedia es la primera idea que quisiéramos dejar clara. [...] Sólo una historia literaria *total*, que explique *al mismo tiempo*, todos los aspectos de las obras, podría abarcar la riqueza de su contenido estético e ideológico. Hemos tratado de analizar algunos de los elementos que conviene tener en cuenta, procediendo así a una ordenación que debería permitir a otros la síntesis que algún día habrá de hacerse.

Una de nuestras mayores preocupaciones ha sido estudiar la parte de realidad y la parte de idealización que intervienen en los temas esenciales de la comedia de ambiente rústico. La conclusión es que esta comedia —según la escuela de Lope— es un teatro poético, pero que su poesía está fundada en la realidad. Esta comedia propone al mismo tiempo un reflejo de lo real, una negación de lo real y una idealización de lo real. Hasta la misma idealización obedece a las exigencias ideológicas de la época en que se compusieron estas obras (propaganda del retorno a la tierra, propaganda monárquica, modas de disfraces rústicos, afición a las canciones tradicionales, etc.). En el fondo es el problema de la verdad poética según Aristóteles —la «mimesis»— (la «historia verdadera», como decían entonces ciertos dramaturgos, al final de sus obras, siguiendo sin duda a los comentaristas aristotélicos). No es en el sentido en que el «naturalismo» de la escuela de Médan entendía la expresión «un trozo de vida» como ha de verse en la comedia una imagen aproximadamente fiel de la vida. El punto de vista ha de ser muy diferente, y nada sería más erróneo que la tendencia a utilizar textos cuya máxima virtud es la de ser eminentemente poéticos como documentos de historia social. Lo que hay que hacer es todo lo contrario, y eso es lo que hemos intentado: partir de los testimonios históricos, exteriores a las obras, para iluminar éstas a la vez en su coincidencia y en su no coincidencia con la realidad. Así descubrimos la vida de una sociedad, pero no sólo bajo la forma del reflejo simple y directo; la realidad está ahí, en su totalidad doble y contradictoria, con sus elementos psicológicos (el ensueño, la sensibilidad, los mitos, los ideales) y no solamente sus aspectos materiales. Únicamente la referencia a documentos objetivos, que tengan relaciones muy claras con la sociedad de la que proçeden, podía permitirnos precisar esos vínculos complejos que van de la literatura a su medio. Pero tampoco hay que confundir con la realidad la ilusión realista a la que aspiraban autores cuyo trabajo poético tenía por misión divertir a un público aristocrático y urbano deseoso de escapar a su propio mundo por la imaginación. Por medio de alusiones abundantes y sabrosas a la vida rural concreta (aunque alusiones sistemáticamente elegidas, hábilmente organizadas y distribuidas), los dramaturgos creaban en la escena esta verdad «esencial» (en el sentido etimológico), y no particular o anecdótico, que los teóricos aristotélicos, como López Pinciano, recomendaban hacia el año 1600. Para Aristóteles, la «imitación» («mimesis») consistía en ser fiel al objeto expresado, sin copiarlo servilmente. Por su parte, el *Arte nuevo de hacer comedias* recomendaba compartir los sentimientos del público, de manera que se le hiciese vibrar y que se provocara su «simpatía». Ahora bien, ¿cómo hacerle vibrar sin interpretar estéticamente sus tendencias y los sentimientos que le eran propios? Lope y los dramaturgos de su época supieron muy bien llevar a cabo este propósito en las obras en que abordaron el tema campesino.

Hemos insistido largamente en la idea de que este tema fue en un principio el tema de un público; el público aristocrático y ciudadano, imbuido de la ideología monárquico-señorial. Sólo desde esta perspectiva puede explicarse, más allá de la diversidad de motivos, su profunda unidad. Hemos visto sin embargo que la estética «realista» (la búsqueda de la verosimilitud), que inspiraba la creación de los dramaturgos, les condujo a expresar, filtradas por la ideología aristocrática dominante, las luchas históricas del campesinado español. Los aspectos de la vida rural susceptibles de ser representados de un modo cómico o poético, cuando aparecen las grandes obras del género están ya seleccionados y elaborados por una tradición literaria muy sólida. Pero la maravilla de ciertas obras —una minoría de obras que surgen después de los años 1608-1610 aproximadamente— consiste en renovar esos temas con la inserción de sentimientos por los que pasa el soplo de la historia popular. Entonces la comedia de ambiente rústico hace algo más que presentar a los miembros del campesinado español bajo el aspecto del ballet, ya divertidos, ya edificantes, ya pintorescos; consigue una verdad superiormente humana, y por eso mismo universal, susceptible de conmover a públicos muy distintos de aquellos para los que fue creada, en otros siglos y en otros lugares. Los héroes campesinos que pone en escena se convierten en símbolos, entran en la categoría de lo que Aristóteles llamaba el «mito», categoría en la que la historia colectiva puede leerse a través de un destino individual. Así, para muchos hombres de hoy en día y de mañana, obras como *Fuenteovejuna, Peribáñez y el comendador de Ocaña* y *El alcalde de Zalamea,* continúan y continuarán significando la lucha heroica del pueblo español contra sus opresores.

Edwin S. Morby

TRAGEDIA Y TRAGICOMEDIA

La idea de Lope de que era posible un género digno de ser llamado «tragedia» —«tragedia» a pesar de sus desviaciones de las normas comúnmente aceptadas—, nunca se expresó con tanta claridad como en el Prólogo tantas veces citado de *El castigo sin venganza*: «Esta tragedia —dice en el tal prólogo— está escrita al estilo español, no por la antigüedad griega y severidad latina; huyendo de las sombras, nuncios y coros, porque el gusto puede mudar los preceptos, como el uso los trajes y el tiempo las costumbres». «Sombras, nuncios y coros» son aspectos puramente formales, que no afectan a la esencia de la tragedia. Abandonar éstas y otras características exteriores no significa renunciar a la tragedia, porque el espíritu trágico nace de unos manantiales perennes que permanecen inalterables en su pureza sean cuales fueren los conductos a través de los cuales hagamos discurrir sus aguas. El absoluto existe, pero no hay absolutos formales.

La cuestión estriba en saber en qué consisten esos ingredientes perdurables que hacen que una obra teatral pueda llamarse tragedia, sea cual sea la forma que adopte. [La tradición clásica y renacentista los había precisado claramente (véase arriba, p. 271)] y a mi juicio

Edwin S. Morby, «Some observations on *tragedia* and *tragicomedia* in Lope», *Hispanic Review,* XI (1943), pp. 185-209 (191-205).

es posible probar con sobrados argumentos que las «tragedias» y «tragicomedias» lopeveguescas se atienen a esas distinciones, y recibieron tales nombres teniéndolas muy en cuenta.

[En el *Arte nuevo* Lope subraya especialmente una de tales distinciones]: «Por argumento la tragedia tiene / la historia, y la comedia el fingimiento». Esta distinción la recordaba diez años después, ya que la repitió de un modo indirecto al afirmar desdeñosamente que «al humilde estilo de la comedia se da licencia ... a cualquiera de los que juntan consonantes en cuentos imposibles».

Estos «cuentos imposibles», que tienen un matiz aristotélico, nos remiten a la antigüedad. De todas formas, antes de seguir adelante conviene recordar que la historia que Lope opone a la literatura de imaginación abarca no sólo la historia propiamente dicha, sino también la mitología clásica y la seudohistoria, cuya legitimación para proporcionar asuntos a la tragedia se funda en una tradición vieja como el mundo. De hecho Lope consideraba algunos de estos materiales como verdaderos: «Porque Virgilio introdujese a Dido no dejó de ser verdad que Eneas pasó por Italia y que salió de Troya». Y esta ampliación del campo de la historia sólo es una de las rectificaciones que ha de hacer el lector moderno. También los argumentos novelescos deben a veces incluirse, como vemos por los versos finales de *El mayordomo de la duquesa de Amalfi* («que como pasó en Italia, / hoy lo han visto vuestros ojos»). Como a todo eso hay que añadir los romances y las fuentes afines (*El marqués de Mantua*, *El caballero de Olmedo*, etc.), el número de tragedias y tragicomedias no históricas disminuye considerablemente. Lope no rompe a menudo con la tradición de que la tragedia extraiga sus asuntos de fuentes históricas.

El fundamento de esta tradición era de carácter filosófico. Según el punto de vista de Lope, la verdad era intrínsecamente superior a las ficciones, como la tragedia era superior a la comedia. Lo único apropiado era que la verdad fuese el ámbito de la tragedia, mientras que los «cuentos imposibles» quedaban relegados para la comedia. [...] Lope estaba convencido de la superioridad fundamental de la tragedia respecto a la comedia. En su dedicatoria de *Las almenas de Toro* habla de «estilo superior» y de «la grandeza y superioridad del estilo». «Gran lugar se debe al trágico, grande le tiene V. M. con los que saben que a la tragedia no se puede atrever toda pluma», dice al trágico Guillén de Castro.

[Quizá no sea inútil recordar, sin embargo, que la historia no repugnaba en modo alguno a ser embellecida.] La verdad esencial de una obra no resultaba menoscabada por adornos imaginativos, «que aunque es verdad que no merecen nombre de coronistas los que escriben en verso, por la licencia que se les ha dado de exornar las fábulas con lo que fuere digno y verosímil, no por eso carecen de crédito las partes que le sirven a todo el poema de fundamento ...». Estas palabras, interpretadas de un modo un tanto libre, pueden incluso justificar que una obra como *El caballero de Olmedo* pueda incluirse entre las tragicomedias fundadas en la historia. [Sin embargo, por lo común Lope no se solía atribuir grandes libertades de licencias poéticas.]

Queda, pues, claro que en la historia reside una fuente esencial del espíritu trágico, y ello por motivos perfectamente argumentados. Y si aproximadamente una octava parte de las obras conservadas de Lope sobre todo género de asuntos son tragedias o tragicomedias, si nos limitamos a las obras de carácter histórico la proporción es mucho mayor. Desde luego, eso no significa que todas las demás, para las que hubiera parecido adecuado el nombre de «comedias», no se llamaran así contradiciendo los propios criterios de Lope. Algunas eran comedias, pero la mayoría no lo eran por motivos evidentes [según las categorías de la poética renacentista].

En el *Arte nuevo* Lope utiliza una de estas normas, asignando a la tragedia los asuntos nobles o elevados. La comedia, afirma, «trata / las acciones humildes y plebeyas, / y la tragedia las reales y altas». En realidad esta ley estaba aún más universalmente reconocida que la que relegaba la ficción a la comedia, aunque en gran medida los dos preceptos se superponían. Para Lope y sus contemporáneos la historia era el grandioso relato de «sucesos, guerras, paces, consejos, diferentes estados de la fortuna, mudanzas, prosperidades, declinaciones de reinos y períodos de imperios y monarquías grandes», como él mismo la definió elocuentemente. Por lo tanto no había lugar para cosas y gentes «humildes y plebeyas», y era una fuente lógica de asuntos para la tragedia, sobre todo porque su misma verdad daba más realce a su nobleza.

No obstante, incluso en el terreno de la historia cabían distinciones, y sus aspectos más heroicos proporcionaban los mejores materiales para obras trágicas. [...] Así, pues, no fue sólo su carácter histórico lo que empujó a Lope a dar el nombre de «tragicomedias» a obras como *La Santa Liga, La nueva victoria del marqués de Santa Cruz, El asalto de Mastrique* y *Arauco domado*, ya que se contentó con llamar «comedias» a otras muchas obras históricas que tenían un final feliz, como éstas. Y pensando en obras de ese tipo podemos comprender mejor la importancia que concedía a lo heroico como fuente de emoción trágica. El *Saco de Roma* de Juan de la Cueva era el precedente español más próximo para el modo de tratar esos triunfos nacionales. Su tema era igualmente amplio y su desarrollo concebido a una escala similar. Pero debido a que sólo admitía la «comedia» a secas y la tragedia, y como el desenlace hacía imposible emplear este último nombre, tituló su obra «comedia». En dramas históricos comparables, con desenlaces igualmente triunfales, Lope veía una nota heroica que hacía improcedente el uso de la simple palabra «comedia». [...]

El más universal y persistentemente reconocido de todos los criterios para identificar una tragedia es el desenlace con muerte. [De acuerdo con esta norma, las tragedias de Lope terminan todas con una muerte.] Algunos teóricos, sobre todo Girardi, hubieran aceptado un final feliz incluso tratándose de una tragedia. A sus obras de carácter trágico pero con un desenlace fausto, Lope dio siempre la designación de «tragicomedias».

Los pedantes también insistían en que los personajes de la comedia debían ser gente común, y los de la tragedia de condición noble. Lope aceptó la distinción, aludiendo burlonamente en el *Arte nuevo* a «el rey en la comedia para el necio» (76), y sacando a relucir el clásico ejemplo de Júpiter en el *Anfitrión* de Plauto. Las tan repetidas frases reaparecen en la dedicatoria de *Las almenas de Toro*: «La comedia imita las humildes acciones de los hombres, como siente Aristóteles, y Robertelio Utinense comentándole: *At vero tragedia praestantiores imitatur*». Sin embargo, tenía el criterio suficiente como para atenerse a los *praestantiores* sin necesidad de interpretarlo literalmente como príncipes. En la tragicomedia, ya que no en la tragedia, podía pintar a Peribáñez o a Pedro Carbonero. Aunque se sintió obligado a elevar a Peribáñez a la condición de caballero, con lo cual, para el lector moderno, traicionó el espíritu de la obra. Todas sus tragedias se guían por la más estricta interpretación del precepto. Aunque, desde luego, sólo en lo que concierne a los protagonistas. En cuanto a los demás personajes, los rústicos y los graciosos se admiten libremente en las tragedias como en cualquier otra obra, siempre que convenga al autor. Y éste es uno de los elementos cómicos más llamativos que oscurece la concepción de la tragedia, esencialmente conservadora, que tiene Lope.

[En el *Arte nuevo*] Lope acepta el contraste teórico entre «la sentencia trágica» y «la humildad de la bajeza cómica». Y cuando a continuación habla largamente del «decoro» dramático, preconizando un lenguaje adecuado a la posición de cada personaje, no hace más que sacar las consecuencias de esta regla. [La dedicatoria de *Las almenas de Toro*, ya citada, es muy explícita en este punto.] Lope acepta el principio de que los asuntos y los personajes nobles forman parte del estilo y lo determinan. Además, algunas de sus «tragedias» y «tragicomedias» están notoriamente bien escritas, aunque el esmero no es necesariamente un sinónimo de elevación. Menéndez y Pelayo juzgaba superlativo el nivel estilístico de las obras mitológicas, la mayoría de las cuales son tragedias y tragicomedias, y en uno de sus escasos comentarios sobre obras concretas, Lope afirmaba que tres de las suyas, una tragedia y dos tragicomedias, «están de suerte escritas, que parece que se detuvo en ellas». Ir más lejos probablemente sería temerario.

El hecho es que la comedia es una forma lírica, y las «sentencias y pensamientos» también aparecen en sus ejemplos más ligeros. La convención que imponía un continuo cambio de metros que se iban repitiendo al margen de cual fuera el argumento de la obra, también milita en contra de una distinción general entre un estilo más o menos elevado. El lenguaje, si no el pensamiento, está tal vez tan regido por la forma del verso como por la condición del personaje, y en las tragedias y tragicomedias no se observa una propensión muy acentuada hacia formas de verso más «elevadas» que las que predominan en comedias escritas durante el mismo período. Entre las aproximadamente cuarenta tragedias y tragicomedias conservadas, sin duda alguna hay un porcentaje desproporcionadamente alto de aquellas obras en las que se funda la celebridad de Lope como dramaturgo, y tal vez entre ellas también hay un buen número de obras «elaboradas con plena conciencia». Pero la perfección expresiva es sólo una parte de su mérito, y una vez más hay que recordar que el esmero formal no debe confundirse con la elevación que en teoría se exigía al estilo trágico. [...]

En líneas generales está claro que para él las fuentes del espíritu trágico eran muy semejantes a las de los teóricos neoclásicos más estrictos. Con su concepción de la tragedia como una obra basada en la historia o en la mitología, de personajes grandiosos, estilo noble y final infausto, no tenían nada que reprocharle. Y esto era para él lo esencial. Su presencia constante define la «tragedia al estilo español», un género cuya identidad queda disimulada por lo que Lope consideraba factores externos, tan carentes de importancia para lo sustancial como las «sombras, nuncios y coros» que él reemplazó por otros elementos más acordes con su tiempo.

El propio Lope nos da un punto de partida para una distinción más sutil entre tragedia y tragicomedia en la indispensable dedicatoria de *Las almenas de Toro*: «Como en esta historia del rey don Sancho entre su persona y las demás que son dignas de la tragedia, por la costumbre de España, que tiene ya mezcladas, contra el arte, las personas y los estilos, no está lejos el que tiene, por algunas partes, de la grandeza referida, de cuya variedad tomó principio la tragicomedia». Tragicomedia, pues, es precisamente lo que sugiere la misma palabra, una mezcla de elementos trágicos y cómicos. Y con sus actores trágicos y su argumento cómico, *Las almenas de Toro* podía describirse perfectamente como tragicomedia. Sin embargo, en la tragedia de Lope, donde abundan los graciosos y los elementos frívolos, ya encontramos «mezcladas, contra el arte, las personas y los estilos», al parecer sin ninguna inquietud porque el nombre de tragedia fuese inadecuado. Y no lo es, según el punto de vista de Lope, porque a pesar de sus adornos de comedia, conserva lo esencial de la tragedia: su gravedad, su argumento no ficticio, sus personajes elevados y su desenlace funesto. Por otra parte, la tragicomedia sustituye al menos uno de estos componentes: personajes elevados por humildes, final funesto por feliz. O sea que en el fondo la tragicomedia es una mixtura de ingredientes trágicos y cómicos, mientras que la tragedia superpone los segundos a los primeros, siempre haciendo que éstos se mantengan intactos. Intactos permanecen en *El marido más firme*, a pesar de la intrusión de las chanzas en el mismo núcleo argumental, y por ello la obra es una tragedia. Mientras que a despecho de su dramático desenlace, *El caballero de Olmedo* sólo es una tragicomedia, a causa de la falta de elevación de su asunto y de la condición de sus personajes. Esta obra corresponde exactamente a la categoría de *La Celestina*, que resulta no ser ni comedia ni tragedia, sino tragicomedia. En el mismo grupo ha de incluirse *El cordobés valeroso*, cuyo protagonista también encuentra la muerte, pero cuyo rango y actividades no pertenecen al orden trágico. Dejando aparte su final mitigado, *Peribáñez* es una tragicomedia por razones semejantes.

[Una segunda categoría de límites mal definidos es la que tal vez podríamos llamar, con una denominación también imprecisa, «la comedia romántica»]: *Castelvines y Monteses, Los muertos vivos, El favor agradecido* y *El premio de la hermosura.* Los personajes de estas obras están al borde de la tragedia, pero al final resultan relativamente indemnes. Está también el caso de las obras de tema bíblico y hagiográfico. Estas últimas, por su carácter histórico, el ámbito religioso al que pertenecen sus protagonistas y el hecho de que las vidas de los santos en escena solían llevarse hasta la muerte del héroe, hubieran podido corresponder muy bien a la denominación de tragicomedias. Como todas esas características estaban muy presentes en la mente de Lope, hizo cierto uso de tal nombre para las obras de ese tipo que compuso.

Dentro de las tragicomedias figuran sobre todo obras graves, de asunto no ficticio y de final feliz. La nota de exultación épica, particularmente en lo que se refiere al desenlace, basta, claro está, para explicar el nombre de tragicomedia, en vez del de tragedia, aplicado a grandiosos dramas históricos como *Arauco domado, La nueva victoria del marqués de Santa Cruz, El asalto de Mastrique* y *La Santa Liga,* para elegir un grupo de obras «épicas» de carácter moderno; o *El conde Fernán González, El bastardo Mudarra* y *El último godo,* sobre temas medievales; o *El Perseo, El laberinto de Creta* y *Las grandezas de Alejandro,* sobre temas de la antigüedad. Pero, dejando de lado los desenlaces, también es obvio que comparándolas con las tragedias en general estas obras renuncian a la concentración de la tragedia por el aliento épico y el marco histórico. Al menos dos de estos argumentos, los de *El bastardo Mudarra* y *El último godo,* se hubieran prestado admirablemente para componer tragedias en vez de tragicomedias. La diferencia hubiera obligado a elegir otro momento para el final. [...]

Así, pues, la concepción que Lope tenía de la tragedia y de la tragicomedia no es difícil de comprender, y es mucho más coherente e inteligible de lo que sus arbitrariedades y las diferencias de los historiadores parecen sugerir. Ambas categorías resultan lo suficientemente claras como para justificar el esfuerzo que hace para distinguirlas. Los eruditos han intentado muchas clasificaciones del teatro de Lope —y de todo el conjunto del teatro español— con el propósito de encajarlo dentro de un sistema ordenado. La división lopesca de «tragedias», «tragicomedias» y «comedias» es por lo menos algo tan bien razonable y defendible como la mayoría de estas clasificaciones. *Porfiar hasta morir,* por ejemplo, es una tragedia, aunque su autor olvidara darle este nombre. *El nuevo mundo descubierto por Colón, Laura perseguida* y *San Segundo de Ávila* son tragicomedias respectivamente de carácter épico-histórico, romántico y religioso, aunque al parecer Lope nunca les aplicó tales designaciones. Cuando de acuerdo con este criterio es posible seguir su opinión y ampliar la lista de tragedias y tragicomedias, hay que reconocer que estas divisiones en cuanto géneros tienen una considerable solidez.

Francisco Rico

LA POESÍA DRAMÁTICA DE *EL CABALLERO DE OLMEDO*

El pie forzado lo daba el cantar:

> Esta noche le mataron
> al Caballero,
> la gala de Medina,
> la flor de Olmedo.

Cierto: en la España de Lope, la leyenda del caballero de Olmedo se cifraba en el claroscuro de esa seguidilla, [extraída de cierto *baile* escénico popularizado en los años (1601-1606) en que la corte residió en Valladolid]. Pero si la raíz de la leyenda había sido la muerte de don Juan de Vivero en 1521, del Caballero, a vuelta de un siglo, seguía recordándose antes la muerte que la gala. Era la suya «trágica historia» (v. 2.731) por definición, porque estaba presidida por «la tragedia de la muerte». [Por otro lado], cuando la copla evocaba la muerte junto a la gala, ¿no proponía, sin más, un esbozo de 'tragicomedia'? Pero, por ahí, el tono y el tema sugeridos por la tradición se ajustaban de maravilla a las convicciones de Lope sobre cómo ser fiel a la «naturaleza» con una literatura igualmente preocupada por la «belleza» y por la medida en que se «deleita» a discretos y a necios. [...] El arte nuevo lopeveguesco, pues, había de acoger con particular facilidad la propuesta dramática que latía en la seguidilla.

Francisco Rico, «*El caballero de Olmedo*: amor, muerte, ironía», *Papeles de Son Armadans*, XLVII, 139 (1967), pp. 38-56 (38, 41-43, 47-48), revisado en [1981³], pp. 13-35.

Ni es indiferente que para el común de los españoles, hacia 1620, la leyenda del Caballero se redujera a un cantar que contrastaba luces («gala», «flor») y sombras («noche», «le mataron»), en un juego de oposiciones y correspondencias estricta, constitutivamente poético. Porque, si la poesía ha ejercido siempre una singular presión sobre el teatro castellano —del *Auto de los Reyes Magos* a García Lorca—, en Lope están probablemente los logros más cabales de esa presión. En Lope, en efecto, los procedimientos arquetípicos de la poesía (por ejemplo: paralelismo, polisemia, metáfora) tienden a convertirse en modelo estructural de la construcción dramática, impregnada, por otra parte, de los modos y motivos de la lírica coetánea. En el caso concreto de *El caballero de Olmedo*, el núcleo argumental, al llegar —a autor y a público— filtrado por la copla, iba asociado a una coloración y una pauta distintivamente líricas. De ahí el paradigma que domina en *El caballero de Olmedo*.

Con el tamiz de la seguidilla, autor y público coincidían en el modo de mirar al caballero: empezando por el final, por la inminencia de «*esta* noche» o la seguridad de que «le mataron». [...] Lope estaba perfectamente al tanto de que las gentes iban a sentarse en los bancos o apiñarse en la cazuela sin olvidar ni por un momento «que de noche le mataron ...». Conque el propio Fénix, con aguda percepción estética, determinó hacer virtud de la necesidad y (como diría el *Arte nuevo*) 'permitir la solución' desde las primeras escenas, avivar una y otra vez la certeza de cómo concluía *El caballero de Olmedo*. [...]

Los personajes, así, van descubriendo o adivinando con angustia la sentencia que han dictado la copla, Lope y el público. Don Alonso Manrique, el héroe de la obra, toma conciencia de su destino a través de una tristeza sin razones (1.029-1.030), de sueños agoreros (1.747 y ss.), de «embustes de Fabia» (2.280) con disfraz de Sombra o de labrador: dudas y presagios, todos ellos, rechazados en nombre de las mismas cualidades de carácter, de la misma nobleza de talante, que espolean el rencor de don Rodrigo, el galán rechazado. Apenas es preciso subrayarlo. Pero sí hay que insistir en que la anticipación del desenlace no se limita a los «avisos del cielo» (2.466) o de Fabia, ni a las corazonadas del caballero, sino que se prodiga con exquisita puntería en alusiones que funcionan impecablemente en una situación dada, pero sólo en la perspectiva de tal desenlace triste cobran un sentido más pleno y más real. «Ironía trágica» (o «sofoclea») se llama esta figura de alto coturno. Por ejemplo, en el retrato que Fabia pinta de don Alonso: «Cuchilladas y lanzadas / dio en los toros como un Héctor ... / Armado parece Aquiles / mirando de Troya el cerco; / con galas parece Adonis ...» (855-861). ¿Qué más normal que semejantes piropos? Y, sin embargo, términos de ponderación tan socorridos como Héctor, Aquiles y Adonis adquieren nuevo valor dramático si se repara en su común fortuna: la muerte temprana y desgraciada (y por supuesto que Lope repara en ella: «¡Mejor fin le den los cielos!», termina el elogio de Fabia).

La ironía trágica —cito a María Rosa Lida— «no es un artificio: al fin, una vida se intuye en su cabal valor sólo cuando ha acabado; sólo entonces se percibe el dibujo de conjunto que formaban los pequeños hechos de cada día». Tal «dibujo de conjunto» puede hacerse presente en *El caballero de Olmedo* en distintos modos, a cual más sabio: en tanto recuerdo de la seguidilla, verbigracia, cuidadosamente estimulado a veces, como al cerrar el primer acto citando los dos últimos versos (886-887) y dejando al público la emoción de rememorar los dos primeros; o en el prodigioso cruce de planos temporales en que don Alonso oye sonar —y suena por primera vez— la copla que le anuncia la muerte y que le guardará «después de muerto viviendo / en las lenguas de la fama» (2.704-2.705), y la supone «canción / que por algún hombre hicieron / de Olmedo, y los de Medina / en este camino han muerto» (2.421-2.424).

Pero si en *El caballero de Olmedo* tragedia es muerte, es también amor; y uno y otro, destino: el destino que late inexcusablemente en el corazón de lo trágico. [De hecho], las más bellas, las más esenciales imágenes y situaciones de *El caballero de Olmedo* son disémicas (ahí reside el gran arte de la motivación): imágenes y situaciones de amor y de muerte a un tiempo, particularmente gracias al trasfondo de ironía trágica.

[Valga un solo ejemplo, aunque a propósito de un tema esencial.] Don Alonso relata («las relaciones piden los romances») el paseo de doña Inés «en la famosa feria de Medina» (504): «Los ojos, a lo valiente, / iban perdonando vidas, / aunque dicen los que deja / que es dichoso a quien la quita» (83-86). Lo que serían unos versos triviales y un mediano oxímoron ('dichosa muerte': antítesis también muy sofoclea, y repetida en la tragicomedia de Lope), si no supiéramos qué bien se aplican al caballero: «¡Oh, qué necio fui en fiarme / de aquellos ojos traidores, / de aquellos falsos diamantes, / niñas que me hicieron señas / para engañarme y *matarme*» (550-554). Sí, los ojos de la bella daban a la par el amor y

la muerte: Inés iba «cuanto miraba matando» (1.129). [Lope construyó
El caballero de Olmedo, en una medida capital, haciendo que cristaliza-
ran en acción esas y otras sabidas ecuaciones y oposiciones de la lírica
coetánea (*muerte* 'ausencia', *vida* 'amor', etc.). Unas y otras, a su vez,
resueltas directamente en movimiento dramático o sugeridas en tanto
intriga por la fascinación que ejerce el lenguaje de la poesía, conllevaban
una profunda dimensión de ironía trágica para el espectador de la obra.] [1]

La deuda de *El caballero de Olmedo* para con *La Celestina* es
constitutiva, desde el mismo instante de su concepción dentro de un
género. Los préstamos, los recuerdos, las alusiones son numerosísi-
mos, hasta llevarse parte no desdeñable de la trama destinada a introducir las magras noticias sobre la muerte del caballero aportadas
por la tradición. Desde la aparición de Tello, el *servus* a ratos *fallax*,
y de Fabia (entre otras muchas cosas, Lope la necesita, a ella y a su
magia, para dejar indeciso si son naturales o sobrenaturales la Sombra
y el labrador), se juega con deleite «a despertar reminiscencias de
La Celestina». Hay en ello —sigue teniendo razón a mares Marcel
Bataillon— «un consciente homenaje de Lope al genio cómico de
Rojas». Homenaje proclamado incluso paladinamente (y tras el «yo
adoro / a Inés, yo vivo en Inés», que es eco notorio del «Melibeo
soy y a Melibea adoro»):

TELLO: ¿Está en casa Melibea?   ['Inés']
          Que viene Calisto aquí.   ['Alonso']
ANA: Aguarda un poco, Sempronio.
TELLO: ¿Si haré falso testimonio?

No es «falso testimonio» el de Tello: aunque en lo hondo ni el casto
don Alonso tenga mucho que hacer junto a Calisto, ni la amable
doña Inés junto a la encendida Melibea (tampoco hay que pedirle
peras al olmo), sí es cierto que la historia de Alonso e Inés, como la
de Calisto y Melibea, a pesar «del principio, que fue placer», «acaba
en tristeza» (así se lee en el umbral de *La Celestina*). Y el espectador

1.   Con la muerte del caballero, también el falso monjío de doña Inés cobra
realidad («Lo que de burlas te dije, / señor, de veras te ruego»; 2.713-2.714)
y, retrospectivamente, resulta ser «engañar con la verdad», el recurso que en
las escenas cómicas desempeña un papel más o menos paralelo a la ironía trágica. La «incertidumbre anfibológica» (*Arte nuevo*, 324) está en el núcleo de
El caballero de Olmedo, y no sólo se manifiesta en algunos aspectos, aun tan
esenciales como los apuntados aquí.

mínimamente leído había de recibir en tal «testimonio» un impulso ya sentido antes y, con él, difícil de resistir: calcar el desenlace «en tristeza» de la historia de los unos sobre el bien conocido de la de los otros. El «homenaje a Rojas», por ende, está transido de connotaciones estrictamente dramáticas. Nuestra tragicomedia paga a la *Tragicomedia*, con la misma moneda, las lecciones de ironía que en ella aprendió Lope.

Juan Manuel Rozas

LAS DOS ACCIONES DE *FUENTE OVEJUNA*

El estudio histórico-temático de la segunda acción de *Fuente Ovejuna*, [el significado histórico de Ciudad Real en su enfrentamiento secular con la Orden de Calatrava,] pone de relieve tres cosas: *a*) que su elección resulta tan acertada que la podemos considerar incluso como simbólica, y desde luego como iluminadora de la primera; *b*) que Lope mitifica la actuación de Ciudad Real, limando toda posible impureza, haciendo de la ciudad un arquetipo; *c*) que las dos acciones no son sólo compatibles y cumulativas —como ya señaló la crítica—, sino que incluso son homogéneas —en sentido matemático y lógico—, y que, por tanto, se pueden realmente sumar.

En efecto, si planteamos la ecuación dramática de la segunda acción, nos encontramos con el siguiente esquema:

$$\text{Ciudad Real} \leftrightharpoons \text{maestre } (+ \text{ comendador}) \rightleftharpoons \text{reyes}$$

Puesto que el maestre, mal aconsejado por el comendador, al ir contra Ciudad Real, va directamente contra los Reyes Católicos.

Si planteamos el esquema de la primera acción hallamos:

$$\text{Fuente Ovejuna} \leftrightharpoons \text{comendador} \rightleftharpoons \text{reyes}$$

Juan Manuel Rozas, «*Fuente Ovejuna* desde la segunda acción», *Actas del I Simposio de Literatura Española*, Universidad de Salamanca, Salamanca, 1981, pp. 173-192 (183-190).

Pues el comendador, al romper la armonía social del pueblo que gobierna, con su injusticia —bienes, honra— va contra el rey, de quien procede —como *vice-Dios* de la «monarquía teocéntrica»— su poder. (Al emplear el acuñado sintagma «monarquía teocéntrica» me sitúo en una lectura «arqueológica», en el siglo XVII. A una lectura diacrónica dedico otras páginas de mi artículo.) Si sumamos los dos esquemas —como se ve, altamente homogéneos— veremos que resulta, tras sacar, figuradamente, una especie de factor común:

$$\text{Pueblo} \atop (CR + FO) \overset{\Leftrightarrow}{} \frac{\text{nobles calatravos}}{(\text{maestre} + \text{comendador})} \overset{\Leftrightarrow}{} \text{reyes}$$

Lo que muestra cómo el esquema de la obra es artísticamente doble, pero dramática, histórica, lógicamente, unitario.

Dentro de la mentalidad barroca, una acción simple, racionalista y dieciochesca, sería empobrecedora de lo significado y de lo dramatizado. Y, sobre todo, empobrecedora técnicamente del espacio y el tiempo libre descubierto y ganado por el neoaristotelismo lopista. Se puede ir —pues no hay decorados, sino en la imaginación de los espectadores— de Almagro a Ciudad Real, de Ciudad Real a la corte, de la corte a Fuente Ovejuna, y vuelta a empezar. Como en el cine. No hay espacio, ni lugar, sólo estructura dramática. [...] Por eso no sólo debemos aceptar la doble acción como un mal menor, ni como un complemento, sino como la mayor virtud estructural de la obra. [...]

Fuente Ovejuna (bastante corta, por cierto) tiene 2.453 versos, y de ellos 709 pertenecen o aluden directamente a la segunda acción.[1] No es frecuente en la comedia nueva que casi un tercio de la obra aparezca de un modo u otro bajo el rótulo secundario. Hay supuestas razones genéticas para ayudar a explicarlo: Lope sigue tan de cerca la *Crónica de las tres órdenes* (1572) de Francisco de Rades, que se queda corto en la extensión de la obra, y por eso hace crecer la segunda acción; o bien, como ésta la toma también de Rades, debe

---

1. Los versos 445-528 en los que Flores cuenta, en *Fuente Ovejuna*, la victoria de Ciudad Real, y los versos 1.103-1.136, en que Zimbrano informa, también en *Fuente Ovejuna*, que los reyes se disponen a recuperar Ciudad Real, los paso a la segunda acción, haciendo abstracción de lugar y tiempo, de acuerdo con el criterio de que una estructura es una reconstrucción ideal, una reescritura del texto.

desarrollarla completa según la crónica. Sea como fuere, aquí la segunda acción supera, incluso en cantidad, la importancia habitual, como supera lo normal en cuanto a calidad significativa y en cuanto a unidad genética, al proceder de la misma fuente (y de folios vecinos a los que narran la primera acción).

Artísticamente, las dos acciones se comportan de modo distinto: muy teatral, triangular, «aristotélica» (en sentido brechtiano) la primera, si la aislamos de la segunda y estructuramos en función de los núcleos dramáticos fundamentales. De este modo «hacemos» la acción principal «perfectamente simétrica», con tres escenas mayores en cada una de las jornadas, frente a las cifras variables (de 4, 5 y 7) que da el drama, sin separar las dos acciones. Esta cifra, basada en el simbólico y teatral número tres, no sólo es más perfecta desde el punto de vista estructural, sino que concuerda con la doctrina de la época. Dice Pellicer, en su *Idea de la comedia de Castilla*, obra que sigue mucho al *Arte nuevo* lopiano, que «cada jornada debe constar de tres escenas, que vulgarmente se dicen *salidas*».

La primera jornada muestra tres situaciones fundamentales, que voy a titular para hacer más rápida la comprensión: 1) *La aldea* (vv. 173-444). 2) *El deseo injusto* (529-634). 3) *El enfrentamiento* (723-859). Todo este primer acto es un pequeño y perfecto drama. *Planteamiento*: érase una aldea, que pudiendo vivir en armonía, no era feliz por la injusticia de su señor. *Nudo*: el señor en acción, codicioso de bienes y de mozas, concentra su interés en Laurencia. *Desenlace*: el enamorado de Laurencia, Frondoso, lo derrota, momentáneamente, al ponerle la ballesta al pecho. Es este acto un drama a nivel individual, como *Peribáñez*, y no colectivo y todavía incruento. Hasta ahora es de signo positivo, con triunfo del bien.

Igual ocurre en el segundo acto, en cuanto al número de escenas y estructuración. *Planteamiento*: enfrentamiento teórico, de palabra (860-1.102). *Nudo*: sucesivos enfrentamientos de obra (1.137-1.448). *Desenlace*: enfrentamiento del comendador con todo el pueblo, ahora a nivel total, institucional, al irrumpir en un acto cívico-religioso, la boda, y raptar a la novia (1.472-1.651). Ahora el signo es negativo, con triunfo del mal.

El tercer acto es el que más marcadamente presenta la estructura de pequeño drama. *Planteamiento*: *la juramentación*. El pueblo se prepara para la rebelión (1.652-1.847). *Nudo*: *la rebelión* (1.848-2.124). *Desenlace*: *tormento y victoria*, mediante el silencio, de Fuente Ovejuna (2.161-2.289). Final positivo, con castigo del mal y triunfo de los oprimidos.

Asombra, pues, a pesar de la limitación señalada en nota, la adecuación al número 3 —número por excelencia dramático (*planteamiento-nudo-desenlace*)— de cada uno de los tres actos, y su adecuación al precepto de Pellicer, de las tres salidas en cada jornada. Orden perfecto, que se desordena precisamente al sumarlo a otro orden, el de la segunda acción. Con lo que se llega al orden desordenado de la estética barroca.

Veamos ahora la segunda acción. Aparece tres veces en el primer acto, de modo que promete una gran regularidad en cuanto a alternancia con la primera, pues surge siempre por delante de cada una de sus tres escenas mayores (1-172) (445-528) (635-722). Pero luego, en el segundo acto, aflora sólo dos veces, y de manera muy breve, 33 versos (1.103-1.136), y 22 versos (1.449-1.471). En la tercera jornada vuelve a repetirse el número tres, pero de modo poco proporcionado: (1.920-2.027), (2.125-2.160) y (2.290-2.453). Desde luego, el principio de la obra es el planteamiento de la segunda acción: el comendador incita al maestre a la toma de Ciudad Real. Y la vez final en que aparece la segunda acción es el desenlace: el maestre y los villanos perdonados por los reyes. El nudo se diluye en las otras seis secuencias: toma de Ciudad Real por los calatravos (contada); queja de Ciudad Real al rey, donde los regidores le cuentan lo sucedido; aviso al comendador de que Ciudad Real corre peligro; reconquista de Ciudad Real por los reyes (sin presenciar la acción); informe de Flores a los reyes de la muerte del comendador; informe al maestre de la misma muerte.

Su esporádica aparición, su relativa brevedad y su claro aspecto narrativo e informativo, no nos permiten apreciar en esta segunda acción una criatura realmente artística, sino un reportaje, pleno de sentido noticiero. Sólo el primer pasaje —el diálogo entre el maestre y el comendador— tiene cierta atención para con los personajes, y es porque, además del planteamiento de la segunda acción, es el principio del planteamiento de la primera (al presentarnos al comendador) o, al menos, una parte de él. Este pasaje —como señaló López Estrada— inventado por Lope, sirve de gozne entre las dos acciones. El resto no cuida de los personajes, sino que nos da una acción contada, narrada, sin casi dramatizarla, pues expone unos hechos de armas, en sucesivos y deslabazados *sketchs* o secuencias. Sin duda, que estamos ante una acción tendente hacia el teatro épico. [...]
Parece pueril esta pregunta: y los reyes, ¿en qué acción están? Parece fácil contestar: en la segunda. Mas no es del todo exacto.

Los reyes no se mueven de la corte: ni van a Ciudad Real, ni van a Fuente Ovejuna. Esperan que los ciudarrealeños y los de Fuente Ovejuna vayan a ellos. Eso en cuanto al *habitat* dramático. Y en cuanto a la dinámica dramática, los reyes —muy claro queda en los esquemas antes sumados— tanto funcionan en el problema de Ciudad Real como en el de Fuente Ovejuna.

Existen en realidad tres lugares dramáticos y tres tipos de agonistas, que podemos colocar en los vértices de un triángulo isósceles. En el de arriba, situamos al poder real y su corte; en los de abajo: en uno al maestre frente a Ciudad Real, y en el otro al comendador frente a Fuente Ovejuna.

Los reyes se unen al maestre y a Ciudad Real de la siguiente manera: los de Ciudad Real piden ayuda; el rey la manda; el maestre acude a pedir perdón. Los reyes se unen a Fuente Ovejuna, también de tres maneras: Flores pide justicia; los reyes mandan al pesquisidor; los de Fuente Ovejuna acuden a pedir perdón. La obra acaba con dos secuencias paralelas: sucesivamente los reyes perdonan al maestre y a Fuente Ovejuna. Sin embargo —y esto es lo fundamental— la incomunicación entre el comendador y el rey es absoluta. Nunca se ven. El comendador se mueve hacia Ciudad Real —invento de Lope— para unir las dos acciones. Pero nunca hacia el vértice de la justicia, donde están los reyes. El problema de Ciudad Real lo resuelve el rey totalmente: les devuelve a unos la ciudad, perdona al otro. El de Fuente Ovejuna, sólo en un sentido, perdonando a los sublevados, pues nada pueden hacer ya por el comendador cuando saben su muerte. Los de Ciudad Real no resuelven el problema por ellos mismos, aun siendo una ciudad entera con sus múltiples instituciones. Los de Fuente Ovejuna sí, y de espaldas al rey.

Es, pues, importante la dinámica del comendador con respecto a los otros dos núcleos: va a desencadenar el drama de Ciudad Real, pero ningún contacto tiene con la justicia, con los reyes. Está como aislado de ellos. Sin duda, esta composición resulta de la solución ideológica con que Parker resolvió la cuestión: el comendador es un ser antisocial, fuera del sistema.

En resumen, parece exagerado hablar de tres acciones, pero no decir que existen tres núcleos dramáticos, con personajes sometidos a distinta tensión dramática (y que se relacionan entre sí): los reyes, el maestre y Ciudad Real, y el comendador y Fuente Ovejuna.

¿Y los reyes? Claro, están en la historia; pero incluso están más allá del plano histórico. Desde el concepto de la monarquía teocén-

trica, alcanzan un terreno que me atrevo a calificar de *metahistórico*.
En efecto, los reyes están arriba (de ahí la estructura de triángulo
isósceles), por encima de la historia, dependiendo sólo de Dios, siendo
vice-Dios en la tierra, como Lope afirma en otro lugar. Están para
oír, juzgar, premiar y castigar. Están esperando que lleguen los regidores de Ciudad Real para mandar a sus capitanes a recuperarla;
que llegue Flores para mandar un pesquisidor a Fuente Ovejuna;
que lleguen el maestre y el pueblo de Fuente Ovejuna para reconciliarse. No actúan como personajes —compárese con el Sancho de
La estrella de Sevilla—, sino como la función, semidivina, de establecer la justicia.

En nuestro drama están quietos, sin salir de su propio *habitat*
dramático; pero incluso cuando el rey, como en *El caballero de
Olmedo,* va al lugar de los hechos, la función *metahistórica* continúa.
Los hombres intrahistóricos viven su vida, buena o mala; en el primer acto se habla del rey (v. 851); en el segundo se dice dos veces
que va a venir (1.311 y 1.388); más tarde, el rey ya está allí (1.554)
y habla de don Alonso; en el tercero acude a las fiestas de toros,
está al tanto de los hechos trágicos y está presto a castigarlos (2.627).
Es como la barroca advertencia de la fe cristiana: que Dios existe,
que Dios te ve, que Dios premia y castiga al final de la vida, o de
la obra. Más claramente aún se ve esto en *El mejor alcalde, el rey,*
donde en una carta, el monarca advierte: «que los reyes nunca están
lejos para castigar los malos». Al final, el rey llega a casa del tirano
a castigarle, y llega rodeado de un misterio, sin duda de origen
bíblico, pues cuando le preguntan quién es, responde escuetamente:
«Yo». Y vuelven a preguntarle: «¿No tenéis nombre?». Y responde:
«No». Luego libera a un ser intrahistórico de las manos de un
poderoso histórico, desde esa función que me atrevo a llamar *metahistórica.*

Edward M. Wilson

EL LENGUAJE DE *PERIBÁÑEZ*

La escena con la que se inicia la obra hace resaltar la armonía entre el matrimonio de Peribáñez y el mundo natural o sobrenatural. La joven pareja es felicitada por Inés y Constanza. El cura hace notar que tales felicitaciones son superfluas, ya que las bendiciones que él les ha dado en el sacramento incluyen todas las otras (versos 1-13). La observación es en parte seria, en parte jocosa; si el reproche parece un poco pedante, señala por lo menos el hecho de que el matrimonio ha recibido la bendición de Dios a la vez que la aprobación de la villa. Después de algunas consideraciones ligeras sobre los celos entre los amantes (19-25), Peribáñez canta las alabanzas de Casilda (38-85), y Casilda las de Peribáñez en términos semejantes (86-120). Después sigue el canto nupcial (126-165) puesto en boca de los jóvenes. La canción debe poco en su estilo a la poesía folklórica, pero todo su tema es que los amores de la joven pareja están en armonía con el orden natural de las cosas: Los alisos quieren alzar sus copas; los almendros ofrecerán sus frutos; los lirios crecerán y los ganados pacerán en el monte, y las montañas y los bosques permitirán que los arroyos bajen hacia los valles, los ruiseñores cantarán y los pájaros construirán sus nidos; que Dios bendiga a los amantes y que los campos sean fértiles para ellos. Dicho de otra manera: los jóvenes piden a la naturaleza que siga su curso normal para que la vida de los recién casados sea dichosa.

La manera en que los amantes se alaban recíprocamente merece atención. Él la compara a un olivar cargado de frutos, a un prado florido en el mes de mayo, a una camuesa, al dorado aceite de oliva. El vino blanco de cuarenta años es menos perfumado que el aliento de su boca; el mosto de octubre, las lluvias de mayo, el trigo de agosto antes de ser aparvado son menos deseables que Casilda así en verano como en invierno. Finalmente, ya que un labrador, se dice, es rey por la serenidad de su

Edward M. Wilson, «Images et structure dans *Peribáñez*», *Bulletin Hispanique*, LI (1949), pp. 125-159; trad. cast. en J. F. Gatti, ed., *El teatro de Lope de Vega, artículos y estudios*, Eudeba, Buenos Aires, 1967², pp. 50-90 (53-59, 64-65, 83-85).

alma, Casilda es reina; la buena suerte de las mujeres feas —según el refranero— pasará a la bella esposa. Así dos proverbios hacen terminar una serie de imágenes tomadas de la vida rural corriente y vistas en el marco de todos los días. Los detalles son familiares: el aceite de oliva es rubio y dorado en la tinaja. Peribáñez habla como labrador; ve su amor según el aspecto de los frutos comunes con que su vida conyugal estará, por así decir, cercada y en busca de los cuales deberán trabajar. De manera quizás un tanto consciente observa que para el labrador el vino es perfumado como las rosas para los señores. En ninguna otra parte hablará de rosas; observa su condición.

Casilda emplea en su respuesta otra serie de imágenes, pero ofrecen la misma cualidad específica y objetiva. Peribáñez la veía en los frutos de la tierra y del trabajo; ella lo ve en las diversiones y en los adornos de la vida campesina. Él le place más aún que la música con la que está acostumbrada a bailar, más aún que los gritos de los bailadores, más aún que las plantas aromáticas que va a recoger la mañana de San Juan, más aún que un adufe bien templado o un estandarte de procesión. Su amor le sienta mejor que un par de zapatos nuevos; es como un pastel de Pascua, un toro, una camisa nueva en un canastillo dorado, el cirio pascual, el mazapán de los bautizos; en una palabra: nadie se parece sino a sí mismo.

Los dos parlamentos son deliciosos. Imágenes ingenuas, familiares, cada una de ellas está vivificada por detalles específicos. Es la poesía misma de la vida cotidiana. [...] ¡Cómo difieren estos dos parlamentos del lenguaje convencional de la poesía galante del siglo XVII con sus llamas, sus heridas y sus flechas de oro, con el sol, la luna, los cielos, las flores, las joyas, los metales preciosos! Lope atribuye a sus héroes rústicos las metáforas extraídas de los objetos que los rodean, hasta cuando les hace describir el hondo afecto del uno por el otro. [...]

Más tarde, cuando él vuelve de su segunda visita a Toledo habrá aún otra enumeración, esta vez de pequeños regalos que le trae (2.002-2.013). Lope parece haber puesto expresamente tales propósitos en boca de Casilda o bien haberlos asociado con ella. No solamente ella corona la vida del labrador, sino que tiende a mostrar, al parecer, que la vida campesina tiene también sus distracciones y sus lujos, que menciona, dando exactamente su nombre y su descripción precisa. La conversación sobre los vestidos con Inés y Constanza lleva a Casilda a una encantadora descripción de su vida cotidiana con Peribáñez. Consiste en la enumeración de los objetos más corrientes: su trabajo de bordar, la paja y la cebada para

la mula, el guisado con el ajo y la cebolla, los utensilios de la vajilla ...
El pasaje está impregnado del mismo sentimiento lírico de la vida campesina que se abre paso desde las primeras escenas con este mismo hablar rústico.

[Además de las metáforas y comparaciones rústicas, Lope introduce de vez en cuando formas dialectales en los diálogos de Peribáñez y sus compañeros: *Bras* (174, Bartolo), *nueso* (186, Bartolo), *mueso* (251, Bartolo), *la nuestra cofradía* (1.127, Benito), *Helipe* (1.445, Mendo), *mala fuese la tu dicha* (1.615, Casilda), *vuesa* (1.867, Peribáñez), *her* (2.247, Belardo) y *hué* (2.339, Belardo) son dialectales y no simplemente arcaísmos accidentales.]

Después de la escena de las bodas y sus agradables festejos, después del alboroto que se arma con la llegada del toro, Luján y Marín traen a la escena al comendador desvanecido. Todos salen, excepto Casilda, y ella se lamenta al creer el fin prematuro de su señor. Después, él recobra el sentido y le pregunta quién es. Casilda se lo dice. El comendador comienza en seguida a galantearla en el lenguaje vago y convencional del enamorado noble del siglo XVII: «Estuve muerto en el suelo / y como ya lo creí, / cuando los ojos abrí / pensé que estaba en el cielo. / Desengañadme, por Dios; / que es justo pensar que sea / cielo donde un hombre vea / que hay ángeles como vos» (316-323).

Casilda lo toma o aparenta tomarlo al pie de la letra:

CASILDA: Antes por vuestras razones
              podría yo presumir
              que estáis cerca de morir.
COMENDADOR: ¿Cómo?
CASILDA: Porque veis visiones. (324-327)

La galantea de nuevo y ella le cita el refrán que su marido le había dicho: *La ventura de la fea* (341). El comendador se dice para sí que tal mujer no debería pertenecer a un rústico (342-343), y la considera un diamante engastado en plomo (346-347) y después, cuando Peribáñez está presente, manifiesta que ha recobrado la salud por la virtud de una piedra preciosa venida del cielo. La interpretación completamente literal que da Casilda del primer cumplido forma contraste con la manera del galanteador. El lenguaje preciosista del seductor contrasta también con el lenguaje de los dos amantes en la escena anterior. El marido veía en Casilda los frutos de la tierra que cultiva; el galanteador la llama un ángel, un diamante, una joya celeste. De esta manera se diferencian los mundos del cortesano y del labrador.

[Lenguaje y situaciones de *Peribáñez* pueden acarrear un fuerte potencial simbólico. Así cuando] Bartolo aparece y, en un romance, maldice al toro. Los términos de su maldición recuerdan el juramento que el Cid exigió a Alfonso VI en la iglesia de Santa Gadea. La hierba sobre la que pace el toro estará siempre seca, sus rivales triunfarán y lo vencerán siempre, los arroyos le negarán el agua, y no morirá por lanza o espada de oro de un caballero; es la garrocha del vulgo la que le aguarda, el acero mohoso de un lacayo que lo matará por detrás (226-245). Los personajes que están en la escena no saben de qué se trata; tampoco el público. El torrente de maldiciones de Bartolo rompe la atmósfera plácida de las bodas labradoras. [...] La llegada del novillo había interrumpido el canto nupcial y las palabras del cura. Ahora bien —en seguida lo sabemos—, el toro ha estado a punto de matar al comendador y va a ser muerto por un lacayo, no por un caballero. Después encontraremos todavía maldiciones en labios de Peribáñez (389) y una alusión, tal vez intencionada, de Belardo (2.476-2.477). En fin, el incidente da el tema para la última serenata del comendador a Casilda:

> Cogióme a tu puerta el toro,
> linda casada;
> no dijiste: Dios te valga.
> El novillo de tu boda
> a tu puerta me cogió;
> de la vuelta que me dio,
> se rió la villa toda;
> y tú, grave y burladora,
> linda casada;
> no dijiste: Dios te valga.
>
>   (2.718-2.727)

Ahora bien, Peribáñez matará al comendador. El señor morirá a manos de su antiguo vasallo. ¿Es, tal vez, pasarse de raya ver una especie de simbolismo en el toro? Simbolismo complejo, ciertamente. El toro parece representar la agresión violenta del comendador contra la virtud de Casilda y el honor de su marido; el comendador morirá, como el toro, a manos de un labrador. Representa también la fuerza y la mentalidad tan castellana de Peribáñez. La herida del comendador prefigura la suerte que tendrá más tarde. El simbolismo es, pues, contradictorio e implícito. El toro significa, al parecer, la violencia a la vez, de don Fadrique y de

Peribáñez como había significado la violencia en medio de la boda. Peribáñez no busca, en absoluto, la violencia, pero cuando el comendador intenta conseguir sus fines por la fuerza, matarlo es el único medio de hacerlo fracasar. [...]

Peribáñez es una de las más bellas comedias del Siglo de Oro.[1] Su calidad no aparece si se juzga la obra simplemente desde el punto de vista de los caracteres y de algunos pasajes líricos notables. La acción es sencilla, pero la contextura poética es rica. Imágenes e ideas se manifiestan en los labios de los diferentes personajes. El crítico no las apreciará en su justo valor si las examina aisladamente. En la obra, Lope ha puesto en evidencia las actitudes comunes a todos y los sentimientos colectivos más bien que las complexiones mentales puramente individuales. Así vemos que los lugareños se hacen eco del lenguaje de Peribáñez y que la prudencia de Antón, de Mendo y de Llorente reflejan la suya. A lo largo de la obra, Peribáñez hace el aprendizaje de una especie de nobleza desde su cruel experiencia —de manera que hay muchos paralelos entre su actitud y su lenguaje y los del comendador: perplejidad cuando el nombre del otro se pronuncia, alusiones indirectas, imágenes y figuras retóricas. [...]

El orden social es armónico porque se lo siente como un producto de la tierra. Las metáforas de los labradores son concretas, como impregnadas de tierra. Peribáñez describe a Casilda comparándola a los frutos de su trabajo cotidiano. Ella es la corona de su vida de labrador. Su amor forma parte del orden natural de las cosas, así como la fidelidad de los criados y el afecto de los amigos. El sentido de la vida rural idealizada —no el ideal de la bucólica del Renacimiento ni la vuelta a la naturaleza a la manera de Rousseau— se encuentra indudablemente en otras obras de la época; pero aquí está expresada con más fervor, en mi opinión. Que un tal estado idílico no haya existido jamás, poco importa. Es un ideal que podría tal vez realizarse, puesto que tenía en cuenta el duro trabajo manual y los riesgos físicos de las labores campesinas. Este ideal no deja de estar relacionado, en efecto, con ciertas ideas y aspiraciones rurales, de vez en cuando expresadas en las canciones populares, refranes e incluso en las expresiones cotidianas de labradores y gañanes. Lope lo manifestó de manera poética definitivamente.

La imagen del trigal y la del toro se repiten constantemente en

1. [Para otras observaciones sobre *Peribáñez*, véase pp. 272-275, 337-340.]

la obra. El trigal o el trigo candeal extendido sobre la era representa, en parte, a la misma Casilda, en parte, la vida que ella encarna y que corona. El toro es un símbolo más complejo. Interrumpe la paz de la boda, como el comendador había de interrumpir más tarde la paz del hogar. Sus cuernos son la imagen de lo que más teme Peribáñez y contra lo que se ve obligado a ponerse en guardia. El toro debe perecer miserablemente a manos de un lacayo, de un hombre sin importancia, como el comendador, más tarde, a manos de un gañán. Es un mal agüero para el uno y para el otro. Su fuerza es la fuerza de Peribáñez. El toro embistió al comendador a la puerta de Casilda como Peribáñez habría, después, de sorprender al comendador en su propia casa. En realidad, el toro es el símbolo de la violencia, la violencia del comendador y la contraviolencia de Peribáñez. Esta función compleja está hábilmente sugerida, pero nunca directamente expresada. Acrecienta la emoción y la eficacia del drama, aunque la significación cambia cada vez que se menciona el toro.

Amado Alonso

EL HONOR: *EL CASTIGO SIN VENGANZA*

De Menéndez Pelayo es la preciosa observación estilística de que el verdadero problema artístico para Lope consistía en convertir la epopeya en drama, o, como dice Vossler, «en la versión y traslado del relato y la narración al estilo activo y dramático». Esto quiere decir que las llamadas fuentes, los temas ajenos aprovechados, no son nunca el punto de partida (fuente) para la obra, sino el bloque de mármol no más donde el ojo del escultor ve encerrada su estatua. El punto de arranque está siempre en la facultad de visión dramática, en el poder genial de sorprender los resortes internos de los actos de vida, de hacerlos funcionar y de presentar los sucesos ocu-

Amado Alonso, «Lope de Vega y sus fuentes», *Thesaurus*. VIII (1952), pp. 1-24; reimpreso en J. F. Gatti, *El teatro de Lope de Vega, artículos y estudios*, Eudeba, Buenos Aires, 1967², pp. 193-218 (199-206).

rriendo, la vida personal en su concreto realizarse. Lo que hizo Lope de un cuento del Bandello, en *El castigo sin venganza*, es ejemplo bueno.

El Bandello cuenta en su *Novela XLIV*, cómo «El marqués Niccolò III de Este, habiendo hallado a su hijo en adulterio con la madrastra, hizo decapitar a ambos en el mismo día en Ferrara». El marqués había quedado viudo poco después de nacido su único hijo legítimo y, siendo joven y con sus estados en paz, se dio a amar mujeres y de otra cosa no se ocupaba sino de darse placer. Al cabo se vuelve a casar, y lo hace con una «fanciulletta» de quince años, «bella e vezzosa molto». Pero en seguida el marqués vuelve a las andadas y por ir tras lo de fuera abandona lo de casa. Entonces la joven esposa decide «non star le mani a cintola e consumar la sua giovanezza indarno». Y echando los ojos en derredor, eligió entre todos los cortesanos a su propio hijastro, el conde Ugo, bellísimo mancebo de dieciséis años. Una vez decidida la elección, en seguida comienza aquella jovencita Fedra la más tesonera tarea de seducción del desprevenido Hipólito. Insinuaciones, discursos y por fin la acción directa. Las insinuaciones resbalaban sobre el distraído conde; pero bajo la acción directa el pobre muchacho se entregó sin intentar resistirse, repentinamente incendiado. Los amores duraron más de dos años, sin que nadie entrara en sospecha; pero, por fin, el marqués lo supo y aun lo vio. Pocas horas después, estando rodeado el marqués de muchos parientes y amigos, mandó prender a su hijo, echarle duras prisiones y encerrarlo en una torre; a otros manda poner a la marquesa en otra torre. Y entonces el marqués revela a los espantados cortesanos y parientes la razón de estas medidas. A los pecadores les manda frailes que los preparen a morir. El muchacho (dice el Bandello) «amargamente llora su pecado, y se dispone a sufrir la merecida muerte con grandísima contrición, y pasó toda la noche en santos pensamientos y en detestación de su conducta. Y mandó también a pedir perdón a su padre de la injuria hecha contra él». Ella, en cambio, se mantuvo en su ley, furiosa unas veces al saber que también su amante iba a morir, clamando otras por que le dejaran verlo siquiera una vez más. Al tercer día fueron los dos decapitados, él hecho un santo; ella sin admitir confesión ni dar la menor muestra de arrepentimiento, «con el tan grato y amado nombre del conde Hugo en la boca». «Al día siguiente hizo el marqués poner ambos cuerpos, bien lavados y señorialmente vestidos, en el patio del palacio, donde se permitió verlos a toda persona que lo quisiera hasta que vino la tarde, y entonces los hizo poner en San Francisco en una misma sepultura, acompañados con pompa funeral.»

El cuento del Bandello es una de esas narraciones entre desenvueltas y licenciosas, tan características del Renacimiento italiano, con la particularidad de que falta en Matteo Bandello la mirada cómica y de chanza que en otros renacentistas embota las puntas de lo lascivo. La complacencia no humorística en la incestuosa aventura se expresa aquí y allá en repetidos rasgos de estilo, y sobre todo en la escena de la seducción.

De este cuento escabroso hizo Lope de Vega, ya próximo a sus 70 años, una de las más hermosas y tensas tragedias del teatro español, *El castigo sin venganza*. Lope ha utilizado del cuento no sólo las líneas generales sino aspectos apenas insinuados, que él ha desarrollado en gran escala. Y sin embargo ¡qué abismo entre la narración del Bandello y la dramatización de Lope! Por la misma naturaleza dramática de *El castigo sin venganza* es imposible resumirlo como hemos hecho con la novela del Bandello. [...] Lo que podemos hacer, como ilustración representativa de lo que Lope hace con sus fuentes literarias, es analizar dos aspectos capitales: el uno que podríamos llamar la nacionalización de un tema extranjero; el otro, el encadenamiento inexorable, la motivación verdaderamente shakespeareana de los acontecimientos psíquicos y externos que forman esta torturada historia, virtud sólo de las grandes creaciones del teatro universal.

Dentro del juego de ideas vivas y de las normas de convivencia que regían entonces la vida de los españoles, la solución del Bandello no era en manera alguna solución, sino planteamiento de un conflicto.

Los españoles distinguían con entera claridad entre la virtud, cualidad intrínseca del individuo, y la honra, ceremoniosa admisión ajena de esa virtud. No cometamos la torpeza y la petulancia de creernos nosotros seguros en la validez de nuestras ideas sociales, y de pensar que los antiguos vivían simplemente engañados, como si su sistema entero de vida estuviera falseado por convencionales ideas y procedimientos de honra que mantenían a los padres, hermanos y maridos en continuo sobresalto y que de cuando en cuando desencadenaban sombrías catástrofes. En primer lugar, los venideros verán —no nosotros—, si alguna de nuestras ideas sociales básicas, hoy resorte obligatorio de conducta, resulta tan convencional y falsa como nosotros consideramos las de los antiguos. Y en segundo, que la honra no consistía tan sólo en una férrea regulación de las relaciones conyugales o en la atroz responsabilidad del varón por la conducta de la mujer; la honra era un sistema total de conducta social que abarcaba todas las relaciones del individuo con su familia, con sus amigos, con sus iguales, con sus inferiores y con sus superiores sociales, con la nación, con el rey. Era, de un lado, unos canales de carácter puestos al fluir de la personalidad, unos modos de conducta circunstanciadamente fijados por la experiencia colectiva y por la tradición; del otro, la honra era un premio, la honra ceremoniosa y casi de valor ritual que el individuo recibía de la sociedad por ajustar su conducta a estos ideales comunes de comportamiento. La honra era, en fin, la llave maestra del sistema de relaciones recíprocas entre el individuo y la sociedad. La deshonra era la muerte civil. Por eso el público español no podría gustar una comedia en la que personajes nobles, los más exigidos y los más favorecidos por la honra, se condujeran sin atención al código sagrado. No es que el público quedara escandalizado; quedaría incrédulo, lo tomaría por inverosímil.

El público sabía que un hombre podía rebelarse contra la ley de la honra y desacatarla, aunque la rebeldía no soliera pasar de la crítica lamentosa, seguida de sometimiento; lo que el público no concebía era que alguien se condujera sin atención a esos omnipresentes ideales de honra. Y en la venganza del marqués que pinta el Bandello no funcionan los ideales de honra. El marqués, al saber la ofensa, se llena de ira y de pasión exterminadora. Es la venganza personal lo que busca, y para no quedar como un loco sanguinario, da la mayor publicidad al incesto. Esta publicidad era inconcebible, absolutamente inverosímil en un pueblo regido por ideales de honra. Porque así como la honra no consistía en la virtud, ni en el mérito, sino en el acatamiento social recibido en premio a la virtud y al mérito, así tampoco la deshonra consistía en el pecado ni en el agravio, sino en el conocimiento ajeno del agravio y del pecado. Podía el deshonrado por agravio lavar su honra con la muerte del ofensor, pero honra lavada nunca era como honra inmaculada. Dar publicidad al agravio hubiera sido como complacerse en el estado de deshonra, detenerse en él, agrandarlo y agravarlo voluntariamente, lo cual invalidaría la venganza subsiguiente como imperativo y como limpieza de la honra. El mismo Lope se encarga de explicarlo así y justamente en el lugar de la variante: «Quien en público castiga / dos veces su honor infama, / pues después que le ha perdido / por el mundo lo delata». Lope deja el incesto en el secreto, e inspira al marqués una añagaza para que los culpables reciban la merecida muerte: cuando el marqués revela a su mujer que conoce el incesto, la mujer queda anonadada; él entonces la ata, la amordaza y la tapa. Luego llama a su hijo y le dice que en la habitación contigua ha dejado atado un conspirador contra su vida y que lo mate con su propia espada. El muchacho vacila un momento, pero ante la conminación paterna obedece. Al descubrir luego el cuerpo y ver a quién había matado, sale despavorido y gritando y con su espada desenvainada y sangrienta. Entonces el padre le acusa de haberla matado por celos «no más / de porque fue su madrastra / y le dijo que tenía / mejor hijo en sus entrañas / para heredarme. Matadle, / matadle. El duque lo manda». Y allí mismo muere el desdichado.

De una iracunda venganza personal, que era la historia en el cuento del Bandello, Lope ha hecho un castigo expiatorio sin venganza. No nos tentemos a interpretar esta variante del final como un mero pormenor localizado; es el entronque con todo el ideario de la honra y cambia el sentido del drama entero de arriba abajo. Es la nacionalización del drama en su constitución misma, y lleva consigo el trasplantarlo y elevarlo de aquel tono de ameno y licencioso pasatiempo que tenía en el cuento del Bandello al tono de la gran tragedia.

El Bandello pone el cuento original en boca de una nieta del marqués vengador, que lo narra con elegante desenvoltura en una velada cortesana a unas damas y caballeros cuya misión en el mundo era la de procurarse los más refinados placeres del cuerpo y de la cultura intelectual. Lope presenta aquella lastimosa historia en su vivo desarrollo y ante su pueblo congregado en los corrales. Cambia el genio creador, cambia la técnica formadora, cambia el destinatario. Y en toda obra literaria el destinatario es un real colaborador, aun en el caso del más solitario de los Góngoras, aun en el caso de la más aisladora torre de marfil: siempre la potencia creadora del poeta, mientras labora, va buscando el asentimiento de un público con determinado gusto: el público multitudinario, o el manso público medio, o un refinado grupo de minoría o un solo individuo rebelde como él a las convenciones vigentes. Ese destinatario, instalado en las zonas penumbrosas de la conciencia del poeta y sacando a veces la cabeza a la luz, no podrá nunca añadir un átomo de creación a la labor creadora del poeta, pero es como un hito de orientación, hace que el poeta tome una dirección con preferencia a otras, que ahonde en un sentido y resbale sobre otros, que descubra intuiciones y modos de sentimiento que sólo por bucear en esa dirección se le han revelado. Y más cuando el poeta es como Lope de Vega el genio de la comunión con su pueblo.

[Debido a su productiva conformidad con el público], Lope de Vega ha cumplido con el tema italiano una profunda nacionalización, no sólo en el final, donde es evidente, sino en la concepción entera y en la entera realización. Y en este punto es donde se identifica este primer aspecto de la nacionalización del tema con el segundo de la nueva creación poética. El público teatral español sentía tan en serio los casos de la honra que ni por asomo podía un autor pensar en darle este asunto como una historia divertida finalizada en muertes lastimosas. Para el sentido nacional era tragedia no solamente el castigo, sino también el incesto. Y Lope, poseído y dominador de ese sentido, concibe la historia entera como una tragedia, y, en verdad, hace con ella uno de los más perfectos y grandiosos dramas de la literatura universal.

Consideremos las principales variaciones introducidas por Lope a la luz de esta idea. No era posible la tragedia si el incesto se producía por mera liviandad de la joven esposa, y menos si la liviandad era primeriza y provocada por el aburrimiento, y menos si la elección del hijastro como amante se hace por exclusión, después de repasar la lista de los cortesanos como ocurre en el cuento del Bandello. No era posible la tragedia si la caída en el incesto se debía en la joven desatendida a un largo cálculo de «consumar la sua giovanezza indarno» y en el desprevenido mozo al atrapamiento de los sentidos en la sorpresa de unos abrazos y besos lascivos, y menos si el narrador o presentador mostraba complacencia en lo lascivo: eso bien podía terminar en catástrofe, pero en sí no era más que un cuento escabroso. No convenía tampoco a la tragedia que los jóvenes gozaran su pecado durante dos largos años y en la convivencia diaria con el padre y marido. Eso le hacía perder dignidad.

Alonso Zamora Vicente

EL PODER DEL AMOR: LAS DOS HERMANAS DE *LA DAMA BOBA*

A manera de las columnas simétricas de un retablo, las dos hermanas de *La dama boba* se nos aparecen por vez primera en estrecho paralelismo: hablando con sus criadas respectivas. La distribución apareada revela una simetría, un canon oculto de armonía, que queda respetado en sus líneas generales, profundas. De un lado, Nise y su criada, Celia; del otro, Finea y su criada, Clara. La luz se concentra, mirada atenta, sobre las dos mujeres centrales.

Nise surge hablando en términos doctos, exquisitos, sobre materia literaria. La criada le sigue la conversación. Debería resultar extraordinariamente chocante (y aún resulta) esta escena en la que ideas sobre la estructura de la novela de Heliodoro se discuten con la criada, personaje que, forzosamente, no ha de ser entendido en tales extremos referentes a un escritor de la antigüedad helenística. Celia confiesa que ha mirado el libro, pero no ha podido con el aburrimiento. Nise procura aclararle las dificultades. [...] Es verdad que las teorías que Nise expone son las corrientes en su tiempo sobre la leidísima novela de Heliodoro. Pero, aún dentro de su condición de lugar común, no lo serían tanto como para invadir el coloquio familiar entre señora y criada. Existe un evidente desajuste que exagera la desmesura, el ridículo. Nise, a la que tenemos que suponernos gesticulante y pedagoga, continúa en el despeñadero de una inocente pedantería: «Hay dos prosas diferentes: / poética y historial. / La historial, lisa y leal, / cuenta verdades patentes / con frase y términos claros; / la poética es hermosa, / varia, culta, licenciosa, / y escura aun a ingenios raros. / Tiene mil exornaciones / y retóricas figuras». Con una técnica caravaggiesca, la luz se ha derramado sobre Nise, perfilada en movimientos, en gesto, en voz. Presentada así, se produce a los espectadores un evidente deslumbramiento, envuelto en sus propios brillos.

Alonso Zamora Vicente, «Para el entendimiento de *La dama boba*», *Collected studies in honour of Américo Castro's eightieth year*, The Lincombe Lodge Research Library, Boars Hill, Oxford, 1965, pp. 447-459.

Y, súbitamente, Finea, la otra hermana, se nos va a lanzar en las tablas de idéntica forma, si bien de signo contrario, el reverso de la medalla que acabamos de ver. Frente a la luz, la sombra, la tiniebla; frente a la despejada visión de la cultura y de la vida que Nise despliega, nos abruma ahora la torpeza, la incapacidad de Finea por hacer luz en su espíritu. Allí, Nise dictaminaba escolarmente sobre la condición poética de la novela de Heliodoro. Aquí, Finea, inútilmente, pelea para aprender a leer. De «hermosa bestia» califica el dómine a Finea. Ésta no conoce las letras: es víctima de la simple fonética en equívocos grotescos. La deformación se lleva al extremo, hasta a hacer que una letra pueda llamarse *bestia*. No cabe posibilidad alguna de que Finea pudiese caer, en realidad de verdad, en semejantes errores. Es simplemente una cuidada hipérbole, una nueva caída en la desmesura. Las ocasiones en que Finea queda atada al rigor de la letra se prodigan: *ven, van, bestia, letra, padrenuestro*, etcétera, nos recuerdan los innumerables juegos de palabras de la literatura contemporánea. Estamos ante un recurso literario, que desempeña, concienzudamente, el encargo de destacar a Finea en su lobreguez mental. Las escondidas apariciones de Nise, al paño, en apartes fugaces, son rápidos rayos de luz derivando, entrecruzándose, en cálidas trayectorias de caleidoscopio, como los reflejos de un retablo, en perpetuo escorzo llameante.

Paso a paso, esta técnica se mantiene voluntariosamente [y], toda la comedia se crece dentro de una tensa voluntad de estilo. Para demostrarlo, observemos el comportamiento, el ademán de cada hermana, su léxico, e incluso el clima que a manera de vigilante aureola, las envuelve. Hagamos, siquiera sea ligeramente, una expedición por esos elementos.

Una, Nise, es de «ingenio gallardo» y «sibila española»; por ella, «las Gracias / son cuatro y las Musas diez». Su «rara discreción» es imposible de alabar. Donde ella está hace presencia la universidad. Finalmente, el adjetivo *divina* se prodiga como natural encomio. En oposición bien definida, oímos aplicar a Finea algo bastante lejano de lo que hemos oído para ensalzar a Nise: Finea es una «linda bestia»; «hermosa bestia»; es una *mula*, al decir de los criados; no solamente no es una Musa más, una Gracia más, sino que es incapaz de entender nada en su sentido más elevado: *espíritu*, en el valor de 'hálito vital', es para ella, esclava de lo primerizo e inmediato, 'alma en pena'. Ni siquiera tiene los alcances suficientes para percibir el significado 'apetencia de hermosura', que el galán da al amor. Esa apetencia es para ella algo de pequeñas realidades concretas: «cosas lindas».

El primer diálogo entre las posibles parejas es también un acorde excelente a esta línea melódica. Nise dice a su amado, reprochándole el haberse presentado acompañado: «— (*Ap.*) ¿Cómo va de voluntad? / —Como quien la tiene en ti. / —Yo te la pago muy bien. / No traigas contigo quien / me eclipse el hablarte ansí». Ese *eclipsar* es todo un torrente de remilgada gazmoñería, de afectación (y de afectación culta, sobre todo). Melindre, exageración que el amor disculpa, sí, pero que lleva al idioma, por exceso, a zonas linderas con el ridículo. Inmediatamente, la sabiduría sobre las pequeñas trampas del amor (sentimiento que Finea no sabe hacia dónde colocar) se ejercitan fingiendo una caída, lo que da lugar para un fugaz, estremecedor y conturbado roce, a la vez que fácil pretexto para darse una cartita. Mano y papel establecen un inicial contacto, hábilmente llevado y desenvuelto.

Demos la vuelta a la moneda. Finea va a encontrarse con Liseo. El amable movimiento de la conversación entre Nise y Laurencio se convierte aquí en agria caricatura burlesca, con tonos desolados, a caballo entre la insensatez y el insulto. Hemos de suponernos a Finea haciendo extremos de pasmo al ver que su presunto marido tiene piernas y pies. Ella, ante un retrato de busto, pensaba que el retratado sería un hombre sin extremidades. La vemos (y oímos el carcajeo del auditorio) gritarle que es ella su esposa, y hacerlo, además, con cierto arrebato: «—¿Quién de las dos es mi esposa? / —¡Yo! ¿No lo ve?». Instantes después, le llamará *necio* y le reprochará no haber pedido el macho de la noria para llegar antes. Las aristas del contraste se afilan si comparamos el fingido tropiezo entre Nise y Laurencio, para darse un papel, con el de esta otra pareja. Liseo es obsequiado con una caja de dulce casero y un vaso de agua, como refrigerio al recién llegado. Su futura mujer se excede en cariñosa solicitud: «—Él bebe como una mula». Y muy decidida acude a limpiarle. Y hemos de suponer que este primer mimo de la novia se hace con una brutalidad tremenda, muy llamativa, puesto que Liseo se ve obligado a reconocer, quejándose: «¡Media barba me ha quitado! / ¡Lindamente me enamora!». La necedad, la ruta hacia el disparate está ya iniciada y no se le ve el fin. Tan grotescamente se prosigue que nadie puede tomar en serio ya las enormidades de Finea, dichas incluso delante de su padre, celoso vigilante del honor familiar. Cuando éste dice que dispongan el aposento del recién llegado pretendiente, Finea interviene: «Mi cama pienso que sobra / para los dos». [...]

En el segundo acto, la pertinaz lucha de contrarios continúa mantenida. La escena segunda (y la tercera) nos muestra nuevamente a Nise dialogando con sus admiradores en derretido preciosismo, [frente al cual Finea sigue ciega a toda razón y a todo primor de la convivencia, antes con una manifiesta propensión a lo plebeyo. Un regusto de fiesta aldeana se percibe en el anhelo de Finea, cuando pide «un tamboril» o se dice «aficionada al cascabel»,] como si su horizonte hubiera sido exclusivamente el de la calle o el de la fiesta rústica, o la charla con las criadas. Nunca los libros, los sonetos, los problemas astrológicos, como le ocurre a Nise. Si pensamos con cuánta galanura se añudan en el acto III las más arcaicas manifestaciones de poesía popular, tradicional (el estribillo *Deja las avellanicas, moro*, o el *Viene de Panamá*), y la superchería de una recreación neopopularista (*Amor, cansado de ver*), prodigiosamente bailadas todas por Finea, vemos lo que el contraste primerizo encierra de escalón meditado y forzoso en la superación lenta de la boba, y cómo Lope, simbólicamente, nos está diciendo que en la entrelazada vitalidad de ambos sistemas está el máximo acierto.

El segundo acto se nos ofrece particularmente atractivo al darnos en graciosa mezcolanza el torpe razonar de Finea con la zozobra de su despertar espiritual, abrumada por el amor. La escena 15 es típica de este delgado evolucionar. Los grotescos ademanes reclamando que le quite los ojos de encima con un pañuelo, suplicando que no vuelva a pasar por su pensamiento y, finalmente, el jocoso abrazo para desabrazarse del anterior, todo, en fin, se resuelve en gozosa confusión, dentro de la que va naciendo, asombrado y cobarde, el tormento de los celos: «que a sentir penas comienzo». El contraste ha comenzado a adelgazarse; ya no se trata de las gruesas tintas del principio, sino que una sombra de ternura le da una dimensión distinta, que nos hace enmudecer, ir poniendo un dique a la risa. Un paso más y Finea, ya sola, dirá, por vez primera en la comedia, algo rotundo y de signo nuevo: «Ella se le lleva, en fin. / ¿Qué es esto, que me da pena / de que se vaya con él? / Estoy por irme tras él. / ¿Qué es esto que me enajena / de mi propia libertad? / No me hallo sin Laurencio. / Mi padre es éste; silencio. / Callad, lengua; ojos, hablad». Hay a continuación recaídas, vacilaciones. Lope sabe dosificar el temblor de este nacer a la vida. Pero al levantarse el telón en el acto III ya no nos puede quedar duda. Finea misma se encarga de eliminarlas, en unas décimas bellísimas. En ellas, Finea nos explica el proceso de su transformación, desarrollado en un par de meses. Es ella ahora la que siente vibrar su alma, aleccionada por el amor. Es ella ahora la que puede decir en serio lo que antes se decía ridículamente: «la razón divina y santa / estaba eclipsada en mí». Reúne en su monólogo, con una encendida vergüenza, todo lo que atrás ha venido sucediendo. Recuerda cómo era una planta, una bestia, y cómo dispone ahora de condiciones para recibir un *grado* sin haber asistido a universidad alguna. Admirable derivación de sentimientos, de gozo y de lógica, la de estas décimas. Pero aún no está acabado el cambio. El retorcimiento de las columnas barrocas nos lleva a la cúspide, a la cima de un frontón curvilíneo, donde todas las líneas se juntan. En este caso es en el regreso voluntario de la lista Finea a su pasado estúpido y a su locura. Ella misma lleva el contraste dentro de sí, añudado, inesquivable. Pero esta vez manejado ya con arte, con sabiduría y acierto: «—Pues, ¿sabrás fingirte boba? / —Sí, que lo fui mucho tiempo / y el lugar donde se nace / saben andarle los ciegos». De ahí la escena 11, que vuelve a desencadenar la risa. Pero ya es una risa contenida, meditada. No es la carcajada grotesca de los inicios. Hay algo diferente en las ocurrencias de Finea. [...]

En este cambiar íntimo de la boba nos encontramos con la creencia de Lope en los valores esenciales, fundamentales, de la Naturaleza sobre el Arte, que tan magistralmente fueron observados y analizados por Menéndez Pidal. El Arte sería aquí toda la formación erudita, libresca, de Nise; la Naturaleza, el «natural amor», esta vez enredado estrechamente con el añejo supuesto literario del amor educador, padre de la música, de la pintura, de la poesía. *La dama boba* es, además, un excelente ejemplo de cómo la literatura invade todo, sin dejar aislado o dominante ese «natural». El propio Menéndez Pidal ha dicho ya que la comedia «natural no implica renuncia a una abundante literatización, sino que ésta ha de surgir de las condiciones naturales de la vida misma».

Robert D. F. Pring-Mill, R. O. Jones y Victor Dixon

EL PERRO DEL HORTELANO:
BURLAS, VERAS Y VERSOS

1. La actitud de Lope respecto a la caracterización de los personajes, con su explotación de la psicología en beneficio de la intriga, se advierte con toda claridad en *El perro del hortelano*. Tal vez sea más evidente precisamente donde podía parecer menos probable, dado que la intriga parte de un postulado psicológico.

La protagonista, Diana, es una joven de condición noble que se enamora de su secretario, Teodoro, pero su sentido del honor le impide admitir su enamoramiento, ni siquiera ante sí misma, excepto cuando se siente celosa. Cuando le ve cortejando a su antigua prometida, Marcela, no consigue dominarse y manifiesta su amor, pero éste se convierte una vez más en desdén tan pronto como él corresponde a esa insinuación de cortejo. De ahí el título, *El perro del hortelano*, que procede de una expresión popular, «el perro del hortelano ni come las berzas ni las deja comer». La comedia describe el creciente amor de Diana y concluye con un engaño que atribuye a Teodoro un origen noble: la protagonista sabe que tal nobleza es ficticia, pero el engaño le permite casarse con él sin menoscabo de su honor (en el sentido de 'reputación').

El conflicto entre el amor de Diana y su sentido del deber respecto a su posición social hubiera podido dar pie a un análisis verdaderamente profundo de su personalidad, pero, aunque Lope prestó mucha atención a su desarrollo —y lo retrató con una honda intuición de la psicología femenina—, no deja de verse claramente que su interés primordial como dramaturgo estribaba en dar el mayor número posible de cambios de dirección sorprendentes a la línea argumental, valiéndose de esas mudanzas de talante.

I. Robert D. F. Pring-Mill, «Introduction» a *Lope de Vega, five plays*, trad. de Jill Booty, Nueva York, 1961, pp. XXVI-XXVIII.
II. R. O. Jones, «*El perro del hortelano* y la visión de Lope», *Filología*, X (1964), pp. 135-142 (135-141).
III. Victor Dixon, ed., Lope de Vega, *El perro del hortelano*, Tamesis Texts Ltd., 1981, pp. 56-59.

La acción principal se complica con diversas intrigas secundarias. Tenemos en primer lugar a dos nobles pretendientes, Ricardo y Federico —que son dos para que puedan comentar entre sí lo que está pasando—; pero ambos no se limitan a comentar el creciente enamoramiento de Diana, sino que también intervienen activamente en la acción tramando el asesinato de Teodoro. A su mismo plano social pertenece el conde Ludovico, a quien se engaña haciendo creer que Teodoro es un hijo suyo que perdió hace ya mucho tiempo. Luego hay una multitud de criados y lacayos, que representan el mundo de Teodoro, y uno de ellos, Fabio, va convirtiéndose gradualmente en la pareja más adecuada para Marcela, cuando Teodoro acaba casándose con Diana. E interviniendo en todo ese nudo de intrigas, está el personaje de Tristán, el «gracioso» criado de Teodoro, quizás el mejor de todos los graciosos de Lope y verdaderamente digno de compararse con Fígaro. Tristán no sólo representa el papel de confidente de Teodoro, sino que por otra parte, simulando ser un matón a sueldo, consigue que Ricardo y Federico le confíen la misión de asesinar a su propio amo, y finalmente resuelve todo el conflicto proporcionando a Teodoro un padre noble, ahora encarnando de un modo mucho más bufo a un mercader griego para convencer de su falsa historia al conde Ludovico. Como E. Kohler ha dicho muy bien, Tristán es un auténtico pícaro español, y del pícaro tiene no sólo la viveza de ingenio en las situaciones apuradas, sino también un toque genuinamente humorístico en la improvisación.

No obstante, Kohler no acertó a ver la deliciosa ironía del desenlace al comentar que la «solución» propuesta no es más que un recurso del que se vale el autor para resolver un dilema insoluble, utilizando la tradicional anagnórisis (o reconocimiento) con una leve variante: el hecho de que es falsa. Pero sin duda lo esencial de la cuestión estriba en que sea falsa. De una parte hay la ironía de una estupenda parodia del clásico final feliz (que tiene su mejor momento en la escena en que Ludovico «reconoce» a su «hijo»); y por otra parte, el uso de una solución trucada ilumina el comentario de Lope sobre el tema del honor. Todo estriba en que el honor, en el sentido de reputación, queda a salvo con un engaño, y puesto que semejante concepción del honor puede salvarse por medio de un fraude, ese concepto del honor es algo en sí mismo hueco. El honor de Diana (en la otra acepción del término) no se ve amenazado en ningún momento, ni sufre el menor menoscabo por la solución que se adopta: su amor era natural y llega a convertirse en una sincera pasión (a la cual sin embargo nunca se le permite que se imponga a la razón).

Ya que en ningún sentido resulta moralmente «deshonroso» amar a alguien que está por encima o por debajo de la propia situación social, lo único que debe salvaguardarse es la apariencia externa de la sociedad. La solución adoptada «salva las apariencias» y ofrece un comentario ingeniosamente ambiguo sobre el hecho de en qué medida tales «apariencias» tienen algún valor.

11. ¿En qué consistía la gracia de las piezas cómicas del tipo más frívolo para el público de entonces? ¿Cuáles eran los sentimientos a los que se dirigían? ¿Se consideraban como diversión pura, o como una mezcla de deleite y provecho? [Considérese, por ejemplo,] un aspecto ideológico de la literatura del siglo XVII. Según las ideas recibidas de la época, en la sociedad ideal existía una jerarquía armoniosa y estable que reflejaba la jerarquía mayor del universo, regido por Dios. La misma armonía regía los elementos del universo y a los hombres que constituían la sociedad humana. En ambos sistemas, el usurpar el lugar que correspondía a otro producía el desorden: he aquí uno de los grandes lugares comunes de la época. El teatro cómico comparte este esquema ideológico con las obras más serias de la época. Esto no quiere decir que siempre apoye o exprese de manera explícita esas creencias. En ocasiones el dramaturgo violenta o subvierte deliberadamente las opiniones recibidas para conseguir un efecto cómico, pues tal subversión tendría el mismo efecto liberador que todo festival o espectáculo carnavalesco, de acuerdo con la frase que Eugenio Asensio ha aplicado al entremés: «vacaciones morales». En general, en el teatro cómico, es evidente que el autor y su público aceptan la moral ortodoxa sin cuestionarla: si no fuera así, no haría efecto alguno el acto de subversión, y por tanto carecería de gracia. Las creencias fundamentales y las convenciones sociales no se ponen en tela de juicio. Se acepta y se respeta, por ejemplo, el código del honor y en general también la jerarquía social: lo cual equivale a decir que no estamos ante un arte revolucionario. Por eso mismo, el teatro cómico es un juego de situaciones, no de ideas, cuyos ingredientes básicos son la confusión y el malentendido.

Una característica que llama la atención en estas obras es el papel muy activo de la mujer. [El ver tomar la iniciativa a la mujer era gracioso precisamente porque era irreal.] El efecto cómico radica en la violencia temporal que se le hace a esa normalidad cuando vemos cuánto trastorno puede causar al mundo del hombre una joven astuta y voluntariosa. [Se aumentaba este efecto por el hecho de que la mujer salía muchas veces disfrazada de hombre.]

Tenemos un buen ejemplo de este tipo de comedia en *Santiago el Verde* de Lope (1615). En esta obra la protagonista, Celia, se porta con falta casi total de escrúpulo. Le quita a su amiga Teodora el galán que ésta ama y rechaza al hombre escogido para ella por su hermano. Por su incesante mentir crea para sí y para don García, el galán que la atrae, un mar de complicaciones en el que casi se ahogan ambos. Todo se resuelve felizmente al fin, sin embargo. La obra —una de las más deliciosas de Lope— demuestra muy bien las posibilidades cómicas del desorden creado por el carácter femenino tal como lo vemos representado en el teatro cómico del Siglo de Oro, según cuyas convenciones la mujer es mentirosa, egoísta, desconsiderada, mudable, liviana y traidora. Las virtudes del hombre —es decir, una preocupación seria y constante por la honra, la veracidad, la lealtad hacia el amigo— se ven amenazadas y subvertidas constantemente por las mujeres, pero precisamente son las mujeres las que siempre salen triunfantes: aquí no cabe hablar de justicia poética. Se podría decir que en el teatro cómico en general lo masculino significa el orden, lo femenino el desorden. Los hombres que causan el enredo en las comedias de Alarcón son hombres que tienen las faltas convencionales de la mujer: en *La verdad sospechosa* se trata de un mentiroso, en *Las paredes oyen* de un difamador. Lo mismo podríamos decir de *El lindo don Diego* de Moreto. [...] El ejemplo mejor conocido de esta clase de obra es sin duda *Don Gil de las calzas verdes* (1615). Aquí, el pobre don Martín queda cada vez más perplejo al encontrarse cada vez más perdido en el laberinto de confusiones que crea doña Juana alrededor de él. Desde luego, el comportamiento de Juana está muy justificado: su fin es obligar a don Martín a que cumpla su palabra de casarse con ella. Sin embargo, que una chica vestida de hombre enamore a otras dos jóvenes, que casi se vea implicada en un duelo, que robe la letra de cambio de Martín, etc.: todo esto constituye un espectáculo poco menos que anárquico.

Estas obras son, en efecto, una forma de licencia anárquica [y con ellas cuadra perfectamente *El perro del hortelano*.] El conflicto entre el amor y el honor en Diana es doloroso, y aquí Lope maneja un problema auténtico. Pero su actitud no es nada clara. Por ejemplo, ¿cuál es la posición que quiere que adoptemos frente a los personajes principales? Diana es comprensible: se trata de un ejemplo más de la clase de protagonista que venimos estudiando, pues encarna la iniciativa irresponsable común a todas las mujeres del teatro cómico. El poco simpático Teodoro es un caso más difícil pues existe el peligro de adoptar un punto de vista demasiado moderno. Pero aun según las normas del siglo XVII Teodoro parecería escasamente digno de admiración al jugar con Marcela de manera tan poco caballeresca y comportarse en forma tan mudable como las mujeres. Él mismo lo dice [y lo repite el lacayo Tristán]: «Una mudanzita: / que a las mugeres imita / Teodoro». Mientras Diana muestra la iniciativa de un hombre, Teodoro revela cierto carácter femenino. En esta inversión consiste parte del efecto cómico de la obra.

Yo no veo en la obra una protesta contra las estratificaciones sociales. Más bien, Lope juega con las posibilidades dramáticas creadas por esas estratificaciones, como hace Tirso en *El vergonzoso en palacio*, que tiene un tema análogo. Evidentemente el dilema era interesante para el público del siglo XVII. Pero si el tema de *El perro del hortelano* no es la victoria del amor verdadero sobre las vanas convenciones sociales, ¿de qué trata entonces? De nada que se pueda reducir a una simple moraleja o aforismo. La gracia deriva de la violación de la normalidad cotidiana. Una condesa se enamora de su secretario; pero hasta su amor se niega a seguir el orden natural pues nace de los celos; Teodoro, el galán, se muestra tan mudable como cualquier mujer; Tristán resuelve una situación aparentemente insoluble mediante una mentira tan peligrosa como ingeniosa. Con cada situación, la trama se vuelve más fantástica.

III. Los sonetos son el rasgo más característico de la versificación de *El perro del hortelano*: [la obra contiene nueve de ellos]. El segundo y el tercero son meditaciones sobre la relación existente entre la envidia, los celos y el amor; pero aunque en apariencia sean análisis de los sentimientos de una persona ficticia, en realidad son declaraciones de amor encubiertas, y respuestas no menos encubiertas, y en cuanto tales forman parte del desarrollo de la intriga. Los demás, como ocurre con tanta frecuencia en Lope, son soliloquios, y por lo tanto su empleo es antinaturalista y «adramático», pero de un modo deliberado. Con este artificio de autorreflexión, estancan por un momento el turbulento caudal en que consiste toda la comedia, permitiendo que un personaje se detenga a pensar con lucidez (o intente hacerlo) sobre la situación de sus sentimientos y decida la respuesta que debe dar; pero al mismo tiempo permite al autor, que nos habla por medio del personaje, elaborar las ideas, las consecuencias generales que se desprenden de la intriga. De este modo, estos dos sonetos de *El perro* resumen la acción y ordenan sus temas; por lo que se refiere a la cuestión de que todo es amor, o, para decirlo de un modo más concreto, aquellos aspectos del amor de los que se ocupa principalmente la obra: su exacerbación por otras emociones, su inhibición por las coacciones sociales y su posibilidad de ser «curado».

Pero veamos la manera cómo, a medida que avanza la obra, Lope utiliza musicalmente ésta y otras formas poéticas.

La primera parte o «movimiento» (1-338) se divide en tres secciones. A la vivacidad del arranque corresponden las redondillas, un metro ágil y rápido que siempre fue el favorito de Lope para los comienzos de acto (1-240: ¿*Allegro agitato?*); cuando Diana, después de identificar al intruso, se serena (239) y se propone que Marcela le hable de sí misma, Lope pasa al metro narrativo, el romance (241-324; ¿*Allegretto?*); pero cuando Diana queda a solas, su autoanálisis adopta la forma de un soneto (325-338; *Arioso*). Vuelven las redondillas para el chispeante diálogo de la escena siguiente (339-550), hasta que se lee una «carta» en forma de soneto (551-564), que será comentada en romance (565-688). La entrada del arrogante marqués origina un cambio a las octavas, que en esta época era el metro arquetípico de la epopeya o de la poesía mitológica (689-752). Cuando sale, volvemos a las redondillas (753-890), excepto para la segunda «carta» (otro soneto, 757-770). Seguimos con las redondillas, quizá para mantener un tono emotivo, ya que un soneto resultaría demasiado corto y estático, en el soliloquio de Teodoro; pero la aparición de Marcela, que da lugar a una escena romántica, obliga a pasar a las décimas, que sugieren un clima más apasionado (891-970). Sin embargo, Diana las interrumpe con un romance más fluido (971-1.172), y el romance, como casi siempre ocurría en esta época, sirve para cerrar el acto, aunque antes del final uno de los protagonistas recita un soneto-soliloquio (1.173-1.186).

En el acto segundo, después de las redondillas iniciales (1.187-1.266), la escena en que Diana sale de la iglesia se expresa en unos majestuosos sueltos (1.267-1.277), y la intensa emoción de Teodoro al pensar en su nuevo amor se confía a unas décimas (1.278-1.327). La llegada de Tristán vuelve a poner la acción en movimiento en redondillas (1.328-1.655), que sólo se interrumpen momentáneamente con una canción entonada desde fuera de la escena en sueltos rimados (1.644-1.647), pero pasamos al romance cuando Teodoro aparece para dar instrucciones (1.656-1.723). La breve y tensa escena en la que da a Fabio un mensaje para el marqués está en el metro del marqués, las octavas (1.724-1.739), pero la reaparición de Tristán, quien se entera de la nueva situación, nos hace volver al romance (1.740-1.793). Cuando entra Marcela sin reparar en su presencia, se nos ofrece un soneto (1.794-1.807), al que sigue el único pasaje de toda la obra en quintillas (1.808-1.987), que corresponde a la riña de los enamorados y a su reconciliación. Sin embargo, esta escena de amor, al igual que en el acto primero, es interrumpida por Diana con un romance (1.988-2.071). La entrada de Ricardo, también como en el acto primero, se aísla en las octavas que son su metro característico (2.072-2.119). Tras ello, Diana recita un soneto-soliloquio (2.120-2.133), y Lope se orienta de nuevo hacia el romance, para terminar como de costumbre los actos (2.134-2.359). Pero el romance se interrumpe también con un nuevo soneto-soliloquio (2.246-2.259), aunque una vez terminado continúa con la misma asonancia de antes.

También el acto tercero se inicia —a pesar de que los que toman la palabra, como en el acto segundo, sean nobles— en redondillas (2.360-2.415). Esta vez la jactancia de Tristán pide endecasílabos (2.416-2.561); pero al entrar Teodoro, éstos se convierten, sin que sepamos por qué, en cinco estrofas de octavas, metro reservado hasta ahora para el marqués (2.509-2.548). Teodoro, una vez solo, recita un soliloquio (2.562-2.575), seguido por redondillas en las crispadas escenas que hay entre él y Marcela, y Diana y Marcela (2.576-2.715), y a continuación hay otro soliloquio a cargo de esta última (2.716-2.729). La nueva escena en casa de Ludovico se abre con redondillas (2.730-2.761); pero tan pronto como se inicia una narración, como casi siempre en la comedia, aparece en romance (2.762-2.921). No obstante, para la escena de los pretendientes nobles —con un carácter más bufoheroico a cargo de Tristán— Lope vuelve a las octavas (2.922-2.985). Los reproches que Marcela hace a Teodoro serán en décimas (2.986-3.025), pero reaparecen las redondillas (3.026-3.073) en el emotivo diálogo de éste con Diana. La efusiva intervención de Ludovico se expresa toda en endecasílabos (3.074-3.138), usando las redondillas para las sobreexcitadas reacciones de todos los presentes (3.139-3.198), aunque los nobles y Tristán, como antes, usen los sueltos (3.199-3.231). La rápida conjura entre Tristán y Teodoro es en redondillas (3.232-3.263); y en la entrada final de Diana, y para rematar la obra, Lope vuelve una vez más al romance (3.264-3.383).

Siempre es importante tratar de analizar una comedia desde este punto de vista, o al menos ser tan conscientes como debían de serlo los contemporáneos del autor acerca de los cambios de la versificación. Casi siempre podemos dar una explicación de por qué en un momento dado Lope cambia de forma métrica. Ello nos permite comprender la obra un poco mejor. Pero aún es más importante recordar que nuestro texto es un guión —o, para seguir con la analogía musical, una partitura—, que sólo alcanza toda su plenitud en la representación, y por lo tanto nunca hay que perder de vista la puesta en escena para la que se concebía la obra, el tipo de teatro en el que iba a representarse. [La parquedad escenográfica del corral de comedias] tenía las enormes ventajas de la flexibilidad y de la fluidez, así como la de exigir a los espectadores que prestaran atención a los actores y al texto, usando su ingenio y su imaginación. Siempre que el escenario queda vacío, sabemos que termina un «cuadro», la única unidad de construcción, aparte de las formas métricas, que hay en la comedia, y que se nos anuncia un cambio de lugar y de tiempo; la naturaleza de este cambio siempre va a explicarse por los versos puestos en boca de los personajes o por su indumentaria.

4. GÓNGORA

AURORA EGIDO

Góngora nace a la poesía en pleno apogeo de los metros y temas de la poesía italiana y de los propios de la tradición autóctona. El incremento de la poesía religiosa y de la épica de corte nacionalista, así como el florecimiento del romancero nuevo [HCLE, II, 8], son los rasgos más destacables del ambiente que rodea a los poetas de su generación: Lope, los Argensola, Valdivielso y Ledesma. Góngora participó ampliamente de la herencia de Herrera, Ercilla y Aldana, y dividió los gustos en la generación siguiente a la suya, la de Quevedo, su enemigo como Jáuregui, frente a todos los seguidores que formaron escuela a lo largo y ancho de la geografía peninsular, Portugal incluido. Su vida (Córdoba, 1561-1627) contó tempranamente con una semblanza de José Pellicer (anterior a 1630), pero hay que esperar a la biografía de Artigas [1925] y a las aportaciones documentales de Dámaso Alonso y Galvarriato, entre otras, para una visión más ajustada y completa. Su poesía, lejana casi siempre del autobiografismo, apenas deja entrever rasgos personales, salvo las consabidas alusiones a viajes, problemas económicos, deudas de amistad, referencias históricas y vagas confesiones amorosas. De familia noble, con sombras acusadoras de conversos, recibió una educación esmerada en su casa paterna que luego amplió en su estancia en Salamanca (1576-1581), donde cursó estudios de Cánones, aunque no logró título alguno. Abocado a la vida eclesiástica para disfrutar prebendas heredadas, fue racionero de la catedral cordobesa, de cuyo claustro recibió cargos de responsabilidad y encomiendas que le permitieron viajar a Madrid, Valladolid, Cuenca y otras ciudades españolas. En Córdoba, escribe la mayor parte de sus obras serias y festivas y vive al amparo de unas rentas que van menguando por la generosidad en sus gastos y las ayudas a sus familiares. De esos años son sus intentos vanos de medrar al lado del marqués de Ayamonte y del duque de Lemos. De temperamento nervioso e inestable, gustó de una vida relajada, con discutidos «pecadillos» amorosos (Dámaso Alonso

[1964, en 1982]), pero supo buscar, sin embargo, la soledad creadora en los años de sus poemas mayores. Su primera composición fechada es de 1580; ve publicado su primer soneto en 1584, en *La Austriada* de Juan Rufo, y otros poemas en la *Flor de varios romances nuevos* (Huesca, 1589) de Pedro de Moncayo, en las *Flores de poetas ilustres* (1605) de Pedro de Espinosa, y en la Segunda parte del *Romancero general* (1600). Cultiva los temas religiosos, cortesanos, elegíacos, burlescos, en las vertientes popular y culta, sin que falten poemas de ocasión para justas literarias. En 1610, escribe una canción *A la toma de Larache*, importante hito en la evolución alcanzada más tarde con el *Polifemo* (1612-1613) y las *Soledades* (1613-1614 aprox.). En 1617, va a Madrid (Entrambasaguas [1961]), donde sufrirá continuos sinsabores que marcan desengañados sonetos sobre la vanidad cortesana. Gana una capellanía de Palacio, es ordenado sacerdote y cifra inútilmente sus esperanzas en una chantría en Córdoba y en un hábito para uno de sus sobrinos. Apuntala sus aspiraciones en el duque de Lerma —a quien dedica un ambicioso *Panegírico* en 1617— y en don Rodrigo Calderón. Pero ni éstos ni el conde-duque de Olivares le sirvieron de mucho. El trato de los grandes y sus relaciones académicas contrastan con la vulgar realidad del desahuciado económico que ofrecen sus cartas. Pierde casa y comida y, enfermo y peregrino, con la memoria menguada, regresa a Córdoba en 1626. En un testamento, lleno de débitos, cedía la ración catedralicia a su sobrino don Luis de Saavedra. Muere en 1627, algo más arropado que antes por los auxilios familiares.

Amigo de Paravicino, Villamediana y Pedro de Valencia, mantuvo polémicas relaciones con Lope (Orozco [1973]) y con Quevedo y se convirtió pronto en el centro de una batalla literaria surgida en torno al *Polifemo* y las *Soledades* (sobre ella, salvado el prólogo, es muy útil la antología de Martínez Arancón [1978]). Pronto surgieron partidarios —el abad de Rute, Díaz de Rivas, Salcedo, Pellicer, Salazar Mardones, Angulo y Pulgar— y detractores, como Jáuregui. Su poesía se discutió en vida como la de un poeta clásico y, para entenderla, es indispensable acudir a los torneos interpretativos de los comentaristas (Reyes [1925]); aunque una buena parte de sus textos siguen inéditos, pueden consultarse, entre otros, los estudios y ediciones de Artigas [1925], Gates [1960 *a*], Smith [1962 *a* y *b*], Orozco [1969] y Dámaso Alonso [1978, 1982]. La revolución poética de Góngora afectó no sólo a la poesía, sino a la predicación, la prosa académica, el teatro y el habla cultiniparla de la calle, extendiéndose hasta bien avanzado el siglo XVIII. Pero la estrella de Góngora declinó con la crítica neoclásica y hay que esperar a la generación de 1927 que, al abrigo de su centenario, cristaliza en la visión de un Góngora paradigmático de la poesía pura, reclamado anteriormente por simbolistas y modernistas y por la generación de Juan Ramón Jiménez y Pérez de Ayala —en torno a la revista *Helios* (1903-1904)— que acompasó la empresa de los investigadores y editores de don Luis: L. P. Thomas, Foulché-Delbosc y Alfonso Reyes, fundamentalmente. De todos es conocida la influencia que ejerció sobre la poesía de esa generación (Dehenin [1962]) en la que encontró además excelentes críticos: Lorca, Salinas, Gerardo Diego, Jorge Guillén y, sobre todo, Dámaso Alonso a cuya sombra le han seguido otras generaciones (Dámaso Alonso [1955, en 1978]) posteriores, como la de los novísimos, y un largo etcétera de prosistas y poetas latinoamericanos, como Borges y Lezama Lima. Las secuelas críticas del veintisiete han sido cuestionadas, entre otros, por Paiewonsky [1966]. Y aún hoy la poesía del cordobés se presta a encendidas controversias (cf. los comentarios de Jammes [1978 a] al homenaje a Góngora de la revista *Europe*, 1977).

Sabemos que Góngora quiso editar su obra a instancias del condeduque en 1623, pero murió sin verla publicada, excepción hecha del teatro. Sólo algunos poemas quedaron impresos en libros de justas, romanceros, florilegios o dedicatorias. Corregía y limaba cuanto creaba, pero no le preocupó el enmendar los manuscritos deturpados por la transmisión (Valente y Glendinning [1959]). La mordacidad de sus sátiras favorecía el anonimato o las falsas atribuciones (Reyes [1927]). Contó con una popularidad evidente, gracias a la transmisión oral de sus letrillas y romances. Y sus poemas mayores fueron copiados profusamente, constituyendo un caso típico de poeta bien conocido, a pesar de la escasez de impresión de sus obras. Es el único poeta lírico español cuyas obras manuscritas se explotan mercantilmente por los libreros. La abundancia de manuscritos y su pareja disposición hacen pensar en la existencia de un taller especializado en copiar los textos de don Luis (Rodríguez Moñino [1968, en «Preliminar»]). Amigos suyos, como Andrés Almansa y Mendoza, contribuyeron a dar a conocer sus obras en la corte y fueron muy numerosas las cartas, premáticas, discusiones académicas, etc., que suscitaron.

Cabe distinguir entre la difusión oral y escrita de su poesía (Rivers [1969]). Las listas más completas de manuscritos gongorinos, de entre los cuales el Chacón ofrece la cronología más fidedigna, son las de Jammes [1963, 1980] y Ciplijauskaité [1969, 1981] a las que han de añadirse el manuscrito de la colección Barberini, que publicarán Gotor y Williamsen, y un nuevo códice de la catedral de Palencia (Rubio [1982]). Respecto a las ediciones, la primera fue la de López de Vicuña (1627) (editada en facsímil por Dámaso Alonso [1963] con una introducción sobre la problemática textual). Le siguieron la de Hoces (1633) y otras que recogen obra parcial: Pellicer (1630), Salcedo (1636, 1644, 1648) y Salazar Mardones (1636). La edición moderna más completa sigue siendo la de J. e I. Millé [1932], que con las dedicadas por Dámaso Alonso, y los autores señalados a obras concretas, son el mejor ejemplo de la esperada revisión de los problemas textuales planteados. Como estudios de conjunto, son fundamentales los de Jammes [1967] y Dámaso Alonso [1960]. De gran utilidad y enorme sencillez, los introductorios de Orozco [1953, 1975], Jones [1966 a] y Parker [1977]. En un plano más general los de Reglá y Comas [1960], Aguirre [1960] y David W. Foster y V. Ramos Foster [1973].

Toda la crítica en torno al culteranismo y al conceptismo parece descansar en una distinción que ya en los comentarios de Herrera a Garcilaso deslindaba la oscuridad cifrada en las palabras y la que reside en los conceptos. El mismo Gracián, cuando cita a Góngora en la *Agudeza*, elige aquellas obras que para él muestran mayor sutileza de ingenio que de recursos ornamentales. Pero el poeta cordobés quiso despuntar no sólo como el poeta más culto, sino como el más agudo (Blecua [1961]) y, por otro lado, la forma intelectual y la materia verbal son en él inseparables (Parker [1952, en «Preliminar», 1977]). Su originalidad se asienta tanto en la sutileza de ingenio como en las elocuciones. Supo sobrepasar, desde una estética propiamente barroca, las herencias de la tradición conceptista y cultista, rompiendo con la idea de la mimesis aristotélica (Dehenin [1979] y Gornall [1980]. Sobre esta polémica, cf. Wardropper, «Preliminar»).

La evolución de su obra poética fue entendida durante mucho tiempo como el resultado de una primera etapa de claridad expresiva, seguida de otra de complicación y oscuridad. Fue Cascales quien estableció la distinción entre el príncipe de la luz y el de las tinieblas, convertido luego en ángel de otro tanto por la crítica posterior a Menéndez Pelayo. Puesto que tales tinieblas escondían el desprecio secular por la poesía menos festiva de don Luis, no es extraño que en los años veinte, Alfonso Reyes, Cossío y Dámaso Alonso intentasen por todos los medios romper esa división maniquea demostrando la dificultad de sus primeros poemas y señalando que la sencillez y la complejidad se dan de forma paralela a lo largo de toda su vida. Hoy, sin embargo, sabemos que hay una evidente intensificación de elementos cultos que alcanzan su *clímax* en el *Polifemo* y las *Soledades* y que no en vano se hablaba de *nueva poesía* (Collard [1967]). Los comentaristas coincidieron en apreciar las novedades estilísticas. Así Pedro de Valencia le reclamaba en 1613 la claridad perdida y Fernández de Córdoba le censuraba, como tantos otros, en las *Soledades*, la afectación y oscuridad producidas por el exceso de tropos, metáforas y cultismos (Lázaro Carreter [1961]). El mismo Góngora se afirmó conscientemente en ello por esos años, redoblando invenciones y hallazgos anteriores. El cambio cuantitativo nadie lo pone en duda, y puede detectarse en la primera versión de *Píramo y Tisbe*, en el *Leandro* y en la oda *A la toma de Larache*. Pero también hay giros cualitativos a partir de 1610, como veremos, y, entre ellos, la tentativa del género teatral. Esta cronología ha sido aceptada posteriormente por Dámaso Alonso [1960, en reed. post.], quien habla de dos épocas con algunos cambios marcados, sobre todo, por la citada intensificación de fórmulas estilísticas y por la mezcla de estilos ya existentes. Por otro lado, la vieja dicotomía llevaba implícita una división genérica inadmisible, pues confiaba la oscuridad a los poemas mayores y consideraba de absoluta claridad romances y letrillas.

Otra distinción más reciente ha vinculado una primera etapa al período manierista (1580-1609), marcado desde sus inicios por ese doble quehacer popular y culto en el que la erudición, los valores sensoriales y pictóricos se reflejan tanto en los romances como en los sonetos y canciones. Priva allí la obsesión por la arquitectura bien trazada y las correspondencias que siguen la trayectoria petrarquista marcada por Herrera y los manieristas italianos. Pero, al lado, hay vida popular y gracia personal en un cambio hacia el Barroco, fusión plena de lo culto con lo burlesco. Esta segunda época abarcaría desde 1609 hasta su muerte y estaría influida por el desengaño, el sensualismo, la renovación de la fábula mitológica, la oda heroica y el descriptivismo que es síntesis de estilos, formas y temas de la lírica (Orozco [1975]). No faltan, sin embargo, quienes suscriben toda la poesía del cordobés a la estética propiamente manierista (Hatzfeld [1964, en «Preliminar»]; Goic [1961], desde el análisis retórico). Gates [1960 b], sin embargo, entiende que el *Polifemo* y las *Soledades* constituyen la síntesis temática y formal del Barroco. La intensificación y variación alcanzada por el poeta coincidió con la poética de Carrillo en su *Libro de la erudición poética* (1611) (Wilson [1961]) que predica como Herrera, desde unos postulados basados en el alejamiento del vulgo, la oscuridad y el realce del castellano a la altura del latín. Pero Góngora no pretendía sólo deleitar, sino conseguir, como Ovidio, la utilidad del arte que sirve para avivar el ingenio de los lectores.

A Dámaso Alonso debemos los análisis más completos sobre la lengua poética. Él ha puesto claridad en la intrincada selva gongorina. El estudio del cultismo léxico (Dámaso Alonso [1935]) lo confirma anclado en la tradición renacentista que él extrema, difunde y populariza, contribuyendo al enriquecimiento idiomático en su aspecto fónico y semántico. Otro tanto puede decirse del cultismo sintáctico, tal vez de mayor envergadura, que cristaliza en atrevidos hipérbatos y fórmulas estilísticas que acuñarán lo más típicamente gongorino o en el uso del ablativo absoluto y del acusativo griego (Spitzer [1940 a]). Universo poético poblado de alusiones y elusiones (Dámaso Alonso [1928]), basado en referentes mitológicos o científicos llenos de hermetismo (Marasso [1965]) que reclaman reflexión y estudio por encima del ornamentalismo pictórico y las sinestesias de una primera lectura. Un sistema ordenador de antítesis, bimembraciones, plurimembraciones y correlaciones (Dámaso Alonso [1927, 1955, en 1978])

integra una medida arquitectura ya desde sus primeros fervores petrarquistas. La tendencia perifrástica, de rodeo o huida no desdeña, a cambio,
hiperbolizar y ennoblecer los vocablos del estilo humilde, en el uso de
proverbios, chistes y frases hechas. Sus estructuras lingüísticas coinciden
con los principios del estilo barroco, hecho a base de emparejamientos,
trasposiciones y sustituciones que él intensifica y supera (Uhrhan [1961])
con virtuosismo y rigor constructivo (Marasso [1955], Jorge Guillén
[1961]). Pero, como ya señaló Lorca (1927), la metáfora es su fundamento poético. A su clarificación ha contribuido, además de Alonso [1927,
1943, en 1978]), Müller [1963], cuyo estudio gramatical descuida, en
parte, el nivel conceptual en el que Molho [1977] cifra la autonomía de
los poemas gongorinos. San Juan [1966] ha aplicado los conceptos de metáfora y metonimia de Jakobson. Hay una marcada intensificación de los
elementos artificiosos, basados en la tradición italiana y española en su
primera época y posteriormente en fuentes clásicas. El aumento cuantitativo de la metáfora se perfila hacia 1600, marcando una evolución hacia
la llamativa mezcla de los planos serio y burlesco (Gates [1933]). Las
Soledades significan el señoreo del lenguaje metafórico, lleno de hipérboles y asociaciones arriesgadas. Nadie duda de la intensificación y acumulación operada en todos los planos, el del hiato incluido, así como el de la
pluralidad temática y riqueza estilística, patentes en el tan ponderado
gusto por lo pictórico (Orozco [1977, en «Preliminar»]), en su relación
con la emblemática (Cioccini [1960]) y en el uso mantenido de la *écphrasis*
(Bergman [1979]). Navarro Tomás [1971] ha analizado el amplio repertorio que ofrece el endecasílabo gongorino.

El Góngora siempre admirado, el de las composiciones menores, romances, letrillas o villancicos, participa de todos los temas y marcas de
estilo que caracterizan a las de metro italiano. Si bien no puede establecerse una distinción absoluta en dos épocas, pues la sencillez de algunas
composiciones últimas compite con la complejidad de otras más tempranas, es evidente que en algunos temas, como el mitológico, va evolucionando en complejidad y mezcla estilísticas hasta alcanzar su cenit en la
Fábula de Píramo y Tisbe (1618). Pretendió divertir en la mayoría de
los casos, pero dignificó el metro corto castellano con los asuntos y gravedad con que revistió los poemas de metro italiano. Sus romances, editados por Cossío [1927], compitieron con los de Lope (Orozco [1973]) y
triunfaron en la década de los ochenta con los de Liñán de Riaza, Bautista
de Vivar, Vargas Manrique y Juan de Salinas. A la difusión del romancero nuevo, contribuyó el incremento de las ediciones y el teatro. Góngora
reaccionó contra el autobiografismo de Lope que revistió su vida particular con hábitos moriscos, procurando una mayor fidelidad a la vida real
de los moros de su tiempo. Pero decir que le atrajeron más los romances
africanos y de cautivos, por más sobrios y próximos a la realidad, es

simplificar las cosas, pues en ellos no hizo sino trasladar los modos y asuntos de los romances moriscos, tan importantes en número como los de cautivos que dejan de interesarle en 1602 (Jammes [1967]). No temió impostar con reminiscencias clásicas la brillantez del mundo morisco, tan próxima para él en el marco de los cármenes granadinos. A éstos siguió la moda del romance pastoril en la década de los noventa. Lope, vestido de pellico, disfrazó sus cuitas amorosas para mofa de Quevedo y Góngora, aunque éste se rindió muy tempranamente al tema y, al lado de numerosas parodias, lo trató seriamente, volviendo a él en sus últimos años con romances piscatorios y venatorios de gran erotismo y delicadeza lírica (Loughran [1974]). Cantó las excelencias de la aldea con un perspectivismo burlón aristocrático que se extendió a los romances de principios del siglo XVII. La naturaleza, personificada y descrita detalladamente, se estiliza con ademanes cortesanos en el romance «Del palacio de la primavera» (1609) o sirve de marco natural «En los pinares del Júcar» (1603), escrito tras un viaje a Cuenca; romance que hay que situar en el marco de la serranilla, aunque sea plasmación de lo real y folklórico (Jammes [1967]). No faltan allí elementos de idealización aldeana, cargados de reminiscencias mitológicas y pastoriles (Smith [1973]) que confirman hasta qué punto lo particular y lo universal se entrecruzan y la realidad queda trascendida (Gornall [1979]). Las vivencias del poeta se filtran, sin ocultamientos moriscos y pastoriles, en romances cuya voz va de lo infantil a los tonos más amargos y destructores del autorretrato burlesco. Contrahízo el romancero viejo, parodiando el triunfo de los romances históricos en la última década del siglo XVI y proponiendo el abandono de la antigua épica. Sus sátiras no sólo ponen en tela de juicio ciertos comportamientos sociales, eclesiásticos y civiles, rondando el área de la picaresca, las germanías, el erotismo y lo escatológico, sino que desmitifican los viejos estilos, mofándose de la galanura petrarquista, los mitos y otras herencias de Garcilaso. Los de tema religioso abundan, sobre todo, a partir de 1613, y se atienen a motivos ocasionales, como los dedicados a santa Teresa (1613), a la Eucaristía, o al nacimiento y muerte de Cristo. La popularidad alcanzada por sus romances fue enorme. Algunos fueron título o glosa de comedias, otros fueron cantados por los sefardíes, y en el siglo XIX se tradujeron, contribuyendo a la fama no perecedera del Góngora supuestamente fácil, luz de todos. Para los aspectos musicales, ha de tenerse en cuenta el cancionero publicado por Querol [1975]; en general, puede verse ahora la útil edición de Carreño [1982].

Para las letrillas, son fundamentales las ediciones citadas de Jammes [1963, 1980] que en el estudio preliminar las delimita genérica e históricamente, emparentándolas con el villancico y distinguiéndolas del romance con estribillo. Hay 59 auténticas y muchas de falsa atribución, como pasa con los romances, y es difícil establecer su autoría. Cada una tiene su historia de transmisión y filiación y es poesía cuya popularidad determina abundancia de variantes. Las letrillas tocan lo lírico, satírico, burlesco y clásico. La sátira moral y de costumbres alcanza a la clase dominante o se burla de las capas más bajas de la sociedad, terreno abonado para la escatología y los vicios. Domina en ellas la ligereza en el tono y la banalidad aparente que esconde los temas serios del *carpe diem*, la fortuna, etc. Los viajes y fiestas se hermanan con otros temas históricos y cortesanos. Hay letrillas de 1620 de una gran sencillez. Curiosamente en sus últimos años muestra una vuelta al tema religioso que es, sin embargo, compatible con los asuntos más crudos y burlescos. Entre sus composiciones de arte menor, cabe destacar las elaboradas décimas «De un retrato de la marquesa de Ayamonte» (1607) (Bergman [1976]); en ellas, aparece el tema de Diana cazadora, como en las dedicadas a doña Brianda de la Cerda ese mismo año, finamente ajustado en la pintura verbal alegórica.

En el proceso de desviación de la épica y su búsqueda del fragmentarismo lírico, el romance caballeresco «En un pastoral albergue» (1602) ha constituido piedra de toque para la argumentación sobre las dos épocas. Dámaso Alonso [1935, y versión prosificada de 1962] desmintió su aparente sencillez, desmenuzando cuanto hay en él de las complicaciones estilísticas de los grandes poemas. Aún así cabría hacer matizaciones de grado que lo convierten en un poema más asequible a la primera lectura que los posteriores. En él, canta los amores de Angélica y Medoro, partiendo del *Orlando furioso*, XIX, de Ludovico Ariosto, ampliamente traducido e imitado por los poetas renacentistas, entre ellos los del *Romancero general*. Se aparta del tono narrativo del modelo para fijar en un ambiente pastoril, plagado de elementos cortesanos, un ideal amoroso en el que se entrecruzan imágenes guerreras y cuyo final feliz se ensombrece con alusiones de muerte (Wilson [1953]). Arriesgado ejemplo de imitación *per variationem* en el que no sólo intentó emular a Ariosto, sino replicar al larguísimo poema de Lope *La hermosura de Angélica* (1602), teniendo presente la tradición satírica que el tema acarreaba en los romances (Ball [1980]). Entreverando elementos cultos y populares, desecha la selva de aventuras para concentrarse en el lirismo mítico. Verdadera relectura que deshace el autobiografismo y el uso de la sinestesia pictórica de Lope, favoreciendo la desmitificación por la ligereza métrica y las frases hechas, en choque con una fuerte carga de alusiones cultas e hipérboles concentradas. Constituye un precedente del *Polifemo* en su tratamiento de la naturaleza permanente y en la función antitética de Marte, emulado luego por el cíclope. En los temas y conceptos, perfila también cuanto iban a ser las *Soledades* (Edwards [1972]). Apartándose de la simplicidad con que el romancero nuevo trató el tema consiguió una visión original de la batalla amorosa en el marco de un ambiente natural y armónico. Tales logros y tal complejidad no impidieron la enorme difusión del romance que fue cantado en una comedia de Tirso.

Revistió de mitología sus afanes amorosos, pero muy pronto —y en ello fue el primero— parodió los mitos clásicos más manidos, como el de *Hero y Leandro* que ridiculizó en 1589 («Arrojóse el mancebito») y en 1610 («Aunque entiendo poco griego»), donde aligera con burlas el «carro largo» de la primera versión castellana hecha por Boscán, contraponiéndola a la de Museo. Pero es la *Fábula de Píramo y Tisbe* (1618) la que plasma y funde con mayor intensidad la poética mitológica desarrollada en los romances y en las octavas del *Polifemo*. (La versión más fidedigna es la de Salazar Mardones, 1635, ed. por Rumeau [1961]. Para las variantes del poema, Jammes [1961] que la comentó ampliamente y sostiene que fue la obra más limada y querida por su autor.) Su oscuridad límite fue destacada por Cossío [1952, en «Preliminar»] y desvelada, en parte, por Testa [1964]. Para las fuentes, hay un buen prólogo de Ife [1974]. En 508 versos retoma el tema ovidiano de las *Metamorfosis*, que ya había tratado en un romance incompleto de 1604. Numerosas traducciones y adaptaciones en la poesía lírica y en el teatro favorecieron que el asunto se parodiase. Góngora pretendió superar esta línea, ofreciendo, paradójicamente, al aplauso popular un complejo poema cuyo verdadero sentido sólo se discierne desde una perspectiva culta. Los amores imposibles entre los protagonistas alcanzan filos grotescos en ocasiones o destilan una belleza hiperbólica, cargada de cultura grecolatina. Góngora no se burla sólo del tema ovidiano y de sus imitaciones, sino que parodia sus propios procedimientos estilísticos (Dámaso Alonso [1960]), complicando la estructura con hipérbatos forzados y deteniendo la lógica de los conceptos con sutiles alusiones eruditas que abarcan las áreas más diversas: desde la historia, el derecho y la medicina, al habla coloquial y los refranes. Pero es algo más que una parodia (Jammes [1967]), significa el alcance de la autonomía de lo burlesco al que logra dar la dignidad y belleza de los géneros literarios más nobles. Los héroes son ridiculizados, pero también están tratados con ternura. En la combinación de los elementos trágicos y cómicos estaría la clave de la poesía burlesca de sus últimos años. Galaz Vivar [1958] ha comentado el poema verso a verso, con ayuda de los exegetas clásicos y modernos, aunque su estudio, sin embargo, flaquea como visión de conjunto. Con mayor consistencia, Terry [1956] lo sitúa en esa órbita europea de mezcla de lo culto y lo burlesco, que venía favorecida por la audiencia popular a la que en la lírica y el teatro iban destinados, en ocasiones, los asuntos mitológicos. Su ambigüedad vendría marcada por esa ruptura del decoro clásico que, en la preceptiva, admitía sólo la yuxtaposición de estilos. Góngora logra con ello un humor pleno al no dejarse conmover por los aspectos trágicos del tema (Waley [1961]). El chiste se hace así auténtica poesía, centrándose en la utilización de un vocabulario técnico y familiar y en la descodificación de las imágenes tradicionales y las alusiones clásicas. En el entramado mitológico se teje una revisión de los lenguajes popular y culto, al ponerlos en colisión. Alcanza así la fórmula completa de su estilo, al combinar lo culto con lo burlesco y lograr la objetivación del mito y la desmitificación de todo cuanto le había enajenado. La «segunda manera» está aquí en la utilización consciente e intensa de los procedimientos y temas anteriores, superando la primera versión de 1604. Todo se complica para rebajar a los héroes, en un auténtico alarde de concentración conceptista, patente en la misma doblez de significados con la que juega (Lázaro Carreter [1961, 1963]). El poema resulta así doblemente interesante al mostrar, por un lado, la parodia y, por otro, la autoafirmación en el propio estilo gongorino (Garrison [1979]). (Véase, por otro lado, Alatorre [1956].)

A lo largo de toda su vida alternó lo serio con lo burlesco (Ball [1977]), deteniéndose en aspectos fragmentarios y mezclando la erudición clásica con los refranes, facecias y apotegmas y materiales propios del carnaval. Fue evolucionando hasta conseguir, como Ovidio, la subversión que supone la mezcla de géneros y estilos, con la consiguiente pérdida del decoro clásico. Contó con el conocimiento previo que el público tenía del romancero y de la lírica tradicional, operando por derivación y favoreciendo al mismo tiempo, la popularidad de sus chistes. Las dificultades que estas composiciones menores ofrecen están lejos de resolverse. Cabría un análisis de los distintos niveles de lenguaje que entran en liza, del más culto al germanesco o de negros, como el que sobre dos sátiras vallisoletanas ha realizado Jammes [1980]. No faltan, sin embargo, observaciones sobre los recursos cómicos y el ludismo de los juegos de palabras, en sabia combinación con los elementos cultos (Sánchez [1961], Pérez [1964]) y cuyo humor cargado de recelos Lapesa ha contrastado con el más optimista de Cervantes [1965]. Cuestión aparte es la de su postura moral como satírico. Jammes [1967] lo ve como poeta rebelde y anticonformista, preocupado por su tiempo en las sátiras clásicas y cortesanas. Pero la huida del moralismo, el juego implícito en la befa y el antiheroísmo denuncian un tradicionalismo sin compromisos. Recientemente Vitse [1980, 1981] ha negado la visión de un Góngora radical, destacando en él una evasiva «filosofía de rincón», escondida en la anonimia, cuyas sales se emparejan con las de Salas Barbadillo. Todo queda visto *sub specie recreationis* desde la atalaya provinciana y aristocrática. No le preocupa sino restaurar el orden establecido por la purgación de la risa.

Las primeras ediciones sueltas de los sonetos de Góngora han sido las realizadas por Ciplijauskaité [1969 y 1981]. A la utilidad de la primera hay que añadir las excelencias textuales y bibliográficas de la segunda, complementada por las concordancias de Richards [1982]. Brockaus [1936] analiza los temas, las fuentes y la estructura, clasificándolos tipológicamente. Frattoni [1948] desarrolló su temática y estilo, aunque de modo superficial, y Calcraft [1980] muy recientemente, aporta un nuevo enfoque en el que trata de distanciarse de estos trabajos y de los de Dámaso Alonso y Jammes, analizándolos de forma más individualizada, aunque se echa de menos una mayor atención a los problemas de la lengua poética. Escribió don Luis 167 sonetos y se le atribuyen cincuenta más. Los editores han tendido a respetar la división del manuscrito Chacón en heroicos, amorosos, satíricos y burlescos, fúnebres, morales, sacros y varios, y a dar por buena la cronología establecida entre su primer soneto (1582) y el último (1625). Se inició en los temas amorosos y los fúnebres se agrupan en su etapa final, pero el resto se reparte, sin cortes cronológicos destacables, aunque los heroicos, por un lado, y los burlescos-satíricos, por otro, ocupan el centro de su vida literaria, alcanzando el clímax en los sonetos de 1523 —entre el pesimismo y la ironía—, teñidos de una vaga esperanza cristiana. La naturaleza y la mitología desplazaron los asuntos amorosos de sus primeros sonetos, fuertemente ligados a Petrarca, Tasso, Sannazaro y Herrera. Su pluralidad temática es comparable a la de la pintura en el tránsito que se da del manierismo al barroco (Orozco [1970, en «Preliminar»; 1971]). Sigue el modelo clásico, con tendencia al ritmo sáfico y yámbico y a la división entre cuartetos y tercetos, aunque no faltan estructuras paralelísticas o radiales resueltas en un final correlativo u otras formas más complejas de elaborada arquitectura. Destaca en ellos el uso de la bimembración, declinante en sus años finales desilusionados, así como el de las pluralidades, las relaciones verticales y la correlación, siempre presente, como fenómeno del manierismo petrarquista, mucho más fuerte en los primeros sonetos (Dámaso Alonso [1955, 1978]). De la sintaxis se ha ocupado Rivers [1963] y son numerosos los análisis parciales realizados —no siempre con fortuna— desde la perspectiva estructural o semiológica. Se transmitieron de forma manuscrita, entre los amigos, y luego en círculos cortesanos. Deben leerse separadamente, pues no pretendieron conformar un cancionero vital evolutivo. Aún así hay parcelas biográficas dignas de ser destacadas, como la que muestra sus problemas económicos en los dedicados al marqués de Ayamonte (Dámaso Alonso [1973, en 1982]). Calcraft [1980] pone en duda el autobiografismo propugnado por Jammes [1967] y destaca cuanto el autor debe a Garcilaso y a los poetas italianos y españoles del Renacimiento. Algunos son de tema banal; otros, espléndido culto a la belleza femenina, descrita de forma metafísica (Smith [1974]), envuelta en aires ausonianos de *carpe diem* (Carballo [1964], Becker-Cantarino [1974]) que muestran su distanciamiento de los modelos clásicos e italianos, lejos de la contención garcilasista (Iventosch [1974]). La mayoría son de gran complejidad poética. Los panegíricos, dedicados a ciudades o a amigos, grandes señores y gentes de iglesia, adecúan el estilo a la altura del destinatario. En algunos, lucha entre la repugnancia y la necesidad de arrimarse a los buenos. De particular interés son los retratos, como el retrato «a lo divino» del duque de Lerma (Orozco [1977, en «Preliminar»]), en los que mezcla elementos cristianos y paganos. Los burlescos y satíricos han sido muy alabados, aunque la inmediatez con que fueron escritos a veces los hace de estructura menos elaborada y resultan de difícil comprensión actualmente. Critica los vicios cortesanos, como en los romances, y arremete contra poetas y personas concretas, sin miedo a caer en lo escatológico o en la sátira más dura, como en los dedicados a la estancia de la corte en Valladolid o los ataques contra Lope, Quevedo o el padre Pineda. Claro que el motivo se trasciende, una vez más, por el intento de dignificación genérica.

Los fúnebres —posteriores a 1610 en su mayor parte— sirven al consabido tono elegíaco, cargado de pesimismo y revestido de mitos y alusiones clásicas. Muchos son ejercicios descriptivos de túmulos, con fuerte carga pictórica, como el dedicado al Greco, ejemplo de interacción entre naturaleza y arte, de herencia horaciana en lo que respecta a la idea de la mayor perdurabilidad de la obra literaria sobre la pintura (Bergman [1979]). De gran complejidad es el dedicado a la máquina funeral de la reina doña Margarita. Los temas de la *vanitas* revisten un tono dolorido de gran autenticidad en los dedicados a sus amigos Rodrigo Calderón y Villamediana. Los morales, sacros y varios son posteriores, en su mayoría, a 1600. La gama de los religiosos, recoge los temas tratados en sus romances, con otros escritos en ocasión de alguna fiesta (Loring [1962]). Son de gran ambigüedad en ocasiones (Parker [1956]) y en líneas generales, podemos convenir que su temática no dista de la del resto de sus composiciones, sobre todo en lo referido a la mutabilidad de lo humano y a la permanencia de la belleza de la naturaleza, considerada como refugio. Góngora caminó por ellos hacia el más profundo desengaño.

Difícil es resumir la variada muestra de las composiciones de arte mayor, sobre la que sólo existen estudios parciales. Hay égloga pastoril, epitalamio, octavas fúnebres, tercetos desengañados, madrigales, poesía religiosa, épica, cortesana, de burlas... Escribió canciones patrióticas y religiosas, de clara huella herreriana, y otras más breves y galantes. En general, muestra una gran complicación técnica muy próxima al petrarquismo heredado, de la canción italiana, con predominio del endecasílabo que se estructura de forma simétrica, como en la dedicada al conde de Lemos. Su primera canción (1581) a la traducción de Los Lusiadas, hecha por Tapia, demostró un aluvión de cultismos léxicos, rimas esdrújulas y erudición forzada de rango manierista que en las composiciones posteriores dominará con más madurez y sagacidad, como en la Oda a la toma de Larache (1610), anotada por Díaz de Rivas como ejemplo de intensificación de recursos estilísticos y cuya ambigüedad ha comentado atinadamente Romero Tobar [1978]. Ferraté [1968] ha discutido la relación entre realidad y ficción en esta canción y en el bellísimo himeneo «Qué de invidiosos montes levantados» (1600), donde el poeta peregrino se distancia, tras ser espectador de un festín amoroso cargado de sensualidad y elementos grecolatinos. El inacabado «Panegírico al duque de Lerma» (1617) es ejemplo máximo de pomposidad y solemnidad cortesana, desplegada en hipérboles y perífrasis sin cuento como hace otras veces en octavas fúnebres o delicadas églogas piscatorias. No faltan las escritas para un certamen, con jeroglífico, como la de san Francisco de Borja (1624), y es esta parcela gongorina la que curiosamente imitarían más sus seguidores, elevándola a extremos de hinchazón insospechados, junto a los grandes poemas, *Polifemo* y *Soledades*, en las academias y justas del siglo XVII, sobre todo.

La *Fábula de Polifemo y Galatea* se conoció en Madrid en mayo de 1613 con la *Soledad* I, a la que precede en el proceso creador (Jammes [1967]). Cuenta en sesenta y tres octavas, tres de las cuales forman la dedicatoria al conde de Niebla, la historia del cíclope homérico que se enamoró de la nereida Galatea, según un *Idilio* de Teócrito, retomado por Ovidio en el libro XIII de las *Metamorfosis*. Son muy numerosas las versiones, traducciones y adaptaciones que se hicieron de la fábula en Italia y España durante el Renacimiento. Dámaso Alonso, en diversos estudios que sintetiza en su imprescindible edición del poema [1960], ha puesto fuera de duda su originalidad, ya señalada por Pabst [1930], al margen de la dependencia con que la crítica anterior lo situaba respecto a la *Fábula de Acis y Galatea* (1610) de Luis Carrillo y Sotomayor. Ésta le sirvió como un acicate más para alcanzar la cima del esfuerzo cultista en el tratamiento mitológico, y su propia meta en la superación de cuanto caracterizaba su anterior estilo poético (Cossío [1952, en «Preliminar»]). El doctrinal de estas aspiraciones no era nuevo. Antonio Vilanova en un estudio magistral [1957] trazó el proceso de la imitación renacentista por el que Góngora llega a enorgullecerse de haber elevado la lengua castellana al culto y perfección de la latina. Hay en ello una superación de la imitación aristotélica que, partiendo de los comentarios del Brocense y Herrera a Garcilaso, defiende la apropiación de la cultura grecolatina, la mezcla de los antiguos y modernos y la oscuridad que se asienta en la erudición. Pinciano llama a esto invención lejos de servidumbres, emulación del modelo. Carrillo, como apuntamos, resumió el doctrinal culterano al predicar la dificultad docta y propugnar la dignidad y alteza del lenguaje. Góngora coincidió con lo que los preceptistas de su tiempo predicaban, admitiendo, con Luis Cabrera de Córdoba y con Marino, que la imitación no sólo alcanza a los temas, sino a las sentencias y palabras. Pedro de Valencia, en 1613, le aconsejaba una mayor sujeción a los clásicos, porque negaba validez a la afectación producida por el seguimiento de los modernos. Góngora le hizo caso en algunas lecciones menores, pero tanto la *Fábula*, como las *Soledades* se afirmaron en la reelaboración temática y formal que de la poesía grecolatina había hecho la poesía italiana renacentista y la española desde Garcilaso. Vilanova reconstruye las cadenas temáticas que le unen a los clásicos y a los modernos, en tres bloques: 1) Fuentes grecolatinas (Virgilio, Catulo, Tíbulo, Propercio, Ovidio, Horacio, Lucano, Estacio); 2) Fuentes italianas (Dante, Petrarca, Boiardo, Ariosto, Poliziano, Tasso, Marino...), y 3) Fuentes españolas (Boscán, Garcilaso, san Juan, Herrera, fray Luis y tantos más), destacando, contra la general opinión, que la huella más profunda fue la de Herrera, junto a la de Ercilla y Juan Rufo, superando a la de Garcilaso. (Sobre la teoría de la imitación, ha vuelto Guyler [1975].) Góngora rompe definitivamente con la tradición alegórico-moral de la fábula y, sujetándose a la estructura de la octava, desarrolla una serie de temas que, más allá del impresionismo predicado por Pabst [1930, trad. 1966], despliega con rigor y lógica. Dámaso Alonso [1960] puso énfasis en los valores sensoriales del poema y lo centró en la oposición antitética de Galatea y Polifemo, choque de fuerzas entre los valores renacentistas y barrocos (belleza frente a monstruosidad, fecundidad frente a destrucción, etc...). Góngora se aparta sensiblemente del modelo ovidiano, añadiendo lecturas de la *Eneida* de Virgilio, profundizando en las secuencias amorosas y centrándose en la trasposición lírica del mito de la edad de oro, las riquezas fluviales, y las navegaciones (Jammes [1967]). Elementos, estos, que luego desarrollará en las *Soledades*, sobre un fondo neoplatónico, presente en la mezcla de erotismo y sensualidad que Galatea significa, y en la idea de una naturaleza perfecta y variada (Jones [1966]). La felicidad humana, en su precariedad, acaba abruptamente con la muerte de Acis, todo amor y armónica belleza como la ninfa. Claro que su metamorfosis en río lo devuelve a sus orígenes marinos, restaurando un ciclo vital que se renueva sobre sí mismo, sin resortes morales ni cristianos que empañen la libre afirmación del mundo pagano (no extraña que el *Polifemo* fuese contrahecho «a lo divino» por Martín de Páramo en 1666). Smith [1965] disiente del neoplatonismo y cree que la fábula trata de la naturaleza y del lugar que en ella ocupa el hombre. Sicilia es el paraíso de la fertilidad, cornucopia variada y múltiple de la que todos los personajes y las cosas provienen. Protagonista en la que caben elementos opuestos de belleza y desproporción, ambigüedad, anarquía y movimiento. Fecundidad que, en choque con la muerte, conforma la tensión fundamental de la obra (Worren [1977]). Pero la inteligencia del poema no ahoga lo sensorial y humano en una concepción manierista orientada hacia el barroco (Orozco [1975]). Su conceptismo (Rivers [1961]) ha sido analizado a la luz de la *Agudeza* de Gracián por Parker [1977] en una cuidada introducción en la que se le considera como un sistema orgánico de ingeniosas y complejas asociaciones por medio de las cuales se reconstruye el mito de la naturaleza pletórica, bajo signos saturnales cargados de erótica sensualidad. Vida y muerte redoblan los aspectos pesimistas y optimistas de una fábula que, gracias a los conceptos, sabe hacer suma de los elementos más dispares. Parker no cree en una base filosófica netamente neoplatónica, sino en un ambiente renacentista pastoral, alejado del idealismo y enfocado hacia la exaltación de la naturaleza.

Todos los críticos coinciden en ponderar sus valores musicales e insisten en la estructura rítmica dual, plagada de plurimembres petrarquistas que la octava anuda en sistemas correlativos (Dámaso Alonso [1960 y 1978]), y en la música vocálica que reclama oralidad, declamación basada en la unidad estrófica y en las riquezas de la rima (Smith [1961]). A ello habría de sumarse la alternancia de voces, pues si la del narrador impera en las primeras cuarenta y tres estrofas, la «horrenda voz» de Polifemo irrumpe con su dolorido canto amoroso en las trece siguientes como contrapunto de los silencios de los amantes. El final devuelve la voz a la tercera persona que con celeridad máxima recuenta la reacción del cíclope ante el amor de los jóvenes, resolviendo la muerte de Acis y su transformación en los ocho últimos versos. Para que el canto lírico se oyese, ha reclamado el silencio y la suspensión de la caza en la dedicatoria. Hay descripciones contrastadas y detalladas, retratos hiperbólicos y personificación de la isla toda, ardiendo en ociosos amores por Galatea. La dialéctica entre la tierra y el agua, expresión del amor imposible de los dioses marinos que por más que rodeen la isla jamás darán alcance a la ninfa, se resuelve con la mutación renovadora de Acis. Un final esperanzador para un poema intrincado, en el que todo está dramatizado, pero sin moralismos. Góngora ha situado la acción en un marco espacial suntuoso y musical, con el esplendor con que la comedia mitológica hacía síntesis de todas las artes para el recreo visual y auditivo de los lejanos temas ovidianos. La lectura lineal y rápida favorece las impresiones estéticas, pero las dificultades asaltan a cada momento y es necesario acudir a los comentaristas de la época (Gates [1960 c]) y a los críticos actuales para desvelar estrofas reacias y discutidos versos (Reyes [1954], Frattoni [1961] y Carilla [1964], entre otros).

El poema más comentado es, sin duda, el de las *Soledades*, sobre el que aún son útiles las lecciones de Pellicer (1630) y las anotaciones de Salcedo (1636); y básicos, los textos estudiados por Orozco [1969] y la edición de Dámaso Alonso [1927, 1936, en 1978 y 1980] (Spitzer [1940]). Todo apunta a un proyecto inacabado de cuatro soledades de las que sólo logró terminar la primera, con 1.091 versos, como jornada de comedia, y dejar casi acabada la segunda, con 979. La primera se conoció en Madrid en la primavera de 1613, aunque tardó un año en difundirse (Orozco [1973]), y fue corregida tras las observaciones de Pedro de Valencia (Smith [1962 a]). La segunda, de gestación más laboriosa, se difundió en la corte, entre mediados de 1616 y la primavera de 1617. Con ellas, alcanzó la culminación de su poesía y se convirtió en centro de polémicas e imitaciones. Es posible que las dentelladas críticas detuviesen, en primer lugar, la difusión de la *Soledad* I y, más tarde, la conclusión del ambicioso programa que iban a constituir (Orozco [1969]) y sobre el que Góngora calló sus intenciones. Para Díaz de Rivas, amigo del poeta, tratarían, sucesivamente, de la soledad de los campos, riberas, selvas y yermo. Para Pellicer, iban a simbolizar las edades del hombre: juventud, adolescencia, virilidad y senectud, a través de la pintura de la naturaleza que, en la tercera, se resumiría en monterías, caza, prudencia y economía, y en la cuarta, en temas de política y gobierno. Angulo y Pulgar fundió ambas opiniones. Se inician con una dedicatoria (síntesis del programa lingüístico del gongorismo, según Pabst [1930]) al duque de Béjar, a quien reclama la suspensión de la caza y el reposo para dar paso al canto lírico. El hilo que las guía lo constituye el peregrino de amores, viejo personaje de los cancioneros y de la novela sentimental, «mirón», como lo insultaba Jáuregui, que nos conduce por un itinerario campestre y marítimo. María Rosa Lida [1961] lo hermanó con el náufrago solitario del poeta helenístico Dión Cocceyano Crisóstomo. Con él desarrolla el tema de la tradición narrativa de la *peregrinatio vitae* (Vilanova [1957] y Hahn [1973]) en el contexto de los libros de viajes y descubrimientos de islas paradisíacas que suponen una huida de la realidad y, en este caso, de la de un decepcionado, el peregrino de amores (Vossler [1941, en «Preliminar»]). A través de sus ojos, contemplamos el mundo creado en el poema. Él impone distancias cortesanas y mediatiza lo narrado. Su identificación con el poeta asalta en los inicios, mostrando la anfibología de *pasos* y *versos* (Molho [1960, 1977]) por los que el lector, también homologado con el héroe, recorrerá el itinerario poemático. El amor de los campesinos, en su función familiar y social, contrasta con la esterilidad amorosa del peregrino. Éste nos comunica un estado anímico que procura captar la admiración del lector ante cuanto contempla (Hart [1977]). La idea del peregrinaje iba tradicionalmente unida, en las alegorías narrativas de tipo odiseico, a una serie de peripecias y batallas que debía librar el protagonista, aquí espectador mudo —salvo en el recuento de sus cuitas en la *Soledad* II— del que se nos ocultan casi todas las señas. Su contextura lírica imposta el poema, dando la sensación de una serie de secuencias yuxtapuestas en las que las partes dominan sobre el todo. Pero la unidad existe, y se plasma en el continuado canto de una naturaleza rica y múltiple, creada y ordenada gracias al dominio del arte (Spitzer [1929]). Las excelencias de lo natural sólo pueden desvelarse desde una dicción elaborada, conceptista, y desde el conocimiento humanístico (Rivers [1967, 1968]). Góngora crea con ello un universo nuevo de estilizada belleza, plagado de referentes mitológicos y alusiones clásicas y modernas que rompen con la visión tradicional del mundo pastoril (Wilson [1965]). No han faltado, sin embargo, quienes creyesen en una localización concreta, basada en la estancia del poeta en las tierras atlánticas de Ayamonte. Tanto el peregrino como la naturaleza son dos constantes de la poesía de Góngora, como hemos apuntado, pero es aquí donde la segunda se hace con el señorío del texto. Las *Soledades* significan una aportación fundamental en la trayectoria española y europea del poema descriptivo que el Barroco consumó en cerrados desengaños de jardines y ruinas que predicaban la caducidad o enfrentaban el arte con la naturaleza (Orozco [1955]). La crítica más reciente trata de distanciarse del poeta deshumanizado que se formuló a partir del veintisiete, para destacar los valores filosóficos y conceptuales del poema.

La unidad de las *Soledades* se asienta en el tema de la alabanza de la vida rural frente a la de las ciudades, independientemente del hilo argumental que constituye la presencia del peregrino. En ellas, se hace un elogio del campo frente a las ambiciones del comercio y los descubrimientos, señuelo de una filosofía antiimperialista ante los estragos del declive español. El amor y la armonía rústica que imponen la fertilidad e industria del trabajo natural recrean aquí una utopía que Góngora esbozó en anteriores poemas (Jones [1954]). El neoplatonismo inherente a la idea de continuidad, armonía y abundancia de la naturaleza (Jones [1963]) ha sido ratificado por Jones [1966] —pese a la opinión contraria de Smith [1965]— para quien la filosofía idealista no descarta las analogías del poema con las discusiones coetáneas entre mercantilistas y partidarios del fomento de la agricultura, empeño el último, al que podrían sumarse tantas comedias del Siglo de Oro (Jones [1971]).

Existen abundantes analogías entre las *Soledades* y la *Arcadia* de Sannazaro, ambas plagadas de mitología clásica, aunque Góngora haga de ello un uso indirecto, por alusiones complejas a mitos preferentemente latinos, sobre todo ovidianos, que tienden a la personificación de la naturaleza (Waley [1959]). El peregrino impone una visión aristocrática sobre la realidad rústica, exaltada sin moralismos. La contradicción del poema reside precisamente en el choque de tal perspectiva con la bajeza de lo tratado, lucha entre la sublimidad del estilo y la humildad del asunto que marca toda su poética y es expresión —según Jammes [1967]— de sus problemas vitales y de los de la España decadente de su tiempo. No deja de resultar paradójico que la exaltación de lo rural se consiga precisamente con el lenguaje más artificioso (Rivers [1968]). La unidad en la multiplicidad, la complejidad de lo simple y el conceptismo obvio, hecho con rigor intelectual y disciplina expositiva, constituyen jalones a destacar en ese artificioso puente tendido entre corte y aldea (Entwistle [1952], Chala [1972], Wardropper [1977] y Edwards [1978]). Pero no deben

olvidarse los logros estilísticos, como la transmutación metafórica, capaz
de crear una lengua autónoma, nueva, sobre todo en la sintaxis y en la
mezcla de estilos (Rosales [1973]). Lenguaje polisémico, pletórico de
significación y vida que contradice a quienes como Faría y Sousa lo veían
poema sin alma. El análisis de las imágenes desmiente un Góngora sim-
bolista (Spitzer [1940 b]) y avala al poeta preocupado por las utopías
renacentistas, tratando de buscar en el campo los valores que la sociedad
urbana había destruido (Woodward [1961]). Woods [1978] ha indagado
en la tradición de la retórica clásica, estudiando las aportaciones de la
topographia en el siglo XVII, al colocar a la naturaleza como sujeto primordial del poema y no como marco en el que la acción acontece, y destacando, a su vez, las relaciones lógicas, más allá de los valores pictóricos
y musicales. Las series enumerativas comportan una naturaleza múltiple,
tipificada por la pastoral renacentista. Góngora las integra en una poética
conceptista, unificadora, que establece correspondencias ordenadoras entre
los elementos, y sigue a Claudiano y a Tesauro en el *mirabile per natura*.
Su detención en lo que hasta entonces había sido fragmentario en los
poemas épicos aboga por el triunfo de lo lírico en todo el poema. Esa
fue su novedad, y así la destacaron los comentaristas que le achacaban la
ruptura genérica. Por ahí iban las defensas de Almansa y Mendoza, y las
del abad de Rute (Orozco [1961, en 1969]), defensor del lirismo y de
la variedad y contraste del poema, en paralelo con los que la naturaleza
muestra. La suma de estilos y géneros, fundido de canción, égloga, elegía,
coros y discursos, estaba además justificada por el deleite producido. En
ello había un paralelo con los argumentos de Lope en los que defendía
en el *Arte nuevo* la ruptura con la preceptiva aristotélica. Los detractores
de Góngora acusaban la inadecuación entre el elevado estilo de las *Soledades*, propio de la épica, y la bajeza del tema que loaba. John Beverley
[1978, 1980], en un intento de integración de los estudios formales y
temáticos, hace una lectura política, fijándose en los aspectos de la realidad capturada en el poema, expresión de una visión aristocrática que se
refugia en un estoicismo tacitista. La poética se hace ética y su estructura,
lejos de ser laberíntica, ofrece una disposición aristotélica, con principio,
medio y fin, aunque cargada de digresiones. La naturaleza, en desorden
aparente, está mediatizada por la historia. Góngora integra en ella la
épica y la pastoril rompiendo el decoro clásico. Su trabajo, interesante en
algunos aspectos, sobre todo en lo que atañe a la estructura y los módulos
cíclicos del poema, lleva el pie forzado que se anula en el vano intento
de leer las *Soledades* como el poema que mejor expresa los problemas de
la crisis nacional por la que atravesaba España. Por último, Gornall
[1981], retomando una idea de Woods, cree que Góngora no menosprecia
la corte ni contrasta naturaleza y arte, pues las comparaciones establecidas
entre ambas rompen con la oposición tradicional.

El poema discurre libremente, como la silva que lo contiene, en su larga combinación de heptasílabos y endecasílabos. Dámaso Alonso, a quien debemos una útil prosificación [1956, en 1982], hizo una serie de divisiones a modo de estrofas, para facilitar su lectura; a cambio, la reciente edición de Beverley [1980] acierta en conservar su unidad de principio a fin, sin cortes que rompan el itinerario tortuoso pero unívoco de la silva. Sobre la tradición de ésta, hay páginas fundamentales de Vossler [1941, en «Preliminar»] y Molho [1960]. La forma estrófica conlleva además la idea de selva, paisaje natural, desierto, soledad exuberante e indisciplinada como su metro, que se opone al *nemus* ordenado y majestuoso (Soons [1967]). El cultismo y otros rasgos estilísticos las conforman como el centro del gongorismo, culminación de su trayectoria poética y símbolo de claridad y belleza, por encima de su oscuridad aparente (Dámaso Alonso [1935, 1960]) y del rico entramado de sus arriesgadas metáforas (Geske [1964], aunque yerre en alejarlas de la naturaleza variada que las motiva, y Molho [1977]). El colorismo y la musicalidad son cualidades destacables, en el logro de la armonía poética que es canto a la naturaleza permanente. A través del peregrino, Góngora consiguió ligar un complejo entramado de temas y formas dispares que constituye un alto ejemplo de polimorfismo barroco.

Muy escasa ha sido la atención recibida por la obra teatral de Góngora. Puede leerse en Millé [1932], en espera de la necesaria edición comentada que prepara L. Dolfi. A Jammes [1967] debemos su revaloración, así como el haber desmentido la supuesta autoría del entremés *La destrucción de Troya* [1978 b]. Sabemos de la vinculación del poeta a la escena, como amigo de actores y espectador aficionado. Es posible que *La comedia venatoria* (1582-1586) sea suya, dada la huella italiana que el tema cinegético impuso también en otras composiciones de Góngora. Escribió sus dos comedias *El doctor Carlino* (1613) y *Las firmezas de Isabela* (1616) en los años de renovación poética, intentando, posiblemente, emular el éxito alcanzado por Lope en el teatro (Orozco [1974]); aunque contracorriente, pues las dos piezas se rebelan contra los predicados de la comedia nueva, ajustándose a las tres unidades y rompiendo con el lastre moral y la división de personajes que el género acarreaba (cf. Dolfi [1981] y Profeti [1981]). Tuvieron éxito editorial ya en vida del autor, aunque es más dudoso que se las aplaudiera en los escenarios. Por otro lado, numerosas piezas cortas —romances, letrillas— fueron escritas para ser representadas y cabe recordar que el romancero nuevo pervivió, en parte, gracias a los bailes (Goldberg [1969]). Hay loas para comedias y letrillas, en habla de negros o en portugués, al Santísimo Sacramento, propias para escenificarse en las fiestas del Corpus. Un alto número de poemas menores están escritos en diálogo. En estructura dramática se apoyan composiciones muy cultas al nacimiento de Cristo o ligeros diálogos burlescos pastoriles, pero también el *Polifemo* y las *Soledades*, como símbolo de la teatralidad con que dio vida a toda su obra lírica.

BIBLIOGRAFÍA

Aguirre, José María, *Góngora, su tiempo y su obra. Estudio crítico sobre el «Polifemo»*, Editorial MAS, Madrid, 1960.

Alatorre, Antonio, «Los romances de Hero y Leandro», en *Libro jubilar de Alfonso Reyes*, México, 1956, pp. 1-41.

Alonso, Dámaso, «Claridad y belleza de las *Soledades*», en Luis de Góngora, *Soledades*, Revista de Occidente, Madrid, 1927; reimpreso en 1936 y 1956; reimpreso en *Obras completas*, IV y VI, 1978, 1982.

—, «Alusión y elusión en la poesía de Góngora», *Revista de Occidente*, XIV (1928), pp. 177-202; reimpreso en *Obras completas*, V, pp. 318-340.

—, *La lengua poética de Góngora*, Revista de Filología Española, Madrid, 1935; reimpreso con ediciones en *Obras completas*, V, pp. 9-240.

—, *Estudios y ensayos gongorinos*, Gredos, Madrid, 1955; reimpreso en *Obras completas*, V, pp. 241 ss.

—, *Góngora y el «Polifemo»*, Gredos, Madrid, 1960, 2 vols.; reimpreso 1974⁶, con revisiones y adiciones.

—, estudio, comentario, versión prosificada y notas, en Luis de Góngora, *Romance de Angélica y Medoro*, Acies, Madrid, 1962.

—, Prólogo e índices de Luis de Góngora, *Obras en verso del Homero español que recogió Juan López de Vicuña (Edición facsímil)*, Madrid, 1627, CSIC (Clásicos Hispánicos), Madrid, 1963.

—, *Obras completas*, V, *Góngora y el gongorismo*, Gredos, Madrid, 1978.

—, *Obras completas*, VI, *Góngora y el gongorismo*, Gredos, Madrid, 1982.

—, y Eulalia Galvarriato, *Para la biografía de Góngora: Documentos desconocidos*, Gredos, Madrid, 1962.

Artigas, Miguel, *Don Luis de Góngora y Argote: Biografía y estudio crítico*, Real Academia Española, Madrid, 1925.

Ball, Robert, «Imitación y parodia en la poesía de Góngora», *Actas del Sexto Congreso Internacional de Hispanistas*, A. M. Gordon y E. Rugg, eds., University of Toronto, 1977, pp. 90-93.

—, «Poetic imitation in Góngora's "Romance de Angélica y Medoro"», *Bulletin of Hispanic Studies*, LVII, 1 (1980), pp. 33-54.

Becker-Cantarino, B., «*Vana rosa*, from Ausonius to Góngora and Gryphius», *Revista Hispánica Moderna*, 37 (1972-1973 [1974]), pp. 29-45.

Bergman, Emilie, «Painting in poetry: Góngora's ekphrasis», *The analysis of hispanic texts, current trends in methodology*, M. A. Beck, ed., First York College Colloquium, Nueva York, 1976, pp. 242-255.

—, *Art inscribed: Essays in Spanish Golden Age poetry*, Harvard University Press, 1979.

Beverley, John R., «The language of contradiction: Aspects of Góngora's *Soledades*», *Ideologies & Literature*, 1, n.º 5 (1978), pp. 28-56.

Beverley, John R., ed., L. de G., *Soledades*, Cátedra, Madrid, 1980.

—, *Aspects of Góngora's «Soledades»*, John Benjamins B. V., Amsterdam, 1980.

Blecua, José Manuel, «Don Luis de Góngora, conceptista», *ABC* (27 de diciembre de 1961); reimpreso en *Sobre el rigor poético en España y otros ensayos*, Ariel, Barcelona, 1977, pp. 83-90.

Brockhaus, E., *Góngoras Sonettendichtung*, H. Pöppinghaus, Bochum-Langerdreer, 1935.

Calcraft, R. P., *The sonnets of Luis de Góngora*, University of Durham, 1980.

Carballo Picazo, A., «El soneto "Mientras por competir con tu cabello" de Góngora», *Revista de Filología Española*, 47 (1964), pp. 379-398; reimpreso en E. Alarcos y AA. VV., *El comentario de textos*, Castalia, Madrid, 1973, pp. 62-78.

Carilla, E., «La estrofa XI del *Polifemo*», *Revista de Filología Española*, XLVII (1964), pp. 369-377.

Carreño, Antonio, ed., L. de Góngora, *Romances*, Cátedra, Madrid, 1982.

Ciocchini, Héctor, *Góngora y la tradición de los emblemas*, Bahía Blanca, 1960.

Ciplijauskaité, Biruté, ed., L. de G., *Sonetos completos*, Castalia, Madrid, 1969.

—, ed., L. de G., *Sonetos*, The Hispanic Seminary of Medieval Studies, Madison, 1981.

Collard, Andrée, *Nueva poesía: conceptismo, culteranismo en la crítica española*, Castalia, Madrid, 1967.

Comas, Antonio, y Juan Reglá, *Góngora, su tiempo y su obra. Texto y estudio del «Polifemo»*, Teide, Barcelona, 1960.

Cossío, José María de, ed., L. de G., *Romances*, Revista de Occidente, Madrid, 1927; reimpreso en Alianza Editorial, Madrid, 1980.

Chala, Siegfred, «"Conceptismo" in the *Soledades* of Góngora», University of Pittsburg, 1972; reimpreso en *Dissertation Abstracts International*, XXXIII, n.º 12 (1973).

Dehenin, Elsa, *La résurgence poétique de Góngora et la génération de 1927*, Didier, París, 1962.

—, «Du baroque en général et de la "commutatio" gongorique en particulier», *Criticón*, 6 (1979), pp. 7-44.

Dolfi, Laura, «Struttura e stile barocco in *Las firmezas de Isabela*», en *Actas del coloquio Teoría y realidad en el teatro español del siglo XVII*, ed. M. Sito Alba y F. Ramos Ortega, Instituto Español, Roma, 1981, pp. 117-126.

Edwards, Gwynne, «On Góngora's *Angélica y Medoro*», *Studies of the Spanish and Portuguese Ballad*, N. D. Shergold, ed., Tamesis-University of Wales Press, Londres, 1972, pp. 73-94.

—, «The theme of Nature in Góngora's *Soledades*», *Bulletin of Hispanic Studies*, LV, 3 (1978), pp. 231-244.

Entrambasaguas, Joaquín, *Góngora en Madrid*, Instituto de Estudios Madrileños (Temas madrileños, XXI), Madrid, 1961; reimpreso en *Estudios y ensayos sobre Góngora y el Barroco*, Editora Nacional, Madrid, 1975, pp. 155-174.

Entwistle, W. J., «A meditation on the *Primera Soledad*», *Estudios Hispánicos. Homenaje a Archer M. Huntington*, Welesley College, 1952, pp. 125-130.

Espíritu barroco [1977³] = Lázaro Carreter, Fernando, *Espíritu barroco y per-*

sonalidad creadora. Góngora, Quevedo, Lope de Vega Cátedra, Madrid, 1977ª.

Ferraté, Juan, «Ficción y realidad en la poesía de Góngora», *Dinámica de la poesía,* Seix Barral, Barcelona, 1968.

Foster, David William, y Virginia Ramos Foster, *Luis de Góngora,* Twayne Pub., Inc., Nueva York, 1973.

Frattoni, Oreste, *Ensayo para una historia del soneto en Góngora,* Universidad de Buenos Aires, Facultad de Filosofía y Letras, 1948.

—, «La forma en Góngora. Estudio sobre la dedicatoria del *Polifemo*», en *La forma en Góngora y otros ensayos,* Rosario, 1961, pp. 5-16.

Galaz Vivar, Alicia, «Análisis estilístico de la *Fábula de Píramo y Tisbe* de don Luis de Góngora y Argote», *Memoria de los Egresados,* Santiago de Chile, 1958, I, pp. 241-332.

Garrison, David L., «The linguistic mixture of Góngora's *Fábula de Píramo y Tisbe*», *Romance Notes,* XX, 1 (1979), pp. 108-113.

Gates, Eunice Joiner, *The metaphors of Luis de Góngora,* University of Pennsylvania, Filadelfia, 1933.

—, *Documentos gongorinos. «Discursos apologéticos» de Pedro Díaz de Rivas. «Antídoto» de Jáuregui,* Colegio de México, México, 1960.

—, «Góngora's *Polifemo* and *Soledades* in relation to Baroque Art», *The University of Texas studies in literature and language,* II, University of Texas, 1960, pp. 61-77.

—, «Sidelights on contemporary criticism of Góngora's *Polifemo*», LXXV (1960), pp. 503-508.

Geske, R., *Góngoras Warnrede im Zeichen der Hekate. Ein Deutungsversuch zu den Versen 366-502 der «Soledad primera»,* Colloquium Verlag, Berlín, 1964.

Goič, Cedomil, «Góngora y la retórica manierista de la dificultad docta», *Atenea,* CXLII, 393 (julio-septiembre, 1961), pp. 161-178.

Goldberg, R., «Un modo de subsistencia del romancero nuevo: romances de Góngora y de Lope de Vega en bailes del Siglo de Oro», *Bulletin Hispanique,* 72 (1969), pp. 56-95.

Gornall, J. F. G., «Góngora's *serranas*», *Bulletin of Hispanic Studies,* LVI, 3 (1979), pp. 201-206.

—, «The poetry of wit: Góngora reconsidered», *Modern Language Review,* 75, 2 (1980), pp. 311-321.

—, «Góngora's *Soledades: alabanza de aldea* without *menosprecio de corte?*», *Bulletin of Hispanic Studies,* LIX (1982), pp. 21-25.

Guillén, Jorge, «Lenguaje prosaico: Góngora», *Lenguaje y poesía,* Alianza Editorial, Madrid, 1969, pp. 31-72 (primera edición en inglés, 1961).

Guyler, S. L., «Góngora's *Polifemo*: the humor of imitation», *Revista Hispánica Moderna,* 37, 197-3, 1975, pp. 237-252.

Hahn, Juergen, *The origins of the Baroque concept of «Peregrinatio»,* The University of North Carolina Press, Chapel Hill, 1973.

Hart, Thomas R., «The Pilgrim's role in the first *Solitude*», *Modern Language Notes,* 92 (1977), pp. 213-226.

Ife, B. W., *Dos versiones de Píramo y Tisbe: Jorge de Montemayor y Pedro*

Sánchez de Viana, University of Exeter, 1974.

Iventosch, Herman, «The Classic and the Baroque: Sonnets of Garcilaso and Góngora», *Estudios literarios de hispanistas norteamericanos dedicados a Helmut Hatzfeld con motivo de su 80 aniversario*, Hispam, Barcelona, 1974, pp. 35-40.

Jammes, Robert, «Notes sur la *Fábula de Píramo y Tisbe*», *Les Langues Néo-Latines*, LV, 156, París (1961), pp. 1-47.

—, ed., L. de G., *Letrillas*, Ediciones Hispanoamericanas, París, 1963; ed. cast. en Castalia, Madrid, 1980.

—, *Études sur l'œuvre poétique de don Luis de Góngora y Argote*, Université de Bordeaux, 1967.

—, «Retrogongorisme», *Criticón*, Université de Toulouse, 1 (1978).

—, «La destrucción de Troya, *entremés* attribué a Góngora», *Criticón*, 5 (1978), pp. 31-52.

—, «Dos sátiras vallisoletanas de Góngora», *Criticón*, 10 (1980), pp. 31-57.

Jones, R. O., «The poetic unity of the *Soledades* of Góngora», *Bulletin of Hispanic Studies*, XXXI (1954), pp. 189-204.

—, «Neoplatonism and the *Soledades*», *Bulletin of Hispanic Studies*, XL (1963), pp. 1-16.

—, Introducción a *Poems of Góngora*, Cambridge University Press, 1966.

—, «Góngora and Neoplatonism again», *Bulletin of Hispanic Studies*, XLIII, 2 (1966), pp. 117-120.

—, «Poets and peasants», *Homenaje a William L. Fichter*, A. David Kossoff y J. Amor Vázquez, eds., Castalia, Madrid, 1971, pp. 341-355.

Lapesa, Rafael, «Góngora y Cervantes: Coincidencia de temas y contraste de actitudes» (1965), en *De la Edad Media a nuestros días*, pp. 219-241.

Lázaro Carreter, Fernando, «Situación de la *Fábula de Píramo y Tisbe*», *Nueva Revista de Filología Hispánica*, XV (1961), pp. 463-482; reimpreso en *Espíritu barroco* [1977³], pp. 45-68.

—, «Dificultades en la *Fábula de Píramo y Tisbe* de Góngora» (1963), en *Espíritu barroco* [1977³], pp. 69-76.

Lida de Malkiel, María Rosa, «El hilo narrativo de las *Soledades*» (1961), en *La tradición clásica en España*, Ariel, Barcelona, 1975, pp. 243-251.

Loring, Salvador, *La poesía religiosa de don Luis de Góngora*, Colegio Noviciado de San Francisco de Borja, Córdoba, 1962.

Loughran, David K., «Góngora's *Romance* 77 and the venatic motif», *Bulletin of Hispanic Studies*, LI, 2 (1974), pp. 125-136.

Marasso, A., «Góngora y el gongorismo», *Estudios de literatura castellana*, Kapelusz, Buenos Aires, 1955, pp. 109-156.

—, *Góngora, hermetismo poético y alquimia*, Theoría, Buenos Aires, 1965.

Martínez Arancón, Ana, *La batalla en torno a Góngora (Selección de textos)*, A. Bosch, Barcelona, 1978.

Millé y Giménez, Juan e Isabel, eds., L. de G. y Argote, *Obras completas*, Aguilar, Madrid, 1932; varias reediciones.

Molho, Mauricio, «Soledades», *Bulletin Hispanique*, LXII (1960), pp. 249-285; reimpreso en *Semántica y poética* [1977], pp. 39-82.

—, *Sémantique et poétique. À propos des «Solitudes» de Góngora* (1969), reimpreso en *Semántica y poética* [1977], pp. 21-38.

Molho, Mauricio, «Sur la métaphore» (1969), en *Semántica y poética* [1977], pp. 13-19.

Müller, B., *Góngoras Metaphorik. Versuch einer Typologie*, Franz Steiner, Wiesbaden, 1963.

Navarro Tomás, Tomás, «El endecasílabo de Góngora», *Homenaje a William L. Fichter*, A. David Kossoff y J. Amor y Vázquez, eds., Castalia, Madrid, 1971, pp. 557-564.

Orozco, Emilio, *Góngora*, Labor, Barcelona, 1953.

—, *Introducción a un poema barroco granadino (De las «Soledades» gongorinas al «Paraíso» de Soto de Rojas)*, Universidad de Granada, 1955; reimpreso en *Paisaje y sentimiento de la naturaleza en la poesía española*, Prensa Española, Madrid, 1968, pp. 139-228.

—, *En torno a las «Soledades» de Góngora*. Ensayos, estudios y edición de textos críticos de la época referentes al poema, Granada, 1969.

—, «Estructura manierista y estructura barroca en la poesía. Introducción y comentarios a unos sonetos de Góngora», en *Historia y estructura de la obra literaria*, CSIC, Madrid, 1971, pp. 97-115.

—, *Lope y Góngora frente a frente*, Gredos, Madrid, 1973.

—, «Sobre la actitud de Góngora ante el teatro de Lope», *Studia Hispanica in Honorem Rafael Lapesa*, II, Gredos, Madrid, 1974, pp. 433-444.

—, y Ana Orozco, *Góngora y Quevedo, poetas*, La Muralla, Madrid, 1975.

Pabst, Walter, *La creación gongorina en los poemas «Polifemo» y «Soledades»*, CSIC, Madrid, 1966 (original alemán de 1930).

Paiewonsky, Edgar, «Góngora o la visión del mundo como posibilidad», *Cuadernos Hispanoamericanos*, LXVIII (1966), pp. 62-88.

Parker, Alexander A., «Ambiguity in a Góngora sonnet», *1930-1955. Homenaje a J. A. van Praag*, Amsterdam, 1956, pp. 89-96.

—, Introducción a Luis de Góngora, *Polyphemus and Galatea. A study in the interpretation of a baroque poem*, trad. al inglés por G. F. Cunningham, University of Texas Press, Austin, 1977.

Pérez, C. A., «Juegos de palabras y formas de engaño en la poesía de don Luis de Góngora», *Hispanófila*, 20 (1964), pp. 5-47; 21, pp. 41-72.

Profeti, Maria Grazia, «Lexis y código ideológico-social en una "comedia errada" del siglo XVII: *Las firmezas de Isabela* de Góngora», en las pp. 73-106 del mismo volumen que L. Dolfi [1981].

Querol Gavaldá, Miguel, *Cancionero musical de Góngora*, CSIC, Barcelona, 1975.

Reyes, Alfonso, «Los textos de Góngora. (Corrupciones y alteraciones)», *Boletín de la Real Academia Española*, III (1916), n.ᵒˢ 13 y 14; reimpreso en *Cuestiones gongorinas*, Espasa-Calpe, Madrid, 1927, pp. 37-89.

—, «Necesidad de volver a los comentaristas», *Revue Hispanique*, LXV (1925), pp. 134-139; reimpreso en *Cuestiones gongorinas*, Espasa-Calpe, Madrid, 1927.

Reyes, Alfonso, «La estrofa reacia del *Polifemo*», *Nueva Revista de Filología Hispánica*, VIII (1954), pp. 295-306.

Richards, Ruth M., *Concordance to the sonnets of Góngora*, The Hispanic

Seminary of Medieval Studies, Madison, 1982.

Rivers, E. L., «El conceptismo del *Polifemo*», *Atenea*, 393 (1961), pp. 102-109.

—, «Hacia la sintaxis del soneto», *Homenaje a Dámaso Alonso*, III, Madrid, 1963, pp. 225-233.

—, «Nature, art and science in Spanish poetry of the Renaissance», *Bulletin of Hispanic Studies*, XLIV, 4 (1967), pp. 255-264.

—, Introducción a Luis de Góngora, *The Solitudes*, ed. y trad. al inglés de Gilbert F. Cunningham, preliminar de A. A. Parker, The John Hopkins Press, Baltimore, Maryland, 1968.

—, «Oral and written poetry in Góngora», *Actes du V⁰ Congrès de l'Association Internationale de Littérature Comparée (Belgrade, 1967)*, Swets & Zeitlinger, Amsterdam, 1969, pp. 515-518.

Romero Tobar, Leonardo, «Sobre los poemas gongorinos dedicados a la toma de Larache», *Revista de Literatura*, XL (1978), pp. 47-69.

Rosales, Luis, «Las *Soledades* de don Luis de Góngora. Algunas características de su estilo», *Atti del Convegno Internazionale sul tema: Premarinismo e Pregongorismo (Roma, 19-20 aprile, 1971)*, Accademia Nazionale dei Lincei, Roma, 1973, pp. 59-93.

Rubio González, Lorenzo, «Un códice de poesías de Góngora en el archivo de la catedral de Palencia», *Castilla*, 4 (1982), Universidad de Valladolid, Valladolid, pp. 153-176.

Rumeau, A., ed., Luis de Góngora, *Píramo y Tisbe*, con los comentarios de Salazar Mardones y Pellicer, extractados y presentados por A. Rumeau, Ediciones Hispanoamericanas, París, 1961.

Sánchez, Alberto, «Lo cómico en la poesía de Góngora», *Revista de Filología Española*, XLIV (1961), pp. 95-138.

San Juan Jr. E., «Contiguity and similarity as poetic modes in some poems of Góngora», *Kentucky Foreign Language Quarterly*, 13 (1966), pp. 43-50.

Semántica y poética = Molho, Mauricio, *Semántica y poética (Góngora, Quevedo)*, Crítica, Barcelona. 1977.

Smith, C. C., «La musicalidad del *Polifemo*», *Revista de Filología Española*, XLIV (1961), pp. 139-166.

—, «Pedro de Valencia's letter to Góngora (1613)», *Bulletin of Hispanic Studies*, XXXIX (1962), pp. 90-91.

—, «On the use of Spanish theoretical works in the debate on gongorism», *Bulletin of Hispanic Studies*, XXXIX (1962), pp. 165-176.

—, «An approach to Góngora's *Polifemo*», *Bulletin of Hispanic Studies*, XLII (1965), pp. 217-238.

—, «Serranas de Cuenca», *Studies in Spanish literature of the Golden Age presented to Edward M. Wilson*, R. O. Jones, ed., Tamesis Books, Londres, 1973, pp. 283-295.

Smith, John D., «Metaphysical descriptions of women in the first sonnets of Góngora», *Hispania*, 6 (1973), pp. 244-248.

Soons, Alan, «Situación de las *Soledades* de Góngora», en *Ficción y comedia en el Siglo de Oro*, Madrid, 1967, pp. 138-143.

Spitzer, Leo, «Zu Góngoras *Soledades*», *Volkstum und Kultur Romanen*, II,

Hamburgo, 1929, pp. 244-258; y en *Romanische Stil— und Literaturstudien,* II, Marburgo, 1951, pp. 126-140.

-, «El acusativo griego en español», *Nueva Revista de Filología Hispánica.* II (1940), pp. 35-45.

—, «La "Soledad Primera" de Góngora. Notas críticas y explicativas a la nueva edición de Dámaso Alonso», *Revista de Filología Hispánica,* II (1940), pp. 151-176; reimpreso en *Estilo y estructura en la literatura española.* Crítica, Barcelona, 1980, pp. 257-290.

Terry, Arthur, «An interpretation of Góngora's *Fábula de Píramo y Tisbe»,* *Bulletin of Hispanic Studies,* XXXIII (1956), pp. 202-217.

Testa, Daniel, «Kinds of obscurity in Góngora's *Fábula de Píramo y Tisbe»,* *Modern Language Notes,* LXXIX (1964), pp. 153-168.

Uhrhan, Evelyn Esther, «Linguistic analysis of Góngora's Baroque style», *Descriptive studies in Spanish grammar,* H. R. Khane y C. Pietrangeli, eds., University of Illinois Press, Urbana, 1954, pp. 177-241.

Valente, J. A., y N. Glendinning, «Una copia desconocida de las *Soledades* de Góngora», *Bulletin of Hispanic Studies,* XXXVI (1959), pp. 8-9.

Vilanova, Antonio, «El peregrino de amor en las *Soledades* de Góngora», *Estudios dedicados a Menéndez Pidal,* III, Madrid, 1952, pp. 421-460.

—, *Las fuentes y los temas del «Polifemo» de Góngora,* CSIC, Madrid, 1957.

Vitse, Marc, «Góngora, poète rebelle?», *La contestation dans la littérature espagnole du Siècle d'Or* (Actes du Colloque de la RCP 439 du CNRS, Toulouse, 15-17 janvier, 1981), Université de Toulouse - Le Mirail, Toulouse, 1981, pp. 71-81.

—, «Salas Barbadillo y Góngora: burla e ideario de la Castilla de Felipe III», *Criticón,* 11 (1980), pp. 5-142.

Waley, Pamela, «Some uses of classical mythology in the *Soledades* of Góngora», *Bulletin of Hispanic Studies,* XXXVI (1959), pp. 193-209.

—, «Enfoque y medios humorísticos de la *Fábula de Píramo y Tisbe, Revista de Filología Española,* XLIV (1961), pp. 385-398.

Wardropper, Bruce, «The complexity of the simple in Góngora's *Soledad primera»,* *The Journal of Medieval and Renaissance Studies,* 7 (1977), pp. 35-51.

Wilson, E. M., «On Góngora's *Angélica y Medoro»,* *Bulletin of Hispanic Studies,* XXX (1953), pp. 85-94.

—, «La estética de don García de Salcedo Coronel y la poesía española del siglo XVII», *Revista de Filología Española,* XLIV (enero-junio de 1961), pp. 1-28.

—, ed., texto y traducción de Luis de Góngora, *The Solitudes,* Cambridge University Press, 1965.

Woods, M. J., *The poet and the natural world in the age of Góngora,* Oxford University Press, 1978.

Woodward, L. J., «Two images in the *Soledades* of Góngora», *Modern Language Notes,* LXXVI (1961), pp. 773-785.

Worren, Arne, «Mort et fécondité *Fábula de Polifemo y Galatea* de Góngora», *Orbis Litterarum,* 32 (1977), pp. 27-40.

DÁMASO ALONSO

ALUSIÓN Y ELUSIÓN EN LA POESÍA DE GÓNGORA

Todo el arte de Góngora consiste en un doble juego: esquivar los elementos de la realidad cotidiana, para sustituirlos por otros que corresponden, de hecho, a realidades distintas del mundo físico o del espiritual, y que sólo mediante el prodigioso puente de la intuición poética pueden ser referidos a los reemplazados. Es éste un doble juego en el que tanto se pierde como se gana. Se pierde en variedad: el mundo sufre una poda de cualidades físicas no interesantes estéticamente; pero las cualidades conservadas adquieren —con el aislamiento— nitidez, realce, intensidad, notas elevadas ahora a términos absolutos, perdidas antes —del lado real— en una confusión de contingencias.

En el estudio de la metáfora es donde esta teoría tiene, centralmente, su aplicación. Pero hay que partir del lenguaje como productor de representaciones; y en el lenguaje no se puede prescindir de ninguno de los dos elementos que cubren la objetividad del ser: de una parte la noción, que corresponde al idioma íntimo, tácito, del pensamiento; de otra, la palabra, modificación fonética del mundo (o la grafía de la palabra), elemento externo, sujeto a variaciones temporales y espaciales, que suscita de modo automático en el oyente (o en el lector) la noción que el autor quiso expresar.

La tendencia central del arte de Góngora, y la que primero atrae la atención del lector, es, como acabo de decir, la que le lleva a sustituir constantemente el complejo *noción-palabra*, correspondiente a un término de la realidad circundante, por otro metafórico (susti-

Dámaso Alonso, «Alusión y elusión en la poesía de Góngora», *Revista de Occidente*, XIV (1928), pp. 177-202; reimp. en *Obras completas*, V, *Góngora y el gongorismo*, Gredos, Madrid, 1978, pp. 318-338 (318-325, 332-335).

tución total); pero existe también en su poesía, y con la misma frecuencia, una sustitución más parcial y tímida, que conservando —ya veremos hasta qué punto— la noción real, esquiva la palabra que a esa noción corresponde. Esta huida, este aborrecimiento de la palabra que debía cubrir directamente a una noción, es lo que da origen a la perífrasis. En la perífrasis, la imaginación describe un círculo, en el centro del cual se instaura, intuida, la palabra no expresa. [...]

La necesidad de esta huida se siente de un modo perfectamente explicable: hay un gran número de palabras de uso cotidiano que la poesía de tradición clásica ha procurado siempre omitir, y son aquellas que se refieren a objetos tenidos por demasiado vulgares o groseros, o fatídicos y de mal augurio. La perífrasis en este caso se convierte en eufemismo. Es cierto que Góngora —Jáuregui se lo echaba en cara— no esquiva en algunas ocasiones palabras de las consideradas tradicionalmente como poco poéticas. Así aparecen por las *Soledades* con sus vulgares nombres: *coscojas*, *atunes*, *cecina*, etc. Pero esto es excepcional. Si el poeta tiene que aludir a un macho cabrío, dirá:

> El que de cabras fue dos veces ciento,
> esposo casi un lustro, cuyo diente
> no perdonó a racimo aun en la frente
> de Baco, cuanto más en su sarmiento...

Para no nombrar a las caseras y triviales gallinas, nos llevará por estos senderos:

> ... crestadas aves
> cuyo lascivo esposo vigilante
> doméstico es del Sol nuncio canoro
> y —de coral barbado— no de oro
> ciñe, sino de púrpura, turbante. [...]

Góngora siente la necesidad de comunicar a la representación del objeto una plasticidad, un coloreado relieve, un dinamismo que la palabra concreta no puede transmitir. Considerada así la perífrasis gongorina, responde a la misma razón que produce la metáfora. Y cae dentro del doble juego de que hablábamos al principio, puesto que, si elude la noción escueta y la palabra correspondiente, es para sustituirlas por una alusión descriptiva que permite atraer a primer plano algunas cualidades del objeto que tienen mayor interés por ser sus cualidades bellas o si no por ser las que le incluyen dentro de las formas tradicionales del pensamiento grecolatino. [...]

Resulta, pues, que el rodeo imaginativo no es una vuelta inútil ni una vana hinchazón de palabra; es, por el contrario, un procedimiento intensificativo: evocar una noción de representación poco viva por medio de una serie de nociones más intensas. Es una superación en complejidad y dinamismo (atributos de lo barroco). [...]

La perífrasis alusiva no es, sin embargo, más que un caso especial de una de las tendencias generales de Góngora. Lo que primero llama la atención al estudiar la sintaxis gongorina y lo que la hace tan difícil y aparentemente confusa es la constante potencia prolificativa de las palabras: las oraciones dan origen a nuevas oraciones incidentales; los nombres van cargados de elementos determinativos y sirven de antecedente a pronombres que, a su vez, introducen oraciones nuevas; de estos elementos derivan otros de tercer grado, etc. Esto no es más que la complejidad estilística necesaria para traducir al lenguaje la complejidad íntima de la visión poética de Góngora. Porque el mismo engarce que para las palabras, existe para las nociones. Una suscita la otra; ésta da origen a una nueva, que, a su vez, origina otras varias, etc., y a una noción simple sustituye o acompaña un complejo de complejos representativos.

Véase este característico pasaje de las *Soledades*, que prueba bien hasta dónde puede llevar la exageración del procedimiento (sale la novia acompañada de su cortejo de aldeanas a la empalizada donde se van a celebrar los juegos):

> ... seguida
> la novia sale de villanas ciento
> a la verde florida palizada,
> cual nueva Fénix en flamantes plumas
> matutinos del Sol rayos vestida,
> de cuanta surca el aire acompañada
> monarquía canora;
> y, vadeando nubes, las espumas
> del rey corona de los otros ríos,
> en cuya orilla el viento hereda ahora
> pequeños no vacíos
> de funerales bárbaros trofeos
> que el Egipto erigió a sus Ptolomeos.

Hemos partido de una novia aldeana para ir a dar... a los faraones de Egipto. El paso es éste: *a*) la novia sale con otras aldeanas; *b*) como la Fénix resucitada, con su cortejo de pájaros; *c*) entonces (la Fénix) va volando hasta coronar el Nilo; *d*) el Nilo, en cuya orilla están las pirámides; *e*) pirámides que Egipto erigió a sus Ptolomeos. Todo un curso de historia —fabulosa y verídica— ha sido sugerido por una comparación trivial. [...]

Las perífrasis y las alusiones, o las alusiones perifrásticas, son, en la poesía de Góngora, una fuga; pero una fuga a un refugio cierto e inmovible, un intento de asociar la variedad inmensa de la vida a un cuadro fijo y sistemático de formas biológicas estilizadas. De esto ofrecen un buen ejemplo particular las alusiones a la mitología. [...] Y lo mismo que se refugia en la fijeza mitológica, tiende a acogerse a cualquier representación preestablecida. Son curiosas en este sentido las alusiones a adagios y refranes, [así como las alusiones fabulosas (el ave fénix, el carbunclo).]

La antigüedad había legado un mundo de conceptos: mitología, filosofía vulgar, conocimientos naturales. Góngora acepta este mundo ideal y no considera conveniente el alterarlo. Forzará a todas las realidades que se pongan al alcance de su facultad poética a entrar en ese molde fijo que no corresponde ya al concepto de vida y ciencia en el siglo XVII. Se pone de manifiesto aquí, una vez más, el carácter arcaizante y antirrealista del arte del poeta cordobés. [...] Y del mismo modo la poesía gongorina está estableciendo constantemente vínculos con todas las ramas del conocimiento humano: el Derecho, la Geografía, la Historia, la Historia Natural, la Física, etc. Con todo lo conservado de la antigüedad; con casi todo lo nuevamente adquirido. Tanta alusión hace de la obra de Góngora —como de la de muchos escritores del siglo XVII, aunque con un matiz especial— una pequeña enciclopedia de los conocimientos posrenacentistas.

Entran la alusión y la perífrasis dentro del carácter general de la poesía de Góngora; la segunda esquiva la palabra correspondiente a un concepto de realidad; la primera pone en contacto una noción real con un sistema fijo de referencia. Ambas se completan hasta tal punto que la mayor parte de las veces aparecen asociadas. En las dos, la imaginación se desvía un momento de su senda para deleitarse (en los casos mejores) con las bellas incidencias del rodeo. Una y otra han sido conocidas por la poesía de todas las épocas, y, ya en nuestro mundo, muy especialmente por la del Renacimiento. Pero alusión y perífrasis (o perífrasis alusiva) son una nota *constante* del lenguaje gongorino; y esta frecuencia, una de las que lo separan del gusto del siglo XVI y lo sitúan dentro del recargamiento del XVII. La repetición de estos rodeos y su carácter de peso muerto conceptual constituyen precisamente el camino para un escollo que Góngora no pudo —ni quiso— eludir: el caer en el tópico alusivo o perifrástico. [...]

Góngora no tuvo que exagerar nada lo que ya había sido practicado hasta el hastío (del lector). Pero, en general, sí: la abundancia alusiva y perifrástica en Góngora es mucho mayor que en la poesía española del siglo XVI. La poesía gongorina demuestra aquí, una vez más, lo que constituye su nota constante, desde cualquier punto que se la mire: el ser una exageración, una intensificación dinámica, una condensación cuantitativa de los elementos renacidos de la tradición clásica.[1]

1. [De tales consideraciones partió Dámaso Alonso para caracterizar en [1935] la lengua poética de Góngora: su estilo, en efecto, se distingue, desde sus inicios, por el uso abundante de cultismos léxicos —algunos verdaderamente extravagantes— que esquivan la palabra desgastada y buscan el colorismo, los efectos fónicos y la significación vinculada a la tradición grecolatina. Pero también utiliza el cultismo sintáctico: *ser* con sentido de 'servir', 'causar'; acusativos griegos; ablativos absolutos; hipérbaton y repetición de fórmulas estilísticas («A, *si no* B», «A, *sí* B», «*no* B, *sí* A», «*no* B, A», «*no* B, sino A», etc.). Sigue con unos y otros la trayectoria marcada por la poesía del siglo XVI, reiterándolos e intensificándolos a lo largo de su vida poética, lo mismo que la sinécdoque y la metonimia, enlazados con metáforas audaces, aliteraciones y paranomasias que siembran su poesía de dificultades. Por otro lado, su estilo se ciñe al dualismo de la bimembración o se enmascara en el artificio de la correlación petrarquista.]

Robert Jammes

LAS LETRILLAS: LA «SÁTIRA CONTRA ESTADOS»

En la primera estrofa de la letrilla «Ya de mi dulce instrumento» (1595), Góngora se propone, sin dejar de fingir que no es tal su propósito, «decir verdades / contra estados, contra edades, / contra costumbres al fin». Efectivamente, esta letrilla es una especie de galería satírica, y cada una de sus nueve estrofas está dedicada a un tipo particular de la sociedad española contemporánea: en primer lugar, el marido complaciente que vive de los encantos de su mujer; luego la madre cándida que no comprende los manejos de un galán demasiado solícito con su hija; el mercader poco escrupuloso cuya vara de medir y cuya pluma no son dignas de confianza; la quinta estrofa nos presenta a la tradicional viuda alegre; la sexta a un notario perjuro; luego viene la gazmoña cuyos favores comparten el clero y la nobleza; a continuación llega el turno al juez venal, bien secundado por su esposa; la novena estrofa se dedica a la vieja tercera; finalmente, la última se ensaña con el médico ignorante, más peligroso que un bandolero catalán.

Esta forma de la sátira de costumbres es muy frecuente en la poesía española del Siglo de Oro; los manuscritos titulan a menudo «sátira contra estados» esa especie de galerías satíricas, lo cual confirma que los versos de Góngora citados más arriba definen un género preciso. [...] El mismo esquema reaparece en la mayoría de las letrillas satíricas atribuidas a Góngora, en las letrillas satíricas de Quevedo (o atribuidas a Quevedo) y en gran número de composiciones del *Romancero general*; se presenta casi siempre bajo la forma de letrillas o de romances con estribillo, y éste estribillo es el único elemento que da unidad a todas esas estrofas dispersas. Por este motivo es mucho más infrecuente encontrarlas bajo la forma de décimas.

[Comparando la sátira de costumbres gongorina con la poesía satírica o la prosa de Quevedo, saltan a la vista diferencias notables. Góngora, al contrario que Quevedo, apenas desarrolla la sátira de oficios y muestra

Robert Jammes, *Études sur l'œuvre poétique de don Luis de Góngora y Argote*, Université de Bordeaux, 1967, pp. 50-96 (50-61, 69, 86-87, 96).

una total ausencia de los criterios específicamente católicos y nacionalistas que tiñen la sátira quevedesca. Respecto a la mujer, la misoginia de Quevedo se funde en un ascetismo cristiano que nada tiene que ver con la sátira del cordobés. Ésta tiende a centrarse en tipos bien definidos (la buscona, la vieja hipócrita, la celestina) o a atacar la esclavitud amorosa, pero nunca degrada a la mujer como hace el autor de *Los sueños*, ni ve constantemente en ella la culpable del pecado original. También difieren en su tratamiento de la sátira anticlerical y en la que se ocupa de menospreciar la corte.]

La «sátira contra estados» en Góngora se organiza en torno a cinco temas principales: el soldado fanfarrón, el hidalgo famélico, el médico ignorante, los hombres de leyes, el dinero. [En todos ellos] los antiguos valores (nobleza, honor, amor desinteresado) están desacreditados, hoy sólo cuenta el dinero. No obstante, hay que tener en cuenta que muchas letrillas satíricas no pueden incluirse en este grupo, y que falsearíamos su sentido si quisiéramos estudiarlas a la luz de una idea que sólo en fecha más tardía aparece en la obra de Góngora. Semejantemente, no hay que empeñarse en clasificar su producción satírica alrededor de una idea directriz, sino más bien alrededor de una actitud; una actitud que [en el caso, por ejemplo, de la sátira de las mujeres y del amor] está hecha de ironía, de desconfianza y de lucidez: en definitiva, ese afán por no dejarse engañar volvemos a encontrarlo en todas las sátiras de Góngora, y eso es lo que constituye su unidad.

Tomemos, por ejemplo, la letrilla «Bien puede ser», compuesta en 1581, cuando Góngora tenía veinte años; la misma estructura del estribillo, *«bien puede ser»*, *«no puede ser»*, subraya el contraste que opone, casi palabra por palabra, cada mitad de la estrofa:

Que oiga Menga una canción	Que por parir mil loquillas
con piedad y atención,	enciendan mil candelillas,
bien puede ser;	*bien puede ser;*
mas que no sea más piadosa	mas que, público o secreto,
a dos escudos en prosa,	no haga algún cirio efeto,
no puede ser ...	*no puede ser.*

La primera mitad de la estrofa presenta el exterior del personaje, su máscara simpática o virtuosa, mientras que la segunda nos muestra, bajo esas apariencias respetables, las inclinaciones o las taras que constituyen su personalidad real. Esta oposición entre apariencia y realidad es tan evidente en todas las estrofas de esta letrilla, que no merece la pena dedicar más atención al asunto.

«Dineros son calidad» guarda muchas semejanzas con ella desde este punto de vista: el contraste entre el amor (apariencia engañosa) y el dinero (triste realidad), no sólo constituye su idea esencial, sino que reaparece además en la arquitectura de la letrilla, cuyos estribillos (*verdad-mentira*) alternan con una perfecta regularidad. O, aunque no siempre se subraye por medio de una construcción antitética, puede decirse que esta oposición entre la apariencia y la realidad aparece en el fondo de todas las composiciones satíricas de Góngora. Por ejemplo, no puede ser más explícita en el romance «Si sus mercedes me escuchan» cuyo estribillo (*Por el decir de las gentes*) resumen muy bien su contenido: el cazador que vuelve orgulloso con una liebre, el valentón cuya capa y espada han quedado maltrechas en la batalla, el notario que se niega a aceptar ni un maravedí de más, el médico lujosamente vestido de seda, personajes a propósito de los cuales Góngora se divierte maliciosamente poniéndonos en guardia, mostrándonos la realidad poco gloriosa que se oculta detrás de esas hermosas apariencias. Porque ese cazador hubiera vuelto con el zurrón vacío de no haber comprado su caza en una venta; el valentón ha agujereado su capa y mellado su espada ocultamente, para aparentar lo que no es; el notario que no quiere deber ni un maravedí, no tendrá reparos en robar cien escudos, y el médico en cuestión no puede ni dar de comer a su mula.

No es necesario examinar en detalle las sátiras de Góngora para mostrar que todas pueden reducirse a este esquema; basta recordar los temas principales para advertir que todas se fundan en la misma actitud crítica, que consiste en arrancar el envoltorio de la apariencia para poner de manifiesto una realidad opuesta. En el fondo de la sátira de las mujeres encontramos el afán por desengañar al enamorado ingenuo, y antes que nada por desengañarse a sí mismo: bajo apariencias risueñas, el amor es una terrible esclavitud y la amada más afectuosa es a menudo un corazón voluble, cuando no es una aventurera astuta y peligrosa. El soldado fanfarrón disimula mal su cobardía ante miradas perspicaces, como el hidalgo su miseria. El médico al que se cree sabio no es mucho más competente que su mula, etc. De un modo más general, todos los antiguos valores espirituales en los que aún se finge creer —amor, nobleza, valentía, honor— no son más que mamparas tras las cuales se esconde el único valor verdadero: el dinero. [...]

La apariencia con la que se ensaña la poesía satírica de Góngora es siempre de naturaleza social. Ahora bien, este conflicto entre la apariencia y la realidad no nació espontáneamente en la mente del poeta: todo lo que sabemos acerca de la historia de la sociedad española alrededor del año 1600 tiende a darnos la imagen de un árbol aún robusto en apariencia, pero cuyo tronco se vacía de año en año hasta quedar reducido solamente a la corteza. El poderío español no es más que una apariencia de poderío, como la nobleza del hidalgo apicarado no es más que un fantasma de nobleza. El contraste es particularmente sensible en las ciudades, y sobre todo en la capital, donde se dan cita todos aquellos que, gracias a las apariencias, pueden esperar alguna ventaja: pretendientes obstinados en hacer valer sus pergaminos, solicitantes, pícaros de todo pelaje, aventureras, etc. Se comprende que un provinciano como Góngora, imbuido de ideas y de costumbres anacrónicas respecto a la corte, haya sido especialmente sensible a esta contradicción entre un sistema de valores que aún parece tener vigencia y los valores verdaderos, muy poco atractivos, que ya han ocupado su lugar. [...]

Parece, pues, que Góngora fue el creador de un cierto tipo de sátira consistente en una galería de personajes o tipos diversos, por lo común adoptando el molde de una letrilla o de un romance con estribillo, más raramente de una composición en décimas. El aspecto técnico de esta innovación no es el más interesante; este género de poesía implica una tendencia a la maledicencia generalizada y por lo tanto un rechazo, una crítica implícita más o menos dura de todo un conjunto social, es decir, una actitud que podríamos calificar de inconformista. Desde este punto de vista está claro que Quevedo debe mucho a Góngora, aun cuando la orientación ideológica de sus escritos sea muy diferente.

Fernando Lázaro Carreter

LA *FÁBULA DE PÍRAMO Y TISBE*
Y LAS «DOS ÉPOCAS» DE GÓNGORA

Según informa Chacón, Góngora compuso la *Fábula de Píramo y Tisbe*, en 1618, instado por unos amigos a que rematase el romance *De Tisbe y Píramo quiero*, comenzado por él catorce años antes, y abandonado tras escribir los primeros cuarenta y ocho versos.

[Don Luis es el primer poeta español que expone burlescamente una fábula mitológica. Él realiza la ruptura sentimental con los prestigios antes dominantes, lo cual le permite emplearlos a la vez como mero adorno o como cebo para el sarcasmo.] Góngora se sale de la órbita renacentista para dar lugar a un nuevo sistema poético, cuya originalidad es algo mucho más profundo que la mera complicación de la forma. [...]

Don Luis se enfrenta, en 1589, con la fábula de Hero y Leandro. El romance, de 96 versos, se inscribe en lo que ha solido llamarse el estilo «fácil» del cordobés; las alusiones cultas son mínimas («el griego de los embustes», el ejército de Jerjes, «ninfa de Vesta», Venus, Amor, Marte), y todo resulta transparente y claro. El poeta, que no ha dejado en pie ninguna de las míticas excelencias, ha querido llevar su osadía al extremo de la máxima llaneza, haciendo accesibles, divulgándolas podríamos decir, las circunstancias de la antes remota y sublime historia. Claro que los únicos destinatarios posibles eran los doctos, a quienes entregaba la fábula absolutamente degradada (el *mancebito*, el *charco de los atunes*, las *pedorreras azules*, el *candil*, la tormenta vista como un cólico de la noche...) y en una forma trivial de romance, bien alejada de la estructura sublime con que, en la inmediata tradición poética, venían adobados tales temas.

A los quince años de haber puesto en solfa la «romántica» tragedia de Leandro y Hero, se dispone a hacer lo mismo con otra ilustre pareja: la formada por los babilonios Píramo y Tisbe; pero se desanimó don Luis cuando sólo llevaba escritos 48 octosílabos, y no

Fernando Lázaro Carreter, «Situación de la *Fábula de Píramo y Tisbe*, de Góngora», *Nueva Revista de Filología Hispánica*, XV (1961), pp. 465-482; reimpreso en [1977³], pp. 45-68 (45, 48-49, 54-57, 59-65, 67-68).

había hecho más que describir someramente a la bella, con alguna alusión a sus padres («dulce, pero simple gente, / conserva de calabaza»). ¿Por qué abandonó el poeta su iniciado proyecto? Aunque son siempre peligrosas estas preguntas que abocan a una hipótesis, podemos imaginar que el breve camino recorrido no le dejaba satisfecho. [...] Lo breve del romance abandonado no permite juzgar con seguridad, pero se vislumbra la indecisión del poeta, que no alcanza a materializar su intención. Si no yerro, ésta consistía, fundamentalmente, en tratar la fábula con sus habituales rasgos seductores, pero dentro de un marco hilarante.

En la de 1589 había cargado la mano en lo chocarrero; ahora va a intentar un ponderado equilibrio de especies suaves y ásperas, pero el pulso le falla. Lo que va obteniendo resulta poco intenso: una docena de coplas transparentes, ni cómicas ni graves, sólo pálidamente ingeniosas. Góngora alzó la pluma, y dejó su intento para mejor ocasión. Tras un lapso de veintiún años, en 1610, el poeta vuelve a interesarse por los desventurados amores de Hero y Leandro. Había ciertos aspectos de su leyenda, previos a la catástrofe y no desarrollados en el romance de 1589, que se propone tratar. Chacón informa: «Es el romance [*Arrojóse el mancebito*] segunda parte del pasado [*Aunque entiendo poco griego*]. Y aunque hizo don Luis aquel tanto después, fue para que éste se pudiese continuar con él». Efectivamente, a pesar del cambio de rima, el engarce de ambos poemas es perfecto: Leandro ha visto lucir el farol de Hero, y exclama enardecido:

> [1610] «A tus rayos me encomiendo,
> que si me ayudan tus rayos,
> mal podrá un brazo de mar
> contrastar a mis dos brazos.»
> Esto dijo, y repitiendo
> «Hero y Amor», cual villano
> que a la carrera ligero
> solicita el rojo palio,
> [1589] *arrojóse el mancebito*
> *al charco de los atunes,*
> *como si fuera el estrecho*
> *poco más de medio azumbre...*

Pero, si el tránsito argumental se realiza tan normalmente, asistimos a un cambio radical en la resolución del tema. Continúa, sí, la visión degradante, pero ahora se entremezcla con descripciones exaltadas: en

Hero, «crepúsculo era el cabello / del día, entre oscuro y claro, / rayos de una blanca frente, / si hay marfil con negros rayos ... / En los labios dividido / se ríe un clavel rosado, / guarda-joyas de unas perlas / que invidia el Mar Indiano». Góngora vuelca su prodigiosa cornucopia, a la vez que abre la gatera de las malicias, y presenta la mezcla con las más sorprendentes formas de su sabiduría conceptista. El conjunto es difícil e intenso; hay fragmentos de extraordinaria complicación y de deslumbrante ingenio. El gran cordobés parece haber hallado lo que andaba buscando: una fórmula satisfactoria para resolver el problema de la fábula mitológica burlesca. Es, ni más ni menos, la fórmula que habrá de ultimar y consagrar definitivamente con su obra más querida, el *Píramo y Tisbe* de 1618.

Los hechos, tal como han quedado expuestos, plantean inexorablemente la cuestión del proceso evolutivo que experimenta la poesía gongorina. El punto de observación es aquí especialmente favorable: un tema idéntico —dos momentos de una misma narración— abordado por don Luis a los veintiocho y a los cuarenta y nueve años. Las diferencias son enormes; la sencillez del primer tratamiento deja paso a una extremada complejidad en el segundo. ¿No nos hallamos ante el famoso y secular problema de las «dos épocas» de Góngora?

[Todas las pruebas que la crítica ofrece vienen a coincidir en el hecho de que el poeta, en ningún momento de su vida, cambió súbitamente de orientación.] Y sin embargo, quizá merezcan alguna atención tanto los amigos como los adversarios de don Luis que hablan de un «rumbo nuevo» en su arte, y lo sitúan en el tiempo a la altura de 1613; unos lo interpretan como aspiración a más altas empresas; otros, como errada ambición. En cualquier caso, la seguridad de que algo extraño se estaba produciendo en la lírica gongorina fue unánime. Pienso que este hecho es por sí solo suficiente para no arrumbar por completo la vieja idea de las dos «maneras».

Al testimonio de los contemporáneos debe añadirse el del propio poeta, que parece perfectamente consciente de la importante novedad que alumbra; la «segunda época» no fue un ardid dialéctico, sino un hecho presente en el espíritu de Góngora. [Él mismo declara en defensa frente a sus censores:] «Caso que fuera error (el estilo de las *Soledades*), me holgara de haber dado principio a algo ... En dos maneras considero me ha sido honrosa esta poesía: si entendida de los doctos, causarme ha auctoridad ... Demás que honra me ha causado hacerme escuro a los ignorantes». [...]

La «segunda manera», si nuestra interpretación es cierta, resultaría de la seguridad que Góngora va adquiriendo en la eficacia estética de sus hallazgos e invenciones. Tanto los temas como los procedimientos expresivos ya existentes en su poesía anterior se someten a un tratamiento mucho más consciente e intenso. Puede situarse esta etapa de transición en un extenso período que va, aproximadamente, de 1604 (fecha en que comienza y abandona el romance *De Tisbe y Píramo quiero*) a 1610 (año al que corresponde el romance *Aunque entiendo poco griego*, cuyo estilo tanto difiere del de la primera fábula de Hero y Leandro). Por esta época, entra Góngora en una plenitud cuyo primer testimonio definitivo será la oda *De la toma de Larache* (1610), aunque la explosión de ataques y defensas sea desencadenada por el *Polifemo* y las *Soledades*, en 1613.

Hay otro hecho que denuncia inequívocamente el «rumbo nuevo»; ahora don Luis realiza un esfuerzo ingente por alcanzar la gloria del poema amplio y majestuoso; lo notaron tanto sus adversarios como sus devotos. [...] El poeta somete ahora todas sus potencias a una exigencia mayor. Sin embargo, no todo lo que sale de su pluma, tras la experiencia decisiva de los grandes poemas, posee idéntico grado de dificultad; a veces, ni dificultad existe. Pero sí se advierte en tales poemas cómo Góngora escribe con mayor cautela y vigilancia. [...]

La *Fábula de Píramo y Tisbe* reúne todos los caracteres que definen la época de Góngora. A la luz de nuestra interpretación, podemos comprender fácilmente por qué don Luis, incitado por algunos amigos a continuar el romance *De Tisbe y Píramo quiero*, prefiera volver a empezar. Posee ahora unos medios expresivos y un sistema organizador de los mismos de que, literalmente, carecía en 1604; tras el romance *Aunque entiendo poco griego*, que muestra ya a aquéllos en franca definición, ha pasado por la experiencia de los poemas heroicos. La trágica historia de los amantes babilonios sigue, por otra parte, haciéndole guiños maliciosos, y siente, con seguridad, la tentación de ensayar en ella su «manera» definitiva, conjugando el impulso de ancho aliento que aplicó al *Polifemo*, con su tendencia genial a abatir prestigios. Góngora emprende, pues, su última obra extensa.

Muy escasos rastros del plan antiguo hallamos en la obra definitiva. El más visible es el mismo deseo de narrar por completo el mito; pero lo que es ahora logro, fue entonces mero propósito. En cambio, los realces y primores, que dominaban en 1604, se funden con bestiales zarpazos en mezcla hilarante.

Así el retrato de la bella, lindo en el romance primitivo, es, en *La ciudad de Babilonia*, un prodigio de belleza y sarcasmo. El primer poema constaba de una introducción de ocho versos, que pasa a tener dieciséis en el último; seguidamente, aquél iniciaba el citado retrato, mientras que, en la fábula de 1618, antes de empezarlo, se alude, en 28 versos, a Ovidio, al perpetuo luto del moral, a la fatídica pared... En el estilo, el cambio es igualmente completo. El tono desvaído de 1604 deja paso a ese alarde de concentración que es la versión definitiva. Los rasgos conceptistas, tenues antes, se hacen complicados y densos, hasta dificultar gravemente, muchas veces, la intelección de *La ciudad de Babilonia*. He aquí enfrentados dos pasajes homólogos:

[1604]

Su cabello eran sortijas,
memorias de oro y del alma;
su frente, el color bruñido
que da el sol hiriendo el nácar;
la alegría eran sus ojos,
si no eran la esperanza
que viste la primavera
el día de mayor gala.

Sus labios, la grana fina,
sus dientes, las perlas blancas,
porque, como el oro en paño,
guarden las perlas la grana.

[1618]

Terso marfil su esplendor,
no sin modestia, interpuso
entre las ondas de un sol
y la luz de dos carbunclos.

Un rubí concede o niega,
según alternar le plugo,
entre veinte perlas netas,
doce aljófares menudos.

Mayor extensión, mayor concentración y, por tanto, aumentada dificultad, definen sin lugar a dudas una concepción estética distinta en el poeta. Se ha borrado el camino que, desde el romance de 1604, podía conducir al de 1618; en cambio, el *Hero y Leandro* de 1610 presenta un aire más familiar con éste. Por lo pronto, uno de los mayores aciertos cómicos, la renuncia a todo intento arqueológico y la reducción de los héroes y sus circunstancias a un nivel costumbrista contemporáneo, que en 1589 no se producían, y que en 1604 apuntan con levísimos toques («pocos años en *chapines* / con *reverendas de dama*»; «regalaban a *Tisbica*»), se dan, en *Aunque entiendo poco griego* y, por supuesto, en *La ciudad de Babilonia*, con toda decisión.

[Pero la densidad de conceptos es muy superior en la fábula de 1618.] *Píramo y Tisbe* se ofrece al lector como el resultado de un trabajo tenaz, sin vacíos de atención, dominada en todas sus partes, en todas sus palabras, por la voluntad consciente del autor, el cual, en los moldes estrechos del octosílabo y de una rima nada fácil, acumula dilogías, equívocos, saberes, hermosuras y bellaquerías. El cuadro, amplísimo, aparece rebosante de sustancia, sin los espacios descuidados o poco relevantes que se advierten en las fábulas burlescas anteriores.

[No es que el poeta se burle de sus propios procedimientos; al contrario, se afirma en ellos, mofándose ahora de cuantos le acriminaban por su latinización del léxico.]

Sin fuerzas para rematar las *Soledades* —como he explicado en otro lugar [ahora en 1977[8]]—, las posee, en cambio, para acometer un poema burlesco de enorme amplitud, en el que aúna su reciente decisión de afrontar géneros extensos, con su ingénita proclividad a lo chusco. Ha pasado, además, por el decisivo ejercicio de ultimar su estilo, de afirmarse en él. Lo conceptista «llano» se mezcla con su hallazgo de lo conceptista «culto», y lo vulgar —voces triviales y rudas— se alía con quintaesencias léxicas, en turbadora y cómica confusión. Ya no hay versos de tránsito: en todos ellos ha actuado una misma atención, un idéntico y penetrante cuidado. La *Fábula de Píramo y Tisbe* acudía así a dar satisfacción plena a sus sentimientos, a sus instintos y a sus ideales de artista, precisamente cuando éstos sufrían violentos ataques; era, por todo ello, «su obra», el parto más querido de su pluma.

BIRUTÉ CIPLIJAUSKAITÉ Y ALFREDO CARBALLO PICAZO

LOS SONETOS Y UN SONETO: «MIENTRAS POR COMPETIR CON TU CABELLO»

I.   Góngora cultivó el soneto desde los principios de su carrera literaria.

Los años 1582 a 1585 ven surgir varios, todos ellos bajo una fuerte influencia del petrarquismo. Repiten los tópicos usuales, pero nunca son imitaciones serviles. Según Dámaso Alonso, el primer soneto con voz auténtica data de 1585, cuando el poeta, impulsado por fuerte nostalgia, recrea la imagen de Córdoba en sus esencias:

> Si entre aquellas rüinas y despojos
> que enriquece Genil y Dauro baña
> tu memoria no fue alimento mío,
>   nunca merezcan mis ausentes ojos
> ver tu muro, tus torres y tu río,
> tu llano y sierra, ¡oh patria, oh flor de España! (n.º 4).

Las sátiras de Madrid y de Valladolid adquieren tono aun más personal, y los sonetos escritos como consecuencia de una visita a las posesiones del marqués de Ayamonte en Lepe, en 1607, contienen ya el núcleo de la exaltación de la naturaleza y de la vida del campo que desarrollará en *Soledades*. La voz original suena con más fuerza cada vez, aunque tampoco faltan ocasiones en que el poeta parece sólo ejercitarse: escribe un número considerable de poemas para academias o certámenes poéticos, algunos entre ellos faltos de cualquier emoción. Sus sonetos más impresionantes son los de los últimos años; en ellos vela menos sus sentimientos y deja vislumbrar más claramente al hombre.

En cuanto a la versificación, siguen el modelo clásico del soneto, sien-

---

I.   Biruté Ciplijauskaité, ed., Luis de Góngora, *Sonetos completos*, Castalia, Madrid, 1969, pp. 25-29 (pero la numeración se da según su edición de [1981]).

II.   Alfredo Carballo Picazo, «En torno a "Mientras por competir con tu cabello" de Góngora», en Emilio Alarcos, *El comentario de textos*, Castalia, Madrid, 1973, pp. 62-78 (62-64, 68-69, 71-76).

do la rima de los tercetos preferentemente *cdc ded* o *cde cde*. Gran parte de ellos conservan la división tradicional entre los cuartetos expositivos y los tercetos conclusivos, aunque experimenta con esquemas distintos. El ritmo más frecuente es el yámbico y el sáfico. Siguiendo la clasificación usual de la época, los sonetos se subdividen en varios grupos, que iremos examinando uno por uno.

Los sonetos amorosos pertenecen en su mayor parte a la primera época, y resulta un tanto difícil calificarlos de tales. Sí corresponden al tema, pero son completamente impersonales, fríos, puramente descriptivos, inspirados en modelos petrarquistas. No logramos imaginar detrás de ellos al poeta; sospechamos que sigue los tópicos del día; sabemos, según su primer biógrafo, que «escribió muchos versos amorosos a contemplaciones ajenas: no se le prohijen a su intento». El paisaje en ellos es pastoril; la mujer suele ser comparada a las ninfas. Sólo unos pocos demuestran cierta emoción. Son sonetos de perfecta hechura arquitectónica que se apoya en contrastes de colores y pone de relieve la sonoridad de las palabras. Dámaso Alonso ha señalado que éstos son los años de más frecuente uso de la correlación y de versos bimembres. Es curioso que incluso cuando recuerda el tema amoroso en sus años maduros, vuelva a una estructuración e imaginería parecidas. Compárese el primer cuarteto de dos sonetos, entre los cuales median 38 años:

¡Oh claro honor del líquido elemento,
dulce arroyuelo de corriente plata,
cuya agua entre la yerba se dilata
con regalado son, con paso lento! (1582) (n.° 58)

Dulce arroyuelo de la nieve fría
bajaba mudamente desatado,
y del silencio que guardaba helado
en labios de claveles se reía. (1620) (n.° 95)

La comparación mostrará también que el poeta se ha vuelto más conceptista, ha intensificado las metáforas; el verso ahora es mucho más denso.

Parece un tanto extraño que durante siglos el poeta haya sido conocido y admirado precisamente por estos sonetos. Teniéndolo en cuenta, se comprenden las acusaciones de «superficialidad» y «juego puro» que se le han hecho. Ninguno de los sonetos amorosos ni de lejos se acerca a la pasión directamente transmitida por Lope o por Quevedo. Hay demasiada estilización, y si tuviéramos que juzgar por los sonetos, nos inclinaríamos a afirmar que el poeta nunca estuvo enamorado.

No demuestran mucha más emoción o tono personal los sonetos incluidos bajo la categoría de heroicos. Tampoco en este caso parece muy apropiada la designación. Debemos recordar, sin embargo, que en los siglos de oro se llamaba «heroico» un poema dedicado a asunto elevado y escrito en estilo culto. Nosotros, de acuerdo con algún códice, los llamaremos «dedicatorios». Son sonetos escritos para alabar a amigos (en este caso parecen sinceros, aunque nunca faltos de hipérboles y de deseos irreales) o para congraciarse con los Grandes o los reyes. A este subgrupo pertenecen también los poemas escritos en ocasiones solemnes, los que celebran la aparición de algún libro, y los elogios de la galería de arte de un obispo o un magnate. Un caso curioso entre ellos representa el soneto dedicado a El Escorial: descriptivo y exultante al principio; puramente lisonjeador en el último terceto; mostrando que ya en esos años había empezado a *corteggiar*. Percibimos, pues, también en este grupo un ajuste a su tiempo y a la moda: el panegírico se despliega en toda su prolijidad en el siglo XVII.

El grupo de los sonetos satíricos y burlescos es el más complejo y mucho más vivo. Muchos de ellos han circulado de mano en mano, han sido usados como arma de combate. Su estructura es extremadamente interesante: incorporando la vena popular e incluso un vocabulario más que vulgar, no renuncian a la metáfora, se apoyan en el concepto, y el producto es casi siempre un juego sumamente gracioso, colmado de ambivalencias y de equívocos. Robert Jammes llama la atención al hecho de que incluso la poesía satírica de Góngora, muy al contrario a la moda corriente de su tiempo, conserva cierto ideal de belleza; que nunca llega el poeta a representar una mujer fea, y observa una evolución dentro del grupo: si en sus primeros años se permite ser vulgar, en su madurez lo vela siempre, e incluso en lo burlesco logra crear belleza. Estos sonetos son los más difíciles de descifrar, puesto que todos surgen en una ocasión particular y aluden a acontecimientos concretos, pero no siempre conocidos. La burla se une frecuentemente a la sátira, y juntas muestran una imagen muy viva de la sociedad que le va amargando la vida al poeta. Muy frecuente es en ellos el juego con los apellidos, popular en su tiempo, como en la descripción ya famosa de Valladolid:

Todo sois Condes, no sin nuestro daño;
dígalo el andaluz, que en un infierno
debajo de una tabla escrita posa.

No encuentra al de Buendía en todo el año;
al de Chinchón sí ahora, y el invierno
al de Niebla, al de Nieva, al de Lodosa. (n.º 110)

Considerable es también el número de los sonetos fúnebres que pone de relieve ciertas peculiaridades del poeta. Aunque el tema de la vanidad de las cosas terrenas se repite frecuentemente en ellos, es tema más que actitud. En general, el mayor interés del poeta se encamina hacia la descripción detallada del túmulo. La virtud del muerto se alaba menos que su belleza. Casi en todos se oscila entre el mundo pagano, lleno de ofrendas y aromas orientales, y la moral cristiana. Incluso en ellos el tono de panegírico suena más fuerte que el pesar causado por la pérdida. Sólo en los sonetos a la muerte de Rodrigo Calderón y del conde de Villamediana sentimos vibrar una emoción sincera.

Los sonetos sacros apenas merecen mención. Son pocos, y casi todos escritos para un certamen. No exaltan la figura o las virtudes del cantado, sino que también aquí acumulan detalles descriptivos o aprovechan un juego conceptista. De mucho mayor interés son los que se podría calificar de morales, que reflejan la situación vital del poeta. Algunas veces en tono serio, en otras burlón, o combinando los dos, nos refieren sus achaques y sus angustias. Vemos en ellos al «pretendiente» envejecido, desengañado, pero sin poder desasirse de estas esperanzas vanas. Empujado por la razón a dejar la corte y volver a una vida tranquila en su casa de provincia, opone su orgullo y su perseverancia, y promete resistir hasta el último momento:

Cuantos forjare más hierros el hado
a mi esperanza, tantos oprimido
arrastraré cantando, y su rüido
instrumento a mi voz será acordado. (n.º 169)

En resumen, se puede afirmar que los sonetos reflejan casi todas las facetas del autor. El sentimiento personal no se trasluce claramente en ellos; es poco evidente en el resto de su producción. Para un estudio estilístico, ofrecen claras muestras de desarrollo, sobre todo en los casos de reelaboración de un tema tocado en su juventud. Se debe señalar el hecho de que incluso en la serie petrarquista, que demuestra evidentes contactos con modelos italianos, consta el deseo de una nota original. En cuanto a la estructura, son sumamente logrados desde el principio. La filigrana cordobesa luce en ellos en toda su finura y tersura. Los mejores son producto del anhelo concentrado de belleza; a la vez ofrecen un contenido muy denso.

II.   Mientras por competir con tu cabello,
oro bruñido al sol relumbra en vano,
mientras con menosprecio en medio el llano
mira tu blanca frente el lilio bello;

mientras a cada labio por cogello,
siguen más ojos que al clavel temprano,
y mientras triunfa con desdén lozano
del luciente cristal tu gentil cuello;

goza cuello, cabello, labio y frente,
antes que lo que fue en tu edad dorada
oro, lilio, clavel, cristal luciente,

no sólo en plata o vïola troncada
se vuela, mas tú y ello juntamente
en tierra, en humo, en polvo, en sombra, en nada.

No resulta difícil precisar el tema del soneto: exhortación al goce de la vida, de la vida siempre breve. Viejo tópico [el del *carpe diem*] que corre desde los albores de la poesía hasta nosotros: «Collige, virgo, rosas dum flos novus et nova pubes ...». Del epigrama de Ausonio baja un caudaloso río de influencias. Por la proximidad a Góngora recordaremos sólo tres textos, posibles precedentes gongorinos. En primer lugar, Garcilaso de la Vega: «En tanto que de rosa y azucena ...» (cf. *HCLE*, vol. 2, cap. 2). [En segundo lugar, la traducción de Herrera de los versos de Horacio que trae a la memoria los versos de Góngora: «O sobervia i cruel en tu belleza ...»; y por último, Bernardo Tasso: «Mentre che l'aureo crin v'ondeggia intorno ...».] En el poeta cordobés aparece con relativa frecuencia unido a la exhortación al goce: en romances, en letrillas, en sonetos. [...] Góngora está dentro de una tradición, enriquecida caudalosamente por Italia. Muchas de las imágenes empleadas aquí, en este soneto, proceden de esa vena. O de las asociaciones naturales poéticas, de la intuición. [...]

La novedad, relativa novedad, del soneto de Góngora consiste en enfrentar los términos *A* y *B* de las metáforas de otros versos en dos planos distintos y paralelos; el *cabello*, con frecuencia *oro*, con el *oro*; la *frente*, antes y después *lilio*, con el *lilio*; [1] el *labio*, comparado repetidamente con el *clavel*, con el *clavel*; el *gentil cuello*, sólo *cristal* en tantos casos, con el *cristal*. Los términos *A* y *B* pertenecen a mundos diversos; esa diversidad se mantiene en las series del verso 9 y del verso 11; se funde, en la catástrofe última, en el verso 14.

Varios factores contribuyen al logro poético. Primero, el sencillo paralelo entre el mundo de la naturaleza y las cualidades de la bella en los dos cuartetos.

Los ocho versos constituyen un apartado en el que se decide cuál de las series merece el triunfo. En torno al número cuatro se disponen los elementos:

mientras, 1, 3, 5, 7,	oro bruñido, 2
cabello, 1	lilio bello, 4
blanca frente, 4	clavel temprano, 6
labio, 5	luciente cristal, 8
gentil cuello, 8	

Los versos, ocho en total, aparecen encabalgados por parejas: 1-2, 3-4, 5-6, 7-8. Hay cuatro verbos. El poeta compara dos mundos: el de la naturaleza y el de la mujer soberbia por su hermosura. Cada comparación va precedida por la anáfora *mientras*. Los términos de las series suelen ir con adjetivos, antepuestos o pospuestos, que matizan y precisan los elementos paralelos: *bruñido, blanca, bello, temprano, gentil, luciente*. Sólo quedan libres *cabello* y *labio*. Sustantivos y adjetivos se reparten el predominio en los cuartetos, con sólo cuatro verbos. El color y la luz inundan 1-8: *oro bruñido, relumbra, blanca* frente, *lilio* bello, *clavel* temprano, *labio, luciente cristal*... Oro, blanco, rojo, blanco. La vista encuentra amplio campo: *mira, siguen más ojos*. El poeta se complace en presentarnos un mundo luminoso, de colores brillantes, juveniles, puros.

Hay un cotejo entre la mujer y la naturaleza: *competir, siguen más*

1.   [«Corominas menciona *lilio* en Santa Oria, 28; el cultismo persiste largo tiempo: en Covarrubias —1611— alterna con *lirio*, documentado en Nebrija, 1492; Casas, 1570; Rosal, 1601. Góngora emplea *lilio* por primera vez en 1582; es un cultismo muy frecuente en su poesía. *Viola* alterna con *violeta* en Góngora ("negras vïolas, blancos alhelíes", *Pol.*, v. 334; "coge la negra violeta / y deja el blanco alhelí", romance de 1590). En el soneto parece que Góngora alude al mismo color; el negro simboliza tristeza, muerte, y contrasta con plata.»]

ojos. El triunfo corresponde a la mujer soberbia: *con menosprecio, en vano, con desdén lozano.* Obsérvese que el mundo de la naturaleza se presenta en más de un caso sin personalidad propia: el oro *relumbra* bruñido por el sol, el cristal aparece como *luciente*; es un mundo ficticio, pero hermoso. La hermosura de la mujer queda así intensificada: triunfa sobre el oro bruñido por el sol, el lilio bello, el clavel temprano, el luciente cristal.

La fonética contribuye a la expresividad: «oro *bru*ñido al sol relum*bra* en vano ...». Con persistencia, entre otras, de la vibrante *r* y de la lateral *l*: «oro bruñido ..... relum*bra*» «*al* so*l* re*l*um*bra*» «*m*ira tu blanca frente el *l*i*l*io *b*e*ll*o» «siguen más ojos que *al* cla*v*el *t*em*p*rano» «del luciente cris*tal* tu gen*til* cuello» «mien*t*ras *t*riunfa con desdén lozano». Perfección formal, artificio: encabalgamiento, series de parejas (añádase: *por competir—por cogello; con menosprecio—con desdén lozano*). Versos limpios de ganga, que van, apoyados en *mientras*, angustiosos, cargándose de contenida emoción. No es frecuente en Góngora el uso de anáforas temporales; no existe otro ejemplo mejor de la expresividad que puede infundir en unos versos el estratégico empleo de *mientras*.

En los dos cuartetos Góngora compara, fija un período de tiempo juvenil, gozoso, pero inseguro e incompleto. El verso 9 deshace la inseguridad: un imperativo dirigido a la mujer bella exhorta, con apremio, al goce de la vida, de los sentidos. Y aquí Góngora vuelve al artificio, clave del soneto: la vida se identifica con cuello, cabello, labio y frente, la serie de elementos que corresponde a la mujer. Enumeración, a primera vista, caprichosa: obsérvese el orden en los cuartetos: *cabello*, 1; *frente*, 2; *labio*, 3; *cuello*, 4. Orden lógico, natural. Al enumerarlos de nuevo, principia por el último y pasa al primero, sigue con el 3 y termina con el 2: 4, 1, 3, 2. Enumeración caótica, al margen del orden impuesto por la naturaleza, de arriba a abajo. Así aumentan el frenesí, el apremio, de acuerdo con el imperativo destacado entre limitaciones de tiempo. En ese verso —sólo el 14 corre con más intensidad— está el tema del soneto. El ritmo acentual destaca la primera sílaba con ímpetu insuperable. Añádase la expresividad fonética: cu*ello*-cab*ello*...

En el verso número 10 empieza otra limitación, un nuevo apartado: *mientras* expresa duración; *antes que*, tiempo con un límite a la vista, al que nos acercamos cada vez más. *Mientras* y *goza*, simultaneidad; *antes que* y *goza*, anterioridad de *goza*. El carácter relativamente futuro de *antes que* explica el uso del subjuntivo. Modo real en los cuartetos; modo en un futuro muy próximo: *se vuelva.*

Góngora se ha referido a los elementos de la serie femenina; ahora alude a los elementos de la otra serie, la que corresponde a la naturaleza: *oro, lilio, clavel, cristal luciente*. El orden en los cuartetos: *oro*, 1; *lilio*, 2; *clavel*, 3; *cristal luciente*, 4. El mismo, en 11. Esos elementos —conviene no olvidarlo— resultaron vencidos en la comparación con los atributos de la mujer hermosa; forman un bloque (*lo que, ello*); no puede extrañar su decadencia: el volverse en plata, ya no oro; o en viola truncada, violeta marchita, ya no lilio bello ni clavel temprano. El contraste es más fuerte si recordamos el color atribuido a la viola: negro. Negras —o amarillas—, las violetas simbolizan muerte, y más tronchadas, rotas. Colores mortecinos en contraste con la lozanía y pureza de los colores de la edad dorada, de oro.

Lilio, clavel, cristal son palabras por sí mismas de fonética expresiva. Obsérvese, además, el paralelismo acentual entre 9 y 11:

gó/za/cué/llo/ca/bé/llo/lá/bioy/frén/te
ó/ro/lí/lio/cla/vél/cris/tál/lu/cién/te

Se refuerza, así, el paralelismo y la importancia de las dos series. El verso 10 se precipita en el 13 en un encabalgamiento abrupto, con un ritmo cada vez más rápido, tan rápido como el término de la vida. Góngora funde los dos mundos comparados en 1-8 y recordados en versos distintos en 9 y 11 en un mismo fin. Tú —*cuello, cabello, labio* y *frente*— y ello —*oro, lilio, clavel, cristal luciente*—. Ello: neutro que desdibuja los contornos, que apaga los colores. *Fue*: perfecto sin retroceso.

El verso 14, que tanto nos recuerda a Quevedo, cierra, en total desengaño, el soneto. Tercera enumeración, enumeración clave. Las dos anteriores corresponden a un mundo ficticio; ésta, serie estremecedora, nos sitúa ante una amarga, durísima realidad. Tierra que se convertirá en polvo; humo que será sólo sombra. Y todo: nada. *Nada*: precipicio abierto, insoslayable. La acentuación es un redoble angustioso, isócrono:

en/tié/rra en/hú/mo en/pól/vo en/sóm/bra en/ná/da.

Los acentos caen en 2, 4, 6, 8, 10. Las sinalefas traban las palabras una y otra vez: *a-e; o-e; o-e; a-e*. La sinalefa se da entre palabras separadas por una coma; se vence, así, un obstáculo. Obsérvese el equilibrio, la disposición simétrica de las vocales que integran la serie de sinalefas. La repetición de *en* facilita la sinalefa, pero también, repetida la preposición, contribuye a la monotonía del verso. Dámaso Alonso termina así su comentario: «Lo impresionante de este soneto es el final: toda la imaginería colorista se derrumba y aniquila en ese verso último. El violento contraste barroco asoma ya en esta obra maestra juvenil».[2]

Tres momentos en la historia del tema: Garcilaso, Renacimiento; Herrera, Contrarreforma; Góngora, Barroco. [Garcilaso despierta una impresión de armonía, de equilibrio,] de un mundo agradable, dulce, bajo la amenaza del rápido fluir del tiempo. Es un buen ejemplo del período napolitano de nuestro poeta. Lapesa ha apuntado los rasgos distintivos de esa época: el gusto por la forma cuidada, la deleitosa contemplación de la belleza natural, la exquisita aprehensión de sensaciones, el empleo del epíteto, el mejor aprovechamiento de las fuentes. Ejecución primorosa, perfección, luminosidad, sentido pagano de la vida; todos esos rasgos están presentes en el soneto 23 de Garcilaso. Garcilaso y Góngora apuntan al mismo término, pero con palabras distintas: Garcilaso, *todo*; Góngora, *nada*.

Herrera añade a la vena de Garcilaso un acento esencial: la actitud de la mujer, ensoberbecida por la belleza. Góngora heredará ese rasgo y lo aprovechará, separando en dos series los atributos de la mujer y de la naturaleza. De Herrera proceden palabras del caudal gongorino. Es un eslabón entre Garcilaso y Góngora.

Góngora trata el tema en dos ocasiones, al menos, con atención: en el soneto *Ilustre y hermosísima María* y en *Mientras por competir con tu cabello*. El primero, de fecha más tardía, corresponde a la época renacentista más que a la época barroca: es de ritmo lento; el recuerdo de Tasso, indudable; las alusiones mitológicas recargan

2. [Dámaso Alonso [1955, 1960] ha estudiado especialmente este soneto por su aspecto correlativo. Las series son: cabello A 1; frente A 2; cuello A 4; oro B 1; lilio B 2; clavel B 3; cristal B 4. «Es un soneto de correlación reiterativa cuatrimembre con tres pluralidades: la primera tiene un desarrollo paralelístico de dos elementos (A, B) y está exactamente distribuida por los cuartetos (dos versos cada miembro); la segunda recoge desordenadamente los elementos A 1, A 2, A 3, A 4); la tercera, con perfecto orden, los elementos B.» El final «forma como una nueva pluralidad de la correlación; tal correlación es sólo una apariencia. Pero en la mente del lector queda impresa la sensación de una continuidad correlativa».]

la marcha de los versos; faltan el artificioso esquema, el dramático final, el vocabulario típico del Barroco de *Mientras por competir*...; no se enfrentan los dos mundos, el de naturaleza y el de la mujer. En *Mientras por competir con tu cabello* coinciden rasgos del Barroco esenciales: la violencia, la tensión, el dinamismo; el ensombrecimiento de la visión del mundo; la complicación en el artificio. La violencia, la tensión surgen al enfrentarse la belleza de la mujer y la hermosura del mundo; el dinamismo, del ritmo más rápido; el artificio, de las correlaciones, de los paralelismos; el ensombrecimiento de la visión del mundo, de la actitud del poeta, atento a un colorido sombrío y entregado a un vocabulario negativo, nihilista. *Mientras por competir con tu cabello* puede considerarse, así, como el tercer capítulo de una ejemplar historia, la historia de un tema de alcance universal.

ALFONSO REYES, ANTONIO VILANOVA Y ALEXANDER A. PARKER

EN EL TEXTO DE *POLIFEMO*

I. LA OCTAVA NÚMERO 10 DEL «POLIFEMO». Dice a Góngora el ecuánime Pedro de Valencia en su carta censoria (Madrid, 30 de junio de 1613): «Tan solamente quiero i suplico a v. m. que siga su natural i hable como en la estancia 7.ª i en la 52 del *Polyphemo: Sentado, al alta palma no perdona — Su dulce fruto mi valiente mano*, etc., i como en casi todo el discurso destas *Soledades*: alta i grandiosamente, con sencillez i claridad, con breves períodos i los vocablos en sus lugares, i no se vaya con pretensión de grandeza i altura a buscar e imitar lo estraño, oscuro, ageno i no tal como

I. Alfonso Reyes, «Los textos de Góngora. (Corrupciones y alteraciones)», *Boletín de la Real Academia Española*, III (1916), n.ᵒˢ 13 y 14; reimpreso en *Cuestiones gongorinas*, Espasa-Calpe, Madrid, 1927, apéndice n.º 2, pp. 37-39.

II. Antonio Vilanova, *Las fuentes y los temas del «Polifemo» de Góngora*, Consejo Superior de Investigaciones Científicas, Madrid, 1957, vol. I, pp. 536-540.

III. Alexander A. Parker, Introducción a Luis de Góngora, *Polyphemus and Galatea. A study in the interpretation of a baroque poem*, trad. al inglés por G. F. Cunningham, University of Texas Press, Austin, 1977, pp. 7-106 (79-82).

lo que a v. m. le nasce en casa; i no me diga que *la camuesa pierde el color amarillo en tomando el azero del cuchillo* ...». Este último pasaje no figura en el texto definitivo del *Polifemo*. La estancia número 10, que lo contenía, ha sido corregida por Góngora, muy probablemente en virtud de la anterior censura, pero cuando ya la estancia era conocida en su primera forma. Así, en el manuscrito Cuesta Saavedra, al margen de la estrofa definitiva, se da la lección censurada por Valencia. Pellicer encuentra en los manuscritos ambas formas y, ayuno de sentido crítico, se inclina a preferir la desechada por el poeta y su censor. He aquí la lección primitiva:

Cercado es, quanto más capaz, más lleno,
de la fruta el çurrón casi abortada,
que el tardo otoño dexa al blando seno
de la piadosa yerva encomendada:
la delicada serua, a quien el heno
rugas le da en la cuna; la opilada
camuesa, que el color pierde amarillo
en tomando el azero del cuchillo.

El lector moderno tiende a ver en los cuatro últimos versos de la octava número 10, lección primitiva, una mera alusión al oxidarse del cuchillo con la fruta cortada, o quizás, al cambio de color que experimentan algunas frutas mondadas. No descubre, al pronto, el abominable juego de palabras que encierran dichos versos: es nada menos que una metáfora «medicinal», en que se supone que la camuesa, como la mujer opilada, está amarilla y se cura con el *acero* del cuchillo. La flor de *acero* era, en efecto, uno de los remedios caseros para ese mal. [...]

Cómo pudo Góngora incurrir en la aberración estética del texto primitivo lo explica la propia carta de Pedro de Valencia: «Lo metaphórico —dice— es generalmente mui bueno en v. m.; algunas veces, atrevido i que no guarda la analogía i correspondencia que se requiere; otras, se funda en allusiones burlescas i que no convienen a este estilo alto i materias graves, como convenían a las antiguas que *ludere solebas*». Así es el caso: trátase de una broma jugada al Góngora grave de la segunda manera por el Góngora burlesco de la primera, cuyos hábitos cómicos nunca desaparecieron del todo, sino que —al concentrar su intención— se hicieron grotescos. Los cuatro últimos versos de la octava número 10 quedaron corregidos así:

La serva, a quien le da rugas el heno;
la pera, de quien fué cuna dorada
la rubia paja y —pálida tutora—
la niega avara y, pródiga, la dora.

II. «LA SERVA» Y «LA OPILADA CAMUESA». Salcedo Coronel, en el *Polifemo comentado*, escribe, a propósito de este pasaje: «Va descriviendo que especies de frutas son estas que propuso por mayor. Y en primer lugar pone la serva, fruta conocida en España, cógese verde del árbol, y madura entre heno; y entonces se conoce que lo está cuando se vee arrugada».

Pellicer, en las *Lecciones solemnes*: «La *serva* es fruta conocida *sorbum*, de *sorbendo*, porque se chupa y sorbe; o de *servando*, porque se guarda en paja, o heno cogida verde para *dalle rugas*, o *maduralla*, que todo és uno. Dízese *rugas*, no *arrugas*». Explicación tomada del *Tesoro* de Covarrubias (Madrid, 1611), voz *Serval*. La idea de arrugarse al madurar, Lope la aplica en *El Isidro* (Madrid, 1599) a la col: «La hortaliza, el nabo y col, / *que madurando se arruga*» (canto VI, pp. 50-51). La alusión a madurar las serbas entre heno aparece ya en Lope, en este caso por mera coincidencia temática, pues no es seguro que Góngora conociese una obra juvenil de Lope como *La Pastoral de Jacinta*: «*La serba de heno cubierta*» (acto V, f. 661 a). Encontramos alusiones a las serbas en la canción de *El gigante a Crisalda*, en *La Arcadia* (1598) de Lope: «*la serba roja en el árbol, / y parda cuando aprovecha*» (lib. I, p. 57). [Así como en *El Isidro* (1599), *La Angélica* (1604).] Y en Barahona de Soto, en el episodio polifémico de *La Angélica* (1586): «El vil madroño, y dátil casi eterno, / y la almecina y níspera *y la serva*» (canto III, p. 362).

En cuanto a la primitiva versión de este pasaje gongorino, [véase el anterior fragmento I, de Alfonso Reyes, y adviértase que Pellicer insiste en explicarla «aludiendo a la enfermedad de la opilación, contraída de comer barro, y de la mucha agua tan frecuente en las damas de España, para cuyo remedio es útil la *flor del azero*, o la *escama*, y el andar».] También alude Lope a la camuesa amarilla en el mismo pasaje de *La Angélica* (Madrid, 1604): «*La camuesa amarilla* y verdes peras, / la azufaifa bermeja y fresca roja» (t. II, p. 249). Es posible, sin embargo, que Góngora se inspirase inicialmente para la primera redacción de esta octava, en el siguiente pasaje de Valdivielso en la *Vida y muerte del Patriarca San Joseph* (Toledo, 1607):

> Al tiempo cuando *la camuesa rubia*
> Hurta de la mañana los colores ...
> Cuando pide la vid la fértil lluvia,
> Y el membrillo *de acero* los calores (X, p. 175 b).

En efecto, este pasaje de Valdivielso es el único precedente que hemos encontrado en la poesía española anterior a Góngora, en el que aparece en situación muy próxima la alusión a la camuesa y el juego de palabras en torno a la palabra acero, por cierto casi ininteligible. Ignoro francamente si Valdivielso, al mencionar *los colores de acero*, se refiere al acero incandescente, al rojo vivo, que se utilizaba para elaborar agua acerada, según explica Covarrubias en el *Tesoro* (Madrid, 1611): «*Azerado*. Lo que está fortificado con el azero. Vino azerado y agua azerada, donde se echa un pedazo de azero, muy encendido, de que usan para algunos remedios medicinales» (p. 175 a).

De ser así, como parece lógico, el pasaje aludiría a que el membrillo pide los más altos calores. La alusión podría, claro está, tener el sentido contrario, y referirse a la frialdad del acero, en cuyo caso Valdivielso aludiría a que el membrillo espera los primeros fríos. Sea como fuere, es evidente que el pasaje a que aludimos sugirió a Góngora el rebuscado juego de palabras en torno al color amarillo de las camuesas, idéntico al de las doncellas *opiladas*, que padecían la enfermedad de la *opilación*. El remedio para esta enfermedad era el «acero», agua medicinal llamada también «agua acerada», según hemos visto, acepción que Góngora utiliza simultáneamente al sentido normal, «el acero del cuchillo» que al cortar las camuesas les quita el color amarillo, de igual modo que el «acero» medicinal quita la amarillez a las doncellas opiladas. Por esto habla de «la opilada camuesa», *que el color pierde amarillo — en tomando el acero del cuchillo*. Aunque el juego de palabras sea distinto, creo que la fuente de este pasaje gongorino, la sugerencia inicial en que se ha inspirado, es el texto de Valdivielso.

III. LA ESTROFA 10 Y ALGUNOS RASGOS ESTILÍSTICOS. El estilo barroco del *Polifemo*, a pesar de ser sumamente elaborado y rebuscado, carece de retorcimiento o tensión. No es un arabesco o una ornamentación sobrecargada en la que los detalles pierden su forma y su objeto en una profusión de curvas y volutas sin sentido. Los conceptos orgánicos crean grupos de imágenes que funcionan como símbolos temáticos [véase arriba, pp. 109-112]; y el resultado es que las complejas imágenes se amoldan a una pauta preestablecida en la cual no hay ningún pormenor que no tenga asignado su lugar. Los diferentes hilos del dechado nunca se enredan ni se pierden. Con una extraordinaria maestría, Góngora los va combinando hasta completar la totalidad del modelo, hasta que las correspondencias discordantes y los contrastes paradójicos se resuelven en la unidad final del tema. No sólo se trata de una unidad que resuelve las oposiciones con las que se abre el poema («bóveda *o* de las fraguas de Vulcano, / *o* tumba de los huesos de Tifeo»; 27-28), y el verso con que termina («*yerno* lo saludó, lo aclamó *río*»; 504); es también una unidad que por medio de un coherente y ordenado desarrollo vincula el final con el comienzo: la *fragua* / *tumba* con *el hijo* / *el río*, el *volcán* con el *mar*, en una unidad de amor y muerte. Esta maestría en la relación y la fusión existe gracias a la seguridad en la experiencia unificadora que subyace en la asombrosa riqueza de las imágenes. Esta seguridad se la da a la experiencia la imaginación creativa intelectual (el *ingenio*), que maneja las imágenes de un modo ordenado y funcional porque es lo único que puede poner orden en el tumulto de los sentidos, dominar la fuerza de las emociones y armonizar la dicotomía de las ideas. Estas características del arte barroco de Góngora se deben a la capacidad del concepto para juntar elementos dispares, uniendo en una correspondencia universal dioses y hombres, tierra y mar, amor y muerte, por medio de series de correspondencias separadas entre lo animado y lo inanimado, los hombres y los demás seres, lo humano y lo material, etc. Superando las categorías ontológicas y lógicas, así como las divisiones estructurales en el mundo de la naturaleza, el arte del ingenio era capaz de armonizar los sentidos y el pensamiento. La poesía de Góngora es intensamente sensual, pero al mismo tiempo no puede ser más intelectual.

Por su forma y su estructura, el *Polifemo* es una de las obras de arte más perfectas de toda la literatura española, un poema muy bien pensado y realizado. La relación entre forma y contenido, imágenes e ideas, relato y simbolismo es irreprochable. Hay una consciente plenitud en todos sus detalles, pero en conjunto el poema da la impresión de ser asombrosamente conciso; el suyo es un arte que no tiene nada de dispersión ni de arbitrariedad, sino que en él todo obedece a una rigurosa concepción. [...] Desde el punto de vista de la teoría poética ha sido llamado «platónico»; está relacionado con una «filosofía de las correspondencias» que manifiesta afinidades con el platonismo del siglo XV y con el neoplatonismo de los filósofos de la Naturaleza del siglo XVI. Esta relación alude a un clima cultural, y ha de interpretarse en el sentido de un platonismo vago, que no tiene nada de doctrinal. [...] El *Polifemo* de Góngora por otra parte está próximo a un mundo tan diferente como el de Ovidio.

A la conclusión de que el *Polifemo* es poesía del más alto rango, conviene además añadir el hecho de su maestría arquitectónica y musical. Ningún lector puede dejar de advertir la construcción paralelística de sus versos. La estrofa de ocho versos casi en todos los casos está dividida en dos mitades por una puntuación fuerte, y también revela una estructura simétrica por medio de otros recursos. Los versos pueden emparejarse conceptual y sintácticamente: «bóveda o de las fraguas de Vulcano, / o tumba de los huesos de Tifeo» (27-28). También hay un doble emparejamiento en

> la serva, a quien le da rugas el heno;
> la pera, de quien fue cuna dorada
> la rubia paja, y —pálida tutora—
> la niega avara, y pródiga la dora (77-80).

Aquí los versos están emparejados por una repetición sintáctica: el primer par por nombre-relativo-verbo-sujeto, el segundo par por el equilibrio de las palabras, al que contribuye la asonancia vocálica que sirve de nexo: —*a paja* / *avara*, y la casi consonancia de los proparoxítonos *pálida* y *pródiga*, palabras éstas que también sirven de nexo y que se encuentran en la misma posición métrica en sus respectivos versos.[1] Además, el tercer verso tiene la simetría sintáctica

1. [Colin C. Smith [1961], p. 151, subraya otros elementos en la «música fonética» de la estrofa 10: «En el tercer verso, asonancia interna de *á-o* (*tardo, blando*), que no vuelve a repetirse. Asonancia de *e-a* que abraza los versos tercero a sexto (*el tar-, deja/de la, yerba, -enda-/serva, le da/pera*), o quizá de *a-e-a*, que abraza los versos cuarto a sexto (*-a yerba/la serva/la pera*). Asonancia de *u-a*, que abraza los versos quinto a séptimo (*rugas/cuna/rubia*). Asonancia de *a-a-a*, con igualdad de acentos, que vincula los versos séptimo y octavo (*-a paja/-a avara*). En el verso séptimo la sílaba *pá-* de *paja* parece anunciar a *pálida*, al cual corresponde casi perfectamente de varias maneras *pródiga* del último verso. Aquí, cornucopia, torrente de frutos que prodiga la naturaleza y en cuya vista, tacto y sabor se recrea el poeta barroco; pero también una naturaleza productiva y bien organizada que, en el mundo evocado de la antigüedad y en el mundo utópico que soñó el poeta, tiene un esquema y una estructura que se expresan en la finísima construcción de la estrofa».]

adjetivo-nombre/adjetivo-nombre, y el cuarto la simetría cruzada de objeto + verbo-adjetivo / conjunción / adjetivo-objeto + verbo, con el paralelismo suplementario del contraste semántico entre los dos adjetivos («avara» y «pródiga»). La división en dos mitades de cada uno de los versos, como ocurre en estos dos últimos ejemplos, ya sea por repetición o por inversión, es el rasgo estructural más frecuente, utilizado sobre todo como rotundo verso final de las estrofas. [Ese tipo de simetría bilateral, magistralmente estudiado por Dámaso Alonso,] desempeña una función especial en la estructura conceptual del poema, y por lo tanto en la concepción del tema. Aunque no sea así en todos los casos, es imposible separar este elemento del resto del poema; este ajuste de pautas verbales y sintácticas forma parte de la unidad total del poema, lo cual le da unas características esculturales y casi hieráticas.

MAURICIO MOLHO

SOLEDADES: SEMÁNTICA Y POÉTICA

Las *Soledades* son difíciles y no van destinadas —según decía el poeta no sin fruición— sino al que «tiene capacidad para quitar la corteza y descubrir lo misterioso que encubren». No nos equivoquemos: no se trata aquí de ninguna manera, como en el tópico humanista, de un sentido oculto que al lector le toque descifrar. Las *Soledades* no son filosofía secreta. Don Luis no puede ser más explícito sobre este punto cuando declara a su contradictor anónimo:

Para quedar una acción constituida en bien, su carta de V. M. dice que ha de tener útil, honroso y deleitable. Pregunto yo: ¿han sido útiles al mundo las poesías y aun las profecías (que vates se llama el profeta como el poeta)? Sería error negarlo; pues dejando mil ejemplares aparte, la primera utilidad es en ellas la adecuación de cualesquier estudiantes de

Mauricio Molho, «Semántica y poética» y *«Soledades»*, en *Semántica y poética (Góngora, Quevedo)*, Crítica, Barcelona, 1977, pp. 21-38 y 39-82 (22-27, 37, 79-81).

estos tiempos; y la obscuridad y estilo intrincado de Ovidio (que en lo *de Ponto* y en lo *de Tristibus* fue tan claro como se ve, y tan obscuro en las *Transformaciones*), da causa a que, vacilando el entendimiento en fuerza de discurso, trabajándole (pues crece con cualquier acto de valor) alcance lo que así en la lectura superficial de sus versos no pudo entender; luego hase de confesar que tiene utilidad avivar el ingenio, y eso nació de la obscuridad del poeta.

La poesía es, pues, un ser *funcional*, cuya función fuera la de un riguroso ejercicio del intelecto: poesía lúdica (el juego es su función), que se propone al espíritu para que se ensaye, y, ensayándose, se exalte. La oscuridad que invoca don Luis es una oscuridad lingüística, ideal sólo en la medida en que el lenguaje, que es el único objeto del poeta, es vehículo de ideas. Las *Soledades* no tienen otra profundidad que la casi insondable que le confieren las palabras. [...] Sabido es que el problema que se planteó a los ingenios del siglo XVII es el de la imitación y de las condiciones de la imitación. A través de la *Poética* de Aristóteles, leída, releída, glosada y meditada, la teoría de la imitación toma forma y se define, no sin suscitar fuertes polémicas, en torno a los modos de su aplicación práctica. Un rasgo de la poesía es que se opone a la historia ya que universaliza lo que imita: la historia trata de lo particular, la poesía de lo universal. De ello se deduce que la naturaleza, desde el momento en que es objeto de mimesis, se inscribe en la perspectiva de una universalización que la retrae de la experiencia, la cual no abarca más que seres singulares. Se comprende en estas condiciones hasta qué punto el problema de saber si la «realidad», o todo lo que se quiera evocar con esta palabra, está presente o ausente, asumida o eludida en las *Soledades*, es un problema ajeno a la poética y a la práctica de un ingenio del siglo XVII. Góngora escribe un poema bucólico: los seres que pone en escena —pastores, pescadores, árboles, pájaros, objetos familiares, etcétera— son unos «universales» que, en virtud de una perfección poética propia y no bajo la especie de su cotidiana singularidad, se proyectan en un absoluto imaginario en el que se transforman en entidades concebibles. Por eso mismo nos parece por lo menos inoperante apuntar y repertoriar, en las *Soledades*, los nombres que evocan «realidades» o las «realidades» eludidas. [...]

La originalidad de Góngora está en sobrepasar el lenguaje que ya no es para él tan sólo material de imitación, sino modelo profundo del poema. La poética gongorina consiste, en realidad, en generalizar los objetos que encuentra, es decir, en inscribir lo que percibe en un concebir abstracto que es un campo extensivo de relaciones.

Pero los entes del lenguaje no existen, en lo que se viene llamando lenguas naturales, sino por su capacidad de constituirse en conjuntos, puesto que la lengua no es más que un conjunto inclusivo de todos los conjuntos que la componen. La dificultad de las *Soledades* está en que el poeta, que trabaja con la lengua natural, reinstaura en su discurso poético los procedimientos de esta última con vistas a edificar conjuntos artificiales y ocasionales, fundados sobre relaciones que no son las que la lengua natural mantiene, sino que emanan, a diferencia de éstas, de una invención lógica ajena, por su carácter culto, a la construcción del lenguaje.

Nos encontramos en presencia de una poesía que no es sino una *episemántica* y cuya originalidad consiste en reproducir a un nivel, que es el del lenguaje efectivo, operaciones mentales análogas a las que previamente llegaron a instituir el nombre en el sistema lingüístico. Es conveniente, pues, leer las *Soledades* como un ensayo de reconstrucción del lenguaje —de un lenguaje— a partir del lenguaje y de las relaciones sobre las que se funda.

Un instrumento de análisis de una calidad inigualada y del que puede lamentarse que no se haya echado mano más a menudo, es el gran tratado teórico de Baltasar Gracián, *Agudeza y arte de ingenio* (1642), en el que se cita a Góngora casi a cada página. Se trata, como es sabido, de un ensayo de formalización, casi exhaustivo, de la actividad creadora del espíritu cuando opera con y sobre el lenguaje. Esa actividad consiste, según Gracián, en concebir (de aquí el nombre de *concepto* que en español clásico se da a la operación y al producto resultante) correspondencias entre objetos ideales que la mente manipula y ordena, y cuyo efecto es construir conjuntos mentales fundados sobre la analogía de los objetos en causa. Anotemos que, en la teoría de Baltasar Gracián, la noción de *objeto* recubre la tradicional en filosofía escolástica de «representación» o de «idea», y que el objeto se materializa, en la práctica del poema, bajo la especie de un *nombre* que es su sustentáculo.

En eso reside la posibilidad de asimilar la creación poética a un juego de ingenio, fundado en el análisis y en el tratamiento de las palabras que el pensamiento asocia o disocia con el fin de formular el *concepto* bajo el cual se perfila una imagen inédita de la verdad. [...]

El lenguaje gongorino se construye en función de una finalidad que no es la de la lengua natural, destinada a formular, en las condiciones de economía y de comodidad más satisfactorias, frases unívocas portadoras de un significado singular, disponiendo para ello de criterios selectivos capaces de resolver toda ambigüedad que pueda atentar a la univocidad de la comunicación. El lenguaje conceptual que maneja don Luis es, por el contrario, una búsqueda de plurivocidad, en la que el criterio selectivo, cuando interviene, lejos de atentar contra la ambigüedad de la expresión, tiene por función anunciarla y, anunciándola, preservarla. [La *soledad* del poeta es, para Góngora, la consecuencia de su singularidad, que le lleva a concebir una poesía hermética, reservada a unos pocos elegidos: «Deseo hacer algo; no para los muchos». Por eso, el poeta actúa como solitario, a diferencia del orador, cuyo oficio es cónvencer a las masas.]

El poema es una *Soledad* porque emana de la *soledad*, de la selva solitaria y silenciosa, de la que es imitación ya que toma de la selva la sustancia pastoril y reproduce, bajo forma de *silva*, su libre desorden.

Pero hay más: la *silva* de la *Soledad* no es solamente métrica. Informa al poema en su ordenamiento mismo, confiriéndole la característica de una *soledad confusa*, es decir de una *silva* de temas poéticos construida, según el término de Pedro Mexía, a imagen de la *selva*: «donde están las plantas y árboles sin orden ni regla»: selva en la que el peregrino perdido se abre camino sin otra guía que un resplandor lejano.[1] [...]

1. [«La innovación que supone la *silva* de las *Soledades* responde, pues, a un objeto concreto: la forma del poema, inevitablemente congruente con la sustancia que encierra, es para él fundamental. Por eso su primer cuidado, desde el exordio y antes de dirigirse a su ilustre protector, es definir sus versos: "Pasos de un peregrino son errante ...". Se impone pues, si se quiere penetrar en el designio de don Luis, seguir su marcha y, ya que evoca en primer lugar el molde de la obra ... El protagonista es [pues] *peregrino* porque es extranjero en la región a la que la Fortuna le condujo: Góngora le califica a veces de *extranjero* o de *forastero*. Venido de lejos, el peregrino es el exiliado entre los que le rodean: su condición de ser único, diferente de los demás, le obliga a la soledad. Pero *peregrino* evoca también en la lengua clásica, la cualidad de lo que es raro, extraño, fuera de lo común, y, por esto mismo, "precioso": designa siempre lo no-trivial, lo superlativo, lo inaudito. Al calificarse explícitamente de *peregrino*, el poeta señala su propia diferencia, la inigualable perfección de su genio, y, al mismo tiempo, su soledad. El protagonista es *errante*, ya que sus pasos, en vez de conducirle al término de su viaje, se pierden en la *selva* donde le recogen los pastores. En cuanto al poeta, sus versos son los pasos de un ser singular, que ha penetrado en una *silva* cuya forma a-estrófica impone a quien la crea un andar errático, no regulado de antemano por las leyes de la métrica» (pp. 43, 55-56).]

El único lazo entre los diversos episodios de esa silva, de imprevisible curso, es un errar: yerra el protagonista, disponible siempre, abierto al mundo que va descubriendo al azar de sus encuentros; yerra el poeta, peregrino de la poesía, solicitado a su vez por temas tan variados como un *menosprecio de corte* inspirado en el *Beatus ille* horaciano, una imprecación al estilo de Horacio contra los ambiciosos navegantes, un himeneo con el espíritu y el estilo de la boda de Tetis y Peleo, una minuciosa descripción de los juegos atléticos a imitación de los juegos fúnebres de la Eneida, un epitalamio en coros alternados que también recuerda a Catulo. El conjunto se proyecta sobre una bucólica evocadora de la edad de oro. Los temas, tratados con el máximo rigor, ocupan en el desfile, al uso de las *silvas*, una posición aparentemente arbitraria. El poeta los mezcla, los embrolla, abandona uno para tomar otro, en una creación continua que deja voluntariamente abierta. La *Soledad*, llamada así porque evoca las soledades pastoriles de la *selva* cuyos huéspedes son pastores *selvajes*, y porque es, tanto por la composición métrica como porque rehúsa toda estructura formal aparente, una *silva* (en el doble sentido de la palabra), constituye una tentativa, nunca intentada antes de Góngora, de reunir en un único y vasto poema, una suma de temas poéticos representados en circuito abierto. [...] La *Soledad* es un franquear lo infranqueable. Así es como el poeta se ha visto conducido, por el movimiento mismo de su progresión creadora, a concebir la ruptura de una estructura formal perfecta, circular y paradigmática, en beneficio de una estructura no acabada y abierta. Innova así [con la *Primera*] una *silva* métrica de 1.091 versos, destinada a dar forma a una *silva* de tópicos.

El genio de Góngora supo llevar a cabo la peligrosa empresa que consiste —aventura sin precedentes (¿no era acaso «fénix en lo extremado»?)— en conferir una estructura a la misma libertad, un orden al desorden, una coherencia a la incoherencia. La *Soledad* construye una antinomia que resuelve sin abolirla. La conquista de un espacio poético no acabado, cuya estructura es libre, implica que esa libertad se sustente en una disciplina *interna* rigurosa, sin atentar por ello contra la indisciplina formal del poema. Se encomienda al *concepto*, activo siempre, el establecer entre los objetos significados una red cerrada de correspondencias, a veces tensa hasta quebrarse, pero jamás quebrada. Un lazo conceptual poderoso, declarado ya en título y exordio, impone a la libre *Soledad* su arquitectura interna.

Elias L. Rivers, Emilio Orozco, R. O. Jones
y Leo Spitzer

EN TORNO A LAS *SOLEDADES*

1. La materia prima de las *Soledades* procede del mundo bucólico de la naturaleza; pero lo que puebla este mundo —los arroyos,
los árboles, las aves, las zagalas— todo ha pasado por el filtro de los
sofisticados ojos y oídos de un ingenioso intelectual, que ha forjado
a partir de esta materia nuevos objetos verbales. [...] El poema está
narrado desde la perspectiva del protagonista, un náufrago errante
a través de cuyos ojos vemos montañas, llanuras, aldeas y riberas.
Es un «peregrino de amor», un desterrado de la ciudad donde ha
sufrido desilusiones por culpa de una cruel dama de la corte. En la
campiña descubre que los enamorados son más afortunados al poder
satisfacer naturalmente sus deseos. Aunque la forma sea narrativa,
el fondo es el de una meditación lírica sobre el esplendor de la naturaleza, profusamente rica y variada, un reino casi caótico de incontables colores, sonidos y formas que se relacionan entre sí de muchas
maneras diferentes. Para Góngora el Arte debe imponer orden y
significado humano a un mundo material. Para él la gran poesía debe
crear trabajosamente, partiendo de reflejos verbales de los fragmentos
de este mundo, un mundo nuevo y completamente artificial formado
no sólo de materiales naturales, sino también de materiales culturales
de todo género. Góngora, valiéndose de todos los recursos y alusiones

    i.   Elias L. Rivers, Introducción a Luis de Góngora, *The Solitudes*, ed. y
trad. al inglés de Gilbert F. Cunningham, preliminar de A. A. Parker, The John
Hopkins Press, Baltimore, Maryland, 1968, pp. xvi-xix.
    ii.   Emilio Orozco, *Introducción a un poema barroco granadino* (*De las
«Soledades» gongorinas al «Paraíso» de Soto Rojas*), Universidad de Granada,
1955, pp. 163-164; reimpreso en *Paisaje y sentimiento de la naturaleza en la
poesía española*, Prensa Española, Madrid, 1968, pp. 139-238.
    iii.   R. O. Jones, Introducción a *Poems of Góngora*, Cambridge University
Press, 1966, pp. 30-32.
    iv.   Leo Spitzer, «La "Soledad Primera" de Góngora. Notas críticas y ex-
plicativas a la nueva edición de Dámaso Alonso», *Revista de Filología Hispánica*,
II (1940), pp. 151-176; reimpreso en *Estilo y estructura en la literatura española*, Crítica, Barcelona, 1980, pp. 257-290 (284-285).

literarias de la Antigüedad y del Renacimiento, saquea libremente una *natura naturata* sin alma, para obtener los pedazos y elementos necesarios para dar nueva vida y nuevo cuerpo a los gastados tópicos de la tradición clásica. Ahora bien, también podríamos decir que usa un recurso narrativo y los lugares comunes de la tradición para dar coherencia racional a esas imágenes brillantemente sensuales y a esas ingeniosas metáforas que constituyen la esencia de su poesía. De este modo Góngora crea una poesía auténticamente nueva que es uno de los grandes logros artísticos del Barroco europeo.

En las *Soledades* Góngora insiste explícitamente en las virtudes primitivas de la vida pastoril. La denuncia que hace el viejo labrador del comercio con ultramar no es solamente un tópico horaciano, sino que, como ha sugerido R. O. Jones, viene a ser un comentario crítico sobre la economía española contemporánea, que había sufrido las consecuencias de importar metales preciosos procedentes de las Indias. Cuando Góngora sustituye metafóricamente el oro por el trigo, sin duda alguna está aludiendo a la naturaleza de la verdadera riqueza. Su exaltación de la realidad natural en las *Soledades* eleva a su más alto grado de aprecio los detalles de la vida cotidiana de los labradores, pescadores y halconeros. Pero la ironía de la paradoja pastoril tiene una fuerza implícita muy grande en este poema, que nos incita de un modo manifiesto a volver a una vida rústica próxima a la naturaleza, a un mundo físico que está libre de la corrupción moral de la vida moderna de las ciudades. Porque el punto de vista de Góngora es la quintaesencia de la cultura clásica más elaborada y del refinamiento, con un estilo tan deliberadamente «artificial» como el del más exigente de los poetas anteriores a él. La paradoja estriba en que Góngora nos da una nueva visión del mundo de la naturaleza creando enigmáticos artificios verbales que sólo pueden descifrar personas de una sólida educación humanística y de mente muy despierta. Las *Soledades* implican que sólo unos refinadísimos procedimientos poéticos y el arte más intelectualizado e impregnado de cultura pueden apreciar verdaderamente el confuso esplendor sensorial del mundo de la naturaleza, que los campesinos gozosamente ignorantes ni siquiera se dan cuenta de que existe. De ese modo, el Arte y la Naturaleza empiezan por limitarse a sus aspectos más concretos y físicos, y luego se llevan a sus extremos antitéticos, extremos que se encuentran y se funden en la poesía materialista e hiperestética de Góngora.

II. Una mentalidad equilibrada clasicista no podía comprender el desarrollo de un largo poema sin un esencial apoyo argumental centrado en lo humano; de aquí el fundamento de una de las principales censuras de que fueron objeto las *Soledades* gongorinas. El ser esencialmente descripciones, había impulsado al poeta a una diversidad de acción o, mejor dicho, a una acción pretexto para enlazar distintos cuadros. Era una nueva forma del poema lírico, como señaló certero el abad de Rute en su *Examen del Antídoto*. Como paso a esta nueva concepción del poema lírico, Góngora mismo ofrecía en su *Polifemo* la transformación de un género renacentista, la fábula mitológica, mediante el desarrollo de todos los elementos descriptivos, incluido una especial sobrevaloración del paisaje. Y aun antes, en 1585, había cantado a Granada en su famoso romance, entregándose a la más brillante descripción panegírica, verdadero arranque del poema descriptivo de ciudades típico del Barroco.

La novedad del género con respecto a la tradición literaria grecolatina la reconocía ya Lista en las páginas dedicadas al poema descriptivo en su *Ensayos literarios y críticos*. «Este género —dice en el comienzo— fue desconocido en la antigüedad griega y romana. Ni a Aristóteles ni a Horacio ocurrió que el pincel poético pudiese emplearse en formar cuadros sin más objeto que el de formarlos.» Este aludir al pincel poético señala la esencial razón que determina el surgir del nuevo género: el actuar el poeta con una intención u orientación pictórica, algo general y predominante en el desarrollo y orientación de las artes todas en el Barroco; lo que determina la sobrevaloración en la poesía de los elementos visuales: el recrearse con los efectos pictóricos de contrastes, matices y armonía de luces, sombras y colores. Esta orientación favorece, y en parte fundamenta, la ampliación temática que caracteriza el Barroco: la entrada del cuadro de paisaje, de naturaleza, perspectivas e interiores y asimismo la visión próxima de los elementos de la naturaleza como las frutas y flores e incluso de las cosas correspondientes al mundo de lo artificial e inanimado.

III. Para los contemporáneos de Góngora la «armonía» del universo aún no se había convertido en una metáfora hueca; de hecho, ni siquiera simplemente en una metáfora. Por los textos vemos claramente que la palabra evocaba una realidad análoga a la música, y que de esta realidad la música audible era sólo una manifestación, aunque la más adecuada para simbolizar el conjunto. Estas vastas implicaciones se encuentran en Góngora. [...] Si nos fijamos, a la luz de esta tradición, en las referencias musicales que hay en las *Soledades*, encontraremos en ellas ecos de las armonías mayores del universo. Los pájaros que cantan en un bosque son como un órgano que resuena en un templo natural (I, 556-561). Otra alusión, y una de las más bellas, es la siguiente:

> Rompida el agua en las menudas piedras,
> cristalina sonante era tiorba,
> y las confusamente acordes aves,
> entre las verdes roscas de las yedras,
> muchas eran, y muchas veces nueve
> aladas musas, que —de pluma leve
> engañada su oculta lira corva—
> metros inciertos sí, pero süaves,
> en idïomas cantan diferentes (II, 349-357).

Aquí la armonía de la naturaleza está cerca de la superficie. Los versos son un eco de aquella «música mundana» que tanto sugestionaba la imaginación. Describen la música —habitualmente inadvertida— inherente a todas las escenas y operaciones de la Naturaleza. Los pájaros son como las musas, aunque sus armonías no son fáciles de comprender (*confusamente acordes*). El agua es una tiorba, siempre resonante y acordada con las armonías que suenan a su alrededor.

En el poema hay otras muchas alusiones a la música que contribuyen a formar la imagen de un universo armonioso, cada una de cuyas partes emite sonidos acordes con las demás. En el sentido más amplio, las *Soledades* son una notación poética de esta armonía. Esta armonía eterna puede contener discordancias concretas, violencias o carencias; pero la discordancia se resuelve en la avasalladora armonía del conjunto. Un individuo muere, pero la especie sigue viviendo (como el Fénix y los cisnes). La visión que tiene Góngora de una Naturaleza rebosante de vida, regida por una armonía que supera toda posible discordancia, sugiere que su pensamiento era de tendencia neoplatónica. Ciertamente, el núcleo del neoplatonismo —las emanaciones que irradian de Dios a las criaturas y que se van extendiendo gradualmente por toda la creación— no aparece en sus versos; lo que Góngora describe no es el proceso, sino el resultado. Pero también el proceso está implícito en la poesía cuando Góngora alude a las afinidades que existen entre el hombre y la Naturaleza, entre lo animado y lo inanimado: como cuando un arroyo oye a las serranas y a los pájaros cantar en un bosque (I, 550-561), y el mar escucha compasivamente la canción del peregrino (II, 179-184). No obstante, el neoplatonismo es sólo el telón de fondo de las *Soledades*: éstas no se compusieron como una exposición sistemática de una filosofía, sino para expresar la gozosa comprensión que tenía Góngora de la belleza del mundo creado. Semejantemente, si leemos el poema desde esta perspectiva, advertimos que la afirmación de Góngora de que de un modo u otro trataba de «la primera verdad» no era injustificada. Las *Soledades* son un himno a la belleza, a la inocencia y a la perennidad de la Naturaleza; pero el lector sensible puede captar ecos en la poesía de las armonías en las cuales, según Góngora, se fundaba todo el universo visible.

IV.
> El numeroso al fin de labradores
> concurso impaciente
> los novios saca:
> él, de años floreciente,
> y de caudal más floreciente que ellos;
> ella, la misma pompa de las flores,
> la esfera misma de los rayos bellos.
> El lazo de ambos cuellos
> entre un lascivo enjambre iba de amores
> Himeneo añudando,
> mientras invocan su deidad la alterna
> de zagalejas cándidas voz tierna
> y de garzones este acento blanco.

¿Se ha destacado ya el dibujo interior de una estrofa como ésta, en que la idea del «yugo matrimonial», impuesto a los dos jóvenes, provoca una alternancia de unión, de separación y de reunión de dos personas o grupos? La expresión *Los novios* del verso 3 forma una unidad; luego los dos novios se·separan: *él-ella*; el *lazo de ambos cuellos* ..., *añudado* por himeneo, los reúne; *la alterna* ... *voz* de los dos coros divide en dos el grupo, unido sin embargo en el culto de Himeneo. Así el lazo del matrimonio se encuentra hacia el centro (v. 7) de la estrofa de doce versos y la divinidad de Himeneo se cierne por encima de toda la estrofa. La estrofa que sigue a los coros

(vv. 845-851) ofrece, junto con la que los precede (vv. 755-767), un dibujo en aspa (quiasma): el poeta empieza por un *alterno canto* (v. 845) y hace ver en seguida los *novios* (v. 847) y el *yugo* (v. 848), pero en cambio las *cervices* (aludiendo de nuevo a *ambos cuellos* del verso 761) no están aún suficientemente *domadas*; con todo, esos novios siguen juntos volviendo al templo como los *novillos* atados al arado. La unión por lo menos existe, pero la actitud voluntaria la hace tumultuosa y desordenada (*breve término surcado — pendiente arado*). El *pajizo albergue* que *los aguarda* tranquilamente, con serenidad (v. 851), se opone al *numeroso concurso impaciente* (v. 755): todo tiende sin embargo hacia la paz duradera. Se puede comparar este dibujo interior al de la estrofa 882-892, donde la danza («bailando numerosamente», v. 890) de las doce jóvenes está figurada por grupos de número diferente: vemos primero 6 + 6, luego 3 × 4, luego 12, luego 1 (la cantora). De igual modo, los dos luchadores de la estrofa 963-980: 1 (la joven desposada); los luchadores: 2, 2; 1 (*el uno*) — 1 (*otro*); 2 (*honra igual*); 4 (*otros cuatro* [luchadores]). De igual modo también, en la estrofa 1.035-1.040 los corredores son *dos veces diez*, 20 personas que se dirigen hacia 2 olmos abrazados que sirven de meta, y la estrofa se termina en quiasma: *con silbo igual, dos veces diez saetas*. Este juego con dos se prosigue tenazmente en la soledad segunda y parece en verdad una exteriorización del desdoblamiento de la personalidad del poeta (o del protagonista que observa las cosas como él).

5. LA NOVELA PICARESCA Y OTRAS FORMAS NARRATIVAS

CARLOS VAÍLLO

De los tres grandes protagonistas —caballero, pastor y pícaro— arquetípicos en la tradición literaria (Jolles [1932-1933]), el primero, de resonancias medievales, se desvanece en el panorama de la narrativa española al agonizar la moda del libro de caballerías en los albores del siglo XVII a pesar de las reimpresiones (Chevalier [1976]). No corre mucha mejor suerte el segundo, brote renacentista, aunque la novela pastoril languidece aún durante cierto tiempo con títulos que no superan *La Arcadia* (1598) de Lope de Vega (véase cap. 1) y gravitan hacia otras formas híbridas en un proceso de disolución (Avalle-Arce [1974²]): tal es el caso de la *Cintia de Aranjuez* (1629) de Gabriel de Corral (ed. Entrambasaguas [1945]). El afianzamiento del pícaro dentro de un género narrativo, sin embargo, constituye la novedad más interesante y una aportación sustancial del período al desarrollo de la novela moderna, a costa de desbancar (por el momento) a la otra gran corriente posible de realismo novelístico que habría inaugurado Cervantes en España de contar con seguidores adecuados y con mayor receptividad del público hacia planteamientos poco dogmáticos, ambiguos o irónicos (Blanco [1957], Stolz [1980], Reed [1981]). En cambio, prolifera un tipo de novela corta (o cortesana) que hereda estereotipos de la narrativa idealista anterior, compartidos con el teatro (Morínigo [1957]), sin que el estímulo cervantino ni algún toque realista mitiguen la convencionalidad de las situaciones o el sentimentalismo trivial del conjunto. Por desgracia, la floración narrativa del seiscientos lleva en sí los gérmenes de su desintegración; la acción de la novela picaresca se recarga con discursos moralizantes y varios de sus motivos típicos se trasplantan a otras formas en un proceso fatal de «desnovelización» que desemboca en las alegorías satírico-morales o en el costumbrismo, por hipertrofia retórica de la descripción (Montesinos [1933], López Grigera [en prensa]). Así se malogra el primer intento serio de implantar la novela realista en una literatura europea.

El amplio caudal de ediciones y estudios, suscitados por el permanente interés que despierta la picaresca, queda cumplidamente recogido en varios repertorios bibliográficos (Laurenti [1968, 1973, 1981], Ricapito [1980]). En realidad, son pocas las novedades que aportan las ponencias y comunicaciones del reciente primer congreso sobre la picaresca (= *Actas*) a los importantes avances de los últimos años en la comprensión de la materia. Desde el libro pionero de Frank W. Chandler (1899; trad. cast.: *La novela picaresca en España*, La España Moderna, Madrid, sin año, pero 1913) hasta el más reciente (Dunn [1979]), se han venido sucediendo los estudios panorámicos, con notable variedad de enfoques y puntos de vista. Un florilegio de opiniones críticas, a lo largo de más de medio siglo, puede proporcionar un primer atisbo del asunto (Heidenreich [1969]). En tempranas indagaciones acerca de la base ideológica que segrega la novela picaresca, se ha resaltado la perspectiva antiheroica y crítica que surge de la valoración de la personalidad individual (Castro [1935, 1957]) o, en otro extremo, las afinidades con el sermón y la literatura de devoción contrarreformista (Herrero [1937]; cf. Parker [1967, 1971]).

Si difícil es conciliar pareceres tan dispares, apenas puede describirse el desconcierto que reina en la tarea clave de precisar los límites del género y las obras que cabe incluir bajo el marbete de la picaresca. No resulta ya válido el criterio ecléctico de aceptar como picarescas todas las novelas que contengan como figura central, sin más, al pícaro (palabra cuya discutida etimología esclarece Malkiel [1974], al combinar una referencia geográfica y términos derivados de *picar*). En un básico trabajo de conjunto, todavía con criterios algo borrosos, se distingue entre género y gusto picaresco, desplazando al pícaro del eje central de las formulaciones críticas (Del Monte [1957, 1971]). A falta de una preceptiva explícita, reconocida y aceptada por los novelistas, ha habido diversos intentos de establecer por el cotejo de las obras entre sí un canon de rasgos comunes estructurales y temáticos, sin reparar en el riesgo del argumento circular (Guillén [1962], Wicks [1974]). Frente a la multiplicidad de requisitos que limitan fatalmente la esfera de las obras rigurosamente picarescas, otras interpretaciones optan por cifrar en un solo factor esencial la condición para integrarse al género: la visión del mundo como un caos (Miller [1967]) o la atmósfera de delincuencia y marginación social (Parker [1967, 1971]; cf. A. Zahareas, *Actas*, pp. 79-111). Como se trata de abarcar en tales estudios buen número de novelas «picarescas» extranjeras, del siglo XVII a nuestros días, no pocas distorsiones resultan de la vaguedad de algún enfoque crítico.

Los dilemas y perplejidades que entraña todo ensayo sincrónico de definición del género se salvan por el procedimiento inverso de establecer un prototipo inicial, configurado por el núcleo de rasgos esenciales coincidentes de las dos primeras novelas picarescas, *Lazarillo* (1554) y *Guzmán de Alfarache* (1599-1604), y a partir de ahí, al comprobar los rasgos reiterables, reconocidos desde el origen (Guillén [1966]), que los sucesivos autores van adoptando, omitiendo o alterando en sus obras dentro del mismo marco de referencias: relato pseudoautobiográfico, servicio a varios amos, linaje vil y carácter picaresco (astuto, versátil, etc.) del protagonista, perspectiva única del narrador, memorias por episodios, vaivén de la fortuna, explicación por el pasado de un estado final de deshonor, aceptado o superado (F. Lázaro Carreter [1968]). Aunque este último aspecto, hallazgo fundamental del *Lazarillo* y el *Guzmán*, se desecha en las novelas posteriores, en grave desviación que cancela la coherencia entre narrador del presente y pícaro del pasado y desvirtúa el punto de vista consistente y la forma cerrada (Rico [1970, 1982⁸]), puede decirse que iniciadores y epígonos, novelas plenamente picarescas y casos límite, quedan diacrónicamente integrados en un género vivo, de contornos variables.[1] Esta dimensión temporal y evolutiva de la picaresca ha servido para cimentar estudios globales que compulsan en las obras la fidelidad cambiante a un modelo, el grado de conformismo ideológico o la configuración del héroe y su mítica, incluso más allá de nuestras fronteras (Sieber [1977], Bjornson [1977], Francis [1978], Blackburn [1979]). La atención creciente de los críticos hacia la vertiente sociológica de la novela picaresca arranca del relieve que cobran en ella tensiones y problemas de la sociedad coetánea, tales como, primordialmente, la obsesión por la limpieza de sangre y el concepto de la honra (Molho [1968], Bataillon [1969 *a*]); en un rasgo constante de la picaresca, el afán de medro del protagonista, se refleja el conflicto entre las aspiraciones de ascenso social de unas clases y la sociedad estratificada que bloquea incluso formas legales de movilidad social (Maravall [1976, 1977]; cf. E. Tierno Galván [1974]). Por lo demás, la inspiración en el entorno real es evidente con sólo conocer los relatos verídicos del padre León sobre la Cárcel Real de Sevilla (Domínguez Ortiz [1957], Herrera Puga [1974]) o las anécdotas de Pérez de Herrera, reformador de la beneficencia (ed. Cavillac [1975]),

---

1. Además de los tomos III, XVIII y XXXIII de la Biblioteca de Autores Españoles (1846, 1851 y 1854), el primero de los cuales incluye la única edición moderna de la anónima *Segunda parte del Lazarillo*, sendas antologías muy completas bajo el mismo título de *Novela picaresca española* contienen el conjunto de las obras mencionadas en este apartado, que, en algún caso, carecen de ediciones particulares (ed. A. Valbuena Prat, Aguilar, Madrid, 1943; ed. A. Zamora Vicente, Noguer, Barcelona, 1974-1976). Es discutible, a veces, el criterio de selección, que acepta obras muy dudosamente picarescas, como el *Periquillo* de F. Santos en Valbuena Prat, e ignora, por ejemplo, la *Tercera parte del Guzmán* de F. Machado de Silva (ed. G. Moldenhauer, *Revue Hispanique*, LXIX, 1927, pp. 1-340).

donde hay material para argumentos picarescos y preocupaciones similares a las de varios novelistas.

En el análisis particular de cada novela, tiene precedencia *La vida de Guzmán de Alfarache* (ed. Rico [1967 *a*]), de Mateo Alemán (1547-1615?), donde, casi medio siglo después (1599 y 1604), se revive la fórmula original del *Lazarillo*. En modo alguno entra en la cuenta como picaresca una anónima *Segunda parte del Lazarillo de Tormes* (Amberes, 1555), donde la sorprendente transformación del héroe, según el modelo lucianesco, se ha interpretado en claves políticas algo rebuscadas sobre ciertas actuaciones de la Orden de Malta o Carlos V en el Mediterráneo (Saludo [1969], Zwez [1970]). Por tanto, Alemán es el primero en captar las virtualidades que encierra el *Lazarillo*, proyectando su esquema básico a mayor escala, de modo que las andanzas del pícaro (por primera vez así llamado en una novela) sirvan a una finalidad de amplia crítica social y de enseñanza moral por ejemplos contrarios (Sobejano [1959]). Tal interpretación, sin embargo, contradice el propósito religioso del autor que encarna en el pícaro la representación del pecador, inclinado al mal por el pecado original, pero dotado de libre albedrío para arrepentirse y salvarse aun en las peores circunstancias con ayuda de la gracia (Moreno Báez [1948]; cf. Blanco [1957] y Parker [1967]). Las objeciones recientes a una tesis religiosa en el libro se apoyan en la ambigüedad de la conversión final de Guzmán, que no convence, cuando se aplican parámetros psicológicos modernos a la personalidad compleja del pícaro (Arias [1978], Brancaforte [1979, 1980]). Pero la misma alma escindida y angustiada del héroe, en la que combaten impulsos contradictorios producidos por un rechazo subconsciente y edípico de su origen (Johnson [1978, 1979]), proporciona la justificación verosímil a un estadio terminal de revisión del pasado del que depende la construcción de la novela en cuanto disyunción y progresiva asimilación entre el ayer y el hoy; por la regeneración (o sus primeros pasos) el punto de vista coherente (pero a veces dividido) del narrador integra en la novela los comentarios y digresiones brotados del relato de los hechos (Rico [1970, 1982³]).

En los precisos mecanismos de ensamblaje de partes narrativas y discursivas (Cortázar [1962], Rico [1967 *a* y *b*, 1970]), subordinados a la demostración dogmática de un determinismo en los actos humanos (Blanco [1957]), se forja una peculiar estructura de confesión, miscelánea y sermón; la aplicación de técnicas retóricas se endereza a conmover y convencer al lector en los múltiples temas tratados, entre los que destaca como motivo impulsor la dialéctica de la justicia y la misericordia según los planteamientos de Pérez de Herrera sobre la administración adecuada de la caridad (Cros [1967 *b*, 1971], Cavillac [1975]). En contra de algunas apariencias, un espíritu moderno de reforma e innovación inspira la obra de Alemán (Cavillac [1973, 1980]), cuya biografía guarda ciertas afinidades con la de su criatura de ficción (McGrady [1968], Cros [1971]). A pesar de la erudición y afán didáctico del autor (Cros [1967 a], Rico [1967 a]), es patente una intención marcada de entretenimiento, que se prodiga en numerosos cuentos y facecias de origen folklórico o literario (Chevalier [1973] y cf. *Actas*, pp. 335-345). De acuerdo con tendencias literarias de la época, el estilo se adorna con un completo registro de tropos y figuras (Davis [1975]), aunque a menudo despunta también una componente oral y gestual (Peale [1979]).

Con la *Segunda parte del Guzmán* apócrifa (1602) del poco original Mateo Luján de Sayavedra, en realidad, el valenciano Juan Martí (Labourdique y Cavillac [1969]), comienza una etapa del género caracterizada por cierta fidelidad al núcleo de rasgos esenciales de las novelas fundacionales, pero sin la misma profunda seriedad de contenidos (Rico [1970], Sieber [1977]). Bajo el estímulo inmediato del éxito del *Guzmán*, que inspiró una segunda, y aun una tardía tercera parte, debida al noble portugués F. Machado de Silva, hacia 1650 (San Miguel [1974]), se componen en corto espacio de tiempo obras en las que prevalece un tono ligero de diversión, más o menos combinado con algunos toques moralistas, como sucede con los muchos refranes del *Guitón Honofre* (1604) de Gregorio González, conservado en manuscrito (ed. Carrasco [1974]), o las moralejas a menudo desconcertantes, agregadas a los capítulos del bufonesco *Libro de entretenimiento de la pícara Justina* (ed. Rey Hazas [1977]). Las extravagantes andanzas de la primera pícara novelística (Hanrahan [1967], Ronquillo [1980]), creación del médico de linaje converso Francisco López de Úbeda (1605), se han descifrado como una burla críptica y cortesana de ciertos sucesos de la corte y de las obsesionantes pruebas de limpieza de sangre para agrado del valido Rodrigo Calderón y sus partidarios (Bataillon [1969 a]), aunque la tesis doctoral de J. M. Oltra (1981) propone una clave interpretativa totalmente inversa. Sin respuestas satisfactorias al enigma que encierra el libro, queda por hacer también un análisis estilístico de su prosa exuberante y un estudio de fuentes, que por el momento se han descuidado (Damiani [1977]).

Los problemas que rodean al *Buscón* de Quevedo, una de las novelas más famosas del género, son en extremo arduos. Para empezar, la edición *princeps* de 1626 no pareció contar con la autorización del escritor y presenta variantes notables con tres manuscritos, que, en una etapa anterior, debieron de circular entre el público como copias del original en dos redacciones distintas: una fechada en 1603-1604 (manuscrito B) y otra en 1612-1614, que reflejan los otros dos códices y la edición retocada para la impresión, según establece la edición crítica (ed. F. Lázaro [1965]; cf. la valiosa ed. de Ife [1977] y las anotaciones de Ynduráin [1980], Vaíllo [1980] y Gargano [1982]). Si bien hay alguna base para adelantar la fecha de composición (Díaz Migoyo [1980]), lo cierto es que el contexto y el cuadro de influencias sitúan la novela directamente en la estela del *Guzmán*, del que le separan netamente su falta de compromiso moral, un final abierto y una concepción aristocrática militante (F. Lázaro [1961], Molho [1968], Cavillac [1973]). En la valoración e interpretación de la obra, sin embargo, la crítica se halla dividida fundamentalmente en dos tendencias contrapuestas, que no han superado sus divergencias ni remozado sus instrumentos de análisis (E. Forastieri, *Actas*, pp. 713-723). De un lado, especialmente en los medios hispanistas anglosajones, se atribuye al autor la intención seria de perfilar la evolución de un desarraigado social, maleado por el ambiente y atribulado por sus complejos anímicos (Parker [1967, 1971], como más representativo); un tupido entramado de motivos recurrentes aprisionan a Pablos, el protagonista, en el entorno social infame del que pretende evadirse (Morris [1965]). En cambio, a partir de un estudio seminal, reafirmado en un artículo-reseña (F. Lázaro [1961, 1973]), se juzga la obra como un prodigioso despliegue de ingenio, pero muy deficiente en construcción novelística, profundidad de los personajes y coherencia del punto de vista narrativo (Rico [1970, 1982]). El acento, así pues, se desplaza de la trama novelística inorgánica al estilo, la textura verbal, que en su polivalencia refleja la inestabilidad de lo real y el carácter engañoso del pícaro (Lida [1981]). Ya se advertía en un artículo fundamental (Spitzer [1927, 1978]) la variedad de manipulaciones lingüísticas, aunque la tensión entre afán mundano y huida ascética del mundo que se le adjudicaba se considera una apreciación crítica caducada.

Estudios recientes se esfuerzan en poner de relieve la categoría novelística del *Buscón*, a través de la relación entre personaje y autor (Williamson [1977], Díaz Migoyo [1978], Iffland [1979]); pero, en un sugestivo trabajo (Cros [1975, 1980]), se encuadra el libro en una estética carnavalesca (o más bien de entremés para Egido [1978]), donde se denigran los vanos intentos de ascenso social del protagonista como exponente ficticio de una realidad. En este punto inciden otros estudios, que ven en el arribismo de Pablos un soporte estructural y sociológico del relato (Talens [1975], Maravall [1976], Bjornson [1977], Francis [1978], Zahareas [1978]). Como parte de tal enfoque, la censura del autor a Pablos se considera extensiva también para el linaje «manchado» de don Diego Coronel, en quien se había visto una contrafigura positiva y aristocrática de Pablos (Johnson [1974], Redondo [1974], Molho [1977]). En definitiva, la singularidad de la obra y sus múltiples facetas desafían cualquier encasillamiento y ponen en duda el mismo supuesto de un canon genérico (Dunn [1982]).

Cuando se reanuda el género tras el paréntesis que enmarca aproximadamente el éxito del *Quijote* (1605-1614), el carácter cómico y ligero del *Buscón* se prolonga en un par de obras de 1620, cuyos títulos sugieren un anhelo de enlazar con el fresco arranque de la picaresca: el anodino

Lazarillo de Manzanares de Juan Cortés de Tolosa (ed. Sansone [1974])
y una nueva y anticlerical *Segunda parte del Lazarillo de Tormes* del emi-
grado en Francia Juan de Luna (ed. Laurenti [1979; cf. 1970]). Pero
con esta nueva etapa del género se ahonda la tendencia a desviarse del
modelo inicial hacia otras formas narrativas. En especial, en el aspecto
crucial del punto de vista autobiográfico, conflictivo desde la antinomia
del pícaro-asceta Guzmán, la superposición de una voz autorial moralista
y artificiosa (caso de la *Justina*) o la deshumanización cómica del personaje
narrador (caso del *Buscón*) conducen a prescindir de una vacía primera
persona narrativa en varias novelas de género híbrido a introducir un *yo*
ficticio dotado de la rectitud moral que avale los comentarios del autor al
relato no problemático y externo de unos sucesos (Rey [1979]; cf. Rico
[1970, 1982]): ésta es la novedad que aportan la *Vida del escudero Marcos
de Obregón* (1618) de Vicente Espinel y *Alonso, mozo de muchos amos* o
El donado hablador (1624 y 1626) del médico Jerónimo de Alcalá Yáñez,
a las que es común un héroe honesto con una ideología conformista y
aburguesada (Bjornson [1977], Francis [1978]; cf. J. R. Stamm, *Actas*,
pp. 599-607). En la última novela citada, además del esquema típico que
enuncia el título, se explota por medio de un relato oral dialogado un
aspecto implícito en la configuración del pícaro literario: la incontinencia
verbal y crítica (Sobejano [1975]). En la novela del polifacético Espinel
(ed. Gili Gaya [1922-1925], Carrasco Urgoiti [1972-1973]) tenemos, en
cambio, una estructura narrativa próxima a la novela de aventuras bizantina básicamente y una autobiografía disfrazada e idealizada del propio
autor en una mezcla de historia y ficción sin límites claros (Haley [1959],
Heathcote [1977], Navarro González [1977]). En un terreno más impreciso se sitúa *La vida y hechos de Estebanillo González, hombre de buen
humor, compuesta por él mismo* (ed. Carreira y Cid [1971], no mejorada
por Spadaccini y Zahareas [1978]), pues esta obra terminal del ciclo picaresco (1646), que encuadra la autobiografía de un bufón apicarado entre
personajes y hechos históricos, vistos con desparpajo cínico, casi subversivo (Goytisolo [1966], Talens [1975]), ofrece indicios de ser, en realidad, una hábil mixtificación, sobre cuyo autor se han barajado nombres
diversos (Bataillon [1973]); en un trabajo en prensa de J. A. Cid se
propone como autor a un escribano malagueño, Gabriel de la Vega, conectado con medios militares. En el mismo círculo culto hispanoflamenco,
del que surge la novela, un relato autobiográfico anónimo presenta interesantes concomitancias (Glendinning [1978]). Sin embargo, todavía se
encuentran buenas razones a favor de considerar el libro como unas memorias reales, fraguadas en el molde picaresco, dentro de una corriente
literaria autobiográfica que sellaría con patente de verdad lo que comenzó
en el género picaresco como ilusión casi perfecta (Meregalli [1979]).

En efecto, el momento es propicio al género autobiográfico, que abarca desde relatos de viaje o cautiverio a memorias de hombres de letras, como el erudito portugués Manuel Faria e Sousa (ed. Glaser [1975]; cf. Asensio [1978]), aunque falta la autobiografía espiritual que floreció en el período anterior. Por la riqueza de noticias interesantes acerca de la práctica de la medicina en el Nuevo Mundo, merecen mención especial los *Discursos medicinales* (1607) de Juan Méndez Nieto, sólo parcialmente publicados (Bataillon [1969 *b*]). Pero lo más granado del género está constituido por las autobiografías aventureras de soldados, que, recogiendo la tradición militar de los memoriales, se rigen en gran medida por el patrón picaresco, a falta de otros modelos, en la selección de los hechos relevantes, como nacimiento, engaños o altibajos de la fortuna; la exposición de méritos y hazañas, reivindicados con estilo llano y enérgico, está a menudo entreverada o rematada con un tono de desencanto y hasta de religiosidad que proclama el título que don Diego Duque de Estrada pone a sus memorias: *Comentarios del desengaño de sí mesmo* (ed. Ettinghausen [en prensa]). Dentro de este grupo de obras, inéditas en su tiempo, la *Vida del capitán Alonso de Contreras*, de hacia 1630 (ed. Reigosa [1967], pero en preparación Ettinghausen), concentra en forma amena los rasgos más característicos de tales relatos de aventuras (Pope [1974], Jacobs [1977], Molino [1980]), aunque lo que calla o deforma el autor no es menos revelador de su persona (Ettinghausen [1975]). Otro autor de interés es Jerónimo de Pasamonte (1605), cuya vida presenta paralelismos y coincidencias con la de Cervantes; caricaturizado en el personaje de Ginesillo Pasamonte del *Quijote*, pudo ser el autor de la segunda parte apócrifa escondido bajo el pseudónimo de Avellaneda (Riquer [1969]; cf. vol. II, pp. 610 ss.). Por lo insólito del caso, cabe agregar a este apartado el relato de Catalina de Erauso, la «monja alférez».[2]

2. Hay reedición de las *Memorias de la monja alférez* (Felmar, Madrid, 1974). El tomo XC de la BAE, *Autobiografías de soldados* (ed. J. M.ª de Cossío, Madrid, 1956) contiene las de Pasamonte, Contreras, Duque de Estrada y Miguel de Castro. Cabe añadir las relaciones de Diego Suárez Montañez, en A. Morel Fatio, «Soldats espagnols du XVIIe siècle», *Bulletin Hispanique*, III (1901), pp. 135-157, y de Domingo Toral, en M. Serrano y Sanz, *Autobiografías y memorias*, Bailly-Baillière (NBAE, 2), Madrid, 1905. En este último volumen figuran asimismo textos de don Luis de Ulloa (cf. sus *Memorias familiares y literarias*, en prosas y versos, ed. M. Artigas, Sociedad de Bibliófilos Españoles, Madrid, 1925) y la *Historia y viaje del mundo* de P. Ordóñez de Ceballos, que pertenece al mismo género de relatos de viaje que la *Peregrinación del mundo* de P. Cubero Sebastián (ed. M. Serrano y Sanz, Madrid, 1916) o las *Relaciones* de don Juan de Persia (ed. N. Alonso Cortés, Real Academia Española, Madrid, 1946), a los que vale la pena agregar la *Fastiginia* del portugués T. Pinheiro da Veiga (ed. y trad. N. Alonso Cortés, Ayuntamiento de Valladolid, 1973²). En tierras extrañas también se ambientan *Cautiverio y trabajos* de Diego Galán (ed. M. Serrano y Sanz, Sociedad de Bibliófilos Españoles, Ma-

A la recíproca con la literatura de ficción, las memorias de soldados influyen en la *Varia fortuna del soldado Píndaro* (1626) de Gonzalo de Céspedes y Meneses, cuya trama repleta de peripecias según el modelo de la novela de aventuras bizantina es compatible con el tono picaresco de varios de sus personajes, ambientes y recursos narrativos (ed. Pacheco [1975]). Pertenece, pues, al número de los casos límite de la picaresca, en los que resulta habitual injertar tipos y situaciones del género en formas narrativas diferentes, que alcanzan cierta boga a la sazón. En tales circunstancias se halla la *Vida de don Gregorio Guadaña*, una de las distintas identidades que adopta un alma en las transmigraciones lucianescas en verso y prosa incluidas en *El siglo pitagórico* (1644) del exiliado judaizante Antonio Enríquez Gómez (ed. Amiel [1977]); dentro del marco recargado y barroco, el relato concilia elementos picarescos y de novela corta (Fez [1978]).

En el afán de responder a las demandas de un público superficial, un escritor prolífero como Castillo Solórzano podía combinar la atracción por los bajos fondos de la picaresca y el sabor de las aventuras galantes de la novela corta en productos híbridos de gracia ligera, como *La garduña de Sevilla* (1642; ed. Ruiz Morcuende [1922]). En este novelista, apreciable por varios conceptos, se ha podido cifrar el declive de la novela, que sublima anhelos de acción y pasiones románticas para un lector vulgar y convencional (Dunn [1952], Soons [1978]) y que se prodiga en colecciones de historias cortas, como la póstuma *Sala de recreación* (1649; ed. Glenn y Very [1977]). Se verifica por entonces el fenómeno de una producción hipertrófica de novelitas, bautizadas modernamente como «cortesanas» por la ambientación urbana (Amezúa [1929]), pero que conviene denominar con el término neutro de «novela corta» (equivalente a «novela» en la acepción del XVII) en vista de la variedad genérica, casi de cajón de sastre, que registran repertorios bibliográficos y estudios panorámicos (Bourland [1927], Formichi [1973]). Sueltas o en colecciones, las novelas cortas se publican desde 1620 aproximadamente a un ritmo que apenas altera la prohibición en 1625 de publicar comedias y novelas (Moll [1979]) y que alcanza hasta, digamos, *Gustos y disgustos del Lentiscar de Cartagena* (1689) de Ginés Campillo de Bayle (Lapesa [1950]).[3]

---

drid, 1913), los espirituales *Escritos autobiográficos* de Luisa de Carvajal (ed. C. M. Abad, Flors, Barcelona, 1966) o el *Viaje y sucesos* de D. Portichuelo de Rivadeneyra (Atlas, Madrid, 1943).

3. La mayor parte de los textos novelísticos del XVII publicados modernamente son de difícil acceso para el lector en razón de las añejas ediciones o de la circulación limitada. En el primer caso se hallan los doce pequeños tomos de la Colección Selecta de Antiguos Novelistas (ed. E. Cotarelo y Mori, Madrid, 1906-1909), que acogen títulos de Castillo Solórzano, F. de Lugo y Dávila,

En el origen de tal explosión editorial se encuentra el estímulo que significó el éxito de las *Novelas ejemplares* (1613) de Cervantes (véase vol. II, pp. 597 ss.), quien supo rescatar a la novela corta del escaso aprecio suscitado por las colecciones anteriores (véase vol. II, cap. 3) y de la posición subordinada que ocupaba incidentalmente dentro de narraciones extensas, como la pastoril, el *Quijote* o el *Guzmán* (McGrady [1968], Cros [1971]). Pero fue poco (y no todo de buena ley) lo que se aprovechó del ejemplo cervantino. Con anterioridad, sin embargo, en el relato corto, que prescriben como gracia de buen tono *El cortesano* de B. Castiglione o *El Galateo español* de Lucas Gracián Dantisco, se advierte una diversidad de tradiciones, que encarnan varias colecciones según ya constató M. Menéndez Pelayo en *Orígenes de la novela* (1905-1915): la corriente folklórica de anécdotas, facecias y cuentos de los *Diálogos de apacible entretenimiento* (1605) de Gaspar Lucas de Hidalgo; la erudita e italiana de las novelitas de las *Noches de invierno* (1609) de Antonio de Eslava (Formichi [1970]); la clásica y medieval de fábulas, apólogos y «exemplos» del *Fabulario* (1613) de Sebastián Mey (ed. Bravo Villasante [1975]); sin contar la varia y confusa adscripción de las extravagantes *Aplicaciones* (1613) de Diego Rosel (ed. parcial Soons [1970]).

Matías de los Reyes, J. de Piña, A. Sanz del Castillo, M. Moreno y B. M. Velázquez, o las varias *Obras* satíricas y novelísticas de Salas Barbadillo (ed. E. Cotarelo, Colección de Escritores Castellanos, Madrid, 1907 y 1909); en el segundo caso, las ediciones bibliófilas de obras de Salas, Castillo Solórzano, J. Pérez de Montalbán (Sociedad de Bibliófilos Españoles) y de este último, L. de Guevara, J. Camerino (Selecciones Bibliófilas, de Barcelona). Predomina la dispersión en la ventura editorial moderna de tales obras, que obliga a espigar novelitas sueltas en el tomo XXXIII de la BAE (donde también, en el tomo XVIII, se halla *El español Gerardo* de Céspedes, o, en el XXXV, los *Diálogos* de Gaspar Lucas de Hidalgo). Como es natural, la atención de los estudiosos se ha centrado principalmente en los novelistas más prolíficos e interesantes del período: Salas Barbadillo cuenta con buenas ediciones de *La casa del placer honesto* y de *El caballero perfecto* (ed. respectivamente, E. Place y P. Marshall, University of Colorado, Boulder, 1927 y 1949), además de todas las citadas o la modesta de *Don Diego de Noche* en la colección Cisneros (Atlas, Madrid, 1944); de Castillo Solórzano son accesibles *Lisardo enamorado* (ed. E. Juliá, Real Academia Española, Madrid, 1947) y las *Aventuras del bachiller Trapaza* (ed. A. del Campo, Castilla, Madrid, 1949), aparte otras. Aunque es inexplicable la falta de una buena edición de la obra narrativa completa de Tirso de Molina, están a mano otros títulos menos conocidos: *Noches de invierno* de A. de Eslava (ed. L. González Palencia, Saeta, Madrid, 1942), *Auroras de Diana* de P. de Castro y Anaya (ed. L. González Simón, CSIC, Madrid, 1941), *Lentiscar de Cartagena* de G. Campillo de Bayle (ed. E. Varela Hervías, Almenara, Madrid, 1949), *El más desdichado amante* de J. Abad de Ayala (ed. facs. V. Sánchez Muñoz, Instituto Bibliográfico Hispánico, Madrid, 1973).

Aunque tales tendencias persisten en buena medida, a partir de Cervantes se naturalizan y actualizan por regla general.

La novela corta se abre a tal cantidad de influencias que resulta prácticamente imposible clasificarla o aplicar unas características rígidas comunes. Ni siquiera es ajena a planteamientos extranovelísticos, como los del teatro coetáneo, de donde provienen autores de novelas cortas como Lope de Vega, Tirso de Molina o Juan Pérez de Montalbán, y del que se nutre en tipos y enredos argumentales, hasta cristalizar en formas mixtas dialogadas (Morínigo [1957], Yudin [1969]). Entre los diversos modelos narrativos, que a veces influyen en un mismo novelista, como Matías de los Reyes (Johnson [1973]), destaca el esquema prestigioso de la novela de aventuras de tipo bizantino, a la que pertenecen *El peregrino en su patria* (1604) de Lope de Vega (véase cap. 1) y *Los trabajos de Persiles y Sigismunda* (1617) de Cervantes (véase tomo II) entre otras menos importantes. Como consecuencia, la trama se complica y la novela corta se aleja de sus convenciones originales para aproximarse a la envergadura de una novela extensa en potencia, en la que el mundo idealizado que se representa tiene poco que ver con el real (Krömer [1979]).

Con una tradición heterogénea como antecedente y sin una preceptiva clara, la novela corta se debate en la antinomia entre prescripciones teóricas y realización práctica, en especial, la exigencia de ejemplaridad y provecho morales y el afán de entretenimiento (Pabst [1972]), aunque abundan las obras que muestran un equilibrio entre ambos fines (Spieker [1975]). Salvo tal vez Juan de Piña, que se concentra en el estilo y se desentiende de la enseñanza moral (Formichi [1967]), todos los autores se adhieren explícita y superficialmente a unos principios morales. Así, en las colecciones de novelas (1637 y 1647) de María de Zayas y Sotomayor (ed. Amezúa [1948 y 1950], E. Miralles [en preparación]), un repertorio conceptual de la literatura moralística apostilla para cautela del lector (Felten [1978]) el subido erotismo y la encendida defensa de la mujer en historias más convencionales de lo que pretendía una crítica temprana (Goytisolo [1972], Melloni [1976], Foa [1979]). En vez de realismo, trivializado en esquemas narrativos rutinarios, la relevante novelista muestra una predilección por lo alegórico, lo macabro y sobrenatural, que también comparte Gonzalo de Céspedes en las *Historias peregrinas y ejemplares* (1623), casos pasionales ambientados en varias ciudades españolas (ed. Fonquerne [1970]). Apreciado en el romanticismo, Cristóbal Lozano aplica sus dotes imaginativas a relatos novelados de historias sagradas y profanas y leyendas mitológicas y hagiográficas (ed. parcial Entrambasaguas [1943]).

En los estereotipos temáticos de la novela corta, tipificados en dos novelistas menores, J. Camerino y A. de Prado, se traslucen los anhelos y ensoñaciones colectivas de unas clases altas en decadencia (Rodríguez

Cuadros [1979]). Tales síntomas de escapismo social se detectan asimismo en los marcos artificiosos en que se insertan las novelas coleccionadas (Talens [1977]). En sus distintas formas de prólogo a unas novelas yuxtapuestas o de encuadre narrativo (reuniones sociales, fiestas o tertulias), el engarce del marco y los relatos reviste diversas modalidades semiológicas, entre las que la obra narrativa de Tirso de Molina (Nougué [1962, 1979]) ofrece un caso notable de fusión de ambos elementos (Palomo [1976]). Buena parte de tales marcos refleja en su estructura miscelánea las sesiones de las influyentes Academias literarias, donde se fomenta la novela corta al enhebrarla con comedias, certámenes poéticos, noticias eruditas, juegos de sociedad o fiestas, tal como se aprecia en obras como *Las auroras de Diana* de P. Castro y Anaya (1632) o *La casa del placer honesto* (1620) de Salas Barbadillo; en *Pedro de Urdemalas* de este mismo autor (ed. Andrade [1974]), de arranque apicarado y remate académico, hay una muestra de configuración de la misma trama del relato por la práctica de las Academias (King [1963]).

En el relevante y productivo escritor Salas Barbadillo se marca la transición a otras formas narrativas. Si bien sus novelas suelen ofrecer representaciones idealizadas del amor y los cortesanos, como sucede en *El caballero perfecto*, abunda en contrapartida la crítica satírica de caballeros y pícaros así como de un amplio abanico social (Peyton [1973], Brownstein [1974]). En el recurso a la burla (partiendo de la *beffa* italiana) se advierte un conformismo ideológico ante la sociedad de su tiempo (Vitse [1980]). A pesar de cierto talento novelístico, Salas cultiva también la revista satírica de tipos sociales con débil armazón narrativa en la tradición de Quevedo, como en *El curioso y sabio Alejandro, fiscal de vidas ajenas* (1634). Se enlaza así con obras tales como *Los antojos de mejor vista* (1625) de R. Fernández de Ribera (ed. Infantes [1979]) y, sobre todo, *El diablo cojuelo* (1641) de Luis Vélez de Guevara (ed. Rodríguez Marín [1918], Cepeda y Rull [1968]), cuya estructura deshilvanada responde menos al molde novelístico que al género de la «anatomía» o sátira menipea, donde se exponen desordenadamente cosas o ideas (Peale [1977]). Un estilo rico y conceptista (Muñoz Cortés [1943]) apenas compensa de las insuficiencias narrativas y el conformismo social del autor (Torrente Ballester [1979]).

La tendencia a privilegiar los elementos satíricos o descriptivos por encima de los novelísticos ya se aprecia tempranamente en una obra como *La desordenada codicia de los bienes ajenos* (1619) de Carlos García (ed. Massano [1977]), donde un relato genuinamente picaresco está supeditado a una relación «anatómica» de los estatutos y habilidades del hampa, puramente episódica en el *Guzmán* (Thacker [1978], R. Senabre, *Actas*, pp. 631-641). Tal fenómeno no hace sino agudizarse a medida que se avanza hacia el fin del siglo, propiciando la aparición de una literatura costumbrista, fuertemente moralizante, en la que los elementos dinámicos narrativos se subordinan como ejemplos a una enseñanza moral, se esquematizan, se revisten alegóricamente o acaban por desaparecer: el aprovechamiento de materiales procedentes de la novelística es, con todo, importante en la cadena de autores que forman A. de Rojas, Suárez de Figueroa, Liñán y Verdugo, Remiro de Navarra, Zabaleta, y Francisco Santos, entre otros, aunque también influyen otras formas literarias (véase cap. 10). Al declive de la novela, paralizada en el costumbrismo, corresponde también una acentuación de la temática del «desengaño», paralela a la decadencia nacional (Schulte [1969]). Puede decirse que país y novela llegan juntos casi al término de la pendiente por la que se deslizaban irremisiblemente, aunque la recuperación de la novela va a ser mucho más tardía.

BIBLIOGRAFÍA

Actas, véase Criado de Val [1979].

Amezúa, Agustín G[onzález] de, «Formación y elementos de la novela cortesana» (1929), en Opúsculos histórico-literarios, I, CSIC, Madrid, 1951, pp. 194-279.

—, ed., María de Zayas, Novelas amorosas y ejemplares y Desengaños amorosos, Real Academia Española, Madrid, 1948-1950.

Amiel, Charles, ed., Antonio Enríquez Gómez, El siglo pitagórico y vida de Gregorio Guadaña, Eds. Hispanoamericanos, París, 1977.

Andrade, Marcel C., ed., Salas Barbadillo, El subtil cordovés Pedro de Urdemalas, University of North Carolina, Chapel Hill, 1974.

Arias, Joan, Guzmán de Alfarache: the unrepentant narrator, Tamesis Books, Londres, 1978.

Asensio, Eugenio, «La autobiografía de Manuel de Faria y Sousa», Arquivos do Centro Cultural Português, XIII (1978), pp. 629-637.

Avalle-Arce, Juan Bautista, La novela pastoril española (1959), Istmo, Madrid, 1974².

Bataillon, Marcel, Pícaros y picaresca, Taurus, Madrid, 1969.

—, «Riesgo y ventura del "licenciado" Juan Méndez Nieto», Hispanic Review, XXXVII (1969), pp. 23-60.

—, «Estebanillo González, bouffon pour rire», en Studies in Spanish literature of the Golden Age presented to E. M. Wilson, ed. R. O. Jones, Tamesis, Londres, 1973, pp. 25-44.

—, «Erasmo cuentista. Folklore e invención narrativa» (1973), en Erasmo y erasmismo, Crítica, Barcelona, 1977, p. 91.

Bjornson, Richard, The picaresque hero in European fiction, University of Wisconsin Press, Madison, 1977.

Blackburn, Alexander, The myth of the picaro: Continuity and transformation of the picaresque novel, 1554-1954, University of North Carolina Press, Chapel Hill, 1979.

Blanco Aguinaga, Carlos, «Cervantes y la picaresca. Notas sobre dos tipos de realismo», *Nueva Revista de Filología Hispánica*, XI (1957), pp. 313-342; refundido en *Historia social de la literatura española*, I, Castalia, Madrid, 1979, pp. 299-305.

Bourland, Caroline S., *The short story in Spain in the 17th century*, Smith College, Northampton, 1927; reimpr.: Franklin, Nueva York, 1973.

Brancaforte, Benito, ed., M. Alemán, *Guzmán de Alfarache*, Cátedra, Madrid, 1979.

—, *Guzmán de Alfarache: ¿Conversión o proceso de degradación?*, Hispanic Seminary of Medieval Studies, Madison, 1980.

Bravo Villasante, Carmen, ed., Sebastián de Mey, *Fabulario*, Fundación Universitaria Española, Madrid, 1975.

Brownstein, Leonard, *Salas Barbadillo and the new novel of rogues and courtiers*, Playor, Madrid, 1974.

Carrasco, Hazel G., ed., Gregorio Gonçalez, *El guitón Honofre*, University of North Carolina, Chapel Hill, 1974.

Carrasco Urgoiti, M.ª Soledad, ed., V. Espinel, *Marcos de Obregón*, Castalia, Madrid, 1972-1973.

Carreira, Antonio, y Jesús Antonio Cid, eds., *Vida y hechos de Estebanillo González*, Narcea, Madrid, 1971.

Castro, Américo, «Perspectiva de la novela picaresca» (1935), en *Hacia Cervantes*, Taurus, Madrid, 1957, pp. 83-105.

Cavillac, Cécile y Michel, «À propos du *Buscón* et de *Guzmán de Alfarache*», *Bulletin Hispanique*, LXXV (1973), pp. 114-131.

—, Michel, ed., C. Pérez de Herrera, *Amparo de pobres*, Espasa-Calpe (Clásicos Castellanos, 199), Madrid, 1975.

—, «Mateo Alemán et la modernité», *Bulletin Hispanique*, LXXXII (1980), pp. 380-401.

Cepeda, Enrique R. y Enrique Rull, eds., L. Vélez de Guevara, *El diablo cojuelo*, Alcalá, Madrid, 1968.

Cortázar, Celina S., «Notas para el estudio de la estructura del *Guzmán de Alfarache*», *Filología*, VIII (1962), pp. 79-95.

Criado de Val, Manuel, ed., *La Picaresca. Orígenes, textos y estructuras* (Actas del I Congreso Internacional, 1977), Fundación Universitaria Española, Madrid, 1979.

Cros, Edmond, *Contribution à l'étude des sources du «Guzmán de Alfarache»*, Bibliothèque Municipale, Montpellier, 1967.

—, *Protée et les gueux*, Didier, París, 1967.

—, *Mateo Alemán: Introducción a su vida y a su obra*, Anaya, Salamanca, 1971.

—, *L'aristocrate et le carnaval des gueux*, Université Paul Valéry, Montpellier, 1975; trad. cast. revisada y aumentada: *Ideología y genética textual. El caso del «Buscón»*, Cupsa, Madrid, 1980.

Chevalier, Maxime, «*Guzmán de Alfarache* en 1605: Mateo Alemán frente a su público», *Anuario de Letras*, XI (1973), pp. 125-147.

—, *Lectura y lectores en la España de los siglos XVI y XVII*, Turner, Madrid, 1976.

Damiani, Bruno M., *Francisco López de Úbeda*, Twayne, Boston, 1977.

Davis, Barbara, «The style of Mateo Alemán's *Guzmán de Alfarache*», *Romanic Review*, LXVI (1975), pp. 199-213.

Del Monte, Alberto, *Itinerario del romanzo picaresco spagnolo*, Sansone, Florencia, 1957; trad. cast. revisada: *Itinerario de la novela picaresca española*, Lumen, Barcelona, 1971.

Díaz Migoyo, Gonzalo, *Estructura de la novela. Anatomía del «Buscón»*, Fundamentos, Madrid, 1978.

—, «Las fechas en y de El Buscón», *Hispanic Review*, XLVIII (1980), pp. 171-193.

Díez Borque, José M.ª, ed., Juan de Zabaleta, *El día de fiesta por la tarde*, Cupsa, Madrid, 1977.

Domínguez Ortiz, Antonio, «Delitos y suplicios en la Sevilla imperial» (1957), en *Crisis y decadencia de la España de los Austria*, Ariel, Barcelona, 1969, pp. 13-71.

Dunn, Peter N., *Castillo Solórzano and the decline of the Spanish novel*, Blackwell, Oxford, 1952.

—, *The Spanish picaresque novel*, Twayne, Boston, 1979.

—, «Problems of a model for the picaresque and the case of Quevedo's *Buscón*», *Bulletin of Hispanic Studies*, LIX (1982), pp. 95-105.

Egido, Aurora, «Retablo carnavalesco del Buscón don Pablos», *Hispanic Review*, XLVI (1978), pp. 173-179.

Entrambasaguas, Joaquín, ed., C. Lozano, *Historias y leyendas*, Espasa-Calpe (Clásicos Castellanos, 120-121), Madrid, 1943.

—, ed., Gabriel de Corral, *Cintia de Aranjuez*, CSIC, Madrid, 1945.

Ettinghausen, Henry, «Alonso de Contreras: un épisode de sa vie et de sa *Vida*», *Bulletin Hispanique*, LXXVII (1975), pp. 293-318.

—, ed., Diego Duque de Estrada, *Comentarios*, Castalia, Madrid, en prensa.

Felten, Hans, *María de Zayas y Sotomayor. Zum Zusammenhang zwischen moralistischen Texten und Novellenliteratur*, Klostermann, Frankfurt, 1978.

Fez, Carmen de, *La estructura barroca de «El siglo pitagórico»*, Cupsa, Madrid, 1978.

Foa, Sandra M., *Feminismo y forma narrativa: Estudio del tema y las técnicas de María de Zayas*, Albatros, Valencia, 1979.

Fonquerne, Yves-René, ed., G. de Céspedes, *Historias peregrinas y ejemplares*, Castalia, Madrid, 1970.

Formichi, Giovanna, «Le *Novelas exemplares y prodigiosas historias* di Juan de Piña», *Lavori ispanistici*, I Serie, D'Anna, Mesina-Florencia, 1967, páginas 101-163.

—, «Narratori del Seicento. Le *Noches de invierno* di Antonio de Eslava», *Lavori ispanistici*, II, 1970, pp. 145-256.

—, «Bibliografia della novella spagnola seicentesca», *Lavori ispanistici*, III, 1973, pp. 6-105.

Francis, Alán, *Picaresca, decadencia, historia*, Gredos, Madrid, 1978.

Gargano, Antonio, ed., F. de Quevedo, *Buscón*, Planeta, Barcelona, 1982.

Gili Gaya, Samuel, ed., V. Espinel, *Marcos de Obregón*, La Lectura (Clásicos Castellanos, 43 y 51), Madrid, 1922 y 1925.

Glaser, Edward, ed., *The «Fortuna» of Manuel de Faria e Sousa. An autobiography*, Aschendorfsche Verlag, Munster, 1975.

Glendinning, Nigel, «Una autobiografía poco conocida del siglo XVII», *Libro-homenaje a Antonio Pérez Gómez*, I, «... la fonte que mana y corre», Cieza, 1978, pp. 269-285.

Glenn, Richard F. y Frances G. Very, eds., Castillo Solórzano, *Sala de recreación*, University of North Carolina, Chapel Hill, 1977.

Goytisolo, Juan, «Estebanillo González, hombre de buen humor» (1966), en *El furgón de cola*, Seix Barral, Barcelona, 1976².

—, «El mundo erótico de María de Zayas» (1972), en *Disidencias*, Seix-Barral, Barcelona, 1977, pp. 63-115.

Guillén, Claudio, «Toward a definition of the picaresque» (1962), en *Literature as system*, Princeton University Press, Princeton, 1971, pp. 71-106.

—, «Luis Sánchez, Ginés de Pasamonte y los inventores del género picaresco», en *Homenaje a A. Rodríguez Moñino*, I, Castalia, Madrid, 1966, pp. 221-231; trad. ingl. revisada: «Genre and countergenre: the discovery of the picaresque», en [1971], pp. 142-155.

Haley, George, *Vicente Espinel and Marcos de Obregón. A life and its literary representation*, Brown University Press, Providence, 1959.

Hanrahan, Thomas, *La mujer en la novela picaresca*, Porrúa Turanzas, Madrid, 1967.

Heathcote, A. Antony, *Vicente Espinel*, Twayne, Boston, 1977.

Heidenreich, Helmut, ed., *Pikarische Welt*, Wissenschaftliche Buchgesellschaft, Darmstadt, 1969.

Herrera Puga, Pedro, *Sociedad y delincuencia en el Siglo de Oro* (1971), Biblioteca de Autores Cristianos, Madrid, 1974².

Herrero García, Miguel, «Nueva interpretación de la novela picaresca», *Revista de Filología Española*, XXIV (1937), pp. 343-362.

Ife, B. W., ed., F. de Quevedo, *Buscón*, Pergamon, Oxford, 1977.

Iffland, James, «Pablo's voice: his master's?», *Romanische Forschungen*, XCI (1979), pp. 215-243.

Infantes, Víctor, ed., R. Fernández de Ribera, *Los anteojos de mejor vista* y *El mesón del mundo*, Legasa, Madrid, 1979.

Jacobs, Beverly S., *Life and literature in Spain: Representative autobiographic narratives from the Middle Ages to 1633*, University Microfilms, Ann Arbor, 1977.

Johnson, Carroll B., *Matías de los Reyes and the craft of fiction*, University of California, Berkeley-Los Ángeles, 1973.

—, «*El Buscón*: don Pablos, don Diego y don Francisco», *Hispanófila*, XVII, 51 (1974), pp. 1-26.

—, *Inside Guzmán de Alfarache*, University of California, Berkeley-Los Ángeles, 1978.

—, «Mateo Alemán y sus fuentes literarias», *Nueva Revista de Filología Hispánica*, XXVIII (1979), pp. 360-374.

Jolles, André, «Die literarischen Travestien: Ritter, Hirt, Schelm» (1932-1933), en Heidenreich [1969], pp. 101-118.

King, Willard F., *Prosa novelística y academias literarias en el siglo XVII*, Real Academia Española (Anejos del *Boletín de la Real Academia*, 10), Madrid, 1963.

Krömer, Wolfram, *Formas de la narración breve en las literaturas románicas hasta 1700*, Gredos, Madrid, 1979.

Labourdique, Bernadette, y Michel Cavillac, «Quelques sources du *Guzmán* apocryphe de Mateo Luján de Sayavedra», *Bulletin Hispanique*, LXXI (1969), pp. 191-217.

Lapesa, Rafael, «*El Lentiscar de Cartagena*» (1950), en *De la Edad Media a nuestros días*, Gredos, Madrid, 1967, pp. 286-289.

Laurenti, Joseph, *Estudios sobre la novela picaresca española*, CSIC (anejos *Revista de Literatura*, 29), Madrid, 1970.

—, *Ensayo de una bibliografía de la novela picaresca española*, CSIC (Cuadernos bibliográficos, 23), Madrid, 1968; ampliado en *Bibliografía de la literatura picaresca. Desde sus orígenes hasta el presente*, The Scarecrow Press, Metuchen, N. J., 1973; reimpr. y suplemento: Ams Press, Nueva York, 1981.

—, ed., Juan de Luna, *Segunda parte del Lazarillo*, Espasa-Calpe (Clásicos Castellanos, 215), Madrid, 1979.

Lázaro Carreter, Fernando, «Originalidad del *Buscón*» (1961), en *Estilo barroco y personalidad creadora*, Cátedra, Madrid, 1974², pp. 77-98.

—, ed., F. de Quevedo, *Buscón*, Universidad de Salamanca, 1965, 1980.

—, «Para una revisión del concepto "novela picaresca"» (1968), en «*Lazarillo de Tormes*» *en la picaresca*, Ariel, Barcelona, 1972, pp. 195-229.

—, «Glosas críticas a *Los pícaros en la literatura* de A. A. Parker» (1973), en [1974], pp. 99-128.

Lida, Raimundo, «Pablos de Segovia y su agudeza» (1972), «Sobre el estilo verbal del *Buscón*» (1972), «Tres notas al *B.*» (1974) y «Otras notas al *B.*» (1974), refundidos en *Prosas de Quevedo*, Crítica, Barcelona, 1981, pp. 241-304.

López Grigera, Luisa, «En torno a la descripción en la prosa de los siglos de oro», en *Homenaje a José Manuel Blecua*, Gredos, Madrid, en prensa.

Malkiel, Yakov, «El núcleo del problema etimológico de *pícaro-picardía*. En torno al proceso de préstamo doble», en *Studia hispanica in honorem R. Lapesa*, II, Gredos, Madrid, 1974, pp. 590-625.

Maravall, José Antonio, «La aspiración social de "medro" en la novela picaresca», *Cuadernos Hispanoamericanos*, n.° 312 (1976), pp. 590-625.

—, «Relaciones de dependencia e integración social: criados, graciosos y pícaros», *Ideologies & Literature*, I, 4 (1977), pp. 3-32.

Massano, Giulio, ed., Carlos García, *La desordenada codicia de los bienes ajenos*, Porrúa Turanzas, Madrid, 1977.

McGrady, Donald, *Mateo Alemán*, Twayne, Nueva York, 1968.

Melloni, Alessandra, *Il sistema narrativo di María de Zayas*, Quaderni Iberoamericani, Turín, 1976.

Meregalli, Franco, «La existencia de Estebanillo González», *Revista de Literatura*, XLI (1979), pp. 55-67.

Miller, Stuart, *The picaresque novel*, The Press of Case Western Reserve University, Cleveland, 1967.

Molho, Maurice, prólogo a *Romans picaresques espagnols*, Gallimard, París, 1968; trad. cast.: *Introducción al pensamiento picaresco*, Anaya, Salamanca, 1972.

Molho, Maurice, «Cinco lecciones sobre el *Buscón*», en *Semántica y poética (Góngora, Quevedo)*, Crítica, Barcelona, 1977, pp. 89-131.

Molino, Jean, «Stratégie de l'autobiographie au Siècle d'Or», en *L'autobiographie dans le monde hispanique (Actes du Colloque International de la Baume-les-Aix, 1979)*, Champion-Université d'Aix-en-Provence, París, 1980, pp. 115-137.

Moll, Jaime, «Por qué escribió Lope la *Dorotea*», *1616*, II (1979), pp. 7-11.

Montesinos, José F., «Gracián o la picaresca pura» (1933), en *Ensayos y estudios de literatura española*, Revista de Occidente, Madrid, 1970², pp. 141-153.

—, *Introducción a una historia de la novela en el siglo XIX*, Castalia, Madrid, 1973³.

Moreno Báez, Enrique, *Lección y sentido del «Guzmán de Alfarache»*, CSIC (anejos *Revista de Filología Española*, 40), Madrid, 1948.

Morínigo, Marcos, «El teatro como sustituto de la novela en el Siglo de Oro», *Revista de la Universidad de Buenos Aires*, V época, II (1957), pp. 41-61.

Morris, Cyril B., *The unity and structure of Quevedo's «Buscón»: «desgracias encadenadas»*, University of Hull, 1965.

Muñoz Cortés, Manuel, «Aspectos estilísticos de Vélez de Guevara en su *Diablo cojuelo*», *Revista de Filología Española*, XXVII (1943), pp. 48-76.

Navarro González, Alberto, *Vicente Espinel. Músico, poeta y novelista andaluz*, Universidad de Salamanca, 1977.

Nougué, André, *L'œuvre en prose de Tirso de Molina: «Los cigarrales de Toledo» et «Deleitar aprovechando»*, Institut d'Études Hispaniques, París, 1962.

—, ed., Tirso de Molina, *El bandolero*, Castalia, Madrid, 1979.

Pabst, Walter, *La novela corta en la teoría y en la creación literaria*, Gredos, Madrid, 1972.

Pacheco, Arsenio, ed., Gonzalo de Céspedes, *Varia fortuna del soldado Píndaro*, Espasa-Calpe (Clásicos Castellanos, 202-203), Madrid, 1975.

Palomo, Pilar, *La novela cortesana (forma y estructura)*, Planeta, Barcelona, 1976.

Parker, Alexander A., *Literature and the delinquent. The picaresque novel in Spain and Europe, 1599-1753*, Edinburgh University Press, Edimburgo, 1967; trad. cast. revisada: *Los pícaros en la literatura. La novela picaresca en España y Europa (1599-1753)*, Gredos, Madrid, 1971.

Peale, C. George, *La anatomía de «El diablo cojuelo». Deslindes del género anatomístico*, University of North Carolina, Chapel Hill, 1977.

—, «*Guzmán de Alfarache* como discurso oral», *Journal of Hispanic Philology*, IV (1979), pp. 25-57.

Peyton, Myron A., *Alonso Jerónimo de Salas Barbadillo*, Twayne, Nueva York, 1973.

Place, Edwin B., *Manual elemental de novelística española*, V. Suárez, Madrid, 1926.

Pope, Randolph, *La autobiografía española hasta Torres Villarroel*, Lang, Frankfurt-Berna, 1974.

Redondo, Augustin, «Del personaje de don Diego a una nueva interpretación del *Buscón*», *Actas del V Congreso Internacional de Hispanistas* (1974), II, Université de Bordeaux, Burdeos, 1977, pp. 699-711.

Reed, Walter L., *An exemplary history of the novel. The Quixotic versus the picaresque*, Chicago University Press, Chicago, 1981.

Reigosa, Fernando, ed., *Vida del capitán Alonso de Contreras*, prólogo de J. Ortega y Gasset, Alianza Editorial, Madrid, 1967.

Ressot, Jean Pierre, ed., A. de Rojas, *El viaje entretenido*, Castalia, Madrid, 1972.

Rey, Alfonso, «La novela picaresca y el narrador fidedigno», *Hispanic Review*, XLVII (1979), pp. 55-75.

Rey Hazas, Antonio, ed., F. López de Úbeda, *La pícara Justina*, Editora Nacional, Madrid, 1977.

Ricapito, Joseph V., *Bibliografía razonada y anotada de las obras maestras de la picaresca española*, Castalia, Madrid, 1980.

Rico, Francisco, ed., *La novela picaresca española*, I, Planeta, Barcelona, 1967, 1970² (y reimp. del *Guzmán* en volumen independiente: 1983).

—, «Estructuras y reflejos de estructuras en el *Guzmán de Alfarache*», *Modern Language Notes*, LXXXII (1967), pp. 171-184; reimpresión: «Del ensayo a la novela:...», en *Ensayo* (Reunión de Málaga, 1977), Diputación de Málaga, 1980, pp. 127-140.

—, *La novela picaresca y el punto de vista*, Seix-Barral, Barcelona, 1970, 1982³ (revisada); trad. inglesa, aumentada y puesta al día: *The Picaresque Novel and point of view*, Cambridge University Press, 1983.

Riquer, Martín de, «El *Quijote* y los libros», *Papeles de Son Armadans*, LIV, n.° 160 (1969), pp. 5-24.

Rodríguez Cuadros, Evangelina, *Novela corta marginada del siglo XVII español. Formulación y sociología en José Camerino y Andrés de Prado*, Universidad de Valencia, 1979.

Rodríguez Marín, Francisco, ed., L. Vélez de Guevara, *Diablo cojuelo*, La Lectura (Clásicos Castellanos, 38), Madrid, 1918.

Ronquillo, Pablo J., *Retrato de la pícara. La protagonista de la picaresca española del siglo XVII*, Playor, Madrid, 1980.

Ruiz Morcuende, Federico, ed., Castillo Solórzano, *La garduña de Sevilla*, La Lectura (Clásicos Castellanos, 42), Madrid, 1922.

Saludo, Michel, *Misteriosas andanzas atunescas de Lázaro de Tormes*, Izarra, San Sebastián, 1969.

San Miguel, Ángel, «*Tercera parte de Guzmán de Alfarache*. La promesa de Alemán y su cumplimiento por el portugués Machado de Silva», *Iberoromania*, Nueva época, I (1974), pp. 95-120.

Sansone, Giuseppe E., ed., Juan Cortés de Tolosa, *Lazarillo de Manzanares*, Espasa-Calpe (Clásicos Castellanos, 186-187), Madrid, 1974.

Schulte, Hansgerd, *El desengaño. Wort und Thema in der spanischen Literatur des Goldenen Zeitalters*, W. Fink, Munich, 1969.

Sieber, Harry, *The picaresque*, Methuen, Londres, 1977.

Sobejano, Gonzalo, «De la intención y valor del *Guzmán de Alfarache*» (1959), en *Forma literaria y sensibilidad social*, Gredos, Madrid, 1967, pp. 9-66.

—, «Un perfil de la picaresca: el pícaro hablador», *Studia hispanica in honorem R. Lapesa*, III, Gredos, Madrid, 1975, pp. 467-485.

Soons, Alan, ed., Diego Rosel, *Obras selectas*, University of North Carolina, Chapel Hill, 1970.

Soons, Alan, *Alonso de Castillo Solórzano*, Twayne, Boston, 1978.

Spadaccini, Nicholas, y Anthony N. Zahareas, eds., *Estebanillo González*, Castalia, Madrid, 1978.

Spieker, Joseph, «La novela ejemplar: *Delectare-Prodesse*», *Iberoromania*, II (1975), pp. 33-68.

Spitzer, Leo, «Zur Kunst Quevedos in seinem *Buscón*», *Archivum Romanicum*, XI (1927), pp. 511-579; trad. cast.: «Sobre el arte de Quevedo en el *Buscón*», en G. Sobejano, ed., *Francisco de Quevedo. El escritor y la crítica*, Taurus, Madrid, 1978, pp. 123-184.

Stolz, Christiane, *Die Ironie im Roman des Siglo de Oro. Untersuchungen zur Narrativik im «Don Quijote», im «Guzmán de Alfarache» und im «Buscón»*, Lang, Frankfurt-Berna, 1980.

Talens, Jenaro, *Novela picaresca y práctica de la transgresión*, Júcar, Madrid, 1975.

—, «Contexto literario y real socializado», en *La escritura como teatralidad*, Universidad de Valencia, 1977, pp. 121-181.

Thacker, M. J., «*La desordenada codicia de los bienes ajenos* — a caso límite of the picaresque?», *Bulletin of Hispanic Studies*, LV (1978), pp. 33-42.

Tierno Galván, Enrique, *Sobre la novela picaresca y otros estudios*, Tecnos, Madrid, 1974.

Torrente Ballester, Gonzalo, «Lectura otoñal de *El diablo cojuelo*», *Boletín de la Real Academia Española*, LIX (1979), pp. 433-440.

Vaíllo, Carlos, ed., F. de Quevedo, *Buscón*, Bruguera, Barcelona, 1980.

Vitse, Marc, «Salas Barbadillo y Góngora: burla e ideario de la Castilla de Felipe III», *Criticón*, 11 (1980), pp. 5-142.

Wicks, Ulrich, «The nature of picaresque narrative: a modal approach», *Publications of the Modern Language Association*, LXXXIX (1974), pp. 240-249.

Williamson, Edwin, «The conflict between author and protagonist in Quevedo's *Buscón*», *Journal of Hispanic Philology*, 11 (1977), pp. 45-60.

Ynduráin, Domingo, ed., F. de Quevedo, *Buscón*, Cátedra, Madrid, 1980.

Yudin, Florence L., «Theory and practice of the novela comediesca», *Romanische Forschungen*, LXXXI (1969), pp. 585-594.

Zahareas, Anthony, «Quevedo's *Buscón*: structure and ideology», en *Homenaje a Julio Caro Baroja*, Centro de Investigaciones Sociológicas, Madrid, 1978, pp. 1.055-1.089.

Zwez, Richard, *Hacia la revalorización de la «Segunda parte del Lazarillo»*, Albatros, Valencia, 1970.

CLAUDIO GUILLÉN Y FERNANDO LÁZARO CARRETER

CONSTITUCIÓN DE UN GÉNERO:
LA NOVELA PICARESCA

I.   Nada más insólito, más aislado, que una auténtica novela o
«prenovela» [como el *Lazarillo*] durante la segunda mitad del siglo XVI. [...] Como quiera que sea, el que una obra de arte de veras
nueva (y era el *Lazarillo* «un commencement absolu», afirmaba hace
tiempo Marcel Bataillon) no tenga consecuencias inmediatas es algo
completamente normal y corriente. También suele acontecer que las
novedades sorprendan o arrebaten sin llegar a ser entendidas ni asi-
miladas. De ahí aquel primer triunfo del *Lazarillo*, al que siguen
varios decenios de relativa indiferencia. La historia del arte ofrece
no pocos casos semejantes, como, por ejemplo, el influjo de Goya
durante el siglo XIX. [...] El sucesor del autor del *Lazarillo* será
Mateo Alemán, cuyo *Guzmán de Alfarache* vendrá en 1599 a acabar
con el aislamiento de nuestro libro. Hoy día las diferencias temáticas
o formales entre el *Lazarillo* y sus continuadores nos parecen considerables. Pero para los lectores del siglo XVII las «fortunas y adversidades» de Lázaro pertenecerán al género picaresco, que no existe
antes de 1599.

Se sabe que el *Guzmán de Alfarache* obtuvo un éxito estrepitoso,
y que no se equivocaba mucho el alférez Luis de Valdés al dar la

I.   Claudio Guillén, «Luis Sánchez, Ginés de Pasamonte y los inventores
del género picaresco», en *Homenaje a Antonio Rodríguez Moñino*, I, Castalia,
Madrid, 1966, pp. 221-231 (223-226, 228-230).

II.   Fernando Lázaro Carreter, «Para una revisión del concepto "novela
picaresca"», en *«Lazarillo de Tormes» en la picaresca*, Ariel, Barcelona, 1972,
pp. 195-229 (204-208, 215-216).

cifra de veintiséis ediciones en el «Elogio» que escribió para la *Segunda parte* de 1604 («¿De cuáles obras en tan breve tiempo vieron hechas tantas impresiones, que pasan de cincuenta mil cuerpos de libros los estampados, y de veinte y seis impresiones las que han llegado a mi noticia ...?»). Pero no se ha observado que el éxito del *Guzmán* tuvo por consecuencia el renacimiento editorial del *Lazarillo*, dando origen a una doble aceptación, a una fusión, de la que tuvo que emerger, durante los pocos años que transcurren entre la publicación del primer *Guzmán* (1599) y la del primer *Quijote* (1605), el concepto de un «género» picaresco: noción que formula por primera vez, con ánimo combativo, Ginés de Pasamonte: «mal año para *Lazarillo de Tormes*, y para todos cuantos de aquel género se han escrito o escribieren» (*Quijote*, I, 22).[1] El «buen año» había sido 1599, que abre una tercera época en la historia editorial de nuestro libro. La primera había sido breve: las cuatro ediciones aparecidas en 1554-1555. Durante una segunda etapa, 1573-1595, el *Lazarillo* se había reeditado cinco veces. Ahora se estampan nueve ediciones en cuatro años, de 1599 a 1603. Por fin Lázaro alcanza, con el apoyo decisivo de Guzmán de Alfarache, «la cumbre de toda buena fortuna». [...] El *Lazarillo* no se reimprimirá entre 1603 y 1607, debiéndose atribuir este compás de espera a la presentación de las dos continuaciones del *Guzmán* (la de Mateo Luján de Sayavedra en 1602, la del propio Alemán en 1604) y, en 1605, a la primera edición del *Quijote*, el cual se apodera del terreno novelesco tan irresistiblemente que el *Guzmán* no vuelve a estamparse hasta 1615, en Milán.

Estos datos bibliográficos, al parecer humildes, nos permiten asistir al nacimiento de un género literario, y hasta nos indican algunos rasgos de su primera fisonomía. No pienso ahora en los aspectos propiamente picarescos del género, sino en su existencia como tal,

---

1. [«—Es tan bueno, respondió Ginés, que mal año para "Lazarillo de Tormes", y para todos cuantos de aquel género se han escrito o escribieren; lo que sé decir a voacé, es que trata verdades, y que son verdades tan lindas y donosas, que no puede haber mentiras que se le igualen. —¿Y cómo se intitula el libro? —preguntó don Quijote. —*La vida de Ginés de Pasamonte* —respondió el mismo. —¿Y está acabado? —preguntó Don Quijote. —¿Cómo puede estar acabado, respondió él, si aún no está acabada mi vida? Lo que está escrito es desde mi nacimiento hasta el punto que esta última vez me han echado en galeras—.»]

en las condiciones que hacen posible el desarrollo de una forma
literaria nueva durante el Siglo de Oro español, lejos de toda preceptiva, según lo que de año en año los autores más originales, riva-
lizando entre sí, van escribiendo, el público va comprando y los
editores a su vez van imprimiendo. [...]

Volviendo a nuestro tema, no entendemos del todo bien qué es
lo que Ginés de Pasamonte quiere decir cuando habla de un «género» basado en el *Lazarillo*. Pero sí sabemos que para él ese género
es una evidencia muy clara (y que él, con Cervantes, querría supe-
rarlo). Es mucho más neto el perfil de su decisión —la de que existen
unas obras con las cuales rivaliza— que el del grupo en cuestión
(«... todos cuantos de aquel género se han escrito o escribieren»).
Comprendemos asimismo que no nos encontramos ante el uso técnico o culto de la palabra, como en las preceptivas tradicionales, sino
ante el descubrimiento espontáneo de una clase por parte de un
lector-escritor que pertenece al más amplio de los públicos. Esta
amplitud es lo que Cervantes puede recalcar o incluso exagerar a
través del carácter ficticio de Ginés de Pasamonte: no sabemos si
en realidad era hacedero que un galeote o un ladrón se identificase
con Guzmán de Alfarache y se pusiese a escribir un libro semejante
al de Mateo Alemán; pero en un plano ficticio, y sobre todo, en el
del *Quijote*, donde la literatura se convierte en tema de vida, resulta
verosímil y casi razonable el que ciertos personajes sientan que la
picaresca está muy cerca de su propia experiencia. Aquí el género
basado en el *Lazarillo* es doblemente imitable, por Ginés de Pasamonte el hombre, pero también por el escritor (si bien ambos son
ficticios), sin que ninguno de los dos tenga que perder el seso. Pero,
además, entre el hombre y el escritor se sitúa el lector, o el crítico,
que es quien determina la existencia del género por imitar. Como
lector entre culto e inculto, como «ingenio lego», Ginés de Pasamonte concilia la capacidad para descubrir o admirar lo nuevo y lo
original, en el campo de la literatura, con la mentalidad genérica de
la época, la tendencia a clasificar, que hace posible las preceptivas
«no escritas». Está claro que Ginés, como otros lectores después
de 1599, establece una categoría *a posteriori*, al hablar de un género
que acaba de nacer («... todos cuantos de aquel género se han escrito»); y que al mismo tiempo esta clase de libros está en trance
de convertirse en un tipo *a priori*, susceptible de ser imitado en el
futuro («... todos cuantos ... se escribieren»). Él, y otros lectores

como él, son quienes consiguen que entre 1599 y 1605 se establezca la idea de un género nuevo.

[Las novelas picarescas posteriores, al mismo tiempo modificarán e interpretarán nuestro género básico, que tal como lo entendemos aquí, arranca de un proceso de agrupación.] El *Lazarillo* a solas no se defendía, no pasaba de ser un franco tirador. El *Guzmán* conoce un éxito excepcional, pero sus efectos traspasan los límites de una obra única, repercuten en el *Lazarillo* y dan origen a la idea de un género imitable. He aquí que las dos novelas se acoplan en la imaginación o la memoria de los lectores, formando grupo, y que este género rudimentario alcanza algo como una vida propia, sugerente, que incita a la imitación. No es la obra individual —como la de Mateo Alemán, o la *Segunda parte del Guzmán de Alfarache* (1602) de Mateo Luján— la que crea el género, desde luego, sino el lector —o el escritor *antes* de escribir, o sea, en cuanto lector. Pues, el género existe o actúa ante todo mentalmente (no como *genus* lógico, sino como producto de una vivencia literaria). El factor más importante aquí es sin duda el menos conocido: el público. Hoy día los periodistas, los críticos militantes, los agentes de publicidad, hasta los profesores, son quienes dialogan con el público. En 1599 una de las personas que desempeñaba este papel era el impresor —el único cuyo nombre podamos conocer hoy. Uno de los numerosos y anónimos inventores del género picaresco sería, pues, aquel Luis Sánchez que dio al público [2] el *Lazarillo* el 11 de mayo de 1599, dos meses después de la primera publicación del *Guzmán de Alfarache* en Madrid, siendo imitado acto seguido por sus colegas de Barcelona, Zaragoza, París, etcétera.

II. La novela picaresca surge como género literario, no con el *Lazarillo*, no con el *Guzmán*, sino cuando éste incorpora deliberadamente rasgos visibles del primero, y Mateo Alemán aprovecha las posibilidades de la obra anónima para su particular proyecto de escritor. [...] Lo que condujo a la asociación de ambos libros fue, como es lógico, su base común. Estoy persuadido de que Alemán estimó en poco el *Lazarillo*, mejor dicho, que lo estimó como una

2. [Luis Sánchez, de hecho, era sólo el impresor que cumplió el encargo del librero-editor Berrillo. Cf. J. Moll, «Problemas bibliográficos del libro del Siglo de Oro», *Boletín de la Real Academia Española*, LIX (1979), pp. 99-100.]

inmensa posibilidad frustrada. Porque contaba con una serie de hallazgos constructivos que merecían más amplio beneficio. Éstos, por lo menos, son evidentes:

a) la autobiografía de un desventurado sin escrúpulos, narrada como una sucesión de peripecias, es decir, con fórmula radicalmente diversa de la que caracteriza a la *novella* (corta);

b) la articulación de la autobiografía mediante el servicio del protagonista a varios amos, como pretexto para la crítica; y

c) el relato como explicación de un estado final de deshonor.[3]

Eran recursos que convenían perfectamente a su proyecto de escribir una violenta requisitoria al lector, un proceso al hombre, desde una posición que no era la del asceta o el teólogo profesos. Para esa misión necesita un tercero interpuesto que recorra el camino entre la abyección y la santidad, increpándose e increpando a todos. [En el *Guzmán*,] la autobiografía parece inherente a ese proceso incoado a la humanidad pecadora por alguien que concede, de antemano, su maldad superior. Pero el recurso estaba allí, en aquel librito que andaba rodando por los anaqueles, cargado de posibili-

3. [Cada uno de estos puntos constituye lo que el propio Lázaro Carreter denomina «rasgo esencial» del género, que es «no un factor más o menos común e incorporable a una definición, sino un dato argumental o constructivo, sujeto, bien a reiteración, bien a manipulación por escritores posteriores» (p. 213). Por los mecanismos de selección del género destaca una serie de «rasgos esenciales», que se detallan en el trabajo de F. Lázaro y que enumera Gonzalo Sobejano en «*El coloquio de los perros* en la picaresca y otros apuntes», *Hispanic Review*, XLIII (1975), p. 34: «la trayectoria de niño a varón, la ascendencia vil, la perspectiva de relato cerrado con final muy concreto (después del *Guzmán* se pierde el punto de vista unificador del "caso", y ya se prefiere la "sarta" de aventuras, como en *El buscón*, ya las "memorias totales", como en *Estebanillo*), la condición picaresca del protagonista (pero no como esportillero, etc., sino como sujeto sin oficio o de vivir truhanesco), y el proceso alternante de fortunas y adversidades a un ritmo pendular». Sobre tal base, principalmente, el mismo Sobejano da una definición concisa de la picaresca en la reseña de S. Miller [1967], *Hispanic Review*, XL (1972), p. 323: «En el sentido literario del término podría llamarse 'picaresca' a la ingeniosa relación, normalmente en primera persona, de la vida y desventuras de un sujeto humilde, articulada según una estructura episódica (servicio a varios amos, encuentro con diversas gentes) y destinada a explicar un estado de deshonor (aceptado al final, o bien superado), del cual aparecen como determinantes la condición misma del sujeto y las circunstancias sociales que a través de aquella estructura episódica, y en un lenguaje de incontenible locuacidad crítica, son moralmente satirizadas. Pienso que, o la novela picaresca es esto, o apenas puede ser cosa alguna».]

dades actuales. Y había algo más importante: el hecho de que el *Lazarillo* era un relato complejo, no mítico, no caballeresco, sino referido a una realidad cotidiana. Este ambiente no existía en la literatura fuera del cuento popular y la *novella*, en sus diversas variantes europeas. Es gloria del anónimo autor haber iniciado ese nuevo procedimiento narrativo, articulado sobre diversos centros de interés, en torno de un personaje que va haciéndose persona, y que transita por una geografía y una historia concretas. [...]

Mateo Alemán había leído bien el *Lazarillo* en cuanto relato cerrado, de final muy concreto. La meta de su obra será también la cumbre de abyección del héroe; una vez alcanzada, termina su testimonio. Pero a diferencia del autor anónimo que deja disponible al protagonista una vez explicado el *caso*, sin hipotecar su futuro, Alemán, absorbente, dominador de su criatura, le niega toda libertad; el fin de su condena suspenderá para siempre, porque así lo ha decidido, su carrera de pícaro. [...] Aunque el autor no quisiera, aun con ese frenazo último, el personaje estaba lanzado por la inercia fuera de su voluntad. No es mucho que, si había habituado a su pícaro a escapar de las manos del creador divino, se le marche de las suyas. Porque el Guzmán que Justina acecha como tercer marido, no era el insustancial asceta que se nos promete, sino el otro, el anterior, a quien ofrece «cabrahigar» su propia picardía. Y de este modo va a constituirse otra norma poética del género, al margen de lo que el *Lazarillo* y el *Guzmán* legítimo permitían. Buena parte de la picaresca será ya relato abierto, sarta inorgánica de aventuras, y su final contendrá promesas de nuevas partes. Que unas veces se escriben, pero otras no, porque tal promesa se convirtió, muy tempranamente, en tópico retórico de remate.

Se trataba ahora de un desvío grave. No se entendió que Lázaro y Guzmán nos cuentan sus cosas para que comprendamos el porqué de su estado presente. Y así Justina, Pablos o Teresa de Manzanares se limitan a embastar sus peripecias, sin jerarquía alguna; y Obregón o Estebanillo o Alonso, llevan al límite de memorias totales lo que, en otras obras, constituía una recapitulación parcial. En sustancia, es lo mismo: la sarta, como sistema expositivo, que interrumpe el camino del relato novelesco abierto por el *Lazarillo*, y no enteramente desdeñado en este punto por Alemán. La vida de unos personajes, aunque sea extraña y azarosa, no constituye una novela en el sentido actual del término, si esos personajes no asumen su vida anterior y obran condicionados por ella en todos y cada uno de los momentos sucesivos de su existencia. Los relatos posteriores al *Guzmán* abandonan la trayectoria de la novela para desviarse hacia un límite, el de memorias o recuerdos de lances peregrinos, enristrados casi con técnica de Floresta.

MARCEL BATAILLON Y ALEXANDER A. PARKER

FUNDAMENTOS IDEOLÓGICOS DE LA PICARESCA

1. Nuestros estudios acerca de *La pícara Justina* (M. Bataillon [1969]) y acerca de las relaciones entre este relato y la vida de *Guzmán de Alfarache*, tal como la concibieron Mateo Alemán y Martí, nos han llevado a dudar seriamente de que el género llamado «novela picaresca» sea la sencilla y pura pintura «realista» de clases sociales inferiores en las que pululan vagabundos y delincuentes, con ciertos reflejos de la atracción a la vida errante en los jóvenes de la buena sociedad del Siglo de Oro. Al querer explicar de modo más convincente la irrupción acelerada de los *pícaros* en los libros que los glorifican irónicamente —no sin asociar con ellos, además, otros tipos tratados con o sin ironía—, nos vimos obligados a poner de relieve lo importante de la preocupación de la «honra», externa y social, a la que los pícaros parecen, hacia 1600, llevar la contraria. [...]

Así es como hemos reconocido que tiene valor ilustrativo *La vida del pícaro*, sátira escrita en tercetos que tuvo algún éxito, y lo mismo *La vida del ganapán* (que podemos fechar en 1585), más otros pequeños poemas, algunos de los cuales se recogieron en las recopilaciones anteriores al *Romancero general*, de 1600, y no fueron todos incluidos en él, así como otros que, formando un grupo de ocho poemillas, dichosamente se salvaron en un manuscrito que publicó

I. Marcel Bataillon, «La honra y la materia picaresca», en *Pícaros y picaresca*, Taurus, Madrid, 1969, pp. 203-214 (203-207, 209-211, 214).

II. Alexander A. Parker, *Los pícaros en la literatura. La novela picaresca en España y Europa (1599-1753)*, Gredos, Madrid, 1971, pp. 51-56, 58-59, 62-63.

la *Revue Hispanique* (1902). El tema dominante de *La vida del pí-caro*, en verso, como de *La vida del ganapán*, es el elogio irónico del mozo de cordel caracterizado por sus harapos (*pícaro, picaño*), que lleva con alegría, y que hacen de él la antítesis del hombre *honrado* obsesionado por sus preocupaciones de decencia y de decoro. En esta visión del *pícaro* literario (que podemos considerar como primordial), éste se halla a la vez exento del reproche de delincuencia y aureolado con méritos de filósofo, y a la vez está de acuerdo con la condición de proletario que Covarrubias asigna al pícaro en su *Tesoro*.

Ello explica maravillosamente el elogio nostálgico que Guzmán hace de la pura *vida picaresca*, que él practicó en su adolescencia, y el interminable vituperio de la *honra* en que se prolonga dicho elogio. Nos aparece, claramente, que tanto para Mateo Alemán como para Martí, para Luna (continuador del *Lazarillo*) como para el mismo Cervantes (*La ilustre fregona*), los héroes que se convierten en pícaros conscientes no llevan del principio al fin una «vida picaresca», sino que la auténtica «vida picaresca» emerge de sus existencias aje-treadas como en otras tantas cimas de honradez relativa y de senci-llez filosófica, de las que luego se despeñan hasta la delincuencia o hasta las trampas que les tiende la *honra*. Este elogio, que lo es, por mucha ironía que en él quiera verse, del *deshonrado*, hecho para lectores *honrados*, del vagabundo, hecho para personas de la buena sociedad, este elogio —repetimos— es lo que de veras distingue a la materia picaresca fundamentalmente española de las obras que los historiadores de las literaturas francesa e inglesa han clasificado como picarescas en sus respectivos dominios.

No es posible, además, dejar de ver en ello una de las claves de la significación que tenía tal materia para la España de los hidalgos, preocupados en demostrar siempre su rango por lo elegante de su atuendo y sus modales; era una irrisión simbólica de la honra *externa*, a la cual propendía España, según los moralistas franceses, más que al *honor* internamente experimentado que Rabelais asimila a la con-ciencia moral. Quevedo lleva hasta lo hiperbólico y lo extravagante en el caso de su don Toribio y sus compañeros, la farsa de los atavíos *honrados*, pues estos fingidos nobles parásitos, una vez en prisión, pierden instantáneamente sus deleznables ropas, despojados de ellas, con vigor inmisericorde, por sus propios compañeros de cárcel. [Pero el vestido y la compostura de las personas *honradas* son sólo un as-pecto de su superficie social.] No es posible comprender gran cosa del *Guzmán de Alfarache* si no se ve en él, además de la denuncia del poder del dinero (tema fundamental de toda la materia picaresca), la sátira de la «honorabilidad» que se basa en el dinero (como si dijéramos: *la honra de don Dinero*). [...]

En nuestros análisis recientes nos ha parecido oportuno relacionar dos rasgos característicos del destino de los pícaros que nos han obligado a dar cada vez menos importancia al factor del *hambre* que hace treinta años nos parecía principal o único móvil de estos personajes. 1) El pícaro nace más bien en la ignominia que en la extrema miseria. 2) Su cinismo le lleva, más allá de los hurtos y estafas de dinero, a cometer estafas de honra. La ignominia de los padres del pícaro salta a la vista, como tema casi obligatorio en la materia picaresca desde Pármeno y Lazarillo hasta Guzmán, Justina y Pablillos de Segovia. [...] Algo no menos característico de los pícaros *deshonrados* desde la cuna, que suben a la cumbre del favor literario en la época de Felipe III, es su insolente usurpación de identidades *honradas*. [...] El buscón de Quevedo se decide enérgicamente a «negar su sangre», y sus «pensamientos de caballero» (el caballero representa, en su vida, un papel simbólico) siempre acaban mal, desde su cabalgada infantil de «Rey de gallos» hasta su caída del caballo bajo las ventanas de doña Ana. Justo castigo a su descaro. Y es que, después de otras varias estafas de honra, ya se atreve a pretender un matrimonio noble y resulta (colmo de la mala suerte) que sin saberlo ha puesto la mira en la propia prima de su antiguo amo don Diego Coronel. Entonces se ve que esta aventura ha sido concebida como cima o culminación de toda la intriga novelesca: viene ya preparada, de lejos, por las relaciones de servicio establecidas desde la infancia entre el vástago de los Coronel y el del barbero ladrón y la bruja. La usurpación de estado social, tema que Quevedo trata con evidente predilección y que el autor de *La pícara Justina* toca, de modo burlesco (la pícara novia), representa un papel importantísimo en la «novela cortesana» de materia picaresca (*La hija de Celestina*, de Salas Barbadillo; *La niña de los embustes* y *Aventuras del bachiller Trapaza*, de Castillo Solórzano).

[La materia picaresca] tiene como levadura no el interés o la antipatía hacia ciertas clases sociales miserables, sino los tormentos íntimos de determinadas clases de privilegiados. [...] Nuestra investigación nos autoriza a concluir que las preocupaciones por la decencia, la honra externa y las distinciones sociales penetran toda la materia picaresca y sirven para explicar sus complejos contenidos mucho mejor que una voluntad de pintar de un modo realista los bajos fondos sociales.

11. Cierto número de escritores de la época, dentro de la picaresca, dedican cantos de alabanza a la vida libre como suelen hacer, igualmente, los pícaros mismos. Recordando la época en que llegó siendo niño a Madrid y descubrió que su vida le pertenecía, Guzmán de Alfarache llama «gloriosa libertad» al hecho de poder comer el propio pan sin tener que recibirlo de manos de nadie, ya que el pan que se recibe es siempre «pan de dolor, pan de sangre», aunque nos lo dé nuestro propio padre. [La literatura española de los siglos XVI y XVII abunda en ejemplos de alabanza a la vida sencilla.] Este deseo de vivir una existencia libre y natural está profundamente anclado en la naturaleza humana, y puede adoptar formas tanto negativas, o socialmente antagónicas, como positivas. Sin duda, detrás de la alabanza que hace el pícaro de su vida libre podemos a veces descubrir una nota de nostalgia por parte de sus creadores. [...]

Sin embargo, el buscar el origen de la novela picaresca únicamente en la nostalgia de libertad social me parece equivocado, en fin de cuentas, porque no toma en consideración el contexto en el que invariablemente aparece el tema de la libertad, en la literatura de la época, que no es de aprobación sino de condena. Todas las alabanzas a la libertad [con alguna pequeña excepción] están dichas en tono irónico. Los españoles de 1600 sabían perfectamente cuán atractiva podía parecer a los jóvenes la libertad anárquica, pero también sabían, con más claridad aún, la diferencia entre una libertad responsable que elige la disciplina y el libertinaje que la rechaza. Por cada vez que aparece el tema de la libertad en la literatura española de los siglos XVI y XVII en forma de alabanza de la vida sencilla, aparece noventa y nueve como un problema de disciplina moral. Esto viene expresado de forma más explícita en la literatura religiosa que, en sus poemas líricos y en sus obras morales, presenta, del principio al fin, incontables alegorías en las que el hombre entra en el mundo, creyendo que es un camino de libertad para descubrir que se trata de un camino de esclavitud a causa de la pasión y los sentidos. Así es, exactamente, como Alemán presenta el problema de la delincuencia en el *Guzmán de Alfarache*, y, en este contexto cultural e histórico, es donde debe ponerse el origen de este tipo de ficción realista.

La novela picaresca aparece, pues, como exposición del tema de la libertad, incluido el concepto de libertad moral. No aparece como antinovela en el sentido de parodia tácita de la ficción idealista. [...] Ciertamente las primeras novelas españolas pueden ser consideradas, históricamente, como reacciones contra las novelas pastoriles y de caballerías, pero no como sátiras de las mismas, sino como alternativa. En ellas no encontramos signo alguno de parodia de las narraciones fantásticas como confiesa el *Quijote*. Sin embargo, Cervantes es quien nos da la clave. Continuamente insiste en que está dándonos una «verdadera» novela de caballería en lugar de las «falsas». Al atacar este tipo de literatura, llamándola falsa, Cervantes estaba muy lejos de adoptar una postura original. Estaba repitiendo puntos de vista que ya habían sido expresados en España, muy pronto, durante el siglo XVI, y reiterados con insistencia hasta su época.

[Después de los humanistas y erasmistas (Valdés, Vives, etc.) que atacaron los libros de caballerías y otras ficciones inverosímiles y propiciaron un tipo de literatura realista y satírica (como el mismo *Lazarillo*),] los hombres de iglesia de la Contrarreforma en España, con el fin de seguir las líneas trazadas por el Concilio de Trento de imbuir la literatura con valores religiosos y morales, abogaron por la sustitución de las novelas fantásticas por una literatura verdadera. Lo que defendían era una novela que postulase las verdades de la fe cristiana y un sentido de responsabilidad moral, basado en los problemas actuales de la vida real y en la aceptación por medio del autoconocimiento, en vez del escapismo, de la fragilidad de la naturaleza humana y no de su heroísmo potencial. Estos clérigos españoles escribieron esta nueva literatura de sustitución. Algunos de los escritos religiosos de los últimos treinta años del siglo XVI, a mi juicio, constituyen la principal influencia que puede explicar la transición de la novela idealista a la novela realista.

Por ejemplo, en 1588, el fraile agustino Pedro Malón de Chaide publicó su libro sobre la conversión de la Magdalena como historia de amor divino, presentada explícitamente, en el prólogo, como sustitutivo de las historias de amor profano de las novelas pastoriles como la *Diana* (1559). [...] La prostituta arrepentida se convierte en la nueva heroína del amor. El hecho de que fuese una pecadora la hace paradigma de la realidad de la experiencia humana mejor que ninguna de las heroínas de los libros de fantasía. Al responder a la llamada de un amor más elevado representa el ideal, un ideal alcanzable si, como en su caso, hay arrepentimiento del pecado. En la literatura española hay, por tanto, un alejamiento de la confianza en los valores humanos y un acercamiento al reconocimiento de la debilidad fundamental de la naturaleza humana que tiene que ser disciplinada y conquistada para poder alcanzar cualquier ideal. La heroína de la literatura es ahora una pecadora.

Once años más tarde, en 1599, Mateo Alemán publicaba la primera parte del *Guzmán de Alfarache*, primera novela picaresca extensa y la primera novela realista larga de la literatura europea. Satisfacía las exigencias de la Contrarreforma porque, siendo realista, era verdadera y responsable. Servía a los fines de la verdad en cuanto que la historia ilustraba explícitamente las doctrinas del pecado, del arrepentimiento y de la salvación, puesto que el héroe es alguien que, como María Magdalena, parte en busca del amor del mundo para acabar en la infamia, pero que es capaz, al propio tiempo, de responder en medio de su degradación, como ella, a un amor más alto. Los héroes de la novela son sustituidos de esta forma por un pícaro —ladrón, criminal o galeote— que, sin embargo, consigue regenerarse al final. Sólo en este sentido apareció la novela picaresca española. [...]

El humanismo erasmista o la Contrarreforma española no produjeron, por supuesto, la técnica realista que hace a la novela picaresca más viva y moderna que los tipos de ficción que suplantó. La técnica, como tal, no era nueva. Ya había habido ejemplos de ella tan magníficos como el de Fernando de Rojas en *La Celestina* a finales del siglo xv, por no buscar más atrás. Lo que el movimiento de reforma religiosa dio a la novela fue la «verosimilitud» y la «responsabilidad» que parecía necesitar y que no podía encontrar en las ficciones idealistas: el deseo de retratar a los hombres como son con el fin de abrir los ojos de los lectores sobre las miserias de la naturaleza humana y sus mentes a la necesidad de prevenirlas o remediarlas, lo que, en la práctica, produjo un serio interés por la delincuencia. Este es el sentido del realismo que la novela adquiere en esta fuente. Las convenciones y la teoría literaria que no permitían presentar a un delincuente de otra manera, hicieron necesario el uso del realismo en cuanto a la técnica. El delincuente sólo podía pertenecer al plano de la realidad cotidiana de la que estaban excluidos, por tradición, la nobleza, el heroísmo y los valores ideales. La regla clásica de separación de los estilos, que tanta influencia tuvo en el siglo xvi, estipulaba en la práctica que todo lo relativo a la vida diaria —clases sociales y ocupaciones, sucesos corrientes de la vida en lugares auténticos citados y descritos— tenía que ser escrito en «estilo vulgar», lo cual significaba que, en teoría, no podía tratarse sino en forma cómica. [...] Los tipos cómicos y la ingeniosidad taimada se convierten en convenciones del género, porque el estilo realista no podía concebirse de otra manera. En teoría esto significaba unos límites estrechos para el realismo, ya que lo cómico excluía el tratamiento serio de problemas serios.

ENRIQUE MORENO BÁEZ Y CARLOS BLANCO AGUINAGA

GUZMÁN DE ALFARACHE:
LA NARRACIÓN COMO EJEMPLO

1. Alemán, muy influido por la teoría, remozada por la Contrarreforma, del arte docente, quiere que la vida de su protagonista sirva de enseñanza; pero temiendo que muchos lectores cierren los ojos a la moraleja, la desarrolla hablando por boca del pícaro arrepentido. No armonizarían relato y digresiones si las doctrinas expuestas en éstas no determinaran el desarrollo del argumento y si no existiera una relación clara y evidente entre la digresión y el suceso que la provoca. Si el protagonista se pone en contacto con todas las clases de la sociedad y en cada una de ellas encuentra vicios, esto da al autor ocasión de afirmar que todos estamos corrompidos por el pecado del primer hombre, lo que, aunque no disculpe al pícaro, prueba que su vileza no es excepcional, pues todos somos igualmente malos; si Guzmán, al fin de la novela, se arrepiente de sus pecados, hace acto de contrición, merece y se justifica, ello servirá para convencernos de que cada uno puede salvarse dentro de su estado, doc-

1. Enrique Moreno Báez, *Nosotros y nuestros clásicos*, Gredos, Madrid, 1968², pp. 126-130, donde se resumen algunos puntos de su *Lección y sentido del «Guzmán de Alfarache»*, Consejo Superior de Investigaciones Científicas, Madrid, 1948.
11. Carlos Blanco Aguinaga, *Historia social de la literatura española*, I, Castalia, Madrid, 1979, pp. 299-305, que recoge la sustancia de su artículo «Cervantes y la picaresca. Notas sobre dos tipos de realismo», *Nueva Revista de Filología Hispánica*, XI (1957), pp. 313-342.

trina cuyos corolarios son la vanidad de la honra y la dignidad del
pícaro, cuya alma también ha sido redimida por la sangre de Cristo
Nuestro Señor; si a pesar de sus vicios el héroe tiene dos oportunidades de mejorar de vida y las desaprovecha, esto nos lleva a la
demostración de la libertad de nuestro albedrío y a polemizar contra
los que atribuyen sus malos sucesos a la fortuna o a las estrellas;
del mismo modo cuando abrumado por los trabajos se aprovecha de
ellos para ejercitarse en la virtud le oiremos hablar de la Providencia
y de sus caminos y de cómo nuestras desgracias son castigo de nuestras culpas u ocasiones de merecer con nuestra paciencia y conformidad. El mismo proceso de su conversión le lleva a tratar de la
gratuidad de la gracia, que Dios concede a todos los hombres, de
la necesidad de cooperar con ella y de su aumento con la penitencia
y con los sacramentos. Por ello puede afirmarse que no hubo ninguna
exageración en los que nos hablaron en el XVII del provecho de la
lectura de esta novela, cuya tesis central es la posibilidad de salvación
de la más miserable de las criaturas, el relato de cuyas maldades sirve
para poner aún de más relieve la misericordia del Señor, que ha
querido justificarle.

Se trata, pues, de un tipo de novela en la que el argumento se
subordina al fin doctrinal, que es el que andando los tiempos sería
cultivado entre nosotros por Gracián y por el padre Isla y en el
extranjero por Bunyan y por Fénelon. También se le subordina el
protagonista, a quien en este caso se le atribuyen los estudios y la
discreción que hacen verosímiles sus comentarios a la propia vida.
El que, cuando su inclinación le llevaba al mal, su entendimiento le
mostrara el bien, explica en buena parte su conversión, facilitada por
el hecho de que nunca hubiera perdido la fe ni hubiera dejado de
practicar, lo que es como una luz que cortara las espesas sombras
de su alma, formando uno de esos violentos contrastes a que tan
aficionado era el tenebrismo. Pero si la subordinación del argumento
a un fin doctrinal llevó a crear un protagonista rico en contradicciones, que se enternece y llora al ver la simplicidad de una de sus
víctimas, sin renunciar por ello a engañarla, deshumanizó a todos
los demás personajes, que por cifrar los vicios de su clase no nos
ofrecen más que una cara, no fueran con la otra a contradecir la tesis
de la maldad de todos los hombres, a la que se sacrifica la complejidad y verosimilitud del fondo del cuadro. No más verosímiles son
los eclesiásticos, todos adornados de buenas cualidades, lo que los

convierte en arquetipos incapaces de despertar nuestro interés o nuestra simpatía.

El descubrimiento de la relación entre el relato y las digresiones no nos explica por qué Alemán destruyó la forma del relato en prosa al que el manierismo quería aplicar las mismas normas que al poema épico. Para descubrir el sentido de la nueva forma hemos de atender a un hecho muy curioso. Y es que el primero que se dio cuenta de que la abundancia de digresiones cansaría al lector fue el mismo Alemán, quien se disculpa de su intemperancia en varios lugares o afirma que tras un esfuerzo se ha dominado para no cansarnos, dándonos la sensación de que su sentido del equilibrio y de la proporción luchaba por represar el dinámico impulso de adoctrinar sin tasa ni medida. Dinámico impulso que es el mismo que alienta en todas las creaciones del arte barroco. Por lo que las digresiones del *Guzmán de Alfarache* aparecen como expresión de una energía que por todas partes se desborda y que crea, al hacerlo, un tipo de novela distinto de los que hasta entonces se cultivaban. Vistas como producto de la exuberancia y la pasión barrocas cobran las digresiones un sentido nuevo, que es precisamente el que tendrían para los contemporáneos de Alemán. Ello nos explica que en el XVII nadie criticara su mucha extensión y que el procedimiento fuera imitado por otros escritores también barrocos.

Si recordamos que este estilo nace en buena parte del deseo, sentido por la Contrarreforma, de subordinar el arte y la cultura a la religión, por lo que, aunque empieza por emplear las formas clásicas renacentistas, acaba por distenderlas bajo el influjo de la exaltación polémica de la lucha con los protestantes, veremos que es la misma ansia de proselitismo, de defender y de refutar propia del Barroco lo que lleva a Alemán a cortar su relato con digresiones en que la abundancia de su corazón rompe el velo con que hubiera podido disimularse la intención docente. Su realismo, que le lleva a burlarse de las lectoras de libros de caballerías y de pastorales, obras en que se expresa de diverso modo el idealismo del Renacimiento, es a su vez una consecuencia del aristotelismo contrarreformista, que trae al primer plano al hombre concreto, de irreductible personalidad y que por haber sido creado a imagen y semejanza de Dios lleva en el fondo de su alma una centella de divinidad.

No menos característica del Barroco que la dislocación de las formas clásicas es la tendencia a la profusión de lo decorativo y lo ornamental, que se superpone sin quedar fundido con la estructura de la obra de arte. El que lo ornamental contribuya mucho a la exuberancia de las obras barrocas no debe impedirnos distinguir del dinamismo propio de este estilo lo que nace de la embriaguez de una fantasía que aspira a dominar el mundo de las formas. En el primer caso nos encontramos ante algo que brota del fondo del alma y que sube hacia Dios, que es el centro de ella; en el segundo ante un movimiento, no ascensional, sino de integración, que tiende a encerrar en la obra de arte todos los motivos, reduciendo a unidad la diversidad con que la vida se manifiesta.

¿Qué duda cabe que si en el *Guzmán* el impulso dinámico, irrestañable y ascensional nos explica las digresiones, es la tendencia a lo ornamental y el gusto por lo superpuesto lo que ha llevado a la intercalación de tantas novelitas, apólogos y cuentecillos? Intercalaciones de las que apenas se hallan ejemplos anteriores, pero que después son muy frecuentes y que siempre producen una sensación de desbordamiento de la fantasía. Vemos cómo el estudio del contenido del *Guzmán de Alfarache* nos revela, no sólo el sentido del argumento y de las digresiones e intercalaciones, sino el de la combinación de todas estas cosas en una forma, mucho más armoniosa de lo que creyó el siglo XIX y que por expresar el afán polémico, la exuberancia y el dinamismo propios del Barroco refleja la actitud del autor y su época ante el mundo y la vida.

II. En el *Guzmán de Alfarache*, como en casi toda novela picaresca, el personaje-novelista, conocedor absoluto de su pasado, empieza por narrar, no la historia de su vida, sino lo que podemos llamar su prehistoria. [...] Pero nuestro personaje-novelista va aún más lejos que los demás que han novelado dentro del género: empieza no sólo por contarnos la historia de sus padres, sino que, antes de hacerlo, siente la obligación de darnos las razones que le hacen entender como *necesaria* esta prehistoria, porque en ella ve la causa determinante de su historia.

[En las primeras líneas del primer capítulo ya] se nos dice claramente que para la historia que se nos va a contar hay un «primer principio» anterior a ella, a partir del cual —y sólo a partir del cual— podemos «cerrar» —porque *debemos* cerrar— hasta el último portillo, dejando así las «cosas bien entendidas» para, de ahí, con todo rigor lógico-escolástico, proceder «de la definición a lo definido». Es muy posible que en estas palabras introductorias haya no poco de ironía. Ironía o no, en vista del rigor escolástico peculiar al *Guzmán*, es preciso subrayar esta notable fusión entre el lenguaje de la argumentación lógica y el de la persecución religiosa: la lógica escolástica y el lenguaje inquisitorial son, muy naturalmente, una misma cosa en esta novela de la Contrarreforma española, y desde ese concepto del mundo crea Mateo Alemán, advirtiéndonos desde el preámbulo a la prehistoria de la historia que nos va a narrar que estamos en la verdad religiosa demostrable racionalmente y que su novela es, como silogismo medieval, un perfecto círculo cerrado que procede de la definición a lo definido.

Asentado así por delante este principio *formal*, en el primer capítulo «Guzmán de Alfarache cuenta quién fue su padre»; en el segundo capítulo «Guzmán de Alfarache prosigue contando quiénes fueron sus padres, y principio del conocimiento y amores de su madre»; y sólo una vez dada con toda precisión y conocimiento absoluto de la verdad la prehistoria de sus aventuras, sale Guzmán al mundo en el capítulo 3, quedando con ello, por fin, lanzada la historia cuyo «primer principio» la define. No es necesario buscar mucho para descubrir que lo que en la prehistoria de su vida determina la historia de Guzmán es, como lo que en la prehistoria bíblica del hombre origina su entrada en la Historia, el pecado original: dados los futuros padres —un aventurero tramposo y sensual y una mujer casada con un viejo— y dado un rincón ideal de la naturaleza, es concebido Guzmán en adulterio. [Para reforzar el simbolismo bíblico, la finca donde Guzmán es concebido en adulterio, se halla enclavada en un lugar, Alfarache, cuya naturaleza idílica es descrita como un paraíso.]
Desde el principio de la novela estamos, pues, en el símbolo del dogma del pecado original, fruto del libre albedrío, que pesa sobre la vida toda y la determina a más libre albedrío y, por alguna razón inescrutable, a más pecado. La cerrazón lógico-formal que se nos anunciaba en las primeras palabras de la novela y la cerrazón temática se funden así como visión del mundo del personaje-novelista que (*a posteriori*, no lo olvidemos, desde su *atalaya*) cuenta su historia encontrándole su sentido desde el primer principio; primer principio en el que tenemos ya los dos polos contrarios que la lógica de las escuelas y el dogma distinguen claramente, los dos elementos contradictorios en que se apoya formal y temáticamente toda la novela: por un lado, una manera especial de predestinación o determinismo y, por otro, el libre albedrío. [...]
El pecado original se cometió en función del libre albedrío y, desde entonces, los seres humanos en cuanto generalidad caen inevitablemente en el pecado, determinados por aquel acto libre. El mundo que los hombres hacen es, por ello, siempre igual a sí mismo en su maldad y engaño. Lo cual no quita que algunos, como Guzmán mismo, *tras el pecado*, se salven. La salvación es, pues, estrictamente individual y posterior al pecado determinado. Y son los que se salvan los que, puesto que no pueden cambiar la manera de ser el mundo, nos dicen en sus «discursos» que *así es*, que no cambia, y que la manera de salvarse es rechazarlo. No podía darse una más clara versión de la ortodoxia católica y del inmovilismo de la España del mal llamado «segundo Renacimiento», y bien clara está en ella la aparente paradoja. Dentro de esta ortodoxia, Guzmán

es sólo uno más de la secuencia: concebido libremente en pecado por un padre alevoso y una madre mentirosa, está determinado a una vida que, por su mismo origen, tiene que ser como es y llevarlo, incluso, al latrocinio. Y así, del determinismo original, surge inevitablemente en la historia del pícaro el determinismo ambiental.

Como por su origen el mundo es pecado, como Guzmán nació en nueva versión del pecado original, y como su motor va a ser el «hambre» en un mundo hostil, la vida de Guzmán tiene que ser como es *en la novela*, es decir, en el mundo del pecado anterior a la salvación. Pero este simbolismo es del autor; el personaje, en cuanto niño, no sabe de esto en sus principios; y creyendo que la vida que le ofrece el mundo, por ser la única que conoce, es buena, se lanza a ella para gozarla. No tarda sin embargo en llegar al desengaño y, a partir de él, a la experiencia del mundo y su rechazo. Ello ocurre desde la primera aventura. [La comida asquerosa que sirven al muchacho en un mesón y que vomita luego simboliza la falsedad y repugnancia del mundo y su rechazo. En la siguiente aventura en otro mesón, Guzmanillo, ya avezado, evita que le den mulo por ternera.] De «bobito» pasa a pícaro y, a la vez, en el polo contrario, de la meditación libre el bobito pasa a ser un «discreto» que desde su sabiduría dogmática (desde su «atalaya» ya) penetra, sin sombra alguna de duda, la corteza del mundo en que vive: «Todo es fingido y vano. ¿Quiéreslo ver? Pues oye …». Y el personaje novelista, con su doble experiencia y control de la situación, va deslindando contrarios, polarizándolos, aceptando los unos y rechazando los otros; y eliminando al escoger toda tensión real, toda ambigüedad, toda visión positiva de la existencia.

Así, en acuerdo con el dogma católico, libertad y necesidad son los dos polos antagónicos en cuya lucha se mueve la obra. Como, además, el libre albedrío y la gracia divina sí han llevado a Guzmán a la salvación y a otra vida desde la cual, purificado, juzga su vida de pecador, encontramos que, en un plano, se nos dan las aventuras, la historia de Guzmán determinada por el pecado, y, en otro plano contrario a éste, pero íntimamente dependiente de él, las meditaciones sobre la historia y el modo como se desarrolla; meditaciones con que, desde su *atalaya*, el autor, conocedor absoluto de su pasado en cuanto personaje, interviene, induce, deduce, juzga y predica el rechazo de la misma historia que narra. Aventura y sermón son así, aunque unidos en el centro de la experiencia necesaria y la libertad, los dos polos contrarios y últimos de esta novela de contrarios. Estos dos polos son el origen de todas las parejas de contrarios que forman en su presentación antitética la tensión de la novela: bueno-malo, verdad-mentira, limpieza-suciedad, engaño-desengaño. La relación entre estos contrarios es de lucha a muerte. «La vida del hombre —explica Guzmán con una vieja fórmula— milicia es sobre la tierra.» En la lucha la victoria será siempre del mal, a menos que el ser humano abrace los principios de la religión dogmática que explican, precisamente, que la vida es todo maldad, mentira, etc.

FRANCISCO RICO Y EDMOND CROS

CONSTRUCCIÓN Y ESTILO DEL *GUZMÁN DE ALFARACHE*

I.   Es importante caer en la cuenta de que el proceso de la conversión de Guzmán se identifica con la paulatina consolidación del punto de vista que preside la novela; y constituye, en lo ideológico, uno de los motivos dominantes de la obra. Tal proceso es largo y complejo, y no me propongo ahora examinarlo con detenimiento. Me limitaré a unas pocas observaciones. Y sea el principio insistir, frente a la tendencia común a ahondar indiscriminadamente el hiato entre Guzmán y Guzmanillo, en que la escisión de uno y otro se da tanto diacrónica cuanto sincrónicamente: a lo largo como a lo ancho.

Alemán así nos lo indica desde el mismo arranque de la acción. Recién huido de casa, en efecto, aún a cuatro pasos de Sevilla, Guzmán se para a meditar en las gradas de una ermita. «Hice allí de nuevo ['por primera vez'] alarde ['revista'] de mi vida y discursos della», refiere. No debe escapársenos la noticia: el primer cuidado de

I.   Francisco Rico, *La novela picaresca y el punto de vista*, Seix-Barral, Barcelona, 1970, pp. 71-80.

II.   Edmond Cros, *Mateo Alemán: Introducción a su vida y a su obra*, Anaya, Salamanca, 1971, pp. 111-117, donde el autor sintetiza el capítulo final de su tesis *Protée et les gueux. Recherches sur les origines et la nature du récit picaresque dans «Guzmán de Alfarache»*, Didier, París, 1967, pp. 391-419.

Guzmán, apenas salido del cascarón, es volver los ojos a su pasado y a sí mismo, en examen de conciencia; y ése es también el final de su peregrinaje por el mundo: rememorar su prehistoria, hacer «confesión general», es decir, escribir su autobiografía. El sentido del dato, destacado por el lugar de privilegio en que se inserta, se diría evidente: Guzmán autor está, en tanto tal, en orgánica continuidad con Guzmán actor. [...]

Para él, los días corren, cierto, «entre miedos y esperanzas», «vacilando» entre ponerse «en las manos de Dios» o dejarse llevar «precipitado de sus falsos gustos». En el comienzo de sus andanzas, las adivina ya de penoso fin, por haber faltado un domingo a misa; luego, no abandona las prácticas piadosas ni en las épocas de mayor degradación; y al final de su recorrido, en la cuerda de presos, el galeote va meditando: «Si esto se padece aquí, si tanto atormenta esta cadena..., ¿qué sentirán los condenados a eternidad?». O, viceversa, en los períodos de virtud, el mal deja oír sus llamadas: «Estaba todavía metido en el cenagal de vicios hasta los ojos. Porque, aunque no los ejercitaba, nunca los perdía de vista». El desgarro íntimo es la constante de su vida anterior a la conversión. Cada gran etapa de la misma se abre con la necesidad de una opción dolorosa; pero lo grave es que el dilema vuelve a plantearse a cada instante: Guzmán, dueño de sí mismo, debe elegir continuamente; y, como una cosa quieren la razón y la fe y otra cosa piden la voluntad y el instinto, va dando bandazos, en perpetua guerra interior.

En el retrato de esa alma dividida concentra Alemán sus mejores dotes de novelista (en el sentido más tradicional de la palabra). Se impone recordar la figura de Guzmanillo en Roma, cofrade en el gremio de la mendicidad. Falso tullido, el muchacho no ignora que cada limosna que recibe es un robo a los verdaderos pobres y lo obliga a la restitución; y anda, así, en permanente desasosiego: «Por una parte me alegraba cuando me lo daban; por otra, temblaba entre mí cuando me tomaba la cuenta de mi vida..., sabiendo cierto ser aquél camino de mi condenación». [...] Son éstos momentos en que el debate espiritual de Guzmán cristaliza con singular nitidez; pero toda una vida de vaivenes entre el bien y el mal atestigua que en semejante lucha consiste lo más definitorio de su persona.

Tal desgarro —en sí mismo o en sus consecuencias— es indudablemente el tema principal del relato. Pues, por un lado, su reiteración lo convierte en piedra de toque y común denominador de todos los núcleos biográficos; y, por otra parte, determina la estructura y los límites de la obra: hace progresar la acción, creando el conflicto, y la remata, resolviéndolo.

Sucede también que esa ruptura íntima del protagonista tiene un adecuado reflejo estilístico. Fijémonos sólo en los monólogos del Guzmán actor y pronto descubriremos que, paradójicamente, con frecuencia resultan ser diálogos. «"¡Válgame Dios —me puse a pensar—, que aun a mí me toca, y yo soy alguien! ¡Cuenta se hace de mí! ¿Pues qué luz puedo dar, o cómo la puede haber en hombre y en oficio tan oscuro y bajo?" "Sí, amigo —me respondía—, a ti te toca y contigo habla, que también eres miembro deste cuerpo místico ..."» Solo, aislado en los arrabales de la sociedad, sin amigos (pese a desearlos «a toda costa»), Guzmanillo dialoga con el otro *yo* de su ser escindido: pregunta y —cuando puede— contesta, aconseja, acusa, alienta.

La segunda persona (desnuda o disfrazada de debate alegórico) tiene una venerable tradición en la prosa de espiritualidad; en nuestra novela, y en los parlamentos del Guzmán autor, a menudo designa al Guzmán personaje o al lector (cuando no a ambos), sugiriendo la tensión entre imperativos éticos y conducta desordenada, entre juventud pecadora y madurez virtuosa. En las meditaciones de Guzmanillo, el uso más pertinente (aunque no exclusivo) del *tú* es plasmar con economía de medios la escisión de una conciencia, atormentada por la necesidad de optar entre las llamadas del instinto y las mociones de la gracia. Coherentemente, pues, se plantea en segunda persona el trance de la conversión: «Díjeme una noche a mí mismo: "¿Ves aquí, Guzmán, la cumbre del monte de las miserias, adonde te ha subido tu torpe sensualidad? Ya estás arriba, y para dar un salto en lo profundo de los infiernos, o para con facilidad, alzando el brazo, alcanzar el cielo ..."». Así, con el mero empleo del *tú*, el momento decisivo de la novela aparece como solución natural del debate que ha venido angustiando al protagonista: es el triunfo de la mitad de su alma frente a la otra mitad.

No faltará quien se diga que ese mismo desgarro íntimo de Guzmán hace dudoso que se convierta a la santidad (en vez de endurecerse en el pecado), y menos definitivamente. Prescindiendo de devaneos psicológicos (que nos corroborarían los prejuicios más opuestos), creo imprescindible advertir que Mateo Alemán no veía ahí un problema, sino una respuesta (y que con su libro se propuso —amén de otras cien cosas— dárnosla a conocer y demostrárnosla): para él, el conflicto de Guzmanillo sería augurio y prueba de su salvación final. Los tumbos, las caídas y los arrepentimientos del personaje apuntan con toda claridad a enseñarnos la lección del libre albedrío: el hombre es dueño de elegir su destino, y no hay «ni *ha de ser* ni *conviene ser*, tú lo haces ser y convenir». Es una de las tesis inequívocas de la obra. Ahora bien, como tesis y como dato de experiencia, la libertad humana deja el desenlace sin resolver: Guzmán puede inclinarse por el bien y por el mal, perseverar y desistir. Para el pensamiento de la época, sin embargo, el desgarro del pecador, corolario de la libertad, era al propio tiempo indicio no desdeñable de un final venturoso: de la superación de semejante dilema precisamente por el lado del bien y la perseverancia.

Una formulación diáfana de tal idea (inserta en el terreno de la pastoral más que del dogma) la proporcionó fray Pedro Malón de Chaide: [...] «Hallaréis unos pecadores que, aunque lo son, pero en medio de su mala vida tienen un no sé qué, un resabio y semblante de predestinados a la gloria y de hijos de Dios, un respeto a la virtud, un asco al vicio, un pecar con miedo y andar amilanados, un "aquesta vida no es para mí, no me crié yo en esto"; al fin, no parece que se les pega esto del pecar. Veréis otros pecadores tan de asiento, que pecan tan sin cuidado como si les fuera natural: gente que pecan a sueño suelto, tan desmedrosos para los vicios, que no aguardan a que los vicios los acometan a ellos, antes ellos les salen al camino y los acometen... Pues esto quiere decir Elifaz [en el Libro de Job, XV, 16], que hay unos pecadores que pecan comiendo los pecados: esto es, reparan en ellos y rumian en el mal que hacen y reparan en él. Éstos son los que decimos que se les trasluce en el rostro que deben de ser de los predestinados. Mas hay otros que pecan tan sin asco y que se tragan los pecados sin mascar, como quien no hace nada, que parece que ya dan muestra de su perdición.» Guzmanillo, evidentemente, pertenece a la primera categoría, la de los pecadores conscientes y aun perseguidos por el asco y el miedo; forma en las filas de quienes «quedan con un enfado y desabrimiento contra el [pecado] y con una cierta acedía del vicio, que consigo mismo se corren y avergüenzan»; y justamente por ello se le «trasluce en el rostro» que debe ser «de los predestinados».

Empezamos identificando una constante del protagonista: el desgarro íntimo. Demasiado al vuelo, pero confío en que inteligiblemente, le seguimos la pista en tres planos: como elemento definitorio de un talante personal, en una formulación lingüística y en tanto portador de una determinada doctrina. Insinuamos, al mostrarlos conexos y cada uno apuntado al mismo blanco, que los tres planos convergen en la decisiva coyuntura de la conversión. Conviene indicar ahora, en fin, que los tres coinciden igualmente en explicar —desde dentro, desde la ficción— la existencia y el carácter del libro. En lo humano, el desgarro de Guzmán es fruto de una conciencia vigilante, de un volverse sobre sí mismo para pedirse cuentas: y el redactar la autobiografía, harmónicamente, resulta ser un acto de introspección. En lo estilístico, la segunda persona que refleja el desdoblamiento de Guzmanillo reaparece en boca del Guzmán autor para designar al Guzmán actor: el diálogo se traba ahora a través del tiempo, y el converso reflexiona sobre las fortunas del pícaro (aunque ya sin la desazón de antaño) como un *yo* del pícaro reflexionaba sobre el otro *yo*. En lo doctrinal, el desgarro del personaje anuncia su arrepentimiento último y, por ahí, nos ayuda a comprender prontamente que los sermoneos tan prodigados proceden de un Guzmán que ha resuelto su dilema inclinándose al bien y que por lo mismo, en prueba de contrición y con deseo de ejemplaridad, no vacila en pintarse malvado —aun cargando las tintas, como otro San Agustín en otras *Confesiones*— y en acumular sobre sí desgracias, desaires y ridículos.

II. El concepto retórico del *affectus* no se limitó a dominar la organización de las descripciones, ni tampoco a sujetar la expresión metafórica, tan manifiestamente encaminada a excitar la sensibilidad e imaginación. En él, como primera impulsión, germina el *devenir* de la creación y, por tanto, representa el más profundo elemento estructural del *Guzmán de Alfarache*. [Por ejemplo, en la *Retórica castellana* (1541) de Miguel de Salinas se leía]: «En cualquier parte de la oración, conviene al que habla procurar de ensalzar y encarecer su parte por palabras y sentencias, que es amplificación, y mover los ánimos de los oidores a misericordia, crueldad, amor, odio, tristeza o alegría ... Esto se dicen afectos, que es una perturbación, movimiento o inclinación del ánimo a una parte o a otra ...». [...] La argumentación solicita la imaginación y razón, mientras que la amplificación trata de seducir la sensibilidad e imaginación. Para solicitar la imaginación, sin embargo, se necesita pintar todas las circunstancias adjuntas a la cosa, a fin de actualizarla mejor. Quintiliano explica esta necesidad, que ejemplifica claramente: notando que decir a secas que una población fue saqueada por el enemigo no puede conmover a nadie, se detiene a continuación en amplificar el tema escogido, pintando las llamas que consumen los templos y casas, el fragor de los edificios que se vienen abajo, el terror de los vecinos, los llantos de los niños y lamentaciones de los viejos, el saqueo...

Acude a este recurso Alemán en la descripción de varios episodios: en el relato de la burla de san Juan de Alfarache nota, por ejemplo, Guzmán, que para mejor engañar al viejo caballero no tenían preparada la habitación en donde se había de hospedar a la seudo enferma: «Bien pudiera estar la cama hecha, el aposento lavado, todo perfumado, ardiendo los pebetes y los pomos vaheando, el almuerzo aderezado y puestas a punto muchas otras cosas de regalo …». Otras veces, la amplificación facilita un breve estudio psicológico: «Ella no sabía qué hacer ni cómo poderlo alegrar; aunque con dulces palabras, dichas con regalada lengua, risueña boca y firme corazón, esageradas con los hermosos ojos que las enternecían con el agua que dellos a ellas bajaban …». O evocaciones más ricas, tales como la evocación del público sevillano que presencia la fiesta de toros ordenada por don Luis y don Rodrigo para divertir a Daraja; acerca de una hazaña de Ozmín: «Todos lo vieron y todos lo contaban. A todos pareció sueño y todos volvían a referirlo. Aquél daba palmadas, el otro daba voces; éste habla de mano, aquél se admira, el otro se santigua; éste alza el brazo y dedo, llena la boca y ojos de alegría; el otro tuerce el cuerpo y se levanta; unos arquean las cejas; otros, reventando de contento, hacen graciosos matachines …». Actualizar y amplificar sirven, pues, para despertar y excitar la sensibilidad. […]

Aparece en el *Guzmán* un verdadero tejido de exclamaciones e interrogaciones, que confieren sinceridad y vehemencia a la confesión:

a) *Admiración-repulsión:* Advirtamos algunas de sus principales expresiones: elogio de la bondad de Dios («¡Bondad inmensa de Dios, eterna sabiduría, Providencia divina, misericordia infinita, que en las entrañas de la dura tierra sustentas un gusano y cómo con tu larguaza celestial todo lo socorres!»); de la «vida poltrona» («¡Oh, tú, dichoso dos, tres y cuatro veces, que a la mañana te levantas a las horas que quieres, descuidado de servir ni de ser servido!»), [etc.]

b) *Contriciones y sentimientos:* Se repiten regularmente en la textura de la autobiografía las expresiones de sentimientos y contriciones, que nos recuerdan que se trata de una confesión, si bien se agrupan éstas en torno a dos perspectivas radicalmente distintas, por cuanto manifiestan las respectivas percepciones del cuentista y del personaje.

Éste se lamenta de sus locuras, errores, de los efectos nocivos de sus malas costumbres, su ingenuidad en lances de amor, su excesiva prodigalidad («¡Cuánto sentí entonces mis locuras! ¡Cuánto reñí a mí mismo! ¡Qué de enmiendas propuse cuando blanca para gastar no tuve! ¡Cuántas trazas daba de conservarme cuando no sabía en cuál árbol arrimarme! ¿Quién me enamoró sin discreción? ¿Quién me puso galán sin moderación? ¿Quién me enseñó a gastar sin prudencia? ¿De qué me sirvió ser largo en el juego, franco en el alojamiento, pródigo con mi capitán?»). También siente no haber sospechado nada de Sayavedra o haber perdido el beneficio de sus desvelos alcalenses («Díjome ser andaluz, de Sevilla ... ¡Quién sospechara de tales prendas tales embelecos! Todo fue mentira ...»; «Guzmán, ¿qué se hicieron tantas velas, tantos cuidados, tantas madrugadas, tanta continuación a las escuelas, tantos actos, tantos grados, tantas pretensiones? ...»). En ninguno de los casos aludidos Guzmán analiza sus acciones desde un punto de vista moral; se contenta con sentir las consecuencias perjudiciales de sus obras.

En la memoria del cuentista, en cambio, revive el pasado, suscitando una sincera contrición («¡Qué pecado tan sin provecho el mío, qué sin propósito y necio desear que perdiesen los otros para que aquél se lo llevara!»). Detengámonos en los dos aspectos de este afecto para notar que se diferencian en eso mismo que diferencia el protagonista del narrador; las más veces, los momentos de contrición dependen de la escena de conversión del último capítulo de la segunda parte y expresan el sentir del viejo hombre «castigado por el tiempo». Así se destacan dos *tiempos* novelescos: el tiempo de *entonces*, que es el tiempo generalmente del sentimiento, y el tiempo del *ahora*, que es el tiempo de la contrición.

c) *Compasión-egoísmo:* Encaminados a llamar nuestra atención sobre la triste condición de los pobres («¡Desventurado y pobre del pobre, que las horas del reloj le venden y compra el sol de agosto!»), o a condenar a los pudientes («¡Oh, epicúreo, desbaratado, pródigo, que locamente dices comer tantos millares de renta! Di que los tienes y no que los comes. Y si los comes, ¿de qué te quejas, pues no eres más hombre que yo, a quien podridas lentejas, cocosas habas, duro garbanzo y arratonado bizcocho tienen gordo?»).

d) *Indignación-resignación:* A partir de la crítica de la sociedad (reforma de las ventas, posadas y caminos) o bien a partir de consideraciones morales y cristianas.

e) *Temor-esperanza:* Connotados con el tiempo de *entonces* del personaje (temor a la justicia, espera de medras y mejoras en este mundo) o bien con el tiempo de *ahora* del cuentista (temor a la justicia divina-esperanza en el perdón de Dios).

En resumen, el sistema de los afectos en Guzmán de Alfarache se nos presenta bajo la forma de tres antítesis principales: 1) Admiración-repulsión. 2) Contrición (sabiduría)-sentimiento (prudencia). 3) Compasión-egoísmo; indignación-resignación.

En la medida en que cualquier contrición presupone en el individuo que la siente conciencia de la justicia y esperanza en la misericordia divina, es obvio que este sistema está dominado por los afectos de la justicia (indignación-resignación-temor) y de la misericordia (contrición-esperanza-compasión-egoísmo).

Fernando Lázaro Carreter y Maurice Molho

LECTURAS DEL *BUSCÓN*: ENTRE EL INGENIO Y LA SÁTIRA SOCIAL

1. En el *Buscón* Quevedo no ha buscado una anécdota original, puesto que episodios fundamentales de su novela tenían antecedentes clarísimos para cualquier contemporáneo. ¡Cuántos chistes, cuántas facecias y anécdotas, cuántos juegos verbales, que en su época serían materia común, debe de haber en estas páginas, refractados y apurados hasta el límite de torsión! Evidentemente, Quevedo no ha puesto el punto de honra en lo original de la materia. Y el *Buscón* es, a pesar de ello, inconfundible, extraño, originalísimo.

Tampoco hallamos en él la sorda cólera, el desengaño, la queja desgarrada que sacude, desde el *Guzmán*, a la sociedad entera (salvo, quizás, al estamento eclesiástico; pero Alemán èra judío: no podía permitirse familiaridades). Quevedo ni moraliza ni protesta. Es un joven de veintitrés años, favorecido cortesano, y sabe conducir su ambición entre los escollos. Que en su mente está ya prefigurada su colosal aptitud de censor y moralista, nadie puede dudarlo; pero le falta aún el motor que la ponga en marcha: están todavía lejos los desengaños. El joven poeta tiene que atender cuidadosamente a su porvenir, a su medro; con sus pujos de noble, frecuenta a los poderosos. Y, claro es, el prestigio de su talento no puede afirmarse sólo sobre lo chocarrero; escribe versos de refinada espiritualidad y se cartea con Lipsio sobre cuestiones humanísticas; el sabio, aun sin conocer obras del mozo, lo llama «mayor y más alto honor de los españoles».

Hay que descartar la protesta como móvil del *Buscón*. [¿Moraliza, pues?] No hay intención moral que no se dispare a un objetivo concreto, que no piense en alcanzar un centro para actuar. Y ¿puede pensar alguien con seriedad que don Francisco aspiraba a reformar el

---

I. Fernando Lázaro Carreter, «Originalidad del *Buscón*» (1961), en *Estilo barroco y personalidad creadora*, Cátedra, Madrid, 1974², pp. 77-98 (92-97).

II. Maurice Molho, «Cinco lecciones sobre el *Buscón*», en *Semántica y poética (Góngora, Quevedo)*, Crítica, Barcelona, 1977, pp. 89-131 (103-106, 113-115).

abigarrado censo de su *Buscón*, constituido por barberos, brujas, hidalgüelos, mendigos, escribanos, verdugos, izas, jaques, valentones, arbitristas y dementes? Las protestas de buena fe, de designio ético, que llenan los prólogos de las obras picarescas o apicaradas de la época, no existen en los escritos tempranos de Quevedo, cuyas frecuentes advertencias al lector son mera chacota. Si a partir del *Sueño del infierno* (1608) aparecen, son tibias y de fórmula, y en obras fuertemente comprometidas en punto a ortodoxia. Estas dos últimas ausencias —protesta social y didactismo— confieren ya a la historia del tacaño una evidente originalidad, que no hallamos en el plano de la anécdota. El *Buscón* se muestra, así, charla sin objeto, dardo sin meta, fantasmagoría.

El joven Quevedo, por instinto o por seducción del *Guzmán*, había descubierto el hampa. Instalado en un sistema social cuyas convenciones y creencias le satisfacen o le conviene respetar, todo lo que no se ajusta a él es buena presa para el sarcasmo. Desde sus principios inmutables del honor y la sangre, todos los desheredados, los desterrados de la ciudad de los hombres, son simples muñecos. El mundo de Quevedo está bien hecho y el otro mal; eso es todo. [...]

Los escritos más tempranos de Quevedo son premáticas burlescas: chispazos de ingenio inconexos, observaciones jocosas aisladas. La primera obra de cierta «homogeneidad» es la *Vida de la corte* (hacia 1600). Se trata de un desfile de aquellas figuras desterradas —pobres, lindos, valientes, gariteros, sufridos, estafadores—, que van sucediéndose como las hojas de un álbum de estampas o, si se quiere, como ejemplares de un muestrario entomológico. El *Buscón* entra en línea con esos primeros tanteos, si bien hay una figura, Pablos, que pasa entre las demás urdiendo sin tejer. Pero la fórmula no se aparta mucho de la adoptada en la *Vida de la corte*: falta todo esfuerzo de construcción. Hombres y mujeres habitan en la novela un mundo lejano, extramuros, del que está ausente el sentimiento. Ni el amor ni el odio mueven allí a nadie. Los personajes no se relacionan entre sí: Pablos observa a uno o a otro, y si habla con ellos es sólo como estímulo para que ellos hablen, gesticulen y muestren todos los costados susceptibles de retorsión; una vez aprovechados, los abandona. El propio Pablos, cuando su servicio no es útil al novelista, queda ahí, en cualquier lugar, con cualquier proyecto en la cabeza, que ya no interesa.

Quevedo contempla a través de un prisma que deforma y aísla; su campo de observación aparece bañado por una fría luz de laboratorio. De los pobres no importa su hambre, sino sus tretas y sus trapos; ni interesa el dolor de una potra, sino su tamaño y su eficacia como cebo. Miseria, sufrimientos, ruindad, todas las lacras son sólo objetos para ser contemplados y mutados en sustancia cómica. Y, claro es, cuando un objeto «normal», un caballo por ejemplo, debe penetrar en aquel recinto, inmediatamente se deforma: su cuello se alarga, sus ancas se apuntan, y todo él se hace negación del canon. No hay, en la novela, vieja que no sea boquisumida y tercera, moza que no pique en meretriz, mesonero que no robe, escribano que no delinca.

Se ha notado, muy justamente, la frialdad, la impavidez de Pablos entre los hombres —ante la muerte misma de sus padres— y los acontecimientos que lo rodean. Creemos que nace de esta organización guiñolesca del libro. Pablos no está verdaderamente ligado a sus compañeros de aventura, sino al novelista; no hay un hilo que los embaste a todos, sino cabos sueltos que paran en las manos del titiritero. De ahí que los fantoches puedan agredirse, insultarse, burlarse y matarse, pero jamás vincularse. Están aislados todos, entre sí; y por otra parte, bien lejos del novelista. La imposibilidad de que en una o en otra dirección brote una chispa de simpatía es manifiesta. El mundo del *Buscón* yace inmerso en un bloque helado, que sólo deja ver —pero abultado, distendido— lo aparencial.

Por otra parte, este rasgo constructivo que señalamos en el *Buscón* —inconexión, dispersión— será común a toda la obra de Quevedo. No volvió a escribir otra novela, ni intentó cualquier otro tipo de narración ordenada; su talento, esencialmente antidramático, parece incapaz de trabar. El *Buscón* es sólo un paso, dado por inducción de los *Guzmanes*, que lleva de la *Vida de la corte*, álbum de figuras estáticas, a los *Sueños*, torbellino de apariciones y desapariciones, sombras traídas o abandonadas sin más ley que la ocurrencia. Incluso en los escritos doctrinales, su gusto le guía a lo que no exige trabazón. Nótese que sus obras mayores —la *Política de Dios*, el *Marco Bruto*— son glosas; o bien, tratados polémicos, suma inorgánica de puntos controvertidos. Su mente no proyecta, sino que ahínca. Incluso muchos de sus poemas están construidos mediante una sucesión acumulativa de imágenes.

La conclusión de cuanto estamos diciendo es obvia: lo que don Francisco hizo en su *Buscón*, más que un «libro de burlas», fue un libro de ingenio.[1] Ambas cosas existen: hay burla de aquella humani-

---

1. [Es esta una opinión controvertida, que discute, en particular, Parker [1971], pp. 108-109: «Abundan tanto estos juegos verbales, impresionan tanto al lector las fantasmagorías del grotesco mundo de Quevedo, que muchos críticos han llegado a no ver en la trama y la caracterización de la novela sino un pretexto para dar rienda suelta a las magnificencias del ingenio. Pero así como las descripciones grotescas revelan una seria intención satírica que aflora bajo el retorcimiento exterior, también estos chistes apuntan al mismo fin. En todos

dad extravagante fuera de los límites de la convención, la ley y la norma que el autor respeta. Pero esto ocurre en mínima proporción. Domina en el *Buscón*, sobre todo, una burla de segundo grado, una burla por la burla misma, reflexivamente lograda, que no se dirige al objeto —con todas sus consecuencias sentimentales—, sino que parte de él en busca del concepto. El perfil novelesco del libro es sólo el marco, dentro del cual el ingenio de Quevedo —«¡las fuerzas de mi ingenio!»— alumbra una densa red de conceptos. Para ello desnutre, desvitaliza de toda intención no ingeniosa el campo de operaciones, para aplicar en seguida sobre todos sus puntos los recursos de la agudeza. Desbridado el tejido, cortadas sus conexiones, hinca el bisturí a fondo, sin emoción. Ésta existe, claro, pero no en el camino que media entre el espectáculo y el observador, sino en el que, desde el ojo, conduce a la mente. Aquí es, en la tarea de elaborar el dato, mutarlo y asociarlo, donde la emoción se instala. Quevedo experimenta un sentimiento puro de creador; digámoslo sin rodeos; un sentimiento estético. El *Buscón* es una novela estetizante. Un ajusticiamiento, una profanación, un adulterio son hechos que nos conmueven si nuestro corazón se va tras la mirada. Pero si podemos refrenarlo, si acertamos a mirar aquello como un acontecimiento de otro planeta, nuestra versión de los hechos será sólo material virgen para el intelecto. En este punto lo recoge Quevedo, aquí comienza su portentosa elaboración artística.

------

ellos se advierte igual técnica de pinchar el globo de la ilusión. Dado que los hombres se distinguen por una inagotable vanidad, no hay otro medio de mostrar cómo son realmente que dejando al descubierto sus ficticias ilusiones. Así es como Quevedo enfoca el problema del delincuente. Escribe un libro sarcástico y gracioso de verdad, pero donde la psicología de la delincuencia está concebida muy en serio y donde el ingenio sigue unas pautas estructurales que se ajustan a la descripción interior del protagonista. Y no sólo el ingenio; también la trama está construida de forma que coopera a esta unidad absoluta. Se acusa al *Buscón* —como a toda la novela picaresca española— de no presentar una estructura definida, sino una serie de lances inconexos. Sin embargo, C. B. Morris [1965] ha demostrado que la obra posee una original y sutil unidad de estructura, basada en una serie de motivos recurrentes que, por decirlo así, proyectan el pasado en el presente y el futuro, "atrapando" en sus redes al protagonista, quien, al tratar de huir del pasado, no hace sino actualizarlo constantemente».]

II.   Libro concebido para dar al grupo hegemónico, y en especial a la casta dominante, la conciencia de su dominación, el *Buscón* expone un doble proyecto.

Un primer proyecto es el que consiste en identificar a Pablos de Segovia con su estatuto indiscutible e indiscutido de pícaro. Pícaro ha nacido, y pícaro ha de morir: no basta mudar mundo y tierra para mudar estado. La separación es rigurosa entre honor y antihonor, nobleza e ignominia, don Diego Coronel y Pablos de Segovia. Don Diego, en efecto, podría pasar por un anti-buscón (ya se volverá a ello), señor poderoso que el pícaro sirve como criado; lo pierde luego de vista, para volver a encontrarlo más tarde, cuando más lejos de su camino quisiera tenerle, en el preciso momento en que por estafa está tratando un matrimonio susceptible de sacarle el pie del todo. La aventura acaba con una paliza que don Diego manda propinar al desvergonzado pícaro que ha tenido la osadía de hacerse pasar por lo que no es.

El segundo proyecto se relaciona con la ambición del pícaro. El libro no es sólo la condena de toda sangre abyecta, sino también una invectiva contra la pretensión del pícaro de salirse de su estado. Lo que se denuncia en el *Buscón* es el vértigo ascensional que en la España de los Austria ha llevado a la gente de poco a pugnar por elevarse en una jerarquía nobiliar en la que no tiene derecho a penetrar. Ese segundo proyecto se escribe en el mismo título de la obra para quien lo sepa leer: *Vida del buscón llamado don Pablos*. Un *buscón*, o *buscavida* como se dirá en otra versión, no es sino un truhán que por definición no tiene derecho al *don*, título honorífico aplicable sólo a los caballeros. *Don Pablos* es además tanto más irrisorio cuanto que a diferencia de *Carlos* o *Marcos* la *-s* de *Pablos* o *Toribios* denunciaba el nombre como plebeyo y propio de gente de baja alcurnia.

Leído en esa perspectiva, el *Buscón* podría considerarse como el polo opuesto a la *Vida de Lazarillo* o a la del *Guzmán de Alfarache*. Quevedo no parece instituir a su personaje sino para destituirlo, condenándole a no poder desviarse del programa inscrito en su nacimiento. No se discute el linaje, sea la que fuere la calidad del alma. Aunque sea precisamente lo que hace Mateo Alemán, que conduce a su pícaro hasta una manera de crucifixión redentora en el palo mayor de la galera, lo cual es un alegato en favor del derecho a la regeneración y de la igualdad de los justos.[2] Pero los infortunios de Pablos de Segovia no son sino el sueño triunfalista de una sociedad estamental que, sintiéndose en crisis y, por la crisis, en peligro de desestructuración, se petrifica, vedando todo paso promocional de un estamento al otro. Sabido es que para ascender en sociedades semejantes rigurosamente jerárquicas, era preciso el consenso, tácito o no, del estamento solicitado, que podía reconocer al hombre nuevo y acogerle entre los suyos, o al contrario tratarlo como intruso y expulsarlo. Había varias maneras o vías de ascensión, de ordinario una familia dudosa con suerte accedía al rango en tres generaciones. Así los hijos de mercaderes judíos «reconciliados» por la Inquisición —es decir sancionados por judaísmo oculto— se convierten en honrados cristianos cuyo celo y piedad no tienen igual sino en sus caudales. La compra de un privilegio de hidalguía es un gran paso hacia la promoción social. Varios caminos se ofrecen: la iglesia, las armas, las Indias, y desde luego los enlaces ventajosos. Los estatutos de limpieza de sangre que las órdenes religiosas y los cabildos adoptan en el transcurso del siglo XVI, no son sino obstáculos que se erigen contra la ascensión social de los cristianos nuevos, a los cuales se impide también pasar a América.

Pero no hay obstáculo que no pueda sortearse, y los que se han levantado contra la movilidad de los hombres nuevos en la España habsbúrgica no han obtenido el resultado que de ellos se esperaba. El *Buscón* podría leerse —lectura superficial— como una especie de quimera o utopía: la pintura de un mundo señorial, que supiera protegerse contra la vertiginosa ascensión de los pícaros. En efecto, en todas sus tentativas para salirse de su estado, el pícaro acaba por ser reconocido: anagnórisis intempestivas e inoportunas para el impostor, pero providenciales para la casta de los buenos. Pablos de Segovia, siempre identificado bajo sus nombres postizos —Ramiro de Guzmán, señor de Valcerrado y Vellorete, don Felipe Tristán—,

2. [«La intención de Quevedo no parece haber sido la positiva de rivalizar con Alemán en riqueza de invención y en potencia creativa, sino la negativa de destruir la ficción de Alemán. El autor del *Buscón*, a nuestro parecer, entendió admirablemente el *Guzmán de Alfarache* en lo que tiene de más nuevo y profundo. Guzmán y Pablos buscan ambos en la honra una añadidura de ser, pero, mientras que uno descubre la apariencia universal, el otro es remitido a su nada: la honra está a salvo» (C. y M. Cavillac [1973], pp. 124-125).]

se ve ineluctablemente desenmascarado *in extremis*, cualquiera que sea su disfraz.

Esta lectura hace del libro una injuria lanzada al pícaro por un rabioso aristócrata. ¿Habráse escrito el *Buscón* contra la canalla de los pícaros, y para la mayor gloria de los que saben mantener su honra y su crédito? ¿Será quizá don Diego Coronel el justiciero de la nobleza? En tal caso, el episodio del tercer libro en que manda apalear a Pablos bajo su propia capa de señor, es decir bajo el mismo hábito de la impostura, sería singularmente revelador de la significación que pudiera atribuirse al panfleto. Pero será más exacto decir desde ahora que esa significación no es la única posible, y que semejante análisis peca de excesivamente simple. [...]

¿Quién es don Diego Coronel, que hasta ahora se ha identificado contrastivamente como el anti-buscón? «Llegábame, de todos —dice Pablos—, a los hijos de los caballeros y personas principales, y particularmente a un hijo de don Alonso Coronel de Zúñiga ...» (I²). [No hay que olvidar que estamos en Segovia: «Yo, señor, soy de Segovia». Tal es la primera frase del libro.] Ya que el discurso del pícaro nos introduce en la sociedad segoviana de los años 1600, fuerza es reconocer que el nombre de Coronel no era desconocido en Segovia. Era el de una poderosa familia de cristianos nuevos. [He ahí una serie de datos de los que no es fácil hacer abstracción.] Los ingenios españoles del XVII, cuando se topaban en sus lecturas o en una conversación con un Coronel de Segovia, sabían sin duda a qué atenerse: debía bastar el nombre para orientar el pensamiento hacia ciertas zonas, de modo que no era necesaria otra precisión. Con lo que el contraste retenido hasta ahora, el de un buscón y de un anti-buscón, don Pablos de Segovia y don Diego Coronel, es de hecho el de dos figuras igualmente negativas, pero en tales condiciones que, al oponerse adversativamente entre sí, la una resulta aparentemente positiva con relación a la otra. El efecto de positivación se obtiene por abstención: cuando se trata de don Diego, la escritura se abstiene de toda clase de caracterización excesiva, y todo el paso del discurso grotesco recae, a fin de caracterizarlo negativamente, sobre don Pablos. De ahí que sea imposible percibir satirización alguna en la silueta de don Diego Coronel: es el hombre de calidad, de auténtica calidad, comparado con el hombre sin calidad que es el pícaro; de modo que en la relación fundamental sobre la que se edifica el libro, don Pablos es el único referencial de que se dispone para situar a don Diego, y recíprocamente. [...]

[Si se recuerda, además, al don Toribio del «Colegio de buscones» o «caballeros chanflones» o «hidalgos chirles» —al parecer, nobles apicarados por la penuria—, cabrá concluir que el *Buscón* describe dos jerarquías sociales opuestas y superpuestas.] Por un lado, está la jerarquía de la sociedad estamental, que era la de la España de antiguo régimen. En la cúspide de dicha jerarquía, una nobleza estatuariamente hereditaria. Linaje y nacimiento son la base del estamento. Pero también existe la jerarquía de clases, que es la de la potencia económica, por la cual el poder pertenece al que dispone, por herencia o adquisición, del instrumento de presión que es el dinero. Ahora bien: puede darse —y es el caso ordinario— que el que tiene nobleza carezca de potencia económica (don Toribio), o al contrario que el dinero suscite una potencia prestada (don Diego) que se emparenta con la nobleza y acaba identificándose con ella. Las dos jerarquías son falsas. La jerarquía del dinero es falsa porque no es institucional, ni conforme con la jerarquía jurídica y legítima de los estamentos. La jerarquía de los estamentos no es menos falsa, porque no es real ni conforme con los imperativos económicos del momento.

La *Vida del buscón llamado don Pablos* se ha escrito para decir ese desierto, ese universo vacío de esperanza y rectitud, donde entre los caballeros arruinados y chirles y los judíos advenedizos, no hay lugar sino para los pícaros que en su tentativa ascensional no se tropiezan con más adversarios que otros pícaros que les precedieron en el camino del ennoblecimiento. Reelaborada en el *Buscón*, la problemática picaresca ha cambiado de eje. En la *Vida de Lazarillo de Tormes* o en la de *Guzmán de Alfarache*, el problema que el pícaro suscita es ante todo el de su propia persona, del individuo paradigmático que constituye y que, como paradigma, se ofrece a la reflexión del lector. Ahora, con Pablos de Segovia, el problema no es ya el de un personaje cristalizado en su inmutable antihonor, sino el de toda una sociedad, cuyas estructuras básicas se problematizan a partir del instante en que el linaje, fundamento de la jerarquía estamental: noble / plebeyo, se ve minado por la variante fortuna / pobreza, de tal modo que el estatuto personal de cada uno se hace aleatorio y se introducen el desorden y la trampa en el cuerpo social: el mundo todo es máscaras, y todo el año es carnaval.

LEO SPITZER Y RAIMUNDO LIDA

LENGUA Y ESTILO DEL *BUSCÓN*

1. La lengua de Quevedo, con todos sus juegos de relación, antítesis y efectos de sorpresa, se nos aparece como una lengua «ingeniosa», a propósito de lo cual no debe olvidarse que el «ingenio» sólo se impone en una cultura que se ha vuelto problemática, que el ingenio es a la razón lo que el espumoso champán de fábrica al vino natural. «Ingenioso» es epíteto encomiástico sólo en tiempos de decadencia y transición (o sea, en épocas que no se sienten estables, que no aspiran a una última validez del espíritu que les es propio). El «ingenio» es rasgo característico de la poesía preciosista, gongorista, petrarquista, en suma, barroca: ingenio quiere decir desbordamiento de lo formal sobre lo objetivo, violentación del objeto, al que no se debe «tocar», sino acariciar y recubrir. El ingenio es un ingrediente del hombre, una salsa que torna sabroso cualquier pescado, pero que hace que el gusto del cocinero se imponga sobre el de lo cocinado. Como el lenguaje ingenioso expresa la problematización del lenguaje, la *descripción ingeniosa* (en sí, una paradoja) expresa la problematización de la apariencia: nada tiene de extraño que en un país y una época en que se desconfiaba de los sentidos y aun de la ciencia, la descripción no fuese sensóreo-intuitiva, sino saturada de ingenio, organizada según lo humano, pensada hasta el destrozo. Tomemos la famosa descripción de Cabra:

Entramos ... en poder de la hambre viva, porque tal lacería no admite encarecimiento. Él era un clérigo cerbatana largo sólo en el talle; una cabeza pequeña, pelo bermejo (no hay más que decir); los ojos avecindados en el cogote, que parece miraba por cuévanos tan hundidos y escuros, que era buen sitio el suyo para tienda de mercaderes; la nariz, entre Roma y Francia, porque se le había comido de unas bubas de resfriado,

1. Leo Spitzer, «Sobre el arte de Quevedo en el *Buscón*» (1927), trad. de G. Sobejano en G. Sobejano, ed., *Francisco de Quevedo. El escritor y la crítica*, Taurus, Madrid, 1978, pp. 123-184 (142-147).
   II. Raimundo Lida, *Prosas de Quevedo*, Crítica, Barcelona, 1981, pp. 283-285, 287-289.

que aun no fueron de vicio, porque cuestan dinero; las barbas descoloridas de miedo de la boca vecina, que, de pura hambre, parece que amenaza a comérselas; los dientes, le faltaban no sé cuántos, y pienso que por holgazanes y vagabundos se los habían desterrado; el gaznate, largo como de avestruz; una nuez tan salida, que parece que, forzada de la necesidad, se le iba a buscar de comer; los brazos secos; las manos, como un manojo de sarmientos cada una. Mirado de medio abajo, parecía tenedor o compás; las piernas, largas y flacas; el andar, muy espacioso; si se descomponía algo, le sonaban los huesos como tablillas de San Lázaro; la habla, ética; la barba, grande, por nunca se la cortar (por no gastar); y él decía que era tanto el asco que le daba ver las manos del barbero por su cara, que antes se dejaría matar que tal permitiese; cortábale los cabellos un muchacho de nosotros. Traía un bonete los días de sol, ratonado con mil gateras, y guarniciones de grasa. La sotana era milagrosa, porque no se sabía de qué color era. Unos viéndola tan sin pelo, la tenían por de cuero de rana; otros decían que era ilusión; desde cerca parecía negra, y desde lejos entre azul; traíala sin ciñidor. No traía cuellos ni puños; parecía, con los cabellos largos y la sotana mísera, lacayuelo de la muerte. Cada zapato podía ser tumba de un filisteo. ¿Pues su aposento? Aun arañas no había en él; conjuraba los ratones, de miedo de que no le royesen algunos mendrugos que guardaba; la cama tenía en el suelo; dormía siempre de un lado, por no gastar las sábanas. Al fin, él era archipobre y protomiseria.

[Encuentro que esta descripción no muestra a *ningún ser vivo*, sino una figura alegórica compuesta a base de rasgos sueltos horripilantes. Domina aquí un idealismo de lo negro o macabro], una especie de contra-idealismo. Lo ideal de la figura lo subraya el propio autor al principio y al final del relato: «en poder de la hambre viva», 'el hambre personificada'; «un clérigo cerbatana», 'un clérigo y a la vez una trompetilla', ese tipo de identificación, practicado por Calderón y en Francia por Victor Hugo, que estilizadamente transfigura una cosa en otra; «archipobre y protomiseria», dignidades irreales designadas por términos compuestos cultos y de timbre irreal.

El autor siente que «exagera», y de ahí que asegure que no exagera (al principio, y luego, otra vez, en el mismo capítulo: «dígolo porque no parezca encarecimiento lo que dije»). También el nombre significante (siempre cuidadosamente elegido por Quevedo), «Cabra», tiene algo de adrede indicativo. Por lo demás, es de notar que la figura no se ve como un organismo, desde su interior diríamos, sino compuesta de partes, de rasgos sueltos, vistos por separado: pero el *rasgo* es algo aislado del organismo, atomizado, nombrado por la palabra; así, la suma de rasgos sólo puede producir un autómata (de ahí el efecto cómico según la definición de lo cómico por Bergson: «lo mecánico adosado a lo viviente»), y de hecho esa armadura revestida de físicas anomalías emite crujidos, de manera que la imagen quevediana de los huesos que sonaban como tablillas de san Lázaro podría también aplicarse al retrato mismo.

La serie de rasgos de esta «composición» se ha escogido como siguiendo una receta de escuela humanista: 1) parte superior del cuerpo, sobre todo cabeza y rostro; 2) parte inferior (desde «mirado de medio abajo»); 3) porte (marcado por la transición «piernas» y «andar») y aseo; 4) indumentaria; 5) aposento. Naturalmente, la longitud de las secciones va en proporción descendente, de acuerdo con la mayor capacidad expresiva del rostro, menor de la parte inferior del cuerpo, etc. (los segmentos se distinguen nítidamente: en 1 se describe el color por decirlo así constitutivo de la barba, en 3 el modo de llevar la barba): así suele enumerar las partes del cuerpo la ciencia puntualmente clasificadora; a este cuerpo no lo anima un sentimiento vital ni físico: a lo sumo, las actitudes y maneras psíquicas averiguables a partir de cada una de las actitudes y maneras de los miembros terminan componiendo la imagen de la avaricia y del hambre.

Por su lado, las distintas partes del cuerpo tampoco se describen según su esencia interna, sino según su aspecto, según aparecen por fuera (como se ofrecen al exterior), de ahí la frecuencia de «parece, como», que comparan las fracciones corpóreas con cosas extrañas a ellas y completamente distintas: si se quisiera juntar todos los objetos comparados (cerbatana, cuévano, avestruz, sarmiento, tenedor, tablillas de san Lázaro, etc.) resultaría un Cafarnaúm. Estas comparaciones a base de 'como si', estos indicios del parecer, tienen algo de no-ser: el retrato entero se convierte así en una ficción. Aquí [...] todo parece, nada es. Nos hallamos muy lejos del realismo: estamos de lleno en un contra-idealismo consciente de la ilusión siempre al acecho, que sabe de lo ficticio y relativo de toda percepción sensorial: el color de la sotana de Cabra no sólo no se puede decir porque está descolorida, sino porque todo color es ilusión, por lo cual distintos espectadores ven colores distintos («unos ... la tenían por ...; otros decían que era *ilusión*»); con semejante relativismo, cualquier descripción queda neutralizada.

En lugar de la contemplación aparece el ingenio, la combinación, la interpretación. Los diversos miembros no vienen animados por una vitalidad unitaria: están como espirituados, exornados por el espíritu del autor: por eso el juego de palabras vuelve a celebrar verdaderas orgías («largo» sólo en el talle: 1. 'grande', 2. 'generoso'; la nariz «entre Roma y Francia», 'nariz roma — comida de sífilis'), y la trasposición de un detalle físico al plano espiritual suplanta la descripción de un ser.

Se tiene la impresión de que el pelo no es bermejo porque el autor vio bermejo, sino porque bermejo permite la relación al color de Judas, a algo moral por tanto; la barba se ha descolorido por temor a la boca hambrienta; los dientes se han desterrado porque nada tenían que hacer; la nuez sale a buscar de comer, y en esta rebelión espiritual de los miembros se saltan fácilmente las barreras de la posibilidad, llegando a lo *grotesco*: las cuencas de los ojos eran buenas para tiendas de mercaderes (colocadas muy adentro de las casas). En lugar del modo de ser de los miembros se consigna a veces la causa de ese modo de ser (la barba es grande porque no se la corta y —causalidad de segundo grado— no se la corta «por no gastar»), y a menudo la descripción se extravía en la exposición de las costumbres de Cabra (duerme de un lado por no gastar las sábanas; un muchacho le corta el pelo). Seguramente algunos de estos aciertos de caracterización («le sonaban los huesos como tablillas de San Lázaro», etc.) poseerían aislados un efecto más intenso que en tal acumulación: la suma de *rasgos* con cambio de temple, todos reductibles a un común denominador ('avaricia — hambre'), no intensifica el conjunto. La impresión que se obtiene es la de una descripción sobrecargada de palabras (también en los epítetos tan finamente cincelados: «clérigo cerbatana», «lacayuelo de la muerte», «tumba de filisteo», etc.). Resulta curioso que Quevedo, poco afortunado cuando se trata de la descripción orgánica del ser, *acierte* magistralmente al reproducir a través del habla una actitud anímica, como ocurre en los no muy frecuentes parlamentos de Cabra, con sus tonos devotos, untuosos y caballerescos («Coman que mozos son, y me huelgo de ver sus buenas ganas ...»; «Coman como hermanos; y pues Dios les da con qué, no riñan, que para todos hay»; dicho esto a unos muchachos hambrientos, como si no estuviesen muriéndose de hambre): hay aquí una ilusión quijotesca, que por lo demás se nos presenta como un hecho y no desde el interior del fenómeno; no miramos dentro del corazón de Cabra, vemos sólo como en caricatura el contraste entre la dieta y unas palabras hospitalarias que no explican el carácter: no sabemos si Cabra impone su ayuno por maldad o delirio, crueldad o ascetismo (las palabras «Decía alabanzas de la dieta, y que con esto no tendrían sueños pesados» parecen referirse a una máxima de higiene, pero sobre todo funcionan al servicio del efecto cómico): se da meramente la «presencia» de un ilusionista que con su muerte (más tarde notificada) se lleva consigo su secreto: encarna hasta el fin la divergencia del ideal y la realidad: el corte atraviesa tanto su exterior como su interior: el cuerpo de Cabra es presencia y ficción; el alma de Cabra, acaso ideal e ilusión.

II. En boca del protagonista, la narración de sus picardías y fracasos, de su reiterado levantarse y caer, es inseparable de un frenético alarde de maestría idiomática. El narrador obedece a dos propósitos simultáneos —narración y sátira—, sin que le preocupe mucho la verosimilitud ni la unidad de su historia. Han quedado muy atrás el *Guzmán* y el *Lazarillo* (nada simples ni improvisadores, por lo demás, en esos dos respectos). Y el escritor despliega sin empacho su despreocupación, y su concepción irónica de la verosimilitud, violando las fronteras de la confesión imaginaria. La irónica antiverosimilitud suele ser parte de su juego, y debemos en esos casos tenerla en cuenta como tal.

Las memorias del pícaro conceptista buscan la complicidad de un lector que a su vez sea cuasi escritor. Lector crítico, criticón, predispuesto a gozar de toda burla al lenguaje afectado y cultista, como lo está el público de la comedia para regocijarse con las bromas de tanto gracioso a costa de las metáforas y perífrasis de tal o cual personaje. La superabundancia verbal de Quevedo, y la comicidad consiguiente, fluyen en variadas direcciones. Por lo pronto, en la más estrictamente picaresca de la trampa o embuste interesado. El lenguaje de Pablos no puede reducirse a simple y gratuito verbalismo. La astucia domina las palabras, la conducta y la amplia región en que lo uno no puede distinguirse de lo otro. Es que el lenguaje —este lenguaje— sirve de continuo a la acción; el hablar del protagonista, y el de otros personajes análogamente castigados por el escritor satírico, es a menudo acción. Con elegancias de vocabulario atrae el pícaro a los incautos, y no deja de subrayar esta función de su calculada elocuencia. Para ganarse la voluntad de dos «vejezuelas alegres», Pablos les dirige un cumplido que él mismo considera usual, pero con un toque de léxico escogido que produce inmediato efecto en las dos evidentes doncellas: «Yo dije lo ordinario: que las viesen colocadas ['casadas'] como merecían; y agradóles mucho la palabra *colocadas*».

Pero, además del lenguaje instrumental y pragmático, vemos asomar el lujo verbalista desde los comienzos mismos de esta historia. Si el padre del narrador, barbero, se resiste a que lo llamen así; si no acepta su condición idiomática de barbero, y reclama la de «tundidor de mejillas y sastre de barbas», no hay en estos rodeos —como sí los habrá en tantos otros— engaño directo ni pretensión de ascender a clase social más distinguida, sino la más pueril e inútil simulación de refinamiento. Pueril e inútil, como que en verdad no se simula nada: «sastre de barbas» no es precisamente un eufemismo que dore la píldora de «barbero». Tanto más cómico resulta el rasgo a que se atribuyen, en este primer retrato del *Buscón*, las raras exigencias lingüísticas del personaje: «Eran tan altos sus pensamientos, que se corría ['se avergonzaba'] de que le llamasen así». No un rasgo de carácter, pues, que se articule con psicológica coherencia dentro de una etopeya individualizadora. Sabremos a qué atenernos cuando en el mismo capítulo inicial declare Pablos: «... yo, que siempre tuve pensamientos de caballero desde chiquito ...». De tal palo, tal astilla. No tomemos muy en serio la altura de los «pensamientos».

[En el *Buscón* resaltan vivamente las incrustaciones de lengua ínfima, de regionalismos, de interjecciones, votos destemplados y crudezas de toda índole, muy ajenas, en ocasiones, a la marcha festiva del relato. Aparecen también malignas alusiones religiosas]: «Entramos, primer domingo después de Cuaresma, en poder de la hambre viva ...». Cuaresma, ayuno y, en seguida, ya en otro plano que el del calendario eclesiástico, el imperio del Hambre, que se encarniza, desde luego, más en el pobre acompañante y sirviente que en su amo: «... A mí, como había sido mi trabajo mayor y la hambre imperial, que al fin me trataban como criado ...». Al arte de condensación sarcástica y fantasista de esas páginas extraordinarias le tiene muy sin cuidado ninguna especie de normal verosimilitud. Don Quijote rozará alguna vez, sin chistes ni exageraciones, el ya viejo tema de los estudiantes hambrientos; lo evocará cuando, tembloroso de ira, replique al impertinente eclesiástico de los duques, criado quizás «en la estrecheza de algún pupilaje». Guzmán de Alfarache ha conocido personalmente esos pupilajes en que preparaban la olla «con tanto gordo de tocino, que solo tenía el nombre ...». Quevedo aprieta verbalísticamente la frase hasta donde puede. Si quien administra las ilusorias comidas del pupilaje empieza por llamarse precisamente Cabra, el comer, en mínima dosis, carne de cabra es bastante menos de lo que parece: es apenas comer «un poco del nombre del maestro». Ya no la frase hecha («de tocino ... solo tenía el nombre»), que negaba la exactitud del rótulo, pero no la existencia del dudoso alimento; ahora el propio alimento parece volatilizarse en un *flatus vocis*: el nombre del maestro. Pero ese no es más que un detalle entre otros. La enormidad de la visión quevedesca resalta —como sus límites— cuando comparamos el *Buscón* con los libros «de aquel género» que su autor leyó y utilizó.

El modelo del asombroso dómine está a la vista, y lo está la múltiple y decisiva trasmutación. Al clérigo de Maqueda que le toca en suerte a Lázaro de Tormes (tratado II) responde el de Pablos de Segovia, por lo pronto, con una esperable alusión genealógica: «Sólo añadió a la comida tocino en la olla, por no sé qué que le dijeron, un día, de hidalguía, allá fuera. Y así, tenía una caja de hierro, toda agujereada como salvadera; abríala, y metía un pedazo de tocino en ella, que la llenase, y tornábala a cerrar, y metíala colgando de un cordel en la olla para que la diese algún zumo por los agujeros, y quedase para otro día el tocino. Parecióle después que, en esto, se gastaba mucho, y dio en sólo asomar el tocino a la olla». Lázaro de Tormes describe con trazos penetrantes y sobrios la avaricia de su amo, a quien hace decir hipócritamente: «Mira, mozo, los sacerdotes han de ser muy templados en su comer y beber, y por esto yo no me desmando como otros». Mentira —comenta Lazarillo— pues el clérigo bebía y comía furiosamente en toda ocasión en que pudiese hacerlo a costa ajena. En Quevedo, también el clérigo Cabra pondera las ventajas que para los estudios tiene la templanza. Todo lo superfluo, lo que se aparte de la vulgar olla, «es vicio y gula». Caldo que no sea como el que se consume en el sórdido pupilaje (caldo tan claro que Narciso, si se viera reflejado en él, peligraría «más que en la fuente») será perjudicial para el cuerpo y el alma. Después de gustar Cabra mismo de ese caldo, no puede menos de exclamar: «¡Todo esto es salud, y otro tanto ingenio!». A lo que Pablos, nuevo Lazarillo, dice para sí: «¡Mal ingenio te acabe!». El clérigo de Maqueda ofrece a Lázaro unos huesos roídos: «—Toma, come, triunfa, que para ti es el mundo. Mejor vida tienes que el Papa». Cabra sirve a sus pupilos «tan poco carnero que, entre lo que se les pegó a las uñas y se les quedó entre los dientes, pienso que se consumió todo, dejando descomulgadas las tripas de participantes», y los anima y conforta con estas palabras: «Coman, que mozos son y me huelgo de ver sus buenas ganas»; o, cuando han sobrado en la mesa y el plato unos últimos mendrugos, pellejos y huesos: «Quede esto para los criados, que también han de comer; no lo queramos todo». Se amplifican aquí y se repujan las parcas frases del *Lazarillo* (aunque se ha eliminado discretamente la referencia al Papa), pero sigue reconociéndose el trazado original del personaje.

Imposible, para Quevedo, contenerse en estos límites. Él debe retorcer al pupilero de Segovia —que ha empezado por ser una impersonal Hambre viva, bajo cuyo poder padecen mortalmente los muchachos— en una orgía de invención verbal y visional. Un cúmulo de pormenores grotescos vendrán a recubrir y agitar la abstracción: toda suerte de juegos conceptistas, de ocurrencias y episodios chistosos, de contrastes entre el desvergonzado estilo ínfimo y la parodia del estilo sublime, en las más extrañas mezclas y, a menudo, con lúgubres resonancias. Nada de eso se organiza en el dibujo ni la perspectiva ordenada de un carácter individual. La inestable figura de Cabra salta de un plano a otro.

GEORGE HALEY Y MARCEL BATAILLON

FICCIÓN, REALIDAD Y AUTOBIOGRAFÍA: LOS CASOS DE *MARCOS DE OBREGÓN* Y *ESTEBANILLO GONZÁLEZ*

Cualquiera que aborde el estudio del auge de la narrativa realista del siglo XVI —sobre todo en España— advierte en seguida unos cuantos procedimientos fáciles, pero de efecto seguro, que se emplearon para dar un sello más acentuado de realismo a una materia narrativa que tiene a menudo un origen folklórico. En primer lugar, la forma autobiográfica, que permite presentar esta materia como vivida por el narrador (como un tránsito en el límite de la convención de los hechos que se cuentan «de buena fuente»). Otro procedimiento de «historización» del tema (permítasenos este neologismo que connota a la vez el sentido literario que le da Diderot a «histórico» y el significado común de este adjetivo) consiste en vincular con el héroe, aunque sólo sea como referencias cronológicas, personajes o hechos de la «historia grande». Los dos procedimientos pueden utilizarse a la vez, como muy bien supo ver el genial autor del *Lazarillo*.

MARCEL BATAILLON *

I.   George Haley, *Vicente Espinel and Marcos de Obregón. A life and its literary representation*, Brown University Press, Providence, 1959, pp. 65-66, 68-72, 80-81. Traducción de C. Vaíllo.

II.   Marcel Bataillon, «Estebanillo González, bouffon pour rire», en *Studies in Spanish literature of the Golden Age*, Tamesis Books, Londres, 1973, pp. 25-44 (25-29, 40-41, 43-44). Traducción de C. Vaíllo.

*   Marcel Bataillon, «Erasmo cuentista. Folklore e invención narrativa» (1973), en *Erasmo y el erasmismo*, Crítica, Barcelona, 1977, p. 91.

1.   Al presentar al público su vida privada en el *Marcos de Obregón*, Espinel aducía como justificación su carácter didáctico. Como muchas novelas picarescas semejantes, la historia era el relato de un pecador arrepentido. Para hacerlas a la vez digeribles e instructivas, vertió sus memorias en el molde de la forma ficticia. La elección se imponía por cuanto Espinel acudía a la invención para llenar los huecos de su memoria tras tanto tiempo transcurrido y para embellecer una vida nada excepcional. En la vida que había vivido, Espinel interpolaba la vida que habría podido vivir. Ambas se asignaban a Marcos de Obregón, el escudero ambivalente que creó para representarse en la obra. A esta figura atribuyó Espinel el oficio de narrador. Con esta concesión final a la ficción, Marcos de Obregón se convirtió en el autobiógrafo y Espinel quedó relegado por decisión propia a la función de escriba. Espinel tomó su propia historia como materia prima de la novela, afrontando el desafío de todo novelista: transformar la materia prima en literatura.

[Al otorgar con la primera persona narrativa independencia nominal a la criatura de ficción, el novelista no debe dejar traslucir ningún indicio de conexión con el mundo arbitrario que ha creado ni romper la ilusión del punto de vista autónomo del *yo* ficticio.] Marcos puede identificarse, cuando se le solicita, sin referencia a otro orden que su propio entorno ficticio: «A lo primero le dije que yo me llamaba Marcos de Obregón ...» (II, 60).[1] Aparece como un ser autoconsciente dentro de su configuración, en la que puede evaluar su conducta y reconvenirse en privado: «En el tiempo que estuve en la cama me tomaba cuenta a mí propio, diciendo: Señor Marcos de Obregón: ¿de cuándo acá tan descompuesto y valiente?» (I, 62). Conforme Marcos rememora su vida a un ermitaño, la ficción parece contenerse en sus límites. Pero la ilusión de una persona virtual moviéndose en un mundo virtual está viciada en su origen, ya que Marcos es consciente de algo más: que es una creación ficticia. Cuando habla del «autor deste libro», se violan los términos de su autonomía: «El autor deste libro, habiendo salido de casa de sus padres niño estudiante, y volviendo con canas a ella, conoció y nombró por sus nombres a todos los que había dejado niños ...» (II, 229). Marcos expresa una relación entre el autor y él mismo que abre su constitución virtual a la realidad, dejando al desnudo los mecanismos

---

1.   [Citas de tomo y página por la segunda edición (1951) de S. Gili Gaya.]

de la ficción. Es el reverso de la intrusión del novelista victoriano
en el relato para apostrofar al lector: el autor es conjurado por el
personaje. Sin embargo, el efecto es el mismo y la ilusión primaria
se desvanece. Marcos formula lo que bien podría ser el epígrafe de
la obra entera, cuando convoca a su creador para otra ilustración,
esta vez de índole moral:

> Y pues se ha ofrecido materia tan excelente y divina virtud, como
> es el agradecimiento, en tanto que llegamos a Adamuz tengo de referir
> un caso digno de saberse, que le pasó al autor deste libro viniendo de
> Salamanca, que no hay vida de hombre ninguno de cuantos andan por el
> mundo de quien no se pueda escribir una gran historia, y habrá para ella
> bastante materia (I, 196).

La significación precisa de las palabras de Marcos ha sido pasada por
alto por los críticos de la novela. Hay que preguntar quién sería el
autor desde el punto de vista de Marcos. Como la información dada
en los ejemplos precedentes coincide con lo que ha dicho sobre sí
mismo, se concibe que pudiera referirse a sí mismo. Pero, aunque se
supone que Marcos escribe sus memorias en Santa Catalina de los
Donados, en cualquier caso refiere una conversación mantenida antes
de que el proceso real de escribir comenzase. Presentarse a sí mismo
como el «autor de este libro» en tales situaciones es anacrónico y,
por tanto, ilógico. Semejantes alusiones revelan síntomas de un conflicto básico entre la estructura y la lógica de la narración.

Lo que podría llamarse la doble presencia del autor en su obra es un
rasgo frecuente en la narrativa española, especialmente en el siglo XVII.
[Desde el *Libro de buen amor* a Unamuno y más tarde, la persona del
escritor aparece entre los personajes ficticios en varias obras, como *La lozana andaluza* de Delicado, la *Diana* de Montemayor o el *Pastor de Fílida*
de Montalvo.] Poco antes de que Espinel publicara el *Marcos de Obregón*,
Cervantes en particular había demolido en una variedad de formas las
barreras que separaban el mundo de sus personajes del mundo del novelista. Para no escoger más que un ejemplo, cuando en unión del barbero
hace el escrutinio de la biblioteca de don Quijote el cura pretende:
«—Muchos años ha que es grande amigo mío ese Cervantes, y sé que
es más versado en desdichas que en versos». [...] En una de las numerosas veces en que Marcos se desvía del curso principal de su narración,
introduce una digresión del modo siguiente: «... adonde algunos años
después pasó en presencia mía una desgracia muy digna de contarse ...»

(I, 209). Después de contar la historia de un muchacho que se ahogó, Marcos corrobora el incidente con una nueva autoridad: «Pasó este caso en este mismo lugar [Carpio], y en presencia del marqués don Luis de Haro y de su hijo el marqués don Diego López de Haro, que cuando esto se escribe están vivos, y más mozos que el autor, en cuya compañía se halló presente a este infelice suceso» (I, 212). Las implicaciones de este procedimiento son obvias: la relación autor-personaje no es de orden normal. Como antes, Marcos es consciente aquí de ser el asunto de un libro. Una vez más la ambigüedad del *yo* se hace evidente. Al comienzo del relato, Marcos se describe como testigo; al concluir, revela que era el autor quien se hallaba allí.

En otro lugar aun, la identidad fluctuante de Marcos de Obregón se pinta de una manera similar. Marcos, después de su cautiverio en Argel, desembarca en Italia y, entre varias aventuras, prosigue hasta Milán: «Llegué a tiempo que se celebraban las obsequias de la santísima reina doña Ana de Austria, y habiendo buscado a quien cometer la traza, historia y versos de la vida ejemplar de tan gran señora, pudiendo cometellas a muy grandes ingenios, tuvo por bien el magistrado de Milán de cometellas al autor deste libro, no por mejor, sino por más deseoso de servir a su rey ... al fin por más cercano le mandaron al autor que la hiciese. Oíle un sermón en estas obsequias al bienaventurado San Carlos, que fue como su vida. Hallé a mis amigos ...» (II, 143). Una vacilación entre el *yo* y el *autor* se da incluso en la misma oración. La acción que comenzaba Marcos era terminada por el autor. Sin cambio ni gradación apreciables, Marcos se convierte en el autor y luego en sí mismo otra vez. La significación de todo el episodio puede valorarse mejor, cuando se recuerda que es un fragmento auténtico de la historia personal de Espinel. La ficción deliberada en el *Marcos de Obregón* se acompaña de una tensión hacia la autorrevelación. Es susceptible de discusión si es o no el resultado de un esfuerzo consciente por parte de Espinel. Sin embargo, por la brecha entre el *yo* y el *autor*, se insinúa un elemento advenedizo en la ficción, un elemento sobre el que la misma historia no proporciona una explicación adecuada. En lugar de ser coherente consigo misma, la obra depende de algo que, en vista de la decisión de adoptar la convención ficticia, resulta externo a ella. Este fenómeno no es desconocido, como se apuntó antes, en la prosa de ficción del siglo XVII, en la que las fronteras entre ficción y realidad eran a veces borrosas, a pesar de los teorizadores literarios que querían mantenerlas separadas. [...]

¿Por qué escogió Espinel proyectar la sombra de su vida sobre la de Marcos de Obregón, cuando ésta ya era una reflexión más que adecuada sobre la propia? Se puede sólo conjeturar una técnica deficiente como la razón de ello en los incidentes mencionados. En todo caso, la equivalencia establecida entre el *yo* narrativo y el *autor* carece de la preparación intrincada que traiciona un esfuerzo consciente por erigir una pantalla ante el lector. Las referencias al «autor deste libro» parecen ser ingenuas. Sólo podían provenir de una mente tan enredada en su funcionamiento que no fuera capaz de ponerse en guardia conscientemente contra las discrepancias derivadas de la intención de escindirse en dos. Marcos se percata de que sus acciones son controladas por un autor sólo a causa de la tarea absorbente del autor de escribir sus recuerdos. Espinel se engolfaba en esa tarea a veces tanto que se olvidaba de consentir a su protagonista una existencia ficticia independiente. O, para ser más exactos, dejaba caer el velo ficticio por un momento y, en vez de atribuir sus aventuras a Marcos de Obregón, invertía su método usual, remitiendo las aventuras de Marcos a la fuente de inspiración.

En la anterior discusión sobre la ambigüedad del *yo*, que da el trasfondo para investigar la naturaleza de Marcos de Obregón, se vio la posición de la primera persona fluctuar entre protagonista y creador. Esta fluctuación puede tomarse por una anomalía fundamental en el *Marcos de Obregón*, si ha de considerarse la obra sólo como novela. Ocurre cuandoquiera que la intención literaria consciente del autor queda debilitada por la implicación vital en el asunto, que, dada su naturaleza íntima, sólo tomaría una forma coherente en manos del novelista más experimentado. [...] En más de una ocasión, sin embargo, Marcos se esfuerza en desligar las dos personalidades. Se llama Marcos de Obregón en un monólogo; en un incidente puramente ficticio, engaña al oidor que le conocía sólo como Marcos de Obregón, no como Vicente Espinel. Además, Marcos diferencia al autor de sí mismo, no sólo hablando de éste en tercera persona, sino también dando un esbozo biográfico que difiere del propio destino en la obra:

... tengo de referir un caso digno de saberse, que le pasó al autor deste libro ... Al fin, para abreviar el cuento, habiendo peregrinado por España y fuera della más de veinte años, redújose al estado que Dios le tenía señalado; fuése a su tierra, que es Ronda; hízose sacerdote, sirviendo una capellanía de que le hizo merced Filipo segundo, sapientísimo Rey de España (I, 199-200).

Cuando Marcos descubre la ficción al revelar un autor, alcanza paradójicamente su más plena medida de independencia. Aquí Vicente Espinel bajo un nombre se refiere a Vicente Espinel bajo otro nombre. Es una ilusión óptica, un truco de espejos que multiplica los ángulos de visión alrededor de un objeto. [...]

Característico de su época, el *Marcos de Obregón* es un híbrido de historia y ficción. Como estos elementos no se han sintetizado completamente, producen una ilusión diferente de la de una ficción coherente, una ilusión que depende del juego mutuo de órdenes opuestos para perpetuarse. En la medida que Espinel hizo uso consciente de esa ambigüedad a través del engaño con la verdad, la obra es la diversión irónica de un escritor autobiográfico que se complace en la contemplación de su imagen, un ejercicio de prestidigitación que junta realidad y ficción en combinaciones fluctuantes. Pero Espinel cayó víctima de su propio juego, pues su técnica no era lo suficientemente perfeccionada para llevar a cabo su intención irónica. Marcos de Obregón se asemejaba demasiado a su modelo y su discurso directo se confundía con la voz de Vicente Espinel con demasiada facilidad. Donde Marcos y el autor confluyen por previsión de Espinel, la relación equívoca entre ellos se clarifica y Vicente Espinel se revela mal que le pese.

II. Desde que los hombres cuentan por el placer de contar, la ilusión realista es un efecto perseguido con éxito desigual. Es sorprendente la lentitud con la que la crítica, desde que analiza creaciones literarias de esta índole, se ha precavido contra la tentación de identificar al héroe de un relato de forma autobiográfica con su autor, de creer que éste presta al héroe no sólo su *yo* gramatical, sino también su *yo* real, su propia personalidad, su vida. Hace treinta años la novela de *Estebanillo González* era aún definida, sin sombra de vacilación, como «la autobiografía de un pícaro real». La interpretación de la obra parece estar hoy día madura para liberarse de una concepción tan simplista. [...] Hay que decir que en *La vida y hechos de Estebanillo González*, «autobiografía de pícaro» dirigida no a un anónimo, como la de Lazarillo, sino al célebre general Piccolomini a quien el narrador llama su amo, la ilusión realista opera en un marco favorable: el de una obra en la que se explota a fondo el poder del artificio verista elemental que consiste en «historizar» la vida de un hombre oscuro por asociación con personajes y acontecimientos históricos recientes o actuales. Estebanillo emplea el procedimiento de tal modo, que no sólo reviste su vida de los colores de la historia sino que la convierte en testimonio en apariencia controlable por «contestes» y utilizable por los historiadores de la vida militar y política en la época de la guerra de los Treinta Años.

[Diferentes eruditos han seguido el rastro, en archivos y documentos, de un bufón de nombre Estebanillo en el círculo de Piccolomini o del cardenal-infante don Fernando, pero] rechazamos de entrada la idea de que el autor del libro sea un verdadero bufón *llamado así* que hubiera compuesto su autorretrato literario. Nuestro problema es descubrir en el entorno de Piccolomini a alguien con *otro nombre* que el del héroe, y susceptible de haber compuesto y publicado semejante libro para divertir al destinatario de la dedicatoria. Examinemos, pues, las condiciones editoriales en las que apareció esta *Vida* ofrecida a Piccolomini como «libro de chanza con que entretenerse».

Desde hacía años, dábamos vueltas, con interés y desconfianza, alrededor de «Estebanillo», antihéroe burlesco. ¿Esta figura no era demasiado heteróclita para ser convincente? ¿No estaba ese defecto resaltado por la auto-ironía del «segundo prefacio en verso» que, al modo burlesco —«burlas ... mezcladas con veras»—, hacía reverberar las cien facetas divergentes del personaje? El autor desconocido, me decía para simplificar, «hace de su héroe una mezcla de bufón de palacio y de correo diplomático» (M. Bataillon [1969], p. 41). ¿Mezcla? [...] No se trata de un hombre escindido interiormente, sometido a exámenes de conciencia o en vías de conversión como un Guzmán de Alfarache; en vano se busca una coherencia moral o social entre el bufón borracho emancipado del prejuicio de la dignidad personal, que arrastra cínicamente por el lodo a su propia familia (en lo que lleva al extremo una tradición picaresca) y el servidor distinguido, suficientemente digno de confianza como para ser encargado de misiones cuasidiplomáticas por personas del más alto rango. En el ensamblaje arbitrario de esas dos personalidades parece como si el autor, con un humor desenvuelto, señalase con el dedo en el pasaje del capítulo VIII, en el que, parodiando uno de los más famosos romances de don Álvaro de Luna («de paje vine a marqués»), Estebanillo dice de sí mismo: «de bufón vine a correo». ¿No serían sus misiones de «correo» las que tendrían alguna probabilidad de formar el cordón umbilical por el que la ficción insolente se nutre de la experiencia verdadera del autor, ya que la «quimera» autobiográfica fundó hasta aquí su credibilidad en continuas referencias a los hechos de la crónica política y militar sobre los que su información podría justificarse a través de esas misiones? [2]

2. [Como defensor de la tesis autobiográfica, F. Meregalli [1979] opone varias objeciones al estudio del gran hispanista francés: «Bataillon, en general, desatiende el texto, da por evidente que no se trata de una verdadera autobiografía y busca una solución en investigaciones sobre el ambiente en que el texto se produjo. Para Bataillon es inverosímil que un bufón se transforme en correo diplomático; pero lo cierto es que en la época se utilizaban bufones como correos diplomáticos; para Bataillon en la obra la transformación del bufón en correo es brusca; pero en realidad los muchos viajes y el poliglotismo

Invirtiendo, pues, la fórmula que insinúa maliciosamente una continuidad biográfica y una mutación brusca entre los dos avatares del personaje, nos veíamos tentados a simplificar hipotéticamente la metamorfosis jocosa de la que nació aquél, diciendo que el autor «de correo se hizo bufón», y que, no sin virtuosismo, ha infundido a su ficción autobiográfica pseudohistórica la fantasía de los «hombres de placer» para renovar la astucia de los pícaros famosos, cuya negación de la «honra», de la respetabilidad, exageraba. ¿Conectaba así con una tradición de crónica burlesca de palacio, ilustrada por el bufón don Francesillo de Zúñiga? Estebanillo rima con Francesillo, como con otros nombres de «hombres de placer». Pero hay entre ambos la diferencia capital de que don Francesillo ejercitaba su verbo sarcástico con las personas de elevada posición, mientras que Estebanillo adula y pone por las nubes a sus finas relaciones, dirigiendo los sarcasmos principalmente contra su propia persona bufonesca. Se echa de menos el lenguaje franco tradicional del bufón. Bufón «de burlas», no «de veras».

[De la lujosa edición *princeps* (Amberes, 1646) se desprende su limitada difusión entre el círculo aristocrático del general Piccolomini, duque de Amalfi, en el que podría hallarse el probable autor del libro, el capitán Jerónimo de Bran, intendente del ejército español de Flandes. Sin pruebas concluyentes y definitivas, como en el caso anterior, se han apuntado di-

---

de Estebanillo lo preparaban a la función de correo, para la cual el personaje demuestra ampliamente la inteligencia necesaria. [...] No significa que no se justifique, en este caso como en cualquiera, cierta actitud de desconfianza de principio frente a una persona que narra su propia vida. Hay que partir de lo que, un poco ambiguamente, Talens [1975] llama "la imposibilidad del *yo* como lenguaje". Hay una intrínseca heterogeneidad entre la realidad extralingüística, en este caso la vida efectivamente vivida por el protagonista-narrado, y el lenguaje, en este caso la narración que de su vida nos hace el autor. [...] El autor se representa como pícaro a su manera. [...] Pero esto no quiere decir que cualquier coloración del personaje según modelos de la novela picaresca demuestra que los hechos se han inventado y que se trata de una novela. Por un lado, hechos efectivamente acontecidos pudieron ser recordados según hábitos de recuerdo y de narración influidos por la novela picaresca; por otro, pudo haber reflejos de la literatura en la vida. [...] La idea de escribir sus propios "vida y hechos" era una idea bastante corriente en el ambiente específico en que vivía Estebanillo, entre soldados españoles. [...] Desde el punto de vista de la forma literaria, *Estebanillo* se coloca más en la serie de autobiografías de soldados que en la serie de la novela picaresca» (pp. 58-62).]

versos nombres de posibles autores, como el correo Esteban Gamarra o
un tal «Stefaniglio», del mismo medio social.] ¿Quiere decir que Stefaniglio (o Esteban Gamarra) es necesariamente el autor de la mixtificación
literaria —si la hay—, de que nos ocupamos aquí? ¿O que estos personajes han vivido todo lo que cuenta el protagonista del libro? Más que
nunca, a medida que la investigación progrese en distintos frentes, habrá
que escoger entre la hipótesis de la mixtificación y la ilusión realista.
Por el momento, contentémosnos con recordar que todos los autores de
ficciones crean sus personajes y les imponen nombres explotando sus
propias experiencias, que engloban tanto lo que han vivido, oído o leído
como todo lo que saben de los seres que han conocido o tratado familiar-
mente. [...]

Para hacer avanzar la solución del enigma de *Estebanillo* será
preciso descubrir en el presunto autor no sólo conexiones con los
asuntos de avituallamiento, con el personal gubernamental, militar y
diplomático de las cortes de Bruselas, Madrid, Nápoles y Viena, sino
también con un círculo literario capaz de gustar de la *burla* y el virtuosismo en prosa y verso. Recíprocamente las situaciones, relaciones
y ocupaciones de Estebanillo en la novela de su vida deberán anali-
zarse en relación con las experiencias verificables del autor supuesto,
sin pretender ver en aquéllas fragmentos de autobiografía, sino tratando esas últimas como fuentes (entre otras) de la elaboración de
las primeras. [...] Queda aún analizar la totalidad de la obra (no
una colección de detalles) como creación literaria y no de otro modo,
renunciando a la comodidad engañosa de la ilusión autobiográfica.
Es sólo así como podrá apreciarse según sus verdaderos méritos esta
Vida demasiado singular como para haber tenido descendencia en la
familia de los pícaros ilustres, con sus sorprendentes contrastes entre
la bajeza de Estebanillo y la confianza de importantes protectores
que tan a menudo hacen de *deus ex machina* en sus desventuras picarescas, con su exhibición de embriaguez sin igual en las letras españolas, con sus pretensiones al refinamiento del ingenio y al virtuosismo de la versificación, en fin, con la sobreabundancia impresionante
de «testigos de vista y contestes» citados para autentificar su contenido; pues, dice el héroe, «los nombro a todos para averiguación y
prueba de mis sucesos, y el dónde, cómo y cuándo, sin carecer de
otra cosa que de día, mes y año, y antes quito que no añado ...».

WOLFRAM KRÖMER Y PETER N. DUNN

LOS ESQUEMAS DE LA NOVELA CORTA
Y LA OBRA DE CASTILLO SOLÓRZANO

I. [En los cultivadores más conscientes del género de la novela
corta, como Lope de Vega o Francisco de Lugo y Dávila, se aprecia
una tendencia a difuminar los límites teóricos con la novela extensa,
bizantina principalmente, de la que se toman no pocos recursos. Los
planteamientos, escenarios y héroes de las novelas cortas son fantásticos o idealistas, en escasa relación con la realidad, y sólo en una
medida mucho menor se dan relatos picarescos y satíricos. Muy pronto se forman modelos estereotipados en la manera de elaborar el
nudo y las convenciones de verosimilitud.]

Ya se perciben claramente en Pérez de Montalbán (1602-1638), influido por Lope de Vega, en sus *Sucesos y prodigios de amor* (1624). La receta de la amplificación la pone en práctica Montalbán en la narración
La mayor confusión, sobre un motivo conocido por la literatura del
«ejemplo» ['de tradición medieval'] y de la novela corta. En los «ejemplos», una madre comete incesto con el hijo; en las novelas cortas se
produce otro incesto entre este hijo y su hermana, a quien no conoce y
que él, sin saberlo, ha engendrado con su madre. Estas variantes no trivializan lo monstruoso del incesto, sino que lo usan para instrucción religiosa, o lo exponen como un suceso inaudito [...] En otras novelas
cortas, Montalbán aplica sencillamente recursos de la novela de aventuras
y pastoril. En la primera y octava narración (*La hermosa Aurora* y *La
prodigiosa*) hay abundancia de intrigas fantásticas, que acaecen en una
Sicilia irreal, o Albania, con hijos de reyes que pretenden la mano de
una princesa o que, recién nacidos, son intercambiados por otro niño.
La cuarta narración (*La villana de Pinto*) muestra fuerte semejanza con
las novelas pastoriles, aunque los personajes principales (al igual que la
Gitanilla y la Fregona de Cervantes, y la Diana de Lope) son de ascendencia noble y viven como pastores sólo por circunstancias particulares.
Se nos habla aquí de encuentros inesperados, que dan pie para contar

I. Wolfram Krömer, *Formas de la narración breve en las literaturas romá-
nicas hasta 1700*, Gredos, Madrid, 1979, pp. 228-235, 237.
II. Peter N. Dunn, *Castillo Solórzano and the decline of the Spanish novel*,
Blackwell, Oxford, 1952, pp. 25, 28-29, 31-33, 36-37. Traducción de C. Vaíllo.

una historia amorosa o a un enamoramiento repentino, y de amantes sentimentales y celosos, aparte de las poesías sembradas a voleo, como de costumbre.

En las historias que tienen lugar en España y en situaciones normales, Montalbán hace uso frecuente de ciertos medios de complicar el nudo, conocidos por la literatura de tipo *roman* [o 'narración literaria extensa']. Una muestra son los amantes de *La más desgraciada amistad*, que terminan en el cautiverio turco y en él se encuentran por obra del azar (cf. *El amante liberal* de Cervantes). Los protagonistas de *Los primos amantes* caen en poder de salteadores, y así es como se encuentran. Esta novela corta contiene además, como *La mayor confusión*, la tesis de la pareja fiel, que tiene que superar varias pruebas antes de ser feliz. Incluso algunos pequeños toques se ejecutan según receta: así, por ejemplo, la circunstancia de que las cartas no llegan al destinatario se emplea exactamente como en *La más prudente venganza* de Lope.

A estos elementos estereotipados de la trayectoria de la acción se añade lo esquemático de la intriga. El amor constituye siempre el nudo; el suspense se basa en ver si, y cuándo, los amantes alcanzan la dicha. El arte del escritor consiste en amontonar dificultades siempre nuevas o introducir casualidades inesperadas. Con la repetición de estos materiales e ingredientes, con las convenciones de verosimilitud, la novela adquiere algo de estereotipo y, al mismo tiempo, algo irreal. Y, pues lo que se busca es lo atractivo del tema y no preocupa la concordancia de los elementos particulares entre sí, se puede ver en esta forma de la novela corta una literatura trivial que se dirige a un gusto relativamente poco diferenciado.

Lo convencional en la acción de la *novela* y la proximidad de este género a las especies de *roman* se pueden apreciar también en la primera de las *Novelas amorosas y ejemplares* (1637) de María de Zayas y Sotomayor. *Aventurarse perdiendo* empieza con una escena que parece sacada de una novela pastoril: alguien escucha a escondidas el canto de un pastor; reconoce que este pastor es una mujer disfrazada y le hace contar su historia. Exactamente así es como se introducen la mayoría de las historias intercaladas en las novelas de pastores. La narración que le sigue contiene elementos típicos de la *novela* española. El amor de una pareja joven va contra la voluntad de los padres y tiene que vencer muchas dificultades. A la acción desarrollada de acuerdo con este esquema pertenecen una huida, la estancia en un monasterio, un viaje a Flandes, cartas sustraídas o falsificadas. Después del final trágico de este amor, que por sí solo podría constituir una narración independiente, nos enteramos, en la segunda parte, de la existencia de un nuevo amor. Esta última parte, también en sí completa, está ligada a la primera únicamente por la identidad del personaje principal y por el tema de la desgracia. En María de Zayas, autora que narra con gran habilidad, podemos observar, especialmente cuando trata motivos clásicos de novela corta, como el de la *Difunta pleiteada* en *El imposible vencido*, un arte en sí ciento por ciento italiano en la realización del desenlace y de la «culminación», aunque, cierto, sólo en los episodios por separado, ya que la autora enlaza varios motivos en una única narración yuxtaponiéndolos sencillamente o «encajonando» unos en otros.

El tipo medio de novela española presenta muy uniformemente una serie de aventuras producidas por el azar, es decir, por el autor, que interesan por su colorido, pero no son previsibles. Al autor le gusta empezar irrumpiendo *in medias res* para provocar la curiosidad; a este comienzo tiene que seguir naturalmente un relato en boca del héroe sobre lo que ha pasado antes; se expone la historia de una pareja que ve impedida su unión y su matrimonio por circunstancias adversas o padres hostiles; emplea, como sucedáneo de la intriga, duelos en los que uno se ve implicado o que le obligan a huir; cautiverios en poder de piratas y bandidos; detenciones acaecidas por error; disfraces, sobre todo de mujeres que se fingen hombres; matrimonios secretos; sustituciones por hombres falsos en citas; bodas, fisgoneos, encuentros. Hay muchas serenatas, declaraciones de amor, cartas y escenas pastoriles.

Con una técnica así se puede escribir una *novela* de la amplitud que uno quiera, que constituya por sí sola todo un libro, con lo cual tendrá un nuevo y decisivo rasgo típico de la novela en cuanto *roman*. Cuantas veces ocurra, la palabra *novela* significará 'roman'. De esta manera, aun antes de una evolución paralela en Francia, el vocablo modifica en España su acepción, y como, al revés que en Francia, no se ha introducido desde mucho atrás con el sentido de «ficción corta», ya no acepta la antigua significación, máxime no habiendo ninguna palabra que signifique «ficción larga en prosa» que haga a la palabra «novela» superflua en esta acepción. Con ello desaparece también en España para siempre la conciencia del género *novella*. [...]

Tirso de Molina (1584?-1648) recurre en la dedicatoria de *Deleytar aprovechando* (1635) a las palabras «novela» y «novelar» cuando quiere designar el conjunto de las obras épicas de ficción y su manera de contar. Tirso considera común a todas las obras narrativas en prosa (es decir: colecciones de novelas cortas, novelas de aventuras, pastoriles y picarescas, que él enumera) la acción irreal y aventurera. [...] Las tres vidas de santos ofrecidas como «novelas» en *Deleytar aprovechando* contienen también todas aquellas características, todos los motivos, todos los rasgos típicos de la *novela*, pero asimismo todos los que [...] distinguen a la novela de la novela corta: la acción es complicada; no resulta lógicamente de las premisas; comprende, según los casos, toda una vida. En la primera *novela* (*La patrona de las Musas*) hay, después de una historia de amor inicial, una huida: la protagonista, santa Tecla, tiene que superar muchos peligros; a *Los triunfos de la verdad* pertenecen varias (falsas) profecías, una historia de amor, un naufragio, la entrada en escena de bandidos, una serie de anagnórisis; *El bandolero* contiene igualmente profecías, un trueque de niños, una doble intriga de amor, que se complica con una intriga política, una doble huida y otras muchas aventuras. [...]

Los protagonistas, si se prescinde de las novelas picarescas, relativamente pocas, lo mismo que las aventuras que llevan a cabo, son idealizados, y su carácter, exagerado. Como demuestran en Cervantes las contraposiciones entre el mundo real de los gitanos y el novelesco, [...] así como la recepción de la novela española en el país vecino, la *novela* es un género que no representa nuestra baja realidad, sino un mundo lleno de colorido e ideal. Ello dio por resultado que la *novela*, a pesar del elevado rango artístico conseguido en Cervantes, se convirtió fácilmente en literatura sin problemas por representar un mundo más ideal y que ofrecía una satisfacción de escapismo, y se hundió en la trivialidad. Una parte considerable de las *novelas* españolas hay que encasillarla, por desgracia, en esta categoría, aun cuando muchas narraciones se levantan sobre este nivel, pero no a causa de su realismo.

II.   Aunque tratados en una gran cantidad de maneras diferentes, los temas de las novelas de Castillo Solórzano son singularmente uniformes. Por la mayor parte, las historias son variaciones sobre un mismo tema: el amor. El argumento surge de las dificultades que asedian a los amantes o los obstáculos que se interponen entre ellos —matrimonios arreglados por los padres, rivalidades familiares, celos, etc.—, que derivan en duelos con hermanos enfurecidos o largas peregrinaciones, cautiverios, aventuras espeluznantes, hasta que, al final, el joven consigue a su dama por pura persistencia (y por la muerte de todos los que se le oponían). Este énfasis en la necesidad del amante de probarse digno de la dama es una manera en la que

Castillo estuvo influido probablemente por las *Novelas ejemplares* de Cervantes. Pero Castillo trata los asuntos mucho más toscamente y sin las implicaciones morales de las *Novelas ejemplares*, en las que Cervantes se preocupaba de concertar matrimonios virtuosos y armónicos. En las historias de Castillo, por otra parte, el amor y la aventura valen de por sí, sin más. Alternativamente, el joven puede encontrarse por primera vez con su amor al escaparse de casa, ya sea a causa de un desengaño anterior, ya sea a cuenta de alguna desavenencia con su familia. [...] En general, las historias pueden reducirse a la fórmula *lances de amor y fortuna*.

Si tomamos juntos los tres primeros volúmenes de colecciones de cuentos —*Tardes entretenidas*, *Jornadas alegres*, *Tiempo de regocijo*—, disponemos de una buena perspectiva general de los métodos iniciales de Castillo así como de tendencias incipientes que se desarrollan en posteriores colecciones. El recurso de poner a los personajes en el camino, heredado de la novela bizantina, hace más plausibles aventuras extrañas. La finalidad de situar el escenario en tierras extrañas puede también hasta cierto punto justificar las tramas exóticas, aunque de hecho este procedimiento en modo alguno las mitiga. Con esto también hallamos el empleo creciente de dos tramas paralelas en una *novela* (*El honor recuperado*, *La quinta de Diana*) y el uso consiguiente del método *à tiroir* [es decir, de «engaste» o narraciones encuadradas por inclusión de una historia en el interior de otra], que se hace más frecuente y logrado en el artificio desde la *Huerta de Valencia* en adelante. Es la técnica épica de empezar *in medias res* y la contrapartida del *flashback* en el cine. La moral se explota ahora como *raison d'être* de la trama, no como elemento de ella que da un efecto más armonioso. El gusto por las aventuras insólitas y extraordinarias persiste a lo largo de la obra de Castillo, aunque no es tan marcado en las últimas obras, donde consigue mantener el interés con medios menos obvios. [...]

Otras tendencias apreciables en estas colecciones tempranas se confirman en la *Huerta de Valencia*. En una trama más compleja el interés puede mantenerse en parte por su misma complicación, mientras que las coincidencias aparecen algo justificadas o, al menos, atenuadas. Forma parte de un problema más amplio de verosimilitud que se hacía cada vez más urgente. Un nuevo desarrollo es restringir el área geográfica en que la aventura tiene lugar. La acción se localiza más, depende más de la actuación personal, aunque no cambie el tratamiento del personaje o la psicología. De ahí la tendencia creciente a limitar la acción a una ciudad determinada, un palacio o simplemente dividirla entre una ciudad y un campo de batalla sin una peregrinación intermedia. En resumen, la solución de Castillo al problema de la verosimilitud no es a favor de la veracidad en el sentido moderno, sino de la consistencia. [...]

Como tantas historias muestran a amantes luchando contra las dificultades, y a menudo separados por ellas, los medios para crear estas dificultades son de cierta importancia. Hay dos amplios apartados. Primero, cuando los amantes están en términos de intimidad y generalmente prometidos, se ven forzados a la separación, el héroe es conducido al mundo para someterse a variadas pruebas, mientras el papel de la dama en la novela consiste simplemente en disimular su pena y resistir lo mejor posible al deseo de sus familiares de casarla con el joven de su elección. Ambos pueden permanecer fieles, uno de ellos puede sentirse atraído por alguien distinto o la dama puede ser obligada a casarse, pero lo importante es la dificultad inicial. [...] El segundo método de tratar lo erótico consiste en juntar a héroe y heroína por primera vez en circunstancias extraordinarias que les impiden declarar sus afectos de la forma usual y les obligan a varias astucias. La acción está generalmente confinada a una pequeña área —un palacio o una quinta en la que el héroe y la heroína habitan el mismo edificio— lo que permite una iniciativa considerable a la dama. La dificultad inicial es por lo común de identidad ocultada; el héroe es superviviente de un naufragio o está disfrazado de campesino. Pero el escueto vestido del náufrago es siempre tan fino y el disfraz tan obviamente falso que el cortejo puede continuar. Los héroes que intentan ocultar su calidad a sus damas no son convincentes, porque están continuamente atormentados por el temor a ser tenidos en menos de lo que son, de ser juzgados por su apariencia. [...]

Muchos de los episodios estereotipados eran de origen italiano, aunque completamente españoles en su aplicación. El disfraz, mencionado arriba, es un excelente ejemplo. Un novelista italiano, maestro del disfraz y de su uso, consideraría ridículo presentar a un joven posando en aparejo de aldeano, no lo bastante largo como para cubrir sus prendas lujosas. De modo parecido, la *burla*, aunque más frecuente en las novelas picarescas, encuentra ocasionalmente lugar en la novela corta. *Los efectos que hace amor* es un ejemplo de una mujer que actúa como ella misma y como su rival a fin de descubrir las reacciones del hombre y poner a prueba su constancia. Al final de *La dicha merecida*, hay un ejemplo del aprovechamiento de la afectación natural que encontramos en la terminación de *La señora Cornelia* de Cervantes. Junto a la burla podemos colocar otro desarrollo español de ella —el *picón*, en el que un amante despierta los celos o la desesperación en el otro, sea como broma, sea por un propósito específico. El recurso de la identidad confundida se emplea extensamente, por lo común de forma que un hombre desconocido goce los frutos del amor, mientras el marido previsto tiene que esperar en la calle. [...] En este punto, nos podríamos preguntar si la forma de la *novela* presupone el uso de estos recursos. [...]

Nuestras conclusiones se aplicarán por igual a la novela y a la novela corta. Ambas tratan casi exclusivamente de amor y aventuras; por la mayor parte, lo picaresco y lo jocoso se mantienen alejados de las colecciones de novelas cortas. La acción, extraordinaria al principio, se limita luego en extensión geográfica, descansando en la intriga de índole más psicológica. Esta restricción de la acción, junto con el empleo creciente del método *à tiroir* y la doble trama, permite una mayor consistencia interna y mayor artificio. No obstante, sólo la presentación de los temas muestra alguna variación; los temas mismos, no. Hay un formalismo muy marcado, más apreciable que en las obras de, por ejemplo, Zayas o Céspedes; y aunque esto también contribuye a una mayor consistencia, nos percatamos demasiado de la «maquinaria» a medida que avanza la novela. El medio, el marco de la acción, la hace aparecer más plausible, menos torpe, porque a menudo está «bien documentado», como diríamos si se tratase de una novela histórica. Y realmente esas historias tienen el aire de novelas históricas compuestas por un autor que tuviera un don mayor para recoger aspectos del período y detalles históricos que para hallar algo digno de poner en las cabezas de sus personajes.

El entorno en las novelas de Castillo es, tal como se describe, a la vez necesario y superfluo: necesario a la acción, como lo son los muebles para una habitación; superfluo, si fuera más digna la acción. Tal como es, el ambiente de objetos y de costumbres vuelve posible la acción, porque proporciona un aire de autenticidad a los personajes y es un sustitutivo de los pensamientos y sentimientos de que carecen. Es similar al procedimiento de muchos autores modernos de *best sellers* y productores de películas, cuyos héroes se pasan la mayor parte de la vida encendiendo cigarrillos, llenando vasos, poniendo en marcha coches poderosos, llamando a camareros y recogiendo el sombrero por la sagrada causa del «realismo», mientras que se les construye, viste, elimina sus mentes, discurren sus conversaciones por una sola vía en pos de la aventura romántica, ya tome forma de un pistolero rastreador ya de una mujer. Novelas así son para personas que no saben distinguir la diferencia entre un piano y una pianola. Muchos de los pasajes descriptivos, además, no poseen una evocación precisa; son «ideales» en el sentido de que, en lugar de evocar el objeto particular —una hermosa mujer, un jardín agradable—, el autor da sólo una vaga impresión de su ideal de perfección en la especie. El resultado es difuso y abstracto. La historia está construida según una fórmula y, como las matemáticas, el criterio no es tanto la verdad como la coherencia. De nuevo, «fórmula» sugiere una generalización de la experiencia; y «consistencia», cuando se busca conscientemente, implica una ordenación de recursos en la que se sacrifica la referencia a una experiencia real. Calderón y Góngora no se incluyen en este juicio, porque sus obras, aunque formulistas, presentan esquemas de la experiencia que fuerzan a la reflexión, no esquemas de acción que impiden la reflexión. Vemos ahora por qué Castillo necesita la forma paralela para proveer de soporte y la abundancia de incidentes para lograr densidad.

Gonzalo Torrente Ballester

LÍMITES DE LA NARRATIVA EN EL DIABLO COJUELO

El primer párrafo de El diablo cojuelo, tranco primero (su autor lo divide en trancos y no en capítulos), reza del siguiente tenor: «Daban en Madrid, por los finales de junio, las once de la noche en punto, hora menguada para las calles, y, por faltar la luna, jurisdicción y término redondo de todo requiebro lechuzo y patarata de la muerte». Líneas que considero suficientes para adquirir conciencia de la clase de prosa con la que voy a habérmelas, no de las claras y directas, sino de las enrevesadas y torcidas, de las que van a obligarme a prestar al instrumento narrativo más atención de la que bastar pudiera; quiero decir que me encuentro ante un narrador a quien la prosa merece una especial atención, no para constituirla al servicio de lo narrado, sino en valor autónomo. La lectura será de doble filo, más doble filo que en otras ocasiones, casi de filo triple: lo que se cuenta, cómo se cuenta y el modo de las palabras. No tengo

Gonzalo Torrente Ballester, «Lectura otoñal de El diablo cojuelo», Boletín de la Real Academia Española, LIX (1979), pp. 433-440 (435-439).

nada que objetar, e incluso me regocija la esperanza de una diversión razonable a costa de las filigranas verbales que el autor me depare; si bien confieso con la misma claridad que si la materia narrada y el arte de narrarla son lo suficientemente atractivos, lo más probable será que olvide las peculiaridades de la prosa.

Y, en efecto, el mundo en que el autor me introduce en las primeras páginas me interesa en seguida, quizá por razones relativas: porque no es sólito, en las letras españolas, eso de alquimias y brujerías, eso de nigromantes y demonios. Celebro el encuentro, me las prometo felices: mas cuando, tras el diálogo entre un intruso y un prisionero, es decir, entre el que ya es protagonista y el que va a darle la réplica y convertirse en oportuno coadyuvante, tras el diálogo entre éstos, digo, uno de ellos, el diablo, procede a la operación de levantar lo que el autor denomina el hojaldrado, «se descubrió la carne del pastelón de Madrid como entonces estaba, patentemente». ¿Lo imaginan ustedes? Nada menos que la realidad de la vida madrileña de aquel tiempo, nada menos que la intimidad, vergonzosa, ejemplar o dramática, de todos los habitantes de aquella villa. ¿Qué más puede querer un novelista? ¿A qué otra apetencia puede aspirar? Por lo que sabemos, la época era especialmente atractiva; hoy diríamos, no muy bien, sugestiva. Hay quien la califica de alucinante. Comparativamente con otras sociedades contemporáneas suyas, la española de entonces fue rica en sucesos y personajes novelescos, en realidades insólitas, en acontecimientos y situaciones inverosímiles. Pero, entiéndase bien, téngase en cuenta especialmente, no lo sabemos por la literatura narrativa del tiempo, ni tampoco por la dramática, sino por letras confidenciales, cartas, avisos, memorias, y también por la investigación histórica. ¿Cómo es esto posible? No hace todavía muchos años, don Miguel de Cervantes descubrió la realidad para la poesía y señaló un camino. Si comparamos lo que los novelistas ingleses, de De Foe a Dickens, nos dicen de la sociedad inglesa, con lo que los narradores españoles, de Mateo Alemán a Fernán Caballero, nos dicen de la española, ¡qué riqueza la de aquéllos, qué pobreza la nuestra! Y no porque esta sociedad no abundase en materiales novelescos, acabo de referirme a ellos, sino porque la mayor parte de nuestros narradores, ante el bullicioso hervidero que el estudiante don Cleofás tiene ante sí, es decir, la vida misma, operan una selección semejante a la de Luis Vélez de Guevara en ese trance descrito.

¿Qué es lo que ve nuestro ecijano, por la persona interpuesta de sus personajes? Figuras típicas, situaciones típicas. Contempla a Madrid a través de un cristal semejante al de don Francisco de Quevedo, y con intención pareja. Uno y otro satirizan, es decir, moralizan. Uno y otro, y muchos más, no contemplan realidades, sino abstracciones. Ante el espectáculo deslumbrante de la vida, el diablo cojuelo muestra a don Cleofás cornudos, pretendientes, simuladores, remiendavirgos, vírgenes remendadas, jamás hombres o mujeres, ¡todo lo que los españoles llevan viendo desde la *Celestina*, cada vez con menos carne y menos sangre! ¿Es que en Madrid y en España no hay otra cosa? ¿No hay esperanzas y dolores, alegrías y maldades, aventuras y riesgos? ¿No hay todo lo que constituye la materia de la novela universal, es decir, la vida cotidiana y la vida extraordinaria? Existe, claro; ahí está, ahí palpita; pero don Luis Vélez de Guevara no lo advierte, como no lo advirtieron los restantes narradores de la edad clásica, salvo Cervantes, claro. ¿De qué le sirvió a éste señalar un camino, el que él mismo había transitado? Más que la realidad importan los tipos y las alegorías. Leyendo *El diablo cojuelo*, se siente que viene de un Quevedo que ya no lo es y va hacia un Gracián que no lo es todavía. ¡Se ha hablado tanto del realismo...! ¿Dónde está el realismo español? La realidad la forman los individuos y las sociedades, no los tipos y las costumbres. [...]

Omito encuentros y etapas del viaje. A veces me deleito en la prosa, me divierto con los gerundios, río con las metáforas burlescas.[1]

1. [Una muestra de la complicación conceptista de las metáforas de Vélez de Guevara se estudia en el artículo de M. Muñoz Cortés [1943], de donde procede la clasificación siguiente (pp. 57-59, 61): «Dice Vélez en el tranco III: "Ya comenzaban en el puchero humano de la corte a hervir hombres y mujeres". La expresión *hervir*, expresando la abundancia de gente en un lugar, era locución corriente, ... *hervir* tenía un significado metafórico automático. Pero al mismo tiempo *hervir* tiene su significado primario, y tomándole en éste se crea la metáfora *puchero humano*. Por esto hay que afirmar, que la metáfora *puchero humano de la corte*, nace sobre el "vocablo" *hervir*, no sobre la noción o idea de abundancia. El movimiento ha sido éste: 1) noción de abundancia de personas, se expresa por el vocablo *hervir* de manera casi automática; 2) al pensar esta palabra (es decir, el par *noción-vocablo* ya unido) surge el significado más concreto y sobre él se forma el tropo *sitio donde hierve algo = puchero*. La sintaxis a que se acomoda Vélez exige el complemento circunstancial antes del verbo, pero el vocablo que encierra la idea verbal, pensado, es decir, anticipado, es lo que va a determinar la forma expresiva de dicho locativo. El análisis de esta metáfora nos lleva a calificarla de *metáfora sobre vocablo eje*.

Pero si la composición del relato es de las elementales, una cosa tras otra empezando por la primera y casi sin trabazón ni trama sustantiva, la materia narrada va de lo convencional a lo trivial, y cuando se tropieza otra vez con la vida misma, desdeña la ocasión.

Así sucede cuando, en Sevilla, nuestros personajes acostan a la Corte de los Milagros sevillana, al lugar en que los mendigos se congregan. Hay precedentes, habrá secuelas. Pero no hay duda de que materia tal, vista o imaginada, es de las que no tienen desperdicio. ¡Qué amasijo increíble de formas, de conductas, de disfraces, de palabras! ¡Qué relaciones humanas, odios, amores, amistades! ¿Por qué no se atrevió a bucear en aquel maremágnum? La decepción se suma a las anteriores, hace esperar a las otras. Y la mayor no tarda en acaecer. Y es de las que comienzan con una promesa: el diablejo saca un espejillo en el que puede verse lo que se quiera, con tal de que sea real. ¿Lo aprovechará ahora el autor para mostrarnos la vida? ¡Hay que ver la clase de utensilios que maneja! Antes, levantó el hojaldre del pastel madrileño; ahora, resulta que el espejillo es mágico. La posadera quiere ver lo que pasa en Madrid. ¿Y saben ustedes lo que pasa? Pues que los cortesanos salen, a aquellas

---

»Señalando a un caballero, dice el cojuelo de él: "Aquel caballero tasajo que tiene el alma metida en cecina". Primera metáfora: "Caballero tasajo". Tasajo es 'pedazo de carne, seco y salado o acecinado para que dure' (*Autoridades*). La metáfora es fácilmente comprensible, y sobre ella gira la segunda *que tiene el alma metida en cecina*. Covarrubias dice de esta palabra "tiene el mismo origen de ciercina porque es la carne salada y curada al cierço, y es cosa cierta que las buenas cecinas son de las tierras frías donde predomina el aire". Añade más adelante: "Cecinado: el hombre enjuto y seco que por otro nombre le llamamos avellanado porque la avellana se enxuga y assí se conserva". Luego hay en este ejemplo dos metáforas enlazadas con efecto intensificativo. Una misma noción, la figura física cetrina y enjuta del caballero, da origen a dos expresiones paralelas, pero que expuestas, una como parte de una oración principal y otra como subordinada, intensifican la expresión. Mas la base de ambas ha sido una noción o idea, y podremos denominarlas, sobre todo a la primera, metáfora sobre *idea-eje*. ...

»Hay algunos casos de metáforas encadenadas o alegorías en las cuales el primer eslabón es sobre idea eje, pero las siguientes metáforas están sugeridas por el vocablo a que da lugar la primera. Por ejemplo: "Y levantando a los techos lo hojaldrado, se descubrió la carne del pastelón de Madrid". La idea de parte superior da origen a *hojaldrado*; después sobre este vocablo, "la carne del pastelón de Madrid". Podría parecer en este caso que la idea de *pastel* es común a las dos metáforas que tendrían así un desarrollo independiente. Sin embargo, creo que la noción que ha sugerido *hojaldrado*, no es tanto *pastelón* como *parte superior de una cosa*».]

horas, de Palacio, y desfilan por la calle Mayor. En carrozas, a caballo, alguno a pie. Uno tras otro, con sus nombres y apellidos, con sus títulos y restantes oropeles: una enumeración al modo de las homéricas, si bien aquéllas fueron de héroes y ésta lo es de parásitos. Es inevitable recordar, ante esta página, a los antiguos reporteros de sociedad que, en los bailes de provincias, se cuidaban de enumerar a todos los concurrentes, no fuera a enojarse alguno a causa del olvido. Aunque también callaban a quienes no se habían mostrado generosos: se ocultaban sus nombres, que era un modo de anularlos. Luis Vélez de Guevara, el incansable pedigüeño, quiere halagar con esta enumeración y por medios mágicos, nada menos, a los que le han socorrido o pueden socorrerle: cada uno en su sitio, según su jerarquía, lo que se dice un caso de adulación sistematizada. [...]

¡Pobre Luis Vélez de Guevara, padre de familia numerosa y poeta dramático con escasos derechos de autor, en una sociedad radicalmente injusta, aunque buena catadora de engendros literarios! No se le ocurrió que con la tapa del pastel en una mano y el espejo mágico en la otra, pudo habernos dado una versión directa, real y, al mismo tiempo, fantástica de la sociedad española de entonces. Era éste un modo de ver que no se llevaba, que no estaba aún de moda. No lo estuvo casi nunca entre nosotros. Todavía hoy, en esta hora misma, la prodigiosa, la mágica potencia de ver, de imaginar y de inventar, se limita, se reduce a tareas menores, siempre bien vigiladas por las ideologías. Yo no puedo saber si don Luis Vélez de Guevara poseyó o no mayor capacidad imaginativa de la manifestada; pero lo que sí puedo asegurar es que escribió aprisionado de trabas y prejuicios, no hay más que leerlo, como otros muchos. Por lo pronto, narrar era una tarea secundaria, dentro de la jerarquía poética. Después, había que moralizar... Sin embargo, no mucho tiempo atrás, se habían publicado las *Novelas ejemplares*, en que se podía leer *El celoso extremeño*. Lo que yo lamento, lo que lamentaré siempre, es que la semilla cervantina, en España, haya caído en erial, que nuestra afición a las entidades abstractas como personajes literarios y a las sátiras y moralizaciones como procedimientos o finalidades, lo mismo da, se hayan mantenido por muchos años todavía, hasta que, finalmente, se pierda incluso el arte del relato.

José F. Montesinos

LA DISOLUCIÓN DE LA NOVELA ESPAÑOLA

Cuantos se han ocupado de la picaresca no han dejado de señalar, con muy varios propósitos, la extensión y la pertinacia de sus digresiones morales. Se ha censurado el copioso sermoneo con que Alemán o Espinel se gozan en interrumpir los relatos de las aventuras de sus héroes; se ha explicado el fenómeno por la necesidad de paliar crudezas; se ha insinuado que la actitud moral de la Contrarreforma imponía una justificación de estos libros, que no sólo eran *mentirosos* a fuer de novelescos, sino que proferían mentiras desagradables, sordideces morales junto a fealdades físicas. [En los grandes artistas de la picaresca española, todos estos y muchos otros motivos] tienen una especial coherencia y ellos condicionan su arte mismo, su visión de los personajes, de las situaciones, su sentido del estilo. Hubo, claro es, picaresca y picaresca; hubo, aun en el siglo xvii, honrados y vulgares continuadores de la tradición —incomprendida y ya incomprensible— del *Lazarillo*. Leyendo la vida de Marcos de Obregón se experimentan frecuentes sorpresas. ¡Aquí sí que hay sermoneo inútil! Es probable que Espinel fuera el clérigo apicarado de que con frecuencia se habla; de ser así, su drama íntimo quedó fuera del libro, uno de esos libros meramente *bien escritos* de que tan pródigo fue nuestro siglo xvii. Como *El donado hablador*, como tantos más. Pero coexistiendo con ellos y relacionados con la picaresca genuina, fueron apareciendo otros cuya influencia fue deletérea.

Sería largo exponer cómo de la hibridación de la *novela ejemplar*, la novela documento o aviso, con temas picarescos, fue surgiendo aquel tipo aburridísimo de novela, breve generalmente, a la que era necesario que la corte fuera una Babilonia llena de peligros, que a cada paso necesitaba recurrir a las muchas trampas y asechanzas en que caen los inexpertos, para tener tema narrativo. ¡Qué cosas no

José F. Montesinos, «Gracián o la picaresca pura» (1933), en *Ensayos y estudios de literatura española*, Revista de Occidente, Madrid, 1970², pp. 141-158 (144-153); pero el último párrafo procede de su *Introducción a una historia de la novela en el siglo XIX*, Castalia, Madrid, 1973³, p. 2.

escribieron, con este propósito de desengañar incautos, Salas Barbadillo, Castillo Solórzano y otros de su estirpe literaria! Aquel incóg-
nito Liñán y Verdugo, autor de uno de los menos ilegibles libros de
este grupo, tuvo un acierto extraordinario al rotular su colección
de novelitas: *Guía y avisos de forasteros que vienen a la corte*. La
moral acababa por corroer cuanto de novelesco aparecía a los ojos
de estos escritores. Moral sabida y prevista. Cuando era necesario
arremeter contra monstruos que la mezquina realidad española no
ofrecía, esos monstruos eran elaborados por superposición de rasgos
inconexos. Con muy parvo ingenio. Los magros contenidos quedaban
cada vez más ahogados bajo los trabajosos arrequives literarios de
un estilo que no tenía de Quevedo más que las sombras y los lejos.
Desde *El curioso y sabio Alejandro*, de Barbadillo, hasta los caracteres que Zabaleta fue injiriendo en sus *Días de fiesta*, puede estudiarse el proceso de esta victoria de la preocupación ética sobre una
materia novelesca cada vez más tenue. Ahora la sustantivación de lo
moral obraba un prodigio extraordinario: conservaba el tópico picaresco, repetido sin convicción, formulariamente. Porque sin abomi-
naciones, sin censuras, sin ataques contra los vicios que infestaban
la corte, sin garitos, sin barateros, sin busconas, ¿qué hacer de todas
aquellas exaltaciones morales tan cuajadas de figuras, tan floridas de
epítetos? [1] [...]

1. [L. López Grigera [en prensa] subraya que en los relatos españoles del
siglo XVII a menudo «las acciones ya no se cuentan, sino que se describen y comentan, se valoran, se sitúan en sus circunstancias. El eje temporal del texto novelístico ha sido reemplazado por el espacial o atemporal reflexivo de un nuevo género que acaba de nacer de entre las cenizas de la novela. Y cabría preguntarse si
los españoles de la segunda mitad del XVII habrán advertido que, cuando escribían sobre hechos, habían dejado de narrar. La consideración y reconsideración
de tan curioso fenómeno me ha llevado a una hipótesis de trabajo que aún
no ha dejado de serlo y cuya falibilidad no ignoro: la raíz de tal mezcla y
confusión, originariamente legítimas, se debería a otra mezcla y confusión en
las preceptivas literarias generadoras del texto novelístico: las procedentes de
poéticas y las que surgían de la retórica. Voy a explicarme mejor: la novela
moderna, como epopeya en prosa, habría tenido naturalmente sus fuentes en
las poéticas, pero una narración verosímil podía también generarse desde preceptos retóricos: tanto en la *narratio*, como una de las partes centrales del
discurso oratorio, como en los *exempla* que se podían incluir en la *argumentatio*
como pruebas extrínsecas. Así, en un relato nacido de teorías poéticas —pienso
particularmente en las aristotélicas— la acción tenía que ser lo principal, los
caracteres debían estar al servicio de la fábula, y sólo en último término y en

Cuando —después de Quevedo— se vuelven a escuchar palabras genuinas de moralismo apicarado nos hallamos enteramente fuera del campo novelesco. Los contenidos de la novela se han disipado por completo. Va a ser un moralista el que recoja las enseñanzas de Alemán, el que repita sus mismas palabras.

«No hay hombre con hombre», dice Alemán en el más dramático capítulo de su novela, en aquel soliloquio en que Guzmán renuncia —¡renuncia!— a mandos y honores, porque ¿qué sabemos del mayordomo del rey don Pelayo ni del camarero del conde Fernán González? No hay hombre con hombre. «Todos roban, todos mienten, todos trampean ... Todos vivimos en asechanzas los unos de los otros, como el ratón para el gato o la araña para la culebra» (II, IV). «No hallaréis cosa con cosa», advierte Gracián del mundo (*Criticón*, I, VI). «Todos van por extremos» (*ibid.*, V). «La virtud es perseguida, el vicio aplaudido, la verdad muda, la mentira trilingüe ... El derecho es tuerto.» Reparad en un ministro de la justicia —uno cualquiera—: «Con nadie se ahorra y con todos se viste, a todos les va quitando las ocasiones del mal para quedarse con ellas ... Destierra los ladrones por quedar él solo» (II, VII). (Entre estos dos, como tercer jalón, recordemos aún el texto de Quevedo: «Para ser rico habéis de ser ladrón, y no como quiera ... Si queréis ser honrado habéis de ser adulador y mentiroso ... Si queréis medrar habéis de sufrir y ser infame. Si os queréis casar habéis de ser cornudo ...», en *El entremetido, la dueña y el soplón.*)

Apenas habrá en la literatura española un libro de más extraño atractivo que *El criticón,* en que de sorprendente manera se van entrelazando los más diversos temas. El de Andrenio —estado de naturaleza frente a estado social— aún ha de mostrar más adelante, en la literatura europea, fecundas posibilidades de desarrollo. Aún no tiene Gracián la ecuanimidad, la frialdad satírica necesaria para hacer de Andrenio un *hurón* amable en medio de una sociedad de frívolos y corrompidos. Su crítica se mueve

---

muy escasas proporciones entrarían las argumentaciones; pero en un texto novelístico generado desde una preceptiva retórica —en la que la narración es por naturaleza sólo uno de los elementos constitutivos y no precisamente el principal, sino el secundario, el que tenía funciones ancilares— la distribución de sistemas lingüísticos tenía que estar, forzosamente, muy dividida entre los dos mundos, el narrado y el comentado». De la presión retórica surgiría también —subraya la misma estudiosa— la insistencia en uno de los recursos más recomendados para provocar los «afectos» (véase arriba, p. 490): la descripción, en especial bajo la forma de la figura de la *evidencia*, por la que se evocaba vívidamente acciones y cosas ante los sentidos, y de la que la literatura de la época hizo uso desmedido en detrimento de la narración propiamente dicha.]

entre vaguedades morales generalizadoras, y reales, sentidos rencores que agudizan su visión y envenenan sus palabras. No bastan unas leyes, un poco de educación para remediar males que arrancan de la misma naturaleza humana. Todo el mundo, todo el siglo se va mostrando a sus ojos de resentido para recibir dicterios indignados. «Siglo de lodo» el suyo. Como los autores de las rencorosas danzas de la muerte y de otros tardíos frutos del Desengaño, Gracián contempla el mundo —el gran teatro del mundo, dice, con frase que no debe ser una mera coincidencia—, y en él el fin de la ilusión humana. ¿Qué es la vida del hombre? «El mundo le engaña, la vida le miente, la fortuna le burla, la salud le falta, la edad se pasa ..., el bien se le ausenta, los años huyen, los contentos no llegan, el tiempo vuela, la vida se acaba, la muerte le coge, la sepultura le traga, la tierra le cubre, la pudrición le deshace ...» (I, VII).

Coincide Gracián con los picarescos en su visión desolada del mundo y de la vida, como coincide en muchos aspectos de su técnica. Novela de peregrinación es la suya, novela de camino, de andanzas incesantes remansadas en pocas peripecias. Novela en que el camino determina la marcha, y de la que está ausente la libertad. [...] Más que crear estilos y formas, en la vida como en el arte, los hombres de letras del siglo XVII fueron grandes acopladores y combinadores de formas y estilos. Suele llamarse barrocas obras que, lejos de representar una nueva ley, rectora de los elementos del estilo, no suponen en realidad sino un sincretismo temático o estilístico. Difícil sería encontrar mejor ejemplo de lo que ese sincretismo —maridaje y desvirtuación— significa, que Gracián.

La novela se le escapa a España literalmente de las manos, y es más allá de sus fronteras donde empieza a mostrar una sorprendente fecundidad. En la Península, dos enormes rémoras se oponen a sus progresos —una y otra consecuencia del aislamiento y enrarecimiento—: preocupaciones morales que la desvirtúan y falsean, y la boga de un estilo de prosa, el menos apto para la narración y el diálogo que pueda imaginarse. En el campo de la novela corta, más cultivada que la larga en toda aquella centuria, podemos documentar a cada paso la propagación de una mortal flora parásita de moralidades, avisos, condenaciones, discreteos, figuras, ringorrangos y floripondios de todas clases. Me parece advertir otro fenómeno que no sé que haya merecido la atención de la crítica: que el interés por la realidad circundante, supeditado siempre a posibles lecciones morales, vaya atenuándose más y más, y que ello coincida con una especie de «involución» del género: los autores, olvidados de Cervantes, parecen volver los ojos a Bandello, a Giraldi Cintio, allí donde menos novelescos eran y más parecían serlo, donde se mostraban más atentos a una fabulación vertiginosa y menos al estudio de las circunstancias que los rodeaban. Ello es que desde mediados del siglo XVII apenas hay novela española que merezca este nombre, y que pocas de las aparecidas con alguna anterioridad a ese tiempo resisten hoy la prueba de la lectura. El nombre de España no cuenta para nada en la historia de la novela durante el siglo XVIII, aunque lo mejor que la novela europea produce entonces es español de origen.

6. QUEVEDO

PABLO JAURALDE POU

Es un lugar común en la crítica lamentarse de lo retrasado o insatisfactorio de los estudios quevedianos. Sin embargo, lo que más extraña es la desproporción entre lo que se sabe y se ha documentado de su vida (sigue siendo básica la contribución de Aureliano Fernández Guerra [1897-1907], enriquecida con las aportaciones de R. Bouvier [1929], Astrana [1945], González Palencia [1946], J. M. Blecua [1963], López Ruiz [1980]), frente al panorama caótico de sus obras. Ambas cosas están en relación. El gesto escandaloso y agresivo con que a veces Quevedo se expresa humana, política y literariamente engruesa lo biográfico —y da pie a lo legendario—, al par que convierte en excesivamente mediatizada y circunstancial buena parte de su obra, olvidada, perdida o rehecha infinidad de veces por el propio autor, para desesperación del crítico (Crosby [1975], Jauralde [1982]).

Las fuentes documentales que sirven para reconstruir su biografía son muy ricas; pero han sido, en general, mal trabajadas. Botón de muestra: un valioso *Epistolario*, editado precariamente (Astrana [1946]), que cubre períodos diversos, a veces completos, como el de su etapa final (Lida [1953]). Es una tarea urgentísima la de recopilar los textos quevedianos, depurarlos e ir intentando las ediciones dignas que nos devuelvan la imagen auténtica de Quevedo,[1] todavía harto borrosa en los panoramas

1. Para leer a Quevedo se tiene que acudir hoy todavía a la vieja edición de Aureliano Fernández Guerra ([1897-1907]; algo anterior, pero más asequible comercialmente es la aparecida en la Biblioteca de Autores Españoles, XXIII y XLVIII, 1852-1859, dos vols. de obras en prosa, pues el de verso, LXIX, no fue editado por Fernández Guerra), en donde se halla la mejor y más completa colección de *Obras en prosa*. Quedaron fuera algunos opúsculos políticos y festivos —los más obscenos—, la *España defendida* y algún tratadillo moral, que la crítica ha ido desempolvando. Las *Obras completas* preparadas por Luis Astrana Marín [1932], así como su estudio y edición del *Epistolario* [1946],

de quienes han intentado reducirla a capítulo o manual (desde la todavía válida contribución de Merimée, en 1866, a Bouvier [1929], Papell [1947], Carilla [1949], Bleznick [1972] o Durán [1979]; puede cumplir ese papel la antología crítica de Sobejano [1978]). Los mismos argumentos lastran los intentos de datación de su obra poética, o demasiado hipotéticos (Moore [1977]), u obligadamente parciales, a pesar del ingente esfuerzo que representan, como en el caso de Crosby [1967].

---

se consiguieron con un alarde de erudición que estuvo falto de refinamiento y ponderación, por lo que aquella masa de textos, documentos y conjeturas desorientó a lectores y críticos. La editorial sustituyó, en 1958-1960, la edición de Astrana por otra similar de Felicidad Buendía, quien se limitó a suprimir los aspectos más extravagantes de su antecesor, copiando las más de las veces a Fernández Guerra.

En cuanto a su poesía, ha trabajado sobre ella José Manuel Blecua, quien, sobre la base de un repertorio exhaustivo de las fuentes manuscritas e impresas, inició en 1969 una edición crítica (Castalia, Madrid) coronada en 1981 con el cuarto volumen. El mismo Blecua publicó una colección de propósito más divulgativo, con el título de *Poesía Original* [1963, 1968², 1980³], y varias antologías. Una nueva y excelente selección, bastante amplia, acaba de aparecer (Cátedra, Madrid, 1980), obra del profesor James O. Crosby; otra más breve, de Balcells (Plaza y Janés, Barcelona, 1980), recoge y anota cien de sus mejores poemas; y ambas contienen utilísimas referencias bibliográficas sobre los muchos poemas de Quevedo que han sido objeto de análisis y comentario singulares.

Colecciones de obras, ya más restringidas, son las siguientes. De *Obras festivas*, la de S. Koepe, *Textkritische Ausgaben einiger Schriften der «Obras festivas»* (Colonia, 1970), que incluye: *Capitulaciones de la vida de la corte y oficios entretenidos de ella*, *Premática del tiempo* y *Papel de las cosas corrientes de la corte por abecedario*; y la mía (Castalia, Madrid, 1981), que contiene: *Premática que este año de 1600 se ordenó*, *Premáticas del desengaño contra los poetas güeros*, *Memorial pidiendo plaza en una academia con las indulgencias concedidas a los devotos de monjas*, *Cuento de cuentos*, *Libro de todas las cosas y otras muchas más*, *La culta latiniparla con la aguja de navegar cultos*, la *Perinola*.

En cuanto a la edición de sus grandes obras (para el *Buscón*, cf. cap. 5), es ejemplar la que efectuó J. O. Crosby de la *Política de Dios* [1966]. *La cuna y la sepultura* ha aparecido editada por Luisa López Grigera (Real Academia Española, Madrid, 1969), aunque el texto resultante no esté falto de numerosas erratas. Las erratas destrozaron el de *La hora de todos y la Fortuna con seso* (Castalia, Madrid, 1975), de la misma quevedista, que no podemos aconsejar. Es obra que ha tenido escasa fortuna ecdótica, pues tampoco la reciente edición francesa, de Pierre Geneste, bilingüe y con rica anotación (Aubier, París, 1980), es textualmente aconsejable. Bien es verdad que los textos de Quevedo plantean problemas muy especiales. Así en los *Sueños*, cuya ponderada edición por Felipe C. R. Maldonado (Castalia, Madrid, 1973) es muy provisional. Uno de ellos, el del infierno, *Las zahúrdas de Plutón*, fue excelentemente editado por

Mucho más abundantes son los estudios que apoyándose en sus obras han analizado características de su PENSAMIENTO (F. Ynduráin [1954]) *político-social* (Maravall [1946], Lira [1948], Aranguren [1950], Bleznick [1955], Marichal [1957], Serrano Poncela [1958], Pérez Carnero [1971], Kent [1977], Gómez Quintero [1978], Iffland [1981], Querillacq [1982]), *religioso* (Láscaris [1959-1960]), *filosófico* (Laín Entralgo [1948], Kellermann [1954]), etc. Y los que se han sumido en el estudio de ese pozo sin fondo que es el ESTILO de sus obras (Spitzer [1927] en cap. 5; Muñoz Cortés [1946], Milner [1950], Parker [1952, 1969], Alarcos García [1955], Lázaro Carreter [1956, 1981], Bellini [1965], Cortazar [1966-1967], Bochet [1967], Soons [1970], Levisi [1973], Schwartz [1973], Rovatti [1973], Marcos [1977], Battaner [1981]). Con todo, los aspectos mejor estudiados continúan siendo los relativos a FUENTES concretas de pasajes, obras y actitudes (Sánchez Alonso [1924], Williams [1946], Vives Coll [1954], Schalk [1959], Castanien [1964], González [1965], Del Piero [1969], Cuevas [1979], Vermeylen [1979], Rey [1979], Balcells [1981]) o los que comentan TEMAS dominantes de su obra: la muerte (Lanza [1953], Roig del Campo [1967], Hoover [1978]), el sueño (Zardoya [1970]), el amor (Green [1952], Walters [1973]), la mujer (Mas [1957]), los judíos (Pascual [1963-1964], Martín [1979], Caminero [1979]), el tópico del «mundo al revés» (Riandère la Roche [1979], Vaíllo [1982]), etc.

Los problemas textuales, apenas comenzados a desbrozar (Crosby [1959, 1966], J. M. Blecua [1963], Jauralde [1982]), siguen quizá lastrando la perspectiva crítica. Existe, por ejemplo, una desmesurada bibliografía en torno al *Buscón* (véase el cap. 5); pero otras muchas obras ni siquiera han recibido el primer tanteo de los críticos en orden a dilucidar su forma, significación y valor. Si lo más llamativo de su estilo recibe constantes aportaciones —en nuestra selección de textos hemos procurado realzarlo dando algunas recentísimas— y si la biografía se va esclareciendo paulatinamente, se echan de menos lecturas e interpretaciones de esa retahíla de opúsculos y de obras menores, incluso de su poesía (sobre cuyo conjunto pueden verse últimamente las introducciones de Price [1969] y Blecua [1963], el artículo de Jauralde [1979], monografías

---

A. Mas (Poitiers, 1956). Es inminente la publicación de la edición de James O. Crosby, quien trabaja sobre los *Sueños* desde hace muchos años. Entre las ediciones en prensa, anotemos la muy necesaria de *Virtud militante*, a cargo de Alfonso Rey; y la de *España defendida* por quien escribe estas líneas. Este último texto no se podía leer más que en la edición paleográfica que había hecho R. Selden Rose en el *Boletín de la Real Academia de la Historia*, LXVIII (1916). Renuncio a enumerar los opúsculos, obrillas, etc., editados separadamente, para no hacer interminable esta nota.

más aspectuales, como la de Pozuelo [1979], o intentos como el de Snell [1982]). Y todo ello hace falta para una primera imagen total de Quevedo y su obra. Los múltiples asedios de Lida (ahora reunidos en [1980]) pueden ser la base de partida para una tarea que será larga y polémica; pero para la que se cuenta asimismo con las valiosas estampas de toda una serie de escritores atraídos por Quevedo: Azorín, Alfonso Reyes, Ramón Gómez de la Serna, J. L. Borges, Francisco Ayala, Garciasol, F. Umbral...

La bibliografía reciente de Crosby [1977] recoge más de un millar de entradas, sin duda duplicadas desde entonces, habida cuenta del reciente cuatricentenario y de los importantes simposios —Salamanca, Boston— celebrados con ese motivo. Ello le convierte en uno de esos clásicos en torno al cual la crítica se ha espesado, quizás alejándonoslo.

Francisco de Quevedo y Villegas (1580-1645) nació en Madrid el 17 de septiembre de 1580. Recientes investigaciones de Elliott —aún inéditas— parecen encaminarse hacia un conflictivo ingrediente más en su biografía: el de su ascendencia. Estudió con los jesuitas, y ello pudo haber influido en su tendencia al biografismo (O'Conell [1972]) y en el tono bélico de su ideología (Jauralde [1980 c]), para pasar después a las universidades de Alcalá y Valladolid. Cuando el primero de junio de 1600 obtiene su grado de bachiller en Alcalá, ya ha aparecido un soneto suyo en los preliminares de los *Conceptos de divina poesía* (1599). Es en la corte vallisoletana (1601-1606), sin embargo, donde se va a dar a conocer precozmente, dejando circular, manuscritos, opúsculos festivos en los que se burla, sin excesiva malicia, de tipos, hechos y costumbres: *Pregmática que este año de 1600 se ordenó, Pregmáticas del desengaño contra los poetas güeros, Memorial pidiendo plaza a una academia*, etc. Allí está matriculado en teología, aunque parece que no llegó a graduarse (Del Piero [1969]). El período vallisoletano es fundamental, además, por tres aspectos: la famosa antología de Pedro Espinosa *Flores de poetas ilustres* (preliminares de 1603) recoge nada menos que dieciocho de sus composiciones poéticas, que añadidas al ramillete de las ya aparecidas por entonces en preliminares, proveen de un conjunto de poemas en el que predomina lo circunstancial: tópicos y desmayados sonetos morales, panegíricos, alguna letrilla, etc. La veta humorística es la más abundante. Adelanta, por tanto, en algunos aspectos esa variedad de tonos y temas que va a ser típica de su obra poética (Blecua [1963], Pinna [1968], Jauralde [1979]), nunca publicada como libro, hasta después de su muerte (en 1648 y en 1670), pero conocida y hasta voceada por sus contemporáneos (Catalán [1952], Wilson [1955], Blecua [1963]).

Un segundo aspecto del Quevedo poeta, que complementa el anterior, lo constituyen los poemas que cruzó con Góngora: la enemistad surge precisamente en estos años por el encuentro de estas dos poderosas personalidades, ideológicamente distintas, militando en un mismo campo, el de las letras (Jauralde [1980 c], y véase Jammes [1967] en cap. 4). Es, curiosamente, un aspecto poco estudiado desde la perspectiva quevediana, quizá por la escasez de textos teóricos que en su obra se refieran a la literatura o al estilo (Komanecky [1975]). La contienda salpica la biografía de Quevedo y se recrudece en momentos muy determinados: 1609, hacia 1613 y durante los años que suceden a 1627, muerto el poeta cordobés. Quevedo, con la transmisión de los grandes poemas gongorinos, desde 1613, encontró un terreno donde desenvolverse a gusto: la parodia del novedoso y extremado estilo culterano, contra el que publicó, además, dos divertidísimos opúsculos: *La culta latiniparla* (1631) y la *Aguja de navegar cultos* (1631), probablemente redactados el mismo año de su publicación (Jauralde [1981 b]).

La actitud agresiva e imitatoriamente degradante de Quevedo con respecto a las novedades literarias quizá pueda entenderse recordando que de estos años, hacia 1604, data la primera redacción del *Buscón* (cf. cap. 5), asimilación e inmediata deformación de un género de moda entonces por un escritor joven y ambicioso, de ideología radicalizada.

Sin embargo, Quevedo no se va a presentar ni ahora ni más tarde con un carácter totalmente definido y compacto. La crítica habla constantemente de sus contradicciones y paradojas (Castro [1928], Roig Miranda [1980]). Espejo de su tiempo, quebrará infinitas veces su actitud para dar salida a la inseguridad, el desaliento o la inquietud. Estos mismos años de jactancia y seguridad juveniles son los de su corto y significativo epistolario con Justo Lipsio (Lida [1953]), en el que adopta el tono elevado y premonitorio del humanista flamenco.

En 1605 la corte vuelve a Madrid y Quevedo con ella. Hasta 1613, cuando ya se documente su presencia en Italia al servicio del duque de Osuna, van a transcurrir ocho años caracterizados por un quehacer literario cada vez más animado y disperso, y una vida cortesana llena de lances y anécdotas que desembocará, hacia 1609, en una honda crisis espiritual. Año, por cierto, durante el cual se adensan sus relaciones con la villa de La Torre de Juan Abad, en Ciudad Real, culminadas, en 1620, con la adquisición del «señorío» de la villa por Quevedo (González Palencia [1946]), quien convierte aquel rincón manchego en refugio para sus depresiones y exilios cortesanos.

¿Qué escribió Quevedo durante estos años? Indudablemente siguió cultivando la vena satírica y festiva, a la que tanto se prestaba el ambiente de la corte, pero planteándose las cosas con mayor hondura y extensión. Es probable que ya hacia 1605 hubiera redactado el primero de los *Sueños*, al que sucederán *El sueño del infierno* (dedicatoria de 1608), *El mundo por de dentro* (hacia 1612) y ya, en otras circunstancias, *El sueño de la muerte* (1622), desgajado por su tono de los tres anteriores.

En ellos nos encontramos ante un grotesco lienzo de la sociedad española, vista a través de la deformación de los grandes mitos ideológicos del Barroco cristiano. La sacralización de la cultura ha producido esta especie de monstruo que se ríe de sí mismo y de sus dogmas más incuestionables: el infierno, los condenados, la eternidad, la muerte... (Lida [1967, 1978] es la contribución esencial; complétese con Morreale [1955], Mas [1957], Müller [1966], Rovatti [1968], Nolting-Hauff [1974]). Sin embargo, en abril de 1609, entre la redacción del segundo y del tercer *Sueño*, Quevedo ha dedicado dos obras, *Paráfrasi y traducción de Anacreonte* y *Discurso de la vida y tiempo de Phocílide* (Crosby [1967]), que, al acercar un autor pagano a la actualidad y «cristianizarlo», señalan un perceptible cambio de actitud. Aun ese mismo año se ha lanzado a escribir un ensayo polémico, la *España defendida*, obra interesantísima acerca de la cultura y los «males» de España (Lida [1955 y 1963], Schmidt [1971]), truncada —como tantas veces le ocurrirá— por la crisis española de 1609.

Nos hallamos ante unos años especialmente delicados en la biografía de Quevedo —esenciales también para la historia de España— y ante esa discutida doble reacción, la agresiva y la introvertida, con que la extraordinaria sensibilidad de Quevedo recoge en los sesgos contradictorios de sus obras el devenir de la historia. Su caída en el neoestoicismo se documenta en la redacción por estos años del tratadito *Nombre, origen, intento, recomendación y descendencia de la doctrina estoica* (publicado en 1635), como refugio obligado del humanista ante la crisis (Rothe [1965], Blüher [1968], Ettinghausen [1971 y 1972]).

Dos colecciones poéticas excepcionales, las *Lágrimas de Hieremías castellanas* (1613) y el *Heráclito cristiano* (1613), limpias de gestos humorísticos u obscenos, de crítica y reflexión directas, refuerzan la impresión de este neoestoicismo (Blüher [1979]), que en el caso de nuestro autor —además de ser una estela constante en su poesía— reaparecerá al menos en dos momentos cruciales: el período 1627-1632 y los años de prisión en el convento leonés de San Marcos (Ettinghausen [1972]). Volviendo a aquellas dos colecciones poéticas, subrayemos que se trata de una lírica de tensión humana inusitada, a veces existencial (Marcilly [1959], Guerra [1959]), en el contexto de la poesía española del Barroco (D. Alonso [1950], Blecua [1963]), a pesar del brotar del común tronco petrarquista (Consiglio [1946], Green [1955], Price [1969], Close [1979], Walters [1981]). Resuenan en sus versos, perfectamente asimilados, los electrizantes sonetos de Herrera junto a la hondura conceptual de un Aldana o un fray Luis de León (una buena guía a los poemas quevedescos que han sido comentados individualmente se hallará en las antologías de Crosby y Balcells; véase n. 1). Cabría subrayar, como otra constante del quehacer literario quevediano, esa complacencia en la profundización y paráfrasis de la tradición, en la búsqueda de la originalidad a través de la recreación y no de la innovación (Blanco Aguinaga [1962], Baum [1970], Gendreau [1977]), lo que quizá pueda dar razón de otra de sus constantes estilísticas: la deformación, el retorcimiento (Alarcos García [1955], Mas [1957], Bellini [1966], Cortazar [1966-1967], Iffland [1978]).

Pero la referencia a una constante estilística, la grotesca, debe acompañarse por la constatación de una variedad de estilos según qué géneros y qué obras: la contención frente a la exuberancia, la brevedad frente a la complejidad, lo sentencioso frente a lo digresivo, etc. Y en todos los casos funcionando ya festiva, ya gravemente. Quizá la ausencia del claroscuro de la ironía —barrida por la extremosidad— y la redundancia de algunos procedimientos intensificadores como la hipérbole y la anáfora (Veres D'Ocón [1949]), o conceptuosos, como la paradoja (Roig Miranda [1980]), sean los rasgos mayores de su rica variedad expresiva.

Volvemos a 1612. A pesar de todo, Quevedo no ha impreso todavía nada. A veces, sí, por razones de censura, como en el caso de los *Sueños*; pero también por suficiencia de la peculiar transmisión manuscrita de sus obras (cf. los casos concretos estudiados por Tamayo [1945] y Crosby [1975], y el planteamiento general de la cuestión en Jauralde [1982]).

El período italiano de Quevedo (1613-1619) es de los mejor conocidos (Pérez Bustamante [1933, 1945], Crosby [1955, 1958 *a*, 1958 *b*], Serrano Poncela [1963], López Ruiz [1980]), no sólo por la documentación que su actividad política acarreaba, sino porque él mismo sintió necesidad de justificarse en varios ensayos: *Grandes anales de quince días* (hacia 1620), *Mundo caduco y desvaríos de la edad* (hacia 1621) y *Lince de Italia o zahorí español* (1628), principalmente. En 1613 estaba ya en Niza, camino de Sicilia, de donde el duque de Osuna era virrey. Le serviría como secretario, amigo y confidente en actuaciones no siempre limpias. Se ha dicho que el polígrafo madrileño cifraba en el carácter y conducta del de Osuna —aherrojado, extravertido, capaz, radical— su modelo de político para la redención o resurrección de la grandeza española (Marichal [1957]). El tema es vidrioso, porque juegan también las propias ambiciones de Quevedo, quien, por ejemplo, consigue en 1617 el hábito de Santiago y poco después una pensión —que no llegó a cobrar, en lo que se me alcanza— por sus servicios en Italia, por los mismos años que su señor declinaba en el favor real. Quevedo supo retirarse a tiempo. La conmoción que produjo el cambio de reinado le sorprendió ya en la Península, reanudando sus actividades literarias, por lo que pudo permanecer hábilmente al margen de los descalabros de la élite política a la que había servido, aunque su nombre aparece como testigo excepcional en los procesos contra el duque de Osuna y el duque de Lerma (Crosby

[1955]). Por cierto, que extraña su falta de realismo político aun después, y sobre todo después, de su quehacer diplomático.

El largo período que se abre entonces, en 1620, y culmina con su encarcelamiento, en 1639, es —literariamente— el más complejo de todos. Quevedo escribe mucho, rehace cosas viejas y, en cierto momento —al menos a partir de 1626— decide publicar obras o colecciones importantes de sus obras. Si a todo ello se añaden las numerosas ediciones piratas que, a partir de 1625 también, enriquecieron a editores desaprensivos, y las sinuosas relaciones del propio autor con algunos libreros, que editaron obras suyas sin que todavía podamos dirimir si hubo o no connivencia con el autor (Ettinghausen [1969]), el panorama quedará esquemáticamente trazado.

El *corpus* de obras concernido por este complejo entramado recoge nada menos que la primera parte de la *Política de Dios* (redactada posiblemente en 1619), obra en la que se aprovecha de su reciente experiencia política para un tratado denso de contenido político-moral (Bleznick [1955], Hafter [1959], Lida [1968-1969]) que el público leyó con avidez, seguramente por su flagrante actualidad, al estar sembrada de referencias a los privados y al arte de gobernar. De otro modo, y dada su evidente dificultad de estilo (Borges [1952]), no nos podríamos explicar que fuera la obra de Quevedo que mayor número de ediciones alcanzó en vida del autor (Crosby [1959]). Recoge también la primera edición de *Juguetes de la niñez y travesuras del ingenio* (1631), título justificativo bien claro de una actividad que a Quevedo le interesaba presentar como periclitada, como devaneos juveniles, en vista de que habían pasado ya a ediciones piratas con los títulos de *Desvelos soñolientos* o *Sueños y verdades soñadas*. En *Juguetes* embute Quevedo los *Sueños*, censurados; algunas obras festivas cortas, las más inocuas, como *El caballero de la tenaza* o el *Cuento de cuentos* (Soons [1975]), y otras escritas *ad hoc*: *La culta latiniparla* y el *Libro de todas las cosas y otras muchas más* (Jauralde [1981 a y b]). Con todo ello intentaba paliar el deterioro que su imagen pública venía sufriendo y, de paso, negaba implícitamente —también lo hizo directamente— ser el autor del *Buscón* —editado por primera vez en 1626— y de numerosos opúsculos festivos y políticos que o eran realmente suyos o se le atribuían.

Los problemas no se circunscribieron a sólo esas obras. Su carácter irascible y agresivo le valió enzarzarse por entonces en varias polémicas, algunas muy sonadas. La primera, acerca del pretendido copatronazgo de santa Teresa de Jesús, le llevó a escribir el *Memorial por el patronato de Santiago* (1628), e, inmediatamente, *Su espada por Santiago* (redactada en 1629). Al decir de un contemporáneo, Quevedo fue «el que más se dejó entender de todos» en la defensa de una tradición que tenía claras connotaciones ideológicas: conservadurismo, belicismo, misoginia, etc.

(Schramm [1950]). El lector sonríe cuando por una carta de la época se le razona su destierro de la corte tras la publicación del *Memorial* «pareciéndoles (a las autoridades) no había otro remedio para que Vuestra Merced no escribiere, habiendo tantas ocasiones sobre qué». Ni vencido ni convencido, durante su destierro redacta un nuevo memorial al rey, en el otoño de 1628: *Lince de Italia o zahorí español*, en el que ostenta sus amplios conocimientos diplomáticos y se ofrece como fiel servidor de la corona. Debió surtir el efecto deseado, porque se le levanta el destierro y, de vuelta a la corte, se empecina en una nueva zacapella contra los culteranos, reaviva sus viejas enemistades, con el maestro de esgrima Luis Pacheco de Narváez, con el padre Niseno, con Morovelli..., y se mueve cautelosamente para velar por la suerte que correrán sus obras en el *Índice de libros prohibidos* (1632) que se está acabando de redactar. Su capacidad de maniobra en la corte queda bien patente en la descarada —y probablemente bien pagada— defensa que hace de la política monetaria del conde-duque publicando anónimamente *El chitón de las tarabillas* en 1630 (Querillacq [1980], Domínguez Ortiz [1981]). El lector, sin embargo, adivinará ciertos desfallecimientos lógicos de este luchador incansable, si sabe que de estos años es también la redacción de la *Doctrina moral del conocimiento propio y del desengaño de las cosas ajenas*, germen de *La cuna y la sepultura*, la expresión más acabada del neoestoicismo quevediano (Balcells [1981]).

El ritmo incesante de trabajo va a continuar en años sucesivos, pero con significantes cambios de tono: traducciones y adaptaciones, paráfrasis, opúsculos circunstanciales, con lo que abruma a sus detractores ofreciendo la imagen del sabio cristiano que él quiso siempre hacer prevalecer. La primera parte del *Marco Bruto* (1644) pudo empezar a redactarse hacia 1632. Esos deseos de «integración», por otro lado, pueden explicar por qué se avino a contraer matrimonio, en 1634, con una viuda hidalga —doña Esperanza de Mendoza— que le habían buscado para evitar los escándalos de su soltería. Pero el matrimonio se disolvió en seguida.

Los años inmediatos vuelven a ser, literariamente hablando, deslumbrantes: el 14 de mayo de 1633 dedica *La cuna y la sepultura*; el 12 de agosto de 1634 termina *De los remedios de cualquier fortuna*; las aprobaciones de la *Introducción a la vida devota*, de san Francisco de Sales, que él dijo haber traducido total y nuevamente (pero cf. Lida [1953]), llevan fecha de enero de 1634; sólo tres meses más tarde ya ha acabado y envía la primera de las epístolas que constituirán la *Virtud militante*, que se sigue redactando hasta la primavera de 1636. Su ingenio caústico permanece oculto o brilla muy ocasionalmente, por ejemplo al poner en circulación *La Perinola* (1632) contra Pérez de Montalbán (González de Amezúa [1951], Glaser [1960], Del Piero [1961], Dixon [1964], Jauralde [1981 *a*]).

Es en las páginas, desiguales, de la *Virtud militante* (publicada en 1651) donde Quevedo expresa de manera más comprometida su doctrina del desengaño y de la vanidad de la vida, personalizando su senequismo en el declinar de su propia existencia (Rey [1980]). Las cartas de estos años también recogen los ramalazos de ese hastío amargo. Cada vez pasa más tiempo en La Torre, desde donde avizora con inquietud la marcha de los acontecimientos políticos. Al menos tres de sus grandes obras se redactan durante estos años: *La hora de todos y la Fortuna con seso* (publicada en 1650), todavía la primera parte del *Marco Bruto* (publicada en 1644) y la segunda parte de la *Política de Dios* (publicada en 1655). Temas manidos para Quevedo, pero escritos ahora con la profundidad de la madurez y la distancia, elaborados no ya para su circulación manuscrita inmediata, sino probablemente con vistas a su publicación.

Todavía, de vez en cuando, se asoma a la flagrante actualidad de su tiempo, como cuando en 1635, en uno de sus viajes a Madrid, impreca a los franceses en forma de *Carta al Serenísimo Luis XIII*, a propósito de los recientes hechos militares. Para entonces sus enemigos se habían confabulado y tenían en prensa *El tribunal de la justa venganza* (1635), libelo en el que nuestro autor cosecha todo el fruto de su desparpajo expresivo a modo de forzada retahíla de insultos y acusaciones.

Poquísimo se sabe de él entre esa fecha y el 7 de diciembre de 1639, cuando se le detiene en Madrid y se le lleva con gran sigilo y despliegue policial al convento de San Marcos, en León. La leyenda, que tanto ha hecho por enriquecer su biografía, ha venido relegando hasta hace poco (Elliott [1972], Jauralde [1980 *b*]) la evidencia que se deduce de los hechos históricos y los documentos fehacientes: Quevedo, posiblemente al servicio de la alta diplomacia española, fue acusado, entre otras cosas, de confidente de los franceses por el duque del infantado.

Durante los tres años y siete meses que pasó en el convento de San Marcos, Quevedo se entregó, pasados los desconciertos y rigores iniciales, a la redacción de tres grandes obras de tono moral (Jauralde [en prensa *b*]): *Providencia de Dios* (no publicada sino en 1700), *La constancia y paciencia del santo Job* (que tampoco se publicó hasta 1700) y *La caída para levantarse... Vida de san Pablo* (1644), obra que remoza y termina a poco de ser puesto en libertad, en junio de 1643, por lo que esta obra, la última larga que escribió —pues no se ha encontrado la segunda parte del *Marco Bruto*— es también en cierto modo su testamento espiritual (Jauralde [1980 *a*]).

Poca vida le quedará ya en 1643 —cansado, enfermo y viejo— cuando vuelva a la corte y aprenda «a andar de nuevo». Durante algunos meses prepara las ediciones del *Marco Bruto* y de *La caída para levantarse*. En noviembre de 1644 se retira definitivamente a La Torre, con la intención de preparar nada menos que una edición de sus obras, otra de sus poesías y acabar la segunda parte del *Marco Bruto*. Transcurre un año lento, vacilante, que podemos seguir casi paso a paso a través de un precioso epistolario (Lida [1953 *b*]): no ha renunciado a ninguna de sus pasiones, la literaria y la política, pero parece entregarse con mayor fervor a aquélla, quizá porque presiente la proximidad del final, quizá porque la situación política no permite más que augurios de derrota y decadencia. En una celda del convento de Santo Domingo, en Villanueva de los Infantes, donde debe de estar enterrado, murió el 8 de septiembre de 1645.

La historia crítica, desde entonces, ha comentado y engrandecido su figura histórica y literaria hasta colocarla en un lugar preeminente, no sin haber limado algunos aspectos, sobre todo los relativos a su formación y cultura (Lida [1980], Castanien [1964], González de la Calle [1965], Bénichou-Roubaud [1960], Del Piero [1969], Gendreau [1977]), que constituían parte de sus propios anhelos.

Aunque poco y de manera muy peculiar también escribió para el teatro (Alonso Cortés [1929]), a veces —como en la comedia *Cómo ha de ser el privado*— tomando el género como un pretexto más para la adulación y el medro cortesano (Somers [1956], Lida [1956]); pero otras, como en el caso de sus entremeses, empleando sabiamente los recursos de un género menor que tan acordes eran a su vena festiva y sarcástica (Herrero García [1928], Mancini [1955], Asensio [1965], Soons [1970]).

BIBLIOGRAFÍA

La ampliación de esta bibliografía puede obtenerse mediante la consulta de la bibliografía de Crosby [1976].

Alarcos García, Emilio, *El dinero en las obras de Quevedo*, discurso de apertura del curso 1942-1943 de la Universidad de Valladolid, Valladolid, 1942; y en [1965], pp. 375-442.
—, «El *Poema heroico de las necedades y locuras de Orlando el Enamorado*», *Mediterráneo*, IV (1946), pp. 25-63; y en [1965], pp. 341-374.
—, «Quevedo y la parodia idiomática», *Archivum*, V (1955), pp. 3-38; y en [1965], pp. 443-472.
—, *Homenaje al profesor Alarcos García*, vol. I: *Sección antológica de sus escritos*, Universidad de Valladolid, Valladolid, 1965. Contiene, entre otros, [1942, 1946 y 1955].
Alonso, Dámaso, «El desgarrón afectivo en la poesía de Quevedo», en *Poesía española*, Gredos, Madrid, 1952, 1966⁵, pp. 495-580.
Alonso Cortés, Narciso, «Quevedo en el teatro», *Revista de la Biblioteca, Archivo y Museo del Ayuntamiento de Madrid*, V (1929), pp. 1-22.
Aranguren, José Luis L., «Lectura política de Quevedo», *Revista de Estudios Políticos*, X (1950), pp. 157-167.

Asensio, Eugenio, *Itinerario del entremés (desde Lope de Rueda a Quiñones de Benavente)*, Gredos, Madrid, 1965.

Astrana Marín, Luis, ed., F. de Q., *Obras completas*, Aguilar, Madrid, 1932, 2 vols.

—, ed., *Epistolario completo de Quevedo*, Reus, Madrid, 1946.

Ayala, Francisco, *Cervantes y Quevedo*, Seix Barral, Barcelona, 1974.

Balcells, José María, *Quevedo en «La cuna y la sepultura»*, SGEL, Madrid, 1981.

Battaner Arias, M.ª Paz, «La lengua de Quevedo: comentarios críticos contemporáneos», *Boletín de la Biblioteca de Menéndez Pelayo*, LVII (1981), pp. 105-121.

Baum, Doris L., *Traditionalism in the works of Francisco de Quevedo y Villegas*, University of North Carolina Press, Chapel Hill, 1970.

Bellini, Giuseppe, *L'aspetto satirico in Francisco de Quevedo*, Goliardica, Milán, 1965.

Bénichou-Roubaud, Sylvia, «Quevedo helenista: El *Anacreón castellano*», *Nueva Revista de Filología Hispánica*, XIV (1960), pp. 51-72.

Blanco Aguinaga, Carlos, «"Cerrar podrá mis ojos ...": Tradición y originalidad», *Filología*, VIII, n.ᵒˢ 1-2 (1962), pp. 57-78; y en Sobejano [1978], pp. 300-318.

Blecua, José Manuel, ed., F. de Q., *Poesía original*, Planeta, Barcelona, 1963, 1968², 1980³.

—, ed., F. de Q., *Obra poética*, Castalia, Madrid, 1969, 1981, 4 vols.

Bleznick, Donald W., «La *Política de Dios* de Quevedo y el pensamiento político en el Siglo de Oro», *Nueva Revista de Filología Hispánica*, IX (1955), pp. 385-394.

—, *Quevedo*, Twayne, Nueva York, 1972.

Blüher, Karl Alfred, *Seneca in Spanien: Untersuchungen zur Geschichte der Seneca-Rezeption in Spanien vom 13. bis 17. Jh.*, Munich, 1968.

—, «Sénèque et le "desengaño" néo-stoïcien dans la poésie lyrique de Quevedo», en A. Redondo, ed., *L'Humanisme dans les lettres espagnoles*, Vrin, París, 1979, pp. 299-310.

Bochet, C., «Traits saillants de l'expression figurée dans les *Sueños* de Quevedo», *Les Langues Néo-latines*, CLXXXI (1967), pp. 81-92.

Borges, Jorge Luis, «Quevedo», en *Otras inquisiciones*, Emecé, Buenos Aires, 1952, pp. 46-54; y en Sobejano [1978], pp. 23-28.

Bouvier, René, *Quevedo, homme du diable, homme de Dieu*, París, 1929; trad. cast.: Buenos Aires, 1945.

Buendía, F., F. de Q., ed., *Obras completas. Obras en prosa*, Madrid, 1961.

Caminero, Juventino, «El léxico hebraico y su significación en la obra de Quevedo», *Letras de Deusto*, IX (1978), pp. 53-85.

Carilla, Emilio, *Quevedo (entre dos centenarios)*, Tucumán, 1949.

Castanien, Donald G., «Three Spanish translations of Epictetus», *Studies in Philology*, LXI (1964), pp. 616-626.

Castro, Américo, «Escepticismo y contradicción en Quevedo», *Humanidades*, XVIII (1928), pp. 11-17; en su libro *Semblanzas y estudios españoles*, Princeton, 1956, pp. 391-396; y en Sobejano [1978], pp. 39-43.

Catalán, Diego, «Una jacarilla barroca hoy tradicional en Extremadura y en el Oriente», *Revista de Estudios Extremeños*, VIII (1952), pp. 377-387.

Close, Lorna, «Petrarchism and the *Cancioneros* in Quevedo's love-poetry: The problem of discrimination», *Modern Language Review*, LXXIV (1979), pp. 836-855.

Consiglio, Carlo, «El *Poema a Lisi* y su petrarquismo», *Mediterráneo*, IV (1946), pp. 76-94.

Cortazar, Celina S. de, «Lo cómico y lo grotesco en el *Poema de Orlando* de Quevedo», *Filología*, XII (1966-1967), pp. 95-135.

Crosby, James O., «Quevedo's alleged participation in the conspiracy of Venice», *Hispanic Review*, XXIII (1955), pp. 259-273.

—, «Noticias y documentos de Quevedo, 1616-1617», *Hispanófila*, IV (1958), pp. 3-22.

—, «Nuevos documentos para la biografía de Quevedo, 1617-1621», *Boletín de la Biblioteca Menéndez Pelayo*, XXXIV (1958), pp. 229-261.

—, *The sources of the text of Quevedo's «Política de Dios»*, Modern Language Association, Nueva York, 1959.

—, ed., Quevedo, *Política de Dios*, Castalia, Madrid, 1966.

—, *En torno a la poesía de Quevedo*, Castalia, Madrid, 1967.

—, «Al margen de los manuscritos de los *Sueños*: la huella del lector contemporáneo», *Nueva Revista de Filología Hispánica*, XXIV (1975), pp. 364-375.

—, *Guía bibliográfica para el estudio crítico de Quevedo*, Grant and Cutler, Valencia, 1976. Véase también n. 1.

Cuevas, Cristóbal, «Quevedo, entre neoestoicismo y sofística», *Estudios sobre literatura y arte dedicados al profesor Emilio Orozco Díaz*, Universidad de Granada, 1979, vol. I, pp. 357-375.

Del Piero, Raúl A., «Las fuentes del *Job* de Quevedo», *Boletín de Filología*, XX (1969), pp. 17-133.

Dixon, Victor, «Juan Pérez de Montalbán's *Para todos*», *Hispanic Review*, XXXII (1964), pp. 36-59.

Domínguez Ortiz, Antonio, «Quevedo y su circunstancia», *Historia 16*, V (1980), pp. 50-60.

Durán, Manuel, *Quevedo*, Edaf, Madrid, 1978.

Elliott, J. H., «Nueva luz sobre la prisión de Quevedo y Adam de la Parra», *Boletín de la Real Academia de la Historia*, CLXIX (1972), pp. 171-182.

Ettinghausen, Henry, «Quevedo's *Respuesta al P. Pineda* and the text of the *Política de Dios*», *Bulletin of Hispanic Studies*, XLVI (1969), pp. 320-330.

—, «Acerca de las fechas de redacción de cuatro obras neoestoicas de Quevedo», *Boletín de la Real Academia Española*, LI (1971), pp. 161-173.

—, *Francisco de Quevedo and the Neoestoic Movement*, Oxford University Press, 1972.

Fernández Guerra, Aureliano, ed., Quevedo, *Obras*, con notas y adiciones de M. Menéndez Pelayo, Sociedad de Bibliófilos Andaluces, Sevilla, 1897-1903, 3 vols.

Gendreau, M., *Heritage et création: recherches sur l'humanisme de Quevedo*, Champion-Université de Lille, 1977.

Glaser, Edward, «Quevedo versus Pérez de Montalbán: The *Auto del Polifemo* and the odyssean tradition in the Golden Age Spain», *Hispanic Review*, XXVIII (1960), pp. 103-120.

Gómez Quintero, E. Rosa, *Quevedo, hombre y escritor en conflicto con su época*, Universal, Miami, 1978.

González de Amezúa, Agustín, «Las polémicas literarias sobre el *Para todos* de Juan Pérez de Montalbán», *Estudios dedicados a Menéndez Pidal*, II, Madrid, 1951, pp. 409-443.

González de la Calle, Pedro Urbano, *Quevedo y los dos Sénecas*, El Colegio de México, México, 1965.

González Palencia, Ángel, *Del «Lazarillo» a Quevedo*, Madrid, 1946.

Green, Otis H., *El amor cortés en Quevedo* (1952), Ebro, Zaragoza, 1955.

Guerra Flores, José, «La angustia existencialista de Quevedo», *Abside*, XXIII (1959), pp. 216-219.

Hafter, Monroe Z., «Sobre la singularidad de la *Política de Dios*», *Nueva Revista de Filología Hispánica*, XIII (1959), pp. 101-104.

Herrero García, M., «Imitación de Quevedo (por Salas Barbadillo)», *Revista de la Biblioteca, Archivo y Museo del Ayuntamiento de Madrid*, V (1928), pp. 307-309.

Hoover, L. Elaine, *John Donne and Francisco de Quevedo, poets of love and death*, The University of North Carolina, Chapel Hill, 1978.

Iffland, J., *Quevedo and the grotesque. A comprehensive approach*, Tamesis Books, Londres, 1979.

—, «Apocalipsis más tarde. Ideología y *La hora de todos*», en E. Cros, ed., *Cotextes (Quevedo: La hora de todos)*, CERS, Montpellier, 1981, pp. 27-97.

Jauralde Pou, Pablo, «La poesía de Quevedo», en *Estudios de Literatura y Arte dedicados al profesor Emilio Orozco Díaz*, Universidad de Granada, Granada, 1979, vol. II, pp. 187-208.

—, «*La caída para levantarse*, última obra de Quevedo», *Letras de Deusto*, X (1980), pp. 169-178.

—, «Realidad y leyenda de la prisión de Quevedo en el convento de San Marcos», *Tierras de León*, XL (1980), pp. 115-122.

—, *Quevedo: leyenda e historia*, Universidad de Granada, Granada, 1980.

—, «¿Escribió Quevedo una biografía extensa de santo Tomás de Villanueva?», *Mayéutica*, VI (1980), pp. 71-77.

—, ed., Quevedo, *Obras festivas*, Castalia, Madrid, 1981.

—, «Texto, fecha y circunstancias de *La culta latiniparla*, de Quevedo», *Bulletin Hispanique*, LXXXIII (1981), pp. 131-143.

—, «La transmisión de la obra de Quevedo», *Actas de la Academia Literaria Renacentista*, II, Salamanca, 1982.

—, «Obras de Quevedo en la prisión de San Marcos», *Hispanic Review*, en prensa.

—, «Texto, fecha y circunstancias del *Libro de todas las cosas y otras muchas más*, de Quevedo», *Revista de Filología Española*, en prensa.

Kellermann, W., «Denken und Dichten bei Quevedo», *Gedächtnisschrift für A. Hämel*, Wurzburg, 1953, pp. 121-154.

Kent, C., «Politics in *La hora de todos*», *Journal of Hispanic Philology*, I (1977), pp. 99-120.

Komanecky, P. M., «Quevedo's notes on Herrera: The involvment of Francisco de la Torre in the controversy over Góngora», *Bulletin of Hispanic Studies*, LII (1975), pp. 123-133.

Laín Entralgo, Pedro, «La vida del hombre en la poesía de Quevedo», *Cuadernos Hispanoamericanos*, I (1948), pp. 63-101; y en *La aventura de leer*, Espasa-Calpe, Madrid, 1956.

Lanza Esteban, Juan, «Quevedo y la tradición literaria de la muerte», *Revista de Literatura*, IV (1953), pp. 367-380.

Láscaris Comneno, Constantino, «Senequismo y agustinismo en Quevedo», *Revista de Filosofía*, IX (1950), pp. 461-485.

Lázaro Carreter, Fernando, «Sobre la dificultad conceptista», *Estudios dedicados a Menéndez Pidal*, VI, Madrid, 1956, pp. 355-386; y en su libro *Estilo barroco y personalidad creadora*, Cátedra, Madrid, 1977².

—, «Quevedo, entre el amor y la muerte», *Papeles de Son Armadans*, I (1956), pp. 145-160; y en Sobejano [1978], pp. 291-299.

—, «Un soneto de Quevedo», en su libro (en colaboración con Evaristo Correa Calderón) *Cómo se comenta un texto literario*, Cátedra, Madrid, 1974, pp. 168-176.

—, «Quevedo: la invención por la palabra», *Boletín de la Real Academia Española*, LXI (1981), pp. 23-41.

Levisi, Margarita, «La expresión de la interioridad en la poesía de Quevedo», *Modern Language Notes*, LXXXVIII (1973), pp. 355-365.

Lida, Raimundo, «Quevedo y la *Introducción a la vida devota*», *Nueva Revista de Filología Hispánica*, VII (1953), pp. 638-656; y en su libro *Letras hispánicas*, Fondo de Cultura Económica, México, 1958, 1982², pp. 124-141.

—, «Cartas de Quevedo», *Cuadernos Americanos*, LXVII (1953), pp. 193-210; en [1958], pp. 103-123; y en [1980], pp. 17-40.

—, «La España defendida de Quevedo y la síntesis pagano cristiana», *Imago Mundi*, II (1955), pp. 3-8; en [1958], pp. 142-148; y en [1980], pp. 79-86.

—, «*Cómo ha de ser el privado*: De la comedia de Quevedo a su *Política de Dios*» (1956), en [1958], pp. 203-212; y en [1980], pp. 157-167.

—, «De Quevedo, Lipsio y los Escalígeros», en [1958], pp. 157-162; y en [1980], pp. 73-121.

—, «Quevedo y su España antigua», *Romance Philology*, XVII (1963-1964), pp. 253-271; y en [1980], pp. 41-69.

—, «Para *La hora de todos*», *Homenaje a Rodríguez Moñino*, Castalia, Madrid, 1966, vol. I, pp. 311-323; en Sobejano [1978], pp. 242-254; y en [1980], pp. 223-238.

—, «Dos *Sueños* de Quevedo y un prólogo», *Actas del Segundo Congreso Internacional de Hispanistas*, Nimega, 1967, pp. 93-107; y en [1980], pp. 183-198.

—, «Hacia la *Política de Dios*», *Filología*, XIII (1968-1869), pp. 191-203; en Sobejano [1978], pp. 255-265; y en [1980], pp. 167-179.

—, «Sobre la religión política de Quevedo», *Anuario de Letras*, VII (1968-1969), pp. 201-217; y en [1980], pp. 142-156.

—, «*Sueños y discursos*: El predicador y sus máscaras», *Homenaje a Julio Caro Baroja*, Centro de Investigaciones Sociológicas, Madrid, 1978, pp. 669-684; y en [1980], pp. 198-219.

—, *Prosas de Quevedo*, Crítica, Barcelona, 1980.

Lira, Oswaldo, *Visión política de Quevedo*, Madrid, 1948.

López Ruiz, Antonio, *Quevedo y Francia*, Almería, 1980.

Mancini, Guido, *Gli entremeses nell'arte di Quevedo*, Pisa, 1955.

Maravall, José Antonio, «Quevedo y la teoría de las cortes», *Revista de Estudios Políticos*, XV (1946), pp. 145-149; y en su libro *Estudios de Historia del pensamiento español. Siglo XVI*, Cultura Hispánica, Madrid, 1975, pp. 345-354.

Marcilly, C., «L'angoisse du temps et de la mort chez Quevedo», *Revue de la Méditerranée*, XIX (1959), pp. 365-383; y en Sobejano [1978], pp. 71-85.

Marcos, B., «Desplazamientos significativos del léxico en los tres primeros capítulos de *El buscón* de Quevedo», *Letras de Deusto*, VII (1977).

Marichal, Juan, «Quevedo: El escritor como "espejo" de su tiempo», en *La voluntad de estilo*, Revista de Occidente, Madrid, 1967².

Martín Fernández, M.ª I., «Referencias judaicas en la poesía satírica de Quevedo», *Anuario de Estudios Filológicos*, II (1979), pp. 121-146.

Mas, Amédée, *La caricature de la femme, du mariage et de l'amour dans l'œuvre de Quevedo*, París, 1957.

Milner, Z., «Le cultisme et le conceptisme dans l'œuvre de Quevedo», *Les Langues Néolatines*, XLIV (1950), pp. 1-10.

Moore, R., *Towards a chronology of Quevedo's poetry*, York, Fredericton (Canadá), 1977.

Morreale, Margherita, «Luciano y Quevedo: la humanidad condenada», *Revista de Literatura*, VIII (1955), pp. 213-227.

Muñoz Cortés, Manuel, «Sobre el estilo de Quevedo: Análisis del romance "Visita de Alejandro a Diógenes Cínico"», *Mediterráneo*, IV (1946), pp. 108-142.

Müller, Franz-Walter, «Allegorie und Realismus in den *Sueños* von Quevedo», *Archiv für das Studium der Neuren Sprachen und Literaturen*, CCII (1966), pp. 321-346; y en Sobejano [1978], pp. 218-241.

Nolting-Hauff, Ilse, *Visión, sátira y agudeza en los «Sueños» de Quevedo*, Gredos, Madrid, 1974.

O'Connell, Patricia, «Francisco de Quevedo's study of philosophy in the University of Alcalá de Henares», *Bulletin of Hispanic Studies*, XLIX (1972), pp. 256-264.

Papell, Antonio, *Quevedo: su tiempo, su vida, su obra*, Barna, Barcelona, 1947.

Parker, Alexander A., «La "agudeza" en algunos sonetos de Quevedo», *Estudios dedicados a Menéndez Pidal*, vol. III, Madrid, 1952, pp. 345-360; y en Sobejano [1978], pp. 44-57.

—, «*La buscona piramidal*: Aspects of Quevedo's conceptism», *Iberorromania*, I (1969), pp. 228-234; y en Sobejano [1978], pp. 97-105.

Pascual Recuero, P., «Los judíos en las obras de Quevedo», *Miscelánea de Estudios Árabes y Hebraicos*, XII-XIII (1963-1964), pp. 131-144.

Pérez Bustamante, Ciriaco, «Un parlamento napolitano en 1617: Cartas y noticias de don Francisco de Quevedo», *Boletín de la Universidad de Santiago de Compostela*, V (1933), pp. 375-400.

—, «Quevedo, diplomático», *Revista de Estudios Políticos*, XIII (1945), pp. 159-183.

Pérez Carnero, Celso, *Moral y política en Quevedo*, Orense, 1971.

Pinna, Mario, *La lirica di Quevedo*, Liviana, Padua, 1968.

Pozuelo Yvancos, José M.ª, *El lenguaje poético en la lírica amorosa de Quevedo*, Universidad de Murcia, Murcia, 1979.

Price, R. M., ed., *An anthology of Quevedo's poetry*, Manchester University Press, 1969.

Pring-Mill, Robert D. F., «Spanish Golden Age prose and depiction of reality», *The Anglo-Spanish Society Quaterly Review*, n.ᵒˢ 32-33 (abril-septiembre, 1959), pp. 20-31.

—, «Some techniques of representation in the *Sueños* and the *Criticón*», *Bulletin of Hispanic Studies*, XLV (1968), pp. 270-284.

Querillacq, René, «A propos du "Chitón de las Tarabillas" de Quevedo, *Bulletin Hispanique*, LXXXII (1980), pp. 402-420.

—, «Ensayo de una lectura socioeconómica de la obra de Quevedo», *Criticón*, n.º 17 (1982), pp. 13-66.

Rey, Alfonso, «La sátira segunda de Persio en la poesía moral de Quevedo», *Boletín de la Biblioteca Menéndez Pelayo*, LV (1979), pp. 65-84.

—, «Para la lectura de *Virtud militante*», en *Quevedo en su centenario*, Delegación Provincial del Ministerio de Cultura, Cáceres, 1980.

Riandère la Roche, Josette, «La satire du "Monde à l'envers" et ses implications politiques dans la *Hora de todos* de Quevedo», en I. Lafond y A. Redondo, eds., *L'image du monde renversé et ses représentations littéraires et para-littéraires de la fin du XVIᵉ au milieu du XVIIᵉ*, Vrin, París, 1979.

Roig del Campo, José A., «La muerte en la poesía de Quevedo», *Humanidades*, XIX (1967), pp. 79-101.

Roig Miranda, Marie, *La paradoxe dans la «Vida de Marco Bruto» de Quevedo*, París, 1980.

Rothe, Arnold, *Quevedo und Seneca: Untersuchungen zu den Frühschriften Quevedos*, Droz, Ginebra, 1965.

Rovatti, M. Loretta, «Struttura e stile nei *Sueños* di Quevedo», *Studi Mediolatini e Volgari*, XV-XVI (1968), pp. 121-167.

Sánchez Alonso, Benito, «Los satíricos latinos y la sátira de Quevedo», *Revista de Filología Española*, XI (1924), pp. 32-62 y 113-153.

Schalk, Fritz, «Quevedo's "Imitaciones de Marcial"», *Festschrift für H. Tiemann*, Hamburgo, 1959, pp. 202-212.

Schmidt, B., «Spanienbild und Nationalismus in Quevedos *España defendida*», *Iberorromania*, III (1971), pp. 16-43.

Scramm, Edmund, «Quevedo und das Patrozinium des heiligen Jacob», *Jahrbuch für das Bistum Mainz*, V (1950), pp. 349-356.

Schwartz Lerner, Lía, «El juego de palabras en la prosa satírica de Quevedo», *Anuario de Letras*, XI (1973), pp. 149-175.

Serrano Poncela, Segundo, «Quevedo, hombre político. Análisis de un resentimiento», *La Torre*, VI (1958), pp. 55-95; y en su libro *Formas de vida hispánica*, Gredos, Madrid, 1963, pp. 64-123.

Snell, Ana María, *Hacia el verbo: signos y transignificación en la poesía de Quevedo*, Tamesis Books, Londres, 1982.

Sobejano, Gonzalo, «"En los claustros del alma ..." Apuntaciones sobre la lengua poética de Quevedo», *Sprache und Geschichte. Festschrift für Harri Meier*, W. Fink Verlag, Munich, 1971, pp. 459-492.

Sobejano, Gonzalo, ed., *Francisco de Quevedo. El escritor y la crítica*, Taurus, Madrid, 1978.

Somers, Melvina, «Quevedo's ideology in *Cómo ha de ser el privado*», *Hispania*, XXXIX (1956), pp. 261-268.

Soons, Alan, «Los entremeses de Quevedo: Ingeniosidad lingüística y fuerza cómica», *Filologia e Letteratura*, XVI (1970), pp. 424-456.

Tamayo, Juan Antonio, «El texto de los *Sueños* de Quevedo», *Boletín de la Biblioteca Menéndez Pelayo*, XXI (1945), pp. 456-493.

Vaíllo, Carlos, «*El mundo al revés* en la poesía satírica de Quevedo», *Cuadernos Hispanoamericanos*, CXXVII, n.º 380 (1982), pp. 364-393.

Veres D'Ocón, Ernesto, «La anáfora en la lírica de Quevedo», *Boletín de la Sociedad castellonense de Cultura*, XXV (1949), pp. 289-303; y en su libro *Estilo y vida entre dos siglos*, Bello, Valencia, 1976, pp. 135-155.

Vermcylcn, A., «De Calderón et d'Erasme a *La cuna y la sepultura* de Quevedo», *Les cultures ibériques en devenir. Essais publiés en hommage à la mémoire de M. Bataillon*, Fondation Singer Polignac, París, 1979, pp. 279-287.

Vives Coll, A., «Algunos contactos entre Luciano de Samosata y Quevedo», *Helmántica*, V (1954), pp. 193-208.

Walters, D. G., «The theme of love in the romances of Quevedo», en N. D. Shergold, ed., *Studies of the Spanish and Portuguese ballad*, Tamesis Books, Londres, 1973, pp. 95-110.

Williams, Robert H., *Boccalini in Spain*, Menasha, Wisconsin, 1946.

Wilson, Edward M., «Quevedo for the masses», *Atlante*, III (1954), pp. 151-166; y en su libro *Entre las jarchas y Cernuda*, Ariel, Barcelona, 1977, pp. 273-279.

Ynduráin, Francisco, «El pensamiento de Quevedo» (1954), en su libro *Relección de clásicos*, Prensa Española, Madrid, 1969, pp. 171-204.

Zardoya, Concha, «El tema del sueño en la poesía de Quevedo», *Sin Nombre*, I (1970), pp. 15-27.

FRANCISCO AYALA Y JORGE LUIS BORGES

QUEVEDO: PERSONALIDAD E IMAGEN

I.   Quevedo interpone el lenguaje como un medio denso, turbio,
aislante, entre su intimidad y nosotros. [...] No estamos ya ante
una u otra forma de aristocrática dignidad, sino más bien ante una
hostilidad beligerante que procura rechazarnos, espantarnos, alejar-
nos, negarnos, destruirnos, y que desde luego deja en nosotros inquietud, malestar. [Quevedo enmascara algo tras la costra lingüística.] Y ¿qué será lo que quiere ocultarnos con tanto ahínco? No esta
cosa o la otra, no nada concreto, sino ese algo siempre elusivo que
es el yo esencial. Lo que con ello se pretende en definitiva es defender la propia intimidad. Y bien podemos sospechar que quienes así
se hurtan y se ocultan del prójimo han de ser almas extremadamente
sensitivas, cuya delicadeza les hace temer cualquier contacto. [...]
¿Un alma tímida y pudorosa la de este Quevedo, el gran chocarrero,
el proverbial deslenguado, el cínico y satírico procaz? No dejará de
causar sorpresa e incredulidad en más de un lector semejante atribución. Y sin embargo, sí: un alma pudorosa y tímida. Este es para
mí el secreto de su personalidad. [Para Quevedo, como para el protagonista de su *Buscón*, por ejemplo, el sentimiento de vergüenza
debía de constituir una experiencia formidable, devastadora, que
encontraba motivos constantes en sus propios defectos físicos.] No
hemos de incurrir aquí, sin embargo, en el recurso demasiado fácil
de atribuir a esos defectos físicos la actitud que nuestro poeta asume

I.   Francisco Ayala, «Hacia una semblanza de Quevedo», en *Cervantes y
Quevedo*, Seix Barral, Barcelona, 1974, pp. 235-271 (240-244).
II.   Jorge Luis Borges, «Quevedo», en *Otras inquisiciones*, Emecé Editores,
Buenos Aires, 1960, pp. 55-64 (56-61, 63-64).

frente al mundo, por más dispuestos que estemos a admitir que esos defectos debieron de intensificar lo que sería en él propensión innata, exasperando su aguda sensibilidad para la miseria de la condición humana. [...] Diría yo que la insolencia provocativa de nuestro don Francisco debe entenderse como un esfuerzo desesperado por vencer su vergüenza innata; que esa crueldad implacable con que castiga al prójimo brota de su dolorido sentimiento de la miseria propia; y que, por mucho que ello suene a paradoja, sólo un alma pudorosa en exceso puede llegar a los extremos del alarde impúdico. [Podemos insertar el dato de este precoz desamparo en el cuadro interpretativo de las actitudes que nuestro poeta asumiría frente al mundo, e interpretar de esta manera rasgos esenciales de su obra, como son sus reflexiones morales sobre la miseria de la condición humana, la visión deformadora del mundo físico —y sobre todo del cuerpo humano—, su misoginia, el dualismo interno —encarnizamiento y servidumbre— frente al otro sexo y hasta ese respeto desmesurado hacia las jerarquías del mundo social.]

II. Lamb dijo que Edmund Spenser era «the poets' poet», el poeta de los poetas. De Quevedo habría que resignarse a decir que es el literato de los literatos. Para gustar de Quevedo hay que ser (en acto o en potencia) un hombre de letras; inversamente, nadie que tenga vocación literaria puede no gustar de Quevedo. La grandeza de Quevedo es verbal. Juzgarlo un filósofo, un teólogo o (como quiere Aureliano Fernández Guerra) un hombre de Estado es un error que pueden consentir los títulos de sus obras, no el contenido.

Su tratado *Providencia de Dios, padecida de los que la niegan y gozada de los que la confiesan: doctrina estudiada en los gusanos y persecuciones de Job* prefiere la intimidación al razonamiento. Como Cicerón (*De natura deorum*, II, 40-44), prueba un orden divino mediante el orden que se observa en los astros, «dilatada república de luces», y, despachada esa variación estelar del argumento cosmológico, agrega: «Pocos fueron los que absolutamente negaron que había Dios; sacaré a la vergüenza los que tuvieron menos, y son: Diágoras milesio, Protágoras abderites, discípulos de Demócrito y Theodoro (llamado Atheo vulgarmente), y Bión borysthenites, discípulo del inmundo y desatinado Theodoro», lo cual es mero terrorismo. Hay en la historia de la filosofía doctrinas, probablemente falsas, que ejercen un oscuro encanto sobre la imaginación de los hombres: la doctrina platónica y pitagórica del tránsito del alma por muchos cuerpos, la doctrina gnóstica de que el mundo es obra de un dios hostil o rudimentario. Quevedo, sólo estudioso de la verdad, es invulnerable a ese encanto. Escribe que la transmigración de las almas es «bobería bestial» y «locura bruta». Empédocles de Agrigento afirmó: «He sido un niño, una muchacha, una mata, un pájaro y un mudo pez que surge del mar»; Quevedo anota (*Providencia de Dios*): «Descubrióse por juez y legislador desta tropelía Empédocles, hombre tan desatinado, que afirmando que había sido pez, se mudó en tan contraria y opuesta naturaleza, que murió mariposa del Etna; y a vista del mar, de quien había sido pueblo, se precipitó en el fuego». A los gnósticos, Quevedo los moteja de infames, de malditos, de locos y de inventores de disparates (*Zahúrdas de Plutón, in fine*).

Su *Política de Dios y gobierno de Cristo nuestro Señor* debe considerarse, según Aureliano Fernández Guerra, «como un sistema completo de gobierno, el más acertado, noble y conveniente». Para estimar ese dictamen en lo que vale, bástenos recordar que los cuarenta y siete capítulos de ese libro ignoran otro fundamento que la curiosa hipótesis de que los actos y palabras de Cristo (que fue, según es fama, *Rex Judaeorum*) son símbolos secretos a cuya luz el político tiene que resolver sus problemas. Fiel a esa cábala, Quevedo extrae, del episodio de la samaritana, que los tributos que los reyes exigen deben ser leves; del episodio de los panes y de los peces, que los reyes deben remediar las necesidades; de la repetición de la fórmula *sequebantur*, que «el rey ha de llevar tras sí los ministros, no los ministros al rey»... El asombro vacila entre lo arbitrario del método y la trivialidad de las conclusiones.

Quevedo, sin embargo, todo lo salva, o casi, con la dignidad del lenguaje. El lector distraído puede juzgarse edificado por esa obra. Análoga discordia se advierte en el *Marco Bruto*, donde el pensamiento no es memorable aunque lo son las cláusulas. Logra su perfección en ese tratado el más importante de los estilos que Quevedo ejerció. El español, en sus páginas lapidarias, parece regresar al arduo latín de Séneca, de Tácito y de Lucano, al atormentado y duro latín de la edad de plata. El ostentoso laconismo, el hipérbaton, el casi algebraico rigor, la oposición de términos, la aridez, la repetición de palabras, dan a ese texto una precisión ilusoria. Muchos períodos merecen, o exigen, el juicio de perfectos. Éste, verbigracia, que copio: «Honraron con unas hojas de laurel un linaje; pagaron grandes y soberanas victorias con las aclamaciones de un triunfo; recompensaron vidas casi divinas con unas estatuas; y para que no descaeciesen de prerrogativas de tesoro los ramos y las yerbas y el mármol y las voces, no las permitieron a la pretensión, sino al mérito». Otros estilos frecuentó Quevedo con no menos felicidad: el estilo aparentemente oral del *Buscón*, el estilo desaforado y orgiástico (pero no ilógico) de *La hora de todos*.

«El lenguaje —ha observado Chesterton (G. F. Watts, 1904, página 91)— no es un hecho científico, sino artístico; lo inventaron guerreros y cazadores y es muy anterior a la ciencia.» Nunca lo entendió así Quevedo, para quien el lenguaje fue, esencialmente, un instrumento lógico. Las trivialidades o eternidades de la poesía —aguas equiparadas a cristales, manos equiparadas a nieve, ojos que lucen como estrellas y estrellas que miran como ojos— le incomodaban por ser fáciles, pero mucho más por ser falsas. Olvidó, al censurarlas, que la metáfora es el contacto momentáneo de dos imágenes, no la metódica asimilación de dos cosas... También abominó de los idiotismos. Con el propósito de «sacarlos a la vergüenza», urdió con ellos la rapsodia que se titula *Cuento de cuentos*; muchas generaciones, embelesadas, han preferido ver en esa reducción al absurdo un museo de primores, divinamente destinado a salvar del olvido las locuciones *zurriburi, abarrisco, cochite hervite, quítome allá esas pajas* y *a trochimoche.* [...]

Considerados como documentos de una pasión, los poemas eróticos de Quevedo son insatisfactorios; considerados como juegos de hipérboles, como deliberados ejercicios de petrarquismo, suelen ser admirables. Quevedo, hombre de apetitos vehementes, no dejó nunca de aspirar al ascetismo estoico; también debió de parecerle insensato depender de mujeres («aquél es avisado, que usa de sus caricias y no se fía de éstas»); bastan esos motivos para explicar la artificialidad voluntaria de aquella Musa IV de su Parnaso, que «canta hazañas del amor y de la hermosura». El acento personal de Quevedo está en otras piezas; en las que le permiten publicar su melancolía, su coraje o su desengaño. Por ejemplo, en este soneto que envió, desde su Torre de Juan Abad, a don José de Salas (*Musa* II, 109):

> Retirado en la paz de estos desiertos,
> Con pocos, pero doctos, libros juntos,
> Vivo en conversación con los difuntos
> Y escucho con mis ojos a los muertos.
>
> Si no siempre entendidos, siempre abiertos,
> O enmiendan o secundan mis asuntos,
> Y en músicos callados contrapuntos
> Al sueño de la vida hablan despiertos.

Las grandes almas que la muerte ausenta,
De injurias de los años vengadora,
Libra, oh gran don Joseph, docta la Imprenta.

En fuga irrevocable huye la hora;
Pero aquélla el mejor cálculo cuenta,
Que en la lección y estudio nos mejora.

No faltan rasgos conceptistas en la pieza anterior (escuchar con los ojos, hablar despiertos al sueño de la vida), pero el soneto es eficaz a despecho de ellos, no a causa de ellos. No diré que se trata de una transcripción de la realidad, porque la realidad no es verbal, pero sí que sus palabras importan menos que la escena que evocan o que el acento varonil que parece informarlas.

No siempre ocurre así; en el más ilustre soneto de este volumen —*Memoria inmortal de don Pedro Girón, duque de Osuna, muerto en la prisión*—, la espléndida eficacia del dístico «Su Tumba son de Flandes las Campañas / y su Epitaphio la sangrienta Luna» es anterior a toda interpretación y no depende de ella. Digo lo mismo de la subsiguiente expresión: «el llanto militar», cuyo sentido no es enigmático, pero sí baladí: 'el llanto de los militares'. En cuanto a la «sangrienta Luna», mejor es ignorar que se trata del símbolo de los turcos, eclipsado por no sé qué piraterías de don Pedro Téllez Girón. No pocas veces, el punto de partida de Quevedo es un texto clásico. Así, la memorable línea (*Musa* IV, 31) «Polvo serán, mas polvo enamorado» es una recreación, o exaltación, de una de Propercio (*Elegías*, I, 19): «Ut meus oblito pulvis amore vacet».

Grande es el ámbito de la obra poética de Quevedo. Comprende pensativos sonetos, que de algún modo prefiguran a Wordsworth; opacas y crujientes severidades, bruscas magias de teólogos («Con los doce cené: yo fuí la cena»); gongorismos intercalados para probar que también él era capaz de jugar a ese juego; urbanidades y dulzuras de Italia («humilde soledad verde y sonora»); variaciones de Persio, de Séneca, de Juvenal, de las Escrituras, de Joachim du Bellay; brevedades latinas; chocarrerías burlas de curioso artificio; lóbregas pompas de la aniquilación y del caos. [...]

Las mejores piezas de Quevedo existen más allá de la moción que las engendró y de las comunes ideas que las informan. No son oscuras; eluden el error de perturbar, o de distraer, con enigmas, a diferencia de otras de Mallarmé, de Yeats y de George. Son (para de alguna manera decirlo) objetos verbales, puros e independientes como una espada o como un anillo de plata. Esta, por ejemplo: «Harta la Toga del veneno tirio».

Trescientos años ha cumplido la muerte corporal de Quevedo, pero éste sigue siendo el primer artífice de las letras hispánicas. Como Joyce, como Goethe, como Shakespeare, como Dante, como ningún otro escritor, Francisco de Quevedo es menos un hombre que una dilatada y compleja literatura.

HENRY ETTINGHAUSEN, KARL A. BLÜHER
Y JOSÉ M.ª BALCELLS

EL NEOESTOICO

1. Casi hubiera resultado extraño que Francisco de Quevedo no se hubiese sentido atraído por la doctrina de los estoicos, que ofrecía consuelo para el infortunio y exhortaciones a confiar tan sólo en uno mismo. Continuos reveses de fortuna se abatieron sobre su vida: la mala salud, la penuria, la prisión, los pleitos y un breve y desastroso matrimonio con una viuda mayor que él jalonaron una brillante carrera de diplomático y de escritor. Pero hubo dos períodos —aparte del encarcelamiento final en León entre 1639 y 1643, durante el cual compuso sus últimas obras estoicas, *La constancia y paciencia del santo Job* y *Providencia de Dios*— que fueron decisivos para la evolución de su neoestoicismo.

El primero, caracterizado por lo que parece haber sido una aguda y prolongada crisis de conciencia, puede situarse aproximadamente desde 1609 hasta su partida a Italia en 1613. Todo coincide en indicar que en este período Quevedo se sentía profundamente apenado por los más

1. H. Ettinghausen, *Francisco de Quevedo and the neoestoic movement*, Oxford University Press, 1972 (pp. 15-19 y 80-81).

II. Karl A. Blüher, «Sénèque et le "desengaño" néo-stoïcien dans la poésie lyrique de Quevedo», en A. Redondo, ed., *L'Humanisme dans les lettres espagnoles*, Vrin, París, 1979, pp. 299-310 (300-302).

III. José M.ª Balcells, *Quevedo en «La cuna y la sepultura»*, SGEL, Madrid, 1981, pp. 110, 113-116.

frívolos de sus escritos juveniles y por su conducta como ingenio universitario. En el año 1609 ingresó en la piadosa Congregación del Oratorio del Olivar, y dedicó al duque de Osuna sus traducciones de Anacreonte y del *Carmen admonitorium* del seudo Focílides, uno de sus primeros intentos de cristianizar a un autor clásico. Por esta época ya había escrito su *España defendida*, una multitud de *Cartas* satíricas, *Premáticas, Memoriales* y *Genealogías*, así como por lo menos los tres primeros *Sueños*, que muestran actitudes muy críticas respecto a la España contemporánea, a la vida en general y a sí mismo en particular. La «verdadera dualidad "esquizofrénica" que se da en el carácter de nuestro satírico» sin duda alguna le atormentaba tanto como sigue atormentando a sus biógrafos. Incluso en esta etapa primeriza de su carrera no deja de hablar de sí mismo en términos muy duros, considerándose como moralmente reprensible. Ya en uno de sus primeros *Memoriales* vemos cómo se describe a sí mismo en una serie de retruécanos conceptistas, jugando con las antítesis, como «hombre de bien, nacido para mal ... que ha tenido y tiene, así en la corte como fuera della, muy grandes cargos de conciencia; dando de todos muy buenas cuentas, pero no rezándolas; ordenado de corona, pero no de vida ... corto de vista, como de ventura ... falto de pies y de juicio»; en 1607 en la dedicatoria de su segundo *Sueño* al conde de Lemos, declara: «Bien sé que a los ojos de vuecelencia es más endemoniado el autor que el sugeto»; y en el cuarto, dedicado a Osuna entre tres y cinco años después, se pinta a sí mismo como «todo en poder de la confusión, poseído de la vanidad de tal manera que en la gran población del mundo, perdido ya, corría donde tras la hermosura me llevaban los ojos, y adonde tras la conversación los amigos, de una calle en otra, hecho fábula de todos; y en lugar de desear salida al laberinto, procuraba que se me alargase el engaño». Podemos deducir que esto es algo más que una pose literaria por la lastimosa y humilde carta que envió a su amigo Tamayo de Vargas en 1612 junto con su primera obra estoica, y por otra epístola, contrita y arrepentida, que mandó a su tía al año siguiente junto con el conjunto de poemas que tituló «Lágrimas de un penitente».

Una segunda crisis de importancia se produjo unos veinte años después, y culminó con la inclusión del nombre de Quevedo en el *Índice* de 1632. [...] Sus causas quizá sean un poco más claras que las de la primera crisis, y parecen deberse principalmente a los problemas que le asediaban en cuanto escritor. En primer lugar, en torno al año 1630 los ataques de sus enemigos literarios originaron en él una verdadera manía persecutoria. [...] Dos problemas más, que fueron también los motivos por los que su nombre se incluyó en el *Índice*, fueron el plagio y la publicación de obras que se le atribuían falsamente. Un año después de que se le incluyera en el *Índice*, en el prólogo a *La cuna y la sepultura*, manifestó su intención de publicar todo lo que había escrito, porque «siendo bastantes mis ignorancias para culparme, la malicia ha añadido a mi nombre obras impresas y de mano que nunca escribí». Sin embargo, en esta época sus conflictos profesionales no terminaron ahí, ya que el mismo período le vio incurrir en la más grave de las censuras que iba a conocer toda su carrera. [...]

Sin duda no es casual que esta segunda crisis fuese acompañada por un alud de escritos estoicos, y que a partir de entonces nuestro autor sólo publicase obras graves. En 1630 la aparición de la *Doctrina moral del conocimiento propio y del desengaño de las cosas ajenas* señala el comienzo de un nuevo intento por su parte de demostrar su respetabilidad. Su primera publicación, después de que su nombre apareciera en el *Índice*, fue *La cuna y la sepultura*, una versión más manifiestamente cristiana de la misma obra. En 1635 publicó sus traducciones de Epicteto y del seudo Focílides, junto con su ensayo sobre los estoicos y la defensa de Epicuro, y tres años más tarde su traducción e imitación del *De remediis fortuitorum*, supuestamente atribuida a Séneca. Su *Virtud militante*, que apareció póstumamente en 1651, se compuso entre 1634 y 1636.[1] Muy signi-

1. [«La *Virtud militante* constituye un interesante testimonio de la evolución ideológica alcanzada por Quevedo en la última década de su vida. Atrás parecen haber quedado los proyectos de reivindicar a Epicuro y Epicteto, de cristianizar el pensamiento estoico, de conciliar la Biblia con la cultura pagana. Más que la obra de un "Lipsio de España en prosa", como Lope llamó a Quevedo, o de un "Séneca cristiano", como lo bautizó el padre Nieremberg, la *Virtud militante* es una ostentación de ortodoxia cristiana, poco interesada en integrar la cultura de los gentiles. Si en una carta al duque de Medinaceli Quevedo se enorgullece de servirse solamente de "Sagradas Escrituras y santos padres, y teología escolástica", el comienzo de la obra se presenta de manera significativa: "La Iglesia Cathólica nos a enrriquezido con la Dotrina de tantos Sanctos Padres, i Doctores que no tenemos ocasión de mendigar Enseñanza de los Philósophos. Mexor, i más segura escuela es la de los Sanctos" ... La síntesis de paganismo y cristianismo, perseguida con ahínco en los primeros escritos doctrinales de Quevedo, se rompe en *Virtud militante* a favor del segundo término. El autor que en diversas ocasiones ofreció una interpretación deformada de los clásicos para acomodarlos a la verdad cristiana (*Anacreonte castellano, Vida y obra de Focílides, De los remedios de cualquier fortuna, Defensa de Epicuro*) los considera ahora simple apoyo erudito o ejemplo oportuno para ponderar la ceguera de los malos cristianos. Las dudas que existen sobre las fechas de redacción de varias obras doctrinales plantean dificultades a la hora de trazar la evolución ideológica de Quevedo, interpretada de distinta manera por algunos críticos. Pero no parece difícil considerar la *Virtud militante* como la mejor muestra del tránsito hacia una ortodoxia más celosa y menos interesada en incluir en su seno el pensamiento no cristiano. Esa evolución, de la que Raimundo Lida [1955] encuentra atisbos en 1609, cuando Quevedo escribe *España defendida*, aparece aquí consumada. Las obras de los últimos años, *La constancia y paciencia del santo Job, Providencia de Dios, Vida de san Pablo*

ficativo es el hecho de que en la dedicatoria de esta obra y de *La cuna y la sepultura*, insista tanto en el contraste que según él ofrecen su vida y sus escritos, afirmando que no les quita ningún valor el que él no haya practicado lo que predican.

Los tres períodos en los que Quevedo se orientó de un modo más activo hacia el estoicismo —el tercero fue el de su encarcelamiento en León hacia el final de su vida— señalan los momentos culminantes de crisis personal en su biografía. Como en los casos de Montaigne y de Lipsio, la atracción que ejercían en él los ideales de imperturbabilidad estoica y de no depender más que de sí mismo, evidentemente estaba en proporción directa con su propia necesidad de disponer de un escudo eficaz ante la adversidad y ante su modo de ser que era esencialmente contrario al estoicismo. Cuando insiste en que sus lectores sólo presten atención a sus «interioridades», a menudo parece que se está dirigiendo, tanto como a ellos, a su propia condición descarriada.

11. Siguiendo el ejemplo de otros escritores neoestoicos de su época, como Justo Lipsio y Du Vair en Francia, Quevedo se apropió sobre todo el fondo moral de la doctrina estoica que acepta en la medida en que no contradice explícitamente los dogmas de la Iglesia (como ocurre sobre todo en el caso de los dogmas estoicos de la apatía y del suicidio). Quevedo funda su conocimiento directo del antiguo estoicismo en las obras de Séneca, de quien tradujo las *Cartas a Lucilio* (traducción perdida en gran parte) y el epítome *De remediis fortuitorum* (*De los remedios de cualquier fortuna*, 1638), así como en el *Manual* de Epicteto, del que publicó una adaptación en 1635.

Relativamente pronto entró en relación con los círculos humanistas españoles de la época que se interesaron por Séneca y el estoicismo. Pero fue Justo Lipsio, con quien inició una correspondencia latina en 1605, y cuyas obras neoestoicas utilizará más tarde en su *Nombre, origen, intento, recomendación y descendencia de la doctrina estoica* (1634), quien le proporcionó el ejemplo más completo de una reconstitución sistemática del pensamiento estoico de la Antigüedad. Al igual que Justo Lipsio, Quevedo parece haber descubierto la filosofía estoica después de una profunda crisis

---

apóstol, mantienen ese tono religioso, intensificado tal vez. Desde 1634, fecha en que parece haber comenzado la redacción de *Virtud militante*, hay más indicios del celo ortodoxo de Quevedo». Alfonso Rey [1980], pp. 111-112.]

moral que le hizo dudar de las doctrinas que se enseñaban en las universidades, y que le condujo a buscar una solución personal por medio de un conocimiento mejor de sí mismo. A su manera, Quevedo intentará durante largos años conciliar la doctrina de los estoicos con un pensamiento cristiano que para él está fuertemente marcado por la tradición agustiniana y teñido de algunos vestigios del erasmismo del siglo XVI. En los últimos años de su vida cree además haber encontrado la justificación de su tentativa en la tesis de una influencia directa del Antiguo Testamento, sobre todo del *Libro de Job*, en los escritos de los estoicos, en especial sobre Epicteto, pero también sobre Séneca.

Puede decirse que el neoestoicismo de Quevedo se manifiesta del modo más explícito en su *Doctrina moral* (que puede fecharse en 1612) y en la *Doctrina estoica* de 1634. Pero también se advierte su huella en varias otras obras en prosa, especialmente en los textos que Quevedo añadió a su traducción del tratado seudosenequista *De remediis fortuitorum*, en la *Virtud militante*, *La constancia de Job*, *Providencia de Dios*, al igual que en otros textos y cartas. Del análisis de todos esos escritos, pero de un modo especial de *La doctrina cristiana*, se deduce que hay tres aspectos que desempeñan un papel preponderante en la reflexión neoestoica de Quevedo: el conocimiento de sí mismo, la idea de la desilusión («desengaño») y el pensamiento de la muerte. Resulta revelador que precisamente dos de estos aspectos aparezcan en el título de la primera obra neoestoica de Quevedo, la *Doctrina moral del conocimiento proprio et del desengaño de las cosas ajenas*, mientras que el tercer aspecto surge en el título de la versión definitiva de esta misma obra, *La cuna y la sepultura* (donde la palabra «sepultura» designa por metonimia la muerte).

Evidentemente, Quevedo no es un pensador sistemático. Y en sus obras siempre es posible advertir contradicciones e incoherencias. No obstante, del conjunto de sus escritos se desprende una cierta unidad y una coherencia interna en lo que concierne a su pensamiento neoestoico. Según Quevedo, gracias al conocimiento de sí mismo el hombre puede llegar al conocimiento del mundo y de Dios, y puede alcanzar esa tranquilidad y esa paz del alma que en la doctrina de los estoicos es el objeto supremo al cual tienden todos los esfuerzos humanos. Al igual que los estoicos, Quevedo confía en la razón del hombre como medio para aspirar a este objetivo. La razón humana es la que debe conducir al hombre a un verdadero conocimiento de las cosas. La razón, que es la única capaz de desenmascarar las falsas «opiniones» que, siempre según la doctrina estoica, suscitan y provocan las «pasiones» que turban el alma y le impiden hallar la tranquilidad.

Por un juicio ejercido sobre el verdadero valor de las cosas, el entendimiento humano llega a reconocer la fragilidad y la nada de los anhelos y de los temores, y consigue dominar sus pasiones, la concupiscencia, la codicia, la ambición, la cólera, el miedo, e incluso la angustia de la muerte.[2] El desengaño estoico, tal como lo concibe Quevedo, consiste, pues, en un acto de desilusión respecto a las apariencias engañosas de las cosas y respecto a las pasiones injustificadas.

2. [«Después de haber convertido el objeto de los deseos del hombre en *indifferentia* o en algo peor, Quevedo trata de persuadir a sus lectores de que lo que más temen no sólo es "indiferente" sino incluso deseable. Al igual que Séneca y Epicteto presta mucha atención al miedo a la muerte, y, como ellos, combate la opinión del *vulgus*: "Conviene que te certifiques de que la opinión hace medrosos muchos casos que no lo son; sea por todos el de la muerte. ¿Qué cosa más terrible, así representada, más fea ni más espantosa? Y si dejas la opinión que della tiene el pueblo, verás que en sí no es nada de eso, y antes hallarás que hace mucho por hacerse amable, y aun digna de desprecio antes que de miedo". Una vez más aquí su método consiste en glosar argumentos que se encuentran en Séneca y en el seudo Séneca. La muerte es inevitable y necesaria, un término a los males de la vida, que no exceptúa a nadie, no es un castigo sino una ley de la vida, parte del mismo hecho de vivir y envejecer que todos desean. Hasta la recomendación de que se aprenda de los filósofos y de los hombres virtuosos cómo vivir y morir bien, y familiarizarse con la muerte, tiene paralelos en los estoicos. Como en *De los remedios de cualquier fortuna*, se acumulan argumentos sin que al parecer se preocupe mucho porque sean compatibles entre sí: en un pasaje Quevedo utiliza el argumento erasmiano de que el miedo a la agonía es un engaño de la naturaleza que tiene por misión disuadirnos del suicidio; pero unos pocos renglones más abajo, una vez más en un estilo que recuerda al seudo Séneca, da como última respuesta a las desdichas de la vida la solución estoica del suicidio: "Dirás que es dolorosa y llena de congojas y parasismos. Pues dime, si eso no hubiera en la muerte, siendo tan desdichada la vida, ¿quién no la tomara por sus manos? Prevenida la naturaleza la cercó de congojas, y la hizo parecer temerosa, para que los hombres viviesen algún tiempo ... Si has vivido contento y todo te ha sucedido bien, harto de vida despídete della. Y si todo te ha sucedido mal, ¿para qué quieres añadir cada día más trabajo? Vete enfadado. Y si te ha sucedido unas veces mal y otras bien, no hay más que experimentar; cánsate de repetir una misma cosa. Poca honra tienes, pues sabiendo que te ha de dejar a ti la vida, aguardas ese desprecio della, y no la dejas antes, pudiéndolo hacer". No obstante, ambos argumentos tienen en común el tono de la melancolía senequista que Quevedo comenta en la dedicatoria de *De los remedios de cualquier fortuna*, y ambos dan a entender que los sufrimientos que representa morir son preferibles a los que proporciona la vida.» H. Ettinghausen [1972], pp. 80-81.]

Esta doctrina neoestoica del desengaño encuentra apoyo en la conocida tesis del *Manual* de Epicteto, según la cual hay que distinguir las cosas que pertenecen al dominio del hombre, es decir, sus bienes interiores (*las cosas propias*) de las que no pertenecen a este dominio (*las cosas ajenas*). El razonamiento de Quevedo se basa además en los argumentos por los cuales Séneca (en desacuerdo con el pensamiento de los antiguos estoicos griegos) afirma un dualismo fundamental en lo que concierne a las relaciones entre el alma y el cuerpo, y observa una oposición absoluta entre los poderes racionales del hombre y sus poderes irracionales, de decir, las pasiones. También Séneca es quien proporciona a Quevedo los pensamientos esenciales que le ayudan a combatir el miedo a la muerte. De este modo la reflexión neoestoica de Quevedo presenta los rasgos completos de una filosofía moral humanista, aunque ajustada, en la medida de lo posible, al pensamiento cristiano.

Estas precisiones pueden permitirnos apreciar mejor la reflexión estoica contenida en la poesía lírica de Quevedo. En efecto, en el fondo son exactamente las mismas tesis que se repiten en los poemas de nuestro autor. Encontraremos continuamente las huellas de un pensamiento neoestoico que se centra en los tres aspectos dominantes: conocimiento de sí mismo, desengaño respecto a las cosas que no pertenecen al dominio del hombre, y pensamiento profundo e intenso, por no decir obsesivo, referido a la muerte.

III. La idea de que el hombre va muriéndose mientras vive se encuentra ya en la Biblia: en el *Liber II Regum* (XIV, 14) puede leerse que el individuo se muere de forma parecida a como el agua se va consumiendo en la tierra, irreversiblemente: «Omnes morimur et quasi aquae dilabimur in terram, quae non revertuntur ...». Sin embargo, en la Sagrada Escritura apenas si reviste el tema alguna significación. En las letras clásicas presenequianas tampoco falta, como se aprecia, por ejemplo, en unos versos de Ovidio («Nascique vocatur / incipere esse aliud quam quod fuit ante, morique desuere illud idem ...»). Pero la verdadera fortuna del asunto se gesta cuando Séneca acierta a formularlo en los siguientes términos: «Memini te illum locum aliquando tractasse, non repente nos in mortem incidere, sed minutatim procedere. *Cotidie morimur*; cotidie enim demitur aliqua pars vitae, et tunc quoque, cum crescimus, vita decrescit».

Esta tesis, tan magistralmente conformada por Séneca, fue tópica entre los estoicos, y continua en las páginas del filósofo de Córdoba. No extraña, pues, que el propio Quevedo, en *Doctrina estoica*, utilice, al calificar la ética de aquellos pensadores, uno de los principios que de ellos aprendió: «Vivían para morir —dice don Francisco—, y como quien vive muriendo». Y en el prólogo a su *Epicteto y Focílides en español, con consonantes*, traza una apretada síntesis de las enseñanzas estoicas del frigio, y subraya la que prescribe que «Vivamos no sólo como quien algún día ha de morir, sino como quien cada instante muere». [...] Posiblemente no haya en la obra de Quevedo un tema tan recurrente como el *Cotidie morimur*, y los subtemas derivados: nacer como empezar a morir, y el morir como término de una vida que no es sino progresiva muerte. [...]

En *El sueño de la muerte*, la idea del *Cotidie morimur* cobra un despliegue de inusitada agudeza, y de variado registro lingüístico, partiendo —es obvio— de la insustituible premisa: «Y lo que llamáis morir es acabar de morir, y lo que llamáis nacer es empezar a morir, y lo que llamáis vivir es morir viviendo». En el *Discurso de todos los diablos*, el tema da pie para una paradoja que se repetirá en otros papeles quevedianos: si al nacer se muere uno, se sigue que antes de pensar en qué sea la existencia, el individuo ya se encamina hacia el sepulcro: «... viviré sin saber qué es vida; empezaré a morir sin saber qué es muerte».

El *Cotidie morimur* aparece ya en el «Proemio» de *La cuna y la sepultura*: «... empieça el hombre a nacer y a morir; por esto, quando muere acaba a un tiempo de vivir y de morir». En el primer capítulo, retomando la fórmula del *Discurso de todos los diablos*, dirá: «Antes empieças a morir que sepas qué cosa es vida». El asunto comparece de nuevo en este capítulo inicial, no falta en el cuerpo del tratado, y todavía reaparece en el apéndice. Es decir, el *Cotidie morimur* impregna el volumen desde el prólogo hasta *Doctrina para morir*, texto en el que don Francisco argumenta que si recelara comunicar al moribundo que fallece, equivaldría a poner en duda su capacidad pensante, pues ya se lo advirtió el momento en que vino al mundo, y a lo largo de su existencia nunca ha cesado aquella amonestación. Pero léase en los términos quevedianos: «Rezelar dezir a v.m. que se muere, es acusarle el discurso de ombre y negarle la razón. Bien claro se lo dixo el primer instante de su nacimiento. ¿Qué día se lo a callado?; ¿qué hora, qué instante, no a sido cláusula con que el tiempo a pronunciado a v.m. esta lei, que llama sentencia?».

En *Virtud militante*, y en las páginas dedicadas a la soberbia —1636—, Quevedo escribe: «Muriendo vivimos, y vivimos en muerte, en horror, miseria, forzoso desprecio». Y más adelante: «vives ceniza, y salud enferma, y muerte que el primer día empezó, y cada día es más muerte, y el postrero lo acaba de ser». En *Providencia de Dios*, se lanza una réplica contra el que no cree en la inmortalidad del alma, al que se contesta tirando del *Cotidie morimur*: «Engáñaste como los necios, que dicen que todo es vida hasta la muerte, siendo muerte toda la vida, y lo que llamas muerte su último y menor instante. No porque lo digas dejas de morir cada hora que vives. Ni porque digas que tu alma muere dejará de vivir, como inmortal». Después, el moralista redunda en la idea de que se empieza a fallecer con anterioridad a que se sepa qué cosa es vida. En este argumento usa Quevedo unas fórmulas parecidas a las del *Discurso de todos los diablos* y *La cuna y la sepultura*: «... el pie recién nacido, que no puede dar paso en la vida, le da en la muerte».

El *Cotidie morimur* se plasma también en la poesía de Quevedo, en especial en los denominados poemas «metafísicos», molde que de por sí fuerza al escritor a unas formulaciones lingüísticas de gran aprieto y concisión expresiva para insertarlas adecuadamente en el decurso de las líneas versales. He aquí una serie de variantes del tema en algunos textos: «... morir vivo es última cordura»; «Vive muerte callada y divertida / la vida misma»; «muerte viva es, Lico, nuestra vida ... cada instante en el cuerpo sepultada»; «vivo como hombre que viviendo muero»; «muriendo naces y viviendo mueres». Prosiguiendo el recorrido a través de sus poemas originales, el tema del morir permanente surgirá aún en distintos momentos: en el soneto-epitafio al «Sepulcro del buen juez Don Berenguel de Aois», Quevedo remata, en impresionante sentencia («Edificó viviendo amortajado») la idea del *Cotidie morimur* que aquel jurisconsulto ejemplificó en vida.

Prescindiendo del juego con los conceptos «muerte» y «vida», caros a su poesía amorosa, por suponer más que nada un escolasticismo petrarquesco —no exento, empero, de vivencialidad—, sépase que las aludidas antítesis no ejercen a veces en la obra quevediana sino una función estilística, poética, como en los siguientes versos: «vieja superlativa, / en quien la Muerte dicen que está viva / y anda la vida muerta». [...]

Pese a la afirmación de Jáuregui en el sentido de que don Francisco hizo un empleo desmesurado del tópico en cuestión, no deja de ser cierto que hay algo más que mero lugar común en este motivo quevedesco. Precisamente Francisco Ayala, comentando el *Cotidie morimur* plasmado en *La cuna y la sepultura*, salía al paso de quienes consideran estas ideas como *topoi* de cuño estoico-cristiano, y afirmaba su pretensión de no subrayar tanto «el contenido intelectual —aunque ya sea elocuente su frecuencia obsesiva— como la autenticidad de la preocupación y del sentimiento, delatada en la vibración del tono». La consecuencia se desprende por sí misma: Quevedo hace de este tópico un apropiamiento personal que ocasiona ribetes de originalidad. Dicho de otro modo: si en *La cuna y la sepultura* se utilizan tópicos por doquier, algunos sin traslucir apenas la sensibilidad del autor, en ciertos *tradita*, como es el caso del *Cotidie morimur*, Quevedo supo hallar la identificación con el *topos* a través de unas vivencias concordes con el ideario estoico que tanto estudió.

José Luis L. Aranguren y Monroe Z. Hafter

LA *POLÍTICA DE DIOS*

I. Quevedo poseía una mente ordenada y ordenadora, pero no creadora ni sistemática. La falta de sistema es patente. En cuanto a la de creación (no hablo, naturalmente, de creación literaria), según creo, también Quevedo no fue en rigor, *pensador*, sino más bien un profundo *re-pensador*. En él no puede encontrarse, como en Cervantes, una meditación o una simbolización *originaria* de la realidad de la vida. Él se apoya, para cada paso, en la filosofía estoica, perfeccionada, como escribió, con la verdad cristiana. Por el otro lado no era, según acabamos de decir, pensador de *sistema*, como un escolástico, sino de *situación concreta*, como un hombre de su tiempo. Y así su obra política más importante, la *Política de Dios*, desde la dedicatoria al conde-duque al colofón en que manifiesta que escribió el libro con el propósito de servir al monarca, está referida a la situación de la monarquía española bajo Felipe III y Felipe IV. Quevedo escribe siempre, salvo cuando su escritura es pura entrega al talante atrabiliario, agrio y mordaz, de religión para edificar, de moral para adoctrinar, de literatura para satirizar y enmendar, de política para exhortar al rey a asumir, por entero, su regio oficio. Particularmente toda su obra política no es más que una amonestación, una llamada

I. José Luis L. Aranguren, «Lectura política de Quevedo», *Revista de Estudios Políticos*, XXIX (1950), pp. 157-167 (157-163).

II. Monroe Z. Hafter, «Sobre la singularidad de la *Política de Dios*», *Nueva Revista de Filología Hispánica*, XIII (1959), pp. 101-104 (102-104).

al cumplimiento del deber, un *Memorial*. Pues, según escribe en la *Política de Dios*, «conviene que el Rey pregunte lo que dicen del»; pero, si no lo hace, será lícito que «el que sirve con más fervor, que confiesa más y conoce la grandeza de su señor —es decir, llegado el caso, el propio Quevedo—, hable por todos».

Basta repasar el índice de esta obra para advertir que toda ella consiste en una suasoria, discurso o epístola, dirigida al monarca para que acepte sobre sí y no descargue en validos la «cura regia», el *cuidado*, la preocupación, la carga de la monarquía: que el rey sepa no sólo lo que da, más bien lo que le toman; que su presencia es la mejor parte de lo que manda; que no descuide en sus ministros; que dé audiencias y atienda las peticiones; que ayude a los solos, a los necesitados, a los desamparados; que lleve tras sí a los ministros y no a la inversa; que «el descanso de los reyes en la fatiga penosa del reinar» debe ser, como el de Cristo con la samaritana, empezar otro trabajo; que «ningún vasallo ha de pedir parte en el reino al rey ni que se baje de su cargo, ni aconsejarle que descanse de su cruz, ni descienda della»; que «el verdadero rey puede tener poca edad, no poca atención; en fin, que «no es buen ministro el que mira por la seguridad del príncipe y por su descanso», sino el que sólo quiere ser mero ejecutor de la voluntad de su Señor. Este gran tema estoico de la preocupación o cuidado es el motivo conductor de la obra quevedesca. Desde las primeras palabras, tras el Pregón de la Sabiduría, advierte a los reyes que «a vuestro cuidado, no a vuestro albedrío, encomendó las gentes Dios nuestro Señor, y en los estados, reinos y monarquías os dió trabajo y afán honroso, no vanidad ni descanso». «Los ojos del príncipe es la más poderosa arma», escribe un poco más adelante, pues el peligro está en si los reyes «se dejan cegar y tapar los ojos», y «reinar es velar. Quien duerme no reina». El buen rey, como Cristo, que «hasta su muerte no inclinó la cabeza», «tiene discípulos, no tiene privados que le descansen; él los descansa a ellos». Y dirigiéndose directamente a su rey, le advierte: «Sospechosos deben ser a los reyes, señor, los solícitos de su comodidad y descanso, pues su oficio es cuidado». Cristo enseña a los reyes que «su oficio es de pastores»; mas «el pastor que duerme y no vela su ganado, ni guarda las vigilias de la noche, él propio es lobo de sus hatos». Quevedo, en fin, se revela tan enemigo de la «diversión real» como Pascal de la «diversión humana»: «Quien divierte al rey, le depone, no le sirve», pues «para esto nacen los reyes, para su desnudez y desabrigo, y remedio de todos». [...]

Pero los reyes contemporáneos, Felipe III, Felipe IV, tendían a hacer dejación de su sagrada tarea en manos de validos o· privados. Quevedo, que tenía una idea a la vez divina y patriarcal del Poder real, fía en los reyes, pero no en los validos; piensa que sólo el padre, no un extraño, puede gobernar con acierto la casa familiar de España. Por eso exhorta al rey a ejercer su oficio con plena *libertad*, libertad de sus pasiones, libertad de los entrometidos, validos, extraños: *absolutismo del cuidado* y responsabilidad sólo ante Dios: «Señor, la vida del oficio real se mide con la obediencia a los mandatos de Dios y con su imitación».

Para apercibir, pues, al monarca, no para formular una teoría del Estado, escribe Quevedo. Pero determinado a componer un tratado, era menester darle algún orden y arquitectura. Y entonces, nuestro gran escritor, falto de sistema, sustituye éste por la guía del *comentario*, método tan suyo, tan español y tan cristiano. Pero ahora no serán Séneca o Plutarco, y ni siquiera el libro de Job, los comentados, sino los mismos Evangelios, traspuestos del plano estrictamente religioso al político-religioso, el de la «enseñanza política y católica», como dice el mismo Quevedo, o «silva de discursos sagradamente políticos», según le llamó en su *aprobación*, el calificador del Santo Oficio Esteban de Peralta.

El sacar enseñanza de la Biblia para todos los estados, oficios y acciones, es nota propia de las épocas de fe viva. Ciertamente, el hábito católico de descubrir el sentido *figurado* ayuda aquí, y más a un escritor que, como el buen barroco, no se para en barras. Pero, en cualquier caso, tiene razón Quevedo al ampararse en la fecundidad de la Sagrada Escritura y en la certeza de que la vida entera de Cristo, en todas y cada una de sus acciones, es fuente de provechosas enseñanzas. Sin embargo, no debemos creer que efectivamente y punto por punto, Quevedo va sacando su doctrina de la meditación bíblica. Ya lo hemos dicho antes: él arranca de la situación política real y conoce, o cree conocer, su remedio. Remedio que, buen cristiano, buen lector de la Biblia, buen escritor, encuentra, siempre y con facilidad, autorizado e ilustrado, tras su poco —o su mucho— de forzar imitaciones y paralelos, en los Santos Evangelios. Así, pues, el fundamento de Quevedo al acogerse a la Biblia es la subordinación de la política a la religión católica y a la moral cristiana, en polémica expresa con Maquiavelo y su secularizada y amoral «razón de Estado». Pero también, sabiéndolo o sin saberlo, en polémica implícita con la concepción luterana del Estado, con la neutralización religiosa de la política, a lo Bodino, y con la subordinación anglicana de la religión o la política. [...]

La *Política de Dios* (título que habría escandalizado a Lutero) es —después de la teocracia— la más radical contraposición a estas doctrinas, contraposición que, en definitiva, se reduce a la convivencia del régimen medieval de la Cristiandad. Pero la extraordinaria originalidad de Quevedo consiste en fundamentar la vieja doctrina en la afirmación de que Jesucristo fue y es Rey, «no sólo en sentido figurativo o analógico, sino rigurosamente estricto», como escribe su intérprete el padre Oswaldo Lira [1949].

[Dentro de una concepción ortodoxa en el XVII del catolicismo como representación], Quevedo parte, como en él es costumbre, de un juego de palabras, de un equívoco. Pues, en definitiva, la verdad, bastante sencilla, es que Cristo es Dios y, en cuanto tal, Rey de los hombres. Pero que el hombre histórico Jesús fue *rey* de los judíos, o de los hombres todos, en el sentido *político* de la palabra, claro está que el gran escritor no lo podía sostener. Y, sin embargo, no pone demasiado interés en evitar la confusión de esferas. Por eso el jesuita padre Juan de Pineda estaba cargado de razón cuando le objetó que Cristo pudo haber ejercido jurisdicción civil y criminal, pero que, de hecho, no lo ejerció. No. Cristo no fue rey de este mundo, y por eso, a primera vista, resulta tan forzado el escribir sobre la política del rey —¡un rey como Felipe IV!— como imitación de la de Cristo. Tan forzado que, por ejemplo, en el *Panegírico a la Majestad del Rey nuestro Señor Don Felipe IV en la caída del Conde-Duque*, Quevedo, aludiendo a los años de gobierno de éste, tiene el casi sacrílego atrevimiento de trazar el siguiente paralelo: «Veinte y un años ha estado detenida la lumbre de vuestro espíritu esclarecido para que se conozca los años que podéis restaurar en una hora. Como puede caber en el ser humano, considero en vuestra majestad esta imitación de la persona de Cristo, que después que se apartó de su Santísima Madre estuvo los mismos retirado en sí, viniendo a enseñar con palabras y obras a redimir al género humano; escondió en silencio los treinta, y luego justamente empezó a hacer milagros y enseñar». Pero por eso y justamente, porque la política es, entre todas las actividades reputadas honestas, la más impurificadora —y la más apasionante, la más humana en el sentido de lo «sólo humano»— crece en acierto el regimiento cristiano de reyes propuestos por Quevedo. Si al rico le es ya difícil entrar por el ojo de la aguja, ¿cuánto más no le será a ese ricohombre entre los ricos que es el rey? Únicamente haciéndose «privado de Cristo» —como san Juan Bautista, como san Juan Evangelista, según los extravagantes paralelos de Quevedo—, sólo haciéndose ministro de Dios, puntual ejecutor de su santa Ley, podrá conseguir la salvación. No, no es tarea fácil la de rey. Pues «bien puede alguno... llamarse rey y firmarse rey; mas serlo y merecerlo

serlo, si no imita a Cristo en dar a todos lo que les falta, no es posible,
Señor».[1]

II. Salta a la vista la imposibilidad de imitar el reinado de Cristo, absolutamente único, como también es evidente que no es «fácil»
imitarlo. No sólo el hombre vulgar es infinitamente menos perfecto
que Cristo, continúa Quevedo, sino que hasta los benditos apóstoles, que con él convivieron, se mostraron indignos de él: «Pocos
fueron entonces suyos, porque le conocieron pocos, y entre doze
hombres —no cabal el número, que uno le vendió, otro le negó—
los más huyeron, algunos le dudaron. Fue Monarca, y tuvo reynos en
tan poca familia, y sólo Christo supo ser Rey». ¿Qué vemos en los
grandes reinados bíblicos? David fue homicida y adúltero, y Salomón vivió con trescientas mujeres. ¿Cómo pueden los príncipes gobernar bien, cuando soberanos tan altos cometieron tales faltas? La
insistente expresión *saber ser rey*, empleada casi a modo de letanía
en un pasaje posterior, abarca a un tiempo la idea de «saber cómo»
y el recuerdo de la miserable condición humana. Los hombres intentan a veces el bien, pero es tal la perversión del mundo, que a menudo
desembocan en el mal. Ante tantas muestras de la miseria humana,
no cabe sino volver los ojos a Cristo, estudiar ese dechado supremo:
«Descansemos del asco destos pecados y veamos cómo Christo supo
ser Rey; esto se ve en cada palabra suya, y se lee en cada letra de
los evangelistas».

1. [«Una cosa es, desde luego, proponer genéricamente la piadosa imitación que debe guiar al príncipe cristiano, y otra bien diversa el entrar en pormenores de observación, crítica y consejo. Si ya no es fácil para el teólogo
Quevedo situar con precisión a Cristo Rey en el cuadro general de una cristo-
logía coherente, lo es aún menos combinar los rasgos del rey con los del Rey,
los de Su Majestad Católica con los de Cristo. La composición misma de la
Política de Dios ofrece como una imagen de esta difícil dualidad. Quevedo se
esfuerza, con buscada solemnidad eclesiástica, en afirmar el paralelo, y en
disimular los saltos y costurones de su discurso, a lo largo de un irregular
comentario en que la historia y la experiencia pugnan por entrelazarse tanto
con la sabiduría bíblica como con la profana y pagana. Espinosa tarea. Por lo
pronto, toda explícita imitación de Cristo impuesta al monarca terreno (y en la
España de los Austrias ¿en qué otro monarca pensar si no en el consagrado al
"aumento de la honra y fe de Jesucristo Nuestro Señor?") acerca peligrosa-
mente el Modelo al pobre mortal que debe imitarlo, y para Quevedo no hay
modo de llevar a cabo la aproximación sin caer en sutilezas y malabarismos»
(R. Lida [1980], p. 172).]

No es nueva la idea de que los príncipes deben buscar en el Nuevo Testamento la enseñanza para un recto gobierno; pero el tono de Quevedo es distinto del de otros autores. [Para él], las palabras mismas son las armas, cargadas, no de verdades evidentes, sino de la intensa voluntad del autor. Levanta su propia figura para declarar, a modo de histriónica defensa: «¡Señor!, no lo dexaré de dezir, ni lo diré con temor hablando con Vuestra Magestad, antes con satisfación ...». Busca el contacto directo con su lector para transmitirle las apremiantes enseñanzas que él ha extraído de los textos bíblicos. No quiere que ningún rey juzgue imposible imitar los hechos de Cristo, y a través de una brillante serie de metáforas le hace ver al gobernante que también él puede sanar a los enfermos y devolver la vista a los ciegos y resucitar a los muertos. Por el milagro del verbo, Quevedo lleva a cabo lo que se supondría imposible.

Exegeta y predicador a la vez, arrogante y modesto, Quevedo está siempre presente como el intermediario, como el portador de la verdad indispensable. Hasta cuando parece dirigir la atención a otra parte, viene a encauzarla derechamente sobre sí mismo: «Yo con toda humildad y reverencia admiro en estas palabras las interpretaciones de los santos, que sirven al misterio. Vosotros todos los que mandáis y aspiráis a mandar, ¡atended a mi explicación!». En otros lugares levanta la voz hasta el grito: [«¡O Señor! Perdóneme Vuestra Magestad este grito; que más decentes son, en los oídos de los reyes, lamentos que alabanças»]; «Señor, si el Espíritu Santo, ya que no me reparta lenguas de fuego, repartiesse fuego a mi lengua y adiestrasse mi pluma, desembaraçando el passo de los oídos y de los ojos en los príncipes, creo introducirán en sus coraçones mis gritos y mi discurso la más importante verdad y la más segura doctrina».

El sentimiento de la inseguridad humana obliga a Quevedo a intervenir personalmente, a vociferar. En la *Política* ha tomado sobre sí la tarea de excitar la conciencia cristiana a seguir el ejemplo divino, y ese propósito es lo que determina la estructura del libro: una serie encadenada de pasajes bíblicos, seguidos de una explicación. El sistema de *texto* y *discurso* representa, en efecto, la yuxtaposición del gobierno divino y el gobierno humano, y el objeto explícito del autor es tapar el abismo que entre ambos existe. El libro está trabado con la fe y el deseo de impulsar a los gobernantes a la imitación de un modelo que en otro tiempo anduvo entre los hombres, de un príncipe cuya perfección jamás ha de alcanzarse.

ROBERT D. F. PRING-MILL, FRANZ-WALTER MÜLLER
E ILSE NOLTING-HAUFF

DEL *BUSCÓN* A LOS *SUEÑOS*

1. Los *Sueños* satíricos de Quevedo (*c.* 1606-1636) tienen un carácter principalmente semialegórico. A veces son visiones del Infierno o del Día del Juicio que proyectan luz sobre la realidad que nos rodea por medio del procedimiento de hacer que «el castigo corresponda al crimen». Sin embargo, a veces emplean una interesante variante del procedimiento ascético de contraste lógico, presentando una sucesión de episodios en los que se contraponen un nuevo *parecer* y *ser*, derivación de la novela picaresca —la apariencia engañosa del mundo y su oculta asperidad— que tiene por objeto impresionar al lector y hacerle más consciente. En su novela picaresca *El buscón* [para la fecha, véase arriba, p. 452] había adoptado procedimientos «fotográficos» llevándolos hasta sus últimas consecuencias: sus retratos aparecen ya desintegrados por la fuerza de un intenso deseo de explotar todas las posibilidades intelectuales de cada rasgo individual, aunque fuera a costa del conjunto, y ello requiere un continuo esfuerzo intelectual por parte del lector, que ha de dar coherencia a esta dispersión. No obstante, en los *Sueños* todo eso no es preciso, aunque la mayoría de los elementos empleados son visuales. El mundo se reduce a dos imágenes incompatibles, y cada una de las personas que encontramos es en cierto modo una abstracción prototípica (que representa a toda una clase o una profesión) cuya naturaleza íntima se revela ya sea por la yuxtaposición de su *ser* y *parecer*, ya por alguna invención cuyo carácter incongruente mani-

I. Robert D. F. Pring-Mill, «Some techniques of representation in the *Sueños* and the *Criticón*», *Bulletin of Hispanic Studies*, XLV (1968), pp. 270-284 (277-279); pero el primer párrafo procede de su artículo «Spanish Golden Age prose and the depiction of reality», *The Anglo-Spanish Society Quarterly Review*, n.ᵒˢ 32-33 (abril-septiembre, 1959), pp. 20-31 (28-29).

II. Franz-Walter Müller, «Alegoría y realismo en los *Sueños* de Quevedo», en G. Sobejano, ed., *Francisco de Quevedo. El escritor y la crítica*, Taurus, Madrid, 1978, pp. 218-241 (235-240).

III. Ilse Nolting-Hauff, *Visión, sátira y agudeza en los «Sueños» de Quevedo*, Gredos, Madrid, 1974, pp. 219-226, 295-296.

fiesta la verdad; así, por ejemplo, los mercaderes que en el Día del Juicio llevan las almas al revés y que tienen los cinco sentidos en las uñas de los dedos de la mano derecha.

[Evoquemos primero la técnica que] consiste en adoptar esta nueva visión de *parecer* y *ser*, juntando ambas cosas de un modo abrupto: sorprendiendo al lector con lo inesperado por medio de una serie de contrastes entre estos dos aspectos de la «realidad»: la apariencia engañosa y la fea «verdad» que disimula.[1] Pero la brusquedad del «careo» (el efecto pleno de una de esas contraposiciones que nos sorprenden) depende del abandono de la verosimilitud ocular, que excluye esas rápidas series de bruscas transiciones como las que forman el núcleo de *El mundo por de dentro*. Ello representa una interesante variante respecto a la «técnica del contraste lógico» [que usa Hernando de Zárate por ejemplo en sus *Discursos de la paciencia cristiana*], con el mismo mundo reducido a una serie de parejas de imágenes incompatibles: cada una de las personas que encontramos es una especie de abstracción prototípica (que representa a toda una clase, categoría o profesión) cuya naturaleza íntima se manifiesta careando una imagen de su *ser* con la imagen anterior de su *parecer*. No obstante, dentro de ese marco alegórico, *El mundo por de dentro* todavía funciona «fotográficamente»: no, desde luego, dándonos el simple hecho más su «intelección consciente» a cargo del narrador, como en el *Guzmán*, sino yuxtaponiendo dos «fotografías» en cada uno de los episodios paralelos que forman su fase central, la primera agradable y atractiva (que nos da el narrador), la segunda sórdida y repelente (producida por la figura alegórica del desengaño como comentario a la primera). [...]

Esta nueva variante de la «técnica del contraste lógico» volverá a usarse posteriormente en *La hora de todos*, que Quevedo escribió

---

1. En el *Buscón* usa la visión picaresca de *ser* y *parecer*, pero rechaza un comentario moral explícito, que se sustituye por una actitud que se sugiere por medio de una gran estilización y de procedimientos descriptivos mucho más indirectos. [...] Aunque la mayoría de los elementos empleados siguen siendo visuales, la transición a la alegoría ha sustituido la necesidad de una verosimilitud ocular por la exigencia de algo distinto y más coherente: *a*) que lo que se describe por medio de la alegoría ha de bastarse a sí mismo; *b*) la misma alegoría debe ser coherente; *c*) la alegoría y el mensaje que transmite han de adecuarse entre sí en todos los aspectos. Los *Sueños* de Quevedo no siempre consiguen reunir estas tres condiciones.

mucho más tarde. Aquí (en sus breves episodios iniciales) el segundo término del contraste ya no es una imagen verosímil de un *ser* picaresco. Sino que, cuando llega la hora del Juicio y cada personaje recibe estrictamente lo que merece, la segunda imagen es (desde el punto de vista visual) *incongruente*: no fotográfica, no verosímil. Y su incongruencia tiene una función sumamente sutil. Tomemos la escena cuarta, que se refiere a la casa de un «ladrón ministro». Antes de que suene la hora del Juicio, vemos a un hombre cómodamente instalado en una «casa de grande ostentación con resabios de palacio», con todas las cosas debidamente colocadas en su lugar, y sin ningún indicio visible de que «su dueño era un ladrón que, por debajo de su oficio, había robado el caudal con que la había hecho». Pero al sonar la hora del Juicio, «¡Oh, inmenso Dios, quién podrá referir tal portento! Pues, piedra por piedra y ladrillo por ladrillo, se empezó a deshacer, y las tejas, unas se iban a unos tejados y otras a otros. Veíanse vigas, puertas y ventanas entrar por diferentes casas, con espanto de los dueños, que la restitución tuvieron a terremoto y a fin del mundo ...». Hasta que por fin aquel granuja que se creía dueño de todo, queda «desnudo de paredes y en cueros de edificio». [...] Visualmente hablando, ese tipo de «escena de transformación» es completamente incongruente y está fuera del orden natural (es «un portento»); pero aunque esta segunda imagen sea visualmente incongruente, corresponde a la «verdad» de la situación en otro sentido. La visión de la casa disgregándose, con cada una de sus partes volando en busca de su legítimo dueño, es «intelectualmente» congruente con la «verdad» respecto a la propiedad. Incluso contiene a mi juicio una doble alusión intencionada: esta segunda imagen, ¿no nos hace recordar la primera, mostrándonos la «incongruencia» intelectual de lo que visualmente antes nos pareció aceptable? Este recurso se repite en varias ocasiones más, conduciéndonos a la moraleja de que lo que en la sociedad parece adecuado a la mirada física, es *ipso facto* incongruente respecto a la íntima verdad intelectual. (Tales escenas son, desde luego, extremadamente divertidas.)

«Escenas de transformación» como éstas están muy lejos del realismo selectivo del *Guzmán*. Allí las relaciones lógicas que se dan en el plano terrestre, físico, entre los diversos elementos de cualquier visión realista, pueden resultar debilitadas como consecuencia de la progresiva devaluación del mundo por obra de los escritores ascéticos. Pero Alemán aún presenta los aspectos deslumbrantes e iridiscentes de la realidad que capta en términos de cómo afectan a los ojos físicos del observador. La composición era aún completamente naturalista. Lo que faltaba por hacer era dar de lado la composición naturalista de la imagen y permitir que los elementos de ese mundo en trance de desintegración volvieran a reunirse de un modo nuevo e intelectualmente significativo. Ésta es la técnica concreta que más me interesa en los *Sueños*.

II. Si se la compara con la medieval se ve que la sátira social de Quevedo no conoce la adscripción de los pecados capitales a estos y aquellos estamentos, como por ejemplo la avaricia a la burguesía, la soberbia a la nobleza en Jean de Meung, Eustache Deschamps y Alain Chartier. Hacía ya mucho tiempo que la estructura estamental se había descompuesto y entrado en vías de disolución. Ello se refleja en la confusa multitud de figuras y tipos que desfilan por los *Sueños* y en los que es difícil poner un orden. [...] Lo que hace a estos tipos habitantes del infierno no es ya, como a los pecadores en Dante, el ocupar en el sistema de castigos de la justicia divina un lugar determinado por la magnitud de su culpa; un solo pecado ha desplazado a los otros o los ha reducido a satélites: la *cudicia*, el afán del dinero y de la riqueza que periódicamente llegan a la metrópoli, procedentes de las colonias, en cargamentos de plata. Es el dinero el poder diabólico que conmueve el antiguo orden estamental de España, destruye el sistema feudal agrario y disuelve leyes, moralidad y familia. De ahí que el dinero venga a ser para Quevedo, como para todos los moralistas de la época, el símbolo del mal: «El dinero es el Diablo».

[La descomposición del orden feudal] explica por qué *engaño* y *apariencia* son conceptos clave en la sátira social de los *Sueños*. El orden auténtico ha quedado encubierto por el orden aparente del bienestar material. Ya nadie se contenta con su antiguo puesto en la jerarquía estamental, y Quevedo no se cansa de burlarse de todos los nuevos «Don», de la manía nobiliaria de los nuevos ricos que afecta a todas las clases, de la estafa en todas las profesiones, cuando ya el escribano se llama secretario, el estudiante licenciado, etc. Nadie es en realidad lo que presume ser, todos representan un papel, o, como dice Quevedo: «en el mundo todos sois bufones».

Pero la iluminación satírica que se hace en los *Sueños* de la descomposición de los estamentos tiene sus límites ideológicos. Para

Quevedo, español y aristócrata, existe un doble tabú ante el cual se detiene su crítica. Ni su patriotismo le permite reconocer los verdaderos motivos por los que el poderío español se ha quedado ya atrás históricamente, ni ve las nuevas fuerzas económicas del naciente capitalismo holandés, ni la revolución espiritual del protestantismo y del calvinismo. Sólo acierta a sobreponerse intelectualmente a los incomprensibles trastornos de la Europa política regresando a la tradicional interpretación providencialista del proceso universal, proyectando de una manera alegórica las contradicciones condicionadas por la época en el antagonismo absoluto de la *Civitas Diaboli* y la *Civitas Dei*. La monarquía española sigue siendo para él, al menos en cuanto idea, el «gobierno de Cristo»; su debilitamiento no obedece a causas estructurales, sino que es obra de la codicia de los privados o, como en la famosa «Isla de los Monopantos» (*Sueños*, II), resultado de una conjura del capitalismo judío. La Iglesia y la Milicia, columnas sustentadoras del edificio de la monarquía, quedan intactas; por eso quienes las representan no tienen puesto en el desfile de condenados de los *Sueños*. [...]

Este error de visión de Quevedo, condicionado por el nacionalismo, viene fortalecido por su actitud aristocrática reaccionaria, que le lleva a atribuir la culpa de la ruina interna de España a la burocracia intelectual y académica, en particular a la jurídica, la cual habría socavado las heroicas virtudes caballerescas por las que España fue grande en otro tiempo. Un pasaje de *La hora de todos* proporciona la clave ideológica de tantas escenas de un realismo brutal a base de jueces, abogados, alguaciles y secretarios:

Las monarquías con las costumbres que se fabrican se mantienen. Siempre las han adquirido capitanes, siempre las han corrompido bachilleres. De su espada, no de su libro, dicen los reyes que tienen sus dominios; los ejércitos, no las universidades, ganan y defienden; victorias, y no disputas, los hacen grandes y formidables. Las batallas dan reinos y coronas; las letras, grados y borlas. En empezando una república a señalar premios a las letras, se ruega con las dignidades a los ociosos, se honra la astucia, se autoriza la malignidad ... y es fuerza que dependa el victorioso del graduado, y el valiente del dotor, y la espada de la pluma.

Este pasaje no sólo es característico de la magnificación ideológica del pasado aristocrático-feudal y de la tensión, inherente a todo conservadurismo aristocrático, contra la burocracia del estado, sino que alumbra además la posición sociológica que impide a Quevedo reconocer la verdadera causa de la miseria nacional: un feudalismo mundano y religioso que, apegado a sus añejos privilegios, obstaculiza todo progreso económico.

Su sátira se fija en los síntomas superficiales y afecta únicamente a las consecuencias y epifenómenos de un sistema herido de muerte: los pequeños parásitos de la circulación, los oficiales de las industrias suntuarias, las diversiones y espectáculos, la pequeña corrupción de la burocracia judicial y administrativa que sólo puede medrar a la sombra de la total corrupción del estado.

Pero si bien la conciencia crítica de Quevedo, referida a la totalidad del estado, es una «falsa conciencia», en el sector que enfoca registra todas las circunstancias con particular agudeza y claridad. Esto ocurre sobre todo allí donde, además de la pasión político-patriótica general, intervienen profundos rencores personales o la idiosincrasia fundada en las flaquezas de la propia persona.

III. El estilo satírico temprano de Quevedo es más agudo que descriptivo y se distingue por su brevedad esquemática. Al margen se van desarrollando paulatinamente las técnicas de la descripción deformativo-grotesca: expresivo material de vocabulario procedente de bajas esferas lingüísticas, atrevidas creaciones de palabras, audacias conceptistas en las metáforas, que se dan sobre todo en las sátiras tardías, a partir del *Discurso de todos los diablos* (1627). Entre ambos grados estilísticos no existe, naturalmente, una oposición absoluta. El estilo temprano muestra ya elementos grotescos y caricaturescos, el estilo tardío sigue siendo ingenioso. Rasgos extraordinariamente importantes como la concentración y la tendencia a la hipérbole son característicos de todos los períodos creadores de Quevedo. Sin embargo la diferencia es considerable. Dicha diferencia se puede constatar con mayor claridad en las sátiras en prosa que en la lírica burlesca, [cuya cronología resulta dudosa]. Los *Sueños* están escritos principalmente en el abstracto estilo agudo del primer período; sin embargo *El sueño de la muerte* muestra ya gérmenes del desarrollo posterior, mientras que en las adiciones de la edición de 1631 está representado con pureza el estilo tardío. [...]

Mientras que la narración marginal pseudoépica de los *Sueños* resulta a menudo muy esquemática, llama la atención la extremada concentración de lo narrado o descrito en los episodios. *Concentra-*

ción es efectivamente una característica fundamental, si no la única, del estilo de Quevedo, sobre todo de su estilo satírico, lo que se puede aplicar en igual medida a su prosa y a su lírica. [...]

La concentración de la representación tiene en las sátiras tempranas de Quevedo algunas consecuencias desventajosas también, por ejemplo, se agota rápidamente el tema, una de las razones por las que determinados temas satíricos se utilizan repetidamente, cada vez con un ropaje distinto. Por otra parte se robustece la intensidad poética de la sátira. Es sabido que la concentración lingüística mejora la calidad de un chiste. La acumulación de efectos chistosos en breve espacio, como la practica Quevedo continuamente, refuerza la impresión de distanciamiento burlesco; la reducción sistemática de la expresión prepara el terreno para la agudeza propiamente dicha. Particularmente en el *Juicio final* ocurre esto, al no mencionar precisamente los hechos contra los que se dirige la sátira. Respecto a los escribanos sólo nos enteramos al principio de que huyen de sus orejas después de resucitar: «Riérame, si no me lastimara ... el afán con que una gran chusma de escribanos andaban huyendo de sus orejas». Se supone conocido que el pecado profesional de los escribanos consiste en deformar en el protocolo las declaraciones de los testigos al «no oír bien» intencionadamente, es decir, que pecan con las orejas. En el *Infierno* los taberneros que intentan pasarse al camino de la virtud resbalan en las lágrimas que otros derraman allí y caen así rodando al camino del infierno, «por ser agua», es decir, porque es el agua (que mezclan con el vino) la que suele hacer caer a las gentes de su oficio. La técnica de aludir solamente a las circunstancias esenciales, e incluso de no presentarlas siquiera, sólo podía permitírsela Quevedo frente a sus lectores cuando los objetos de sus sátiras eran verdaderamente conocidos por todo el mundo. Con esto obtiene una cierta justificación la falta de originalidad de su sátira de tipos. [...]

En los *Sueños* posteriores los retratos se hacen más detallados y el autor se esfuerza por representar más concretamente algunos de los destinos o catálogos de pecados que antes sólo se presuponían. Así ocurre en los «diálogos de los muertos» del *Infierno* y en la escena del alguacil de *El mundo por de dentro*. Una evolución extrañamente retrógrada. Por lo demás, el modo de escribir más explícito de los *Sueños* posteriores no es en modo alguno menos concentrado que el «presupositivo»: sólo han cambiado las técnicas de la concentración. Así, se insertan en el discurso satírico esbozos de escenas y citas de diálogos, o la sátira se hace polifacética, como en la escena del librero (*Infierno*) que aparentemente se dirige sólo contra el *comercio* de libros deshonestos y contra la extensión vulgarizadora de la cultura humanista por medio de las traducciones (los lacayos y caballerizos leen), pero que en realidad va dirigida sobre todo contra los *autores* de aquellas «malas obras» por las que el librero ha de expiar en el infierno. En las sátiras tardías, finalmente, la sintaxis elíptica, el expresivo diálogo y la síntesis conceptista de los más dispares planos de imágenes garantizan ya una condensación aún más fuerte, si cabe, del texto.

La *hipérbole* es, junto a la concentración textual, un rasgo fundamental de la sátira de Quevedo que perdura a través de todos los cambios de estilo. En el *Juicio final* se le reprocha al boticario que se ha aliado con una peste y ha despoblado dos lugares; en *La hora de todos* —de modo más gráfico, pero no menos hiperbólico— siente asco la basura de los frascos de una farmacia y les manda que se aparten (III). Como muestra el ejemplo de los bufones en el *Infierno*, cuyas gracias son tan frías, dejan tan fríos, que el demonio que los vigila tiene sabañones, exageración y juego de palabras (equiparación de «frío» real y metafórico) pueden ir juntos perfectamente. La tendencia a la exageración presta a menudo rasgos caricaturescos al estilo de agudezas de los primeros *Sueños*.

Sin embargo Quevedo no se contenta en modo alguno con la *forma de expresión* hiperbólica. Elección unilateral de los hechos y generalización tendenciosa preceden con frecuencia a la sátira propiamente dicha. Incluso los tipos de oficios y de caracteres, los más ricamente dotados, se pueden reducir a una o unas pocas fórmulas: el caballero de industria a hambre y pobreza de vestiduras, el alguacil a embriaguez y corrupción, la vieja de las sátiras tempranas a grotescos deseos amorosos y al vano intento de aparentar juventud (descripciones detalladas de su aspecto repugnante no se encuentran hasta más tarde). Quevedo reduce tan fuertemente la selección que no sólo no se logra una imagen completa de la realidad, sino ni siquiera una medio posible. No se dice si los médicos alguna vez *no* matan a alguno de sus pacientes o si los productos de ˙ s pasteleros contienen alguna vez carne normal, aparte de la de procedencia dudosa y más que dudosa, así como otros ingredientes ocasionales repugnantes. [...]

En los primeros *Sueños* la exageración es, sobre todo, chistosa. Con frecuencia se trata sólo de hipérboles numéricas fantásticas, como, por ejemplo, en la afirmación del *demonio alguacilado* de que las cartas de amor que guardan como recuerdo y llevan consigo los enamorados bastarían para calentar el infierno durante veinte años. Sin embargo, surge una resonancia macabra del hecho de que la medida o exceso de la exageración esté dictado por el escenario del más allá. En este período temprano raramente deja de incluir Quevedo el más allá en la hipérbole: en el

Juicio final se dice del médico, del boticario y del barbero que a ellos hay que agradecer «gran parte deste día» (= del juicio final); el ansia de amor de las viejas es tan grande que incluso pretenden gustar a los demonios en el infierno (*Alguacil*). Es una excepción una hipérbole que permanezca en los límites terrenos, como, por ejemplo, la afirmación del librero de que la vulgarización de la cultura clásica ha llegado tan lejos que las traducciones de Horacio se leen en las caballerizas.

También se dan muy pronto formas pintorescas de hipérbole. Partes del cuerpo se independizan, se personifica lo inanimado (la barba del licenciado Cabra palidece de miedo ante la hambrienta boca, las enfermedades emprenden la huida ante la medicina), las personas se transforman en alegorías de sus propiedades más características (Cabra es «la hambre viva»). En las sátiras posteriores la hipérbole se convierte en el medio normal de la intensificación conceptista. Unos aduladores entran en acción e inmediatamente se dice no que sean encarnación de la mentira, sino que la mentira se viste de ellos «revistiéndoseles la misma mentira»; el charlatán, «con la retención, empezó a rebosar charla por los ojos y por los oídos», y la mujer, sorprendida por la *hora* mientras se está pintando, sale de la habitación «hecha un infierno, chorreando pantasmas»; en realidad chorrea pomadas y afeites mal aplicados.

Todo en Quevedo —la exposición moral, la continuación de tradiciones poéticas, toda su extraordinaria potencia artística— está subordinado a las exigencias de su caprichoso ideal estilístico. También el género literario respectivo se transforma, se esquematiza, si no es que se intensifica de un modo sorprendente. El género de la visión satírica, ya existente, aunque aún orientado muy unilateralmente hacia Luciano, enriquecido por Quevedo con adquisiciones de las poesías serias de visiones de la Edad Media, se muestra como un medio especialmente apropiado para su estilo conceptista. En Quevedo aparece el género totalmente renovado, ya sea en el todo, por estar dotada la visión del más allá con una serie ininterrumpida de chistes satíricos, ya sea en las partes, por la demonización verbal o la monomanía, exagerada hasta el absurdo, de la figura típica o también por degradación metafórica de la figura hasta lo infrahumano. La ruptura conceptista de la alegoría enriquece la visión con un elemento sugestivo e irreal. Justamente porque Quevedo, en cierto sentido, se encuentra también al final de una tradición, causan a veces sus visiones un efecto tan asombrosamente moderno. Como, por otra parte, sólo se da a veces una intención paródica e incluso alegorías conceptistamente distanciadas aparecen aún como heraldos de austeras doctrinas ascéticas, se mantiene también en este aspecto una tensión que favorece el efecto artístico y que compensa la a menudo demasiado avanzada atomización de la sustancia humana.

RAIMUNDO LIDA

LA HORA DE TODOS

Quevedo el excepcional, el múltiple, el enciclopédico; *La hora de todos*, compendio de tan raras cualidades. Su propio autor, dedicándola al canónigo Monsalve, tiene buen cuidado de subrayarlo. Si Quevedo es extravagante [...], *La hora* había sido, para Quevedo mismo, «extravagante reloj que, dando una hora sola, no hay cosa que no señale con la mano». Todo entraba en esas páginas, con ingeniosa «generalidad». Y en la dedicatoria entraba desde luego —como en multitud de prólogos, y de alabanzas y autoalabanzas— el aviso de que cierta profunda lección se disimulaba bajo el entretenimiento superficial. A primera vista, una variación más del viejo tema, a que tanto escritor del XVII sigue todavía acudiendo. Que los lectores penetren más allá de las apariencias. [...] Nada resultaría, aquí, más trillado e inútil que el llamar la atención sobre lo verdadero de un librillo de fantasía y burlas. No se trata de eso, y Quevedo añade en seguida que su *Hora* «tiene cosas de las cosquillas, pues hace reír con enfado y desesperación». [...] Pero lo que, lejos de inútil y trillado, resulta muy significativo en el juicio del propio Quevedo sobre su sátira es la comparación, no con la risa libre y alegre, sino con la forzada y desesperada de las cosquillas. Algo más que desengaño. La risa como castigo; de entre todas las risas, la que más se acerque a la tortura: uno de los muchos enlaces entre el Quevedo de *La hora* y el de los *Sueños*.

Raimundo Lida, «La hora de todos» (1966), en *Prosas de Quevedo*, Crítica, Barcelona, 1980, pp. 223-238 (223-226, 232-238).
Las citas refieren a las ediciones de Astrana Marín (*Obras completas. Obras en prosa*, Madrid, 1941), que se abrevia *Prosa*; y a la de F. Buendía (*Obras completas. Obras en prosa*, Madrid, 1961), abreviada *Prosa B*.

En los *Sueños*, son los diablos (y otras parecidas criaturas) quienes a menudo desmienten con sus réplicas a los embusteros y sofistas, y el infierno es así el escenario que conviene a la gran hora de todos, a la hora de la verdad. Las situaciones de desenmascaramiento se nos dan, en *La hora*, afinadas y multiplicadas. Asombra la amplitud y valentía de este arte de madurez. Sólo que asistimos aquí, al mismo tiempo, a una geometrización formal de lo que en los *Sueños* se daba todavía como un fluir relativamente suelto e imprevisible. *La hora de todos* aprieta la materia en cuadros precisos, autónomos, con sus finales sistemáticamente punitivos: desmentidas, chascos, inversiones catastróficas de la situación. Todos estos desenlaces parciales acaban por sumarse en una última verdad, en la conclusión de cuán infundadas suelen ser las quejas de los hombres. Moraleja rígida también, y anticlimáctica, mucho menos vivaz que la estupenda farsa mitológica con que el comienzo de *La hora de todos* prepara esa lección de desengaño y conformidad, y con que su final la proclama. [...]

No es fácil hallar en los *Sueños* ni en *La hora de todos* manifestaciones de religiosidad honda e íntima. Pedagogía y polémica dominan por demás en esa prosa; denunciar y predicar son dos de sus deportes favoritos. Cuando la religión asoma en *La hora de todos*, la vemos pesadamente fundida con lo moral, lo social y lo político. Y lo que en estos modos de actividad humana sea hipocresía —apariencias falaces, rótulos deliberadamente ambiguos, «nombres de las cosas»— ofrece a la denuncia y la predicación un blanco inmejorable. Lo venía ofreciendo desde hacía siglos, y la sátira de Quevedo se complace en delatar al malicioso que pone a su propio servicio la hipocresía de los nombres. Pero es natural que el ataque al engañador se acompañe con la advertencia o burla al engañado. Quevedo se mofará o indignará, como tantos en su tiempo, no sólo contra la astucia que propone errores, sino además contra la credulidad e ignorancia que los aceptan. [Si de otros autores] pasamos a las protestas de Quevedo contra la falsificación de la verdad por el lenguaje ambiente, lo que se nos presenta es un muy diverso cuadro expresivo: unas imprevisibles mezclas de humores y un frenesí de verbalismo creador. En la censura entra a menudo el chiste, y aun llega a dominar; de todos modos, con ella se entreteje incesantemente la ingeniosidad idiomática. Nadie menos que el venerable desengaño declama contra la hipocresía, «la mayor del mundo», que reina en el hablar

de las gentes, y los ejemplos que empieza por propinarnos —el remendón, el botero, el mozo de mulas, con los sonoros nombres que
para sí exigen— son de la misma especie que, en la primera página
del *Buscón*, aquel del barbero que «se corría de que le llamasen así,
diciendo que él era tundidor de mejillas y sastre de barbas». Ni ha
de sorprendernos que los juegos verbales invadan la obra de Quevedo
hasta en sus momentos de mayor gravedad, ni que el desmentir, el
arrancar caretas de palabras, sean recursos favoritos de su polémica
y su predicación. [...]

Todo es farsa, predica insistentemente el desengaño en *El mundo por
de dentro*; farsa en los hechos y en las palabras. Contra lo uno y lo otro
se descargan, en *La hora de todos*, los desenlaces de los distintos episodios, y no faltan los ejemplos de preciso desenmascaramiento idiomático.
Lo singular es el arranque de inspiradísima caricatura con que esa negación suele acompañarse. En la genial escena del «enjambre de treinta y
dos pretendientes» (XXI), una primera ojeada al odio con que cada pos-
tulante considera a los otros prepara la pintura esperpéntica de «los
semblantes aciagos y las coyunturas azogadas de reverencias y sumisio-
nes»; este cuadro se centra a su vez en el de una tensísima expectación,
y todo culmina en las dos palabritas ridículamente adulatorias que los
pretendientes dirigen, no al señor a quien querrían ver, ni siquiera a su
secretario, sino a los más modestos servidores: «A cada movimiento de la
puerta se estremecían de acatamientos, bamboleándose con alferecía solí-
cita. Tenían ajadas las caras con la frecuencia de gestos meritorios, flecha-
dos de obediencia, con las espaldas en giba, entre pisarse el ronzal y
pelícanos. No pasaba paje a quien no llamasen *mi rey*, frunciendo las jetas
en requiebros» (*Prosa* B, 241 *b*). El subrayar la distancia entre la designación pomposa y la triste realidad designada ayuda en otros casos al
patriota Quevedo a mofarse de pueblos absurdos como los holandeses,
defendidos del mar por «unos montones de arena que llaman diques»
(*Prosa*, 288 *a*), o como la «imperial Italia», que no tiene ya de imperial
sino «lo augusto del nombre» (*Prosa*, 284 *b*). De parecida manera, el
retruécano le sirve para mostrarnos un Richelieu que, quitándose el ca-
pelo para saludar al astuto monarca español, deja a la vista «lo calvino
de su cabeza» (*Prosa* B, 245 *a*), o para jugar con *Dieta* y *dieta* y presentar
a los «alemanes, herejes y protestantes, ... corrompidos de mal francés»
(*Prosa*, 296 *b*-297 *a*), a quienes la junta de médicos parece incapaz de
salvar, cuando los sorprende la Hora: «... alzando la voz, un médico
de Praga dijo: "Los alemanes no tienen en su enfermedad remedio, porque
sus dolencias y achaques solamente se curan con la *dieta*, y en tanto que
estuvieren abiertas las tabernas de Lutero y Calvino, y ellos tuvieren gaz-

nates y sed, y no se abstuvieren de los bodegones y burdeles de Francia, no tendrán la *dieta* de que necesitan"» (*Prosa*, 297 *a*).

Como tantas veces en Quevedo, se trasciende en *La hora de todos* cualquier mecánico verbalismo y se alcanzan puntos de asombrosa invención mítica: «... un mouvement qui s'amplifie et s'accélère par les impulsions qu'il reçoit du côté des mots aussi bien que du côté des choses», ha explicado Amédée Mas. Escribiendo en una España plagada de arbitristas, Quevedo se complace en trasladar del arbitrismo (XVII). Y el escritor combina entonces burlescamente lo exótico del escenario con lo arduo de los documentos en que finge apoyar su historia: «... Hay mucha diferencia en los manuscritos: en unos se lee *arbitristes*; en otros, *arbatristes*, y en los más, *armachismes*»; Dinamarca se acerca violentamente a España, y más cuando, expuestas esas sabias conjeturas, el autor aconseja a sus lectores: «Cada uno enmiende la lección como mejor le pareciere a sus acontecimientos» (*Prosa B*, 237 *b*). Ni le basta a Quevedo esta potencial proliferación de variantes. Él mismo la ha puesto en movimiento con las tres suyas, con su intencionada manipulación de la palabra *arbitrista*, de cuyo seno ha ido sacando, en maligno birlibirloque, otras palabras que la destruyen; pero, mientras avanza el relato, la descripción de la peste llega a extremos de irrealidad y fantasía en que continuamente se enturbian las fronteras del mero jugueteo idiomático; disolución, no en actos claros ni en retruécanos claros, sino en una tercera realidad fantasmagórica (e intraducible): «Era tan inmensa la arbitrería que producía aquella tierra, que los niños, en naciendo, decían *arbitrio* por decir *taita*. Era una población de laberintos, porque las mujeres con sus maridos, los padres con los hijos, los hijos con los padres y los vecinos unos con otros, andaban a daca mis arbitrios y toma los tuyos, y todos se tomaban del arbitrio como del vino» (*Prosa*, 278 *a*).

Tampoco son series gratuitas de retruécanos ni de «ideas afines» las rachas enumerativas de los *Sueños* y *La hora*, tan cercanas a las de Rabelais por su ímpetu, pero, las más veces, de tan diverso humor. Son alardes de explosión verbal que suelen conjurar grotescas atmósferas de pesadilla o delirio. Si sólo a uno de los treinta y dos pretendientes se le otorga el oficio vacante, y a todos los demás se les declara eventuales herederos de ese puesto único, ¿qué han de desearse los unos a los otros, llegada la Hora, sino «garrotillos, pleurites, pestes, tabardillos, muertes repentinas, apoplejías, disenterías y puñaladas»? ¿Qué otros pensamientos pueden fermentar en una sala de espera a lo Quevedo, recinto a altísima presión donde los competidores se lo pasan «sobreviviéndose y trasmatándose» entre sí? Si en otro cuadro de *La hora* (XXX) el alquimista echa en cara al carbonero su modo de ganarse la vida, su «hacer oro y plata del carbón ... y de la tierra y basura con que lo polvoreas», es para contrastar esas miserias con sus propios magníficos recursos: ¿cómo podrá nadie dudar de que él, el alquimista, sea capaz de «orecer y platificar todo el universo mundo» (*Prosa*, 291 *a*), con tan infalible auxilio como el de «la *Arte magna*, con Arnaldo, Géber y Avicena, Morieno, Roger, Hermes, Teofrasto, Ulstadio, Evónimo, Crollio Libavio y la *Tabla smaragdina* ...»? Lo extrañamente sonoro de estas ristras de autoridades se asocia a menudo, en Quevedo, con lo risible del engaño y la credulidad. [...]

Inmensa corriente de palabras y, con la burla al personaje, el placer de la enumeración torrencial, [completada con minuciosos detalles gráficos]. Bien familiar a todo lector de Quevedo es la complacencia con que el escritor, desencadenada una enumeración, se deja arrastrar por el movimiento frenético del discurso, perdiendo a veces de vista —ni más ni menos que un hablador de entremés— el punto de partida y enhebrando más y más imágenes e ideas. Con cada término que se añade, crece lo absurdo o fantasmal del desahogo. Quevedo suele deshacer el conjunto con un último disparate o sellarlo con una penetrante frase de resumen. [...] O bien cierra Quevedo con unas pocas palabras la vertiginosa acumulación que ha precedido. En la «Visita de los chistes», el narrador contrapone a la justicia sana y sencilla de otros tiempos la calamidad moderna de los letrados y, como en febril polisilogismo, hace descender de ella una legión de calamidades aún peores:

¿Queréis ver qué tan malos son los letrados? Que si no hubiera letrados, no hubiera porfías; y si no hubiera porfías, no hubiera pleitos; y si no hubiera pleitos, no hubiera procuradores; y si no hubiera procuradores, no hubiera enredos; y si no hubiera enredos, no hubiera delitos (y si no hubiera delitos, no hubiera alguaciles); y si no hubiera alguaciles, no hubiera cárcel; y si no hubiera cárcel, no hubiera jueces; y si no hubiera jueces, no hubiera pasión; y si no hubiera pasión, no hubiera cohecho. Mirad la retahíla de infernales sabandijas que se produce de un licenciadito, lo que disimula una barbaza y lo que autoriza una gorra (*Prosa*, 208 *b*).

En el mixto sabor de *La hora* entra, por un lado, la simplicidad del diseño total y la del que prevalece en los cuadros individuales (el vaivén de situación y contrasituación, en correspondencia con la más metronómica fórmula de desenmascaramiento: no A, sino B), y entran, por otra parte, la fragmentación del conjunto en multitud de historias, los bruscos cambios de escenario, el impulso centrífugo de los pormenores, la abundancia pasmosa de invención fantástica tanto al presentar el mundo en que vivimos —mundo al revés— como al narrar su repentino «enderezamiento». Y con esto, en ocasiones, las súbitas embriagueces de acumulación verbal. Lo uno y lo otro. Es lo que conviene a un tratadillo castigador, en que no es la sutileza lo que domina, ni la suavidad de los empastes, y a un tratadillo que, en el solo espacio de una hora, «no hay cosa que no señale con la mano». El múltiple y extravagante Quevedo combina así con la geometría de su fábula aquel arte tan suyo —bien caracterizado por A. Mas [1957]— de desbordamiento, de pulverización y volatilización, que llega a «faire du mouvement avec rien» y que todo lo desquicia y agita con violencia furiosa.

José Manuel Blecua y J. O. Crosby

TRASMISIÓN Y CREACIÓN DE LA POESÍA QUEVEDESCA

I. Hasta los cincuenta y cinco años, en 1635, con la aparición del *Epicteto y Phocílides en español*, Quevedo no se sintió atraído por el halago de publicar alguna edición de sus obras en verso. Sólo diez años después, en enero de 1645, convertido casi en su monumento funeral, habla de sus versos: «A pesar de mi poca salud —escribe— doy fin a la vida de Marco Bruto, sin olvidarme de mis obras en verso, en que también se va trabajando». Unos días más tarde, vuelve a escribir: «me voy dando prisa, la que me concede mi poca salud, a las obras de versos». Estas dos secas y casi desabridas noticias son las únicas que poseemos de su preocupación poética, salvo las dedicatorias del *Heráclito cristiano* y de las *Lágrimas de Hieremías*, donde habla de su estado de ánimo en relación con la poesía, y éstas tampoco se refieren concretamente a lo que pudiéramos llamar su *Obra poética*.

I. José Manuel Blecua, ed., F. de Quevedo, *Obras completas*, I: *Poesía original*, Planeta, Barcelona, 1968², pp. LXI-LXVIII.
II. J. O. Crosby, *En torno a la poesía de Quevedo*, Castalia, Madrid, 1967, pp. 16-17, 26-27 y 40-41.

Sin embargo, hacía más de cuarenta años que era un poeta admiradísimo, puesto que ya en 1603 Pedro Espinosa había escogido numerosos poemas para su antología de las *Flores de poetas ilustres*, publicada en Valladolid en 1605. En este mismo año figura con unos cuantos romances, muy pocos, en la *Segunda parte del Romancero general*, de Miguel de Madrigal, comenzando poco después a ser editado en pliegos sueltos y en pequeños romancerillos, «en librillos sabandijas que bárbaramente brotan de ordinario para auditorio muy vulgo», como dice González de Salas. A partir de estos años, Quevedo será un poeta explotado por todos los editores de romances y así figura en los *Romanceros* de Arias Pérez, Pinto de Morales, Pedro de Lanaja, Antonio Díez, etc., etc. A lo cual hay que añadir las numerosísimas copias manuscritas de romances y sátiras, sobre todo, que inician un curioso proceso de tradicionalización, de un Quevedo para las masas. (No se olvide que el romance y la letrilla se cantan, y hasta González de Salas habla de recurrir a los músicos, como recurrieron muchos colectores de romances.)

Como es sabido, don José González de Salas publicó en Madrid, en 1648, la mayor parte de los poemas quevedescos bajo el título, bien barroco, de *El Parnaso español, monte en dos cumbres dividido, con las nueve musas*, que lleva al frente un indigesto prólogo, del que sólo nos interesan ahora estas palabras: «Fácil le tuvo (el espíritu), ígneo y arrebatado, y por esa ocasión no pocas veces se resistió a la emendación y a la lima, remitiendo ese estudio a otra sazón y mejor ocio. Continuo fue por muchos años el ejecutarle yo por esta diligencia, prorrogándomela siempre, hasta que llegado antes el término de su vida que el cumplimiento, no sólo no se logró, sino las poesías mesmas, que muchas había ya repetido de poseedores extraños y juntándolas en volúmenes grandes, se derrotaron y distrujeron. Summo dolor causa el referirlo. No fue de veinte partes una la que se salvó de aquellos versos, que conocieron muchos, quedaron en su muerte, y yo traté y tuve innumerables veces en mis manos, por nuestra continua comunicación».

De estas afirmaciones se deduce que don Francisco fue dejando para mejor «ocio» el corregir y ordenar sus obras poéticas, y bien puede ser cierta esa afirmación, puesto que le vemos ya casi moribundo dar noticias; pero no es tan seguro que no corrigiese un poco más de lo que suponía el propio González de Salas. La otra afirmación la corrobora, si no la copia —o se copian mutuamente— Pedro Coello, editor de don Francisco, [quien en 1648 también] afirma: «Murió en Villanueva de los Infantes; y de papeles muchos originales de sus escritos, que siempre traía consigo, se echaron entonces menos gran suma. De manera que de sus poesías, *lo que yo pude alcanzar, con todo género de negociación, no fue de veinte partes, una*, según aseguraron los mismos que en aquella ocasión las vieron... Pero por otros medios, con la autoridad grande de vueseñoría, se ha podido conseguir que mucho se repare de aquellas ofensas, imprimiéndose estos días a mis expensas una buena cantidad de sus poesías, y con no pequeño adorno, entretanto que se descubren las otras, que serían de grande lucimiento».

Resulta, pues, ahora evidente, que quien se preocupó por salvar del olvido los poemas de don Francisco no fue otro que Pedro Coello. [...] Con seguridad, Pedro Coello pensó en la posibilidad de editar los versos de don Francisco, hizo las diligencias consiguientes y logró reunir un buen número de poemas. Faltándole quien los ilustrase, se dirigió a González de Salas. [...]

En unos cuantos casos, catorce en total, el propio González de Salas confiesa haber retocado los poemas o continuarlos. ¿Debemos deducir de esto que siempre hizo lo mismo cuando nos encontremos con ediciones, caso de las *Flores de poetas ilustres* o de distintos romanceros, o con manuscritos, bastante autorizados, cuyas lecturas difieren profundamente de las editadas por González de Salas? Siguiendo el criterio de Astrana Marín [1932] diríamos que sí; pero la cuestión es infinitamente más compleja de lo que le parecía a ese editor, cuyo rigor es mínimo. En bastantes casos se puede demostrar cómo don Francisco fue quien pulió los poemas (entre otras razones porque los manuscritos dan variantes de poemas editados en 1670 por su sobrino Aldrete, que confiesa no haberlos retocado), y los limó bastante más de lo que se ha pensado. Si en algún caso el retoque es de González de Salas habrá que convenir que era un poeta excepcionalísimo, como en éste, por ejemplo, tan curioso, editado por Aldrete y González de Salas (aunque Astrana Marín no lo advirtió). En Aldrete, *Las tres Musas últimas castellanas*, se lee este soneto:

> Amor me ocupa el seso y los sentidos;
> absorto estoy en éxtasi amoroso;
> no me concede tregua ni reposo
> esta guerra civil de los nacidos.
>
> 5 ¡Ay, cómo van mis pasos tan perdidos
> tras dueño, si gallardo, riguroso!
> Quedaré como ejemplo lastimoso
> a todos cuantos fueren atrevidos.
>
> Mi vida misma es causa de mi muerte,
> 10 y a manos de mi bien mil males paso,
> y cuando estoy rendido me hago fuerte.

> Quiero encubrir el fuego en que me abraso,
> por ver si puedo mejorar mi suerte,
> y hallo en darme favor al cielo escaso.

Véase ahora en qué lo convierte Quevedo, si mi tesis es cierta (en la edición de González de Salas, p. 388):

> 5 Explayóse el raudal de mis gemidos
> por el grande distrito y doloroso
> del corazón, en su penar dichoso,
> y mis memorias anegó en olvidos.
>
> Todo soy ruinas, todo soy destrozos,
> 10 escándalo funesto a los amantes,
> que fabrican de lástima sus gozos.
>
> Los que han de ser, y los que fueron antes,
> estudien su salud en mis sollozos,
> y invidien mi dolor, si son constantes.

En este caso, no es muy difícil pensar que los editores contaron con manuscritos auténticos o apógrafos, y que González de Salas escogió —o tuvo en sus manos— la versión que pudiéramos llamar definitiva, mientras que Aldrete, al publicar más tarde su edición, no se fijó, como tampoco lo hizo Astrana Marín, que el soneto ya se había impreso en el *Parnaso*. Si las correcciones, con ese «grande distrito y doloroso del corazón» son de González de Salas, le deben pertenecer una serie de sonetos amorosos sencillamente apasionantes, y lo que sabemos de él y de su producción literaria no nos autoriza a pensar en esa hipótesis. [En bastantes casos, por tanto, es posible mostrar que fue el propio Quevedo quien retocó y pulió sus versos. Una demostración evidente son los poemas autógrafos de Quevedo.]

II. [En las guardas de un ejemplar del *Trattato dell'amore umano* de Flaminio Nobili, ejemplar que fue de Quevedo y se halla hoy en la Biblioteca del British Museum, se han encontrado ocho poemas del polígrafo madrileño, autógrafos.] Los autógrafos del *Trattato* son todos de gran valor literario. Comprenden cuatro sonetos amorosos del «Poema a Lisi», un soneto en alabanza de la soledad, otro sobre la muerte de un héroe de la marina española, dieciocho octosílabos sobre el mismo héroe, y por último un fragmento satíri-

co. [...] Si bien las enmiendas autógrafas tienen gran importancia
para la interpretación de cada uno de estos poemas, también rozan
todas ellas en junto un aspecto muy discutido de la obra poética de
Quevedo. Tenía éste fama entre sus contemporáneos de autor que
descuidaba cualquier trabajo de lima en sus escritos. Esta noción se
ha perpetuado en nuestros días, ampliándose hasta insinuar una pauta
de creación rápida, seguida de la despreocupación casi absoluta. Con
respecto a la obra poética, se han atribuido muchas de las enmiendas
y versiones múltiples de los poemas a González de Salas, editor de
El Parnaso español, la primera y más extensa colección, que se im-
primió a los tres años de muerto Quevedo. Sin embargo, don José
Manuel Blecua ha propuesto recientemente la teoría contraria, afirmando que Quevedo sometía muchas de sus poesías a repetidas modificaciones. Blecua basa esta teoría en un análisis de la índole literaria de las sucesivas enmiendas en ciertos poemas. Ahora goza su
hipótesis de una prueba paleográfica casi irrefutable.

[Valga la muestra de un célebre soneto, comentado arriba (p. 554)
en otra versión.] Tan sólo se ha modernizado en las transcripciones la separación de las palabras. Se reproducen con rigurosa exactitud la puntuación,
el uso de mayúsculas, la ortografía e incluso los acentos. Las palabras ta-
chadas por Quevedo se han encerrado entre corchetes, y se imprimen en
bastardilla las enmiendas que corresponden a las tachaduras. Señalamos
de la siguiente manera las repetidas correcciones de una misma palabra o
frase: la primera versión es la encerrada entre mayor número de corchetes; luego, la cantidad de corchetes disminuye progresivamente para las
versiones sucesivas, hasta desaparecer en la versión final, que se imprime
en bastardillas. Por ejemplo: «[[[versión primera]]], [[segunda]], [ter-
cera] *y final*». Dentro de los corchetes, los puntos de interrogación señalan las transcripciones dudosas o provisionales que han impuesto por ahora
las dificultades de lectura.

comerzio de difuntos contrapuntos

Retirado en la paz destos desiertos.
[Joseph] *em pocos*, pero doctos libros juntos
bibo con el comerzio de difuntos.
i con mis ojos oigo hablar los muertos.

5   si no siempre entendidos, siempre abiertos,
o enmiendan, o [mexoran] *fecundan* mis asumptos.
los libros, que en callados contrapuntos.
al musico silenzio estan despiertos.

las grandes almas que la muerte [[lleua,]] [esconde] *ausenta*
10 [la emprenta a los estudios bienhechora]
de injurias de los años vengadora
[[restituie, i en tinta las renueba]]
[restituie, i musica]
restituie, d. Juan docta la imprenta

en fuga irebocable huie la hora
mas [no tanto se ausenta inutil en quien zeba] *con el mexor*
                                        (*calculo se cuenta*
[[la mente en la leccion que le mexora]]
[Quando] *la que en leccion i estudio nos mexora.*

[...] Los cuartetos de este soneto nos ofrecen ejemplos excelentes de cómo mejoraba Quevedo la expresión poética. En primer lugar, logró apretar y concentrar la expresión, suprimiendo la repetición y la duplicación. Por 'oigo hablar', dice en la versión impresa, 'escucho'; y el concepto 'libros', ya expresado en el primer cuarteto, puede eliminarse del segundo. De igual manera, la idea del silencio, implícita en la palabra 'callados', no tiene que repetirse en el verso siguiente. Además Quevedo logró avivar mucho las imágenes y metáforas, infundiéndoles mayor dinamismo e intensidad poéticos: trueca 'mexoran' por 'fecundan'; 'callados' sustituye a la antítesis hiperbólica 'músicos callados'; y en vez de 'están despiertos', dice 'hablan despiertos'. Todos estos cambios le permiten agregar al verso octavo la excelente imagen del «sueño de la vida», que tanto enriquece el delicado encanto de la comunicación callada e intelectual que se establece entre los libros del pasado y el lector moderno. Cuando en el verso octavo da el poeta a los libros por despiertos, éstos se dirigen directamente al mismo sueño de la vida; o quizá se dirigen al poeta que sueña y se inspira en las voces que le hablan a través de los siglos.

En el terceto inicial se observa de nuevo qué pasos sigue la creación del poema. Para describir la acción de la muerte, empleó primero Quevedo el verbo 'llevar'; pero aviva más la imagen al sustituirlo por 'esconder'. A la postre, halló un tercer verbo, 'ausentar', que le satisfizo porque es precisamente lo contrario de la presencia viva del pasado que constituye uno de los temas principales del poema. Muy parecidas son las modificaciones que sufre el verso segundo, mucho más dinámico en su versión final, ya que a 'bienhechora' sucede 'vengadora', y se añade la imagen de las injurias que infligen los años. En el verso postrero, el poeta suprime la imagen «en tinta las renueva», poco viva y un tanto reiterativa; y en lugar de 'restituie', empleó 'libra' en la versión final impresa, que encierra mejor los matices de supresión o injusta cárcel que han sufrido las voces del pasado.

La idea principal del último terceto se basaba al principio en la expresión negativa «no inútil», y acababa con las imágenes, algo secas, de 'mente' y 'lección'. Quevedo suprimió 'mente', y repitió con 'estudios' la idea de 'lección', creando así un verso final cuya estructura bimembre remedia en parte la falta de imágenes altamente afectivas. También se le ocurrió sustituir «no inútil» por una expresión más rica en matices poéticos y literarios: «con el mexor calculo se cuenta». Para González de Salas, esta frase recuerda otra de Persio: «Numera meliore lapillo» (Sátira II, verso 1). La misma frase se halla en Marcial («diesque nobis / signandi melioribus lapillis», libro IX, epigrama LII), y otras parecidas en Horacio, en Catulo y en otros cuatro epigramas de Marcial. Todas aluden a una costumbre que tuvo su origen en Tracia, según la cual, los días afortunados de la vida se señalaban y recordaban con una piedrecilla blanca, y los menos afortunados con una negra. Alude Cervantes a esta costumbre cuando relata que estando Sancho a punto de decirle a su señor que una labradora era Dulcinea, le preguntó don Quijote: «¿Qué hay, Sancho amigo? ¿Podré señalar este día con piedra blanca, o con negra?» (II, x). Quevedo emplea la palabra 'cálculo' en su acepción antigua de 'piedrecilla', que si hoy se ve casi reducida al lenguaje médico, era corriente a principios del siglo XVII; término que, por otra parte, pudo haber leído en Marcial, libro XII, epigrama XXXIV.

DÁMASO ALONSO Y PEDRO LAÍN ENTRALGO

EXPRESIÓN Y TALANTE POÉTICO

I. La expresión de Quevedo llega a una extraña condensación de contenido, que nos parece límite no ultrapasable en lo humano, a una represada violencia eruptiva, que está formada, se diría, de dos elementos: lo compacto del pensamiento y un giro sombríamente afectivo. Fuerza desgarrada, pues, del lado afectivo; condensada intensidad del lado conceptual. Esta suma creemos que es lo que hace el estilo de Quevedo. [...]

¿Un pensador, Quevedo? Quevedo está en una línea de pensamiento estoico (entiéndase: en lo moral), largamente fecunda en las letras españolas. Ésta es la dimensión fundamental de su pensamiento, porque de ella sale una actitud ética frente a la realidad del mundo. Es un estoicismo pesimista. Que el poeta es sinceramente cristiano no ofrece duda. Pero había manejado demasiado los filósofos paganos, y esto se ve en esa serie de sonetos a la muerte, toda como de ceniza gris en un vacío absoluto. Junto a este pensamiento estoico fundamental, hay que señalar su posición espiritualista ante el amor, a la que viene rebotada, sin duda, la interpretación renacentista del platonismo.

Hemos dicho «pensamiento compacto». ¿Lo hemos de entender como pensamiento compactamente original? [...] No, no pensemos que cada uno de esos pensamientos, tan ceñidos, que a través del verso de Quevedo penetran casi como materia sólida, compacta, en nuestra inteligencia, deben al poeta su interna estructura formal. Aun ésta misma procede muchas veces ya de Séneca, ya de Juvenal o de Persio, ya de Marcial, ya de Epicuro o Demetrio (a través de Séneca), etc. [Véase p. 556.] A veces hasta la misma forma exterior, hasta el moldeamiento sintáctico estaba fraguado ya —y el editor del siglo XVII, González de Salas, en algunas ocasiones lo anota—.

I. Dámaso Alonso, «El desgarrón afectivo en la poesía de Quevedo», en *Poesía española*, Gredos, Madrid, 1962⁴, pp. 497-580 (498-502, 529, 573-577, 579).

II. Pedro Laín Entralgo, *La aventura de leer*, Espasa-Calpe (colección Austral, 1.279), Madrid, 1964², pp. 16-23, 36-37, 43-44.

Entonces, la originalidad de Quevedo está ante todo en la fijación en castellano, en la repartición de materia en el verso, en la intuitiva troquelación en unidades rítmicas de las partes de más interna cohesión del pensamiento mismo, de tal modo que ritmo exterior resalte cohesión interna. Pero su más profunda originalidad consiste en la incorporación de los elementos allegadizos al sistema de su poderosa expresión afectiva; por esta razón nada toca que no quede resellado como suyo.

En algunas composiciones, Quevedo adapta máximas antiguas a condiciones nuevas. Historia de la grandeza de España, advertencia del contemplador que ve los rápidos signos de la decadencia:

> Un godo que una cueva en la montaña
> guardó, pudo cobrar las dos Castillas;
> del Betis y Genil las dos orillas,
> los herederos de tan grande hazaña.
> A Navarra te dio justicia y maña;
> y un casamiento, en Aragón, las sillas
> con que a Sicilia y Nápoles humillas
> y a quien Milán espléndida acompaña.
> Muerte infeliz en Portugal arbola
> tus castillos. Colón pasó los godos
> al ignorado cerco de esta bola.
> Y es más fácil, ¡oh España!, en muchos modos,
> que lo que a todos les quitaste sola
> te puedan a ti sola quitar todos.

Este soneto, que con tanta exactitud refiere la historia de España, en su ascensión desde Pelayo hasta el descubrimiento de América y la incorporación de Portugal por la muerte de don Sebastián, y que amenaza y advierte en su terceto último, ha salido precisamente de ese terceto; y ese terceto es casi traducción, adaptada a España, de la advertencia de Séneca «Quod unus populus eripuerit omnibus, facilius ab omnibus uni eripi posse».

El soneto no ofrece esas grandes concentraciones de pensamiento afectivo que nos dan otros de Quevedo: obsérvese, no obstante, cómo las partes más cohesivas han ido —con toda naturalidad— a fraguar en unidades endecasilábicas: «que lo que a todos les quitaste sola / te puedan a ti sola quitar todos». Lo más notable es que el soneto está, por sí mismo, firmado: entra en el mundo de conceptos y afectos del autor, no como pieza pegadiza, sino como elemento incorporado a un sistema: la expresión afectiva quevedesca —como una vegetación invasora— lo recu-

bre y asimila. (Obsérvese la función de la palabra «bola» en el verso
último del primer terceto.) [...]

El lenguaje de Quevedo tiene dos extraordinarias características
que le sitúan señero dentro del panorama de nuestra lírica: una es
la increíble —sí, se diría increíble porque es límite— capacidad de
condensación, no una condensación ocasional, como la puede conseguir quien aquí y allá burila y aprieta una frase, sino seguida, en casi
todo lo que brota de la pluma, es decir, característica casi constante;
y la otra nota es una ocasional capacidad afectiva, un hincharse súbito
de la expresión, que nos agarra, que nos zarandea, porque detrás de
aquellas palabras de hombre del siglo XVII sentimos que bulle sangre
y que quieren reventar ya ira, ya lágrimas. Pero estas dos condiciones
peculiares del lenguaje de Quevedo se dan en la lírica más noble de
un modo no escandaloso [véase también arriba, pp. 111, 554]; quiero
decir, comprendemos que ese estilo es extremado, pero no sentimos
que rompa o deshaga ninguna norma de la lengua común.

Ahora bien, la condensación y la virulencia afectiva saltan en
seguida a los ojos en lo burlesco. Pero ya aquí la condensación, pre-
ñada de humores, rompe el equilibrio idiomático: todo se prensa, se
estruja. Y del estrujón quevedesco, las funciones arquitectónicas resultan transformadas: tal voz anocheció sustantivo que al encontro-
nazo se despierta adjetivo («él era un hombre cerbatana», es decir,
acerbatanado, largo como una cerbatana), o, con un tipo de sufija-
ción que no le corresponde («érase un naricísimo», un hombre de
nariz grandísima).[1] Dejémonos de dengues y de «buen gusto» y ad-

1. [Recuérdese todo el soneto en cuestión, en el texto de González de
Salas: «Érase un hombre a una nariz pegado, / érase una nariz superlativa, /
érase una nariz sayón y escriba, / érase un peje espada muy barbado; / era un
reloj de sol mal encarado, / érase una alquitara pensativa, / érase un elefante
boca arriba, / era Ovidio Nasón más narizado; / érase el espolón de una galera, / érase una pirámide de Egito, / los doce tribus de narices era; / érase
un naricísimo infinito, / muchísimo nariz, nariz tan fiera / que en la cara de
Anás fuera delito». F. Lázaro Carreter [1956] comenta, a propósito de esta
versión: «Observemos cómo cada verso es una unidad esticomítica, independiente de la que le precede o le sigue (excepto los versos 13-14). En cada unidad
métrica, el poeta instala un objeto distinto (o varios, en otros sonetos), que
hace entrar en relación con el objeto central, mediante una identidad metafórica.
El poema adopta así una estructura radial. [...] El poeta parece entregado a
una casi patológica creación de metáforas —tan intensamente como, en otras
obras, crea tipos, personajes y circunstancias—, que luego avienta, sobrado y

mitamos todo lo que nos proyecte este brutal espoleador de la realidad.

A Apolo, es decir, al Sol, que persigue amorosamente a Dafne, éste es el consejo que le da si quiere gozar de la muchacha (entiéndase que «afufarse» significa huir: Dafne huía en silencio):

> Bermejazo platero de las cumbres,
> a cuya luz se espulga la canalla:
> la ninfa Dafne, que se afufa y calla,
> si la quieres gozar, paga y no alumbres.

Nuestra imaginación, en esos cuatro versos, pasa por toda una serie de vueltas y recodos, pertenecientes a esferas muy distintas, polarizadas entre bella mitología y granujienta hampa:

Primer verso (vívidamente colorista): *bermejazo,* «rojo», con el aumen-

---

pródigo. El tema tratado se somete a extrañas, rápidas y múltiples transustanciaciones. Y el soneto —que hemos tomado como arquetipo de otros muchos— parece producirse por el estallido de un cohete, preñado de radiantes fantasías. [...] Buena parte del soneto está montada sobre dos armazones, y su faz es distinta según se mire a una u otra luz. Versos enteros giran sobre el gozne sutil de una palabra o una expresión disémicas. La *nariz sayón* del tercer verso nos ofrece el primer caso de vario sentido; la nariz se convierte en una saya grande; y, por tanto, en un objeto de gran tamaño que baja acampanadamente hacia el suelo; alude, además, al mundo judaico; y un tercer sentido se acumula a los dos anteriores: el de feroz y rebelde ("pues tiene de sayón la rebeldía", había escrito en un soneto contra Góngora). El segundo sustantivo apuesto, *escriba,* comporta otras dos notas alusivas: la primera, al evocar la actitud inclinada del que escribe, reitera el carácter descendente de la nariz (como en el verso sexto: "érase una alquitara pensativa"); la segunda, apunta al judaísmo (como en los versos once y catorce). Todas estas insinuaciones han cabido en un verso, en dos palabras mejor, sobre las que Quevedo ha acumulado todo su formidable sentido del idioma. El cuarto verso nos ofrece un primer equívoco con *peje,* que juega sus dos sentidos: 'pez' y 'hombre astuto'. El verso puede correr, pues, por dos caminos. El sentido inmediato es el siguiente: 'aquel peje, de barba y espada al cinto, poseía una gigantesca nariz que le hacía asemejarse a un pez espada'; pero la intención de Quevedo era que entrásemos por una segunda vía: 'aquella nariz era como un pez espada dotado de grandes aletas anteriores o barbas', en suma, 'una larga nariz, por cuyos orificios salen abundantes mechones de pelo'. El efecto cómico gira, pues, sobre la dilogía de *barbado,* que se dice, a la vez, de 'quien tiene barbas en el rostro' y del 'pez dotado de las aletas o cartílagos llamados barbas'. El quinto verso está también lleno de sugerencias. La alusión al reloj de sol evoca en seguida un largo gnomon, es decir, la nariz hiperbólica; y *mal encarado* alude a la vez a dos, tativo afectivo -*azo*, que alude al tamaño del astro, pero que anuncia todo el tono social y moral en que se desenvuelve el soneto; *platero*, porque dora las cumbres. Es un estupendo verso: ¡que lo mejoren! *Verso segundo*: Evocación de ambiente (diría Bally), casi de *milieu*, fondo goyesco, dos siglos antes que Goya, capricho dibujado en once sílabas: mano maestra. *Verso tercero*: Nos describe cómo la ninfa huye; pero el término *afufa*, evidentemente próximo a la germanía (aunque no lo señale como tal el diccionario), es una nueva evocación de ambiente. *Verso cuarto*: Enorme condensación para el chiste: *no alumbres*, ¿cómo la vas a gozar con todo tu golpe de luz?; *paga*, has equivocado el camino, porque el amor se conquista por el dinero.

Terrible pesimismo cínico. De este pesimismo sale el sarcasmo, la necesidad de tomar la bella fábula y sumergirla en aguas rufianescas. Ahí está el origen y la justificación de todas las evocaciones de un ambiente hampón en estos versos y en gran parte de la obra de nuestro poeta: un cinismo pesimista. Una especie de nihilismo que lleva a la reducción, a la atracción a plano inferior de todas las bellas alturas de la vida. El barroquismo, si de un lado eleva la realidad, hasta convertirla en un nítido mundo ideal (creación de Góngora),

---

o quizá tres significados: *a*) 'mal orientado, es decir, con el gnomon desviado'; *b*) 'no enfrentado al sol, y, por tanto, en sombra, sombrío', y *c*) 'de mala cara'. Aquel individuo, pues, parecía un reloj de sol, cuya aguja (= larga nariz) seguía una dirección anómala, y era a la vez, sombrío y de mala catadura. El verso séptimo, bajo su transparencia, oculta otra doble alusión: "un elefante boca arriba" sugiere inmediatamente la imagen de algo descomunal, informe, indomeñable. Aquella nariz daría la impresión de una tremenda y descompuesta masa. El poder hiperbólico de Quevedo quedaría suficientemente demostrado; no la sutileza conceptual, ya que tal hipérbole resulta poco ajustada. Pero el ajuste se realiza cuando arrancamos a *boca arriba* su segundo sentido: no sólo significa 'con las patas por alto', sino 'arriba, por encima de la boca'. Ya está, pues, claro este problemático verso que, Jano de dos caras, significa a la vez: 'la nariz era tan monstruosa como un elefante boca arriba' y 'aquel individuo, por encima de la boca, era un elefante, porque su nariz era tan grande como una trompa'. Fijémonos, por fin, en el último verso: *que en la cara de Anás fuera delito*. Aquella nariz hubiera sido extremada hasta en el rostro de Anás, es decir, de un judío; pero un judío muy peculiar, cuyo nombre puede explicarse por una caprichosa etimología (A-nás), y significa 'sin nariz'. Es decir —nuevo sentido—, tan descomunal era el apéndice, que hubiera resultado excesivo, delictivo, hasta en el rostro de un riguroso chato». Sin embargo, J. M. Blecua [1963 y 1969-1981] documenta que los últimos versos pasaron todavía por reelaboraciones más conceptuosas, hasta adoptar la forma «frisón archinariz, caratulera, / sabañón garrafal, morado y frito».]

de otra parte hunde la realidad en un monstruoso inframundo (plano infrahumano de Góngora y, más aún, de Quevedo). [...]

El alma de Quevedo era violenta y apasionada. Trasplantada la violencia a su arte, en él se quiebran los tabiques de separación de los dos grandes mundos estéticos del Siglo de Oro, esa polarización a la que caprichosamente he llamado una vez «Escila y Caribdis de la literatura española». Quevedo, para la mirada más exterior, aparece aún fuertemente dividido por esa doble atracción: mundo suprahumano, mundo infrahumano. Pero, cuando nos acercamos, vemos que en las sacudidas de su apasionada alma se quiebran las barreras. Hemos llamado «desgarrón afectivo» a esa penetración de temas, de giros sintácticos, de léxico, que, desde el plano plebeyo, conversacional y diario, se deslizan o trasvasan al plano elevado, de la poesía burlesca a la más alta lírica, del mundo de la realidad al depurado recinto estético de la tradición renacentista. Sí, ese mundo apasionado y vulgar es como una inmensa reserva afectiva que lanza emanaciones penetrantes hasta la poesía más alta. Lo plebeyo y lo hombre se funden en Quevedo en una explosión de afectividad, en una llamarada de pasión que todo lo vivifica, mientras mucho destruye o abrasa (valores sintácticos, léxicos, etc.). Y ese mundo apasionado —que trae la vida— irrumpe ahora victorioso en el recinto convencional de *perlas = dientes* y *oro = cabello*. Expresémoslo de otro modo: en la amargura, en la pasión, en la ira, en el odio, en el amor, en la ternura, Quevedo es un poeta indivisible que sólo unitariamente puede ser entendido.

Estas imágenes de violencia que nos surgen para descubrir la expresión de Quevedo fraguan también del lado lingüístico en aumentativos: «tirozano», «desgarrón», etc. Es que hay algo jayanesco, desmesurado, en el proceder estético de Quevedo, es decir, en su estilo y en el efecto que sobre nosotros determina.

Y aun diríamos que hay algo de jayán, una desmesura, en toda la personalidad moral de Quevedo. ¿Por qué zarandea, por qué rasga, por qué odia, por qué ama, eruptivamente, violentamente, este hombre? ¿Qué frenesí, qué desequilibrio le acucia? ¿Quién pone en su boca de amador —de amador que quizá nunca galanteó al uso— esas expresiones netas de concentrado pesimismo: «la vida es mi prisión»; «desierto estoy de mí»; «cargado voy de mí»? ¿A qué cárcel, a qué vacío, a qué opresión alude? [...] El alarido de Quevedo podrá muchas veces —así lo dicen los poemas— proceder de pena de amor; a nosotros nos es imposible interpretarlo sólo como un lamento amoroso. ¿Verdad que la pena de este hombre es mucho más radical —ya muy lejos de las gracias de Lisi, de Floralba, de Aminta—, que nace de un pesimismo genérico, unido a la misma entraña de su existir? [...] Quevedo tiene una congoja que le estalla. Es una preocupación constante por su vivir: punto en el tiempo, con memoria y con una proyección hacia el futuro. La preocupación por su vida, esa consideración de su vida, que nunca le abandona, y la representación de este vivir como un anhelo («sombra que sucesivo anhela el viento»), como una angustia continuada, arrancan esencialmente, radicalmente, a Quevedo de todo psicologismo petrarquista, lo mismo que le arrancan de todos los formalismos posrenacentistas, y nos le sitúan al lado del corazón, junto a nuestros poetas modernos preferidos. [...] En Quevedo se mezclan un pesimismo filosófico, que es producto de su cultura, un escepticismo amoroso y una hombría de español desilusionado; todo esto se le funde en el alma y constituye su concepto del mundo y de su vida, y todo se le va adensando y ennegreciendo según la misma vida pasa.

II.   Quevedo nos dijo con claridad e insistencia lo que para él era el nacimiento del ser humano a la vida en el mundo. Nacer es, por lo pronto, cambiar claustro por cárcel, madre por mundo:

> Del vientre a la prisión vine en naciendo;
> de la prisión iré al sepulcro amando
> y siempre en el sepulcro estaré ardiendo.

Buena parte del sentir de Quevedo se ha hecho letra en este terceto; el mundo, mirado como prisión, le muestra más su frontera que su ámbito; la vida terrena es un tránsito enamorado hacia la muerte; la muerte misma, un estado al que ha trascendido la llama de su amor en la tierra. Naciendo, empieza el hombre a morir, esto es lo único cierto: «Antes que sepa andar el pie, se mueve / camino de la muerte ...». El nacimiento a la vida nos instala de golpe en el tiempo, esto es, en la mudanza: ritmo cierto y seguro en el caso de «cielos y estrellas», camino hacia la muerte en todo lo que vive. [...] De ahí que el llanto, visible testimonio de la constante victoria del tiempo sobre la vida —no lloramos sólo por ser desgraciados; lloramos porque antes no lo fuimos y porque luego podemos dejar de serlo—, sea el primero y más universal gesto del contacto del hombre con su vivir: ·[«todos muriendo en lágrimas vivimos / desde que en el nacer todos lloramos».] «Nací desnudo, y solos mis dos ojos / cubiertos los saqué, mas fue de llanto». Esta plañidera concepción del nacimiento procede, por supuesto, del juicio de Quevedo acerca de la vida a que se nace. El dolor de nacer no depende del «de dónde», sino del «a dónde»; no es dolor de despedida, sino de arribada. Nace el hombre a vivir en cuerpo y mundo. ¿Qué tiene esta no solicitada vida para que así duela a Quevedo el primer encuentro con ella? Tres notas principales definen, creo, la idea quevedesca del vivir humano: su incertidumbre, su fugitividad, su inconsistencia. Vivir humanamente es un negocio incierto, fugitivo e inconsistente en su misma raíz; la poesía «grave» de Quevedo nos lo dice sin descanso. [...]

El poeta Quevedo y el filósofo Descartes, su contemporáneo, viven la misma incertidumbre espiritual; pero Descartes la vive tiempo arriba, cara a una futura seguridad —que ésta sea utópica, no hace el caso—, y Quevedo tiempo abajo, con una esperanza forzosamente situada no más que allende la muerte y el mundo. Pronto se han consumido bajo el sol de Castilla las suaves frondas del Renacimiento. La «ciega noche», el «yerto escollo», la «yerma orilla», la «muda senda», la arena solitaria son las metáforas con que el poeta nos dice cómo veían sus ojos el ámbito de su existencia personal; el «pie dudoso» y el «pie perdido», las expresiones casi constantes de su experiencia de viador. Si el alma no recibe «un nuevo corazón, un hombre nuevo» —con urgencia los pide desde dentro de sí mismo el caduco Quevedo—, no puede ser otra la imagen de su mundo; pero el hombre no es dos veces joven, y no cabe otra novedad que la estupenda de convertir la mirada a lo que no pasa. Mientras tanto, este «polvo sin sosiego» que somos, va caminando, abrumado por su propia existencia, incierto siempre, hacia un morir seguro y cada día posible: «Cargado voy de mí: veo delante / muerte que me amenaza la jornada...».

La vida del hombre es, además de incierta, fugitiva. La radical *fugitividad* de nuestra existencia, esta inasibilidad del instante, este rápido curso hacia el término ineludible, son, no hay duda, uno de los más frecuentes motivos de la poesía de Quevedo. ¡Viejo tema la fugacidad del vivir! [Pocos, sin embargo,] han expresado con tanta fuerza como Quevedo, con tan dramático y dolorido desgarro, el sentimiento de la propia fugacidad: «¡Cómo de entre mis manos te resbalas! / ¡Oh, cómo te deslizas, edad mía!», dice una y otra vez. La vida, «cada instante en el cuerpo sepultada», fluye y se consume sin tregua. Ved la herida energía con que lo dice Quevedo:

> Ya no es ayer, mañana no ha llegado,
> hoy pasa, y es, y fue, con movimiento
> que a la muerte me lleva despeñado.
> Azadas son la hora y el momento,
> que, a jornal de mi pena y mi cuidado,
> cavan en mi vivir mi monumento.

No hay lengua poética en que todos los tiempos verbales jueguen y se combinen con tan significativa vivacidad: «soy un fue, y un será, y un es cansado», nos dirá luego. El tiempo, dimensión constitutiva del ser terreno del hombre, es a la vez causa y visible operario del cuidado de existir. [...]

Si la vida humana es esencialmente fugitiva, si vivir en el mundo es desvivirse, bien puede afirmarse que el hombre muere viviendo. [Véase arriba, pp. 563-566.] Más que su término, la muerte es un momento esencial y constante de la existencia humana. Vivir humanamente no es sólo morir, pero es morir: «muerte viva es nuestra vida». Cuando el hombre percibe lúcidamente la fugitividad de su vida, descubre que su nacimiento y su muerte, vivido aquél como tácito recuerdo, sentida ésta como oscura anticipación, se hallan presentes en la real estructura de cada uno de sus instantes temporales. ¡Con qué vigor, con qué desgarro lo sabe cantar Quevedo!:

> Ayer se fue, mañana no ha llegado,
> hoy se está yendo sin parar un punto:
> soy un fue, y un será, y un es cansado.
> En el hoy y mañana y ayer, junto
> pañales y mortaja, y he quedado
> presentes sucesiones de difunto.

«Presentes sucesiones de difunto»; huelga cualquier comentario. Quien así concibe el curso temporal de su propia vida, ¿podrá contemplar la realidad exterior asimismo, sea ésta la que fuere, sin proyectar sobre ella ese hondo sentir de la propia caducidad? Tanto como la decadente existencia de España, es la íntima experiencia de su humana vida lo que le pone en la pluma aquellos dos últimos versos del «Miré los muros de la patria mía»:

> y no hallé cosa en que poner los ojos
> que no fuese recuerdo de la muerte.[2] [...]

2. [Ya J. M. Blecua (1948, ahora en G. Sobejano [1978]) notó que «Miré los muros ...» no tiene nada de «soneto político, ni mucho menos de esa terrible visión apocalíptica de un imperio que se desmorona, visión muy del siglo XIX,

La muerte, entendida como dimensión constitutiva y permanente de la existencia humana, es el testimonio supremo de su esencial inconsistencia: «pues si la vida es tal, si es de esta suerte, / llamarla vida agravio es de la muerte». Esta profunda convicción de Quevedo le lleva a emplear de continuo la idea de la muerte para dar expresión a la carencia de peso propio, a la oquedad de la vida terrenal: la vida es «nudo frágil del polvo y el aliento», «sombra anhelante de viento sucesivo»; el cuerpo, tumba que menoscaba el ser verdadero del hombre: «menos me hospeda el cuervo, que me entierra»; todo cuanto pretendemos o logramos para en «poca tierra». Impónese, pues, esta conclusión: que la vida del hombre sobre este suelo está próxima a ser una pura nada: «pues es la humana vida larga, y nada». [...]

¿En qué medida es sentir verdadero; en cuál invención o fórmula la poesía «grave» de Quevedo? Confesemos que alguna retórica estoica, conceptista o estrictamente quevedesca hay en ella. La expresión de Quevedo, no hay duda, es en no pocos casos superior 'en volumen' a su verdadero sentir, como el traje desmedido de una menina a la línea real de su cuerpo; la apretada concisión, la ajustada nervadura verbal y conceptual del ropaje expresivo no excluyen su dilatada magnitud. Si el verso dice, por ejemplo, «mi corazón es reino del espanto», o si pregunta al amor «¿Qué sangre de mis venas no te he dado?», el más ingenuo lector entenderá que ese espanto y esta metafórica sangre han sido formularia, retóricamente hiperbolizados por el «oficio» de un poeta barroco. Bien. Pero, una vez cumplida,

---

pero que era imposible en 1613». «Se trata simplemente de una imagen tópica en la poesía de su tiempo para indicar que todo es perecedero, hasta los más fuertes y bizarros muros. Todo obedece al tiempo en muerte fría: la muralla, el arroyo, la luz, la espada y la casa.» Por su parte, R. M. Price (1963, también en Sobejano [1978]) advierte que «la fuente de la imagen de la casa ruinosa, en este soneto al menos, es Séneca, *Epistulae morales ad Lucilium*, XII. El comienzo de la epístola describe la visita del autor a su quinta, donde comprueba que el tiempo está destruyendo tanto a ésta como a él mismo. En los dos versos finales del soneto Quevedo recuerda sin duda alguna dos frases: "Quocumque me verti, argumenta senectutis meae video", y "Debeo hoc suburbano meo, quod mihi senectus mea, quocumque adverteram, apparuit". La idea tiene una resonancia *a lo divino* en el *psalmo* VII del *Heráclito*: "¿Dónde pondré, Señor, mis tristes ojos / que no vea tu poder divino y santo?". El tema y el lenguaje del soneto entero se repiten en el *Sueño del infierno*, 1608 (*Las zahúrdas de Plutón*): "¿A qué volvéis los ojos, que no os acuerde de la muerte? Vuestro vestido que se gasta, la casa que se cae, el muro que se envejece, y hasta el sueño de cada día os acuerda de la muerte, retratándola en sí"».]

incluso con suspicaz largueza, esta necesaria faena reductiva, habrá
que preguntarse si no tiene un hondo sentido real y profundo que
el autor haya elegido tales fórmulas retóricas entre todas las que su
época y su formación le ofrecían o le permitían crear, y que, por
tanto, haya despreciado otras. Góngora, Lope y Quevedo fueron
contemporáneos, y cada uno creó sus tópicos expresivos propios,
según su peculiar sensibilidad de hombre y de poeta. Quevedo habla
tópicamente de la muerte, del dolor de amar, de la fugitividad de la
vida; Quevedo hiperboliza sus expresiones y se complace en los contrastes violentos, así de contenido como de forma. ¿Acaso no tiene
profunda significación respecto a la genuina verdad del hombre Quevedo esta especial querencia de sus gustos expresivos?

GONZALO SOBEJANO, CARLOS BLANCO AGUINAGA
Y FERNANDO LÁZARO CARRETER

«CERRAR PODRÁ MIS OJOS ...»
Y LA LÍRICA AMOROSA

AMOR CONSTANTE MÁS ALLÁ DE LA MUERTE

Cerrar podrá mis ojos la postrera
sombra que me llevare el blanco día,
y podrá desatar esta alma mía
hora a su afán ansioso lisonjera;

5   mas no, de esotra parte, en la ribera,
dejará la memoria, en donde ardía:
nadar sabe mi llama la agua fría,
y perder el respeto a ley severa.

I. Gonzalo Sobejano, «"En los claustros de l'alma ..." Apuntaciones sobre
la lengua poética de Quevedo», *Sprache und Geschichte. Festschrift für Harri
Meier*, W. Fink Verlag, Munich, 1971, pp. 459-492 (467-470, 487-488).

II. Carlos Blanco Aguinaga, «"Cerrar podrá mis ojos ...": Tradición y originalidad», *Filología*, VIII, n.os 1-2 (1962), pp. 57-78 (66-68, 73-76).

III. Fernando Lázaro Carreter, «Un soneto de Quevedo», en su libro (en
colaboración con Evaristo Correa Calderón) *Cómo se comenta un texto literario*,
Cátedra, Madrid, 1974, pp. 168-176.

Alma a quien todo un dios prisión ha sido,
10   venas que humor a tanto fuego han dado,
medulas que han gloriosamente ardido,

su cuerpo dejará, no su cuidado;
serán ceniza, mas tendrá sentido;
polvo serán, mas polvo enamorado.

[La edición de González de Salas —única que ha
transmitido el soneto— imprime *dejarán* en el
verso 12. Pero J. M. Blecua [1969-1981] razona
que debe leerse *dejará*: «el *alma* ... *dejará* el
cuerpo para ir a la otra orilla. Los tercetos ofrecen una clara correlación».]

1.   El ciclo *A Lisi* comprende, en la edición de Blecua, 68 composiciones, de las cuales 64 son sonetos. Admitamos o neguemos el
buen orden de la colección, a lo largo de ésta aparecen, como es
lógico, los tres factores del amor: el amor mismo, la amada, y el
amante, con distinto relieve según el caso.

Quevedo define el amor que le inspira: un amor que posterga los
deseos y sólo atiende a amar, una atracción hacia la hermosura que eleva
a virtudes y heroicas perfecciones; amor cenital, que no siente las manchas de la tierra; amor que en la soledad se nutre de su imaginación y
de la presencia pura que esta imaginación crea: adoración del alma, admiración de la belleza, renuncia al premio y al consuelo. Tal amor queda
en un soneto («Lisis, por duplicado ardiente Sirio ...») convertido a doctrina platónica. Amor, en fin, silencioso, secreto, inviolable, visual, como
señaló Dámaso Alonso, pero que, en palabras de éste, «aunque va por
zonas blancas, cristalinas, de un modo inesperado se carga de sangre y
de sabor amargo». Otro tema, la hermosura de la amada, comparece en
el ciclo a Lisi: las crespas hebras de su rubio cabello, sin ley desenlaza-
das; sus ojos, estrellas encendidas en nieve; los relámpagos carmesíes de
su risa. O bien Lisi es vista en diferentes circunstancias: con una niña
dormida sobre sus faldas, con un perro en las manos arrimado al rostro,
cortando flores y rodeada de abejas, o retratada en mármol.

La materia del cancionero que cuantitativa e intensivamente determina su carácter consiste, sin embargo, en la expresión de los pa-
decimientos amorosos, en la manifestación del sentir apasionado del
amante. Las modalidades extremas de este sentir son la fuerza
del amor (fuego) y la aflicción (llanto).

Quevedo es sobre todo poeta de fuego. El fuego quema, se levanta, perdura. En su estudio sobre el soneto «Cerrar podrá mis ojos ...», Carlos Blanco Aguinaga hace consideraciones muy precisas sobre la calidad ígnea de los poemas a Lisi: «*Fuego, llama, corazón ardiente*: un registro único, pero el fundamental». [...] La manifestación del padecer del amante tiene su símbolo predilecto en el llanto. Las lágrimas del enamorado sin recompensa se derraman en la soledad, en el recuerdo de la escasa felicidad pasajera y en la comprobación del presente dolor, y forman ríos nunca capaces de apagar el incendio de la pasión. «En los claustros de l'alma» [soneto de temple particularmente afín a «Cerrar podrá ...» [1]], atestigua el exceso del padecer más que la exageración del afecto amoroso. La aflicción aquí es total, de un absoluto carácter negativo que alcanza el tono más lúgubre, desde los «claustros» del verso inicial hasta el «espanto», la postrera palabra. Traspasa a este soneto una fuerza imaginativa que impresiona más porque, siendo objeto del poema un afecto tan sublime, pinta el dolor en términos de corporeidad enferma: herida que consume, vida hidrópica, llama extendida por venas y medulas, negro llanto (llanto de *melancolía*), suspiros. En este poema intervienen los dos símbolos: la llama y el llanto.

[Tanto en el ciclo a Lisi como en el resto de sus poemas amorosos, Quevedo despliega gran ingenio] tratando de definir el amor, explicando su origen, enumerando sus efectos, dilucidando si es posible amar a dos al mismo tiempo, si amar es cosa distinta de querer, si es mejor amar a quien desdeña o a quien favorece, etc. El amor es el alma del mundo, omnipotencia padecida, virtud ardiente y no voluntad interesada. Pero este amor intelectual es definido con menos frecuencia que el sensitivo que hace sufrir; y el sufrimiento llega a torturas que inducen al amante

1. [Baste señalar que el poeta se declara ahí «ceniza amante y macilenta» (verso 6); y observa Sobejano: «En poeta tan obsesionado por el tiempo y la muerte, tan propenso a evocar las ruinas y rendir homenaje a los muertos, y tan sensible a la llama de amor, la ceniza es metáfora necesaria. El mundo de Quevedo tiene, y se ha observado ya, una tonalidad cinérea. Lo que aquí importa son esas calidades de "amante" y "macilenta". El sentido en que sea "amante" la ceniza se descubre mejor a la vista de versos como éstos: "Contento voy a guardar, / con mis cenizas ardientes, / en el sepulcro la llama / que reina en mi pecho siempre" ("Males, no os partáis de mí", 29-32); "Llevara yo en el alma adonde fuese / el fuego en que me abraso, y guardaría / su llama fiel con la ceniza fría / en el mismo sepulcro en que durmiese" ("Si hija de mi amor mi muerte fuese", 5-8); "ardiendo en vivas llamas, siempre amante, / en sus cenizas el amor reposa" ("Ay, cómo en estos árboles sombríos", 42-43). Se trata de la continuidad del amor tras el vivir terreno, que no es sólo un ensueño de eternidad, sino el grado sumo de afirmación de la pasión destructora: esa pasión reduce a cenizas la vida, pero las cenizas arden todavía» (p. 478).]

a negarle al amor su nobleza divina: «Ser dios y enfermedad ¿cómo es decente?». Cantar la hermosura de la amada (Amarili, Aminta, Doris, Filis, Flora o Floralba, Tirsis...) es algo que exige menos enardecimiento que ingenio, si se quiere dar a la alabanza visos nuevos. La agudeza, pues, se explaya en sonetos y canciones en elogio de la bella desdeñosa, que consisten sobre todo en conceptos: «Ceniza en la frente de Aminta, el miércoles de ella», «A un bostezo de Floris», etc. Y no sólo canta Quevedo a la hermosa intachable, sino también a la imperfecta hermosa: bizca, tuerta, del todo ciega.

Pero la mayoría de estos varios poemas amorosos no tienen por objeto la índole del amor ni la hermosura de la amada, sino los sufrimientos del que ama: la tristeza antigua, los ardores del deseo insaciable, el llanto suscitado por el desprecio o por la ausencia, el extravío en la soledad, los desasosiegos y peligros, la locura inminente, el anhelo de morir. El llanto corre metafóricamente en la fuente, el arroyo o el río (ríos que se llaman, según la amada y la ocasión, Tajo, Pisuerga, Henares, Guadiana). Los vehículos metafóricos de la llama son: la salamandra, la mariposa, el ave fénix, la canícula, el volcán, el infierno. [...]

La poesía grave de Quevedo se nos aparece como una poesía profundamente unitaria. La actitud y el lenguaje del amante desterrado de su bien son la misma actitud y el mismo lenguaje del penitente sin Dios y de la criatura sin luz de eternidad. En los versos amorosos, como en los morales y metafísicos, prevalecen los mismos temas: la consunción (por la pasión, por el pecado o por el tiempo), la privación de consuelo, el hundimiento en la soledad confusa. Los motivos se repiten en distintas estructuras y con expresión siempre renovada: daño escondido, muerte latente, fuego por venas y medulas, ceniza y humo, retiramiento, miedo a la luz, negro llanto, sordo mar, suspiros, espanto infernal. En otros poemas pone en juego Quevedo su ingenio satírico para burlarse de la realidad errónea y fea, objeto de aversión. En los [más característicos de entre los amorosos] ejercita su espíritu anhelante en la misma tarea de buscar el ideal que él desearía participable y eterno.

II. El *Poema a Lisi* es sorprendentemente corto si se compara con las secuencias de Petrarca, de Du Bellay o de Shakespeare. Además, aunque muchos de los temas, conceptos e imágenes peculiares a la tradición del soneto amoroso hallan en él cabida, junto al *Can-*

zoniere o frente a los sonetos de Shakespeare (tomemos los dos más altos ejemplos del género, en los dos polos temporales de su historia), el *Poema a Lisi* ofrece poca variedad, tanto de temas y de imágenes como de matices. [No es exageración afirmar que en el soneto «Cerrar podrá mis ojos ...» no se encuentra ni una imagen ni un concepto que no aparezca ya repetidamente en otros momentos de la poesía misma de Quevedo y, de manera especial, a lo largo del *Poema a Lisi*. Por lo demás, bien sabemos que para cuando llegan a Quevedo estas imágenes y conceptos a principios del siglo XVII son ya viejos lugares comunes y, las más veces, retórica pura de esos amantes que, según Donne, «have no Mistresse but their Muse» ('no tienen más amante que su musa'); los que Quevedo mismo llamaba «hortelanos de facciones».] En cambio, lo notable es su intensidad: la línea corta y rectísima que lleva a Quevedo del gozo de amar y del juego verbal cortesano al dolor que, con los años que pasan fugaces, llega a resultar casi intolerable; y la insistencia con que, en tan urgente trayectoria, trata de encontrarles su más hondo sentido universal a una o dos imágenes y conceptos centrales a toda pasión amorosa. [...]

Así como el *Poema a Lisi* significa una limitación y concentración de ciertos temas e imágenes peculiares a la poesía petrarquista, «Cerrar podrá ...» es, a su vez, un precipitado de la serie toda. Todo lo que se puede decir sobre el amor —lo que Quevedo sabe se ha dicho— queda reducido a una sola cosa: al amor se opone la muerte (es decir: el Tiempo en su extremo), pero ni la muerte puede destruirlo. La idea es radical y clarísima, y aparece expresada desde el principio mismo del soneto sin que haya un desarrollo convencional de los cuartetos a los tercetos en que debería culminar lo planteado en los cuartetos.

Salta a la vista que el soneto está dividido en dos partes bien separadas en las que una misma idea se expresa de dos maneras diferentes. No sólo dice el soneto una sola cosa (como debe ser), sino que, desde el punto de vista conceptual, *dice dos veces lo mismo*. Ya en los cuartetos se afirma que a pesar de la muerte («ley severa») la llama que ardió en la vida del poeta seguirá ardiendo, y recogida la idea en los versos 7 y 8, nos es lanzada otra vez en los tercetos que, al parecer, sólo acumulan palabras para reafirmar lo ya declarado. Vienen a ser, frente a la sobria afirmación de los cuartetos, una segunda carga con que el poeta pretende afianzar la victoria —verbal— contra la muerte.

Claro que la última palabra del poema (*enamorado*), celosamente guardada hasta entonces, nos viene a informar como revelación cimera —y por lo tanto estrictamente nueva— que la llama que no va a morir, lo que el poeta no va a olvidar ni en la muerte, es su amor. En cierto sentido importantísimo y sutil, pues, el poema no sólo culmina en los tercetos, como debe ser, sino en la última palabra, gracias a la cual sabemos (antes de ella no hay modo alguno de saberlo) que el fuego que no podrá oscurecer la sombra ni apagar el agua es el amor. [...]

Lo notable de este poema, sin embargo —lo que tal vez cree su más honda tensión—, es que, más aún que otros sonetos (forma corta, compacta, que puede *darse* en una ojeada), puede leerse, quizá desde la primera lectura, como *ya leído*: obra como las de arquitectura (palabra ésta que, junto con *monumento*, nos guía al centro mismo de la visión barroca del mundo), volumen en que mucho antes que las partes captamos el todo. Dicho a la inversa: parece surgir el poema como *ya hecho* desde unas primeras palabras que llevan a la última (que parecen estar en el mismo instante que la última) sin desviaciones ni distracciones de ningún género. (Nótese, por ejemplo, que desde el primer verbo, en futuro, *podrá*, anticipamos lo que van a decir los versos 5 y 6.) Ello se debe, desde luego, a que el poema se limita a una sola idea elemental y muy clara, pero, además, una idea lanzada por dos flancos contra el lector, o contra la «ley severa» que el lector y el poeta conocen. Idea única; poema bloque; concepto que, en lo racional, no avanza, no se desarrolla de verso a verso, como si al poeta no le interesase elaborar (no necesitase ir creando), sino subrayar; afirmar de un solo golpe, eliminando el tiempo de la lectura entre la primera palabra y la última; casi rayo violento que ilumina todo de una vez porque se trata, precisamente, de un poema contra el Tiempo: de la idea es su forma el monumento.

Si así desde el principio del poema está ya el poeta en su conclusión, con intuición unitaria y radical, como quien de un solo golpe hace a un lado todo lo que ya sabe y sus lectores saben sobre el tema y la imagen que le obsesionan; si así reduce toda idea del amor a una sola de sus facetas —la más angustiosa—, igualmente reduce a su forma más extrema, radical y definitiva, las imágenes en que el concepto se apoya: si *fuego* podía significar miradas, color, fidelidad, etc..., es ya aquí, puesto que todas esas cosas son las que dan vida al amante, la vida misma, el puro arder vivir apasionado. Fuego = Existencia. Y si las lágrimas son (o *eran* en la tradición; es decir: en otros poemas, antes de este poema) ríos, mares, etc., aquí son ya el Río por definición, el último. Porque cuando se habla de amor se puede hablar de muchas clases de ríos: el que canta para consolar al poeta amante, el que llora con él, el que pasa sin escuchar, el que baña a la dama, el que resulta de un deshacerse la nieve al que debería imitar la amada, etc. Y todos, claro está, relacionados más o menos sutilmente con las lágrimas del poeta. Pero cuando se habla de amor en serio (es decir: de todo lo que es vida ardiente que, en una última palabra, puede llamarse amor), nos recuerda aquí Quevedo, no hay más que un río del que valga la pena hablar. No olvidemos que lo primero que se nombra en el poema es la muerte, debido a lo cual la *ribera* del verso 5 no puede ser ya otra cosa más que el doble concepto, fundido del Leteo y la laguna Estigia: la línea fronteriza última de la Vida-Fuego. [Desaparecen aquí todos los otros ríos de la poesía amorosa renacentista;] y en el momento de la lectura de nada sirve querer recordar por qué o cómo se originó algún día la imagen. Ni es éste un río hecho de lágrimas, ni el decorativo y quizá simbólico Ródano, ni el Loire de la «douceur angevine», ni el Tajo. Si Llama, por ser Amor, es Vida, frente a ella sólo importa el agua de la Muerte. Desde el principio, pues, todo reducido a sus consecuencias extremas, simplificado hasta lo esencial en ecuación ya irreductible.

Cada uno de los detalles del soneto nos demuestra lo radical, riguroso, implacable y obsesivo de la idea. En pocos poemas amorosos ha logrado Quevedo una más intensa concentración, una mayor cerrazón estructural; un más perfecto *cerrar*(se)-*enamorado* para erigir, solo, la engañosa y difícil verdad que opone a la ley verdadera. [Es de notar] con qué precisión *ojos* (verso 1) se opone a *sombra* (verso 2) y *sombra*, a su vez, a *blanco día*, así como, también, con justa rima, al *ardía* del verso 6; o cómo el *mas no* del verso 5 reaparece, invertido, en los versos 12, 13 y 14. Por lo que se refiere a la estructura más aparente, así como el poema está dividido en dos partes, según hemos dicho, la primera (los cuartetos) se divide a su vez en dos, una de las cuales (el segundo cuarteto) está a su vez dividida en: dos, uno y uno. Con rigurosa simetría, la estructura de la primera parte es, pues, 4, 2, 1, 1. La segunda parte del poema, los tercetos, se sostiene a su vez en un difícil equilibrio de contrarios: *alma* (verso 9) contra *cuerpo* (verso 12); *venas* (verso 10) contra *ceniza* (verso 13); *medulas* (verso 11) contra *polvo* (verso 14). O sea (en palabras que Dámaso Alonso ha vuelto a enseñarnos): estrictísimo y complejo esquema correlativo. A su vez, esta confrontación de contrarios da origen a los tres versos bimembres finales en que cada una de las segundas partes se opone a la primera y la rechaza. Y debemos notar también cómo, con el mismo rigor, pero por alusión, este poema lanzado contra la «ley severa» va igualmente dirigido contra la expresión más común de esa ley en el siglo XVII, porque, si todo es, según el verso de Góngora, *tierra, humo, polvo, sombra* y *nada*, entendemos que la *sombra* del verso 2 apunta ya con pulso firme hacia las *cenizas* y el *polvo* de los versos 13 y 14, donde se completa su sentido al ser todo ello negado en un puro acto de voluntad.

Si así se enfrentan en difícil equilibrio unas palabras del poema a otras, y todas ellas a la ley severa, e incluso a la expresión de esa ley en su siglo, ello se debe a que el amor es, en efecto, guerra de contrarios, lucha en la que el poeta ha descubierto, por fin, como única realidad importante, la oposición máxima: Vida contra Muerte. Es éste uno de los casos en que un poema amoroso trasciende el tema de su origen; o mejor, extrae de él sus últimas consecuencias. Porque si la vida del poeta era su amor, lo consecuente es concluir que enamorado es igual a vivo; que no es la Vida otra cosa más que Llama. Y como tal, en peligro y en lucha contra el agua, su natural contrario y complemento ya desde los presocráticos. La imagen tradicional de la poesía amorosa ha vuelto, pues, a su origen; o, quizá, ha encontrado por fin de nuevo la razón angustiosa de su origen.

Poesía, pues, de claras proyecciones metafísicas; poesía ya metafísica. Y es al llegar a esta conclusión cuando comprendemos lo que significa realmente decir que en este soneto Quevedo lo ha empujado todo hasta el límite de sus consecuencias extremas. Porque toda poesía amorosa tiende necesariamente hacia lo que en literatura inglesa se llama poesía metafísica ya que, por fuerza, cuando el poeta amatorio ha explorado a fondo su pasión —o el tema recibido, que para el caso es lo mismo— tropieza inevitablemente con los dos absolutos que se ·oponen a la razón de existir de su llama: el Tiempo y la Muerte.

III.   [A todo el soneto, escrito desde una violenta obstinación, una magna rebeldía del poeta, que se resiste a entregarlo todo a la muerte, ha llegado la hiperbólica terquedad de Quevedo.] Está ya en el admirable arranque organizado mediante una estructura sintáctica concesiva (*cerrar podrá ... el blanco día*). Nuestras gramáticas no recogen este esquema en sus inventarios oracionales, a pesar de su frecuencia y de su poder expresivo. El infinitivo y el futuro, así unidos, exponen una dificultad venidera para que algo se cumpla; y, a la vez, manifiestan que este algo se cumplirá con vencimiento de obstáculo. La voluntad quevedesca de vencer a la muerte no puede hallar una expresión más justa. Pero hay algo más en esta estructura gramatical que llama nuestra atención: el carácter hipotético de los futuros «podrá» y «llevare» [que recae nada menos que sobre la más implacable verdad del mundo, la de la muerte...] Quevedo ha saltado violentamente sobre la lógica, sobre toda prudencia racional, y nos ha brindado el trágico espectáculo de su inconsciencia. La muerte no le merece ahora consideración, absorto como está en salvar su amor.

El ímpetu de lucha que corre por todo el poema se vale de dos recursos homólogos para plasmarse: la antítesis y el contraste. La primera opera por oposición de términos contrarios (*postrera sombra-blanco día*); el segundo, por enfrentamiento o yuxtaposición de ideas opuestas. En el primer cuarteto, los dos primeros versos se oponen a los otros dos en la relación cuerpo-alma: *cerrar podrá mis ojos-podrá desatar esta alma mía*. No se me oculta que estos procedimientos son triviales en todo el arte barroco; pero no me parece menos claro que, en este texto, funcionan al servicio del impulso medular que lo mueve. Fijémonos aún en la organización cruzada de los verbos que encabezan ambas semiestrofas: *cerrar podrá-podrá desatar.*

[Los tópicos se han ido acumulando en el segundo cuarteto]: el amor como ardimiento, el alma enamorada como llama, la muerte como un viaje a través de las aguas letales... Y los elementos expresivos apenas si tienen vigor: adjetivaciones irrelevantes (*agua fría-ley severa*), oscuridad gramatical, archisabidas antítesis (*llama-agua*). A lo sumo, el giro *perder el respeto* logra sacudirnos, por una razón pareja a la que hacía chocantes los futuros del cuarteto anterior; ese *perder el respeto*, que orienta nuestro sentido lingüístico hacia zonas expresivas coloquiales, despreocupadas, se refiere nada menos que a la ley inexorable de la muerte.

[Existe luego un tremendo salto de calidad poética entre los cuartetos y los tercetos, como una penosa escalada.] Y he aquí, en primer lugar, los tres sujetos oracionales, potenciados, exaltados los tres por idénticos recursos sintácticos: «Alma, que a todo un dios prisión ha sido, / venas, que humor a tanto fuego han dado, / medulas, que han gloriosamente ardido». Tres construcciones paralelas, gramaticalmente —con las tres oraciones adjetivas— y rítmicamente —con los sustantivos en cabeza, con acento en sexta—, que van determinando un clima ascendente, una tensión emotiva; cada verso es una vuelta más dada en el torno de la emoción. Porque la gradación climática, lleva, si bien nos fijamos, hacia una más recóndita interioridad física, hacia las últimas criptas del placer o el dolor. Hay, en primer lugar, el *alma*, término poco expresivo por su tópico empleo en la poesía erótica, bien que genialmente magnificada por su complemento oracional. Del espíritu, pasa la evocación del poeta a la sangre, a las *venas* que ahondan en la carne; y, en este dramático buceo por su cuerpo, Quevedo llega a las *medulas*, a esas finas sustancias —nuestras más nuestras sustancias— que corren por las cañas de los huesos. Y él las evoca gloriosamente incendiadas de amor.

[Y luego, en el terceto final, la necesaria distensión.] Peligroso momento el de la distensión, cuando el arco ha sido forzado al límite de curvatura. Un contrapeso de igual potencia ha de oponérsele en la fase de la descarga. Quevedo ha obrado con pericia genial. Los tres versos anteriores han llegado, en efecto, como olas sucesivas, de preñez creciente y aupada: gramaticalmente, tres sujetos en demanda de predicado; emotivamente, tres apelaciones a los más encarnizados motores de la pasión. Y ahora la distensión sintáctica se alarga con cuatro futuros, plenos de segura determinación; y la emoción se extiende reiterada, como la lengua de agua que se arrastra, en esfuerzo último, por la playa, cuando la ola ha estallado. Son tres nuevas fases en la descarga, en el esfuerzo: el alma, las venas, las medulas — dejarán su cuerpo, serán ceniza, serán polvo.

Una simetría queda así dibujada entre ambos tercetos. Y ahora caemos en la cuenta de que estos seis versos finales poseen una clara estructura simétrica: tres sujetos / tres predicados; dentro de los sujetos, tres sustantivos / tres oraciones adjetivas; y, dentro de los predicados, tres oraciones asertivas / tres oraciones adversativas. [Sería fácil reducir a un esquema este complejo juego geométrico.]

¿Qué valor podemos atribuir a esta estructura? Por de pronto, un significado general: la confirmación de que el artista barroco tiene muy mediatizados los límites de su anarquía. Y otro, específico de este soneto, el único que nos importa: Quevedo ha hecho correr su violenta decisión por bien estrictos canales. Toda una tormenta de afirmaciones rebeldes circula por estas venillas tan orgánicamente dispuestas. Y el efecto funcional de esta disposición es bien patente: las estructuras simétricas, hechas para recibir una materia reposada, y enfriada por cierto laboreo intelectual, se ven de pronto henchidas, plenas de un licor hirviente que las recorre forzado entre sus ángulos y líneas. Es un poder sordo, constreñido, el que percibimos en estos tercetos; de ahí el efecto estremecedor que en nosotros produce esa furia domada, forzada a expresarse con contención, con serenidad casi.

ANA MARÍA SNELL, CARLOS VAÍLLO Y PABLO JAURALDE POU

LA POESÍA SATÍRICA

I. Aunque responde en gran parte a las mismas preocupaciones morales que informan su prosa y poesía grave, e incluso en su aspecto grotesco puede verse como una respuesta, en la vena de lo absurdo, a las condiciones de decadencia que dan rienda suelta a la nota elegíaca y satírico-moral, la poesía satírico-burlesca de Quevedo significa sobre todo una mina del idioma.

Los tipos que por ella desfilan componen una abigarrada galería de calvos, narigudos, viejos teñidos, viejas sempiternas, dueñas, médicos, jueces, abogados, alguaciles, seudohidalgos, boticarios, pasteleros, mujeres pedigüeñas, falsas doncellas, valentones, jaques y borrachos. Con ellos el poeta crea situaciones que pueden organizarse formalmente de muy diversos modos. Hay un grupo de poemas, las letrillas satíricas, que continúan el formato tradicional de un refrán alusivo y una serie de estrofas, a manera de glosa, pasando revista a diversos vicios y personajes que ilustran el tema del refrán y conducen al mismo por medio de la rima [véase arriba, pp. 412 y s ss.]. Otro grupo de *Epitafios* y *Túmulos* satíricos es imitación de este género clásico epigramático, mientras que otros poemas imitan o parodian subgéneros tradicionales (romances de ciego, pregones y premáticas cantadas, jácaras y bailes). Los metros más utilizados, aparte de letrillas, romances y romancillos, son los sonetos, redondillas, décimas y canciones.

El tratamiento utiliza generalmente una combinación de modos descriptivos que incluyen el apóstrofe y la enumeración caótica. Esta última suele asumir una organización interna de tipo metafórico, como ocurre en el conocido soneto *A una nariz* [véase p. 595, n. 1], o el dirigido *A una mujer puntiaguda con enaguas*. Pero en algún caso la enumeración puede exhibir la técnica complementaria. Por ejemplo, el soneto que comienza

I. Ana María Snell, *Hacia el verbo: signos y transignificación en la poesía de Quevedo*, Tamesis Books, Londres, 1982, pp. 24-26, 39-42, 46-48.

II. Carlos Vaíllo, «*El mundo al revés* en la poesía satírica de Quevedo», *Cuadernos Hispanoamericanos*, CXXVII, n.º 380 (febrero 1982), pp. 364-393 (378-383).

III. Pablo Jauralde Pou, «La poesía de Quevedo», en *Estudios ... al profesor Emilio Orozco Díaz*, Universidad de Granada, 1979, vol. II, pp. 187-208 (196-199).

«A las bodas que hicieron Diego y Juana» rodea al sujeto de la burla, un cornudo, en una red lingüística que le aprisiona por medios metonímicos de contigüidad fónica. Los romances suelen presentar situaciones dramáticas entre dos o más caracteres, especialmente en el caso de los *bailes*. Incluso los sonetos crean frecuentemente una situación dramática implícita, con un interlocutor ficcional dirigiéndose a un personaje silencioso al que interpela. Tanto en el caso puramente descriptivo como en el seudodramático, poeta o interlocutor ficcional pueden llevar a cabo un encomio del tema tratado (que envuelve naturalmente un asunto ínfimo, indigno de atención u ostensiblemente indeseable) o una invectiva.

El motivo del cornudo, por ejemplo, ofrece varios ejemplos admirables de encomio burlesco. En el poema «¿Es más cornudo el Rastro que mi abuelo?», el protagonista, ofendido porque le han preterido en favor de un «cornudo novicio» siendo «cornudo profeso», sugiere una especie de juicio salomónico en que se fallen los méritos de ambos contendientes. En otro soneto, «Dícenme, don Jerónimo, que dices», el cornudo, dirigiéndose al causante de su condición, arguye no sin lógica que, considerando que su propia mujer le sobra y el amante le pone casa y mesa, «más cuerno es el que paga que el que cobra». Pero la joya del género es, sin duda, «Cuernos hay para todos, Sor Corbera». En este poema el personaje se entrega a una entusiasmada autoapología («soy cornudo óptimo, máximo y eterno») que culmina en una creación idiomática puramente quevedesca, combinando los recursos de condensación, reificación e hipérbole predilectos de su poesía cómica: «y soy la *quintacuerna* destilado». [...]

En poemas como el que describe la visita de Alejandro a Diógenes el Cínico, el motivo del *beatus ille* se combina con otra de las fuentes de inspiración cómica de Quevedo: la parodia de temas históricos y mitológicos. El *Poema de las necedades y locuras de Orlando*, que responde a esta inspiración paródica, representa el esfuerzo cómico más ambicioso de Quevedo, aunque desgraciadamente esté inconcluso. En 213 octavas reales este poema lleva a cabo una completa degradación de los héroes del ciclo carolingio, poniendo en juego dos vetas desrealizantes de signo contrario: la petrarquista idealizadora de la belleza femenina, en la descripción de Angélica, y la deformación grotesca a cargo de un lenguaje lleno de hipérboles absurdas, juegos de palabras y parodias de frases hechas. En el poema estas dos corrientes circulan paralelas en un «vaivén estilístico» que, como ha señalado la crítica, viene a constituir la expresión más cumplida del arte barroco de Quevedo, lleno de contrastes y desmesuras. [A ese propósito, véase abajo, pp. 624-630.]

Dentro del principio unificador que el estribillo representa, la letrilla se presta a un tratamiento de organización más bien suelta y, en el caso de las letrillas satíricas de Quevedo, suele tomar la forma de una serie de dardos satíricos disparados a diversos blancos. La técnica puede llamarse desplazatoria, tanto desde el punto de vista del objeto que suele ser múltiple, en cuyo caso la atención del poeta se mueve de uno a otro con cada estrofa, como del lenguaje, cuyas características desde ese ángulo se observarán más adelante. Dualismo y ambigüedad son notas prevalentes en estos poemas. El dualismo se manifiesta en la organización antitética global de un gran número de letrillas (643, 649, 657, 659, 661, 663, 664, 666 y 670) * y, en aquellas en que la estructura total no es precisamente antitética, en la abundancia de oposiciones, quiasmos y otras figuras semejantes dentro de las estrofas individuales. La ambigüedad viene a cargo de un lenguaje repetitivo, pero en el que los mismos signos no conducen necesariamente a idénticos referentes. El género parece haber ejercido su influencia en el desarrollo de estas características. En los sonetos el ritmo más amplio del endecasílabo y la mayor longitud de la estrofa permiten la construcción de varios niveles simultáneos, a base de polisemias léxicas y gramaticales que funcionan en toda su amplitud semántica. En las letrillas, el ritmo más rápido del verso octosílabo y la mayor brevedad de la estrofa invitan a un poeta de filiación conceptista, como Quevedo, a un ejercicio lingüístico de vivacidad incisiva, a base de oposiciones y también semejanzas verbales que ya acercan ya contrastan los signos puestos en juego. [...]

Si las letrillas presentan cierta diversidad de temas y enfoque todas, sin embargo, participan de una característica común: su organización lingüística, que es de tipo claramente metonímico. [Un examen minucioso] revela que precisamente los tipos de relación más evidente son los establecidos a través de palabras que tienen idéntica o similar estructura gráfica y fónica y las relaciones secundarias entre los referentes de esas palabras. En el caso de identidad formal, el instrumento lingüístico es una homonimia o una polisemia, y su traducción retórica resulta en las figuras conocidas respectivamente como antanaclasis y silepsis, o dilogía. En el de estructura similar, las relaciones textuales se resuelven en calambures y paronomasias. Todos estos tipos de asociación corresponden bien a las que Freud señala como asociaciones externas: la silepsis puede interpretarse

* [Los números hacen referencia al orden de los poemas en la edición de J. M. Blecua (1969-1981).]

como un caso de simultaneidad en el tiempo; las antanaclasis y resbalos de carácter referencial como contigüidad en el espacio, mientras que calámbures y paronomasias constituyen evidentemente semejanzas fónicas. Las letrillas están repletas de todas las figuras mencionadas, además de prodigar la figura etimológica o poliptoton, que ya Jakobson señala como un ejemplo de asociación metonímica. [...]

Carácter simbólico-alegórico exhibe la conocida letrilla «Poderoso caballero es don Dinero» (660), donde un juego equívoco de signos idénticos y referentes diversos se prolonga con gran virtuosismo a lo largo de nueve estrofas. En este caso, Quevedo se sirve principalmente del recurso de la personificación, acompañándolo de una doble técnica metafórico-metonímica.

Al describir la genealogía, itinerario, hábitos y características de un «personaje-moneda», en términos dilógicos, traza un perfil del dinero en cuanto a mera entidad física y como «ídolo del mercado» (el carácter equívoco del mensaje es un apropiado icono de este segundo aspecto), y lleva simultáneamente a cabo una sátira de la sociedad por él dominada. Quevedo evoca ingeniosamente una vieja tradición, poniendo la primera estrofa en labios de una muchacha que se dirige a su madre. Como han señalado varios críticos, la antigua lírica peninsular y la lírica europea alborean con un tipo de *Frauenlied* (o canción de amigo) en que una doncella expresa a su madre, en términos ingenuamente emocionales, su cuita amorosa. Quevedo efectúa una desviación de registro al ofrecer en el «Madre, yo al oro me humillo» una coherente serie de razones, desplegadas en varias estrofas de organización silogística, por las que la muchacha elige al oro como objeto de su atracción. El resultado del ejercicio, consistente con la actitud general del poeta hacia este asunto, es negar cualquier propensión romántica a la mujer, y destacar su naturaleza rapaz y calculadora.

El tratamiento lingüístico de la letrilla consiste en un ejercicio en dobles sentidos, con silepsis y antanaclasis como figuras retóricas dominantes y muchos de los términos empleados simultáneamente con valor literal y metafórico. Por ejemplo, las determinaciones de lugar de nacimiento, muerte y entierro del dinero figuran al tiempo como plausibles circunstancias geográficas de un personaje humano y como itinerario «real» del dinero en la experiencia de los españoles, preocupados por el malestar económico de un país cuyas divisas acababan en poder de los banqueros genoveses. El color «amarillo» o «quebrado» del oro se atribuye, prosiguiendo con el artificio de la personalización, a su condición de enamorado, y el poder igualatorio del mismo está tratado en una serie de ingeniosos equívocos que juegan con ventaja con el tema genealógico. «Valor» es una dilogía que significa «valentía» y «precio», y «venas», otro término polisémico, designa los yacimientos de mineral y los vasos conductores de la sangre al corazón. Por medio de esta segunda acepción el poeta practica un resbalo referencial a «sangre» y una conversión metafórica de ésta a «sangre real» (o «estirpe»). Continuando este motivo la «blanca», tipo de moneda de escaso valor, queda transformada en «Doña Blanca de Castilla» y los «escudos» (antigua moneda de oro) se ven como medios hacia la adquisición de «escudos» (blasones que ilustran los títulos de nobleza). Las cuatro estrofas últimas se ocupan de otras circunstancias del dinero con relación a la conducta de los humanos, continuando con el juego de homonimias y polisemias. «Gatos le guardan de gatos» nos ofrece dos sentidos translaticios de este término: los bolsos hechos de piel de gato donde se guardaba el dinero (por tanto, una sinécdoque del animal) y los ladrones (resbalo metonímico de paciente a agente, y también construcción metafórica a través de la acción de «arañar»). Las figuras se apilan unas sobre otras en un mensaje al que la repetición de los mismos signos presta una deceptiva apariencia de sencillez. «Estar hecho cuartos» es una polisemia gramatical que se refiere al cambio de moneda y, en el contexto de personificación en el poema, al descuartizamiento que sufrían los malhechores a manos de la justicia en lugares notorios como Peralvillo, que figura a menudo en la poesía de Quevedo. La yuxtaposición, por medio de un doble sentido de estos dos niveles heterogéneos, puede construirse también como un velado juicio moral hacia los usos con frecuencia ilícitos del dinero. Del mismo modo, en la penúltima estrofa «caras» aparece usado en tres acepciones: la parte anterior de la moneda, la fisonomía de la mujer y, como adjetivo, con la significación de «costosas» y opuesto a «baratas»; «escudos en la paz» opuesto a «rodelas en la guerra» llama asimismo la atención hacia términos que, poseyendo en común el mismo signo (escudos es sinónimo de rodelas), apuntan a distinto referente.

II. [Una de las maneras en que se articula la poesía satírica de Quevedo es por medio del *topos* literario del «mundo al revés», de raigambre popular y carnavalesca y procedente de las series de *impossibilia* de la literatura clásica antigua. Consiste en una representación burlesca de la realidad en la que las funciones de los seres están trocadas.] La siguiente formulación del tópico es solidaria de una ideología concreta:

Que su limpieza exagere,
porque anda el mundo al revés,
quien de puro limpio que es
comer el puerco no quiere;
que lagarto rojo espere,

el que aún espera al Señor,
y que tuvo por favor
las aspas descoloridas,
concertáme esas medidas
(642, 29-37).

En la estrofa de la letrilla (otra versión ligeramente distinta en 668, 23-29) aflora, con el antisemitismo, la resistencia de la élite del poder político, social y económico a abrir sus filas a la entrada de aspirantes a la nobleza, enriquecidos en actividades productivas. Pero el dinero abrirá brecha hasta en los reductos más acreditados de la sangre limpia, las órdenes militares, cuyos hábitos se venden a mercaderes desde 1625 en tiempos de Olivares. Contra los advenedizos indeseables no quedaba otra defensa que achacarles antepasados conversos. Como partidario firme del orden tradicional, Quevedo no da muestras aquí de una indignación fingida. Se confirma en abundantes pasajes de la poesía satírica (para no recurrir a otras fuentes) un desdén aristocrático por las clases laboriosas de la sociedad, como el arrendador del vino (732, 77-80), el tabernero (634) o el mercader de paños (763, 1-4), motejados de judíos para descalificarlos en sus pretensiones honoríficas.

Quevedo amplía la gama del mundo al revés, ahora, para incluir un fenómeno social coetáneo. Se comprueba así, si falta hacía, la raíz conservadora que por regla general posee el tópico. Desde una óptica reaccionaria, todos los cambios sociales pueden traducirse en la clave de un mundo revuelto, donde lo inferior suplanta a lo superior, y al revés. Sin que se suscite siquiera la cuestión de unos méritos, el solo intento de alterar el orden de la sociedad sancionado por Dios es perverso en sí; puede parangonarse al afán de medro de los pícaros en el *Buscón* o la letrilla 648.

La simple mención del mundo al revés podría rebajarse a la categoría de mera trivialidad de no acompañarse de una estructura coherente con el *topos*. Un análisis somero de la estrofa apoya la hipótesis de una disposición del texto ordenada por una imagen dominante. En la letrilla considerada en conjunto se desvelan diferentes hipocresías sociales mediante un empleo de la antítesis bastante extendido. Esa misma pauta sigue la estrofa, donde se alude al mundo al revés, salvo que sirve de vehículo para contraponer dos realidades marcadamente incompatibles al tiempo que sutilmente se complace en los rasgos que invitan a una confusión de los extremos. Para lograr este efecto, el autor renueva en cierto modo la técnica observada en el *Buscón*, donde dos códigos distintos se entrecruzan en las palabras del narrador. Por uno de ellos, así, en la estrofa, no querer comer puerco puede interpretarse como indicio de limpieza; pero, por el otro, es señal segura de carecer de la limpieza de sangre de que alardea el converso.

No deja de ser paradójico en quien todavía espera al Mesías, el Señor crucificado, esperar una cruz o insignia («lagarto rojo») del hábito de la orden militar de Santiago, consagrada a la gloria del Señor. Revela, además, una gran malicia comparar la honra que reporta una cruz de Santiago con el «favor» de las aspas infamantes del sambenito, que supone de hecho una conmutación de una pena más grave. Esta combinación de opuestos, atenuados por una semejanza superficial (limpieza, espera, cruz, honra), casa con la perspectiva invertida del tópico: la sustitución (no efectuada) de lo alto por lo bajo es más divertida si va abonada por una serie de «razones» que enturbian pasajeramente la nitidez de las discrepancias. Casi con seguridad, esta letrilla corresponde a una época en que los casos raros de encumbramiento indebido podían tomarse a chacota aún.

Aunque no se mencione en este lugar, el motor de tales ascensos es el dinero. En todos los tiempos se le acusa de subvertir la ordenación jerárquica de la sociedad. A veces, el «poderoso caballero don Dinero» ocasiona trastornos equiparables a los del mundo al revés: «¿Y quién lo de abajo arriba / vuelve en el mundo ligero?» (649, 41-42). Factor de desorden al mismo nivel que la Fortuna o el Tiempo, el poder del dinero será elevado a la categoría de culto, el «dinerismo», fomentado por una conjura hebraica, en *La hora de todos*. En épocas de profunda crisis, como la que le tocó vivir al autor, suele cundir la impresión de una gran inestabilidad, traducida en cambios bruscos de fortuna y carreras fulgurantes: «El que nació entre candiles, / se pasea entre blandones» (654, 96-97). Sin relación expresa con el tópico, pero en la línea de las mutaciones sociales que aborrece el aristócrata Quevedo, se reserva un gran espacio a fustigar la figura del «letrado cazapuestos» (653, 30), variante del «catarribera», que cual plaga burocrática ávida de poder amenazaba las viejas posiciones de la nobleza; así, el «pretendiente de una plaza / para encaramarse en otra» (768, 65-66). Riqueza, intriga, carreras universitarias· desequilibran el mundo, ganándose la antipatía del autor.

Si el mundo al revés puede considerarse una verdad universal, implica la existencia, al menos teórica, de un mundo al derecho. En principio, la sátira no se ocupa de cómo acceder a él, es decir, de la virtud o la normalidad; en la mayoría de los casos, se dan por supuestas tras las lacras que denuncia la sátira. En esto radica el objetivo perseguido por el autor satírico. Mientras que los ejemplos aducidos hasta el momento se atienen a la táctica de desenmascarar una realidad tergiversada, aunque aparentemente al derecho, hay casos en los que el poeta imagina una operación inversa de la que originó el mundo al revés. Tal como sucedía en el romance «Los borrachos», no se revela el haz que ocultaba el envés del mundo, sino que, como máximo, se aplica el castigo merecido mediante un procedimiento de signo inverso. El mismo sistema retributivo funciona en las premáticas burlescas. Apenas anima a éstas un afán auténtico de corrección de abusos; por medio de ordenanzas paródicas se somete a un reajuste el caos de seres y cosas inconexos, según un criterio «lógico» o bien justiciero. En esta tarea no es raro que se enconen situaciones propias del mundo al revés: «A barbados ceceosos / mando se pongan basquiñas» (743, 9-10). Bajo pretexto ordenancista («Mando yo, viendo que el mundo / de remedio necesita», 743, 1-2), se logra realzar los defectos o adecuar a la realidad la apariencia; el resultado puede compararse con el armazón simple del soneto 516, «Mujer puntiaguda con enaguas», y similares. A través del ingenio el autor se asegura un dominio verbal del absurdo, regido a voluntad sin intención moralizante; es la revancha del intelectual que carece de medios para modificar efectivamente una perversión inmutable. [...]

No todos los enderezamientos hacen gala del mismo delirio absurdo. Como es natural, se filtra en ellos preocupaciones morales que embargaban al autor en contextos más serios. Así ocurre en el siguiente soneto copiado íntegramente:

Si el mundo amaneciera cuerdo un día,
pobres anochecieran los plateros,
que las guijas nos venden por luceros
y, en migajas de luz, jigote al día.

La vidriosa y breve hipocresía
del Oriente nos truecan a dineros;
conócelos, Licino, por pedreros,
pues el caudal los siente artillería.

Si la verdad los cuenta, son muy pocos
los cuerdos que en la Corte no se estragan,
si ardiente el diamatón los hace cocos.

Advierte cuerdo, si a tu bolsa amagan,
que hay locos que echan cantos, y otros locos
que recogen los cantos y los pagan (554).

Tanto en textos morales como satíricos, el tema de la sobrevaloración de gemas y metales preciosos recurre en parecidos términos; así, en los *Sueños del infierno y de la muerte*, el tratado ascético *Providencia de Dios* y el soneto moral 68, donde se habla de «Las guijas que el Oriente por tesoro / vende a la vanidad y a la locura» (9-10). A poco que ahondemos en el cotejo, habrá que concluir con R. M. Price, «The satirist in one style is a moralist in another». Con estrategia adecuada al caso, los textos convergen en un repudio igual del lujo desmedido.

Se parte en el soneto de la constatación de un mundo aquejado de locura colectiva, tema corriente de la sátira. Del mismo modo que los locos se ríen de la locura de los demás (cf. romance 728), se dan también locuras complementarias en quienes echan cantos y quienes los recogen para pagarlos. Al rebajar, en una hipotética iluminación de la mente del mundo, el comercio de piedras preciosas al de simples guijas, el autor lo anexiona a la esfera del mundo al revés implícitamente; el enderezamiento no hace otra cosa que dejar al descubierto la realidad. De acuerdo con los cánones del tópico, los objetos no ocupan el lugar que les corresponde en la escala de la creación: de un lado, «guijas», «migajas», «jigote» (términos del estilo ínfimo a los que presta cohesión la paronomasia); de otro, los elementos celestes que pretendían suplantar, «luceros», «luz», «día». De seguir el impulso moralizador del soneto 68, mencionado más arriba, el rechazo de estos bienes ilusorios habría derivado hacia el elogio de aquellos bienes imperecederos de la Naturaleza frente al brillo engañoso del lujo artificial: «De balde me da el sol su lumbre pura, / plata la luna, las estrellas oro» (68, 12-13). En cambio, la inspiración satírica encuentra más divertido destacar en la cordura recobrada del mundo el empobrecimiento, consecuente del vuelco, en el gremio de los plateros: «Si el mundo amaneciera cuerdo un día / pobres anochecieran los plateros» (1-2). Con ello, se renovaría una operación típica del mundo al revés.

En los dos primeros versos es patente un quiasmo que se superpone a la antítesis: «mundo»-«amaneciera»-«cuerdo»/«pobres»-«anochecieran»-«los plateros». Entre las expresiones metafóricas deslexicalizadas «amanecer» y «anochecer» con adjetivo predicado, se interpone convenientemente «un día». El cuadro de contraposiciones se completa con las que se dan entre «guijas» y «luceros» o, en el interior de lexemas, «migajas» y «luz», «jigote» y «día». Equivalencia en la discrepancia es la fórmula conceptista, «concordia discors», que mejor cuadra a la elaboración quevedesca del *topos*: inversiones quiásticas, paralelismos antitéticos.

III. Pocas veces Quevedo asume la tarea positiva de predicar un reordenamiento social, es decir, de exponer positivamente su ideología —de donde el carácter de crítica negativa que su obra tiene; la razón no es dudosa: se sentía derrotado de antemano—, y entre estas pocas está la famosa *Epístola satírica y censoria al conde Olivares* («No he de callar ...»), por lo que esta pieza, aparte sus contradichas calidades poéticas, puede considerarse capital en su producción poética. Sin embargo, la poetización y el retoricismo subrayan aún más su carácter utópico. Se habla allí de la «libertad esclarecida», la «robusta virtud», la «virtud desaliñada», etc., en un pasado militar al que, desde luego —por aquí asoma la auténtica queja—, no habían llegado los avances industriales ni las inquietudes mercantiles: «El Océano era divorcio de las rubias minas», no «trujo costumbres peregrinas / el áspero dinero»; España vivía «no mendigando el crédito a Liguria»; no se conocían las especias, ni las sedas, ni los perfumes...

El inconformismo aboca las más de las veces a posturas negativas, de rechazo de las circunstancias sociales, con una doble proyección poética: el rechazo directo en poemas serios o, sobre todo, burlescos, con los que se busca la denigración de esas mismas circunstancias; o bien, segunda versión, la huida hacia valores supremos personales o religiosos, su refugio en el senequismo, en el ascetismo, en el apasionamiento metafísico («prendas del alma son las prendas mías»). Puesto que «el espíritu está en miserias anudado», la poesía burlesca funciona operando una destrucción de todo posible idealismo en el mundo circundante, es decir, desvalorizándolo.

Son conocidos algunos de los subtemas surgidos por su rechazo de la sociedad barroca. El dinero, en primer lugar: «Los dos embustes de la vida humana, / desde la cuna, son honra y riqueza», «El oro es cárcel con blasón de muro». El dinero como cuña o motivo que había venido a arruinar los viejos valores de la sociedad estamental. Quevedo no se cansa de repetir que el oro debe de supeditarse y rendirse a aquellos valores y no al contrario: «Al asiento de l'alma suba el oro; / no al sepulcro del oro l'alma baje». Y de constatar, sin embargo, que «todo este mundo es trueco interesado». El tema del dinero mediatiza la visión chusca de procesos mitológicos, como cuando se apostrofa a Apolo perseguidor de Dafne: «si la quieres gozar, paga y no alumbres». Hacer ver lo grotesco y vil de conductas y casos que se guían por este interés es la función de muchos de sus poemas burlescos, más aún cuando se trata en ellos de aspectos tradicionalmente espirituales, como el amor, la amistad, etc., repentinamente transmutados —los mismos versos, el mismo tono, los mismos procedimientos de estilo— en objetos mercantiles: «Vuela pensamiento, y diles / a los ojos que más quiero / que hay dinero»; «Madre, yo al oro me humillo; / él es mi amante y mi amado, / pues, de puro enamorado, / de contino anda amarillo ...». El dinero es el arma de la injusticia, pues al juez ya no le «gobiernan textos sino tratos». El clamor contra la injusticia, aunque muchas veces con el rebozo histórico, aparece directamente en los poemas serios: «Sacrilegios pequeños se castigan; / los grandes en los triunfos se coronan / y tienen por blasón que se los digan»; «Felices son y ricos los pecados; / ellos dan los palacios suntuosos, / llueven el oro, adquieren los estados». La natural cautela del poeta evita culpar muy directamente o señalar responsables; pero algunas veces, bajo los nombres clásicos —Licino, Menandro...— las acusaciones de responsabilidad y mayor delito se dirigen abstractamente a los ricos, a los poderosos, a los ministros... Hay claras indicaciones de que Quevedo pensaba más grave el robo «cortesano» y oficial que el del vulgar ladrón, como cuando un simple ratero ofrece sus armas «ante las aras del aruñón de bolsas cortesanos» o «harto de hurtar a palmas con la mano, / quiero, alguacil, hurtar con ella a varas». Desenmascarar esta función engañadora del dinero es lo que intentan tantos y tantos poemas burlescos que se complacen en descubrir lo podrido, lo viejo, lo sucio, lo falso en contraposición a lo natural: «Si vieras que con yeso blanqueaban / las albas azucenas; y a las rosas / vieras que por hacerlas más hermosas / con asquerosos pringues las untaban ...».

El lector de las poesías quevedianas puede hasta experimentar cierta repulsa cuando lee versos como «clavel almidonado de gargajo», escrito desde una actitud por la que se condena también el artificio poético, pero no siempre para mostrar lo natural enmascarado, sino para —efecto de la hipérbole y la denigración— expresar lo vulgar y chocarrero: «En vos llamé rubí lo que mi abuelo / llamaba labio y jeta comedora». La poesía de Góngora entraba, en este aspecto, de lleno bajo la mordacidad de Quevedo.

El grado mayor de crítica externa se logra mediante la cosificación de seres, relaciones y valores humanos, es decir: la esperpentización, que tiene su lógica contrapartida en las numerosas prosopopeyas por las que se traspasan las cualidades humanas a cosas y objetos inanimados. En los poemas de Quevedo hablan los meses, los mantos, las moscas, las narices... Es rasgo que está directamente relacionado con la cosificación del cuerpo, con la reducción del cuerpo a mero objeto. El mundo deshumanizado de Quevedo es un mundo realmente grotesco: los caracteres físicos se subrayan hasta extremos ridículos, uno de ellos anulando muchas veces a cualquier otro rasgo físico o espiritual: «nariz de mi corazón», interpela un enamorado a su dama, nariguda.

Todo ello nos está indicando, una vez más, que el poeta expresaba de mil maneras —a veces lo hizo directamente— su convencimiento amargo en la decadencia general de España. Y se sintió envuelto por una ola de pesimismo y amargura atroz. Por supuesto que no se trata tan sólo de la «decadencia política» o «imperial», ni mucho menos; Quevedo observa los signos de desmoronamiento de «su» ideología más aún en los hombres y en las costumbres, en las mil circunstancias concretas de la vida, que aplicados a abstracciones. Ahí está toda su sarcástica poesía festiva para documentarlo: viejas, putas, consentidores, hipócritas, rufianes... se suceden en un retablo trágico, como marionetas desprovistas no ya de cualquier sentimiento noble, sino hasta de cualquier signo de apariencia humana; no son más que fantoches con forma humana.

EMILIO ALARCOS GARCÍA Y CELINA SABOR DE CORTAZAR

LA PARODIA IDIOMÁTICA Y LA INVENCIÓN GROTESCA

I. Uno de los rasgos que llaman la atención en el estilo de las obras burlescas, satíricas y satírico-morales de Quevedo es la parodia de las palabras y frases vigentes en la lengua. [Veamos algunos ejemplos.]

Empecemos por la parodia de palabras. Hay que distinguir entre parodias de una sola y determinada palabra (de *mariposa* > *diabliposa*) y remedos de un esquema común a todo un grupo semántico de palabras (de *arcedianazgo, deanazgo, arciprestazgo* > *diablazgo*). En el primer caso, la parodia se hace sustituyendo parte de una palabra dada —correcta o caprichosamente descompuesta— por otra palabra impuesta por el sentido de lo que se está diciendo o por la situación que se presenta. La palabra parodiada —expresa o no en

---

I. Emilio Alarcos García, «Quevedo y la parodia idiomática» (1955), en *Homenaje al profesor E. A. G.*, I: *Sección antológica de sus escritos*, Universidad de Valladolid, 1965, pp. 443-472.

II. Celina Sabor de Cortazar, «Lo cómico y lo grotesco en el *Poema de Orlando* de Quevedo», *Filología*, XII (1966-1967), pp. 95-135 (98-100 y resumen de lo restante).

el contexto— puede ser la esperable en la formulación normal y ordinaria de lo significado, o bien estar sugerida por una comparación entre lo significado y otro contenido más o menos incongruente con él. Así, por ejemplo, sobre *quintaesencia*, que es vocablo que aparecería en la evolución corriente del pensamiento («eres la quintaesencia de la infamia»), se ha formado *quintainfamia*, sustituyendo el elemento *esencia* por la palabra *infamia*, impuesta por la idea que se está exponiendo. Y de *mariposa*, palabra sugerida por la comparación entre los diablos que revolotean en torno a un mago y las mariposas que lo hacen alrededor de la llama, se ha sacado *diabliposa*, reemplazando el elemento *mari-* por el semantema *diabli-*, demandado por la materia de que se habla.

Los neologismos así formados obedecen algunas veces al propósito de condensar efectivamente en un vocablo una idea que normalmente se formularía con un grupo de palabras; otras, a la exigencia de acomodar un vocablo a la materia o la situación; otras, al gusto por los juegos de palabras; otras, en fin, al prurito de dar a una idea expresión diversa de la que tiene en la lengua. [He aquí algunas muestras de esta especie de formación.]

Neologismos por condensación. [Sobre *quintaesencia*: *quintainfamia*, *quintacuerna*, *quintademonia*. Sobre *Matusalén*: *Matus-doña-Ana*, *Matus-Felipe*, *Matus-Góngora*. Sobre *Peralvillo*: *Alonso-Alvillo*, *Cosme-Alvillo*, etcétera. Sobre *alcagüeta*: *alca-madre*, *güetas-tías*.]

Neologismos por comparación condensada. [Sobre *hidropesía*: *libropesía*. Sobre *mariposa*: *marivinos*, *diabliposa*. Sobre *misacantano*: *tori-cantanos*, *cornicantano*.]

Neologismos por adaptación al tema. [Sobre *hideputa*: *hidearbitristas*, *hideaforros*, *hidetúnicas*. Sobre *fraterna*: *fradiabla*.]

Neologismos por juego de palabras. [Sobre *sacamuelas*: *saca-agüelas*. Sobre *pretendiente*: *pretenmuela*. Sobre *abernuncio*: *aber-suegra* y *abertía*.]

Neologismos por diferenciación expresiva. [De barbas *juriconsultas*: *jurisjueces*. De *jerigonza*: *jerihabla*, *jeri-góngora*.]

Existe otro grupo de neologismos que no parodian una palabra concreta, sino un esquema común a varias palabras. Aunque el autor cita a veces una de las palabras de la serie, que, sin duda, es la que primero se ha presentado a su conciencia, lo que se remeda es, sin embargo, el esquema formal y semántico del grupo. Con estos neologismos, formados por derivación o composición, el poeta consigue expresar entidades imaginarias equivalentes a otras entidades de la realidad, o dar una interpretación fantasista de cosas o procesos reales que ya tenían adecuada formulación en la lengua. [He aquí otra serie de ejemplos diversos.]

Con los prefijos *proto-* y *archi-*: [*protocornudo, protovieja, archigato, archidiablo, archipobre*, etc. Según *contraveneno* o *contramina*: *contraculto, contracorito, contrapebetes*, etc. Con el sufijo *-ario* de *diccionario* o *recetario*: *disparatario*. Con *-ismo* y *-ano*: *dinerismo, dinerano, adanismo, arbitriano, tabacano*, etc. Con *-ia* o *-ería*, según *filosofía* o *ganadería*: *tigresía, maridería, zurdería, cultería, cornudería*, etc.

Formaciones verbales sobre esquemas gramaticales usuales al idioma: *bodar* (sobre *casar*), *calavero* (por *encanezco*), *guedejar, marquesar, condar* ('ser conde'), *cabellar, cornudar, lanzarotar* ('cantar versos del romance de Lanzarote'), *purgatoriar, jordanar, letradear* ('hacer oficio de letrado'), *maridear, abernardarse* ('convertirse en Bernardo del Carpio'), *desantañarse, desnoviar, desmancebar, desnacerse, desengorgorar, desendueñarse, desendiablarse*, etc.]

La parodia de la frase se hace con el mismo procedimiento que la de palabras. Dada una combinación léxica —fija, o solamente habitual—, se sustituye uno de sus términos por otro que viene impuesto por la naturaleza del objeto de que se habla o por la situación que se presenta. Así, por ejemplo, Lucifer, cuando se entera de que uno de sus súbditos no desempeña bien la misión que se le ha confiado, declara: «Éste es tonto y *no sabe lo que se diabla*». Quevedo ha adaptado a las circunstancias la frase habitual *no sabe lo que se hace*, sustituyendo el término *se hace* por un *se diabla* de su invención. [Véanse una gama de casos de estructura variada.]

Grupo de sustantivo + adjetivo, o complemento con preposición. [Sobre *olla podrida*: *libro podrido*. Sobre *tazas penadas*: *doncellas penadas*. Sobre *frailes calzados* o *recoletos*: *diablos calzados* y *diablos recoletos*, o *cornudos recoletos*. Sobre *misa de difuntos*: *paliza de difuntos*. Sobre *hijo de legítimo matrimonio*: *novillo de legítimo matrimonio*. Sobre *traje de rúa*: *ojos de rúa*. Sobre *capón de leche*: *fraile de leche*. Sobre *alma en pena*: *marido en pena, soldados en pena, alcázar en pena*, etc. Sobre *carta ejecutoria*: *carta calvatoria*.]

Grupo de verbo + sustantivo, que funciona como sujeto o como complemento de cualquier clase. [De *apuntar el bozo* y *hervir la sangre*: *apuntar la copla* y *hervir lo culto*. De *sacar los espíritus*: *sacar las parientas*. De *darse uno a perros*: *darse a médicos*. De *repicar a fiesta*: *repicar a zorra* ('a emborracharse'). De *condenar a galeras*: *condenar a dueñas* o *condenar a privado*. De *retirarse a un convento* o similar: *retirarse a un pretendiente*.]

Grupo de verbo + locución adverbial. [De *llover a cántaros*: *llorar a cántaros, hablar a cántaros, escribir a cántaros*. De *andar de puntillas*: *mentir de puntillas*. De *hablar entre dientes*: *hablar entre muelas*. De *llorar hilo a hilo*: *llorar soga a soga*. Del modismo *de punta en blanco*: *armado de tinto en blanco, armada de moños en naguas, armados de cola en parche*, etc. De *estar en agraz*: *estar en uvas*, etcétera.

De todos estos casos pueden extraerse algunas conclusiones:]

a) Las palabras y expresiones nuevas originadas por la parodia idiomática se han forjado con procedimientos normales o arbitrarios, pero en uno y otro caso con vivo sentimiento de las posibilidades genéticas, significativas y expresivas de la lengua. Quevedo piensa y fantasea desde la entraña del idioma, y por ello puede manejarlo a su capricho y nosotros, los hispanos parlantes, entender y seguir su juego verbal.

b) Estas formaciones neológicas, en su mayoría, no han penetrado en la lengua, y sólo tienen sentido en el habla de Quevedo, en el contexto donde figuran. Así lo comprendió ya la Real Academia Española, que en su primer Diccionario, el llamado de Autoridades (1726-1739), acogió muchos neologismos quevedescos, con la nota de «voz inventada», «voz voluntaria e inventada», o «voz inventada y jocosa», pero los excluyó casi todos en la segunda impresión de la obra y en todas las ediciones de su Diccionario en un tomo. «Se omiten —escribe la Academia en el prólogo de la edición de 1780, pp. IV-V— todas las voces inventadas sin necesidad por algún autor, ya sea por jocosidad ó ya por otro qualquier motivo, si despues no han llegado á tener uso alguno: como *adonicida* que usó Lope de Vega por el que mató á Adonis: *piogicida* que dijo Calderón por el que mata piojos: *adanismo* que usó Quevedo por el conjunto de gente desnuda, y otras muchas que se forman arbitrariamente en la conversación familiar: cuyas voces, de que hay algunas puestas en el Diccionario, no se deben considerar como parte de la lengua castellana, porque nunca han llegado á tener posesión en ella: de que solo se exceptúan algunas que por lo extraño de su sentido ó por la dificultad de su inteligencia merezcan explicación, especialmente aquellas que se encontraren en los principales autores de nuestra lengua».

c) No responden, ciertamente, estas formaciones a una necesidad racional y meramente nominativa —la de dar nombre a un objeto que antes no existía y se presenta ahora en el campo vital de la comunidad lingüística—, sino a una necesidad afectiva y expresiva: la de plasmar en palabras y frases capaces de provocar efectos cómicos un contenido afectivo-conceptual integrado por las reacciones del poeta ante el mundo —cosas y personas— en que se halla incluso.

d) Estas parodias son, en última instancia, flor y fruto del espíritu mordicante y burlón de Quevedo, de su mentalidad de escolástico avezado al discurso afilado y a la argumentación sutilizante, y de su fantasía deformadora y desrealizadora de cosas y actitudes. Mas el agente principal es, sin duda, la primera de esas tres actividades o energías, aquel «impulso juguetón» con que nuestro poeta, según el enmascarado autor de la *Venganza de la lengua española*, «brinca, retoza y se menea burlándose del mundo hasta dar con su pluma en el infierno».

II. El arte de Quevedo, fuertemente intelectual, responde a su visión deformante y degradadora del mundo y del hombre; es arte que no imita la naturaleza (lo cual no quiere decir que sus elementos no le sean proporcionados por la observación directa); sus contactos con la realidad son frágiles y sutiles, y de esta débil relación nace el efecto sorprendente y grotesco. *Grotesco* es la palabra clave del arte del *Poema heroico de las necedades y locuras de Orlando el enamorado*. Lo fundamental en el grotesco es la creación de monstruos, de naturalezas mixtas, híbridas, logradas mediante mezclas extravagantes de cosas que en sí mismas no tienen relación alguna, de elementos que provienen de planos totalmente distintos. El mundo del grotesco es peculiar y se rige por normas estéticas peculiares, que nada tienen que ver con los cánones de la belleza, y que tienden a la degradación y a la parodia. En este mundo degradado y paródico la figura animal se mezcla con la humana, lo vivo con lo inorgánico e inerte.

Quevedo intuye, posiblemente por la observación y la interpretación de obras pictóricas (recuérdense sus indudables afinidades con el Bosco), las leyes del grotesco, y las aplica a la literatura con responsabilidad artística. En buena parte de su poesía satírica se advierten intentos de aplicación de las normas del grotesco; pero en el *Orlando* estas normas, sistematizadas con clarividencia sorprendente, logran el buscado y estremecedor efectismo. [...] Quevedo compone sus monstruos tanto con los elementos del lenguaje como con los del mundo fantasmal que describe mediante ese lenguaje, que es, en sí mismo, también grotesco y fantasmal. Por esto es necesario distinguir desde el comienzo lo cómico y grotesco que *crea* el lenguaje, y lo cómico y grotesco que *expresa* el lenguaje. Lo primero, lo cómico verbal, es intraducible y a veces incomprensible. La palabra o la expresión cobran fuerza cómica independiente; pero lo cómico verbal está al servicio de la interpretación caricaturesca del mundo. Quevedo utiliza, pues, el lenguaje en ambos sentidos: como *creación* grotesca y como *expresión* de un mundo grotesco, de un mundo que él ve de una manera peculiar y caricaturesca.

El *Poema de Orlando* es, como ha visto Emilio Alarcos García, una obra de estilos entrecruzados, es decir, una obra en que el estilo sublime y el humilde o grosero se dan por lo general alternativamente. Este carácter, la mezcla de estilos, es común a la literatura barroca y se advierte hasta en los grandes y muy serios poemas gongorinos; pero su intensificación, por los efectos contrastantes y sorprendentes que produce, es elemento fundamental de la literatura cómica. Al estilo culto, presente especialmente en la descripción de la belleza de Angélica y del paisaje, convencionales ambos, corresponde el léxico latinizante, las citas mitológicas, las metáforas manieristas y el majestuoso estatismo descriptivo. Al estilo jocoso corresponden *recursos idiomáticos* creadores de comicidad y grotesco, y *recursos estilísticos* creadores, también, de comicidad y grotesco.

[He aquí una muestra de los primeros:

1. *Aplebeyamiento lingüístico.*

1) Uso de vulgarismos, frases proverbiales y voces de germanía: «Sin parar ni decir oste ni moste / tal cuchillada dio en la panza a Urgano / que, aunque la reparó con todo un poste, / todo el mondongo le vertió en el llano».

2) Creación idiomática de intención jocosa y significativa: «No bien la reina del Catay famosa / había dejado el gran palacio, cuando / Malgesí, con la lengua venenosa / todo el infierno está claviculando; / todo demonichucho y diablíposa / en torno de su libro está volando; / hasta los cachidiablos llamó a gritos / con todo el arrabal de los precitos».

2. *Enlaces imprevistos y sorprendentes.*

1) Enlaces de elementos nominales. *a*) Enlaces en el plano de lo real: Ferragut «cual pelota de viento dio caída / para saltar con fuerza

más crecida». *b*) Enlaces abstracto-concretos: así Angélica «deja con solo su mirar travieso / a Carlos sin vasallos y sin seso». *c*) Grupos sintácticos nominales: los sones del cuerno de Ferragut son «todas las carrasperas del infierno».

2) Enlaces de verbos con complementos sorpresivos: «En demonios la tierra se escondía, / el propio mar en diablos se anegaba, / y demonios a cántaros llovía, / y demonios el aire resollaba».

3. *Juegos de palabras.*

1) Paronomasias: «embocadas os quiero [a las musas], no invocadas».

2) Dilogías: «Sorda París a pura trompa estaba, / y todas trompas de París ['birimbaos'] serían».]

Entre los recursos *estilísticos*, se cuentan en especial los siguientes:

1. *Degradación animalística y cosificante*, principalmente en dos personajes, Astolfo y Ferragut. Es característico el tratamiento de sus miembros por separado y la identificación de éstos con elementos de mundos diversos. Así el retrato es una composición monstruosa y heteróclita.

2. *Humanización del mundo natural y de lo inerte.* Esta humanización, en el estilo bajo, obra no como forma de elevación, sino de comicidad.

3. *Dinamismo, vértigo.* Se consiguen con la animación y animización de lo inerte, con los enlaces de verbos con complementos sorpresivos, la falta de verbos personales, la anáfora o el reunir caóticamente verbos de movimiento: «Se majan, se machucan, se martillan, / se acriban, y se punzan y se sajan, / se desmigajan, muelen y acrebillan».

4. *Transformismo, automatismo*, de suerte que se esfuman las fronteras entre la realidad y la apariencia, porque nada es, al final, lo que comienza siendo al principio.

7. TRAYECTORIA DE LA POESÍA BARROCA

JUAN MANUEL ROZAS Y MIGUEL ÁNGEL PÉREZ PRIEGO

La poesía del siglo XVII ha sido siempre uno de los terrenos sometidos a más intenso laboreo por la erudición literaria, aunque debido quizás a sus enormes dimensiones es aún mucho lo que queda por roturar. La multitud de poetas que escriben en la época, así como el aluvión de textos impresos y manuscritos que nos han legado, envueltos en toda suerte de problemas de transmisión, autoría o datación, hace prácticamente imposible que por ahora poseamos una visión precisa y completa de aquel excepcional panorama poético. Y si son numerosos y de calidad los estudios sobre la mayoría de los poetas principales, faltan en cambio monografías y ediciones de muchas figuras menores, y escasean los estudios de conjunto. Entre estos últimos, poseemos ahora una excelente síntesis a cargo de Pilar Palomo [1975], y puede contarse también con algunos orientadores capítulos en manuales de historia literaria (entre otros, Gallego Morell [1953], Jones [1974], Rozas y Pérez Priego [1980]).

El proceso de transmisión de los textos es, en efecto, al igual que sucede con toda la poesía del Siglo de Oro, sumamente complejo.[1] Como hizo notar Rodríguez-Moñino en un célebre ensayo [1965], ni la imprenta ni el manuscrito individual fueron cauces suficientes para la difusión de las obras: la mayoría de los autores no imprimieron en vida sus escritos poéticos ni casi nunca pusieron tampoco en circulación un manuscrito que los recogiera. Todo ello crea, como advertía el citado estudioso, una antinomia difícilmente superable entre la auténtica «realidad histórica» de aquel panorama poético y la «construcción crítica» que la erudición posterior ha levantado. De todos modos, la transmisión manuscrita de poemas aislados y particulares en volúmenes facticios, «cartapacios», «poesías va-

---

1. Véase HCLE, vol. 2, cap. 8 (donde también se trata de poetas como Vicente Espinel o Francisco de Medrano, a caballo entre el XVI y el XVII), y, en este tomo, especialmente, pp. 86-89.

rias» o florilegios de todo género —aun haciendo cuenta de los infinitos problemas de atribución y autoría que plantean—, hubo de ser decisiva en ese proceso de divulgación y conocimiento de los poetas. Desgraciadamente la sistematización e inventario de esos inmensos materiales, dispersos en bibliotecas públicas y privadas, está aún por hacer (véase, como muestra que debiera ser continuada y ampliada, la relación de fuentes poéticas manuscritas que incluye Simón Díaz [1965]). Con todo, hay que decir que la tradición manuscrita no ha dejado de ser atendida, con inmejorables resultados, por los más cuidadosos editores modernos de poesía barroca, ni tampoco faltan ediciones, cuando no puntuales descripciones, de algunas de las piezas más valiosas e interesantes, como el *Cancionero de 1628* (Blecua [1945]), el *Cancionero antequerano* (Alonso y Ferreres [1950]), el *Cancionero de don Joseph del Corral* (Wilson [1973]), los *Cancioneros de la Brancacciana* (Mele y Bonilla [1925]) o el *Cancionero de Mendes Britto* (Rozas [1965]). Dos géneros, debido a su condición marginal y prohibida, tuvieron en el manuscrito prácticamente su único vehículo de transmisión: la sátira política (T. Egido [1973]) y la poesía erótica (Alzieu, Jammes y Lissorgues [1975]).

Mucho mejor conocidas, gracias sobre todo a la infatigable labor de Rodríguez-Moñino [1977-1978], nos son las colecciones impresas: *Cancioneros, Romanceros, Flores*, etc. La más importante de todas es, sin duda, la que compuso Pedro Espinosa con el título de *Primera parte de las Flores de poetas ilustres de España* (Valladolid, 1605), donde el entonces joven poeta antequerano se propuso hacer desde la corte antología de la mejor y más representativa lírica del momento, tanto en cuanto a géneros (incluye sonetos amorosos, fábulas mitológicas, poemas descriptivos, sátiras horacianas, poemas burlescos, epigramas, etc., faltando sólo de forma llamativa los romances, quizá porque éstos corrían ya suficientemente editados), como en cuanto autores (al lado de los viejos maestros, Herrera, Alcázar o Barahona, aparecen los nuevos valores, como Góngora —nada menos que con treinta y siete composiciones—, Lupercio Leonardo, Lope, Quevedo, Arguijo, etc., así como el grupo antequerano del propio Espinosa). De carácter más localista y menos variado es la *Segunda parte de las Flores de poetas ilustres*, recogida por J. A. Calderón en 1611, que no llegó a imprimirse en la época (ambas partes serían publicadas modernamente por J. de Quirós y F. Rodríguez Marín, Sevilla, 1896, en dos volúmenes). Todavía apegado a los viejos villancicos y canciones del *Cancionero general*, aunque con la novedad de alguna letrilla, se muestra el curioso *Cancionero llamado Dança de galanes*, de Diego de Vera (Barcelona, 1625; aunque Lérida, 1612) (hay también ed. moderna, Valencia, 1949). Un florilegio más tardío, que responde ya a los gustos poéticos de la generación de 1650, es el del librero José Alfay, *Poesías varias de grandes ingenios españoles* (Zaragoza, 1654), editado modernamente por

J. M. Blecua (Zaragoza, 1946). Singular e impresionante por el piadoso patetismo de su temática es el recogido por Luis Remírez de Arellano con el título de *Avisos para la Muerte, escritos por algunos ingenios de España* (Madrid, 1634).

Las nueve partes del *Romancero general* de 1600, ampliadas a trece en la edición de 1604 por Juan de la Cuesta, nos ofrecen lo más granado de los romances artísticos —pastoriles y moriscos— que escriben en su juventud los poetas de la primera generación barroca (hay edición de González Palencia [1947]). La *Segunda parte del Romancero general*, publicada en 1605 por Miguel de Madrigal y reeditada por Entrambasaguas [1948], es todavía y más que nada una selección de la poesía culta y grave de la época, equiparable en cierta medida a las *Flores* de Espinosa. Pero el fenómeno más característico del siglo, como ejemplarmente ha estudiado Montesinos [1954, 1964], será la aparición de los romancerillos líricos, florilegios en los que los romances anecdóticos y sentimentales precedentes se ven desplazados por formas mucho más líricas y musicales a las que han ido derivando los mismos poetas, en especial Lope. De entre estas colecciones, que presentan siempre intrincados problemas de atribución de los textos debido a que los registran sin nombre de autor (véase, por cuanto se refiere a Lope, un estado de la cuestión en Carreño [1979]), alcanzaron gran notoriedad el *Laberinto amoroso*, de Juan Chen (Barcelona, 1618; hay ed. de Blecua, Valencia, 1953); la *Primavera y flor de los mejores romances*, de Pedro Arias Pérez (editado por Montesinos [1954]); las *Maravillas del Parnaso*, recopiladas por Jorge Pinto de Morales (Lisboa, 1637; hay ed. de J. de los Ríos, Madrid, 1943), y los *Romances varios de diversos autores*, impresos por Pedro Lanaja (Zaragoza, 1640). Los pliegos sueltos, por su parte, están aún faltos de una catalogación como la que llevó a cabo Moñino para los del siglo XVI, aunque les ha dedicado un notable estudio de conjunto García de Enterría [1973]. Conforme avanza el siglo, los romances y coplas de ciego, formas plebeyas y truculentas que son una y otra vez denunciadas por censores y poetas (véase el *Memorial* de Lope de Vega publicado y estudiado por García de Enterría [1971, 1973]), van ganando el gusto popular e invaden este género de impresiones (una curiosa muestra en Rodríguez-Moñino [1968]). Papel muy importante en la transmisión y divulgación de textos poéticos desempeñaron, por último, las justas poéticas y las sesiones académicas. Para las primeras contamos con una relación bibliográfica a cargo de Simón Díaz y Calvo Ramos [1962]; las academias literarias han sido estudiadas por Sánchez [1961] y King [1963].

Como había ocurrido en el siglo XVI, en el XVII, cuando los poetas murieron sin coleccionar sus versos, éstos se editaron, lógicamente, ordenados por mano ajena y bajo el título general de *Obras*. Así aparecieron las de Garcilaso, Aldana, Castillejo o Silvestre, en el Renacimiento, y así aparecen, en el Barroco, las de Carrillo, Anastasio Pantaleón de Ribera, Villamediana o el mismo Góngora. (Verdad es que algunos poetas, como Esquilache, reunieron, en vida, bajo este epígrafe indicativo de obras líricas completas, su poesía.) Pero en el XVII hubo multitud de libros de versos que se ordenaron y publicaron por el propio autor. Desde el caso más llamativo de Lope de Vega en los distintos géneros que practicó. Razones de profesionalidad y también de economía y de mecenazgo fomentaron estas ediciones personales. El nombre de *Rimas* (Espinel, los Argensola, Lope) fue muy aceptado desde la tradición petrarquista, aun en libros de espíritu muy diferente. Pero hubo también títulos muy buscados y característicos, tanto en función del estilo como del género o de los temas. Así: Polo de Medina, *Ocios de la soledad* y *El buen humor de las Musas*; Bocángel, *La lira de las Musas*; Maluenda, *Cozquilla del gusto, tropezón de la risa* y *Bureo de las Musas*; Barrios, *Flor de Apolo* y *Coro de las Musas*; Villegas, *Las eróticas*; Valdivielso, *Romancero espiritual*. Mezclaron también versos y prosas, ya en misceláneas, tipo *Cigarrales de Toledo* o las *Academias del jardín*, o bajo el rótulo unificador de *Rimas y prosas*, como Bocángel. Fueron muy numerosos los poemas laudatorios editados sueltos bajo el nombre de *Panegíricos*, *Epitalamios*, etcétera. Algún poeta, como Soto de Rojas, dividió su poesía en verdaderos libros cerrados y unitarios: la amorosa, en *Desengaño de amor en rimas*; su fábula mitológica *Los rayos de Faetón*, de forma aislada, y así también su *Paraíso cerrado* (aunque llevase detrás, como apéndice, los fragmentos del *Adonis*). Sin duda Lope, Quevedo y Góngora consolidaron ciertos usos: por parte del primero, el nombre de *Rimas*, que dio a tres libros suyos principales; los editores de Quevedo, al dividir sus versos en *Musas*; los de Góngora, al reunirlos como *Obras en verso*, según hizo Vicuña, creando unas subdivisiones en los sonetos de las que luego trataremos.

En cuanto a estrofas y subgéneros, aparecieron en el Barroco muchas novedades. En primer lugar, destaquemos la *silva*, serie poética que se hará esencial, tanto desde el lenguaje de las *Soledades* como desde la nueva visión del mundo del siglo XVII (Molho [1978], E. Asensio [en prensa]). Tiene también importancia la *décima*, tan tectónica como un soneto abreviado, propicia para el juego de ingenio y para el concepto filosófico, que comparte con la doble quintilla y la redondilla el ser el molde de muchos epigramas, subgénero tan importante en la época. El largo poema descriptivo, configurado desde Góngora, desde Lope y también desde Marino, es un hallazgo específicamente barroco en su pluralismo de jardines, bellas artes, erudición y acopio de fábulas ovidianas. En él las doctrinas de la *amplificatio* y de la digresión arqueológica y erudita encuentran su cauce, ya en octavas, ya en silvas (al respecto hay repetidas aportaciones de Orozco; véase además Woods [1978]). También son consustanciales con la época, lo mismo que ocurre en algunos pintores, las versiones paródicas y burlescas de las fábulas mitológicas, que alternan con las versiones más graves y decorosas. Sobre ciertos mitos en nuestra poesía áurea, existen varias monografías. Algunas, enfocadas especialmente hacia otros géneros, sólo son complementarias a nuestro tema: Psiquis y Cupido, centrada en lo teatral por Bonilla y San Martín, y luego por Rull; Ícaro, en la novela pastoril, por Cabañas. Pero otras tienen especial interés en la poesía barroca. Así, el mito de Faetón, estudiado por Gallego Morell [1961] y por Rozas [1963]; el de Hero y Leandro, por Moya del Baño [1966]; el de Orfeo, por Cabañas [1948], o el de Circe, por Garasa [1964]. Una amplia exposición de conjunto puede verse en el libro clásico de Cossío [1952]. Por lo demás, la fábula mitológica, con su andadura muchas veces heroica y trágica, viene a sustituir, sobre todo en calidad, al tradicional poema épico renacentista, aunque el Barroco, desde la *Dragontea* de Lope de Vega a la *Nápoles recuperada* de Esquilache o la *Neapolisea* de Trillo y Figueroa, pasando por los poemas de asunto americano, conocerá también una considerable floración del género épico, cuyas muestras más representativas han sido catalogadas y estudiadas por Pierce [1961].

La sátira social y política, y aun personal, muestra en la época la cara degradada del imperio, junto a la poesía moral, decididamente cristiana o con tintes horacianos (para el tema de la soledad, véase Vossler [1941], y para la sátira política, el estudio de Rosales [1966] y la antología de T. Egido [1973]). La poesía satírica y burlesca, y la sátira política, reinventada por Villamediana, a veces desde moldes medievales, usará preferentemente el octosílabo, sobre todo en forma de letrillas, décimas o romances. La poesía política, prohibida, quedará inédita en multitud de manuscritos, y lo mismo la no infrecuente poesía erótica, antologizada recientemente por Alzieu, Jammes y Lissorgues [1975]. También, enlazando con la tradición, la glosa (Janner [1943, 1946]), el villancico y la poesía tradicional, ahora presidida por la seguidilla, alcanzan en el Barroco un alto grado de dignificación y un sentido artístico muy elevado (Frenk Alatorre [1962]). Se practican también ciertos recursos métricos, humorísticos y lúdicos, como el *eco* y los versos de *cabo roto*. En otro sentido, se ponen de moda los *centones* (véase Cátedra [1981]). Con todo lo dicho, es natural que los tratados de métrica sean frecuentes hacia 1600, ya sean monográficos, como el de Sánchez de Lima (1580) o el más famoso de Rengifo (1592) que se imprimirá con adiciones hasta bien entrado el siglo XVIII, ya se integren dentro de las poéticas de la época, como la del Pinciano (1596); sobre este punto, debe tenerse en cuenta la excelente bibliografía de Carballo [1956], así como el fundamental análisis histórico de Navarro Tomás [1956] o el estudio de las teorías métricas de Díez Echarri [1949] (otras indicaciones se hallarán más abajo, cap. 10).

Los cancioneros de corte petrarquista continúan (por ejemplo, en Soto de Rojas); pero en la poesía amorosa del Barroco descienden mucho en número los madrigales y la canción (Segura Covarsí [1949]), y la sextina, refugiada en los últimos reductos de la narrativa pastoril, prácticamente desaparece (Prieto [1970]). El amor se concentró en los sonetos, y éstos fueron ordenados, de acuerdo con un cambio mental muy acusado (Rozas [1969]), no siguiendo una historia personal, psicológica, lineal, sino en función de los temas, muchas veces circunstanciales y baladíes, con sentido de arte por el arte, de forma que cualquier tema valía para expresar un estilo. Ahora, los sonetos amorosos, muchas veces denominados líricos, o con otros nombres, son sólo una parte de una larga serie de temas. López de Vicuña divide los de Góngora en *heroicos, amorosos, satíricos, burlescos, fúnebres, sacros* y *varios*; Marino, sus obras en *amorose, maritime, boscherecce, heroiche, lugubri, morali, sacre* y *varie*. Como se ve, estas divisiones parecen estar en relación directa, y su análisis nos llevaría muy lejos. Influyeron en los poetas menores o en sus editores. Así, en Villamediana: *sacros, líricos, amorosos, fúnebres* y *satíricos*. Trillo, guiado por estos conceptos de estilo y de tema, subtitula sus *Poesías varias* como *heroicas, satíricas* y *amorosas*. Desde la nueva perspectiva crítica de la lingüística del texto, García Berrio [1978 *a*] ha ensayado últimamente una tipología semántica de los sonetos amorosos, que luego ha ampliado también a los sonetos sobre el *carpe diem* [1978 *b*]; otros numerosos estudios recientes del mismo autor (véase p. 736, nota) abren posibilidades que merecen detenida consideración.

Lo más llamativo, pues, incluso desde lo externo, en toda la poesía del siglo es el espíritu de dualidad: métrica (arte mayor / arte menor, en la más completa polimetría); de tono (lo popular junto a lo más culto); temática (grave y burlesca, transcendente y circunstancial). Al lado de los temas obsesivos del desengaño (temporalidad, ruinas, *carpe diem*, sueño, ascética, soledades), estudiados, entre otros, por González Escandón [1938], Vossler [1941], Rosales [1966] o Schulte [1969], vive la poesía más festiva, burlesca y satírica. Junto a la teoría literaria grave, desde el *sermo horacianus*, se halla la sátira personal violenta contra el escritor enemigo. Junto al tema de la naturaleza, el del arte. Junto a la fábula mitológica, trágica y heroica, las versiones paródicas. Junto a la poesía metafísica, la circunstancial, ya laudatoria y cortesana, ya cotidiana, una de cuyas muestras más elocuentes puede ser el *Anfiteatro de Felipe el Grande* (1631), grueso volumen en el que Pellicer reunía docenas de sonetos de numerosos ingenios «que han celebrado la suerte que hizo en el toro» el monarca. Todas estas dualidades, bajo el cetro estético de la unión del culteranismo y el conceptismo. Desde el más rebuscado decoro al ingenio lúdico, ambos con predominio del arte sobre la naturaleza. Ovidio, Marcial, Horacio, han vencido a Virgilio. Una muy útil antología de la poesía del Siglo de Oro ordenada por temas, que puede ejemplificar perfectamente los aquí enunciados, fue publicada por Wardropper [1971]. Consideraciones interesantes se hallarán también en Siles [1975].

Cuestión no menos delicada que la de la ya analizada transmisión textual es la de la ordenación y agrupación de los poetas del siglo. Si se quiere mostrar toda la complejidad y amplitud del panorama, aun de modo provisional, no cabe sino apelar a un criterio sincrético que ha de tener en cuenta no sólo las modalidades estilísticas, sino también los encuadramientos geográficos y generacionales. El criterio de «escuelas» geográficas es ciertamente una vieja simplificación que ha ido arrumbando y descalificando la historia literaria (véase Bonneville [1964]). De todos modos, sin pretensiones de inferir de ahí rasgos poéticos generales y excluyentes, ciertos agrupamientos por regiones o ciudades, en torno a los cuales se muestran cohesionados determinados poetas, al menos por simples relaciones externas (amistad, círculos literarios, mecenazgo, etc.), pueden resultar aún operativos. El desmembramiento por estilos —culteranismo y conceptismo—, que tan drásticamente venía propugnándose desde la época de Menéndez Pelayo, resulta también una simplificación excesiva. Como han ido poniendo en claro los sucesivos estudios de Alonso, Menéndez Pidal, Parker, Lázaro Carreter, Blecua, Monge, Collard o García Berrio, son muy amplias las zonas de contacto entre culteranismo y conceptismo, puesto que ambos radican en la común estética del ingenio y la agudeza (véase «Preliminar»). No obstante, el desbordamiento y descompensación entre ornato y concepto que lleva a cabo Góngora en sus poemas mayores, determinará que a partir de 1613 se produzca una inevitable escisión entre culteranos y anticulteranos por la que acaban tomando partido, de uno u otro modo, todos los poetas (no sólo los llanos y conceptuosos, sino también los que procedían del cultismo).

En cuanto a la ordenación por generaciones, es sin duda, a pesar de sus intrínsecas limitaciones, la más palmaria y evidente. La primera gran generación de poetas barrocos la constituyen los nacidos hacia 1560, los cuales comienzan a escribir hacia 1580. Es esta la generación de los grandes creadores e iniciadores de géneros y formas poéticas, aunque casi todos recorran caminos diferentes. A ella pertenecen Góngora, Lope, los Argensola y, a su lado, una serie de poetas menores que marcan también las líneas más significativas por donde va a discurrir la poesía del siglo: Liñán en el romance, Ledesma en el conceptismo sacro, Valdivielso en la lírica religiosa o Juan de Salinas en la poesía festiva. La segunda generación, la de los nacidos en 1580, produce todavía un genio creador individual con Quevedo, pero es sobre todo la generación de los discípulos y continuadores de la anterior, por cuyos mentores toman fervoroso partido o los combaten en medio de ruidosas polémicas. A Góngora le secundarán magníficos discípulos, como Villamediana o Soto; en torno a Lope vemos a Esquilache o Medinilla, en tanto que por su cuenta caminan otros poetas, como Espinosa, Carrillo o Jáuregui. La tercera generación, la de los nacidos hacia 1600, marca ya un claro debilitamiento poético. Fuera de algún fino poeta rezagado, como Bocángel, la lírica degenera en la inexpresividad (Pantaleón de Ribera) o en el prosaísmo (Rebolledo), cuando no en el verso ocasional y de circunstancias (Solís).

Uno de los focos poéticamente más activos durante el siglo XVII fue Sevilla. Aunque son varias las tendencias poéticas que allí concurren (desde el clasicismo renacentista al cromatismo barroco, o desde el moralismo estoico y horaciano a la poesía festiva), las relaciones de amistad, la frecuentación de los mismos círculos, lecturas y modelos literarios, así como un común alejamiento del gongorismo (casi todos han escrito ya su obra cuando aparecen los grandes poemas del cordobés, y sólo Jáuregui adoptará una abierta actitud combativa), son notas que confieren cierto grado de identidad externa al grupo de poetas sevillanos. Formado aún en la tradición estética de Herrera, Medina y Pacheco, Juan de Arguijo (Sevilla, 1567-1622) es un fiel continuador del clasicismo sevillano en la época barroca. Sobre su biografía ha hecho últimas precisiones Vranich, quien asimismo ha llevado a cabo una rigurosa edición de su obra poética con profusión de notas y explicaciones [1971] (alguna ampliación añade en [1981]), que ha venido a mejorar en buena parte la realizada por Benítez Claros [1968]. Lo fundamental de la producción de Arguijo, que debe completarse con los cuentos y tal vez con su colaboración en la *Tragedia de san Hermenegildo* (véase Garzón-Blanco [1979]), sigue siendo la serie original de sesenta y siete sonetos, la mayoría de los cuales ponen en práctica un elaborado concepto de la *imitatio* recreando asuntos de la antigüedad grecolatina con una notable perfección formal y un lenguaje sobrio y elevado, ajeno en todo a las estridentes novedades culteranas. Mucho más exigua es la obra poética de Rodrigo Caro (Utrera, 1573-1647), quien fue ante todo un apasionado coleccionista e investigador de la arqueología y el folklore, materias sobre las que compuso diversos tratados. El de los *Días geniales o lúdricos*, diálogo estético y erudito sobre los juegos, ha sido editado por Etienvre [1978] con documentada introducción biográfica que amplía algunos puntos del estudio de Morales [1947], particularmente en lo que se refiere a las actividades de Caro en el cabildo sevillano. Su nombre de poeta lo debe a la famosa *Canción a las ruinas de Itálica*, cuya paternidad quedó ya definitivamente aclarada por Fernández-Guerra en el siglo pasado. Las cinco versiones conservadas del texto reflejan un largo proceso de elaboración, que han estudiado A. del Campo [1957] y López Estrada [1974 *a*], a través del cual Caro fue retocando la obra hasta conseguir un armonioso poema de correcto equilibrio clasicista que dejase fuera todo giro y concepto extravagantes. Sin embargo, el resultado final, como ya hizo notar Wilson [1936], adolece de falta de variedad debido particularmente al reiterado uso de una adjetivación poco expresiva y a la casi total ausencia de metáforas audaces. También a un único poema, que se le asigna sin vacilación desde que en 1875 Adolfo de Castro publicó el manuscrito colombino, debe su gloria literaria el capitán Andrés Fernández de Andrada (Sevilla, ¿?-¿México?, 1648). Su oscura biografía y su singular obra (se conserva también un fragmento de una silva sobre la toma de Larache) han sido magistralmente estudiadas por Dámaso Alonso [1978]. El poema, que según el citado crítico hubo de ser compuesto antes de 1612, fecha en que Alonso Tello —el amigo celebrado bajo el nombre de Fabio— fue nombrado corregidor en México y abandonó así sus desasosegadas pretensiones cortesanas, es de un severo corte moralista que funde lugares comunes de la Biblia, Horacio, la tradición estoico-senequista y otras diversas fuentes, ya apuntadas por Menéndez Pelayo (Artigas [1925]). La expresión elevada, sobria y natural que consigue mantener a lo largo del poema, resulta el mayor acierto de su autor, aunque también aquí la escasa variación y la contención imaginativa acaban restándole algún interés.

Al prologar los versos de Herrera editados por Pacheco (1619), Francisco de Rioja (Sevilla, 1583-Madrid, 1659) asegura la renovada continuidad con el pasado poético sevillano. Este docto clérigo, amigo y protegido de Olivares, que gozó de gran prepotencia social y económica (véase los documentados trabajos de Coste, entre ellos [1968 y 1978]) y llegó a desempeñar importantes cargos inquisitoriales, fue además poeta muy celebrado en su tiempo (Cueva, Cervantes, Lope, Quevedo) y estimado por la posteridad (Lista, Bécquer, Cernuda). Su obra fue ya diligentemente conjuntada por La Barrera (1867 y 1872); en fecha más próxima Chiappini [1975] ha realizado una edición crítica de sus versos, acompañada de traducción italiana y de un enjundioso estudio biográfico y estilístico. Los elementos pictóricos y cromáticos, que Rioja sabe manejar con gran novedad y audacia, particularmente en las famosas silvas a las flores, han sido siempre los valores más destacados por la crítica en su poesía (véase Orozco [1941] y el citado estudio de Chiappini). Pintor, preceptista y poeta, Juan de Jáuregui y Aguilar (Sevilla, 1583-Madrid, 1641) fue una de las personalidades más controvertidas de su siglo. Tras una juvenil estancia en Roma, donde publica una muy elogiada traducción del *Aminta* de Tasso, que más tarde corregiría y que ha merecido una rigurosa edición y estudio de Arce [1970, 1973], le vemos frecuentar los cenáculos literarios sevillanos y trasladarse luego a la corte donde sería censor de libros y conseguiría el hábito de Calatrava (su biografía ha sufrido pocas modificaciones desde el estudio clásico de Jordán de Urríes). De su obra, han sido los escritos de teoría poética los que han acaparado casi toda la atención de la crítica. El *Antídoto*, en defensa de un clasicismo poético y contra la «desalmada» poesía de las *Soledades* gongorinas, gozó en medio de la polémica de una amplia difusión, que ha estudiado Jammes

[1962] (Melchora Romanos anuncia una próxima edición crítica). El *Discurso poético*, que propugnaba una poética equidistante de la oscuridad y la llaneza y que, con la publicación del *Orfeo*, le granjearía también la enemistad de los *claros* alineados en torno a Lope, ha sido encomiablemente editado y estudiado por Romanos [1978]. A su polémica con Quevedo, en particular a través de la comedia *El retraído*, le ha prestado alguna atención Crosby [1961]. De su poesía, ahora esmeradamente editada por Ferrer de Alba [1973], lo más estimado ha sido casi siempre el *Orfeo*, extenso poema en octavas donde consigue Jáuregui una feliz realización poética del estilo sublime acomodando la gravedad del tema a una expresión culta, elevada y sonora que pretende superar así la mixtura y desequilibrio gongorinos.

La poesía festiva y epigramática, en la línea de Baltasar del Alcázar, tuvo también intenso cultivo entre los vates sevillanos del barroco. Entre estos «poetas de la sal» ocupa lugar destacado el clérigo Juan de Salinas (Sevilla, ¿1562?-1643), canónigo de Segovia y más tarde, en Sevilla, administrador del Hospital de San Cosme y visitador de iglesias. Como ha estudiado Bonneville en una excelente monografía [1969], Salinas es un interesante poeta de tono menor que cultiva una poesía satírica y jocosa, muchas veces intrascendente, basada siempre en ingeniosos juegos expresivos y alejada de toda oscuridad cultista. Si en la etapa segoviana, tras un brillante y prometedor viaje a Italia, lo que predomina en sus versos son los romances y letrillas de un epicureísmo agresivo que acaba desembocando en agria sátira burlesca, con su traslado a Sevilla, Salinas se convierte en un poeta de salón y mundano, autor de ingeniosos poemas epigramáticos (redondillas, décimas) en los que la sátira se ha hecho ya festiva y desenfadada. En esta misma corriente de poesía epigramática, por último, hay que encuadrar asimismo casi toda la poesía del también clérigo Pedro de Quirós (Sevilla, ¿1607?-Madrid, 1667), autor además de poemas sacros y morales con abundancia de motivos conceptuosos (el único estudio de conjunto sigue siendo el prólogo que Menéndez Pelayo colocó al frente de la edición de sus versos en 1887).

Como bien refleja el *Cancionero de 1628* (véase Blecua [1945]), en Aragón convivieron, al igual que en otros lugares, diferentes grupos y tendencias poéticas (clasicismo, gongorismo, conceptismo). No obstante, algunas notas comunes, como la tendencia a la concisión y claridad, el gusto por el concepto o la preferencia por la historia y la didáctica, confieren cierta uniformidad a la producción aragonesa del siglo XVII. El antigongorismo, en cambio, no fue nunca una postura radical ni generalizada (véase A. Egido [1979]). Pertenecientes a la innovadora generación de 1560, Lupercio Leonardo de Argensola (Barbastro, 1559-Nápoles, 1613) (el estudio biográfico más completo sigue siendo el de Green [1945]) y Bartolomé Leonardo de Argensola (Barbastro, 1561-Zaragoza, 1631) no participaron decididamente en las novedades poéticas propuestas por hombres de su generación, como Góngora o Lope, y más bien continuaron fieles a la tradición renacentista. Tanto en sus escritos teóricos como en la práctica poética, los Argensola fueron impulsores de un clasicismo sobrio y equilibrado en la forma, moralista y satírico en los contenidos y guiado siempre por el magisterio horaciano, manifiesto incluso en la preocupación por la lima del verso y el escaso interés por la divulgación de las propias obras. Éstas, en efecto, no serían publicadas hasta 1634 por Gabriel Leonardo, aun contraviniendo lo dispuesto por ambos poetas y dejando fuera buena parte de sus escritos. De ahí que no haya resultado difícil a críticos modernos, como Foulché-Delbosc, Pfandl o Green, reunir de nuevo muchos de aquellos poemas olvidados. No obstante, ha sido J. M. Blecua [1950-1951, 1972 y 1974] quien ha culminado con todo rigor la tarea editora de la obra argensolina, tanto por haberla completado con numerosas piezas inéditas como por haber puesto en claro la superioridad del texto de Gabriel Leonardo realizado sobre versiones corregidas y definitivas.

Seguidor de los Argensola fue el carmelita fray Jerónimo de San José (Mallén, 1587-Zaragoza, 1654), notable sonetista de temas sacros y morales, y hábil metrificador de ritmos más ligeros que vienen a entroncar con la tradición lírica carmelitana. En su excelente tratado en prosa *Genio de la historia* (1651) dejó expuestas sus ideas anticulteranas (véase ahora el breve comentario de Nougué [1980]), aunque no planteadas en un terreno estrictamente poético. La edición de sus versos no ha sido revisada desde 1876. También discípulo de Bartolomé Leonardo, cuyas obras iba a recoger y comentar, fue Martín Miguel Navarro (1600-1644), canónigo de Tarazona. Su filiación poética argensolina queda patente, como ha estudiado Blecua [1945 b], en sus elegantes epístolas en tercetos, en la moralización de los temas, en la rehuida de los versos amorosos y en la formulación de ideas anticulteranas. El gusto por la didáctica le llevaría a escribir también dos extensos poemas descriptivos en octavas, el *Tratado de Geografía* y el *Tratado de Cosmografía*, este último de construcción alegórico-dantesca a la manera del siglo xv. Admirador de los Argensola, cuyo clasicismo moralista secundó en algunas odas de imitación horaciana (Bocchetta [1970]), aunque poco armoniosas y fluidas, se muestra también el riojano Esteban Manuel de Villegas (Matute, 1589-Nájera, 1669). Lo más original de su poesía, como han puesto de relieve los estudios de Ynduráin [1969] y E. del Campo [1972], hay que buscarlo en cambio en otra parte de su obra, las cantilenas y monóstrofes, donde presenta una singular versión del clasicismo de tono menor con su feliz adaptación de la *anacreóntica*, así como un innovador concepto de la imitación que le lleva a intentar la naturalización en lengua castellana de diversas formas métricas clásicas (véase últimamente Colombí [1982]).

En transición hacia Góngora hay que situar a dos poetas andaluces, Pedro Espinosa y Luis Carrillo de Sotomayor, cuya obra unas veces, en cierto modo, se adelanta y, otras, discurre paralela a la del genial cordobés. En Antequera, donde había nacido Pedro Espinosa (1578-Sanlúcar de Barrameda, 1650), surgió a comienzos de siglo un notable grupo de poetas, entre los que se hallan Luis Martín de la Plaza, Agustín de Tejada o Juan de Aguilar, cuyos versos aparecen recogidos en la recopilación de Ignacio Toledo y Godoy (hacia 1627-1628), modernamente editada por Alonso y Ferreres con el título de *Cancionero antequerano* [1950]. La poesía que cultivan, en su conjunto, muestra todavía sensibles huellas herrerianas, sobre todo en los temas heroicos, en tanto que el gusto por las descripciones coloristas y suntuarias anuncia ya la presencia de Góngora. Espinosa, aunque no dejó de estar vinculado a los cenáculos literarios de su ciudad, es un poeta de más amplios horizontes y de mayor variedad de registros. A las tres etapas por que discurre su inquieta biografía (al estudio clásico de Rodríguez Marín debe añadirse alguna nueva aportación documental a cargo de López Estrada [1979]) corresponden otros tantos períodos en la trayectoria de su obra. A los años juveniles, de asiduo trato literario en tertulias y academias y de estancia cortesana, pertenecen, además de las ya citadas *Flores de poetas ilustres*, algunas canciones y sonetos amorosos y una poesía colorista y decorativa que culmina en la *Fábula de Genil*, singular poema mitológico cuya importancia como presagio gongorino fue ya justamente apreciada por Cossío [1935, 1952]. El retiro solitario del poeta a la sierra de Antequera en 1606 dará paso a una poesía de honda y sencilla espiritualidad, ya destacada por Vossler [1941], que alcanza sus mejores momentos en el tema ascético de la meditación y alabanza de la creación, estudiado por Terry [1961], que Espinosa reelabora con una técnica miniaturista y pictórica muy barroca, según ha visto Orozco [1947]. A la última etapa de su vida, ordenado sacerdote en 1614 y establecido en Sanlúcar al servicio de la casa ducal de Medina Sidonia, corresponden los poemas sacros ornamentales y panegíricos de mayor impregnación cultista. En toda su poesía, ahora cuidadosamente editada por López Estrada [1975], se muestra Espinosa preocupado por una renovación estilística que, como ha analizado Lumsden [1953], le lleva a recorrer una trayectoria poética, paralela a la que recorre Góngora, que va desde el cultismo y formalismo andaluz a la máxima oscuridad de dicción. No obstante, como ha advertido López Estrada [1975], la tensión no resuelta entre tradición y novedad, así como la artificiosa suplantación del mundo real, son notas que hacen de Espinosa todavía un escritor manierista.

También en la línea del cultismo poético que apunta hacia Góngora, se halla Luis Carrillo de Sotomayor (Baena, 1585-Puerto de Santa María, 1610), caballero del hábito de Santiago y cuatralbo de las galeras de

España, y celebrado poeta que murió prematuramente en plena juventud creadora (para su biografía, véase Alonso [1962]). Su *Libro de la erudición poética*, editado modernamente por Cardenal Iracheta [1946] y estudiado por Vilanova [1953] y Battaglia [1955], fue publicado dos años antes de que se divulgaran los grandes poemas gongorinos y es ya una abierta formulación teórica de los principios de la estética culterana y una defensa del cultismo y la *dificultad docta*. Su obra poética original, publicada un año después de su muerte, la constituyen una corta serie de romances, letrillas, sonetos, canciones, églogas y una fábula mitológica. Ha sido editada y estudiada por Alonso [1936, 1944], y en fecha más reciente Randelli [1971] ha establecido el texto de los sonetos, con actualizada introducción biográfica y comentario estilístico. A pesar de su postura teórica, Carrillo muestra en su poesía una gran variedad de tentativas y una constante oscilación entre la facilidad y la dificultad, que tampoco llega nunca al desbordamiento gongorino, aunque sí a momentos de cerrada oscuridad. Buena parte de su lírica amorosa, como ha mostrado Orozco [1967] tras dar a conocer y estudiar las *Décimas a Pedro de Ragis, pintor*, delicado poema de retrato femenino a lo divino, está motivada por su pasión hacia doña Gabriela de Loaisa. La *Fábula de Acis y Galatea*, sobre el mismo asunto que inspirará a Góngora, muestra ya, precisamente en los pasajes amplificativos donde el poeta se aleja de la fuente ovidiana, momentos de gran brillantez y novedad expresivas.

Una vez difundidos los poemas mayores de Góngora, *Polifemo* y *Soledades*, entre 1611 y 1613, se establecen inmediatamente dos posiciones: los admiradores incondicionales y los enemigos (a veces sólo sorprendidos) acérrimos. Más tarde, tras los primeros imitadores, tal vez desde el *Faetón* (1617) de Villamediana, surgirá en todo el siglo una tercera posición: los que aceptan, sincera o estratégicamente, la poesía de don Luis, pero atacan a sus seguidores, a los culteranos. La mencionada fábula del conde ya necesitó defensores, como Manuel Ponce (Quilis y Rozas [1961]), sobre todo en lo que respecta al léxico. La mayoría de los jóvenes poetas, los de la generación siguiente a la de Lope-Góngora, los nacidos hacia 1580, van a decantarse por la poética del cordobés, aunque en muy distintos grados, y nacerá así el movimiento estético más importante del siglo XVII que acabará tiñendo, hasta bien entrado el XVIII, a la mayoría de los autores. Y no sólo en la poesía; la prosa y el teatro, y hasta el púlpito, aprovecharán los hallazgos gongorinos. El calderonismo, por ejemplo, muestra, como rasgo esencial, el aprovechamiento dramático de ese lenguaje. Y no sólo en España: el influjo de Góngora alcanza con fuerza a América, como ya señaló Menéndez Pelayo y han detallado L. A. Sánchez [1927] y Leonard [1929], y a Portugal, como ha estudiado extensamente Ares [1956]. En 1694, en Lima, el ambiente era todavía gongorino, como muestra el *Apologético* de Espinosa Medrano, estudiado en relación con la estética de Góngora por Jammes [1966]. La estimación por don Luis fue notable incluso en Francia, Alemania e Italia. Mas el estudio de esta influencia se sale ya de nuestro tema, pues se refiere al maestro y no a los seguidores, salvo en el caso de Italia, por la compleja cuestión del marinismo y del gongorismo. Desde luego, para España, es evidente hoy, más allá del lejano libro de Thomas, que los discípulos de don Luis gongorizaron teniendo también presente la obra de Marino, como ha mostrado·Rozas [1975 a y b], para Villamediana y para Soto de Rojas. Disponemos también de libros que abordan el gongorismo desde focos regionales concretos, como el aragonés, historiado por A. Egido [1979], o el murciano, por Barceló [1970]. Para otras zonas, como la granadina, aunque no disponemos de una obra monográfica, el problema está abordado de forma dispersa por los estudios de Orozco, Gallego Morell, etc., sobre poetas concretos que luego detallaremos. Bien entrado el siglo XVIII hallamos aún casos de evidente gongorismo, como Porcel y el conde de Torrepalma, según han estudiado Orozco [1968] y Marín [1963] (sobre la fortuna de Góngora en el XVIII, véase Glendinning [1961]). El neoclasicismo dará la vuelta a esta situación: los discípulos de Góngora, mezclados con otros barrocos que poco tienen que ver con ellos, y menos con su calidad (por ejemplo, Silveira), aparecen vilipendiados, desde Cadalso a Moratín, y la estimación peyorativa, a través de Menéndez Pelayo, no cambiará hasta la crítica de la generación del 27 que, al lado de la reivindicación de Góngora, se interesará por sus principales discípulos: Soto de Rojas, estudiado por Lorca, o Villamediana, cantado y antologizado por Neruda. No existe, a pesar de todo lo dicho, una historia de este capítulo fundamental de nuestra historia literaria que es el gongorismo. Lo más parecido es la larga introducción que Gerardo Diego [1927, 1979²] puso a su excelente *Antología poética en honor de Góngora*.

No está bien definido si hemos de hablar de grupo, grupos, escuela o movimiento al historiar el gongorismo. Ni siquiera tenemos una idea cabal de quiénes han de entrar en este apartado ni de cómo han de ser ordenados. Muchas veces, el gongorismo de un autor depende del género, de la estrofa o del tema empleados. Es éste un rasgo claramente diferenciador. Si hacemos el elenco de gongorinos desde las fábulas mitológicas, en octavas o silvas, o en romance burlesco, tendremos un inmenso número de poetas, una mayoría, adscrita a este capítulo; mas si atendemos a la poesía amorosa, encontraremos muchos menos y de un gongorismo mucho más atenuado; si miramos a la sátira o a la poesía festiva, otros nombres, como Quevedo, se interpondrán en nuestro camino. Aun en las fábulas hay que pensar en el estilo cultista que va de Espinosa a Jáuregui y a Lope, que puede confundirnos en la clasificación de los poetas. Ni siquiera en los que se reconocieron a sí mismos como cercanos discípulos, caso de Villamediana, encontramos una influencia total de don Luis. La poesía amorosa y la poesía moral lleva a estos discípulos por caminos muy lejanos al maestro. Otros poetas, como Polo de Medina, serán a grandes trechos gongorinos, y sin embargo parodiarán o atacarán en textos teóricos a los discípulos. No podemos tampoco fiarnos de las listas de partidarios que se realizaron en la época, porque son combativas y parciales. Así, en la nómina editada por Artigas, y mejor por Ryan [1953], o la que trazó Angulo y Pulgar en sus *Epístolas satisfactorias* (1635). En ésta, incluso aparece Esquilache, autor que Lope siempre esgrimió, con razón, contra el gongorismo. Desde luego, hay claros grupos y focos regionales gongorinos, cordobeses, granadinos, murcianos, aragoneses, que fueron ya expuestos por los coetáneos y que la crítica de nuestro siglo, como ya hemos visto, ha refrendado. Muchos viajaron o se establecieron en la corte y sirvieron de relación entre los grupos de otras ciudades. Pero, al lado de esta realidad geográfica e histórica, es mejor hablar de la poética gongorina como de un movimiento, un estilo, que llega a hacerse casi escuela, en lo que va de Villamediana y Soto de Rojas a Bocángel y Trillo, y que se diluye en todos los géneros y en casi todos los autores del siglo barroco. A veces, en poetas muy tardíos, ya dentro del prosaísmo de la segunda mitad del siglo, tan antagónicos al espíritu de Góngora, se encuentran autores que muestran de forma directa imitaciones en léxico, sintaxis y formas estilísticas. Un caso límite sería Bances Candamo, nacido en 1662. Con estos presupuestos, ordenaremos los líricos gongorinos en cuatro trancos: los discípulos o seguidores más directos y declarados: Villamediana, Soto de Rojas, Bocángel, Trillo; junto a ellos, los que próximos, cronológicamente, a don Luis, lo son de forma menos declarada y atenuada: Paravicino, Ulloa, Polo, Pantaleón de Ribera; luego, los poetas menores que sólo en algún género —sobre todo el poema descriptivo o fabuloso— siguen a don Luis; y por último, los ya muy tardíos, que escriben muchos años después de muerto Góngora. A nuestro modo de ver, hay entre todos ellos notables poetas, pero sólo hay tres que sobrepasen ampliamente el valor histórico: Soto de Rojas, Villamediana y Bocángel. Sólo de pasada, para terminar este preámbulo a los gongorinos, como hecho histórico más que artístico, hemos de mencionar a los comentaristas y centonistas que homenajearon a don Luis escribiendo poemas que son un empedrado de versos suyos: Angulo y Pulgar, en su *Égloga fúnebre* (1638); Salazar y Torres, en su versión del Apocalipsis en la *Cítara de Apolo* (1681); Pellicer, en libro tan gongorino como *La Fénix y su historia natural* (1630) (Alonso [1937]); o Salcedo Coronel, sin duda el mejor poeta de todos, como muestran sus *Rimas* (1627) y su talento de comentarista, según ha precisado, entre otros, Wilson [1961].

Don Juan de Tassis (Lisboa, 1582-Madrid, 1622) muere sin publicar sus obras, que se editan póstumas en 1629 y luego cinco veces más en su

siglo, a veces en ediciones contrahechas, lo que muestra su demanda.
Aparte, su poesía satírica, impublicable, fue extensamente divulgada en
manuscritos. A su bibliografía (impresos, manuscritos, lista de atribuciones, estudios y poemas) ha dedicado Rozas [1964 a] una monografía, ha
editado un centenar de poemas inéditos procedentes del *Cancionero de
Mendes Britto* [1965], y ha reunido y estudiado los textos dispersos
[1964 b]. Además ha publicado sus *Obras* [1969, 1980²], con una introducción donde estudia la poesía del Conde en tres apartados fundamentales: un *Cancionero blanco*, de versos amorosos de origen petrarquista,
garcilasista, camonianos y herrerianos, transidos por el tema del silencio,
de la altura y del riesgo icariano; un *Cancionero del desengaño* que
presenta dos caras, la elevada y moral, desengañada, a veces horaciana,
donde hay impresionantes sonetos; y otra cara, la de la sátira personal
y política, que vuelve sus ojos a la del siglo xv, sobre todo a las *Coplas
del Provincial*; y un tercer grupo, bajo el signo de Góngora y de Marino,
donde hay excelentes sonetos ornamentales y varias fábulas mitológicas
entre las que destaca el atrevido, de fondo y forma, *Faetón* (1617). Por
otro lado, Villamediana escribe *La gloria de Niquea* (1622), con la que
se abre el teatro cortesano de gran aparato escénico y de estilo gongorino.
Esta obra ha sido estudiada en su relación con don Luis por Alonso
[1927] y, en su aspecto teatral, por Aubrun [1964] y por Shergold [1967].
Su relación con Marino, importante por ser el primer español que conoce
a fondo, a la vez, al maestro de Córdoba y al italiano, ha sido establecida
por Fucilla [1941] y por Rozas [1975 b]. Su larga fábula, *La Europa*,
por ejemplo, es una traducción de Marino con lenguaje de Góngora.
Aportaciones importantes al estudio de su poesía son también las de
Scudieri [1959], una apretada síntesis de su trayectoria; la de Cossío
[1952], sobre sus fábulas, aunque se equivoca al estudiar la de *Apolo y
Dafne* en romance como suya, siendo de Collado del Hierro, como ha
demostrado Rozas [1968]; y la de Rosales [1966], quien al reunir en
un libro varios artículos sobre la lírica barroca dedica muchas páginas al
Conde, especialmente a su poesía amorosa en relación con Garcilaso y
Camoens, así como a su sátira política. Capítulo aparte merece su impresionante vida y su compleja leyenda. A pesar de los pacientes esfuerzos
de Cotarelo en el siglo pasado, y los de Alonso Cortés [1928] y Rosales
[1969] en el nuestro, quedan muchos puntos conflictivos en penumbra,
y aun en total sombra, sobre su biografía y, desde luego, el tal vez insoluble problema de «sus amores reales» y su asesinato, atribuido ya a problemas amorosos, ya de sátiras, ya a luchas palaciegas por el poder. Su
muerte y su escandalosa vida, por un lado, y, por otro, la incorporación
a su figura de ciertos arquetipos de «poeta maldito» *avant la lettre* (véase
Rico [1970 a]), han hecho del Conde uno de los poetas más cantados (en
poesía, drama y novela) de nuestra literatura, desde sus propios contem

poráneos hasta los poetas jóvenes actuales, pasando por el romanticismo y por los poetas del 27.

Junto a Villamediana colocan, con justicia, las historias de la literatura a don Pedro Soto de Rojas (1584-1658), como el otro gran discípulo de Góngora. Sus obras han sido reunidas por Gallego Morell [1950], que ha sido quien ha dedicado mayores esfuerzos, tanto a trazar su biografía [1948, 1949] como a analizar su creación [1948, ampliado en 1970]. Los versos de Soto se dirigen hacia tres vertientes artísticas: un cancionero amoroso en su *Desengaño de amor en rimas* (1623), la fábula mitológica, con *Los rayos de Faetón* (1639) y el *Adonis* (incluida en su *Paraíso*), y el largo y magnífico poema descriptivo y paisajístico *Paraíso cerrado para muchos, jardines abiertos para pocos* (1652). Gallego distingue en el poeta, acertadamente, dos estilos: el *blando Soto*, seguidor del garcilasismo, y el *intrincado Soto*, seguidor del gongorismo. Su trayectoria, tras encontrar imitaciones —verdaderas traducciones a veces— temáticas y de estilo de Marino, ha sido nuevamente trazada por Rozas [1975]: Marino configuraría parte de su poética, tanto en la lírica amorosa como en su *Paraíso*. Es este un libro fundamental en el gongorismo, obra maestra por su fondo, su erudición y su forma, trazado con gran originalidad desde su *habitat* granadino a pesar del fuerte influjo de don Luis y del caballero Marino. Su preciosismo, su religiosidad, su preocupación por lo pictórico y por la dualidad *naturaleza / arte* lo colocan como un modelo de arte barroco. Como tal ha sido estudiado por Orozco [1955] y recientemente por A. Egido [1981], al editar el texto con una larga introducción, desde la doble oposición *jardín-libro / libro-jardín*, ocupándose también del *Adonis*. El *Desengaño de amor en rimas* es un cancionero amoroso muy especial dentro del Barroco. Antonio Prieto ha disertado públicamente y prepara un estudio en torno a su significado directamente petrarquista, con versos en vida y muerte de la amada y con su desengaño anclado en lo religioso. El poemario reúne, junto al espíritu petrarquista y garcilasista, la novedad del marinismo, en rasgos infrecuentes en la poesía culta española del Barroco, como son la insistencia en el madrigal y en el diminutivo. Lo hace interesante también el haberse escrito un poco antes de la eclosión del gongorismo, en 1611-1612, y haberlo dejado inédito hasta 1623, no sin antes añadirle algunos poemas ya cultcranos, lo que hace balancearse a la obra en dos estilos, antes y después de las *Soledades*. Escribió Soto también un breve *Discurso sobre la poesía*, que ha sido estudiado por Balbín de Lucas [1944 b].

Sólo dos obras extensas conocemos hoy del doctor Agustín Collado del Hierro, amigo personal de Góngora y Villamediana: el poema *Granada* y la fábula de *Apolo y Dafne*. Los pocos datos que tenemos sobre su vida los debemos a Orozco [1964] en un libro que, siendo una introducción al estudio del poema *Granada*, es también una abreviada vida y obra del poeta. Conjetura Orozco que nació en los años ochenta del siglo xvɪ y que murió poco después de 1635. Publicó diversos poemas de circunstancias en los preliminares de diversos autores y en justas poéticas, y dejó preparada para la imprenta su obra maestra *Granada*. Orozco la ha analizado detalladamente en sus valores poéticos y arqueológicos. Es, sin duda, un poema gongorino, erudito, situado en la larga serie de poemas descriptivos de la época, con un considerable valor para el conocimiento de la ciudad de Granada. Su fábula mitológica en romance *Apolo y Dafne* fue hallada, formando parte, impensada y erróneamente, entre las obras de Villamediana, por Rozas [1968], quien localizó una edición suelta, hecha y firmada por Collado, hoy tal vez ejemplar único, en la Hispanic Society.

La importante figura que es fray Hortensio Félix de Paravicino (1580-1633), amigo íntimo de Lope, gran predicador culterano y poeta que tiende claramente al gongorismo, ha merecido en los últimos años varios trabajos de Cerdan [1978 *a* y *b*, 1981] sobre problemas biográficos y documentales que van llenando la gran laguna de estudios que sobre este autor teníamos, a pesar de trabajos anteriores de Alonso Cortés [1950] y Alarcos García [1937]. Su poesía está poco estudiada. Blecua [1949] encontró poemas juveniles dedicados a Felipe II, Gates [1938] lo estudió como gongorino, y Cerdan [1978 *b*] ha analizado y editado su romance *A la pasión de Jesucristo* desde las coordenadas de la meditación ignaciana. Más conocidos son ciertos problemas biográficos, de amistades y enemistades. Alonso [1962] y Wilson [1961 *b*] han estudiado sátiras contra él y, en concreto, su polémica con Calderón sobre cuestiones nada literarias. Sus sermones, fuera de nuestro tema, han sido estudiados, entre otros, por Alarcos García [1937]. Sus poesías, en sus *Obras póstumas, divinas y humanas*, aparecieron en 1641 con el seudónimo de Félix de Arteaga.

No sin muchos distingos podemos colocar a don Luis de Ulloa Pereira (1584-1674) entre los gongorinos. Pues si bien sigue a don Luis con frecuencia en diversos rasgos estilísticos, gran parte de su obra —recordemos que es autor dramático y que escribió una interesante *Defensa de las comedias*— recorre otros caminos del lado de Lope o Quevedo y aun de la poesía amorosa del xvɪ. Su interesante vida ha sido desentrañada por García Aráez [1952], partiendo de unas inusuales, en la época, *Memorias familiares* que el propio poeta nos ha dejado. El libro de García Aráez es de menor precisión al analizar la obra poética. Ulloa nos ha dejado un poema sobre los amores de Alfonso VIII y la judía Raquel, bastante poesía religiosa, y sonetos y romances amorosos que presentan un gran interés por insistir en el tema de los *altos amores*, que no se explican desde Góngora y sí desde la tradición petrarquista y garcilasiana, y tal vez desde su propia biografía.

Sin duda, uno de los mejores poetas gongorinos, de cuidada fonoestilística y brillante imaginería, es don Gabriel Bocángel y Unzueta (1603-1658), cuya obra ha sido reunida por Benítez Claros [1946]. Publicó diversos libros en prosa y en verso, entre los que destacan: *Rimas y prosas junto con la fábula de Leandro y Hero* (1627) y *La lira de las musas* (1637). Dadson [1972, 1976] se ha ocupado de sus inéditos y del manuscrito autógrafo de *El cortesano español*. Orozco [1941 *b*] analizó unas famosas décimas desde el recurrente tema barroco del *ut pictura poesis*, y Alda Tesán [1945] su importante fábula de Leandro y Hero. Benítez Claros [1950] ha estudiado su vida y obra. Lo ha relacionado con Jáuregui, Góngora, Lope y otros maestros, y ha seriado algunas particularidades de su estilo, aunque de modo insuficiente por no partir de los trabajos de Dámaso Alonso [1935, etc.] sobre Góngora. La fábula de Leandro y Hero, muchas veces relacionada con el *Orfeo* de Jáuregui, ha merecido la admiración de los críticos del 27: Diego [1927] y Cossío [1952]. Un rasgo fundamental de Bocángel, no estudiado con el cuidado que merece, es el de su claro sentido del arte por el arte, en la idéntica altura poética y el igual sentido estilístico que muestra, tanto en su poesía más vivencial como al tratar temas circunstanciales. Este espíritu le acerca a Góngora y, sin duda, es lo que justifica la admiración que por él han sentido ciertos poetas del 27 y que sienten, en nuestros días, los llamados novísimos. Cuando Leopoldo María Panero lo coloca en la cumbre de nuestra poesía, creo que apunta, en esta evidente exageración, dicho carácter. Puede ser una comprobación de este rasgo esencial lo que ocurre con sus *Prosas diversas*, que siendo de tema moral tienden al poema en prosa moderno y que tal vez habría que relacionar con las *Dicerie sacre* y las *Epístolas* de Giambattista Marino.

El más tardío de los gongorinos incondicionales, que no pudo conocer al maestro, pues vivió hacia 1618-1680, es don Francisco de Trillo y Figueroa. Sus menciones a don Luis en sus trabajos en prosa, su relación con Soto de Rojas y la influencia continua que muestra de los versos del maestro de Córdoba, nos permiten colocarlo como final de los gongorinos auténticos. Sus varios libros han sido editados juntos por Gallego Morell [1951]. Destacan sus *Poesías varias, heroicas, satíricas y amorosas* (1652) y su poema épico sobre el Gran Capitán, *Neapolisea* (1651). El resto de sus publicaciones presenta poemas circunstanciales: panegíricos, epitalamios, natalicios, fiestas sacras. Orozco [1940] había editado y estudiado antes un poema descriptivo en torno a la Virgen de la Cabeza, de Motril. Gallego Morell [1950 *b*, rehecho en 1970] ha escrito la biografía del poeta (junto con la de su hermano Juan, también poeta) y ha analizado su poesía en el único estudio de conjunto sobre él existente. Trillo es autor asimismo de obras de erudición y de comentarios a su propia poesía. En su obra en verso, destaca como autor de sonetos amorosos y religiosos y como especialista en versos de arte menor burlescos y satíricos. En esta parcela, de romances y letrillas, sigue tan de cerca a Góngora que Jammes [1956] no llega a considerarlo un verdadero poeta, sino un erudito con algo de ratón de biblioteca. Paralelamente, la *Neapolisea* es juzgada por Gallego como un poema excesivamente atento a lo arqueológico y erudito. Este texto lo reescribió de nuevo y esta segunda versión, hoy conservada manuscrita en la Biblioteca Nacional de Madrid, confrontada con la primera, permite cotejar la andadura estilística del poeta a través de su vida.

Tanto Anastasio Pantaleón de Ribera (1600-1629), como Jacinto Polo de Medina (1603-1676), son poetas gongorinos y, a la vez, por el lado conceptista, seguidores de otros maestros. Ambos presentan una clara vena satírica y parodian el gongorismo, llegando, el último, a escribir en prosa contra las exageraciones culteranas. Las *Obras* (1634) del primero fueron editadas por Pellicer, póstumas, y han sido reeditadas por Balbín de Lucas [1944]. Brown [1980] ha encontrado el *Quaderno de versos* (ms. 3.941 de la Biblioteca Nacional) que Pellicer utilizó, junto con otros textos inéditos que ha editado como apéndice a su vida y obra del poeta. Lo cataloga como gongorino-conceptista, documenta su biografía, analiza su importancia y su estilo en el contexto de las academias literarias de la época, donde brilló como autor de vejámenes, y lo estudia también como poeta grave en relación con los temas del amor, la muerte y el desengaño. Más importancia tiene Polo de Medina, autor muy editado en su siglo. Sus obras las han reunido críticos del 27: parcialmente Cossío [1931], y Valbuena Prat [1948] de forma completa, ambos con importantes introducciones; Díez de Revenga [1976] ha hecho una síntesis de su vida y obra, haciendo hincapié en el ambiente murciano en que se desenvolvió. Es un autor de diversos registros, tanto en prosa como en verso, de lo que son muestra más representativa las *Academias del jardín* (1630), importante libro para conocer la cultura y los gustos barrocos. En prosa escribe un «sueño», deudor de Quevedo, titulado *Hospital de incurables*. En grave prosa moral escribe el *Gobierno a Celio*. En verso, además de los poemas de las *Academias*, entre los que destaca el *Epitalamio a las bodas de Anfriso y Filis*, juzgado por la crítica (Valbuena [1948], Bontempelli [1973]) como el más directamente gongorino, su mayor calidad artística está en el libro *Ocios de la soledad* (1633), dividido en treinta silvas. Se sitúa el poeta en un *beatus ille*, en los campos que circundan Murcia, donde canta con deleite la vida natural y la amistad, sin una intención expresamente moralista. Polo de Medina es el más sobresaliente de un grupo de barrocos murcianos, sobre los que ha trazado un estudio de conjunto Barceló [1970], donde destacan Pedro Castro y Anaya y Diego Beltrán Hidalgo, ambos culteranos.

Para el gongorismo en Aragón disponemos de una documentada y cuidadosa monografía a cargo de A. Egido [1979]. En la tierra de los clásicos Argensolas y de la «agudeza» de Gracián, el culteranismo tuvo apasionados seguidores. Egido estudia tanto los problemas históricos de este hecho, como los rasgos estilísticos de don Luis, más marcados en ellos, para terminar con el análisis de los temas principales: soledades, ruinas, paisajes, mitos. Los poetas más importantes son J. B. Felices de Cáceres, Juan de Moncayo, López de Gurrea, Matías Ginovés, Diego Morlanes, Miguel de Dicastillo y el famoso erudito J. F. Andrés Uztarroz. Egido [1978] también ha editado y estudiado el interesante poema descriptivo de Dicastillo, *Aula de Dios* (1637), así como las *Rimas* de Moncayo [1976] y los *Retratos de los Reyes de Aragón* de Uztarroz [1979 *b*]. El mundo cultural aragonés, incluido el poético, debe completarse con los trabajos ya clásicos de Arco y Garay [1934, 1950]. El ambiente no caminó siempre por el culteranismo. Como en otras regiones, hubo fidelidad a don Luis y también crítica y parodia del culteranismo, como puede verse, por ejemplo, en algunos textos exhumados por Blecua [1942, 1945]. Este mismo estudioso, gran impulsor de los estudios de lírica barroca en Aragón, tiene inédita una importante antología de los poetas de la zona.

En el extenso mundo de las fábulas mitológicas del XVII, de corte gongorino, podrían recordarse otros muchos poetas, estudiados en ese género por Cossío [1952]. Nos limitaremos a citar a Antonio de Paredes, cuyas *Rimas* han sido editadas por Rodríguez-Moñino [1948] y contienen una fábula en tercetos sobre Dafne y Apolo; a Gabriel de Corral, cuya novela *La Cintia de Aranjuez* ha sido editada por Entrambasaguas [1945] y sus claves desveladas recientemente por Brown [1982], quien ha publicado además varios poemas inéditos; a fray Plácido de Aguilar, cuya *Fábula de Pan y Siringa* fue recogida por Tirso en los *Cigarrales de Toledo*; a Cáncer y Velasco, que publica, en sus *Obras varias*, *El Minotauro*; a Colodrero de Villalobos con su *Teseo y Ariadna* y su *Alfeo* en sus *Varias rimas* (1629); y, en fin, el interesante escritor portugués Manuel de Galhegos, dramaturgo y autor de la *Gigantomachia* y *Anaxarete*, que ha merecido una importante monografía de Heitor Martins [1964].

Lejos ya, cronológicamente, de Góngora y muy mezclado su influjo con el de otros escritores, incluido el prosaísmo, aparecen en la segunda mitad del siglo XVII varios poetas que aún se pueden colocar en la estela del gongorismo. Litala y Castelví (1627-1701) publicó en 1672 su *Cima del monte Parnaso*. Ovando Santarén (1624-1706), en 1663, sus *Ocios de Castalia*, editados ahora por Canales [1978]; recientemente Mondéjar [1979] ha analizado un soneto del autor. El notable dramaturgo e importante teórico del teatro Francisco Bances Candamo (1662-1704), del que se ha ocupado ampliamente Moir [1970, 1972], se muestra todavía en su poesía lírica y épica, como ha señalado Rozas [1965 *b*], seguidor de don Luis.

Al margen de la revolución gongorina, y muchas veces frente a ella, existe también un nutrido grupo de poetas, la mayoría de los cuales viven en la corte madrileña y mantienen relaciones de amistad con Lope de Vega. En general se adscriben a una poética de la claridad y la llaneza que, en sus más tardíos representantes, desembocará en un inevitable prosaísmo. En este grupo cabe incluir ya a Pedro Liñán de Riaza (Toledo, hacia 1558-Madrid, 1607), capellán de Torrijos y gran amigo de Lope, con quien «Riselo» intercambia numerosos y magníficos poemas, que ha estudiado Entrambasaguas [1935]. Liñán, cuya obra poética ha sido recientemente publicada por Randolph [1982], es un destacado autor de romances artísticos, especialmente pastoriles, que en un principio presentan gran afinidad con los del Fénix, pero que acaban sustituyendo el bucolismo amoroso por una ambientación rústica y aldeana no exenta de ciertos rasgos humorísticos y jocosos, aún más intensos en algunos sonetos agermanados que asimismo compuso. También toledano y amigo personal de Lope, a quien incluso asistió en el lecho mortuorio, fue José de Valdivielso (hacia 1560-Madrid, 1638), clérigo de la catedral primada y capellán cardenalicio en la corte. A juzgar por su intensa labor de aprobante de libros (véanse los textos recogidos por Simón Díaz [1978]) y los múltiples elogios de sus contemporáneos, el maestro Valdivielso fue uno de los literatos más admirados de su tiempo. Aparte de su decisiva contribución al teatro religioso (hay ya edición moderna de sus autos y comedias a cargo de Arias y Piluso [1975]), es autor de una copiosa lírica sacra en la que, como ha estudiado Aguirre [1965], trasfunde a esquemas poéticos tradicionales, tanto populares como cultos, los más variados conceptos de la religión, logrando así una familiar popularización de los misterios sagrados y hasta una singular vulgarización poética de la Escritura.

Personaje de gran relieve cortesano fue don Francisco de Borja y Aragón (Madrid, 1577-1658), príncipe de Esquilache y virrey del Perú, quien, aun sin decidirse a participar abierta y personalmente en ninguna de las corrientes poéticas de la época, se mostró anticulterano, como ha estudiado R. del Arco [1950 b], inclinándose por un clasicismo reflexivo y pulcro en la forma a la manera de los Argensola. La contención sentimental y un distante escepticismo horaciano ante el brillo de la corte son notas destacadas por Gili Gaya [1961] en sus versos. Quien lo elogió insistente y abusivamente fue Lope, que hasta incluyó poemas de aquél en sus propias obras como ejemplo prestigioso de pureza y casticismo, utilizando así la categoría social y la actitud poética del príncipe en apoyo de sus personales polémicas anticulteranas. Por esta razón, Esquilache ocupa un lugar muy significativo y destacado en la historia de la teoría poética barroca.

Poeta también más sentencioso que imaginativo fue Francisco López de Zárate (Logroño, hacia 1580-Madrid, 1658), cuya obra ha sido laboriosamente conjuntada por Simón Díaz [1947, 1976], algo atropelladamente estudiada por Lope Toledo [1954] y acaba de ser objeto de una muy estimable monografía de González de Garay [1981]. El soneto es la forma poética que Zárate halló más apropiada para dar cauce a su actitud meditativa y sentenciosa. Aparte de algunos amorosos de tradición petrarquista, sus mejores momentos hay que buscarlos en los sonetos de asunto moral, alguno de los cuales le valió el sobrenombre de «Caballero de la Rosa» con que le conocieron en la época. Muy vinculados a Lope estuvieron el sevillano Pedro Medina Medinilla (¿?-antes de 1621), autor de una celebrada égloga funeral a la muerte de Isabel de Urbina que sería incluida en La Filomena lopesca y que modernamente ha editado Diego [1924], y sobre todo el toledano Baltasar Elisio de Medinilla (1585-1620), malogrado poeta a cuya muerte violenta y prematura dedicó Lope una emocionada elegía. Fue autor de diversas composiciones sacras y a lo divino, en línea con Valdivielso, de un extenso poema teológico sobre la Inmaculada y de un barroco poema descriptivo, la Descripción de Buenavista, sobre el modelo de la Abadía de Lope. San Román [1920] le dedicó un breve y ya anticuado estudio, y Rodríguez-Moñino [1963] ha sacado a la luz las composiciones que escribió para las justas toledanas de 1614.

Para otros escritores, como Hurtado de Mendoza o Antonio de Solís, la creación poética apenas pasó de ser una ocupación ocasional y subsidiaria. Antonio Hurtado de Mendoza (1586-1644) es un escritor volcado hacia la corte en toda su virtuosa y amanerada producción, tanto en su teatro, representado y premiado en los palacios, como en su poesía. Su obra fue editada por Benítez Claros [1947-1948], y Davies [1971] le ha dedicado una extensa monografía donde estudia su vida, reputación y su producción lírica y dramática, especialmente bajo las coordenadas del conceptismo y el arte cortesano. Antonio de Solís y Rivadeneyra (1610-1686), que destacó ante todo como cronista y dramaturgo, ejerció la poesía sólo como actividad circunstancial destinada a certámenes, justas, academias y celebraciones cortesanas. Tales versos ocasionales, que cuidaría de recoger Juan Goyeneche en 1692 (hay edición moderna de Sánchez Regueira [1968]), ofrecen algunas muestras de interés en sonetos burlescos, ágiles letrillas y epigramas, y alguna jácara incluso a lo divino. Por último, Bernardino de Rebolledo (1597-1676), que fue embajador de Felipe IV en Dinamarca y publicó casi todos sus escritos en Amberes, revela ya un claro agotamiento poético y una irremediable degeneración del verso en lo prosaico. Lo más aceptable de su obra es la versión poética que hizo de los trenos de Jeremías con el título de Elegías sacras.

Independientemente de los grupos hasta aquí analizados, y de menor entidad poética, es el que podríamos considerar constituido por los conceptistas sacros. Conocido fenómeno de época fue la extensión del arte del concepto a las esferas de la religión y lo sagrado, desde el sermón a las justas poéticas o al auto sacramental. Entre los poetas que con más asiduidad cultivaron esa modalidad artística sobresale Alonso de Ledesma (Segovia, hacia 1562-1633), cuyos *Conceptos espirituales* (1600), editados modernamente por Juliá Martínez [1969], gozaron de un enorme éxito en la época multiplicándose sus impresiones. Los variados y sorprendentes procedimientos de estilo que maneja han sido finamente analizados por críticos como Lázaro Carreter [1956], Periñán [1974], Correa [1975] y Ors [1974], quien asimismo se ocupa de su biografía y del estudio de toda su obra. También en esa línea artística se sitúa Alonso de Bonilla (hacia 1570-1642), autor de una fatigosa y extensa obra de más de dos mil poemillas conceptuosos, casi todos sobre asuntos de la religión y, los más singulares, incluidos en sus *Peregrinos pensamientos* (1614); un nutrido número de inéditos ha publicado López Sanabria [1964]. Poesía sentenciosa y prosaica, que poco tiene que ver con el ágil juego del concepto, es la de los *Proverbios morales* (1598) de Alonso de Barros (1567-1627), que en 1615 fueron editados y concordados por Jiménez Patón.

Grupo aparte, y de no escaso interés, forman varios poetas judíos que escriben sus versos en castellano y casi siempre desde el exilio, en las comunidades de Bruselas, Rouen o Amsterdam. Así lo hizo João Pinto Delgado (después de 1582-después de 1632), de origen portugués, cuyas obras se publicaron en Rouen en 1627 (hay edición moderna de Révah, Lisboa, 1954). Su poesía es de inspiración religiosa y bíblica, preocupado ante todo el autor por la exposición de sus ideas rabínicas, aunque en la forma, como ha hecho ver Wilson [1977], conecta directamente con la poesía española de la época, tanto en los motivos penitenciales y desilusionados, que lo emparentan con Lope o Quevedo, como en el estilo descriptivo y suntuario, de filiación gongorina. Los temas del desengaño, el peregrinaje del hombre en el mundo y el exilio (Rose [1973]), así como la denuncia de la atormentada condición del cristiano nuevo o criptojudío, inspiran fundamentalmente los versos de Antonio Enríquez Gómez (Cuenca, hacia 1600-Sevilla, 1663), el más fecundo de los escritores «marranos» de la época y también el de más azarosa biografía, en muchos aspectos nuevamente ilustrada por Révah [1962]. Fuera de algunos poemas extensos de asunto bíblico, su obra poética está recogida en las *Academias morales de las Musas* (Rouen, 1642), estudiadas parcialmente por García Valdecasas [1971] y de las que se echa en falta una edición moderna. Tampoco, a pesar de algún trabajo como el de Cohen, Rogers y Rose [1974] sobre la comedia *Fernán Méndez Pinto*, ha sido suficientemente estudiada su copiosa producción dramática, casi toda la cual fue publicada bajo el nombre de Fernando de Zárate, que es el que adoptó durante la última etapa de su vida refugiado en Sevilla. Mayor atención crítica ha merecido su ficción lucianesca en verso y prosa, *El siglo pitagórico y vida de don Gregorio Guadaña,* editada por Amiel y estudiada monográficamente por C. de Fez (véase cap. 5). Escritor también prolífico fue Miguel de Barrios (Montilla, 1635-Amsterdam, 1701), quien adoptó el nombre de Daniel Leví tras abjurar del cristianismo y emprender el camino del exilio. Su obra está constituida por varias piezas teatrales (singular es la comedia *Contra la verdad no hay fuerza,* una especie de auto alegórico en apología del judaísmo), diversos tratados en prosa y varios centenares de poemas de diferentes asuntos y metros. Lo más notable es su pocsía religiosa, que ha sido editada y estudiada por Scholberg [1962], en la que ocupan lugar destacado los poemas penitenciales con acusadas influencias de Góngora y de Quevedo, según ha advertido también Wilson [1963], y algunas versiones no desdeñables de motivos largamente difundidos (Rico [1970 *b*]).

En el contexto de *HCLE,*[2] no cabe sino recordar rápidamente que la pocsía de la edad barroca en la América hispánica alcanzó —tanto en lo culto como en lo popular— las cimas de excelencia que sugieren nombres como Rosas de Oquendo, Balbucna (véase vol. 2, p. 274), Domínguez Camargo, Espinosa Medrano, Tejeda, Valle y Caviedes, Sigüenza y Góngora, y, sobre todos, sor Juana Inés de la Cruz. Academias literarias, certámenes, celebraciones públicas, tanto civiles como religiosas, mantenían un fuerte ritmo de producción (Leonard [1959]). Los géneros frecuentados —incluida la sátira inspirada en Juvenal, Persio y Marcial—, los temas y tópicos —con abundancia de emblemas y bestiarios— y las formas estilísticas eran los vigentes en la Europa de aquel momento, y llegaron, ya a través de los grandes poetas españoles e italianos, ya también como resultado de la intensa preocupación por la enseñanza del latín, en general, y, en especial, por las teorías poéticas y retóricas (Osorio [1979]). Hasta las polémicas en torno a Góngora tuvieron su eco en el peruano Espinosa Medrano (Carilla [1946] y véase cap. 4). Sin dañar a la implantación de la poesía tradicional española (Dobz-Henry [1976]), la poesía académica en lengua latina alcanza notables calidades (Osorio [1980]). Por otra parte, la situación también coincide con la de la península en los problemas de la transmisión textual, ya que la obra de bastantes autores —Camargo, Tejeda, Caviedes, por ejemplo— permaneció inédita varias centurias. Y, por desgracia, según notaba Rodríguez-Moñino, en [1976], pp. 163-188, «las pocas noticias que de poetas de la época virreinal están en circulación proceden casi todas de una fuente benemé-

2. Los dos últimos párrafos han sido redactados por la profesora Luisa López Grigera, a quien los responsables de este capítulo se complacen en expresar su gratitud.

rita pero anticuada»: la *Historia de la poesía hispanoamericana* de Menéndez Pelayo.

La gran excepción —sor Juana— no hace sino confirmar la regla. De hecho, sobre la personalidad de sor Juana Inés de la Cruz (es decir, Juana Ramírez y Asbaje, 1651-1695), niña prodigio, gran poetisa y mujer excepcionalmente erudita, se han tentado muy encontradas interpretaciones. Para el abandono de la corte y entrada al convento, Puccini [1967] las resume así: desilusión amorosa, incompatibilidad entre su origen bastardo y modesto con el mundo de la corte virreinal, y crisis de conciencia. Lógicamente Puccini no incluye la tesis freudiana de Pfandl [1946], ya que los documentos publicados por Ramírez España [1947] dieron por tierra con la mayor parte de los fundamentos del crítico alemán, que buscaba una clave psicoanalítica para explicar el fenómeno —completamente anormal para él por tratarse de una mujer— de la renuncia a la vida familiar para dedicarse totalmente a los estudios. Las obras de sor Juana se publicaron en España, la mayor parte en vida de la autora: *Inundación castálida*, Madrid, 1689 (y tres ediciones más antes de 1695); *Segundo volumen*, Sevilla, 1692 (tres ediciones al año siguiente en Barcelona); *Fama y obras póstumas* salió en Madrid en 1700 (comp. Abreu [1934]). La lírica es sin duda la que más ha hecho por la fama de sor Juana, y se podría dividir casi en dos partes de similar extensión, tanto en la vertiente de poesía tradicional, villancicos, romances, etc., como de poesía culta de corte post-petrarquista, especialmente sonetos. Pero la obra de mayor aliento es el *Primero sueño*, poema extenso de tema filosófico que ha estudiado recientemente Sàbat [1977], en un excelente libro en el que, luego de repasar sistemáticamente los tópicos del sueño en la tradición occidental y española, estudia paralelamente la obra de la «décima musa» y la de Trillo y Figueroa, lo que le permite afirmar la influencia de éste sobre la monja, al par que señala en el *Sueño* las influencias de buen número de los mayores poetas españoles. Gran parte de la lírica de sor Juana (a menudo denominada «lírica personal»), está marcada por un racionalismo mayor que el de los grandes poetas españoles de su tiempo, ya sea ello por preferencias de la autora, ya porque fue compuesta en las últimas décadas del siglo XVII, en un momento en que, tanto en la península como en ultramar, había comenzado un movimiento pre-ilustrado (véase cap. 10). Situada dentro de la moda de las alegorías, sor Juana usa ampliamente dicho tropo, hasta tal punto que, según Puccini, «toda o casi toda su obra se mueve sobre una línea de alegorización constante v difusa, agregando así un elemento de estilización expresiva y de elaboración fantástica a la ya estilizada y elaborada literatura barroca». Aunque los no especialistas recuerden sobre todo sus redondillas «Hombres necios que acusáis / a la mujer sin razón», el problema que más ha desorientado a la crítica sorjuanista ha sido el prejuicio romántico de la poesía como expresión de sentimientos y experiencias personales del autor, mientras que hubiera sido más seguro estudiarla desde los criterios de creación de la época: temática y formalmente se trabajaba sobre modelos y tópicos clásicos. Es posible, ahora que hemos reencontrado el camino de las verdaderas teorías poéticas de la época, que la nueva crítica ponga las cosas en su punto en aquellos aspectos que aún no lo están totalmente. En todo caso, la edición crítica de la obra completa, por Alfonso Méndez Plancarte (México, 1951-1957), en cuatro volúmenes, con excelente aparato crítico y erudito, abre el camino a múltiples investigaciones. La de las fuentes, en el caso del *Primero sueño*, ha culminado en el libro citado de Sàbat [1977]; esta erudita y fina sorjuanista acaba de publicar [1982] un apretado resumen de la vida y la obra de la gran poetisa novohispana (y, en colaboración con E. L. Rivers, había dado ya un excelente tomo de *Obras selectas*, Barcelona, 1966). Un amplio trabajo de conjunto, por otra parte, debido a Bénassy-Berling [1982], viene ahora a prestar un buen marco a las aportaciones de enfoque más estilístico (así el denso artículo de Terry [1973] y el magistral análisis métrico de Navarro Tomás [1973]) o sugestivamente creativas (como las de José Gaos [1960] y de Octavio Paz [1951], de quien se espera con expectación un nuevo ensayo sobre sor Juana).[3]

BIBLIOGRAFÍA

Abreu Gómez, Ermilo, *Sor Juana Inés de la Cruz: bibliografía y biblioteca*, México, 1934.
Aguirre, J. M.ª, *José de Valdivielso y la poesía religiosa tradicional*, Diputación Provincial de Toledo, 1965.
Alarcos García, Emilio, «Los sermones de Paravicino», *Revista de Filología Española*, XXIV (1937), pp. 162-197 y 249-319.
Alda Tesán, José M., «Bocángel y la *Fábula de Hero y Leandro*», *Escorial*, XVIII (1945), pp. 89-133.
Alonso, Dámaso, «Crédito atribuible al gongorista don Martín de Angulo y Pulgar», *Revista de Filología Española*, XIV (1927), pp. 369-404; reimpreso en *Estudios y ensayos gongorinos*, Gredos, Madrid, 1955, pp. 413-453.

3. El anunciado trabajo de Octavio Paz se ha publicado [1982] cuando este volumen estaba enteramente compuesto y compaginado: se trata de un extenso volumen que sin duda puede considerarse ya el título central en la bibliografía de sor Juana; con una adecuada combinación de datos eruditos e interpretación personal de la mejor calidad, Paz ofrece un admirable cuadro de la vida cultural en Nueva España, la personalidad y el ambiente de la autora, y, sobre todo, la interacción de tradiciones sobre cuya base se alza la singular poesía de la gran mexicana.

Alonso, Dámaso, *La lengua poética de Góngora*, Centro de Estudios Históricos (*Revista de Filología Española*, anejo XX), Madrid, 1935.

—, ed., Luis Carrillo de Sotomayor, *Poesías completas*, Signo, Madrid, 1936.

—, «Todos contra Pellicer», *Revista de Filología Española*, XXIV (1937), pp. 320-342; reimpreso en [1955], pp. 454-479.

—, «La poesía de don Luis Carrillo», en *Ensayos sobre poesía española*, Revista de Occidente, Madrid, 1944, pp. 247-260.

—, «Para la biografía de don Luis Carrillo» y «La santidad de don Luis Carrillo», en *Del Siglo de Oro a este siglo de siglas*, Gredos, Madrid, 1962, pp. 55-63 y 64-74.

—, «Predicadores ensonetados», en [1962], pp. 95-104.

—, *La «Epístola moral a Fabio», de Andrés Fernández de Andrada. Edición y estudio*, Gredos, Madrid, 1978.

— y Rafael Ferreres, ed., *Cancionero antequerano, recogido por los años de 1627 y 1628 por Ignacio de Toledo y Godoy*, CSIC, Madrid, 1950.

Alonso Cortés, Narciso, *La muerte del conde de Villamediana*, Valladolid, 1928.

—, «Acervo biográfico. Fray Hortensio Félix Paravicino», *Boletín de la Real Academia Española*, XXX (1950), pp. 219-220.

Alzieu, P., R. Jammes e Y. Lissorgues, ed., *Floresta de poesías eróticas del Siglo de Oro, con su vocabulario al cabo por el orden del a.b.c.*, Université de Toulouse-Le Mirail, 1975; ed. aumentada: Crítica, Barcelona, en prensa.

Arce, Joaquín, ed., Juan de Jáuregui, *Aminta. Traducido de Torquato Tasso*, Castalia (Clásicos Castalia, 27), Madrid, 1970.

—, *Tasso y la poesía española. Repercusión literaria y confrontación lingüística*, Planeta, Barcelona, 1973.

Arco y Garay, Ricardo del, *La erudición aragonesa en el siglo XVII en torno a Lastanosa*, Cuerpo facultativo de Archiveros, Bibliotecarios y Arqueólogos, Madrid, 1934.

—, *La erudición española en el siglo XVII y el cronista de Aragón Andrés de Uztarroz*, CSIC, Madrid, 1950, 2 vols.

—, «El príncipe de Esquilache, poeta anticulterano», *Archivo de Filología Aragonesa*, III (1950), pp. 83-126.

Ares Montes, J., *Góngora y la poesía portuguesa del siglo XVII*, Gredos, Madrid, 1956.

Arias, Ricardo, y Robert V. Piluso, eds., José de Valdivielso, *Teatro completo (I)* Isla, Madrid, 1975.

Artigas, Miguel, «Algunas fuentes de la *Epístola moral* apuntadas por Menéndez Pelayo», *Boletín de la Biblioteca Menéndez Pelayo*, VII (1925), pp. 270-274.

Asensio, Eugenio, «Las silvas de Quevedo», *Siglo de Oro*, II (Universidad Autónoma de Madrid), en prensa.

Aubrun, Charles V., «Les débuts du drame lyrique en Espagne», en *Le lieu théâtral à la Renaissance*, CNRS, París, 1964, pp. 423-444.

Balbín de Lucas, Rafael de, ed., Anastasio Pantaleón de Ribera, *Obras*, CSIC, Madrid, 1944.

—, «La poética de Soto de Rojas», *Revista de Ideas Estéticas*, II (1944), pp. 91-100.

Barceló Jiménez, Juan, *Estudio sobre la lírica barroca en Murcia (1600-1650)*, Academia Alfonso X el Sabio, Murcia, 1970.

Battaglia, Salvatore, «Un episodio dell'estetica del Rinascimento spagnolo: il *Libro de la erudición poética* di Carrillo», *Filologia Romanza*, I (1955), pp. 20-58.

Benítez Claros, Rafael, ed., G. Bocángel y Unzueta, *Obras*, CSIC, Madrid, 1946, 2 vols.

—, ed., Antonio Hurtado de Mendoza, *Obras poéticas*, Real Academia Española, Madrid, 1947-1948, 3 vols.

—, *Vida y poesía de Bocángel*, CSIC, Madrid, 1950.

—, ed., Juan de Arguijo, *Obras completas*, Santa Cruz de Tenerife, 1968.

Bennasy-Berling, Marie-Cécile, *Humanisme et religion chez Sor Juana Inés de la Cruz. La femme et la culture au XVIIᵉ siècle*, Éditions Hispaniques, París, 1982.

Blecua, José Manuel, «Papeletas literarias en manuscritos aragoneses», *Revista Universitaria*, abril de 1942.

—, ed., *Cancionero de 1628. Edición y estudio del Cancionero 250-2 de la Biblioteca Universitaria de Zaragoza*, CSIC (*Revista de Filología Española*, anejo XXXII), Madrid, 1945.

—, «Poesías de Martín Miguel Navarro», *Archivo de Filología Aragonesa*, I (1945), pp. 218-299; reimpreso en *Sobre poesía de la Edad de Oro (Ensayos y notas eruditas)*, Gredos, Madrid, 1970, pp. 271-305.

—, «Poemas juveniles de Paravicino», *Revista de Filología Española*, XXXIII (1949), pp. 388-399; reimpreso en [1970], pp. 257-270.

—, ed., *Rimas de Lupercio y Bartolomé L. de Argensola*, Zaragoza, 1950-1951, 2 vols.

—, ed., Lupercio Leonardo de Argensola, *Rimas*, Espasa-Calpe (Clásicos Castellanos, 173), Madrid, 1972.

—, ed., Bartolomé Leonardo de Argensola, *Rimas*, Espasa-Calpe (Clásicos Castellanos, 184 y 185), Madrid, 1974, 2 vols.

—, *Sobre el rigor poético en España y otros ensayos*, Ariel, Barcelona, 1977.

Bocchetta, Vittore, *Horacio en Villegas y en fray Luis de León*, Gredos, Madrid, 1970.

Bonneville, Henry, «Sur la poésie à Seville au Siècle d'Or», *Bulletin Hispanique*, LXXVI (1964), pp. 311-348; trad. cast., en *Archivo Hispalense*, LV (1972), pp. 79-112.

—, *Le poète sévillan Juan de Salinas (1562?-1643). Vie et œuvre*, Presses Universitaires de France, París, 1969.

Bontempelli, Giulia, «Polo de Medina, poeta gongorino», en *Venezia nella letteratura spagnola e altri studi barocchi*, Universidad de Pisa, Padua, 1973, pp. 87-135.

Brown, Kenneth, *Anastasio Pantaleón de Ribera (1600-1629), ingenioso miembro de la república literaria española*, Porrúa, Madrid, 1980.

—, «Gabriel de Corral: sus contertulios y un ms. poético de academia inédito», *Castilla*, 4 (1982), pp. 9-56.

Cabañas, Pablo, *El mito de Orfeo en la literatura española*, CSIC, Madrid, 1948.

Campo, Agustín del, «Problemas de la *Canción a Itálica*», *Revista de Filología Española*, XLI (1957), pp. 47-139.

Campo Iñíguez, Eladio del, *Villegas*. *Algunos aspectos de su vida y obra*, Instituto de Estudios Riojanos, Logroño, 1972.

Canales, Alfonso, ed., Ovando Santarén, *Ocios de Castalia*, Málaga, 1978.

Carballo Picazo, A., *Métrica española*, Instituto de Estudios Madrileños, Madrid, 1956.

Cardenal Iracheta, M., ed., Luis Carrillo y Sotomayor, *Libro de la erudición poética*, CSIC, Madrid, 1946.

Carilla, Emilio, *El gongorismo en América*, Buenos Aires, 1946.

Carreño, Antonio, *El romancero lírico de Lope de Vega*, Gredos, Madrid, 1979.

Cátedra, Pedro M., ed., J. Andosilla y Larramendi, *Centón de Garcilaso y otras poesías sueltas*, Litosefa, Barcelona, 1981.

Cerdan, Francis, «Elementos para la biografía de fray Hortensio Félix Paravicino y Arteaga», *Criticón*, 4 (1978), pp. 37-74.

—, «La Pasión según fray Hortensio (Paravicino entre san Ignacio de Loyola y El Greco)», *Criticón*, 5 (1978), pp. 1-27.

—, «En el IV Centenario de Paravicino: documentos inéditos para su biografía», *Criticón*, 14 (1981), pp. 55-92.

Cohen, L. G., F. M. Rogers y C. H. Rose, eds., Antonio Enríquez Gómez, *Fernán Méndez Pinto, comedia famosa en dos partes*, Harvard University, 1974.

Colombí Monguió, Alicia de, «La oda XII de Esteban Manuel de Villegas y su tradición poética», *Modern Language Studies* (1982), pp. 31-40.

Correa, Gustavo, «El conceptismo sagrado en los *Conceptos espirituales* de Alonso de Ledesma», *Thesaurus*, XXX (1975), pp. 49-80.

Cossío, José María de, ed., Polo de Medina, *Obras escogidas*, Los Clásicos Olvidados, X, Madrid, 1931.

—, «Un ejemplo de vitalidad poética. *La fábula de Genil*, de Pedro Espinosa», *Cruz y Raya*, 33 (1935), pp. 43-65; reimpreso en *Notas y estudios de crítica literaria. Siglo XVI*, Madrid, 1939, pp. 11-33.

—, *Fábulas mitológicas en España*, Espasa-Calpe, Madrid, 1952.

Coste, Jean, «Rentas desconocidas de Francisco de Rioja», *Archivo Hispalense*, XLVIII-XLIX (1968), pp. 299-316.

—, «Datos útiles para la biografía de Francisco de Rioja», en *Mélanges à la mémoire d'André Joucla-Ruau*, Université de Provence, 1978, I, pp. 577-593.

Crosby, James O., «The friendship and enmity between Quevedo and Juan de Jáuregui», *Modern Language Notes*, LXXVI (1961), pp. 35-39.

Chiappini, Gaetano, ed., Francisco de Rioja, *Versos*, Università degli Studi di Firenze, 1975.

Dadson, T. J., ed., Bocángel, *Poesías inéditas*, Boletín de la Biblioteca Menéndez Pelayo, XLVIII (1972), pp. 327-357.

—, «An autograph copy of Gabriel Bocángel's *El cortesano español*», *Bulletin of Hispanic Studies*, LIII (1976), pp. 301-314.

Davies, G. A., *A poet of court: Antonio Hurtado de Mendoza (1586-1644)*, The Dolphin Book, Oxford, 1971.

Diego, Gerardo, ed., Pedro Medina Medinilla, *Égloga en la muerte de doña Isabel de Urbina*, Santander, 1924.

—, *Antología poética en honor de Góngora*, Revista de Occidente, Madrid, 1927 (2.ª ed., Alianza Editorial, Madrid, 1979).

Díez Echarri, E., *Teorías métricas del Siglo de Oro. Apuntes para la historia del verso español*, CSIC, Madrid, 1949.

Díez de Revenga, Francisco J., *Salvador Jacinto Polo de Medina*, Academia Alfonso X el Sabio, Murcia, 1976.

Dobz-Henry, I., *Los romances tradicionales chilenos. Temática y técnica*, Santiago, 1976.

Egido, Aurora, ed., Juan de Moncayo, *Rimas*, Espasa-Calpe (Clásicos Castellanos, 209), Madrid, 1976.

—, ed., Miguel de Dicastillo, *Aula de Dios, Cartuxa Real de Zaragoza*, Pórtico, Zaragoza, 1978.

—, *La poesía aragonesa del siglo XVII (Raíces culteranas)*, Institución «Fernando el Católico», Zaragoza, 1979.

—, *«Retratos de los Reyes de Aragón» de Andrés Uztarroz y otros poemas de academia*, Institución «Fernando el Católico», Zaragoza, 1979.

—, ed., Soto de Rojas, *Paraíso cerrado para muchos, jardines abiertos para pocos. Los fragmentos de Adonis*, Cátedra (Letras Hispánicas, 128), Madrid, 1981.

Egido, Teófanes, *Sátiras políticas de la España moderna*, Alianza Editorial, Madrid, 1973.

Entrambasaguas, Joaquín de, «Cartas poéticas de Lope de Vega y Liñán de Riaza», *Fénix (Revista del Tricentenario de Lope de Vega)*, 2 (1935), pp. 225-261; reimpreso en *Estudios sobre Lope de Vega*, III, CSIC, Madrid, 1958, pp. 411-460.

—, ed., Gabriel de Corral, *La Cintia de Aranjuez. Prosa y versos*, CSIC, Madrid, 1945.

—, ed., Miguel de Madrigal, *Segunda parte del Romancero general*, CSIC, Madrid, 1948, 2 vols.

Etienvre, Jean-Pierre, ed., Rodrigo Caro, *Días geniales o lúdricos*, Espasa-Calpe (Clásicos Castellanos, 212-213), Madrid, 1978, 2 vols.

Fernández Montesinos, José: véase Montesinos, José F[ernández].

Ferrer de Alba, Inmaculada, ed., Juan de Jáuregui, *Obras*, Espasa-Calpe (Clásicos Castellanos, 182 y 183), Madrid, 1973, 2 vols.

Frenk Alatorre, Margit, «Dignificación de la lírica popular en el Siglo de Oro», *Anuario de Letras*, II (1962), pp. 27-54.

Fucilla, Joseph G., «Giovan Battista Marino and the conde de Villamediana», *Romanic Review*, XXXII (1941), pp. 141-146; refundido en *Relaciones hispanoitalianas*, CSIC (*Revista de Filología Española*, anejo LIX), Madrid, 1953, pp. 154-162.

Gallego Morell, Antonio, *Pedro Soto de Rojas*, Universidad de Granada, 1948.

—, «Nuevos documentos para la biografía de Soto de Rojas», *Boletín de la Real Academia Española*, XXIX (1949), pp. 511-516.

—, ed., Soto de Rojas, *Obras*, CSIC, Madrid, 1950.

—, *Francisco y Juan de Trillo y Figueroa*, Universidad de Granada, 1950.

Gallego Morell, A., ed., Trillo y Figueroa, *Obras*, CSIC, Madrid, 1951.

—, «La escuela gongorina», en *Historia General de las Literaturas Hispánicas*, III, Barcelona, 1953, pp. 367-396.

—, *El mito de Faetón en la literatura española*, CSIC, Madrid, 1961.

—, *Estudios sobre la poesía española del primer Siglo de Oro*, Ínsula, Madrid, 1970.

Gaos, José, «El sueño de un sueño», *Historia mexicana*. X (1960), pp. 54-71.

Garasa, D. L., «Circe en la literatura española del Siglo de Oro», *Boletín de la Academia Argentina de Letras*, XXIX (1964), pp. 227-271.

García Aráez, Josefina, *Don Luis de Ulloa Pereira*, CSIC (*Revista de Literatura*, anejo XI), Madrid, 1952.

García Berrio, Antonio, «Lingüística del texto y texto lírico», *Revista Española de Lingüística*, VIII (1978), pp. 19-75.

—, «Tipología textual de los sonetos clásicos españoles sobre el *Carpe diem*», *Dispositio*, III (1978), pp. 243-293.

García de Enterría, M.ª Cruz, «Un memorial, casi desconocido, de Lope de Vega», *Boletín de la Real Academia Española*, LI (1971), pp. 139-160.

—, *Sociedad y poesía de cordel en el Barroco*, Taurus, Madrid, 1973.

García Valdecasas, J. G., *Las «Academias morales» de Antonio Enríquez Gómez (Críticas sociales y jurídicas en los versos herméticos de un «judío» español en el exilio)*, Universidad de Sevilla, 1971.

Garzón-Blanco, Armando, «La *Tragedia de san Hermenegildo* en el teatro y en el arte», en *Estudios sobre literatura y arte dedicados al profesor Emilio Orozco Díaz*, II, Universidad de Granada, 1979, pp. 91-108.

Gates, Eunice J., «Paravicino, the Gongoristic poet», *Modern Language Review*, XXXIII (1938), pp. 540-546.

Gili Gaya, Samuel, «La obra poética de Esquilache», *Nueva Revista de Filología Hispánica*, XV (1961), pp. 255-261.

Glendinning, Nigel, «La fortuna de Góngora en el siglo XVIII», *Revista de Filología Española*, XLIV (1961), pp. 323-349.

González de Garay, María Teresa, *Introducción a la obra poética de Francisco López de Zárate*, Instituto de Estudios Riojanos, Logroño, 1981.

González Escandón, Blanca, *Los temas del «Carpe diem» y la brevedad de la «rosa» en la poesía española*, Universidad de Barcelona, 1938.

González Palencia, A., ed., *Romancero general*, CSIC, Madrid, 1947, 2 vols.

Green, Otis H., *Vida y obras de Lupercio Leonardo de Argensola*, trad. cast. de Francisco Ynduráin, Institución «Fernando el Católico», Zaragoza, 1945.

Jammes, Robert, «L'imitation poétique chez Francisco de Trillo y Figueroa», *Bulletin Hispanique*, LVIII (1956), pp. 457-481.

—, «L'*Antidote* de Jáuregui annoté par les amis de Góngora», *Bulletin Hispanique*, LXIV (1962), pp. 193-215.

—, «Juan de Espinosa Medrano et la poésie de Góngora», *Caravell*, 7 (1966), pp. 127-142.

Janner, H., «La glosa española. Estudio histórico de su métrica y de sus temas», *Revista de Filología Española*, XXVII (1943), pp. 181-232.

—, ed., *La glosa en el Siglo de Oro. Una antología*, Nueva época, Madrid, 1946.

Jones, R. O., «La poesía en el siglo XVII», en *Historia de la literatura española*, 2. *Siglo de Oro: prosa y poesía*, Ariel, Barcelona, 1974, pp. 213-250.

Juliá Martínez, E., ed., Alonso de Ledesma, *Conceptos espirituales y morales*, CSIC, Madrid, 1969, 3 vols.

King, Willard F., *Prosa novelística y Academias literarias en el siglo XVII*, Real Academia Española, Madrid, 1963.

Lázaro Carreter, Fernando, «Sobre la dificultad conceptista» (1956), en *Estilo barroco y personalidad creadora*, Cátedra, Madrid, 1974, pp. 13-43.

Leonard, Irving A., «Some Góngora's *Centones* in México», *Hispania*, XII (1929), pp. 563-572.

—, *Baroque times in old Mexico*, Ann Arbor, 1959.

Lope Toledo, J. M., *El poeta Francisco López de Zárate*, Instituto de Estudios Riojanos, Logroño, 1954.

López Estrada, Francisco, «Relectura de la *Canción a las ruinas de Itálica*», en *Estudios de Arte Español*, Sevilla, 1974, pp. 125-154.

—, «La primera *Soledad* de Pedro Espinosa (un ensayo de interpretación poética), en *Miscelánea de estudios dedicados al profesor Antonio Marín Ocete*, I, Universidad de Granada, 1974, pp. 453-500.

—, ed., Pedro Espinosa, *Poesías completas*, Espasa-Calpe (Clásicos Castellanos, 205), Madrid, 1975.

—, «Documentos sobre Pedro Espinosa (1613) (Fundación de las capellanías de nuestra señora de Gracia, en Archidona, y de la Magdalena, en Antequera)», en *Estudios sobre literatura y arte dedicados al profesor Emilio Orozco Díaz*, II, Universidad de Granada, 1979, pp. 287-295.

López Sanabria, J. M., «129 poesías autógrafas e inéditas» [de A. de Bonilla], *Boletín del Instituto de Estudios Gienenses*, X (1964), n.º 41 ss.

Lumsden, Audrey, «Aspectos de la técnica poética de Pedro Espinosa», en *Homenaje a Pedro Espinosa*, Universidad de Sevilla, 1953, pp. 39-116.

Marín, Nicolás, *La obra poética del conde de Torrepalma*, Cuadernos de la Cátedra Feijoo, 15, Oviedo, 1963.

Martins, Heitor, *Manuel de Galhegos. Um poeta entre a Monarquia Dual e a Restauração*, Anadia, 1964.

Mele, E. y A. Bonilla, «Un Cancionero del siglo XVII», *Revista de Archivos, Bibliotecas y Museos*, XLVI (1925), pp. 180-216, 241-261.

Moir, Duncan, ed., Bances Candamo, *Theatro de los theatros de los passados y presentes siglos*, Tamesis Books, Londres, 1970.

—, «Bances Candamo's Garcilaso: An Introduction to *El César africano*», *Bulletin of Hispanic Studies*, XLIX (1972), pp. 7-29.

Molho, Mauricio, *Semántica y poética*, Crítica, Barcelona, 1978.

Mondéjar, José, «El *honor* y la *rosa* en un soneto del gongorino malagueño Ovando Santarén», en *Estudios sobre literatura y arte dedicados al profesor Emilio Orozco Díaz*, II, Universidad de Granada, 1979, pp. 439-454.

Montesinos, José F[ernández], ed., *Primavera y Flor de los mejores romances, recogidos por el Licdo. Arias Pérez (Madrid, 1621)*, Castalia, Valencia, 1954.

—, ed., *Romancerillos tardíos*, Anaya, Salamanca, 1964.

Morales, M., *Rodrigo Caro. Bosquejo de una biografía íntima*, Sevilla, 1947.

Moya del Baño, F., *El tema de Hero y Leandro en la literatura española*, Universidad de Murcia, 1966.

Navarro Tomás, Tomás, *Métrica española*, Syracuse, 1956 (última reedición en Guadarrama, Madrid, 1979).

—, «Los versos de sor Juana», en su libro *Los poetas en sus versos*, Ariel, Barcelona, 1973, pp. 163-179.

Nougué, André, «Defensa de la lengua, o claridad y afectación en el siglo XVII (Opiniones de B. M. Velázquez y fray Jerónimo de San José)», *Criticón*, 10 (1980), pp. 5-11.

Orozco Díaz, Emilio, «Un poema de Trillo de Figueroa desconocido», *Boletín de la Universidad de Granada*, XII (1940), pp. 103-124.

—, «El sentido pictórico del color en la poesía barroca», *Escorial*, 13 (1941), pp. 169-213; reimpreso con alguna adición en *Temas del Barroco*, Universidad de Granada, 1947, pp. 69-109.

—, «La muda poesía y la elocuente pintura. Notas a unas décimas de Bocángel», *Escorial*, 10 (1941); reimpreso en [1947], pp. 37-52.

—, «Ruinas y jardines. Su significación y valor en la temática del Barroco», *Escorial*, 35 (1943); reimpreso con ligeras adiciones en [1947], pp. 119-176.

—, «Una pluma pincel. Sobre la poesía de Pedro Espinosa», en [1947], pp. 111-117.

—, *Introducción a un poema barroco granadino. De las «Soledades» gongorinas al «Paraíso» de Soto de Rojas*, Universidad de Granada, 1955; reimpreso en *Paisaje y sentimiento de la naturaleza en la poesía española*, Ediciones del Centro, Madrid, 1974, pp. 101-151.

—, *El poema «Granada» de Collado del Hierro*, Patronato de La Alhambra, Granada, 1964.

—, *Amor, poesía y pintura en Carrillo de Sotomayor*, Universidad de Granada, 1967.

—, *Porcel y el barroquismo literario del siglo XVIII*, Cuadernos de la Cátedra Feijoo, 21, Oviedo, 1968.

Ors, Miguel d', *Vida y poesía de Alonso de Ledesma, contribución al estudio del conceptismo español*, Eunsa, Pamplona, 1974.

Osorio Romero, I., *Colegios y profesores que enseñaron latín en Nueva España*, México, 1979.

—, *Floresta de gramática, poética y retórica en Nueva España*, México, 1980.

Palomo, Pilar, *La poesía de la edad barroca*, Sociedad General Española de Librería, Madrid, 1975.

Paz, Octavio, «Homenaje a sor Juana Inés de la Cruz», *Sur*, n.º 206 (1951), pp. 29-40.

—, *Sor Juana Inés de la Cruz, o Las trampas de la fe*, Seix Barral, Barcelona, 1982.

Periñán, Blanca, «Ciencia de la poesía y conceptismo. Técnicas de la sorpresa en Alonso de Ledesma», *Miscellanea di Studi Ispanici*, 28 (1974), pp. 97-156.

Pfandl, L., *Die Zehnte Muse von Mexico. J. I. de la C. Ihre Lebe. Ihre Dichtung. Ihre Psyche*, Munich, 1946; trad. cast.: México, 1963.

Pierce, Frank, *La poesía épica del Siglo de Oro*, Gredos, Madrid, 1961.

Prieto, Antonio, «La sextina provenzal y su valor como elemento estructural de la novela pastoril», *Prohemio*, I (1970), pp. 47-70.

Puccini, D., *Sor Juana Inés de la Cruz. Studio d'una personalità del Barocco messicano*, Ateneo, Roma, 1967.

Quilis, Antonio y Juan Manuel Rozas, «Epístola de Manuel Ponce al conde de Villamediana en defensa del léxico culterano», *Revista de Filología Española*, XLIV (1961), pp. 412-423.

Ramírez España, Guillermo, *La familia de sor Juana. XXXI documentos inéditos*, México, 1947.

Randelli Romano, Fiorenza, ed., Luis Carrillo y Sotomayor, *Poesie I: Sonetti*, Casa Editrice d'Anna, Università di Firenze, Messina, Florencia, 1971.

Randolph, Julian F., ed., Pedro Liñán de Riaza, *Poesías*, Puvill, Barcelona, 1982.

Révah, I.-S., «Un pamphlet contre l'Inquisition d'Antonio Enríquez Gómez: la seconde partie de la *Política angélica* (Rouen, 1647)», *Revue des Études Juives*, CXXI (1962), pp. 81-168.

Ricard, Robert, «El tema de Jesús crucificado en la obra de algunos escritores españoles de los siglos XVI y XVII», en *Estudios de literatura religiosa española*, Gredos, Madrid, 1964, pp. 227-245.

Rico, Francisco, «Villamediana, Octava de gloria», *Ínsula*, n.° 282 (mayo, 1970), p. 13.

—, *El pequeño mundo del hombre*, Castalia, Madrid, 1970.

Rodríguez-Moñino, Antonio, ed., Antonio Paredes, *Rimas*, Editorial Castalia, Valencia, 1948.

—, «Las justas toledanas a santa Teresa en 1614 (poesías inéditas de Baltasar Elisio de Medinilla)», en *Studia Philologica. Homenaje a Dámaso Alonso*, III, Madrid, 1963, pp. 245-268; reimpreso en *La transmisión de la poesía española en los siglos de oro*, Ariel, Barcelona, 1976, pp. 41-72.

—, *Construcción crítica y realidad histórica en la poesía española de los siglos XVI y XVII*, Castalia, Madrid, 1965.

—, «Archivo de un jacarista (1954-1959)», en *Homage to John M. Hill. Memorial volume*, Indiana University, 1968, pp. 45-58; reimpreso en [1976], pp. 285-307.

—, «Sobre poetas hispanoamericanos de la época virreinal», en [1976], pp. 163-188.

—, *Manual bibliográfico de cancioneros y romanceros (Siglo XVII)*, vols. III y IV, Castalia, Madrid, 1977-1978.

Romanos, Melchora, ed., Juan de Jáuregui, *Discurso poético*, Editora Nacional, Madrid, 1978.

Rosales, Luis, *El sentimiento del desengaño en la poesía barroca*, Instituto de Cultura Hispánica, Madrid, 1966.

—, *Pasión y muerte del conde de Villamediana*, Gredos, Madrid, 1969.

Rose, C. H., «Antonio Enríquez Gómez and the literature of exile», *Romanische Forschungen*, LXXXV (1973), pp. 63-77.

Rozas, Juan Manuel, «Dos notas sobre el mito de Faetón en el Siglo de Oro», *Boletín cultural de la Embajada Argentina*, 2 (1963), pp. 81-92.

Rozas, J. M., *El conde de Villamediana. Bibliografía y contribución al estudio de sus textos*, CSIC (Cuadernos bibliográficos, 11), Madrid, 1964.

—, «Los textos dispersos de Villamediana», *Revista de Filología Española*, XLVII (1964), pp. 341-367.

—, *Cancionero de Mendes Britto. Poesías inéditas del conde de Villamediana*, CSIC (Publicaciones de la *Revista de Literatura*, 2), Madrid, 1965.

—, «La licitud del teatro y otras cuestiones literarias en Bances Candamo, escritor límite», *Segismundo*, I (1965), pp. 247-273.

—, «Localización, autoría y fecha de una fábula mitológica atribuida a Collado del Hierro», *Boletín de la Real Academia Española*, XLVIII (1968), pp. 87-99.

—, ed., Villamediana, *Obras*, Castalia (Clásicos Castalia, 8), Madrid, 1969.

—, «Petrarquismo y rima en -*ento*», en *Filología y crítica hispánica* (Homenaje al profesor F. Sánchez-Escribano), Ediciones Alcalá, Madrid, 1969, pp. 67-85.

—, «Marino frente a Góngora en la lírica de Soto de Rojas», en *Homenaje a la memoria de don Antonio Rodríguez-Moñino, 1910-1970*, Castalia, Madrid, 1975, pp. 583-594; reimpreso en *Sobre Marino y España*, Editora Nacional, Madrid, 1978, pp. 89-106.

—, «Marino frente a Góngora en *La Europa* de Villamediana. (Con una nota sobre el cultismo gongorista)», en *Homenaje al Instituto de Filología y Literatura Hispánicas «Dr. Amado Alonso» en su Cincuentenario, 1923-1973*, Buenos Aires, 1975, pp. 372-385; reimpreso en [1978], pp. 69-88.

—, y M. A. Pérez Priego, «Góngora y la lírica barroca», en *Historia de la literatura española e hispanoamericana*, Ediciones Orgaz, Madrid, 1980, III, pp. 81-117.

Ryan, H. A., «Una bibliografía gongorina del siglo XVII», *Boletín de la Real Academia Española*, XXXIII (1953), pp. 427-467.

Sàbat de Rivers, Georgina, *El «Sueño» de sor Juana Inés de la Cruz. Tradiciones literarias y originalidad*, Tamesis, Londres, 1977.

—, «Sor Juana Inés de la Cruz», en *Historia de la literatura hispanoamericana*, tomo I: *Época colonial*, Cátedra, Madrid, 1982, pp. 275-293.

—, y Elias L. Rivers, eds., Sor Juana Inés de la Cruz, *Obras selectas*, Noguer, Barcelona, 1976, pp. 28-33.

Sánchez, José, *Academias literarias del Siglo de Oro español*, Gredos, Madrid, 1961.

Sánchez, Luis Alberto, *Góngora en América*, Lima, 1927.

Sánchez Regueira, M., ed., Antonio de Solís y Rivadeneyra, *Varias poesías sagradas y profanas*, CSIC, Madrid, 1968.

San Román, Francisco de B. de, «Elisio de Medinilla y su personalidad literaria» (con cuatro obras inéditas), *Boletín de la Real Academia de Bellas Artes y Ciencias Históricas de Toledo*, II (1920), pp. 129-214.

Scudieri, Jole, «Vita segreta e poesia del conte di Villamediana», en *Studi in honore di Angelo Monteverdi*, Módena, 1959, pp. 716-755.

Scholberg, Kenneth R., *La poesía religiosa de Miguel de Barrios*, Ohio State University-Gráficas Clavileño, Madrid, 1962.

Schulte, H., *«El desengaño». Wort und Thema in der spanischen Literatur des Goldenen Zeitalters*, W. Fink, Munich, 1969.

Segura Covarsí, E., *La canción petrarquista en la lírica española en el Siglo de Oro*, CSIC, Madrid, 1949.

Shergold, N. D., *A history of the Spanish stage from medieval times until the end of the seventeenth century*, University Press, Oxford, 1967.

Siles, Jaime, *El barroco en la poesía española. Conscienciación lingüística y tensión histórica*, Doncel, Madrid, 1975.

Simón Díaz, José, ed., Francisco López de Zárate, *Obras varias*, CSIC, Madrid, 1947, 2 vols.

—, *Bibliografía de la literatura hispánica*, IV, CSIC, Madrid, 1955.

—, ed., López de Zárate, *Sesenta y seis poemas inéditos*, Instituto de Estudios Riojanos, Logroño, 1976.

—, *Textos dispersos de autores españoles*, I. *Impresos del Siglo de Oro*, CSIC, Madrid, 1978.

— y L. Calvo Ramos, *Siglos de Oro: Índice de justas poéticas*, CSIC, Madrid, 1962.

Terry, Arthur, «Pedro de Espinosa and the praise of creation», *Bulletin of Hispanic Studies*, XXXVIII (1961), pp. 127-144.

—, «Human and divine love in the poetry of sor Juana Inés de la Cruz», en *Studies in Spanish literature of the Golden Age, presented to E. M. Wilson*, Tamesis, Londres, 1973.

Valbuena Prat, Ángel, ed., Polo de Medina, *Obras completas*, Academia Alfonso X el Sabio, Murcia, 1948.

Vilanova, Antonio, «Preceptistas de los siglos XVI y XVII», en *Historia General de las Literaturas Hispánicas*, III, Barcelona, 1953, pp. 567-692.

Vossler, Karl, *La soledad en la poesía española*, trad. cast. de J. M. Sacristán, Revista de Occidente, Madrid, 1941.

Vranich, Stanko B., ed., Juan de Arguijo, *Obra poética*, Castalia (Clásicos Castalia, 40), Madrid, 1971.

—, «Un discípulo aventajado de la escuela sevillana: don Juan de Arguijo (1567-1622)», en *Ensayos sevillanos del Siglo de Oro*, Albatros, Valencia, 1981, pp. 42-54.

Wardropper, Bruce W., «The poetry of ruins in the Golden Age», *Revista Hispánica Moderna*, XXXV (1969), pp. 295-305.

—, ed., *Spanish poetry of the Golden Age*, Appleton Century Crofts, Nueva York, 1971.

Wilson, Edward M., «Sobre la *Canción a las ruinas de Itálica* de Rodrigo Caro», *Revista de Filología Española*, XXIII (1936), pp. 379-396.

—, «The poetry of João Pinto Delgado», *Journal of Jewish Studies*, I (1949), pp. 131-143; traducido y recogido en *Entre las jarchas y Cernuda. Constantes y variables en la poesía española*, Ariel, Barcelona, 1977, pp. 221-244.

—, «La estética de don García de Salcedo Coronel y la poesía española del siglo XVII», *Revista de Filología Española*, XLIV (1961), pp. 1-27; reimpreso en [1977], pp. 157-193.

—, «Fray Hortensio Paravicino's protest against *El príncipe constante*», *Ibérida*, VI (1961), pp. 245-266.

—, «Miguel de Barrios and Spanish religious poetry», *Bulletin of Hispanic Studies*, XL (1963), pp. 176-180.

Wilson, Edward M., ed., *Poems from the «Cancionero» of don Joseph del Corral (Phillips Ms. 22216)*, University of Exeter, 1973.

Woods, M. J, *The poet and the natural world in the age of Góngora*, Oxford University Press, Oxford, 1978.

Ynduráin, Francisco, «Villegas: revisión de su poesía», en *Relección de clásicos*, Prensa Española (El Soto, 12), Madrid, 1969, pp. 23-58.

Luis Rosales y Emilio Orozco Díaz

TEMAS Y TÓPICOS

1. [No hay sentimiento alguno que tenga tan imperiosa y frecuente aparición en la poesía barroca como el determinado por la actitud frente a la muerte.] Ya entrado el siglo XVII, el tema del tiempo adquiere una importancia extraordinaria. Todos sus motivos poéticos están brizados por él y, por así decirlo, se temporalizan. Se tiende de una manera irreprimible, cada vez más, a una expresión actualizada y fugitiva, en la cual lo que se gana en evidencia (Góngora) o en pasión (Quevedo) se pierde en voluntad de permanencia. El barroco poético español es, todo él, una elegía. Se describe la belleza de la mujer amada llevando una calavera en la mano con esta letra: «Como la flor»; o bien, «A una hermosa, que murió de repente, teniendo un reloj entre las manos».

Los árboles, la aparición del día, la presencia de los palacios y de los mármoles funerarios —«porque también para el sepulcro hay muerte»— diríase que han perdido su consistencia, y su hermosura no se nos queda en ellos: se nos lleva los ojos. El mundo poético es como un río donde las aguas y las cosas ya no son sino su devenir. Toda la belleza del mundo natural: los castaños, los gamos, las ciudades, los ojos que nos miran, los insectos y los atardeceres, van convirtiéndose en alegorías. Así en Francisco López de Zárate:

I. Luis Rosales, *El sentimiento del desengaño en la poesía barroca*, Instituto de Cultura Hispánica, Madrid, 1966, pp. 43-48, 51-52.

II. Emilio Orozco Díaz, «Ruinas y jardines. Su significación y valor en la temática del Barroco», en *Temas del Barroco*, Universidad de Granada, 1947, pp. 121-127.

Átomos son al sol cuantas beldades
con presunción de vida, siendo flores,
siendo caducos todos sus primores
respiran anhelando eternidades.
La Rosa, ¿cuándo?, ¿cuándo llegó a edades
con todos sus fantásticos honores?
¿No son pompas, alientos y colores
rápidas, fugitivas brevedades?
Tú, de flor y de rosa presumida,
mira si te consigue algún seguro
ser, en gracias a todas preferida;
¡ni es reparo beldad, ni salud muro!,
pues va de no tener a tener vida
ser polvo iluminado o polvo oscuro.

En los ojos del poeta no queda sino la memoria del tránsito. La naturaleza se ha convertido en ceniza, o, si se quiere, en alegoría. La poesía barroca, en una de sus alas, es una inmensa elegía. La pompa del mundo, en ella, es sólo presunción de vida y fugitiva brevedad. De vivir a morir, de ser a no ser, no hay sino esta diferencia: «ser polvo iluminado o polvo oscuro». La mirada de Dios es la que ilumina u oscurece los objetos que toca. [...]

El culteranismo tiende cada vez más a convertir los seres animados, los seres vivos, en elementos naturales. La sonrisa será una flor, los dientes, perlas; oro, el cabello; marfil, la carnación. Y debajo del juego de la gracia, del juego metafórico, alienta este deseo de salvar la brevedad del tránsito, de fijar el perfil de las cosas, reduciéndolas a especies, si menos nobles y elevadas, más permanentes y duraderas. Recuérdese la descripción de Góngora de una dama, en la cual todos sus rasgos se armonizan dentro de un orden arquitectónico: «De pura honestidad templo sagrado ...». Todo el soneto se centra y desarrolla con un acierto de composición maravilloso, alrededor de la palabra «templo». No sólo busca el poeta embellecer metafóricamente sus materiales y conferirles una mayor evidencia plástica y sensorial, sino hacerlos también más grávidos y persistentes frente al paso del tiempo. La metáfora se ha convertido en alegoría.

Pero sería inútil subrayar la vanidad del esfuerzo. El siglo XVII siente el paso del tiempo como el enfermo lo comienza a sentir en la agonía. Lo canta reiteradamente, acaso con el más dramático y acezante pasmo de la lírica universal. [...] Dominado por el sentimiento del desengaño, el poeta barroco no piensa propiamente en nuestra temporalidad sino en nuestro acabamiento; no piensa en nuestra vida y en la temporalidad de nuestra vida, sino en la muerte y en su constante acercamiento.

Y aún más que la medida del tiempo, el tema poético del siglo XVII es la sucesión. Si la poesía, por su naturaleza elegíaca, se enlaza con el tiempo, o, como ha dicho Machado, es el diálogo del hombre y el tiempo, la sucesión se enlaza con la muerte, o, mejor dicho, la sucesión es la presencia misma de la muerte. Es más: pudiéramos decir que es su única presencia. Por esto nuestra poesía barroca las enlaza continuamente. El tema de las ruinas, el del barco varado, el *carpe diem*, la moralidad de la efímera belleza de las flores, y tantos otros, son la expresión poética de este vínculo férreo con que el desengaño enlaza la sucesión del tiempo y el sentimiento de la muerte.

De entre estos temas [uno de los más originales, característicos y olvidados es el del reloj que en vez de arena lleva las cenizas de la amada o (en Luis de Ulloa y Pereira) del amante.] Se enlazan en él, con bien ligada trabazón, la sucesión y la medida del tiempo, el sentimiento de la muerte y el sentimiento del amor, es decir, los temas fundamentales del Barroco. [...] El tema, procedente de un epigrama latino, casi banal, de Jerónimo Amalteo, «Perspicuus vagus angustum qui dividit horas ...», tiene en nuestra poesía numerosa descendencia. Se engrandece, hasta llegar a convertirse casi en un mito, que alegoriza la continuidad del amor más allá de la muerte. Si alguna de sus muchas versiones es más cándida y sensible que la de Quevedo («Ostentas, ¡oh feliz!, en tus cenizas ...»), ninguna tiene su claridad, profundidad y violencia expresivas. [En la recreación de don Francisco de la Torre Sevil], que pudiera intitularse 'la inquietud de la muerte', el autor sólo parece aspirar a la decantación de las extraordinarias posibilidades estéticas del tema, y lo consigue en la sorprendente serie de sonetos que le dedica al final de su libro. La antigua pasión vuelve a alear en el calor de una sonrisa. No ha de volver a levantarse. Escuchemos este alear:

A UN RELOJ DE VIDRIO CUYAS ARENAS ERAN CENIZAS
DE UNA BELLEZA DIFUNTA

Esa porfía que la vida cava
y a cada instante acuerda su ruina,
si ya pasó el morir, ¿dónde camina?
y si no vive, ¿cómo siempre acaba?

Frente que inmenso rayo coronaba
índice es que las horas determina;
segunda vez en la inconstancia fina
la que ya en ocio infausto descansaba.
Alma al vidrio le da nunca dormida
del tiempo que en su polvo se convierte
la numerosa fuga repetida.
¡Oh ciega vanidad!, todo te advierte
para enseñar que así muere la Vida:
así, con inquietud, vive la Muerte.

II.   Sobre ruinas y jardines proyectan su atención y su espíritu pintores y poetas del Barroco; como fondo, como ambiente o realidad próxima e incluso como temas independientes. El fenómeno es bien patente en lo español, aunque muy especialmente en lo literario, ya que en nuestra pintura el tema no religioso queda siempre en segundo lugar. Sin embargo, los ejemplos son suficientes y claros/ Sabido es cómo en esta época se pierde, a un mismo tiempo, la imposición de lo natural como norma estética dominante y, consecuentemente, la belleza de la naturaleza no es admirada como única, sino que al lado ha surgido la de lo artístico y artificial. «Es el arte —dice Gracián— complemento de la naturaleza y un otro segundo ser, que por extremo la hermosea y aun pretende excederla en sus obras. Préciase de haber añadido un otro mundo artificial al primero. Suple de ordinario los descuidos de la naturaleza, perfeccionándola en todo; que sin este socorro del artificio quedara inculta y grosera.» De aquí que predomine el gusto por aquellos temas que suponen una contraposición o superposición de lo bello de la naturaleza y de lo artístico y artificial. He aquí, dejando aparte otros motivos de la ideología de la época que vienen a reforzar o coincidir con lo puramente estético o estilístico, el fundamento de esta atención que la pintura y la poesía barrocas prestan a estos temas de ruinas y jardines. En los dos se encuentran enlazados el arte y la naturaleza y, como consecuencia, además del sentimiento agudizado de vida, se produce el sentido de lo pintoresco. [...]

Interesa destacar, antes que la obra artística que representa el tema, la atracción por la realidad misma de ruinas y jardines, la relación vital y artística que se establece entre el poeta o pintor y unas ruinas o jardín concreto. Porque, como fundamento psicológico, interesa por sí este detenerse ante ambas realidades por una atracción en la que rara vez cuenta en el primero la curiosidad arqueológica, y en el segundo el interés naturalista o el simple goce sensual o físico. Por otra parte, precede a toda consideración o reflexión moralizadora, pues es claro que, antes de deducir la enseñanza de la caducidad de la grandeza pasada o de la fragilidad de la belleza de la flor, el poeta ha buscado su contemplación en el primer caso, y en el segundo, no sólo esto, sino también un marco para la vida cotidiana. [...]

La belleza de las ruinas, no reside en que sean un elemento del paisaje, sino en esa sensación de que lo artificial, lo artístico, se incorpora a la naturaleza. Ante ellas sentimos ese proceso de tránsito, de asimilación que la naturaleza realiza convirtiendo lo artificial en material para su creación. Así, los poetas no sólo perciben este tránsito, este reincorporarse de la materia a su primer origen, sino que incluso lo destacan: «Lo que fuisteis, sois, lloradas piedras», dice el príncipe de Esquilache ante unas ruinas. Y López de Zárate precisará aún más la idea: «Son lo que fueron, materiales rudos / a la primera forma reducidos. / Muertos o por nacer, os considero / según el tiempo os tiene confundidos». Así, pues, en las ruinas se ha realizado esa asimilación completa de lo artificial y lo natural; su perfil y su color se enlazan ya con el paisaje que se le superpone y le domina.

Para nosotros es de esa misma índole y complejidad la sensación que determina el jardín. Se trata de un igual sentido estético, de una visión paralela, aunque su proceso sea contrario. Naturaleza y artificio se encuentran, pero aquí es éste el que se superpone y limita a la primera; el arte viene a incorporarse los elementos naturales, ordenándolos, recortándolos para llegar así a la construcción artística del paisaje. El jardín es el paisaje sometido a la espiritualidad formadora, esto es, lo contrario de lo artístico sometido, entregado a las fuerzas naturales. Hay, pues, un sentido vital y pintoresco, un equilibrio inestable, un encuentro de fuerzas que nos hacen sentir también la emoción de algo vivo y natural; pero con su crecer y desarrollo guiado y acotado por lo humano y artificial. En ruinas y jardines se produce así una unidad, una armonía de color, un sentido de forma, que imprime en un caso la naturaleza y en otro el arte.

Esta superposición y superación de lo artificial que representa el jardín es algo de que tiene conciencia el artista del Barroco, y por lo que especialmente se complace. Así lo vemos en Calderón quien, por boca de uno de sus personajes, nos dice ponderando la belleza de un jardín: «Que adelantarse en él quiso / el Arte a lo natural, / a lo propio el artificio». Antes Lope, a pesar de su inclinación a lo natural y hacia la Naturaleza, en el jardín ideal que pinta en su *Epístola* a Rioja, «entre los versos» que una «fuente canta», nos dice: «Que el arte en la naturaleza / imperio tiene con violencia tanta». Este triunfo del artificio sobre lo natural que se da en el jardín llega a su culminación precisamente en el Barroco. Se gustará incluso de que las formas naturales de la vegetación reproduzcan lo humano y animado, como ocurre con las figuras de arrayán. Aquí la intervención del arte del jardinero ha de ser aún más intensa. Así lo perciben los escritores de la época, como Avendaño, quien señala ese empuje de la «materia viva», de las fuerzas de la naturaleza, y lo quieto o «muerto» del artificio. El jardinero, «como labra en cosa viva, no puede levantar la mano de estar siempre puliendo el jardín, porque en poco tiempo se le borrará todo». [...]

La misma superación que representa lo artificial sobre lo natural en árboles, plantas y flores, se da también en el elemento de naturaleza que le es necesario al jardín, esto es, en el agua. El agua, no sólo es un medio y complemento para el jardín barroco, sino una finalidad estética independiente que se aprovecha con múltiples formas en busca de efectos que a veces también representan la negación de su característica esencial como materia líquida. Es en esta época cuando se multiplican las fuentes, estanques, arroyos, surtidores y, en general, toda clase de artificios y juegos de agua. Para citar un caso de esta artificiosidad, llevada a lo refinado y rebuscado, y ligada a lo íntimo y personal, basta recordar una de las fuentes que adornaban el carmen de Soto de Rojas en Granada; además de «peñascos con mucha cañería», representaba, según dice Trillo de Figueroa, «dos galeras de metal combatiendo un castillo de lo mismo, siendo las armas de todos —remos, forzados y demás instrumentos— todo de agua arrojadiza por sus cañerías y repartimentos». Es de indicar que en alguna ocasión el artífice llega a lo desagradable, como en el caso de una de las fuentes del famoso jardín del duque de Medina Sidonia, en Sanlúcar, que describió Colodrero de Villalobos.

Los mismo que en lo pequeño, las grandes fuentes barrocas, como algunas de las famosas de Roma, nos muestran bien esa alteración de la materia realizada por obra de lo artístico, que la encauza y lleva a adquirir determinadas formas contrarias a su natural horizontalidad. Conviene tener presente esta superposición del artificio para explicarse en parte la estilización y embellecimiento de lo real, que se dan en las descripciones de la poesía barroca. La conversión del agua en cristal que se realiza en el lenguaje culterano, está en cierto modo de acuerdo con la visión real de estos tan gustados juegos de agua. La repetición y vida de alguna metáfora, como el llamar al surtidor 'lanza' o 'pica de cristal', que encontramos en Lope, en Soto, en Cubillo y en Collado del Hierro, nos indica, más que una influencia literaria, la complacencia por la acertada designación de una gustada realidad.

Por último, como otra muestra de la gala del jardín barroco, que en cierto modo se puede considerar como artificio, ya que se persigue la visión distinta de lo natural y corriente, pensemos en el gusto por las flores exóticas que se despierta en la época. El caso extremo lo ofrece Holanda, donde se desarrolla la llamada «tulipomanía». En España merecen que los recordemos los jardines de Lastanosa, que describió, junto con la casa, él mismo y su amigo Ustarroz, en los que no faltaban las flores «que gozan los más remotos países». Recibía por ello catálogos de varios puntos de Europa, y precisamente cuando escribía esta descripción esperaba recibir de Bolonia la «rosa sonente o de la China», que sólo poseían dos príncipes de Italia.

Es interesante señalar cómo este común sentido estético que anima ambos temas coincide en el momento del Barroco con otro paralelismo de contenido. La enseñanza moral que los poetas deducen de las ruinas y del motivo central del jardín, esto es, de las flores, tiene también un sentido paralelo, y con su natural consecuencia en lo estilístico. Porque si la belleza frágil y transitoria de la flor suscita el recuerdo de la humana, las ruinas hacen pensar en el deshacerse del cuerpo, que se convierte en tierra y polvo: en el incorporarse a su primitivo origen. Así Quevedo verá las torres de Joray como «Calavera de unos muros / en el esqueleto informe / de un ya castillo difunto». Así no es extraño que en la obra de un poeta como Rioja, tan inclinado a lo moralizador, se encuentren repetidos ambos temas. Como también creemos significativo se hable de la «ruina» de las flores. La conclusión es la misma: que sólo «el tiempo vive», diríamos con palabras de Esquilache.

En lo estilístico encontramos también ese sentido paralelo, pero de proceso contrario, análogo a su íntima naturaleza estética. Al cantar a las flores, el poeta presenta primero la imagen llena de «pompa y alegría» del risueño amanecer de la flor para contraponerla seguidamente a la lastimosa de su muerte «en brazos de la noche fría». Tan agudamente siente el hombre del Barroco la alegría del primer momento como la tristeza del segundo. Así nos lo dice Andrenio en el *Criticón*: «Lo que me lisonjearon las flores, primero tan fragantes, me entristecieron después, ya marchitas». El contraste será más violento conforme avanza el Barroco, como vemos al comparar la visión de Rioja con la de Calderón. En el tema de las ruinas el poeta busca el contraste inverso: tras la imagen de «dolor» de los «campos de soledad», llenos de ruinas, Rodrigo Caro nos sugiere la grandiosa y bella de la «famosa» ciudad que fue.

EUGENIO ASENSIO Y M. J. WOODS

FORMAS Y CONTENIDOS:
LA SILVA Y LA POESÍA DESCRIPTIVA

I.   Me propongo tratar de las *silvas métricas* españolas como variedad —o si se quiere, género o subgénero lírico— que irrumpe en la poesía andaluza, castellana y aragonesa entre 1603 y 1613, provocando una especie de revuelo o revolución del Parnaso, dilatando progresivamente sus dominios argumentales, y fijando las peculiaridades de su técnica y estilo. Góngora, Lope y otros muchos más cultivaron y moldearon la nueva especie. [...]

Las *Silvas* de Estacio, derivadas al parecer de las perdidas de Lucano, fueron desdeñadas como decadentes por los críticos clasicistas que canonizaban la época áurea de Augusto, y sus poetas Horacio, Virgilio, Ovidio. El descrédito no cesó hasta que Angelo Poliziano, crítico-poeta inteligentísimo en la Florencia de los Médici, rehabilitó la edad de plata explicando la mudanza de estilo como fenómeno histórico y dando un puesto de honor a las silvas de Estacio en su discurso sobre Estacio y Quintiliano. Fue más allá escribiendo, a título de *prolusiones* poéticas, cuatro silvas a la manera de Estacio, en las cuales ensalzaba a los poetas que iba a comentar en la Academia florentina: Homero, Virgilio, Hesíodo. Estas *Silvas* de Poliziano encomiando los poetas y la poesía impresionaron a los humanistas españoles, [como el murciano Juan Vaccaeus Castellanus y el valenciano Juan Ángel González.] Desde entonces la voz «silva» sugiere y anticipa un poema descriptivo, o un poema entre lírico y didáctico a

I.   Eugenio Asensio, «Las *Silvas* de Quevedo», *Siglo de Oro*, II (Universidad Autónoma de Madrid), en prensa (fragmentos).

II.   M. J. Woods, *The poet and the natural world in the age of Góngora*, Oxford University Press, Oxford, 1978, pp. 41-42, 45, 51-53, 57, 61, 66, 72, 74, 81-83, 118-119, 124-127.

la gloria de los poetas ilustres, sugestión que fructificará en las silvas del *Laurel de Apolo* de Lope de Vega. El vehículo más eficaz de esa asociación debió de ser la publicación por el Brocense en Salamanca, 1554, de las cuatro grandes silvas de Poliziano comentadas. Esta publicación, reimpresa en 1595, fue leída por futuros poetas en romance, quizá por el mismo Góngora cuando estudiaba en Salamanca.

Respecto a Italia, Karl Vossler [1941] procuró trazar las líneas temáticas y formales de la *silva*, reseñando sus antecedentes italianos. El más remoto precursor, Lorenzo de Médici, escribió dos *selve d'amore*; la segunda, engloba dos descripciones que cautivaron a los españoles, la del Siglo de Oro y la del verano. Recordemos que la penúltima o última poesía escrita por Lope enfermo de muerte es *El Siglo de Oro: Silva moral*. [Pero Vossler no menciona la más copiosa colección de *selvas* líricas, las *Opere toscane* de Luigi Alamanni, Venecia, 1542, que encierra tres libros de *selve* en versos esdrújulos sueltos, de tipo ocasional, personal, con las saudades del poeta desterrado en Francia. En cambio, insiste, con razón, en la relevancia de la *Aminta* del Tasso.] Pero me inclino a dudar sobre la importancia de la versión de Juan de Jáuregui, el pintor-poeta enemigo de Góngora y Quevedo. Jáuregui, en su dedicatoria al duque de Alcalá (*Aminta* de Torcuato Tasso, Roma, 1607), declara su estima por los versos sueltos, y su menosprecio por la rima: «Bien creo que algunos se agradarán poco de los versos libres y desiguales; y sé que hay orejas que, si no sienten a ciertas distancias el porrazo del consonante, pierden la paciencia, y queda el lector con desabrido paladar, como si en aquello consistiese la sustancia de la poesía». De hecho, el único trozo en que el Tasso usa versificación casi cercana a la silva española, es el recitado final de la diosa Venus que busca al Amor fugitivo. Pues bien, esa escena final es la única que Jáuregui ha omitido y eliminado en su tan alabada versión.

[En verdad la silva métrica española, aunque su resorte fuese italiano, surge en España entre 1603 y 1613.] Las *Flores de poetas ilustres de España* en su Primera parte ordenada por ·Pedro Espinosa, Valladolid, 1605 (cuya aprobación es de noviembre de 1603), no contienen una sola silva métrica. Contienen, en cambio, una semisilva, pseudo silva o forma precursora, compuesta por el antologista Espinosa, que empieza con la palabra «selvas»: «Selvas donde en tapetes de esmeralda», poesía que el autor, en el verso antepenúltimo, incluye en las pastoriles *boscarechas*. Con razón señaló Mauricio Molho [1978] que las *boscarechas* o florestales son indicio de influencia de Italia, concretamente del Tasso. La *Aminta* suele imprimirse con el subtítulo «*favola boscareccia*». Dos rasgos separan la *boscarecha* de Espinosa, de las silvas: la poca densidad de las rimas y el empleo de finales de verso esdrújulos. Otra comprobación de que antes de 1603 no se usa en España la silva métrica, nos la ofrece el manuscrito *Poética silva*, cuyo material, según se cree (véase W. King [1963]), proviene de las academias que en Granada mantuvieron hasta 1603 don Pedro Granada Venegas y su padre don Alonso. El manuscrito encierra ocho largas poesías descriptivas rotuladas silvas, obra de diferentes poetas: cuatro forman una serie dedicada a los 4 elementos (fuego, aire, agua, tierra), y otras cuatro a las estaciones del año. La de las estaciones fue editada por Antonio Rodríguez-Moñino, Valencia, 1949, con su habitual primor. No son silvas métricas españolas, sino composiciones en octavas reales y tercetos.

Todo ha empezado a cambiar entre 1603 y 1613. La *Segunda parte de las Flores de poetas ilustres de España*, manuscrito ordenado en 1611 por Agustín Calderón, contiene junto a *boscarechas* al uso italiano varias silvas métricas entre las que destacan las de don Francisco de Quevedo. De las siete poesías de Quevedo allí incluidas, cinco son verdaderas silvas españolas. Entre ellas se cuenta la famosa *Al sueño*, y la no menos bella *Al reloj de arena*. Las dos restantes pertenecen al tipo estaciano e italiano, y van versificadas en sexteto o sexta rima. La que empieza «Qué de robos han visto del invierno», que contamina un idilio de Teócrito con la égloga octava de Virgilio, añadiendo datos picantes de algún libro de magia, pinta un ritual nocturno de embrujamiento erótico a orillas del Pisuerga. La madurez de los versos y el sobrio vigor del lenguaje contrastan con la pedantería arqueológica y la bárbara escena, tan bárbara que el compilador Calderón ha suprimido los versos 121-129, acaso escandalizado por los pormenores inhumanos alusivos a sacrificios escalofriantes y abuso de cadáveres.

Desde entonces la silva se esparcirá como novedad valiosa, conquistando especialmente a los poetas andaluces. El manuscrito 3.888 de la Nacional de Madrid, particularmente el cuaderno intitulado *Versos de Francisco de Rioja. Año de 1614*, contiene once magníficas silvas del poeta de las flores, compuestas sin duda a lo largo de varios años. Son silvas españolas sobre temas de jardín, y temas de dinero y pobreza que se imponen al poeta en aquel emporio del comercio y la codicia. La silva métrica acabará de conquistar las alturas del Parnaso en 1613, cuando Góngora haga correr los manuscritos de las *Soledades*.

De las *Soledades*, de su peregrino que alimenta los ojos de belleza, y los oídos de armonía, [no hablaré aquí.] Insinuaré, sin insistir, que dentro de la plurisignificación del título debe de haber una alusión lateral a las *Saudades* de Portugal. *Saudades*, título de la más famosa novela del siglo XVI, la de Bernardim Ribeiro donde hay náufrago enamorado, selvas, pastores, ruinas. Saudades, rótulo con que los poetas portugueses imitadores de Góngora en *A Fénix renascida* encabezan muchos poemas.

Las *Soledades* encumbran y popularizan la silva métrica como molde capaz de acoger las más altas inspiraciones, los poemas mayores en calidad y cantidad. Hasta inauguran un rasgo que se contagiará: la sintaxis retorcida, el párrafo con más recovecos que el laberinto de Creta, el *perpetuum mobile* de las nuevas armonías versificatorias. Hasta 1613, las silvas métricas eran breves encomios o vituperios líricos que no rebasan los cien versos. A partir del triunfo tan polémico de Góngora —«no en los aplausos de mis amigos, sino en los gritos de rabia de mis enemigos, leo mi triunfo», dijo un gran poeta ruso—, la silva suscita una pequeña revolución, crea variedades nuevas de contenido y modulación, invade los dominios de la octava real, del terceto, de la canción petrarquesca. La gloria de Góngora suscita imitaciones de las *Soledades* que, ya que no la inspiración, emulan rasgos externos: la sintaxis laberíntica del párrafo alimentado por incontables incisos, aposiciones, conjunciones coordinantes y hasta subordinantes; el número de cuatro paneles que, según Díaz de Rivas, planeó Góngora para su poema.

Mencionemos alguno. El licenciado Ginovés (véase J. M. Blecua [1945] y A. Egido [1979]) compone antes de 1628 la *Selva al verano en canción informe*: selva al verano, completada más tarde, al parecer por el mismo autor, con las otras tres estaciones, que después aparecerían atribuidas a Baltasar Gracián formando las *Selvas del año* en ediciones barcelonesas del siglo XVIII. Agustín Salazar y Torres, *Cythara de Apolo*, Primera parte, Madrid, 1681, describió sus aventuras en la selva de la ciudad en el poema *Las cuatro estaciones del día*, donde intercala toques humorísticos en la sucesión de los cuatro cuadros: aurora, mediodía, tarde y noche. Para no hablar de Andalucía, cuna acaso del movimiento, donde Pedro Soto de Rojas repartió en siete mansiones, y siete silvas, sus «jardines abiertos para pocos». Estos poemas son como grandes retablos con múltiples pinturas que forman altares complicados.

La silva métrica crea constantemente variedades, o subgéneros, como el elogio y descripción de ciudades, de casas de campo señoriales, de conventos paisajísticos, de obras de arte y de las artes mismas.

A veces, inclinándose hacia el prosaísmo, versificó ensayos morales y didácticos. Se va alejando progresivamente del lirismo, y aun de la imaginación, hacia lo objetivo, hacia el inventario del universo.

II. [A pesar de la ausencia de juicios teoréticos sobre la descripción, en la práctica, en la España del siglo XVII no sólo había afición a la poesía descriptiva, sino también una clara conciencia de su existencia como un género nuevo.] Antes del siglo XVII la descripción poética se consideraba como una figura que era adecuada en ciertos lugares y en ciertos tipos de poesía más que en otros, sobre todo en la poesía narrativa, pero que no era un procedimiento independiente que pudiese proporcionar el fundamento mismo de un poema. Sencillamente, la poesía descriptiva no existía. [...]

Principalmente, lo que caracteriza el tipo de descripciones que encontramos en la poesía de Góngora es la abundancia de perífrasis y la densidad de las metáforas, y todo ello da origen a una paradoja. La poesía gongorina está llena del mundo físico. En consecuencia, podría suponerse que esas descripciones significasen un contacto más íntimo con las realidades materiales del que suelen dar otras modalidades literarias. No obstante, las perífrasis y las metáforas son procedimientos que permiten al escritor eludir los hechos materiales inmediatos. [...] Como el ingenio intenta relacionar objetos heterogéneos y sorprendernos, encontramos tensiones deliberadas que se crean entre lo que se describe formalmente y los demás objetos con los que el poeta establece una vinculación. En ocasiones se presta tanta atención a esos objetos periféricos que parece más apropiado decir que son ellos los que se están describiendo. Se trata entonces de una poesía que tiene sus raíces en el mundo físico, y que en este sentido es descriptiva, pero que debido a su densidad metafórica tiende a turbar la continuidad de las situaciones, mientras que el lector suele esperar que la descripción le ofrezca una presentación sustantiva de una situación particular. [...]

Los poetas barrocos extienden a menudo las descripciones introductorias mucho más allá de los límites de lo que los escritores renacentistas esperaban de los *topoi* de *cronographia* y *topographia*. El inicio de la segunda *Soledad* de Góngora es un buen ejemplo de ello. No contento con describir el arroyo que desagua en el mar desde un solo punto de vista, Góngora recurre a todas las posibilidades descriptivas, dándonos primero la imagen de la mariposa, luego la del centauro y finalmente la del novillo, antes de continuar con su relato. Una descripción como ésta tiende a perder su simple función preparatoria, ya que el autor presenta la naturaleza de un modo sorprendente más que de una manera simplemente factual. [...]

No sólo hubo poetas que extendían las descripciones introductorias de la poesía narrativa del Renacimiento, introduciendo el nuevo ingrediente retórico de la sorpresa, sino que también utilizaban temas narrativos que daban una perspectiva mucho más amplia para la descripción de la naturaleza, no solamente en unos pasajes concretos del poema, sino en todo su curso. De ahí el florecimiento en esta época de la «fábula mitológica», tras las huellas del *Polifemo* de Góngora. Las leyendas clásicas eran muy adecuadas para un tratamiento descriptivo, ya que trataban a menudo de seres semihumanos que estaban en estrecho contacto con la naturaleza, y que se metamorfoseaban en plantas, animales, ríos y árboles. Las posibilidades descriptivas son obvias en mitos tales como el del rapto de Europa, a quien Júpiter en forma de toro conduce hasta el mar, o de Faetón, quien intenta guiar el carro del sol, o de Fénix, que vuelve a nacer de las llamas en las que muere. Y a todos esos asuntos Villamediana, por ejemplo, dedicó poemas extensos. Unas peculiares tradiciones descriptivas empezaban a crearse en torno a los mismos mitos. Por ejemplo, parte obligada de la historia de Faetón es la descripción del agostamiento de la tierra cuando el carro del sol pasaba demasiado cerca, y del mismo carro y del templo del sol. En el caso de estos dos últimos temas, en cierto sentido son descripciones de la naturaleza, ya que su aceptación depende en parte de que correspondan con nuestras impresiones del cielo al amanecer. Además de recrear las leyendas clásicas, los poetas barrocos también ideaban historias de su invención en las cuales el asunto era convenientemente manejado con objeto de permitir las máximas oportunidades de descripciones naturales. [...]

Un popular tipo de poema descriptivo en el cual el elogio es una importante meta retórica es el poema religioso en honor de un santo determinado o de Jesucristo. Un notable ejemplo es la *Canción real a san Jerónimo en Suria*, de Adrián de Prado. El objetivo retórico se pone de manifiesto en el penúltimo verso: «Canción ... al santo mío, que alabar pretendes ...». Y el método consiste en ponderar la virtud del santo describiendo con todo detalle el austero marco del desierto en el que había elegido vivir como ermitaño, y pintando su aspecto físico. Pero el poema está pletórico de fantasía. Evidentemente, Adrián de Prado está tan interesado en pintar la naturaleza de un modo nuevo y sugestivo como en cantar las alabanzas de su santo. Nada parece demasiado humilde a la atención del poeta, y teje sus fantasías en torno a las mismas peñas:

Ay en aqueste yermo piedra rubia
que jamás la cabeça se a mojado,
ni su frente adornó bella guirnalda;
antes, para pedir al cielo pluuia,
tiene, desde que Dios cuerpo le a dado,
la boca abierta en medio de la espalda;
y de color de gualda,
por entre sus dos labios,
a padecer agrauios
del rubio sol y de su ardiente estoque,
sale en lugar de lengua vn alcornoque,
cuios pies corbos como pobre[s] sabios,
porque a los cielos pida agua la roca,
no le dexan jamás cerrar la boca (versos 43-56).

[La fascinación barroca por la naturaleza se manifiesta intensamente]
en la aparición por vez primera de poemas en los que los mismos fenómenos naturales son elogiados y proporcionan su asunto evidente. No es
fácil encontrar ejemplos de tales poemas antes de fines del siglo XVI,
pero abundan en el siglo siguiente. [Varias de las silvas de Francisco de
Rioja pueden incluirse dentro de esta categoría. También hay poemas relativamente cortos que toman los fenómenos naturales como *exempla*.]
En mayor escala hay poemas que se proponen persuadir al lector de la
conveniencia moral y de otras ventajas de vivir en el campo. Aquí los
poetas se fundan en la tradición de la que la oda de fray Luis de León
«A la vida retirada» es un ejemplo obvio. Pero la novedad de los poetas
del siglo XVII en este terreno consiste en que subrayan los atractivos del
campo de una manera que hace que la naturaleza parezca algo completamente nuevo y sorprendente. La *Soledad de Pedro Jesús*, de Pedro Espinosa, es una muestra de los poemas didácticos de esa clase, [donde, sin
embargo,] más que oponer los dones de la naturaleza a las ventajas que
pueden encontrarse en la sociedad civilizada, Espinosa une ambas esferas
y describe la naturaleza en términos de civilización. Así, las enredaderas
que trepan por los árboles, se describen como una especie de forma de
arte fantástico, y en este pasaje recurre a un vocabulario técnico que le
había sido posible adquirir gracias al cultivo del arte:

Ven y verás por estos valles frescos
ensortijados lazos y follajes
y, brillando, floridos arabescos
prender espigas, trasflorar celajes;
estofados subientes de grutescos

arbolando cogollos y plumajes;
prósperos tallos de elegantes vides
trepando en ondas el bastón de Alcides.

[Otro método de usar las descripciones de la naturaleza para realzar las emociones consiste en que el poeta ennegrezca su situación pintándose en un entorno sombrío y hostil.] Un nuevo rasgo de la poesía barroca es el empleo de la descripción natural en poesía satírica, donde su función es divertir al lector. A veces el humor es de tipo paródico y entonces las descripciones técnicas están exageradas hasta el ridículo. Por ejemplo, un laborioso poeta del *Cancionero de 1628* nos da una sátira muy notable del poema descriptivo gongorino, en la cual describe con pomposo estilo una inundación provocada por el río Tormes. El objeto del autor tal vez no sea sólo reírse de la hinchazón de estilo, sino también atacar la idea en general de componer poemas ambiciosos sobre fenómenos de la naturaleza. [...] Un tipo de poema que parece tener como función principal provocar la sorpresa, es el que se ocupa tan sólo de un único aspecto de la creación —una flor, un pájaro, las estrellas— y lo describe con pocos comentarios o sin ninguno formando un solo encadenamiento de rasgos de ingenio. [...]

El poema descriptivo surgió como un género con personalidad propia, se desarrolló y explotó al máximo algunas de las funciones tradicionales de la descripción, agregando a todo eso un afán por maravillar y el deseo de mostrar la naturaleza bajo una nueva luz. La combinación de diferentes objetivos retóricos dentro del mismo poema es muy característica. A veces ello puede originar desproporciones, como cuando el poeta, en una especie de arrepentimiento final, trata de convertir en un poema de amor una obra extensa que hasta los últimos versos no ha mostrado ningún propósito de ser algo más que una ingeniosa descripción de la naturaleza. En ocasiones poemas de esa clase reflejan la falta de seguridad que tiene el poeta al tratar de liberarse de una tradición anterior. Pero otras veces las metas poéticas están equilibradas de un modo tan hábil que nos sentimos incapaces de afirmar con certidumbre cuál es el asunto principal de un poema determinado. La poesía renacentista raramente plantea ese tipo de problemas. Pero aunque cada poema barroco de tipo descriptivo puede ofrecer dificultades distintas de interpretación, en la mayoría de ellos advertimos un rasgo común en su manera de tratar la descripción de la naturaleza.

[La inmensa exuberancia de la naturaleza nos maravilla debido a su extremada magnitud.] ¿Cómo podían los poetas dar una impresión de la confusa variedad del mundo natural y poner al lector en una situación análoga a la de un observador al que se abruma con una abundancia tal de experiencias que se le deja aturdido? Hay un método descriptivo que se hizo muy popular en el siglo XVII, sobre todo en España, muy apto para conseguir sus objetivos y que puede considerarse como la misma encarnación del tema de la abundancia de la naturaleza. El procedimiento consiste en la enumeración sistemática de un modo más o menos deliberado de una multitud de diferentes productos y seres de la naturaleza, tales como animales, flores y frutos. A simple vista no parece ser una manera muy atractiva de hacer una descripción, ya que podríamos pensar que conduce a un tipo de poesía que posee la misma amenidad que el listín telefónico. Sin embargo, a veces constituye el vehículo de una poesía sumamente original. [...]

A los poetas del siglo XVII les era familiar la convención de imaginar la estructura del universo como algo basado en una serie de elementos contrastados. Y los reiterados paralelismos adoptados por los poetas dan la impresión de que esta estructura parecía de una solidez tranquilizadora. La estructura de estos poemas refleja la estructura del mundo, como si se afirmara que hay un lugar para cada cosa y que todas las cosas están en su lugar. De ahí el estímulo que representaba, siguiendo a Góngora como siempre, el que los poetas empezaran a usar imágenes de tal modo que las esperadas divisiones entre los cuatro elementos se rechazaban de la misma manera que el esquema básico de los colores simples era alterado por Góngora en algunas de sus imágenes. La técnica que se usaba era describir un elemento metafóricamente en términos de otro, o referirse a los moradores característicos de un elemento en términos que habitualmente se asociaban con los de otro. [...]

Un contexto en el cual esos cambios de elementos se producen de un modo adecuado es la descripción de catástrofes, en las cuales se rompe el equilibrio normal de la naturaleza. Inundaciones, terremotos, huracanes e incendios pueden considerarse como ejemplos de cómo un elemento determinado se sale de sus límites normales e invade el territorio de los otros. La sensación de espanto al ver que las cosas se salen de sus cauces de esta manera, la pintan los poetas haciendo uso de imágenes contradictorias en las cuales se dan las correspondientes metamorfosis semánticas. Así, Gabriel Bocángel, por ejemplo, en un corto romance en el que describe un terremoto, ve la catástrofe en términos de una tormenta en el mar: «Ondas padece la tierra; / o se nauega o lo finge; / enjutos naufragios truecan / las cumbres con las raízes». [...] Pero las imágenes en las que se cambian los elementos también se usaron por los poetas barrocos para añadir emoción a situaciones y a fenómenos cuya superficie parece más habitual. Llaman la atención hacia algunas de las sutiles pautas naturales que alteran las divisiones y los contrastes previsibles entre los cuatro elementos. [...] La fuente de muchas de las metáforas de ese tipo es la búsqueda de analogías entre los moradores o los fenómenos característicos de diferentes elementos. Si en sus imágenes los poetas podían convertir la tierra en mar, también podían sacar a seres de su propio elemento, sumergiendo a pájaros en el mar, etc. Por ejemplo, la comparación entre el aire y el agua fundándose en su carácter expansivo común y en la similitud del color [se] utiliza admirablemente en los notables *Ocios de la soledad* de Polo de Medina; el poeta trata de persuadir a un amigo de que comparta con él los placeres de la vida campesina: «El baharí britano ... / las veredas del aire va cruzando / hasta una garza, que la vio nadando / (con un ruido lento) / en el golfo del viento, / donde si no era espuma / viviente escollo es, isla de pluma». [...] Un buen ejemplo de la diversidad de modalidades de este procedimiento lo proporciona otro tema muy frecuente dentro de este enfoque del cambio de elementos: la correspondencia entre las estrellas del cielo y las flores de la tierra. Las brillantes flores esparcidas sobre el fondo verde de la hierba se comparan con las brillantes estrellas esparcidas de modo semejante sobre el fondo azul del cielo. El concepto tradicional de los Campos Elíseos y del Paraíso como un jardín refuerza la comparación. En ocasiones la analogía se establece de un modo muy sencillo, como cuando Soto de Rojas dice de las flores de su jardín que «trasladan a las estrellas», o cuando Villamediana describe las flores como «emulación fragante a las estrellas».

JosÉ MarÍa de CossÍo

ORIGINALIDAD DE PEDRO ESPINOSA

No era empresa nueva en nuestra poesía fingir toda una fábula de transformaciones a la manera de las ovidianas, para inventar poéticamente el origen de un río, o contar su fingida historia bajo la

José María de Cossío, «Un ejemplo de vitalidad poética: *La fábula de Genil*, de Pedro Espinosa», *Cruz y Raya*, 33 (1935), pp. 43-65, y luego en sus *Fábulas mitológicas en España*, Espasa-Calpe, Madrid, 1952, pp. 286, 290-294.

especie de estas fábulas de metamorfosis. Los mitos más habituales de los ríos consagrados en los versos de los modelos latinos más ilustres, se refieren a los de nuestra península, sin contar intentos tan deliberados como el de Sá de Miranda, en su fábula del Mondego. A esta especie corresponde uno de los más bellos y trascendentales poemas castellanos de esta épica menor: *La fábula de Genil*, de Pedro Espinosa (publicada en sus *Flores de poetas ilustres*).

La personalización de los ríos, tan usada por los modelos aludidos, era un lugar común en la lírica renacentista. No es de olvidar que la más desgraciada profecía de nuestra historia la hace sacando el pecho, o según mejor, aunque menos usada lección, la cabeza nuestro máximo Tajo. Este ejemplo de poeta tan poco entregado a ficciones ovidianas como es fray Luis (aunque aquí su modelo, sólo a medias seguido, sea Horacio) persuade de lo corriente de estas personificaciones.

El corte de la ficción de Espinosa es plenamente ovidiano, como nos persuadirá el examen pormenorizado de su argumento y estructura. Comienza con unas reflexiones que hacen veces de invocación (primera octava), e inmediatamente empieza el relato. El dios Genil, enamorado de la náyade Cínaris, se dirige a ella, encontrándola, con las demás deidades del río, bordando y la endereza una declaración amorosa, ponderando sus bienes y fortuna (octavas 2-9), siendo escuchada con enojo por la ninfa. Genil decide contar sus cuitas a Betis, quien le oye benignamente (octavas 10-19). Llama Betis a consistorio a todas las deidades fluviales de él dependientes, y las manifiesta su voluntad de que Genil celebre sus nupcias con Cínaris (octavas 20-29). Cínaris, ante la fuerza inevitable, prorrumpe en llanto desconsolado y tan eficaz que se deshace convertida en agua (octava 30). [...]

Aunque imitado en el tono del ovidiano canto de Polifemo, invención felicísima de Espinosa es el canto del dios y los elogios del río. Hay en este fragmento una riqueza imaginativa, un alarde espléndido de color, pero no presentado en grandes masas, sino distinto y en finísimo dibujo distribuido: «Hay blancos lirios, verdes mirabeles / y azules guarnecidos alhelíes, / y allí las clavellinas y claveles / parecen sementera de rubíes; / hay ricas alcatifas y alquiceles, / rojos, blancos, gualdados y turquíes, / y derraman las auras con su aliento / ámbares y azahares por el viento». Esta opulencia de color, de animación, de invención de materia poética, si en nadie alcanzó el grado de riqueza que en Espinosa, es en cierto modo distintivo de lo que queremos llamar escuela granadina. [...]

El gran hallazgo de Espinosa fue la descripción del alcázar del viejo Betis, en el que el poeta antequerano deja en penumbra de luz los antecedentes más brillantes que pudieran invocarse. La creación de este mundo subacuático es el gran triunfo de nuestro poeta, que ha de suscitar imitaciones y elogios, y que él mismo, satisfecho del hallazgo, ha de reiterar en otras poesías suyas, y especialmente en la espléndida *A la navegación de san Raimundo desde Mallorca a Barcelona*. [Copiaré algunos versos]:

> Ve que son plata lisa los umbrales;
> claros diamantes las lucientes puertas,
> ricas de clavazones de corales,
> y de pequeños nácares cubiertas ...
> Colunas más hermosas que valientes
> sustentan el gran techo cristalino;
> las paredes son piedras transparentes
> cuyo valor del Ocidente vino;
> brotan por los cimientos claras fuentes,
> y con pie blando, en líquido camino,
> corren cubriendo con sus claras linfas
> las carnes blancas de las bellas ninfas.
> De suelos pardos, de mohosos techos,
> hay doscientas hondísimas alcobas,
> y de menudos juncos verdes lechos,
> y encima, colchas de pintadas tobas.
> Maldicientes arroyos por estrechos
> pasos murmuran, entre juncias y ovas,
> donde a los dioses el profundo sueño
> cubren de adormideras y beleño.
> Vido entrando Genil un virgen coro
> de bellas ninfas de desnudos pechos,
> sobre cristal cerniendo granos de oro
> con verdes cribos de esmeralda hechos;
> vido, ricos de lustre y de tesoro,
> follaje de carámbano en los techos,
> que estaban por las puntas adornados
> de racimos de aljófares helados. [...]

Nadie había hecho elemento único de un poema, y no breve, la descripción de una naturaleza irreal, imaginativa. El esfuerzo y el éxito de esta invención poética constituyen la verdadera gloria de Espinosa. No reside el mérito tanto en la descripción (aunque tan sólo en el valor descriptivo se han fijado hasta ahora los críticos), sino en el valor poético de lo descrito, puramente inventado.

Espinosa encuentra ya casi exhaustos los recursos de los puros poetas italianos. Marchitos sus tópicos, sólo el mayor decoro de la dicción al describir podía salvar obras cortadas por tal patrón, gastado e inutilizado de una parte por Garcilaso y de otra por fray Luis de León. Podía intentarse lo que después había de culminar en Góngora, es decir, abandonar el camino más o menos realista y tratar de resolver los temas abordados en plano distinto del de la imitación de la naturaleza, propugnado por todos los tratadistas cultos desde Aristóteles. Espinosa, influido por condiciones geniales de localidad y temperamento, decide inventar una naturaleza, que describe con la misma llaneza y tersura que Garcilaso las orillas del Tajo, o fray Luis el huerto de la Flecha. En esto reside su originalidad, o mejor aún, su singularidad. Ocupa, por ello, un puesto único entre el puro italianismo, ya agotado en 1605, y el barroco gongorino que ya preludiaba. [...]

Me urge dejar escrito que Pedro Espinosa, aparte esta singularidad subrayada, es un auténtico poeta en el resto de su obra. La navegación de san Raimundo es pieza excepcional que, si la rutina no fuera la guía de nuestros historiadores literarios, figuraría, por derecho propio, en la más estrecha antología. Aparte las cualidades de brillantez imaginativa, tiene otras de poeta auténtico que no quiero pasar en silencio. Es, sobre todo, un estupor ante la naturaleza, ante el ser maravilloso de las cosas, que comunica a sus versos un tono inconfundible de poesía. Cuando, en el primero de sus espléndidos salmos, se dirige a Dios interrogándole:

¿quién te enseñó el perfil de la azucena?,

la misma ingenuidad de la pregunta, el sorprender en la flor lo menos dicho y lo más prodigioso de su ser, el rapto religioso preciso para la interrogación, infunde al verso una tensión, una temperatura poética, un tono que es poético por sólo el ademán, aun sin considerar el concepto.

María del Pilar Palomo, Agustín del Campo,
Stanko B. Vranich y Gaetano Chiappini

FLORES DE POETAS ILUSTRES DE ANDALUCÍA

Fue justamente admitido en la época que en Sevilla y su escuela poética fue donde comenzaron las «elegancias» de la lengua castellana, como afirma Suárez de Figueroa. Y, efectivamente, el paso de Herrera a Góngora (que tiene treinta y seis años cuando muere el sevillano), no es sino la natural evolución de una poesía de tipo culto, que dejará de ser renacentista en el contenido y que, tras una etapa manierista —la del propio Herrera, la de san Juan, la del Góngora juvenil— aboca al pleno barroco de las *Soledades*.

Herrera ya había defendido el derecho de los andaluces a la creación de un lenguaje poético. Sus *Anotaciones a Garcilaso*, con prólogo del humanista Francisco de Medina —que enseñó en Antequera en 1568, diez años antes de nacer Pedro Espinosa—, y composiciones, entre otros poetas, de Francisco Pacheco y Barahona de Soto, son el manifiesto de la escuela sevillana coetánea, que él preside y que el humanismo de Mal Lara alentó. Pero son, también, el germen de evolución de la misma. Porque no al azar he citado los nombres de Pacheco y Barahona. Recordemos que será un sobrino del primero, el pintor y poeta del mismo nombre, quien edite los poemas del maestro en 1619. Y entonces será Rioja, el más importante poeta de la escuela del XVII, el que escriba el prólogo de la edición. Un poeta que *comienza* en Herrera, aunque sólo contase tres años de edad cuando el cantor de Leonor edita y comenta a Garcilaso y es sólo un adolescente cuando muere el poeta sevillano.

Esa vinculación herreriana va unida al ambiente humanístico y

Dentro del texto de M.ª del Pilar Palomo, *La poesía de la edad barroca*, Sociedad General Española de Librería, Madrid, 1975, pp. 51-60, 62-64, se han introducido, en cuerpo menor, fragmentos de * Agustín del Campo, «Problemas de la *Canción a Itálica*», *Revista de Filología Española*, XLI (1957), pp. 47-139; ** Stanko B. Vranich, «Un discípulo aventajado de la escuela sevillana: don Juan de Arguijo (1567-1622)», en *Ensayos sevillanos del Siglo de Oro*, Albatros, Valencia, 1981, pp. 42-54, y *** Gaetano Chiappini, ed., Francisco de Rioja, *Versos*, Università degli Studi di Firenze, 1975, pp. 107-109.

cultural de la vida social sevillana de la época. Una riquísima ciudad, en donde la nobleza atesora todo lo que el arte y la cultura suministran y en donde pueden realizarse grandes fortunas, como la del padre de Arguijo, rico comerciante, traficante en Indias; fortuna que el poeta despilfarró jugando, precisamente, a mecenas, gran señor y docto académico. Un ambiente de enorme vitalidad, en donde el lujo del arte va acompañado del estudio humanístico, el amor a las antigüedades y la lectura de los clásicos. Ese binomio de «latinidad y devoción a Herrera» —el genial, pero rezagado petrarquista— va a determinar ese «cultismo sin culteranismo» o clasicismo rezagado que vio Valbuena en el grupo, más o menos presidido por Rioja, y reunidos, entre otras, en la tertulia del pintor Pacheco.

Les une su docta formación clásica, su equilibrio renacentista, su amor al arte. Son algunos —Pacheco, Jáuregui...— auténticos pintores que cumplen así la gran aspiración de la época de aunar las dos artes. O contemplan, como Rodrigo Caro, las *Antigüedades de Sevilla*, con su pasión de arqueólogo, que unirá en su poesía a la melancolía barroca. Y, en general, produce en sus sensibilidades mayor impacto un viejo tema ovidiano —los fríos sonetos mitológicos de Juan de Arguijo— o la contemplación cotidiana de una flor, que la llamada pasional del primer Espinosa. Sus sonetos petrarquistas tienen mucho de imitación herreriana, pero han aprendido, del palpitar emocional del maestro, una *tensión* poética, una sensibilidad intelectualizada y un arte de la palabra que, al ritmo de su tiempo, les llevan a temas de filosófica melancolía moralizante, con Séneca y Horacio al fondo, en ocasiones. Recordemos a Medrano, tan unido al grupo, la *Canción al oro*, de Jáuregui, o la famosa *Epístola moral a Fabio*, de Fernández de Andrada.

La realidad o el arte que les mueve a contemplación, pueden serlo las ruinas de Itálica, que inspirarán a Caro su famosísima *Canción*; a Rioja un soneto de espléndido endecasílabo final («cubre yerba y silencio y horror vano»); a Pedro de Quirós, la retórica pregunta con que comienza el suyo («Itálica, ¿do estás?»); o a Juan de Arguijo el original enfoque de otro, evadido en parte de los obligados —y monótonos— tópicos de la poesía de ruinas del barroco, en los que cae el propio Arguijo al evocar —en vía libresca e imitativa— las de Troya o Cartago.

* [La *Canción a las ruinas de Itálica* debe ser explicada juntamente con las otras producciones de Caro.] Por todas ellas desparramó el poeta su sentir, sin que en ninguna esté acabado de expresar por entero. Pero, además, la compenetración que hay entre todas ellas puede hacernos abrir los ojos sobre algunos extremos. Así, cometería un grave yerro el que echase a cuenta de la retórica o de lo aprendido en los libros lo que en aquel hombre fue sentimiento auténtico y movedor esencial de su espíritu. Dígase lo que se quiera del mérito artístico de la *Canción*, no ha de confundirse el tanteo constante en busca de la expresión feliz —¡y Caro era tan vulnerable a la desconfianza en sí mismo!— con la inautenticidad. Aquí se ofrecería el delicado problema de saber por qué lo que él. vivió con más espontánea entrega haya podido parecer artificioso alguna vez.

A poco que se repare en las diferencias [respecto al soneto afín de Medrano («Estos de panllevar campos ahora, / fueron un tiempo Itálica. Este llano / fue templo. Aquí a Teodosio», etc.)], sorprenderá la variedad de impulsos vitales que se le agolpan a Caro en la contemplación de las ruinas. La *Canción* condensa buena parte de sus más profundas experiencias. Si hay en ella un dejo monótono (alguna vez se ha dicho),[1] no lo causa la pobreza de motivos personales, sino la actitud del autor, entregado mansamente al fluir de la evocación que le baña en sucesivas oleadas. Lejos está Caro de ser un pasajero curioso, ni un puro arqueólogo, ni siquiera un poeta contento de haber dado con un bonito tema. Es el hombre entero que se sobrecoge frente a un espectáculo de aplastante grandeza, con una capacidad de conmoverse, de imaginar y de recelar inigualada, en cuanto a este tema, por ningún otro autor español de la época.

Pueden destacarse aún algunos aspectos dignos de estudio. Quizás el rasgo más original sea el animismo de los objetos. Las piedras, sobre

1. [E. M. Wilson [1936], pp. 394-395, escribe: «Creo que el mérito de este poema ha sido sobreestimado. Posee una cierta dignidad y efectismo, algún sentido para "el gran estilo", pero no "hay choque de conceptos que se opongan entre sí", ni síntesis de pensamiento y sentido, y, lo peor de todo, presenta escasa variedad. La claridad, por la cual el poema ha sido alabado tan a menudo, hace que el lector propenda a ciertos despropósitos debidos a la cantidad de asociaciones. A despecho de este verso efectista: "Campos de soledad, mustio collado", a pesar de algunos ritmos hábiles y fuertes expresiones: "el mar también vencido gaditano", no está desarrollado el sentimiento; sólo la expresión de fácil contraste entre la Itálica de ayer y de hoy. Esto se ha tomado de entre los varios aspectos de Itálica, los muros, palacios y baños, los anfiteatros, las mansiones de los hombres gloriosos, las calles y la ciudad en su conjunto. Pero se repiten los mismos conceptos indefinidamente. La diferencia es solamente superficial; la misma técnica se utiliza de continuo».]

todo, son auténticos seres conscientes, tienen lúcida, dolorosa conciencia de lo que fue y de su deshabitamiento. Cada piedra, diríamos con el lenguaje de la época, es un concepto. Un concepto que pugna por vaciarse de sentimiento y cobrar expresión, sin conseguirlo. Para interpretar ese difícil lenguaje, cifra de la historia de Itálica, el poeta va movido por una honda piedad, que tras el calor de la aproximación primera le permite sondear en los caídos edificios las voces enigmáticas del pasado. Sin duda Caro tiene conciencia de encontrarse cerca del gran misterio. Cree sentir la voz del sobrenatural genio de Itálica (pagano ángel de la guarda) cuando las tinieblas se enseñorean del lugar.

Esto unas veces. Otras —el espectáculo tiene dos caras—, calma amenazadora, el terrible silencio de lo sin vida. Puente colgante entre el ayer y el hoy, la inmensidad del vacío. Y el poeta se abisma en la soledad, esa soledad que da el hondo resonar del tiempo contra el presente derrumbado. Estremecido por el morir de todo lo visible, piensa en el que nos acecha de continuo. Ahora es cuando se abre el campo para la meditación moral.

Y de nuevo, Rioja. Ya destacó Valbuena la aguda sensibilidad poética que reflejan sus dos *visiones* de ciudades sumergidas. Ahora, junto al tiempo y el olvido, es el agua la que borra imperios y glorias pasados: Salmedina —«que sombra de su nombre aun no ha quedado»— y *A las ruinas de la Atlántida*, que «yace envuelta en alto olvido», como supremo ejemplo no visible, pero estremecidamente intuido de «Que todo huye cual sombra o viento airado». El mismo enfoque melancólico pueden adoptar los temas mitológicos. Ya no es el tiempo que huye —que realidad y tópicos recuerdan—, sino el *ejemplo moral* en que pueden convertirse los radiantes mitos clásicos. Así, el encuentro de Andrómeda y Perseo —tan lleno de sensualismo en el pincel de Rubens o los versos de Lope—, es para el pintor Pacheco una alegoría moral de su combate interior: «Y mi parte inmortal por culpa oscura / del dragón casi ya en la boca fiera, / aún a su libertad niega el deseo; / ... ¡Tanto es ingrata al celestial Perseo!». Pero más frecuentemente, el tratamiento del mito adopta formas que podríamos llamar parnasianas. Un ejemplo, los sonetos de Juan de Arguijo. Lo mismo que hizo traer de Italia mármoles y estatuas para su palacio (que admiró y cantó Lope), y decoró con frescos de tema mitológico el salón destinado a celebrar sus academias poéticas, el poeta sevillano *dibuja* con análoga devoción sus sonetos históricos y míticos. Porque, en ocasiones, el tema puede servir para un topiquista encarecimiento de su propio sentir —es mayor su tormento que el de Sísifo o la música, que obró prodigios con Anfión y Orfeo, en él acrecienta su mal...—, pero es, casi siempre, el tema *en sí*, su descripción, la materia a desarrollar. Generalmente, elige entonces del asunto un momento, una *instantánea*, que suele corresponder al episodio culminante de la historia. Incluso *detiene* lo narrativo por medio del diálogo: el soneto fija el tiempo a la brevedad de un intercambio de frases, o a la longitud de un monólogo. Así, el rapto de Ganimedes queda reducido a las palabras que Júpiter le dirige al arrebatarle al Olimpo; la historia de Ariadna, al lamento de la joven al verse abandonada de Teseo, o la proeza de Escévola al mudo tender de la mano al fuego del héroe y la respuesta de su enemigo. Esa elección episódica, que huye tanto de la extensión —que el soneto no admite— cuanto de la síntesis, hace que, a veces, los sonetos se enlacen argumentalmente, como otros tantos fragmentos de una narración. Los tres dedicados a Orfeo, por ejemplo, corresponden a tres momentos sucesivos de su historia: bajada al Hades y pérdida de su amada, canto de Orfeo, y, al fin, *A Orfeo despedazado*. Pero, en todo caso, esa *recreación* descriptiva, como un dibujo carente de color pero ágil de línea, presupone siempre en el lector un conocimiento del tema en toda su extensión. Son poemas insertos en un sistema preestablecido de base cultural, de ascendencia clásica, si bien los temas tratados son, casi siempre, aquellos que, por conocidos y aceptados, se han convertido en tópicos.

    ** [Una buena muestra del arte de Arguijo es su soneto VII, *A Tántalo*]:

> Castiga el cielo a Tántalo inumano
> que en ímpia mesa su rigor provoca,
> medir queriendo en competencia loca
> saber divino con engaño umano.
>
> Agua en las aguas busca, i con la mano
> el árbol fugitivo casi toca;
> huie el copioso Erídano a su boca
> i en vez de fruta aprieta el aire vano.
>
>   Tú, qu'espantado de su pena admiras
> quel cercano manjar en largo ayuno
> al gusto falte i a la vista sobre,

> ¿Cómo de muchos Tántalos no miras
> exemplo igual? I si cudicias uno,
> mira al avaro en sus riquezas pobre.

Dentro del claro dominio de una idea central que impera sobre el soneto entero, el poeta logra una máxima individualización de las estrofas. El primer cuarteto de la parte expositiva se limita a contar los motivos del castigo. Aquí no hay metáforas complejas, ni elementos puramente ornamentales. Las palabras se destacan por la cualidad evocativa que les presta un elevado poder persuasivo, como el de un juez dictando una justa sentencia contra un reo de cuya culpabilidad no cabe duda. Domina los versos una calculada frialdad.

Obsérvese que la acentuación del cuarteto entero recae sobre las sílabas pares, y que con la excepción del primer verso que lleva los acentos sobre 2-4-6-10, los restantes tres poseen una acentuación idéntica y perfectamente equilibrada: 2-4-8-10, secuencia en extremo insólita en la poesía de Arguijo. Termina con una estructura bimembre expuesta en términos de doble antítesis: saber-engaño, divino-humano, que encierra la suerte del reo hasta el fin del universo.

En el segundo cuarteto, donde se describe el archiconocido castigo, los recursos estilísticos se multiplican. El primer hemistiquio del verso 5 contiene una paradoja: «Agua en las aguas busca». Interesante el detalle que revela aún más la situación incongrua: busca «agua» entre «aguas», y más abajo veremos cuánta. El segundo hemistiquio —«y con la mano»— sintácticamente se queda en el aire; lo que busca queda relegado al próximo verso. Tiene éste once sílabas como todos los demás, pero queda corto, geométricamente corto (el verso 5 con respecto al 6 tiene once espacios tipográficos más), como la mano de Tántalo para alcanzar la fruta. La frase está tomada de Ovidio: «Quaerit aquas in aquis et pomo fugacia captat» (*Amores*, II, 2, 43), y Arguijo, como diría Herrera, «la hizo natural de nuestra lengua»; pudo además añadir efectos especiales que no se encuentran en el original. De un poeta castellano de la época no se pedía más.

La absorbente descripción del suplicio se interrumpe dramáticamente al iniciarse los tercetos con un vocativo dirigido a un interlocutor: «Tú, qu'espantado de·su pena admiras», para quien en dos artificiosos versos con cuatro pares de contrastes se resume la situación de Tántalo: cercano-largo, manjar-ayuno, gusto-vista, falte-sobre.

El segundo terceto continúa el tono de intimidad propio de un diálogo entre amigos, iniciado en el primer terceto, pero aquí el poeta llena de tensión las palabras finales. Los tres versos están divididos en dos partes iguales: en la primera, el verso 12 en su totalidad carece de pausas y su ritmo enfático, iniciado con el acento en la primera sílaba, no se detiene (gracias al oportuno encabalgamiento) hasta la mitad del verso siguiente; y la segunda, en que está formulada una reflexiva contestación tiene tres pausas: «y si cudicias uno, // mira el avaro // en sus riquezas pobre». El equilibrio del último verso corresponde al juicio que expresa, y comprende una perfecta formulación de la figura estilística llamada *paradoja*. La Real Academia al definir esta voz en su *Diccionario* no encontró mejor ejemplo para ilustrarla que este verso de Arguijo. Una pequeña obra maestra es, también, el soneto entero. Menéndez y Pelayo lo incluyó en *Las cien mejores poesías líricas*. En la lengua castellana hay poesías más inspiradas, pero habrá pocas en que el poeta haya demostrado mayor dominio de la técnica.

Si Arguijo huye, en su frío perfeccionismo academicista, de la impresión sensorial, otros poetas alcanzan en sus imágenes pregongorinas sus mayores aciertos. Ya no es el tema clasicista el que puede inspirar una motivación religiosa —como en el soneto aludido de Pacheco—, sino la belleza inmaculada de una perla, trasunto de la de María, como exquisitamente analiza Pedro de Quirós, o la sensorial belleza de un búcaro de flores, el trampolín o resorte poético de un Rioja:

> Pues ¡cuál parece el búcaro sangriento
> de flores esparcido,
> y el cristal veneciano,
> a quien la agua, de helada,
> la tersa frente le dejó empañada!

Toda una serie de impresiones visuales que van de la línea —«búcaro», «de flores esparcido»— al color —«sangriento», por los claveles que contiene—, a la transparencia —«cristal veneciano», «empañado»—, que nos conducirían al bodegón, en paralelo pictórico, si esas impresiones visuales no se enriqueciesen con otras táctiles: «tersa frente» y, sobre todo, esa prodigiosa frescura —de agua «helada»— que se transfiere a todo el texto, cubriendo claveles y cristales. La lejanía con un Arguijo es ya, aquí, casi infinita. Y todo un mundo sensorial —no libresco— se derrama por los poemas del cultísimo sevillano.

Sus sonetos amorosos se enraízan en la línea del petrarquismo español. Los ecos herrerianos del dedicado *A unos álamos blancos* son, por ejemplo, tan evidentes como lo es el endecasílabo final: «Lejos de ver mi altiva luz ardiente». Un petrarquismo «encendido», a veces, en el muelle sensualismo de unos labios «blandos, rojos y suaves»: «Labios, do se arma amor, y que encendieron / mi pecho en llama y rosa dulcemente». Esa «rosa» resuena por toda la poesía de Rioja. Ante ella, cuando languidece alejada del sol, el poeta se siente hermanado, o exhorta a su amada a gozar de la juventud y la hermosura en la más pura tradición del clásico y renacentista *Collige, virgo, rosas*. Porque el poeta sabe, melancólicamente, que la fugacidad del tiempo marchitará su radiante belleza. Por ello cuando, en exquisitas silvas, cante *Al clavel, A la rosa amarilla, Al jazmín, A la arrebolera*, no será esta última, tan breve que casi une su nacer a su morir, la que inspirará al poeta la melancólica visión de la brevedad de la vida. Y, lejos ahora de todo hedonismo renacentista, resuena su pregunta *A la rosa*, muy cercana a la inanidad barroca:

> Pura, encendida rosa,
> émula de la llama
> que sale con el día,
> ¿cómo naces tan llena de alegría,
> si sabes que la edad que te da el cielo
> es apenas un breve y veloz vuelo?

Por eso pedirá *Al verano* que camine a «lento paso», que deje «el volar ligero», que permita al hombre gozar de ese «día claro y puro», días de «púrpura», de «rosas», de «encendidas alas», de «fruta sazonada», que el «puro rocío» blanquea sobre el «blanco lirio» de los tendidos manteles... un «bello incendio» que pasa volando. Y el poeta, amonesta melancólico: «¿Y tú la edad no miras de las rosas?». Todo el campo semántico de *luz* va cubriendo las cosas que nutren los poemas de Rioja. Aquel día «claro y puro» parece, efectivamente, derramarse por sus versos. El búcaro que reluce, la llama, el clavel ardiente, el luciente cielo..., en donde la «luz» con frecuencia se une *Al fuego*, hasta dedicarle a este último las más atrevidas imágenes de su poesía: «ardientes alas», «vagante llama» que «tiende el cabello sobre antigua selva», a fin de «conservar su luz maravillosa» y que, «émula de los astros», levanta entre el verdor del pino «globos de fuego y máquinas de llamas».

***   En la silva VII, *A la arrebolera*, se recorre el azar humano en su perenne condición, tomado en la amarga dialéctica entre la ley y el ansia de deseo vital, búsqueda de belleza y dramática osadía contra la suprema voluntad: la noche, breve y tenebrosa, es el espacio vital de la flor. En esta silva, así como en las otras dedicadas a las flores (VIII, *Al clavel*; IX, *A la rosa amarilla*; X, *A la rosa*; XI, *Al jazmín*), se realiza una unión prodigiosa entre la historia humana y la de la flor cautivadas por el común destino de la ley del tiempo. Rioja penetra en la compuesta figura de las flores, creando refinadas y múltiples representaciones, encuentros tormentosos y desesperados de pasiones vibrantes, llenas de sensual energía y de extremada languidez, angustiosos símbolos del ansia vital en la desolada lucha contra el tiempo destructor. Se establece y verifica un estrecho vínculo entre la flor y el hombre en un mismo esfuerzo y en una audaz desobediencia a la ley soberana: «y tú, a su eterna ley mal obediente» (v. 3). Rioja inyecta en el débil y delicado cuerpecillo de la flor el sentido de tiempo con el sutil veneno de la brevedad de la vida, de la fuga y disolución de la belleza: tópicos de su tiempo expuestos en una larga tradición; son lazos angustiosos del proceso de agotamiento post-renacentista, no ya pretextos de triste recelo literario, producidos por la saturación de espléndidos *otia* en las pausas de la multicolor jovialidad renacentista. El triunfal orgullo y la alta cumbre de las conquistas de Herrera [...] se sustituye por la lucha desesperada contra la muerte definitivamente reconocida como la otra cara de la vida, simétrica proyección de la cuna en la sepultura que afligirá hasta el dolor al exasperado Quevedo. Es decir, se declara una lucha subterránea, titánica y profética, una escaramuza entre las cosas y el tiempo y entre las cosas y el destino: («alzas la tierna frente, / en llama, diré, o púrpura bañada, / de la gran sombra en el oscuro velo ...» [5-7]) con el relieve de aquel frágil organismo, pleno de fuego y de púrpura, en trágica lucha con las tinieblas por llegar «mustia y encogida y desmayada / a ver del día / la blanca luz rosada» (8-10), en un ansia desesperada de luz, de calor diurno conseguido a riesgo de muerte. Y todo este esfuerzo por una conclusión inexorable: «¡*tan poco* se desvía / de tu nacer la muerte arrebatada!» (11-12). Nos es lícito reconocer el sentido de toda la poesía de Rioja, en la búsqueda de ese «tan poco», mínimo espacio entre vida y muerte; la delimitación de una zona sobre la cual amenaza el destino, neutra, pero que quisiera escapar a tal destino, débil soporte de un estremecimiento de eternidad, inminente y arrebatado, isla en el tiempo y tiempo inmóvil, desviado al afán del tiempo objetivo entre vida y muerte. Se revela, pues, la secreta inclinación del hombre que quiere librarse del imperio de la ley y que arde en el deseo de prolongar la vida: se vislumbra aquí un subterráneo pulular y un agitarse de fuerzas en contraste, de ardientes tensiones: «¿qué te valdrá que huyas, / con *ambicioso afecto* / de acrecentarle instantes a la vida / los conocidos y nativos lares» (16-19); «*no inquietes atrevida* / el cano seno a los profundos mares» (20-21); «dime, ¿cuál *necio ardor* te solicita / por ver de Apolo el refulgente rayo» (28-29); «Deja el mar *am-*

biciosa / que por tu errar inmenso y dilatado / no añadirá fortuna hora a tu edad alguna» (52-55). [...] Por una parte, la fortuna que se opone a cualquier cambio y a cualquier evasión de la condición vinculante de la muerte y el tiempo; por otra, el hombre que debe considerar la muerte como una deuda que tiene que pagar: «esperando aquel *último desmayo* / a quien tu luz y púrpura *se debe*» (60-61), la muerte como solución de la deuda de la vida y de la belleza. La breve historia de la vida está cerrada «en sólo el cerco de una noche fría» (15), tiempo fijado e intransigente en el cual son vanas las súplicas.

El valor de transición de la escuela antequerana y granadina, entre Renacimiento manierista y gongorismo pleno, es un concepto coetáneamente aceptado, montado, especialmente sobre la famosa compilación, realizada por el mismo Espinosa, *Flores de poetas ilustres de España*, publicada en 1605, de la que su «momento típico es la *Fábula de Genil*» del propio compilador. Porque si bien el mismo Góngora (que conoció a Espinosa en Valladolid en 1603) aparece recopilado en las *Flores* es, en esa fecha, el representante genuino de una lírica meridional, pero no aún el autor del *Polifemo* y las *Soledades*.

Espinosa se mueve en el círculo poético antequerano, que reúne los nombres de Martín de la Plaza, Rodrigo Carvajal, Agustín de Tejada Páez o su posible *musa*, Cristobalina Fernández de Alarcón..., y tantos nombres, que recogería el *Cancionero antequerano*. Se relaciona con los granadinos Gregorio Morillo, Juan de Morales o Mira de Amescua y conecta con los representantes de los grupos sevillano o madrileño... Sus *Flores* son, en tal sentido, todo un manifiesto poético, como mosaico de transición. Pero él mismo, como poeta, representa en sí ese paso del cultismo herreriano a formas plenas del XVII. [...]

El mundo *fue* distinto después de Góngora. Ese camino *transformador* es el que ya transita un Pedro Espinosa, cuando surge la *teoría* que aboca el gongorismo: el joven Luis Carrillo y Sotomayor compone su *Libro de la erudición poética*, «el verdadero manifiesto del culteranismo naciente» (A. Vilanova), aparecido en la edición póstuma de las *Obras* del malogrado poeta, en 1611. En ellas también se publicaba la fábula de *Acis y Galatea* y dos años después comienza a divulgarse, manuscrito, el *Polifemo* gongorino.

La diferencia entre ambos poemas reside en el *tono* de las composiciones. Idéntico tema ovidiano, analogía en las fuentes, y ciertos puntos concretos de imitación gongorina, pero el *Polifemo* irradia exuberancia, intensidad y sensualismo, frente a la suave y casi melancólica y sentimental atmósfera de Carrillo. Porque, mucho más apegado al Herrera petrarquista, es un paisaje intimista y casi *cerebral* el que Carrillo sentirá vivamente, como evidencian sus sonetos. En ellos, como en sus grandes maestros, los elementos de la realidad sensible —el caballo viejo, la torre ruinosa, el olmo derribado, el chopo tronchado por el viento...— son tantos *motivos* que le llevan a la introspección; tantos *ejemplos* de un acaecer interior. Así, ante el caballo viejo, que arrastra el «tosco arado», el poeta rememora que, «Cuando ardiente pasaba la carrera, / sólo su largo aliento le seguía», pero ahora, «ya el flaco brazo al suelo apenas clava», para terminar melancólicamente «que el cano tiempo en fin todo lo acaba». O ante el chopo que perdió su corona por la ira del viento y que tornó «en verde oscuro su esperanza verde», exclamará, «Yo, sin los lazos de mi Celia amada, / ¿qué mucho a tal me traiga un pensamiento, / si un árbol me dio Amor que me lo acuerde?». Por ese camino de introspección, el Carrillo *cultista* de la *Fábula* y del *Libro de la erudición*, que intenta seguir —y sigue— las huellas de los clásicos, llegará a unir formas cultas, intensamente manieristas, con contenidos barrocos. De tal manera que sus fórmulas estilísticas latinizadas y sus resortes expresivos pregongorinos, ceden, en ocasiones, ante una angustia existencial, a lo Quevedo, que le separa de su amada latinidad y le amarra violento a su sentir de época:

> ¡Con qué ligeros pasos vas corriendo!
> ¡Oh cómo te me ausentas tiempo vano...!

En ese tiempo que huye, Carrillo va mucho más allá del tópico. El *carpe diem* se ha transformado ya, barrocamente, en angustia vivencial *directamente* expresada. Sin apoyo objetivo en ruinas o languidecer de rosas. Y creo que es en este punto, precisamente, donde se fusiona el docto poeta aristocrático de la *Fábula* con el *caballero asceta*, que al fin triunfó.

Dámaso Alonso

LA *EPÍSTOLA MORAL A FABIO*: «UN ESTILO COMÚN Y MODERADO»

La *Epístola* está planeada y desarrollada con un gran sentido de equilibrio y complemento de partes y con una ordenada variedad de los artejos que las forman. Su construcción es eminentemente discursiva. El poeta ha buscado una ponderadísima diversificación retórica y ha eliminado los vínculos explicativos. Ha procurado alternar la expresión expositiva con la afectiva. Lo afectivo está señalado, unas veces por el uso de exclamaciones y otras por interrogaciones (interrogaciones suasorias que presuponen ya su exacta respuesta). Ha introducido también imágenes de gran belleza y nitidez; tales imágenes muchas veces tienen valor de ejemplo; y se dudaría en si llamarlas lo uno o lo otro. Unas y otros hábilmente esparcidos a lo largo del poema, avivan la atención del lector. Y hay unas cuantas imágenes heridoramente penetrantes, certeramente intuitivas, que quedan vibrando, imborrables, en nuestra mente, y lo mismo ocurre con algunas prensadas condensaciones de pensamiento en la palabra. Ésta se amolda de modo extraordinario al verso, y llena en justa plenitud la estrofa. Tal suma de aciertos, ¿fue la obra de un sabio medidor y equilibrador de elementos, o manó de esa sabiduría no planeada, que es la intuición creativa? No lo sabemos. Sí, que la impresión en el lector es que todo cayó en su sitio justo y con las palabras precisas y exactas que lo tenían que decir. No hay en toda la literatura española otro poema con estos rasgos de serenidad, de contención, de precisión, de felicidad conceptual y expresiva. [...]

Admitiendo la validez de la distinción fundamental de Antonio Machado, no hay duda de que la *Epístola* es un haz entrelazado, de máximas de carácter general y absoluto. Y esto, unido al hecho de que casi todas tienen evidentes antepasados, más o menos directos, en la filosofía estoica, y sobre todo en Séneca, hace en absoluto indispensable que tratemos [de explicar en que consiste la alta calidad del

Dámaso Alonso, *La «Epístola moral a Fabio» de Andrés Fernández de Andrada. Edición y estudio*, Gredos, Madrid, 1978, pp. 42, 49-50, 58, 68-70.

poema.] Lo primero que vemos en ella son calidades negativas. Nada, absolutamente nada de barroquismo; ni tampoco de ese deleitarse en recargos esteticistas de lo clásico, de que son ejemplo Francisco de la Torre o Medrano, y en menor grado Herrera y aun el mismo fray Luis de León. La atmósfera estética de la *Epístola* se mantiene siempre noble, pero homogénea: no se condensa aquí y allá en estilismos preciosistas como los que, con las variaciones indicadas, se dan en esos autores. [...] Esa sensación de medida que por todas partes encontramos en la *Epístola* resalta muy especialmente en lo que toca al orden de las palabras. Léase el poema despacio: es prodigioso observar cómo en cualquier frase el orden de nuestro pensamiento se siente perfectamente acompañado por el de el de las palabras, y el de éstas al mismo tiempo se ajusta al más normal en el decir castellano. [...] Lo notable es la casi total ausencia de inversiones y que las que aparecen son de las más corrientes y casi incorporadas como uso normal al idioma. Y, sin embargo, esta misma ausencia de efectos del significante nos revela algo valioso para nosotros. Es que en la *Epístola* el significado discurre con tal fluidez, con tal continuidad lógica, que rechaza, por decirlo así, rompimientos, hiatos mentales como los que a veces en otros poetas permiten ese juego de acciones y reacciones entre el significante y el contenido. [...]

Dificultoso es buscar en la *Epístola* rasgos positivos que caractericen a su estilo desde el punto de vista del significante. Apenas si hemos encontrado algo, prácticamente nada, al tratar de hallar en la *Epístola* los que de modo tan notable señalan a don Francisco de Medrano, contemporáneo del autor de la *Epístola* y próximo a ella en cuanto al contenido [véase *HCLE*, vol. 2, cap. 8], rasgos como son el hipérbaton, las afectaciones de léxico, los estilismos reiterativos; podríamos también haber mencionado que en los famosos tercetos que estudiamos faltan totalmente los versos plurimembres, las correlaciones, diseminaciones y recolecciones, etc. Todos estos rasgos se dan en Medrano y algunos de ellos, acá o allá, en Garcilaso, en Herrera y aun en fray Luis, y no digamos en Góngora. Hay dos versos de la *Epístola* que parecen expresar el ideal estilístico del autor, ideal que de modo prodigioso logró realizar en su obra: «un estilo común y moderado, / que no le note nadie que le vea» (vv. 173-174). Para él se trata de un ideal estilístico mucho más amplio, vital: estilo de vida. Pero no nos cabe duda de que en su fórmula incluía también, como parte del estilo vital, el literario. El encanto de este estilo nos penetra. Pero no lo notamos: no sabemos cuál es, en qué consiste, su sencilla eficacia. [...]

En busca de un tipo de análisis del contenido por elementos menores de la sentencia, elegimos, por menos dificultoso, el estudio desde la perspectiva del contenido, de los adjetivos que figuran en la *Epístola*. [...] Lo primero que notamos es la casi total ausencia de adjetivos que pudieran sugerir o resaltar una idea de color en el sustantivo correspondiente. Son muy pocos los que pueden darnos una sensación colorista o lumínica. [Hay gran abundancia, en cambio, de los que expresan calidad del espíritu humano o de sus acciones.] Según nuestro cálculo, de los 171 casos, 119 lo son con valor espiritual. El uso de adjetivos del mundo espiritual representa casi un setenta por ciento de todos. Es lo que corresponde al carácter de la *Epístola moral* según lo habíamos encontrado en el análisis de contenido y articulaciones de ella. [...] Los adjetivos usados una sola vez son 109; los que aparecen dos veces, 15; tres veces, 8; cuatro veces, 2. Si de esos adjetivos repetidos eliminamos ahora los casos en que no están usados con valor espiritual, nos quedan unos cuantos bien característicos del profundo sentido unitivo de toda la *Epístola*. El poeta separa en su mente acciones y elementos favorables a la virtud y deseables en el virtuoso, por una parte, y por la otra los contrarios.

Aborrece todo lo *vano*, que en él equivale a lo falso («el *vano*, ambicioso y aparente», 165), lo no fundado y no merecido (premios conseguidos «por *vanas* consecuencias del estado», 24), y lo aplica también a la retórica hinchada («al arte de decir, *vana* y pomposa», 191). Pertenece también al campo reprobable lo *frío* y *duro* del corazón que no aspira a sus verdaderos fines («en la *fría* región, *dura* y desierta, / de aqueste pecho», 112-113); no seamos como la tierra *dura*, ingrata al cultivo (97); el *temeroso* y para poco queda también alejado de la virtud («El ánimo plebeyo y abatido / elija ... *temeroso* ...», 7-8), porque la virtud misma no puede ser sino valiente y esforzada («No la arguyas de flaca y *temerosa*», 195). *Simple*, ingenuo, desprevenido, no avisado, es también tacha repetida («está unida / la cauta muerte al *simple* vivir mío», 74-75; «huyo y me retiro / de cuanto *simple* amé», 202-203).

Del otro lado están las cualidades gratas al poeta. *Dulce* es lo agradable al espíritu y por él deseable: *dulce* llama al amigo al fin de la *Epístola* (202); y *dulce* es el anhelado sosiego («Busca, pues, el sosiego *dulce* y caro», 40). *Ilustre* y *generoso* es lo que corresponde al ánimo esforzado de quien es indiferente a los bienes y sucesos del mundo («el corazón entero y *generoso*», 10; «alguno tan *ilustre* y *generoso*», 178); *ilustres* son también los genios que favorecen las virtuosas acciones («de más *ilustres* genios ayudadas», 201). *Alta* es la mejor parte de nuestro ser («nuestra porción *alta* y divina», 106) y *alto* es el último fin al que debe tender el

hombre («al *alto* asiento, / morada de la paz y del reposo», 143-144).
Común representa lo que es uso general de la gente y debe ser buscado
por el que practica la doctrina de la moderación: «algún manjar *común*»
(132), no refinado, no exquisito, es lo que puede pedir a la naturaleza
el discreto y moderado; «un estilo *común*» (173), que no pueda llamar la
atención a nadie, es lo que debe desear el que practica la templanza. Repetido tres veces está también (próximo a *común* y casi su complementario)
el adjetivo *callado*: así es la virtud semejante a la brisa en las montañas,
frente al estruendo de los farsantes hipócritas («¡Cuán *callada* que pasa
las montañas / el aura», 160-161); el poeta desea pasar callado por el
mundo («y *callado* pasar entre la gente», 116); y aun pide que la muerte
le llegue sin bullicio, callada («¡Oh muerte!, ven *callada* / como sueles
venir en la saeta», 182-183).

Lo que estaba profundamente grabado en el corazón, brotaba por la
pluma. No nos extraña aun en poeta tan cuidadoso de evitar repeticiones
de léxico, que algunos adjetivos figuren varias veces en el breve poema.
Vano, temeroso, duro, frío, simple servirían para establecer la caracterización del que sigue los engañosos lazos del mundo; *ilustre, generoso,
alto, callado*, y con deseos de una vida y un estilo *común*, esbozarían el
espíritu del virtuoso y de sus apetencias. Los adjetivos más usados en
la *Epístola* son los que señalan el fondo del pensamiento del poeta y
forman la unidad básica de su obra. [...]

En la *Epístola* una unidad de pensamiento suele ocupar totalmente un terceto. Si ocupa dos es porque el sentido total se articula
de un modo natural en dos partes; y cada una de ellas se amolda
con precisión en un terceto. Si una unidad de pensamiento ocupa
tres estrofas suele ser porque se articula en dos partes, de las cuales
una se divide a su vez en dos: los tres artejos así formados ocupan
tres tercetos con las mismas características de concisión de lenguaje
y plenitud de las estrofas.

Sería una exageración querer mostrar este moldeamiento estrófico
como una nota de total novedad en la *Epístola*. La brevedad de la
estrofa lleva hacia él. Creo que ésta es una de las causas del éxito
del terceto desde la *Divina commedia*. Pero nunca, entre nosotros,
con la perfección que en la *Epístola*. Se diría que el sentido fuera
una masa fluyente y el terceto un molde receptor que con precisión
maravillosa recibe la cantidad de materia que sobre él se vierte. Pero
es que también la cantidad de materia ha sido concebida, o medida
en su concepción, con tal exactitud que ha cesado de fluir en el
mismo instante en que su molde —el terceto— se ha llenado ya.

Esta adecuación de materia de sentido y de molde estrófico se puede decir que es una característica constante de la *Epístola*. La asociación de dos o más tercetos —siempre conservando cada uno su individualidad y plenitud estrófica— introduce la necesaria variedad. De unidad y variedad de asociación de las unidades, resulta un como placer matemático según por la mente del lector va pasando en variados módulos esa bella exactitud de pensamiento: serenidad, plenitud, concisión, belleza.

Y de repente, aquí y allá, versos maravillosos: unos que pueden todavía explicarse como productos de la compresión de pensamiento y la economía de palabras en el troquel del verso; otros, inexplicables, que nos orean desde las altas cimas del espíritu.

> Triste de aquel que vive destinado
> a esa antigua colonia de los vicios,
> augur de los semblantes del privado (52-54).

Esto dice el poeta, del cortesano (la corte es la «colonia de los vicios»; «antigua» porque siempre ha sido y será así). Pero el verso de que quiero hablar es el último: «augur de los semblantes del privado». En él, tres sustantivos (*augur, semblantes, privado*) condensan una gran cantidad de contenido. Los augures eran en Roma los que adivinaban, deducían predicciones del vuelo de las aves y de otros signos. El cortesano, siempre temeroso, trata de adivinar, con miedo de que el privado esté de mal humor aquel día, atisbándole la cara, para ver si está de bueno o malo. En el plural «semblantes» es donde se acumula la mayor cantidad de significado. En ese verso la materia queda comprimida, obligada a rendir la máxima suma de contenido.

> ... ¡Oh muerte!, ven callada
> como sueles venir en la saeta (182-183).

El capitán Andrés Fernández de Andrada debió de ver algunas veces (¿dónde?) esa muerte silenciosa. Le queda una imagen callada, casi gélida. Rodeado del alboroto del mundo, ese silencio le es refrigerante: que su muerte sea así, que no le llegue —y sigue hablando el capitán, el militar— con el estruendo de las armas de fuego o de otras ruidosamente destructivas. Juntando de una parte de la *Epístola* un terceto (127-129), y el citado verso y medio de otra, nos sale el ideal de vida del autor (y de otros muchos hombres, de todas las épocas): «Un ángulo me basta entre mis lares, / un libro y un amigo, un sueño breve, / que no perturben deudas ni pesares. / ... ¡Oh muerte!, ven callada / como sueles venir en la saeta». Versos densos. Pero a veces el verso excede inexplicablemente su molde, su imagen, su contenido. Es una silenciosa saeta heridora que ha penetrado muchas almas.

JOSÉ MANUEL BLECUA

LOS ARGENSOLA: EL LUGAR POÉTICO DE LUPERCIO Y LA SÁTIRA DE BARTOLOMÉ LEONARDO

Aunque ignoremos los poemas que pudieron perecer en Nápoles, lo cierto es que la poesía de Lupercio Leonardo permanece fiel desde 1582 a unos postulados que no cambió hasta su muerte. (Ya confesó él, en los tercetos leídos en la Academia madrileña, ser tan constante, aunque referido a lo amoroso, que antes que en él se «imprima forma nueva / se imprimirá la cera en el diamante».) Por eso, su obra poética no puede presentarse como una reacción anticulterana —ni unida a la de su hermano—, porque no varió en absoluto y, por otra parte, las *Soledades* y el *Polifemo* no pudieron afectarle, puesto que son de 1613, año de su muerte. Sus contactos con la poesía del Barroco son más íntimos de lo que se había creído, pero su fidelidad a los clásicos, sobre todo a Horacio, fue absoluta y sin fisuras.

De Horacio aprendió la gran lección de la lima y del retoque, la búsqueda de la palabra precisa y su poca afición a divulgar su obra con la imprenta, aparte del préstamo de temas, como el elogio de la *aurea mediocritas*, el gusto por una sátira de los vicios y no de las personas (compárese con Góngora, Quevedo, Villamediana, etc.), la gravedad (él mismo dice que le tenían por «triste y seco»). Todo iba

José Manuel Blecua, ed., Lupercio Leonardo de Argensola, *Rimas*, Espasa-Calpe (Clásicos Castellanos, 173), Madrid, 1972, pp. XXXIX-XLII, y ed., Bartolomé Leonardo de Argensola, *Rimas*, I, Espasa-Calpe (Clásicos Castellanos, 184), Madrid, 1974, pp. XXXIII-XXXVII y XXXIX-XLII.

muy bien a un hombre a quien tuvieron, desde su juventud, por sensato y más razonador que impulsivo.

No le sedujeron las novedades formales de los hombres de su generación, como tampoco a un Arguijo o Rioja. (Nótese que ninguno de los tres se sintió atraído por la del romance artístico o las letrillas.) Si Cervantes elogió sus obras dramáticas, lo cierto es que no volvió a escribir nada más, e incluso parece que recomendó a Lope que no escribiese tanto, a juzgar por el delicioso y autobiográfico soneto 25 de las *Rimas* del Fénix. [...] Sería Lope, sin embargo, quien elogiaría más cariñosamente a los dos hermanos al decir que «parece que vinieron de Aragón a reformar en nuestros poemas la lengua castellana, que padece por novedad frasis horribles, con que más se confunde que se ilustra». Claro que Lope se refiere a un fenómeno que afectaba más a Bartolomé que a Lupercio Leonardo: el fenómeno de la influencia de Góngora, que tanto trajo de cabeza al Fénix.

El estilo de Lupercio Leonardo es muy personal y responde mejor a los ideales del Renacimiento que a los de su generación. Es un estilo lleno de naturalidad y corrección, sin violencias sintácticas y sin metáforas o comparaciones inusitadas. Es muy sobrio en el uso de adjetivos coloristas o sensuales y los demás que utiliza son muy corrientes («olas hinchadas», «altas naves», «luz divina», «hierro agudo», «sordo mar», «cabellos largos», etc.). Véase este ejemplo, tan bello y por tantos conceptos, de sabia naturalidad en el decir y sabia mezcla de ideas:

> Si la esperanza quitas,
> ¿qué le dejas al mundo?
> Su máquina disuelves y destruyes;
> todo lo precipitas
> en olvido profundo,
> ¿y del fin natural, Flérida, huyes?
> Si la cerviz rehuyes
> de los brazos amados,
> ¿qué premio piensas dar a los cuidados?

Por eso, cuando se publicaron las *Rimas* el poeta Nadal escribió a Uztarroz lo siguiente: «Las obras de los Leonardo me holgarán salgan presto y tengan la aceptación que merecen sus dueños; mas como no será la poesía al modo de agora, temo no agraden». Claro

está que el joven Nadal era uno de los más finos gongorinos zarago-
zanos, pero su frase es muy certera, puesto que la poesía de Lupercio
Leonardo se parece poco a la que se cultivaba en 1634, cuando aparecieron sus obras, salvo la de algunos poetas andaluces y otros aragoneses o vinculados a esos grupos, como Fernández de Andrada,
el curioso Villegas o el príncipe de Esquilache, a ratos, y fray Jerónimo de San José, tan genial prosista.

Bartolomé Leonardo, lo mismo en prosa que en verso, sintió
mucha atracción por el género satírico. Tradujo el diálogo *Menipo*,
y a su imitación compuso otros, sumamente curiosos. Grave por lo
aragonés, como decía Gracián, creía en la seriedad de la sátira, en su
moralidad y en su posible eficacia correctora. [...] Las sátiras del
rector, *Epístolas*, se quieren aproximar a los *Sermones* de Horacio,
aunque ya notó Menéndez Pelayo que en las de los dos hermanos, las
flechas van certeras «pero suelen entretenerse en el camino, y si no
yerran el golpe, pierden parte de su fuerza y hieren débilmente».

Aunque el joven Menéndez Pelayo viera antes las bellezas de Horacio
que las de sus imitadores, lo cierto es que más de una epístola de Barto-
lomó Leonardo es, a ratos, demasiado prolija, con más de una divagación
innecesaria, con demasiados tercetos que proliferan como lianas; pero
también es cierto que la epístola satírica —y no satírica— toleraba esas
divagaciones sin demasiada preocupación. Las pullas podían escribirse sin
mucha dignidad, pero no la sátira, llena de «razonamientos sesudos y
graves», que exigía una gravedad moral y literaria (y por eso las pulió con
tanto rigor). Fiel a su doctrina poética, veía en la sátira una corrección
de costumbres, y no un ataque personal. Por eso decía a fray Jerónimo de
San José, remitiéndole el soneto que comienza «Cuando los aires, Pármeno, divides» que más de uno creyó escrito contra J. de Carranza o Pacheco de Narváez: «Jamás he dado desabrimiento a nadie por escrito ni
de palabra, y no he tenido razón; mas Dios se lo perdone a quien falsa
aplicación ha hecho».

Por lo demás, salvando parte del reinado de Felipe II, la época se
prestaba mucho al ejercicio de toda clase de sátira, desde la literaria a la
política, pasando por la personal, y de todas tenemos más de un ejemplo
soberbio. Aunque Bartolomé Leonardo no desconocía los peligros de este
ejercicio literario, como decía al príncipe de Esquilache, lo cierto es que
el moralista que llevaba dentro (como les pasa a casi todos los grandes
satíricos) le incitaba con mucha frecuencia a tentar el género, que cultivó
a lo largo de toda su vida, porque las mejores epístolas se pueden fechar
perfectamente.

La que ofrece un interés más subido, limada muchas veces, a juzgar por las versiones manuscritas, es la dirigida a don Nuño de Mendoza sobre los vicios de la corte, que ha merecido siempre los mejores elogios de la crítica. [...] Que Bartolomé Leonardo estaba muy preocupado por la corrección de los vicios cortesanos, que eran muy auténticos, lo prueba el hecho de escribir un memorial sobre la manera de corregirlos: *De cómo se remediarán los vicios de la corte*, compuesto a petición de los ministros de Felipe III. Lo curioso es comprobar además la correspondencia que hay entre lo que dice en su memorial y lo que escribe en sus tercetos. Para el grave rector, los vicios más señalados de la corte son «codicia, rapiña y deshonestidad escandalosa de todo género de gentes, dificultosos de curar por la muchedumbre dellas»; muchedumbre que llega a la corte por dos causas: «obligación y deleite». «Por la primera, acuden pleiteantes y pretendientes por negocios de justicia o de gracia»; por deleite, «hombres ociosos, amigos de regalos, curiosos y parleros, tibios en la virtud, y otros peores: ministros de venganzas, apóstatas de religiones, eclesiásticos ausentes de sus residencias». Pero Bartolomé Leonardo no se limita a enumerar los vicios y defectos cortesanos, sino que le preocupa la manera de corregirlos, pidiendo que se prohíban muchas cosas, y «todas las ocasiones de vicios, casas de juego ... y algunos oficios ... como son los que hacen nuevos guisados y comidas exquisitas, y los inventores de sedas y trajes diferentes». (Nótese este final, tan revelador de su austeridad.)

No todo, pues, eran reminiscencias clásicas, de Juvenal, Persio o su amado Horacio, sino aquellas realidades que obligaron a promulgar las pragmáticas conocidas o a instituir la Junta de Reformación de costumbres. Por eso, cuando don Nuño de Mendoza pretende educar a sus hijos en la corte, al severo rector sólo se le ocurre describirle los vicios de todo tipo; que si los quiere ver perdidos: «si viciosos, al fin, y contumaces / en lujuria y en gula, vengan presto; / tráelos a la Corte; muy bien haces». No está la corte llena de Catones y Escipiones, precisamente, sino de mentirosos, aduladores, deudores, religiosos apóstatas, sediciosos y autores de tumultos. No les faltará un Ganimedes («destos que andan perdidos a remate») que en vez de incitarles a estudiar los llevará al Prado; los narcisos —que suspiran por randas y almidones— les llevarán con sus amigos; al paso que otros los aficionarán a meretrices y más de uno los llevará a las «cuevas sacrílegas de juego». [...]

En la sátira a Mendoza, Bartolomé Leonardo hace desfilar una serie de tipos, pintados con cuatro rasgos de una eficacia sorprendente: unos comen a todas horas; otros aman las invenciones modernas, «peinados siempre y limpios como arminio». «Y no se correrán de andar bizarros, / con rostros opilados y sutiles, / y quizá de comer cascos de barro.» Alguno tiene sus cinco sentidos ocupados en comprar dijes, al paso que don Fulano no se sabe vestir, «de flojo y lánguido» y le rizan el cabello con instrumentos de cirujano, y más tarde «Pone el rostro a lo turco o nabateo, / mostachos y aladares se perfila / (que es belleza tener algo de feo)». Por todo Madrid se ven estos niños, y lo que es peor, viejos tan frágiles como ellos, «porque en la misma escuela se han criado»; sin faltar las reverendas tocas (aquellas «enflautadoras» quevedescas), que tejen los conciertos, buscando las consabidas ganancias, porque la moneda, «del áspero desdén nunca ofendida», tiene gran parte en la corrupción cortesana. La barahúnda callejera se describe en pocos versos, pero repletos de agudeza, gracia y observación:

> tropel de litigantes atraviesa,
> con varias quejas, varios ademanes,
> sus causas publicando en voz expresa,
>   entre mil estropeados capitanes,
> que ruegan y amenazan, todo junto,
> cuando nos encarecen sus afanes.
>   Los vivanderos gritan, y en un punto
> cruzan entre los coches los entierros,
> sin que a dolor ni horror mueva el difunto.
>   Las voces, los ladridos de los perros,
> cuando acosan la fiera, aquí resuenan,
> y aquí forjan los Cíclopes sus hierros. [...]

De distinto tipo es la epístola que dirige en 1621 a don Fernando de Borja, virrey de Aragón, hermano del príncipe de Esquilache, donde alude claramente al destierro en Galicia del conde de Lemos. Menéndez Pelayo vio muy bien que «como obra de la madurez del poeta, el elemento satírico cede allí al moral y filosófico». La epístola, bellísima, es una brillante apología de la vida retirada, frente a aquella barahúnda de la corte y sus vicios, con acentos de Horacio, pero también con elementos barrocos de profundo encanto. [...] En algunos momentos logra el rector aciertos insuperables, llenos de encanto poético, como cuando hace el conocido elogio de la música de la cantimplora, que más de una vez ha recordado otro gran poeta, Gerardo Diego [véanse vv. 436-444]. La típica enumeración barroca, que tanto sedujo a Lope de Vega o a don Luis de Góngora, tiene en esta epístola ejemplos perfectos, que sirven además para ver la inmensa distancia que separa la poesía del rector de la que se escribía en 1621, con tanto influjo gongorino [véanse vv. 366-384].

Como buen satírico y partidario de una poesía al servicio de la filosofía moral (aunque no lo diga tan claramente como su hermano Lupercio ni moralice con tanta insistencia), Bartolomé Leonardo escribió también abundantes poemas morales, pero de un modo menos adusto que otros contemporáneos y sí más suave y amable. Aunque coincidan temas frecuentes en la poesía del Barroco, una sabía contención muy medida, un ceño menos severo y la ausencia de imágenes o metáforas extrañas u originales caracterizan estos poemas del rector.

FERNANDO LÁZARO CARRETER Y HENRI BONNEVILLE

CONCEPTOS Y «SALES»

I. [La *comparación*, la *alegoría*, el *enigma*, la *metáfora* se cuentan entre] los procedimientos que permiten de modo perfecto la constitución y el nacimiento de conceptos, en el literal sentido que a esta palabra da Gracián [véase arriba, p. 104]. Cada uno de ellos puede mostrarse en formas muy distintas. Dentro de la comparación, por ejemplo, cabe integrar, como variedades suyas, la *antítesis* y el *contraste*; y los tipos posibles de metáforas son muy numerosos. Todos estos recursos de relación existieron antes del siglo XVII. Pero es característica de este siglo, desde los años finales del XVI, una densificación de su uso, una aplicación tan denodada de tales fórmulas que suscita en el lector las mayores perplejidades. [...]

Hoy es inimaginable la fama de Alonso de Ledesma (1562-1623), a quien sus contemporáneos dieron el dictado de divino. Ledesma concibe siempre de manera alegórica. Asombra su capacidad para

I. Fernando Lázaro Carreter, «Sobre la dificultad conceptista», en *Estilo barroco y personalidad creadora*, Cátedra, Madrid, 1974, pp. 18-31 (18-21, 25-26, 29-30).

II. Henri Bonneville, *Le poète sévillan Juan de Salinas (1562?-1643). Vie et œuvre*, Presses Universitaires de France, París, 1969, pp. 353-357, 362-363.

descubrir insospechados paralelos entre las cosas.[1] Casi siempre, su alegoría es diáfana y las correspondencias resaltan sin esfuerzo. Observemos algún ejemplo. En la *Tercera parte de conceptos espirituales* (fijémonos en el título), publicada en 1612, podemos leer un poema titulado «La vida de Cristo desde su encarnación hasta que vuelva a juzgar a los hombres. (En metáfora de un reformador de una Universidad)». A él pertenecen los versos siguientes:

El reformador de escuelas	Las partes de la oración
entró víspera de Pascua,	que los preceptores llaman
a fin de poner en orden	nombre, verbo, participio,
la Universidad humana ...	con distinción les declara.
En la Gramática halló	El nombre es el Padre Eterno,
una mala concordancia,	el verbo, el Hijo que encarna,
que es acusar a quien hizo	el participio, su amor,
cielo, tierra, cuerpo y alma.	pues de entrambos a dos mana.

Pero, en otros casos, no queda todo tan transparente, y su alegoría, por escasez de puntos de referencia a los términos del miembro alegorizado, se hace enigmática. Ledesma, entonces, no duda en poner, al margen de los versos, la solución de sus adivinanzas. Así, escribiendo «A S. Ioan Evangelista ante portam latinam. En metáfora de freír peces»:

A pescar se puso Dios	
en el mar de Galilea,	
y cuantos peces desea	Apóstoles.
los saca de dos en dos.	
Uno grande fuisteis vos	*Sic volo eum manere.*
y dijo Pedro esta vez:	
¿qué se ha de hacer deste pez	Excelencias del Evangelista.
que me parece el mayor?	
Respondióle el pescador:	
quiérolo para guardar,	
y pues tanto ha de durar,	
frito quedará mejor.	Martirio.

1. [M. d'Ors [1974], p. 313, concluye que «las relaciones que Ledesma establece entre la realidad central y las que sirven para manifestar aquélla no suelen basarse en semejanzas de orden sensible, sino más bien funcionales. El poeta segoviano no asocia cosas externamente parecidas, sino cosas que cumplen una misión análoga. La percepción sensorial, por consiguiente, no interviene apenas en las asociaciones conceptuosas, suplantada por la intelectual. Este hecho descubre el elevado intelectualismo de Ledesma, quien muchas veces intercala el sintagma *bien mirado* entre los términos emparentados como

De tal modo escribe este contemporáneo de Góngora, que, como es natural, contó con la admiración rendida de Gracián [y] creó una verdadera y casi desconocida escuela alegorista, a la que pertenecen el poeta Alonso de Bonilla y el predicador Jerónimo de Florencia, entre otros.

Calambur, juego de palabras, disociación y dilogía, constituyen los principales representantes del equívoco, que es, según Gracián, «un significar a dos luces». Y todos ellos se produjeron en nuestra literatura en los albores del siglo barroco, con mayor intensidad aún que en la Edad Media. No se limitaron a la literatura chistosa, sino que penetraron en todos los campos, en la poesía religiosa incluso. Alonso de Ledesma y Jerónimo de Cáncer (m. 1655) abusaron de ellos, sin detenerse ante la irreverencia. Así lograban producir, por igual, el entusiasmo de las gentes y de ciertos doctos. [...]

Observemos dos ejemplos «religiosos» de ambos autores. Así cantó Ledesma, *A las obras de virtud*, en sus «Juegos de Nochebuena a lo divino» (1605):

> Si por lo que el mundo diga,
> obras de virtud no hacéis,
> haced vos lo que debéis,
> y dad al mundo una higa.
>
> Vestid al pobre, por Dios,
> que si lo venís a dar
> por vuestro particular,
> una higa para vos.

Y con no menor descaro, de esta manera se enfrentó Jerónimo de Cáncer con la figura venerable de santo Domingo de Guzmán:

> Diéronle con gran cuidado
> el bautismo consagrado,
> donde la gracia se fragua,
> y al irle a *pasar por agua*,
> vieron que *estaba estrellado* ...
>
> Siempre en oración estaba,
> y en continua penitencia,
> y, cuando se maltrataba,
> un *domingo quebrantaba*
> muy sin cargo de conciencia.

---

si invitase al lector a reflexionar para poder recorrer los caminos de una relación oscura, que sólo el ingenio hace evidente. Pero hay que destacar que esta asociación intelectualista apunta a hacer visibles, concretas y familiares las realidades, ante todo religiosas, de las que habla Ledesma. Así, por ejemplo, Dios es para el poeta de Segovia, que encuentra en la Biblia unos precedentes orientadores, *rey, cordero, sol* y *piedra*. En ocasiones, se ve claro que el poeta no retrocede ante lo demasiado visible, concreto y familiar cuando le sirve para alcanzar la inmediatez, la expresividad estimulante, y llega a asociar realidades sublimes con otras absolutamente vulgares e incluso chocarreras, como la intercesión de san Roque contra la peste y una partida de ajedrez ganada gracias al *roque*, el martirio de san Juan Evangelista y la fritura de un pez, etc.».]

El lector puede comprender, fijándose en las palabras destacadas, su valor dilógico.

Fue Ledesma el escritor más pródigo y admirado en su técnica equivoquista. Ésta alcanza su plenitud al publicar, en 1615, una obrilla absurda, el *Monstruo imaginado*. En ella, una palabra es inmediatamente asociada con otra; en la asociación, la primera palabra cambia muchas veces de sentido, produciéndose —al menos, en la intención del autor— un efecto cómico. Sirva este ejemplo: «Este librillo de tripera (ocioso lector de artes) te saco a luz de linterna; cuenta sus hojas de espada, mira sus capítulos de provincia, lee sus escritos de melón, nota sus cotas de malla, pasa tu tabla de manteles, y acata este don de la Cartuja».

A tal gusto en los poetas, correspondía indudablemente una especial aptitud de los lectores para estimarlos y comprenderlos. Y no hemos de pensar que tales recursos eran cultivados en cenáculos literarios. Por el contrario, los lectores constituían una masa tal que las ediciones se agotaban rápidamente. Los versos de Ledesma fueron impresos multitud de veces durante el siglo XVII.

[De hecho, el equívoco, tal como era practicado por Ledesma, Cáncer, Bonilla, Paravicino, constituye] un tipo especial de dificultad que, paradójicamente, es fácil. Existe, en efecto, un tipo de dificultad, ilustre y culta, que nada tiene que ver con la dificultad conceptista. Es la que postula don Luis Carrillo, en su *Libro de la erudición poética* (1607), [condenando la oscuridad, pero admitiendo todos los recursos formales y semánticos del arte afirmados en la poesía por una sólida tradición, aunque no sean comprensibles por el vulgo.] Carrillo destierra del juicio poético a los ignorantes, y se acoge a la templanza aristotélica y al ideal artístico preceptuado por Quintiliano, es decir, a «la costumbre del hablar con sentimiento de los doctos».

Punto a punto pueden enfrentarse los ideales de un Ledesma y de un Carrillo. Porque Ledesma —y con él los poetas y dramaturgos que emplean los referidos procedimientos conceptistas— van hacia el vulgo, a él se dirigen, chocarreramente a veces.[2] Ellos colocan la

2. [De ahí también que, como señala J. M. Aguirre [1965], pp. 134-135, Ledesma, Valdivielso, Bonilla y otros muchos recurran a menudo a los que se llamaron «dichos más caseros y manuales» para la construcción de analogías piadosas. «En una copla navideña, uno de los pastores de Valdivielso dice: "Por entre el zamarro / saqué la cabeza, / como la tortuga / entre sus cortezas". La expresividad de esta analogía habla por sí misma. En otro de sus poe-

dificultad, no como un muro frente a la comprensión del lector
—¡cuán lejos las alusiones mitológicas, geográficas e históricas tan
gratas a Carrillo!— sino como un leve obstáculo, como una piedrecilla en su camino, que le haga detenerse un instante, para continuar
en seguida, regocijado, orgulloso del pequeño triunfo de su ingenio.
El poeta, deliberadamente, trenza dificultades con elementos accesibles al lector o espectador, hasta el punto de que las evitaría si no
reconociese en él sobrada aptitud para vencerlas. Necesita, pues, su
complicidad para dar forma a sus chistes, a sus malicias, a sus inge-
niosidades. Los conceptistas no son oscuros. Hasta el mismo Quevedo, complicadísimo en sus juegos conceptuales, se sentía más que
claro, clarísimo: «Y Lope de Vega —decía— a los clarísimos nos
tenga de su verso».

II.   [Tras unos años en Segovia —donde tal vez trató y aun tuvo
por «censor» a Alonso de Ledesma—, Juan de Salinas brilló en
Sevilla (hacia 1598-1643) por el cultivo de una poesía de salón cuyo
motivo esencial —y aun el mecanismo mismo de su arte— reside en
el juego de palabras.] Juegos de palabras, retruécanos, paronomasias,
inversiones burlescas de letras o sílabas, chistes, alusiones son los
instrumentos invariables, pero infinitamente variados, de los donaires
que animan y a veces incluso justifican por sí mismos la composición.

El mecanismo de tales procedimientos, en resumidas cuentas es bastante fácil de analizar. La mayoría de las veces el tema central del epigrama
es el que proporciona el juego de palabras: «Habiéndole enviado un su
amigo un poco de *pavo*, visitándole después, *se le olvidó* agradecerlo»;
aquí tenemos ya los dos elementos: el pavo, el olvido; y de ahí nace el
juego de palabras en torno al cual se organiza el billete cuya segunda mitad
está destinada a reparar una involuntaria descortesía: «Olvido fue cuando
anoche / di por allá *pavonada* ('fui de paseo') / no decir del pavo nada; /
agora las gracias rindo / de la parte que me cupo, / que a dulce ambrosía
supo». Abunda ese tipo de retruécanos por asociación de palabras: *jaca
blanca / alba-haca, Gil + toro / toronjil*. También se usa la inversión:
dar mula / muladar, temas Ana / anatemas; y la paronomasia: cuando
lo *Tirso* en lo *terso* (fui reconociendo...).

—————

mas, Valdivielso compara a Cristo en la cruz con un nadador: "como nadador /
los heridos brazos abre, / que dicen que iba a anegarse". Alonso de Ledesma
en uno de sus romances compara la humildad al "rebote de pelota / que apenas
toca la tierra / cuando refurte hazia arriba / sin género de violencia".»]

También puede ocurrir que todo el poema se construya como una cascada de juegos de palabras sobre el mismo *vocablo*, que constituye en sí mismo la palabra clave de la sátira, como el verbo «tomar» en el ovillejo dedicado a «el tomar de las mujeres». [Pero también puede tratarse de una cascada de retruécanos en busca de una inagotable gama de posibilidades de palabras sobre una misma *idea*.] Asimismo se obtienen numerosos efectos utilizando aposiciones, antítesis o antónimos: un envío de *pasas* sugiere la antítesis *pasado/presente*; unos lenguados «tomados a préstamo» al convento de N. S. de los Reyes por los de la Inquisición, inspiran a Salinas esta excelente décima, perfectamente ideada pensando en los dos versos finales: «Unos pocos de lenguados, / que traía a mi convento, / cual reos vi en un jumento / llevaban aprisionados; / yo, por excusar enfados, / al que la prisión obró, / dije: ¿cómo se atrevió, / que nunca tal prisión vi? / Contra *deslenguados* sí, / mas contra *lenguados* no». A veces la oposición aparece en el mismo principio y estructura la composición entera. Veamos un ejemplo: «A un caballero muy cortés de sombrero ('en saludar quitándoselo'), que presentó ('regaló') el suyo a un amigo, que se lo alabó de linda hechura»: «Con un sombrero no más / *dos* favores ejercitas, / *uno* cuando me lo *quitas* / y *otro* cuando me lo *das*; / y aunque estas voces verás, / que en rigor de propiedad, / se hacen *contrariedad*, / aquí tienen *simpatía*, / que el *quitar* es *cortesía* / si el *dar liberalidad*». [...]

El anagrama es otro procedimiento utilizado por Salinas con cierta frecuencia, y que incluso puede llegar a convertirse en un simple ejercicio de retórica: «Anagrama de *Luisa* / es ilusa y no la infama, / supuesto que el anagrama / no es definición precisa; / ya con el sujeto frisa, / ya es opuesto, ya neutral; / neutros son *perla* y *peral*, / *ramo, amor, burla* y *albur*, / confrontan *hurta* y *tahur*, / implica *malsín sin-mal*». [Los nombres de persona son fuente habitual · de retruécanos (ej.: *Ana* / *la mejor-Ana*; *Ana de Cárdenas* / *anacardina*).]

Por su rechazo de toda la hojarasca mitológica, por la claridad y la concisión de sus frases, por la naturaleza misma de las metáforas o de los juegos de palabras, Salinas no tiene nada en común con lo que se llama *culteranismo*; el propio poeta en varias ocasiones adopta una posición muy clara en este punto. Su décima «Al nuevo lenguaje culto» condena tanto las oscuridades gramaticales como las del pensamiento: «Cultísima elocución, / tú que de artículos huyes, / y en los conceptos incluyes / tinieblas de Faraón; / diabólica contajión, / que aun en las letras te pegas, / guarte del fuego si llegas / al castillo de Triana, / seta hereje luterana, / pues los artículos niegas». [...]

Tampoco creemos que los juegos de ingenio de Salinas puedan

confundirse con la forma de pensamiento alambicada del conceptismo. En él, el dibujo del pensamiento, en el fondo muy sencillo de líneas, siempre resulta claro detrás del rasgo de ingenio o la metáfora, [por más que en lo antiguo se le calificara de «algún tanto conceptuoso, sin llegar a ser oscuro». La inspiración y sobre todo el estilo de Salinas están hechos más bien] de purismo, de elegancia, de fluidez y de concisión. Méndez Bejarano supo verlo muy bien y lo puso en evidencia cuando, como ejemplo de la vena cáustica y epigramática del poeta, cita este breve epigrama «a un fraile viejo, mentiroso y falto de dientes»:

> Vuestra dentadura poca
> dice vuestra mucha edad,
> y es la primera verdad
> que se ha visto en vuestra boca.

A continuación comenta: «No cabe mayor soltura hermanada con la sobriedad, ni mayor elegancia, sin perjuicio de la corrección. Podría desafiarse a cualquiera a que añadiese o suprimiese una sola palabra».

Juan Manuel Rozas

EL *FAETÓN* DEL CONDE DE VILLAMEDIANA: ESTRUCTURA Y SIGNIFICADO

El empeño de Villamediana al escribir su *Faetón* (1617) es uno de los más ambiciosos de nuestra lírica barroca. Como en tantas empresas de su vida y obra quiso volar alto, quiso ser, como su héroe, un Apolo de nuestra poesía, y como en tantas ocasiones, podemos decir objetivamente que fracasó noblemente. El *Faetón* es la gran fábula gongorina —cerca de dos mil versos en octavas y suma de fábulas de la *Metamorfosis*—, y sólo el gran maestro, don Luis, tenía lengua poética y sentido del equilibrio en los límites de la lengua

Juan Manuel Rozas, ed., Villamediana, *Obras*, Castalia (Clásicos Castalia, 8), Madrid, 1969, pp. 30-39.

castellana para poder escribirla. Pero le faltó ambición temática, sentido trágico, pasión por lo celeste e infernal, y vocación de poeta extenso. Todo esto lo poseía su discípulo, y por eso emprendió tal obra.

[La fuente argumental son las *Metamorfosis* de Ovidio, amplificando 611 versos en 2.000, reordenando y adaptando libremente.] La fuente estilística y de muchos motivos sueltos es Góngora. Éste no había escrito sobre este tema, pero el conde busca motivos parciales de don Luis que encajen en su asunto, especialmente en el *Polifemo* y las *Soledades*. Así, por ejemplo, la ninfa Siringa está vista a través de Galatea. Marino ha proporcionado al *Faetón* un carácter importante, la complejidad de la estructura. Frente a la brevedad del *Polifemo*, una intensa y perfecta joya, el *Faetón* se alarga y se retuerce argumentalmente, empotrando nuevas fábulas, digresiones morales, descripciones del cosmos grecolatino. Está construida a la manera de *L'Adone*, como ya apuntó Fucilla [1941]. Y como hay ciertos pasajes —el principio de la invocación, las visiones de la Fortuna y del Tiempo— que recuerdan en detalle a *L'Adone*, tenemos que concluir, respecto a las fuentes, que el conde tomó, como tantos barrocos europeos, un tema del gran libro latino de la mitología, lo puso en estilo gongorino, y lo construyó según algunos moldes marinistas. En este sentido es una magnífica representación de europeísmo de su tiempo, formando un ángulo con el vértice en Roma que se abre en continuidad de siglos hasta los dos poetas más espectaculares del Barroco europeo. Y esto lo hace a los pocos años del *Polifemo*, y cuando Marino continúa escribiendo *L'Adone*. Todavía están los dos poemas inéditos: tal es su situación de vanguardia. [...]

Un examen apresurado de la fábula da la sensación de que tiene un caos por montaje, lo que, por cierto, no le va mal al caos mundial que Faetón está a punto de desencadenar con su impericia. Sin embargo, ese caos de octavas tiene una fuerte simetría y una clara ordenación. Incluso una arquitectura renacentista, en la que luego un temblor de tierra hubiese deshecho la nitidez de sus líneas originales.

[Podemos dividir el poema —para analizar esta interesante estructura— en nueve partes: Preliminares (I); Introducción, el origen de Epafo, antagonista de Faetón (II); Planteamiento de la tragedia (III); El Palacio del Sol (IV); Momento central: Apolo y Faetón (V); La carrera (VI);

Muerte de Faetón (VII); Epílogo (VIII), y Final (IX).] De estas nueve partes, una, la central, queda impar y es el centro argumental y significativo del poema. A ambos lados, ocho partes se aparejan dos a dos, en ordenación capicúa. Los Preliminares y el Final o conclusión son una misma cosa, antes y después del hecho trágico, un epitafio premonitorio y un epitafio tras su muerte. La Introducción y el Epílogo (partes II y VIII) son dos adiciones, dos complementos del mito: lo que había antes de Faetón, el origen de Epafo, causante de la tragedia con sus insultos al héroe; y lo que queda después, el llanto y transformación de la madre y hermanas respectivamente. Los puntos III y VII, perfectamente equidistantes con la parte central (V) forman el verdadero eje dialéctico de la fábula. Son las tres únicas partes dialogadas, y sumadas son exactamente el planteamiento, nudo y desenlace del argumento. En ellas se cuenta cómo un mortal desencadena con sus palabras la angustia de otro mortal (III); el cual tiene que pedir actuar como un dios, sabiendo que es mortal y joven, para librarse de la injuria anterior (V); y cómo su acción desencadena un caos, y por tal causa una diosa, la Tierra, tiene que pedir al supremo dios, Júpiter, que fulmine al mortal, y así lo hace (VII). Las partes IV y VI, descripción del Palacio del Sol y la narración de la carrera de Faetón, son partes simétricas antagónicas, la primera indica la maravilla del mundo —«el mundo está bien hecho», diría Jorge Guillén— antes de la aventura de Faetón, y la carrera nos presenta ese mundo al borde del caos total, precisamente a causa de esa aventura. Son las dos partes más largas, allí donde el poeta castellano ha amplificado más el texto latino, y ha conseguido una expresividad más lograda. En la IV introduce una larga serie de estrofas describiendo la pinacoteca del palacio, una galería de los dioses y héroes, quietos y eternos en sus cuadros. Y en la carrera introduce lamentos, quejas, pavores, de esos mismos dioses que antes estaban en quietud, con un gran revuelo que llega de los cielos al mar, y baja hasta el infierno plutoniano. El siguiente cuadro nos dará idea de la simetría y de la proporción que existe entre las distintas partes:

V. Momento central (26 octs.)
Apolo y Faetón

IV. Palacio del Sol (64)	VI. La carrera (57)
III. Planteamiento (12)	VII. Desenlace (16)
II. Introducción (23)	VIII. Epílogo (22)
I. Preliminares (4)	IX. Final (4)

Tenemos una imagen de triángulo isósceles: en lo más alto, en el ángulo de la altura, la parte V. En los otros ángulos, los preliminares y el final, y ascendiendo, simétricamente, y a la misma altura, por los lados iguales, el resto de las partes. Faetón sube, sube, y baja, baja, hasta morir a la altura del mortal que es, de donde partió.

La fábula tiene tres líneas o fuerzas que se entrecruzan una y otra vez, formando, desde tres sentidos aislables, por medio de su suma, el significado total. Una fuerza épica, mostrada en la andadura narrativa del héroe, un mortal que ejecuta una empresa digna de un dios, rodeado de un ambiente maravilloso, marcado por las largas digresiones descriptivas del poema. Como en la épica homérica, los dioses y los mortales se entrecruzan. Faetón es el protagonista y Epafo es el antagonista.

Sin embargo, la distribución de los hechos no se detalla en el tiempo, como en la épica, sino que tiende a la sincronía ideal, a la síntesis que es toda tragedia, destacando nítidamente los tres momentos de los tres diálogos antes mencionados: Epafo frente a Faetón, y éste frente a su madre (planteamiento); Faetón frente a su padre (nudo); y la tierra y todos los seres ante Júpiter (desenlace). Y es que el tema es declaradamente trágico —segunda fuerza— por la forma consciente con que Faetón va a la muerte. El conde ha hecho todo lo posible por destacar el problema del honor que tensa el fondo de la fábula. Si Faetón no es hijo de Apolo, ni tiene el honor de ser un «príncipe», ni tiene honor su madre, al engendrar un hijo con un cualquiera, con uno que no sea el «Rey» o el dios. No basta con que Climene, ni siquiera con que Apolo le diga que es hijo de ambos. Ante la *opinión* del mundo, hacen falta hechos, y sangre, que lave la herida producida por las bocas maldicientes. Una vez que Faetón oye de boca de su padre que es hijo suyo, el honor está salvado; pero no la honra que reside en los otros, en la opinión. Y así, sólo figurando en el papel de su padre, «representándole», siendo imagen de su padre, intentando ser su padre, puede morir con honra. Esto se manifiesta en el poema en toda una serie de «tecnicismos» castellanos de limpieza de sangre y honra: *mejor testimonio, la incierta fe, afrenta segura, elocuencia fue muda la vergüenza, mi afrenta advierte, al común padre por testigo, verificar la duda, termina y da principio a la nobleza*, etc.

El problema personal de Faetón tiene la trascendencia de desencadenar un problema universal: el peligro de desaparecer la vida del universo. Este es el tercer sentido, la fuerza cósmica del poema, que tal vez sea su mayor aliento y su mayor fracaso. Ovidio empieza su

Metamorfosis con el *Mundi origo*, la salida del caos, y la *Fábula de Faetón* es precisamente el gran peligro de volver al origen. Toda la parte VI, «La carrera», es una representación barroca de un mundo que sufre y teme, donde se mezclan dioses, héroes, ninfas, hombres, animales y plantas, en confuso vibrar, hasta que la luz y el calor llegan al reino de las sombras, al averno, acumulando allí espanto sobre espanto. Este largo pasaje se adecuaba especialmente a la estructura del arte barroco y al lenguaje gongorista. Recuérdese la paradoja estilística del infierno del *Orfeo* de Jáuregui. Todos los infiernos de Virgilio a Dante, de Quevedo a Marechal, están teñidos de la confusión barroca, porque la forma se plega al contenido. Villamediana emplea todos los recursos imaginables para servir estilísticamente a ese caos: enumeraciones, en especial nombres propios, sonoros y temibles; contrastes entre luz y sombras; fórmulas estilísticas gongorinas que rompen el equilibrio estable del lenguaje; hipérbatos, encabalgamiento, etc. Y una especial acumulación de neologismos trepidantes. En resumen, intenta adecuar el significado al significante, fallando muchas veces, lográndolo otras muchas: «De pesante metal máquinas graves ... Dixo, y en alta voz ladró el Cervero ... y por la luz o por la voz que oyeron / los cíclopes los golpes suspendieron». Estos dos versos últimos sí son un verdadero acierto, y evocan un famoso pasaje de Rubén Darío.

El sentido último y moral del mito —resultante de las tres fuerzas explicadas— no deja dudas en el poema del conde. He estudiado en otra ocasión el significado del mito a través del Siglo de Oro (Rozas [1963]). El mito sirve de juiciosa moraleja para algunos: no emprendas lo que no puedes alcanzar; o bien, nota el peligro de dejar los gobiernos en manos de jóvenes príncipes. Así, en Pérez de Moya. Otras veces es un epíteto laudatorio en relación con príncipes o con textos sagrados. Otras, es un ejemplo de enamorados, como Ícaro, su hermano gemelo en significado (Villamediana juntó a los dos héroes en varias de sus poesías y en esta misma fábula). Es también una narración fastuosa, un poema épico-mitológico. Por fin, es un caso de honra y honor, un canto al valor de un hombre noble, un deseo de subir alto, de emprender grandes empresas. Este es el sentido que le da el conde, sin ningún asomo de la moraleja de Pérez de Moya y de otros mitógrafos aureoseculares.

En el poema del conde no se duda nunca —sólo Epafo duda— de que Faetonte sea hijo del Sol, y éste no duda nunca de que ha de morir mostrando quién es. El valor de la tragedia radica en ese mutuo conocimiento por parte del lector y del protagonista acerca de lo que sucederá. El héroe se ve encerrado en la clásica trampa de la tragedia. La trampa es doble, moral y física. Lucha épicamente (fuerza positiva) para abrir los hierros morales, y lo logra, demostrando que Apolo le deja ser imagen suya, luego es su padre. Pero no puede abrir la trampa física, salvar la vida, porque al abrir la trampa moral, desencadena un caos (fuerza negativa) en el cosmos, que hace imposible su salvación y segura su tragedia. Así se unen los sentidos, trágico, épico y cósmico. «Oponte a la invasión de tu destino», le dice Apolo, pero esto es imposible. El destino está en marcha desde el principio del poema. Faetón sólo puede coger las riendas y morir. Nunca piensa en el éxito. Ni él mismo cree que pueda llevar a cabo la empresa. Se trata, pues, de un heroico suicidio, aunque moralmente no lo sea, de un destino prefijado que el héroe acepta, no por vanidad o ingenuidad, sino con orgullo y responsabilidad. La posición del conde no varía en todo el poema de lo que dijo en los cuatro primeros versos: «Hijo fue digno del autor del día / el peligroso y alto pensamiento / que pudo acreditar con su osadía / si no feliz, famoso atrevimiento». Es máxima barroca: las cosas basta intentarlas. Es máxima barroca: no discutir, mostrar. Es máxima barroca: las obras al servicio de la fe. Hasta el fracaso, si es necesario. ¿Podía Faetón dejar de empuñar las riendas de su destino hasta la muerte?, y, ¿podía, Villamediana, nacionalizando el caso de honra, dejar de explicar en la fábula la situación hasta sus últimas consecuencias?

Antonio Gallego Morell

LOS DOS TIEMPOS DE SOTO DE ROJAS

> En la época en que Góngora lanza su proclama
> de poesía pura y abstracta, recogida con avidez por
> los espíritus más líricos de su tiempo, no podía
> Granada permanecer inactiva en la lucha que defen-
> día una vez más el mapa literario de España. Soto
> de Rojas abraza la estrecha y difícil regla gongori-
> na; pero, mientras el sutil cordobés juega con mares,
> selvas y elementos de la Naturaleza, Soto de Rojas
> se encierra en su jardín para descubrir surtidores,
> dalias, jilgueros y aires suaves. Aires moriscos, me-
> dio italianos, que mueven todavía sus ramas, frutos
> y boscajes de su poema. En suma: su característica
> es el preciosismo granadino. Ordena su naturaleza
> con un instinto de interior doméstico. Huye de los
> grandes elementos de la Naturaleza, y prefiere las
> guirnaldas y los cestos de frutas que hace con sus
> propias manos. Así pasó siempre en Granada. Por
> debajo de la impresión renacentista, la sangre indí-
> gena daba sus frutos virginales.
>
> Federico García Lorca

Góngora ha partido en dos mitades la obra de sus seguidores, de los seguidores, al menos: ésta es la razón de la división que adoptamos para el estudio de la poesía de Soto. Un Soto anterior al 1613, tierno, garcilasiano, de égloga, soneto y madrigal. Un Soto posterior a esa fecha, audaz, gongorino, de mitología y metáfora, en el aluvión de las octavas. El primero, un *Soto blando*, como lo llamaba para esta primera poesía Jorge de Tovar; el otro, es el *intrincado Soto* del soneto de Lope.

Cierto que, en la blandura del primer momento, están en germen las dificultades de su intrincado estilo, como en la aparente

Antonio Gallego Morell, *Estudios sobre la poesía española del primer Siglo de Oro*, Insula, Madrid, 1970, pp. 182-183 (primero y segundo párrafos), 161, 167-172, 176-181.

facilidad del Góngora de los romances alentaba ya el autor de las *Soledades*. Sin embargo, no se puede juzgar con el mismo criterio a Góngora y a sus seguidores; aun dentro de éstos, cabría distinguir entre gongorinos e inconscientes gongorizados. Soto es gongorino por elección, cónsul, en la Granada del siglo XVII, de la nueva poesía, que, entre tantas borrascas, armaba sus estrofas e intuía sus imágenes. Y se acerca a Góngora con unas poesías escritas antes de 1613 que quiere ocultar. Como errores de su juventud las juzga años más tarde, cuando está atareado con el *Adonis* y el *Faetón* —arquitectura mitológica— o en el quehacer del *Paraíso*, siete *Soledades* en tono menor, las *soledades* del agua y los jardines de Granada. Y si Soto, al fin, se decide a publicarlas, ruegos imperiosos de amigos le convencen, y entre ellos, quizás el más vehemente, fuese Lope, cuyo elogio es también el más fervoroso. Esta primera poesía del *blando Soto* aparece cuando el poeta ya ha desertado de la vega llana, del ademán tierno, incluso de la *Fénix* hermosa de sus sonetos, hacia la intrincada soledad que el cordobés ha alzado como ideal poético. Por eso quizá no fuese tan ingenuo el interés de Lope por airear esta primera manera, garcilasiana y lopesca, del reciente gongorino; o, más bien, su elogio, ya en la acera opuesta, no fuera sino fruto normal de su carácter: derroche de elogios, amores y amistades, entre esa poesía que entrega para muchos —vital humanidad— cuando Góngora y Soto apenas quiebran el hermetismo de sus vidas y obras, a pocos confesadas y para pocos escritas.

Soto fue un solitario más en la vida literaria española del siglo XVII, un poeta que no asistió a certámenes ni justas y que publicó en vida sus obras, no dejándonos, al morir, los manuscritos de sus poemas. El primero que dio a luz —aparte de las composiciones aisladas publicadas en libros de otros autores—, el *Desengaño de amor en rimas*, publicado en Madrid en mayo de 1623, [si bien escrito hacia 1611], enlaza con la poesía de nuestro último Renacimiento. El desengaño, como suprema realidad poética, lleva a temas de soledad y ausencia, y al acabar en soliloquio, el poeta, lejos de la amada, se va a perder en el laberinto barroco de los celos y los olvidos imposibles; el pasado no es recuerdo de caricias, sino la herida que «a más sentir me obliga», y viviendo de este recuerdo, su desengaño se va a ahogar en lágrimas para dar paso a un paisaje húmedo, en confusión de mares, ríos, nieves, rocíos, escarchas, nubes, lluvias, lágrimas y llantos. [...]

Leandro y la barquilla rota, el *carpe diem* y el *beatus ille*, son temas que se repiten en el *Desengaño*, afán de olvido que busca la confidencia

de la noche, y entonces son estrellas, tinieblas, luna, silencio o sueño los
que informan su poesía, recordándose al sol y al pasado amor desde la que
también es noche de amor. Todo se le torna recordar, y al hacerlo, es un
hito más en el tema de los ojos serenos que Cetina situó como modelo
de un tipo de poesía amatoria, ojos a los que pide «males mil por cortesía». Poeta de lo pequeño, orfebre granadino de la poesía del siglo XVII,
el tema de otras composiciones es bien un pajarillo, una mano, una flor,
los cabellos que le envía la amada o un cardenal en su rostro; junto al
desdén de *Fénix*, lo *intrascendente* es elevado a categoría poética. ¿Y quién
sería aquella *Fénix* cuyo cuello no es de alabastro ni de nieve? Soto
apenas nos la describe: «mueve los pies ligeros no calzados, / alados sí»,
«el cabello a la espalda derramado»; y *Fénix* se nos aparece como diminuta diosa, casi como una de las esculturas —alabastro y mármol— de
los jardines de su *carmen*. Pero ¡qué mar de amor y desengaño, de dolor
y de llanto le desató la diminuta diosa! Para Soto, «la muerte es dulce
ya, y el amor mata», y de ese amor pide a sus pastores que huyan y quizás
él también se aparta; pero ¡en qué forma! «Y fuime en paz ¡qué paz! a
sangre y fuego». Se aparta queriendo ocultar su sentimiento, pero sólo
puede enjugar el necio llanto, «en la esponja que ofrece el desengaño».
Soto siente «fuego en el pecho y mares en los ojos», y su poesía lleva ya
el germen de las imágenes audaces que se desatan en sus obras posteriores.
Este es el Góngora de su primera época, el del afán por la metáfora: la
«mucha noche» de los ojos del cordobés y los «mares» en los ojos de
Soto, *Angélica y Medoro* y el *Desengaño*. [...]

Soto es —lo hemos dicho— un solitario más («busco en ti, soledad,
la compañía»), escribe al final de su desengaño, y en este vivir solitario
se enfrenta con la naturaleza y surge el diálogo. Solitario ardiente y el
paisaje es Granada; irremediablemente, tenía que darse una fusión con
la naturaleza y ésta va a participar de su dolor: «el cielo, el aire, el agua
está suspensa / a mi triste gemir ...», «a mi dolor verás con negro luto /
las rosas desmayadas», «verás llorar por mí las piedras duras», o el poeta
va a pedirles el llanto, el sentir, porque su alma ya de sentir no siente,
y en este laberinto no hay otra manera de expresarse sino con la alitera-
ción, que surge con una suavidad asombrosa: «y, él, miróme, miróla y
sonrióse», «vila, viome, matárala, muriera ...». [...]

Ya en su *Discurso poético*, Soto acepta y estima lo barroco al explicar
cierto tipo de locución que se adorna «con tropos, metáforas y figuras»,
limitando él mismo esta ornamentación al declarar que no deben estar
«unas sobre otras, haciendo carga al oído», y va a dejar correr su poesía
como el agua de las fuentes de su paraíso «que en aluvión es plata / y en
alusión es oro». Soto es el más fino de los poetas barrocos. No sólo es
exacto pensar en la cornucopia al considerar su poesía, sino que él mismo
titula así una de sus églogas —*Égloga tercera, llamada cornucopia, por el*

*canto de Marcelo, en que están los ofrecimientos que un rico mayoral
hizo a Fénix—*, ofrecimientos que recuerdan los cortejos rústicos de Lope
y donde Soto nos ofrece uno de los más importantes bodegones poéticos
de la poesía del siglo xvii. [...]

El hombre ha dejado de ser cortesano —actor— ante la aparición del
hombre de ingenio que va a ser espectador en cierto sentido; Quevedo,
ingenioso, será el gran espectador del tiempo huidizo, y este tema del
tiempo que se escapa será obsesión en Soto, problema que enlaza perfectamente con su tema fundamental del desengaño, y por eso volverá la
vista hacia Cartago y Troya, ciudades que fueron, entre invitaciones, a
gozar «la blanca leche antes que moje la colodra seca», un *carpe diem*
bucólico, entonado cuando «ya llega el tiempo a viejo», idea ésta —pasar
del tiempo y mudanza de todo— en la que insiste frecuentemente junto
a esa suma maestría en la representación de imposibles en donde Soto
logra sus más finos aciertos: [«mas ¡ay de mí! que intento / labrar en
bronce con buril de viento».]

Se lanza a la metáfora audaz cuando encuentra «rendidas sus pasiones», de las que ya no queda otro recuerdo que aquellos escritos, grabados
con navaja, en los robles de su ideal campo ¡artificio también y mucho del
paisaje de Soto! Pero este paisaje cambia; desaparece lo bucólico para
dar paso, de una parte, a un espacio —apenas cuenta algo más que lo
etéreo— en el que va a situar Soto las acciones de Adonis y Faetón, ya
creaciones gongorinas en tema, forma y concepción, y de la otra, su paisaje,
su naturaleza entera, se van a reducir a un jardín en el que él soñará
batallas de agua y vegetaciones, todo con un sentido religioso, para acabar
declarando que tanto el plantar los jardines como el cantarlos no es sino
una manera de combatir al ocio contra el que arremete en el discurso
Contra el ocio y en loor del ejercicio.

Para cantarlos —tal vez sólo para eso—, Soto se lanza a plantar sus
jardines: problemas de jardinería por delante de los métricos; jardín a la
italiana —es el tipo granadino— para una poesía a la italiana —es la factura de Soto—. [De ahí el *Paraíso cerrado*.[1]] Su *carmen*, jardín en siete

1. [El *Paraíso* (1652) «es una suerte de *peregrinatio* por el paraíso terrenal
en busca del paraíso celeste, aquel que se presiente —sin alcanzarse— en la
mansión séptima. Un viaje contado en sus últimas etapas, sin que se mencione
para nada al supuesto lector invitado a recorrerlas. Para quien quiera establecer
la relación entre el jardín y el poema, Trillo y Figueroa, en su "Introducción" al
poema, ofrece jugosas indicaciones, precisa intentos y fines, y hasta da una
clave que, a mi juicio, puede esclarecer la lectura de la silva: "El modo, idea y
argumento es el mismo que en su composición y ornato contiene el jardín y casa,
sin hacer más que reducir a números su fábrica; porque es tan elegante, que
toda junta contiene un artificiosísimo poema, compuesto de varios semblantes,
fábulas, imitaciones y pensamientos, conceptos, figuras, exornación y adorno, a

terrazas, que describe una a una, a través de su arquitectura floral, siendo el agua el gran protagonista de estas siete mansiones, el agua de Granada —Juan Ramón, Villaespesa, Machado—, que interesa «no para la sed, sino al oído», como dice Lorca. Jardín pequeño en el que el agua, «cándida copia de cristal travieso», baja de la sierra de Alfacar para entregarse a combates de surtidor a surtidor, diminutivos juegos de gran tradición granadina. Ya no se llora, las perlas son ahora los chispazos de esta auténtica pirotecnia acuática que Soto desata —«vena desatada» la llama— entre mitología petrificada o recortada en ciprés, y en este ambiente —oscuridad de la entrada para resaltar el fondo luminoso— surge su metáfora —el diminutivo en la metáfora—, y así, el ruiseñor y el jilguero van a ser nombrados como «espadachín enamorado», «nocturno paseante», «desvelado cantor», «músico errante», «clarín plumoso», «órgano ligero», «violín de pluma», «ramillete de pluma ...»: multiplicidad de la alusión, es decir, aluvión de alusiones. Barroquismo de una orfebrería literaria —labor de taracea— en los reducidos términos de un jardín, dorado por un sol «asentista del tiempo», cuya última mansión («perfumes llueve y ámbares respira») se resuelve en una serena batalla de flores, en unos juegos florales de inclinaciones de cabezas —cabeceo de ramilletes— ante la rosa, flor natural de «purpúreo parecer» y «verde lo general de su librea».

———————

quien sólo faltaba pronunciación que dijese: 'aquesto soy' ". [...] El poema parte de la tópica localización del carmen entre murallas y ruinas que remiten al pasado histórico de Granada. [...] Las mansiones de esta silva reflejan un lenguaje hiperbólico, cargado de alusiones, poblado de hipérbatos que retuercen la frase provocando encabalgamientos. Las disyuntivas ofrecen, en su simetría, la doble forma de interpretar la metáfora o de elegir el adjetivo; la enumeración, el impresionismo desbordante del gusto nominal manierista. [...] De estos y otros materiales está hecho el *Paraíso*. Pero hay una ausencia, la del hombre, que señala su oposición a otros poemas descriptivos. Nadie acompaña al poeta en su peregrinaje, ni siquiera el lector es requerido. Sólo el lenguaje se adueña del jardín, se hace jardín. La retórica de la prosopopeya y las alusiones mitológicas llenan el vacío de la figura humana» (Aurora Egido [1981], pp. 34-35, 39, 43).]

Francisco Ynduráin

RELECCIÓN DE VILLEGAS

Villegas tenía muy presente el tema del soneto XXIII de Garcilaso («En tanto que de rosa y azucena ...»), y el del mismo asunto, de Góngora («Mientras por competir con tu cabello ...»). Compárese en la cantilena X:

En tanto que el cabello
resplandeciente y bello,
luce en tu altiva frente
de cristal transparente,
y en tu blanca mejilla
la púrpura que brilla,
la púrpura que al labio
no quiso hacerle agravio,
goza tu abril, Drusila,
en esta edad tranquila;

coge, coge tu rosa,
muchacha desdeñosa,
antes que menos viva
vejez te lo prohíba.
Porque si te rodea
y en ti su horror emplea,
quizá lo hará la suerte
que llegues a no verte
por no verte tan fea.

Que Villegas conocía el soneto de Góngora (1582), parece fuera de duda si recordamos que en la oda XIII termina así: «¿Qué podrá resonar que no sea engaños / de nuestra corta vida / en humo, en sombra, en nada convertida?». Pero, prescindiendo de los antecedentes clásicos, tan abundantes y conocidos (Ausonio, Virgilio, Horacio, Propercio), notemos la diferente manera de tratar el tema en los sonetos y en los heptasílabos: la dignidad con que la belleza y la moralidad se revisten del decoro solemne del soneto, es en Villegas jugueteo, y la grave admonición con que ambos terminan aquí se escamotea en tono chistoso: «que llegarás a no verte / por no verte tan fea». Compárese con el tratamiento que al mismo tema da el propio Villegas en la oda IV y, accidentalmente, en la XXX.

El repertorio de temas poéticos en Villegas encaja perfectamente en el recibido de la tradición grecolatina. La invención importaba menos que la fidelidad a un canon de belleza considerado inevitable.

Francisco Yndaráin, «Villegas: revisión de su poesía», en *Relección de clásicos*, Prensa Española (El Soto, 12), Madrid, 1969, pp. 39-52.

La resonancia alusiva a flores, aves, expresiones y mitos proporcionaba un deleite que no percibiremos si no nos allegamos a la mente y a la sensibilidad de la sociedad y el tiempo en que aquella poesía floreció. Durante casi tres siglos, nuestros poetas, y Villegas no menos, se gozaron en recrear los versos antiguos. Si nos fijamos en los objetos poéticos de Villegas, difícil nos será dar con uno nuevo, y sin embargo consigue con tan gastados materiales un nuevo acento y una nueva belleza. [...] Las notas de amable jocundidad, de fácil ligereza, son las más aceptadas cuando se trata de juzgar la obra poética del riojano y no podemos sino asentir. Lo que no se puede hacer es pedir a las anacreónticas y cantinelas otros valores poéticos ni humanos. [...] Es la anacreóntica una poesía inactual, y como el bucolismo, poesía de evasión hacia una esfera de aplaciente sensualidad, sin problemas. No diré que el sueño anacreóntico sea un ideal a proponer, ni que agote las más nobles y más hondas aspiraciones humanas. Es una licencia amable, gustosa, que nunca nos compromete por entero, ni lo pretende; se conforma con la gracia en puro juego. Luego podremos vacar a más graves cuidados, como lo hizo el mismo Villegas, pero no seamos tan severos que condenemos una poesía sin más pretensión que arrancarnos una sonrisa de condescendiente tolerancia y un más puro placer de índole estética.

En la poesía de más empeño no fue tan feliz, ciertamente, nuestro poeta. Cierto que fue un mediano traductor de Horacio, que su lenguaje es tosco y desmañado, a las veces, en sus odas por ejemplo, y cualquiera podrá advertir las caídas. También es cierto, por otra parte, que tiene pasajes muy hermosos en las mismas odas, aciertos expresivos y de emoción personalísima. Léase la oda XXXV, un tanto hinchada, pero con un sencillo final dirigiéndose al Señor: «dame mi vida en mi tierra / y luego buena muerte: eso pido»; o recuérdese el vivo sentimiento de la belleza femenina fundido con el sentimiento de la naturaleza en la oda VI, o estos versos de la XXXIII, a una amada: «... de mis ojos / eras un arrayán, pompa compuesta»; y más adelante: «... la fácil alegría / madrugaba en tu luz; la luz serena / de la mañana amena / en tu dulce reír anochecía».

Verdad es que nunca consigue sostener la misma tensión poética a lo largo de una composición y acaso haya que disculparle por ser obra temprana, aunque no la publicó con la humildad de obra primeriza. Hay, sin embargo, una oda, la III, excepcional en el conjunto, con la que Villegas se ha probado capaz de llegar hasta un nivel de poesía impregnada de misterio y sugestión de lo inefable. Un enamorado escucha el cantar de un pájaro desde su nido. Aduérmese junto a un arroyo el mancebo y el canto del pájaro hace enmudecer al arroyo y al viento, hasta que enmudeciendo el pájaro con las sombras de la tarde, vuelve a oírse el agua y el viento, despierta el joven y prosigue su camino. El delicado sentimiento de la naturaleza, el misterioso poder del canto y ese enamorado y dolido que no sabemos adónde va ni de dónde viene, nos llenan de un conmovido temblor ante esas fuerzas elementales y vagarosas como un sueño. [Baste por muestra la estrofa final]:

> Pero la tarde sombras que ofrecía
> fuelas alzando, porque el sol caía;
> el pájaro enmudece,
> siéntese el viento y el susurro crece;
> y el joven, ya despierto,
> pies mueve, sendas sigue, huye el desierto.

[Si, con el manejo del heptasílabo, Villegas fijó para siglos la andadura rítmica de la anacreóntica española, tuvo sólo mediana fortuna en la adaptación del hexámetro y los dísticos latinos a la métrica romance.] Mucho más feliz fue el poeta riojano en la estrofa sáfico-adónica, que si no fue creada por él, a él debió su más acertada musicalidad y de él la aprendieron cuantos poetas la han ensayado después, [especialmente en el siglo XVIII.]

Como se sabe, consta de tres versos endecasílabos, aunque no es el cuento de sílabas lo que los define como tales versos, sino la combinación de dos troqueos (el segundo puede ser espondeo) más un dáctilo, más dos troqueos finales. [...] Villegas tuvo el acierto de mantener en la breve y bellísima oda *Dulce vecino de la verde selva* y en la no menos hermosa *Ya por el cierzo, boreal pegaso* un riguroso esquema acentual de cuarta y octava, que en las dos breves composiciones no llega a enfadar con su monotonía rítmica. [...] Estas estrofas no llevan rimados los versos, y sólo en algunos de la oda a la *Palomilla* encontramos casos de rima *al mezzo*:

> Entre las peñas resonar solía
> que goza eternas la feliz Rioja,
> y entre su roja y aseada margen
> Nájera oyólas.

Georgina Sàbat y Elias L. Rivers

SOR JUANA INÉS DE LA CRUZ: EL SUEÑO DE LA CIENCIA

> Piramidal, funesta, de la tierra
> nacida sombra, al cielo encaminaba
> de vanos obeliscos punta altiva,
> escalar pretendiendo las estrellas ...

[No sabemos cuándo escribió sor Juana Inés de la Cruz el texto que así empieza (1-4), su poema más significativo, el único que, según ella misma da a entender, le interesaba de veras como expresión personal: «un papelillo que llaman el *Sueño*».] Se publicó por primera vez en el tomo II (Sevilla, 1692) de sus obras bajo la rúbrica de «*Primero sueño*, que así intituló y compuso la madre Juana Inés de la Cruz, imitando a Góngora». Pero esta imitación de Góngora, predominante quizás en los primeros 150 versos de los 975, no es suficiente para la adecuada comprensión histórica del poema. El resto del poema, o mejor dicho, su significado total, es de una extraña originalidad dentro de la tradición poética española.

El tono del poema, con su lucha por conocer la realidad material del mundo, es tan original que no nos extraña la pretensión de algunos que quieren ver en el *Sueño* epistemológico de sor Juana ciertas ideas de Descartes.

Recuérdense las palabras de este gran filósofo en su *Discurso del método*: «Y en fin, considerando que todos los mismos pensamientos que tenemos estando despiertos nos pueden también venir cuando dormimos, sin que haya por entonces ninguno que sea verdadero, me resolví a fingir que todas las cosas que jamás me habían entrado en el espíritu no eran más verdaderas que las ilusiones de mis sueños». Con estas palabras de Descartes, por su aire de fantasía, se pueden comparar, no sólo el *Sueño* entero de sor Juana, sino algunas ideas suyas expresadas en su *Respuesta a sor Filo-*

Georgina Sàbat de Rivers y Elias L. Rivers, eds., sor Juana Inés de la Cruz *Obras selectas*, Noguer, Barcelona, 1976, pp. 28-33.

tea de la Cruz: [1] «ni aun el sueño se libró de este continuo movimiento de mi imaginativa; antes suele obrar en él más libre y desembarazada,

1. [«Si el *Sueño* es una composición hermosamente hermética que ocupa la cumbre de la obra poética de sor Juana, la *Respuesta* (1690) es su autobiografía y autodefensa más explícitas, en la que vemos con más claridad su trágica situación de mujer intelectual aprisionada por la cultura hispánica de su época ... Sor Juana explica ahí que siempre ha evitado, como peligrosas, las letras divinas; las humanas, en cambio, no acarreaban ese peligro de herejía ... Todo el mundo de aquella época sabía que, en efecto, la Inquisición vigilaba muy especialmente la ortodoxia de los escritos teológicos; pero, como dice sor Juana, "una herejía contra el arte no la castiga el Santo Oficio, sino los discretos con risa ...". Afirma además que para ella "el escribir nunca ha sido dictamen propio, sino fuerza ajena": que su gran afición no ha sido ni el escribir ni el enseñar, sino el leer y el estudiar, siendo su deseo de saber un "natural impulso que Dios puso en mí". Entró en el convento para "sepultar con mi nombre mi entendimiento, y sacrificár002ele sólo a quien me lo dio ...". Después de este prefacio, la autora empieza "la narración de mi inclinación", es decir, la historia de su afición a la lectura y al estudio. Cuenta que siendo muy niña fue a la escuela con su hermana mayor, que quería vestirse de hombre para poder asistir a la universidad, que se encerraba con los libros de la biblioteca de su abuelo, que se esforzó mucho para aprender rápidamente el latín, y que por fin, para evitar el matrimonio y salvar su alma, entró en el convento, donde, sin embargo, siguió creciendo, cada vez más fuerte, su deseo de leer y estudiar. Ella siempre sabía que todos los estudios se dirigían eventualmente hacia la teología, reina de las ciencias, a la cual sólo se puede llegar a través de las artes humanas, las cuales se van ayudando "metafóricamente" para llevar a una comprensión de la Creación y del Libro de Dios. Otra sección o subsección empieza cuando sor Juana subraya la dificultad de sus estudios solitarios, sin maestro ni condiscípulos que la ayudaran y animaran: al contrario, la estorbaban no sólo sus obligaciones religiosas y sociales, sino también los obstáculos deliberadamente inventados tanto por amigos bienintencionados como por enemigos envidiosos. Sobre todo, su habilidad poética ha provocado la envidia ajena ... Y, sin embargo, cuando una vez le quitaron los libros, ella no pudo dejar de estudiar y analizar todo lo que observaba alrededor: los seres humanos, las figuras geométricas, los juegos infantiles, los fenómenos de la cocina e incluso los sueños ... La última sección principal de la *Respuesta* no es nada narrativa, sino exclusivamente discursiva y apologética. Empieza con un catálogo de mujeres ejemplares del Antiguo Testamento, de la gentilidad y de la cristiandad. Luego, citando explícitamente al mexicano doctor Juan Díaz de Arce, hace una exégesis teológica de la famosa frase de san Pablo: "Mulieres in ecclesiis taceant" ("Que callen las mujeres en las iglesias"), la cual dice que sólo prohíbe la predicación pública en las iglesias, pero no las lecciones particulares dentro de la comunidad cristiana. En efecto, hacen falta mujeres doctas para la enseñanza de las jóvenes, quienes con profesores varoniles caen en el pecado. Y los grandes heresiarcas han sido hombres: no es cuestión del sexo, sino de la sabiduría bien medida» (pp. 33, 37-39).]

confiriendo con mayor claridad y sosiego las especies que ha conservado del día, arguyendo, haciendo versos, de que os pudiera hacer un catálogo muy grande, y de algunas razones y delgadezas que he alcanzado dormida mejor que despierta ...». Lo que no vemos aquí son las raíces de una duda sistemática. Aunque no era imposible que sor Juana en México conociera los escritos de Descartes, las semejanzas de enfoque y de léxico se pueden explicar por la formación escolástica común a los colegios jesuitas tanto de Francia como de las Españas. Todo el mundo conocía la psicología aristotélica según el tratado *De anima* (con comentarios de Aquino) y los *Parva naturalia*, que contenían explicaciones fisiológicas del sueño. Arraigado en la misma tradición filosófica, no es raro que el *Sueño* de sor Juana nos suene al «songe de Descartes» evocado por Jacques Maritain.

No son, en efecto, las ideas científicas, de por sí, lo que más nos interesa en la llamada poesía científica: es la poesía de la ciencia, y no la ciencia de la poesía, lo que perdura a través del tiempo. ¿De dónde le llegó a sor Juana el entusiasmo poético por la ciencia? Debemos pensar sobre todo en la tradición hermética del neoplatonismo florentino: el mismo Pico della Mirandola, autor del tratado *De hominis dignitate*, era cabalista. También en la España del siglo xv encontramos parecidas tendencias ocultistas en las obras del mago marqués de Villena; y Descartes mismo estudiaba el rosicrucianismo. Durante los siglos xvi y xvii la nueva ciencia no se separaba claramente del hermetismo. Una de las obras más impresionantes del gran astrónomo Kepler es la que se titula precisamente *Somnium, sive astronomia lunaris* (1634), narración de un viaje especulativo a la Luna. Karl Vossler señaló hace años un enlace directo entre sor Juana y el hermetismo del jesuita alemán Atanasio Kircher (1602-1680), cuyo libro *De magnete* cita ella en su *Respuesta* para demostrar que hay una secreta armonía entre todos los elementos del mundo. En el *Sueño* se incorporan poéticamente ideas que provienen de la obra egiptológica de Kircher, *Oedipus Aegyptiacus* (Roma, 1653). La linterna mágina, o sea el primitivo proyector de imágenes luminosas, mencionada por sor Juana en el *Sueño* (v. 873), era una invención reciente que se atribuía al padre Kircher, autor del *Ars magna lucis et umbrae* (Roma, 1646). Ella incluso acuñó un neologismo, «kirkerizar», para referirse al método de la matemática *Ars combinatoria* del sabio jesuita. Más que las obras de Galileo, Copérnico, Newton y Descartes, las obras entre científicas y herméticas de Kircher eran las que mejor conocía la monja mexicana.

Igualmente importante es la tradición poética española. El erudito argentino Emilio Carilla ha señalado, en un interesante ensayo titulado «Sor Juana: ciencia y poesía», cómo se desarrolló en poemas de Herrera y de Quevedo el tema del sueño. Nosotros, en ensayos posteriores, hemos ampliado el estudio de este tema y de la tradición española de poesía científica. Baste decir aquí, sobre el tema del sueño, que aparece en muchos poetas del Siglo de Oro, normalmente con la triple estructura narrativa de dormirse, soñar y despertarse. El sueño representaba a veces un descanso, sobre todo entre las fatigas amorosas, o bien una ilusión de conseguir los deseos amorosos, la cual se convierte luego en burla cuando se despierta uno de nuevo a las fatigas y a la penosa realidad. En otro nivel filosófico, el sueño solía representar o la vida o la muerte, con la consiguiente ambigüedad de lo que era efectivamente lo real; el sueño preparaba a veces al poeta para la muerte sin retorno, ayudándole a conseguir la vida eterna, o a veces le concedía una mística visión anticipada de la bienaventuranza. Aunque sor Juana utiliza en su gran poema casi todos los motivos tradicionales, éstos no constituyen la forma esencial del *Sueño*, que es materialización de su ansia de saber, que ni aun en sueños puede alcanzarse; expresión honda de su fuerza vital, no es sueño ni amoroso ni místico, sino un sueño científico.

Apenas se conoce la borrosa tradición de poesía científica que se desarrollaba durante el Siglo de Oro español. Pero muchas veces se expresaba claramente la oposición tradicional entre naturaleza y arte; y el arte representaba no sólo la técnica humana, sino, a veces, el dominio y conocimiento intelectual de la naturaleza. Se buscaba tanto lo natural como lo culto o racional, a veces armonizables y a veces chocantes entre sí. En las églogas de Garcilaso parece que las canciones pastoriles están de acuerdo con el agua corriente que suena, que los cuadros artísticamente bordados por las ninfas reproducen fácilmente el mismo paisaje del Tajo, del cual salen las ninfas. Pero en las *Soledades* de Góngora, la naturaleza parece ser más caótica: son el arte y el intelecto humanos los que, difícilmente, le imponen orden y sentido. En cuanto al hermetismo neoplatónico, ya mencionado, el Severo de la égloga II de Garcilaso representa claramente al mago que controlaba la naturaleza. Y el monje, catedrático y poeta fray Luis de León anhelaba, particularmente en su *Oda a Felipe Ruiz* que empieza «¿Cuándo será que pueda ...?», no sólo la unión mística con Dios, sino también un conocimiento científico de los misterios del universo: de dónde viene la lluvia, qué controla los movimientos planetarios.

El poema de sor Juana, al mismo final del Siglo de Oro, es el único gran poema escrito en español que trata principalmente el problema del conocimiento científico. Es posible que las *Soledades* de Góngora fueran su punto de partida más inmediato, pues el poema se abre con una descripción del anochecer y del sueño que invade los mundos elementales de los animales (tierra), de los peces (agua) y de las aves (aire). Cuadros de astronomía y de historia natural se elaboran con una combinación gongorina de naturaleza y arte, de detalles sensoriales y alusiones mitológicas densamente verbalizadas. Pero al dormirse el mundo externo de los elementos, el poema de la monja mexicana se dirige al mundo interior del sueño humano. Se duerme el cuerpo, y se queda sola el alma, aislada de las nuevas impresiones sensoriales, pero llena ya de las imágenes fragmentarias recibidas anteriormente. La facultad mental de la fantasía, convirtiendo en conceptos, como un gran espejo, estas imágenes, hace de ellas combinaciones nuevas. Parece que, dentro de sí misma, el alma se eleva contemplativamente hacia las estrellas. Incluso se contempla a sí misma desde un punto de vista que está más allá de sí misma; desde tal punto sumamente alto el alma intenta comprehender, en un solo acto intuitivo, el conjunto de la naturaleza creada. Pero en este momento el alma se cae deslumbrada y derrotada: «por mirarlo todo, nada vía» (480).

Este primer movimiento del *Sueño* se parece a la subida neoplatónica de las odas de fray Luis, que también terminan con el abrupto descenso de la derrota. Pero luego, en el poema de sor Juana, el alma hace otro intento, esta vez no intuitivo, sino discursivo o dialéctico, tratando otra vez de conseguir la verdadera comprehensión intelectual del universo. La luz y la oscuridad se aplican alternadamente para curar la deslumbrada potencia visual del alma. El nuevo intento empieza con objetos y conceptos sencillos, análogos a las ideas elementales de Descartes; luego, poco a poco, de modo escolástico, se desarrolla el proceso inductivo de establecer categorías y conceptos generales. El alma poética de sor Juana parece ser nominalista, llamando «artificiosas» estas abstracciones: pertenecen, no a la naturaleza, sino al reino del artificio humano. Así puede el alma reparar por medio del arte discursivo, su falta innata de poder intuitivo («reparando, advertido, / con el arte el defecto / de no poder con un intüitivo / conocer acto todo lo crïado, / sino que, haciendo escala, / de un concepto / en otro va ascendiendo grado a grado, / y el de comprender orden relativo / sigue, necesitado / del entendimiento / limitado vigor, que a sucesivo / discurso fía su aprovechamiento», 589-599). Tal ascenso gradual, que va subiendo de lo mineral a lo vegetal y de lo vegetal a lo animal, consigue por lo menos algún éxito ocasional. Pero en otras ocasiones la razón humana no abarca ni el fenómeno natural más sencillo, tal como el color o el perfume de una flor; y si no se pueden comprender los fenómenos más sencillos, ¿cómo se podrá nunca comprender el conjunto del universo? Finalmente la poetisa propone a Faetón como símbolo del intelecto humano: ese hijo de Apolo que fracasó gloriosamente al conducir por los cielos el carro paterno. Esta conclusión es ambigua: parece significar que el atrevimiento intelectual, aunque quizá prohibido y destinado al fracaso, es en sí mismo siempre un intento glorioso. Con razón se ha hablado del carácter faustiano del *Sueño*: como el alma del estudioso Fausto, la de sor Juana, soñando en su celda conventual, sube y baja al lograr y malograr, alternadamente, lo que busca sin cesar, que es un método de alcanzar una visión espiritual de la realidad física.

Es notable la simetría del poema. En el ya mencionado prólogo gongorino (1-150) se nos presenta el cosmos entero, y el mundo sublunar al llegar la noche y el sueño a este hemisferio. En un epílogo correspondiente (887-975) se describe la vuelta triunfal del día y la fuga de la noche. Entre estas dos secciones liminares, hay otro prólogo y epílogo interiores: el dormirse (151-291) y el despertarse (827-886) del cuerpo humano, cuya alma vela durante el sueño intelectual que constituye el centro bimembre del poema: el sueño de la intuición neoplatónica (292-494) y el del raciocinio neoaristotélico (495-826). Todo se desarrolla con una gran riqueza conceptual e imaginaria, combinando el bestiario y la mitología tradicionales con tópicos científicos, la Torre de Babel, el Faro de Alejandría y las Pirámides de Egipto. Aunque de lectura a veces dificilísima, el *Sueño* es un compendio barroco de la vasta cultura europea que florecía reverdecida en la celda de una monja mexicana.

Antonio García Berrio

NUEVAS PERSPECTIVAS PARA EL ESTUDIO
DE LA LÍRICA EN LOS SIGLOS DE ORO

*Las tipologías de textos líricos como exponentes de una moda-
lidad de «estilística de la forma interior».* La tipologización de un
producto cultural tan complejo, y al mismo tiempo coherente y unitario, como es el conjunto que forma la tradición de la lírica romance, desde Dante y sus modelos provenzales y dolcestilnovistas hasta
al menos las postrimerías del siglo XVII español, no parece dudoso
que ha de ofrecer importantísimas ayudas a la historia de la literatura.
Con lo que no deja de ser sorprendente que, pese a los poderosos
auxiliares que la historia literaria puede encontrar para este tipo de
urgentes tareas en disciplinas como la poética lingüística de los últimos decenios, tal proyecto no se haya visto en absoluto abordado
hasta ahora. Nos consta, por contraste, que para los contemporáneos
de esos mismos productos artísticos eran bien vivas y operantes concepciones tipológicas tanto temáticas como estructural-estróficas. La
preceptiva española y francesa, pero sobre todo italiana, elaboró nu-

Informe especialmente preparado por el autor con destino a *HCLE* y donde
se presenta una larga serie de investigaciones suyas, por ahora concretadas,
entre otros, en los siguientes trabajos: *Formación de la teoría literaria moderna,*
2 vols., Madrid-Murcia, 1977-1980; «Tipología textual de los sonetos españoles
sobre el *carpe diem»,* en *Dispositio,* III, n.° 9 (1978), pp. 243-293; «Sonetos
clásicos españoles sobre el *carpe diem.* Tipología textual e ideología», en *L'idéo-
logie dans le texte,* Actes du II Colloque du Séminaire d'Études Littéraires de
l'Université de Toulouse, 1978, pp. 235-298; «Lingüística del texto y texto
lírico», en *Revista Española de Lingüística,* VIII, n.° 1 (1978), pp. 19-75;
«Construcción textual en los sonetos de Lope de Vega: tipología del macrocomponente sintáctico», en *Revista de Filología Española,* LX (1978-1979),
pp. 23-157; «A text-typology of the classical sonnets», en *Poetics,* VIII (1979),
pp. 435-458; «Estatuto del personaje en el soneto amoroso del Siglo de Oro»,
en *Lexis,* IV, n.° 1 (1980), pp. 61-75; «Una tipologia testuale di sonetti amorosi
nella tradizione classica spagnola», en *Lingua e Stile,* XV (1981), pp. 451-478;
«Macrocomponente textual y sistematismo tipológico: el soneto español de los
siglos XVI y XVII y las reglas de género», en *Zeitschrift für Romanische Philo-
logie,* 97 (1981), pp. 146-171; «Poetica e ideologia del discorso classico», en
Intersezioni, III (1981), pp. 501-527.

merosos tratados monográficos sobre estructuras lírico-estróficas tales como la canción, el soneto o el madrigal. Hoy quizá menos perceptibles como tales, pero en verdad no menos idóneas, eran las ideas de poetas, tratadistas, comentadores y hasta puros y simples lectores sobre asuntos tan varios como las condiciones tipológico-temáticas que caracterizaban la naturaleza semántica del amor cortés —que dio lugar a todo un género de *trattati d'amore*— o de la lírica religiosa. Conciencia categorial muy clara que opera a veces, por ejemplo, para discernir sobre la índole no amorosa sino moral de determinados sonetos de *carpe diem*, como los dos famosos de Góngora «Mientras por competir con tu cabello» e «Ilustre y hermosísima María», o para establecer, en otros casos, los límites exactos entre textos con tematismo muy próximo como son los satíricos y burlescos, escrupulosamente distintos para los lectores contemporáneos mediante apreciaciones de presupuestos sociales y compositivo-estructurales que hoy nos son ya absolutamente arcanas.

Parece un razonable objetivo prioritario de la historia de la literatura recuperar lo más nítidamente posible —y para ello nada más adecuado que su incorporación a las metalenguas de uso y diafanidad actuales— el dominio de aquel conjunto de principios y reglas estructurales con que venían codificados —compuestos y leídos— los textos de la lírica clásica española y románica. Sólo cuando se cumpla ese requisito podemos suponer cumplido el cometido fundamental de la historia literaria: a saber, la recuperación auténtica del pensamiento histórico contemporáneo a los textos historiados, que resultan tanto más opacos, indeseablemente plurales y estructuralmente disponibles a la lectura actual, cuanto más profundamente se haya producido en su entorno el borrado por olvido de las reglas —condiciones últimas y contemporáneas a su producción. Con la doble organización tipológica de los textos líricos, semántico-temática y estructural-compositiva, comparece con sorprendente nitidez, casi insospechable, no sólo la ubicación de un texto individual entre sus afines y diferentes, sino también por indirecta resultante los mismos criterios de situación que delinean la verdadera morfología estructural de las reglas y condiciones del género de la lírica clasicista. Además, quizá tras el esfuerzo tipológico ejercido al fin sobre un conjunto cultural de textos lo suficientemente vasto para resultar históricamente significativo, se estén sentando las bases descriptivo-textuales del sistema cultural complejo, que permitan la ulterior proyección hacia los valores absolutos, socioestéticos, que como «formas arquitectónicas» o delineamiento «estructural genético» establezcan finalmente la respuesta del equivalente explicativo histórico-literario realmente adecuada a la complejidad cultural, cognitiva y ética, de los productos analizados.

En otro aspecto, la condición macrotextual de los criterios tipológicos, tanto en el plano temático como en el de la construcción, permite en nuestro intento la realización de una estilística complementaria de la «forma interior». Desmenuzando desde lo más común, el *género* temático, a un conjunto de textos —la fórmula condición inicial en los textos amorosos, por ejemplo— al rasgo macrotextual común más simple, el *tema* tipologizable propiamente hablando, pasando antes por la *clase* temática, de cada grupo terminal de textos macroestructuralmente tipologizables dentro de cada tópico temático, se procede en realidad a una ilustración del proceso de construcción textual en la línea progresiva «del sentido al sonido», inversa a la practicada con tanto fruto por la estilística sintagmática tradicional, que procedía casi exclusivamente, como advirtió Dámaso Alonso, en la dirección «del sonido al sentido». Para la dinámica científica de la propia estilística, creemos que la complementaridad de experiencias sobre el texto brindada por esta su prolongación complementaria de base tipológico-textual podrá ser máximamente satisfactoria.

El sistema tipológico de la lírica clasicista y las determinaciones de estilo individual y de los rasgos de época. La inflexión barroca de la lírica renacentista. La organización y sistematización tipológica de los textos de un sistema literario-cultural complejo como la lírica clasicista, permite, entre otras muchas operaciones ventajosas, las de cómodo y rápido cotejo de una parte dada de los textos de la muestra con la totalidad. De tal colación resultan casi automáticamente derivados los rasgos de estilo individuales de un autor, una tendencia, una escuela o incluso una época. Basta deslizar sobre la base del esquema general perfectamente sistematizado la falsilla de las casillas o terminaciones de dicho esquema cubiertas por el autor o el grupo concreto que queramos analizar, para poder pronunciarse con automatismo y fiable objetividad en términos de solidaridad, ausencia y desvío del caso individual analizable respecto del sistema general. En tal sentido, nosotros hemos realizado ya la experiencia con los sonetos amorosos de Quevedo, resultando fácilmente derivables del simple cotejo del esquema individual extraído del general el conjunto de peculiaridades que constituirían los verdaderos rasgos estilísticos individuales de Quevedo. Así, entre otros, se observa la repugnancia de Quevedo a cultivar las formas temáticas de estructura semántica más tenue y lineal, menos pobladas de notas de contenido, tales como la queja simple; e igualmente, por otras razones de fondo equivalente, se resiste a aquellos otros temas de contenido más tópico, como el *retrato* tan profusamente cultivado en momentos de gusto más lineal por autores renacentistas, como sería el caso Fernando de Herrera. Junto a esta tendencia a la densidad de las notas de contenido en la estructura temática de sus textos, que lleva a Quevedo a cultivar la estructura compleja del símil textual temático, o incluso del cruce de tópicos, quizá sean aún más claramente vinculables a rasgo estilístico quevedesco las rigurosas particularidades de construcción macrotextual de sus sonetos. Abundan entre ellos los del tipo estructural que he denominado de *isodistribución múltiple*, es decir, sonetos con una estricta coincidencia entre las cesuras y la organización de cláusulas de la macroestructura de su argumentación sintáctica y las cuatro unidades naturales, cuartetos y tercetos, de su macrodisposición métrico-estructural. Este rasgo de la tendencia al asíndeton interclausular —con el que se ha caracterizado genéricamente la estructura de la prosa barroca conceptista, profundamente observado como rasgo senequista en la prosa manierista y barroca inglesa o como tacitismo o simple anticiceronianismo en la de prosistas italianos del tipo de Malvezzi— lo constatamos así igualmente cumplido en el caso de la lírica conceptista de Quevedo.

Por otra parte, desde nuestro punto de vista actual, el rasgo de estilo individual puede encontrar explicaciones, no inmediatamente evidentes desde perspectivas más intuitivas, para su integración en el sistema de rasgos de época. Así diríamos, por ejemplo, que la tendencia a la isodistribución múltiple en la macroconstrucción de los sonetos de Quevedo, claramente reputable como conceptista y barroca, frente al dualismo constructivo, con una sola cesura central entre cuartetos y tercetos (señalada de manera intuitiva ya por Cohen y otros como rasgo constructivo típico de la argumentación renacentista en la estructura del soneto), no es incompatible con la proliferación en autores como Góngora de sonetos con la estructura inversa, de *antidistribución* (en nuestros propios términos), donde el discurso se configura como un continuo sintáctico que no respeta las normas clausulares delimitativas de la estructura métrica; planteando, en consecuencia, una estructura de frase única con expansión de uno

de sus términos a la totalidad del soneto y resolución del resto de
los elementos de frase en el último terceto, o aun en el verso final.
Tal sería el caso, por ejemplo, de sonetos como el de Góngora «Cosas,
Celalba mía, he visto estrañas» o la estructura más común de los
sonetos de definición del amor en antítesis, como el famoso de Lope
de Vega «Desmayarse, atreverse, estar furioso».

En definitiva sucede que la estructura de la antidistribución, que
podría responder, como se ha señalado, a la técnica de la plástica
manierista de desplazar la anécdota accesoria a centro del cuadro y el
tematismo central a posición de márgenes, responde más propiamente
a la misma tendencia barroca y conceptista de argumentación progresiva y dilatada, con un cierto modo de suspensión maravillosa hasta
el final del texto, o, en términos del propio Baltasar Gracián, de
«ponderación» conceptista y misteriosa. Y sucede, a tal respecto,
que con mucha frecuencia también los textos de Quevedo construidos en isodistribución múltiple gradúan su efecto argumentativo de
forma que la solución queda resuelta a través de un clímax creciente
sin marcas anafóricas explícitas en la última estrofa-cláusula de la
composición.

Pero esta modalidad de observación macrocomponencial del estilo de
los textos no agota ni mucho menos sus virtualidades en la determinación
de cuestiones como las antes referidas relativas al exacto pergeño del
estilo individual de poetas como los barrocos, Quevedo, Lope, Góngora,
Francisco de la Torre o Villamediana, casos todos que hemos abordado
ya en investigaciones en su mayoría aún inéditas, o incluso a la delimitación de los llamados estilos de época, como el manierista o el barroco,
sobre rasgos objetivos y explicitables, y no sobre meras cuestiones de
intuición más o menos caprichosa del analista. El examen macrocomponencial de la lírica nos viene brindando la oportunidad de elevar nuestras
consideraciones por encima incluso de los diversos géneros temáticos,
tales como el amoroso, sacro, conmemorativo, moral, etc., y de los géneros
estructural-constructivos, como los que determinan el modelo de texto-
estrofa: soneto, canción, letrilla, etc. Resultan con ello ilustradas categorías mucho más universales y abstractas, pero no menos decisivas en la
constitución de ideas literarias sobre ideologías y sistemas culturales de
época. En nuestro caso concreto aspiramos a la definición estricta, tanto
temática como en el aspecto de las modalidades expresivas de argumentación textual, de conceptos tales como liricidad vs. narratividad, o poeti-
cidad vs. literariedad referidos al entendimiento clasicista del arte verbal,
que engloba matices tales como los modelos estructurales de expresión

literaria que vienen siendo denominados con los rótulos convencionales de renacentismo, manierismo o estilo barroco. Si pensamos, por ejemplo, en el caso de las letrillas de Góngora, de apariencias más narrativo-expositivas que líricas, con respecto por ejemplo al soneto, descubrimos en rasgos tales como la implicación del sujeto de la enunciación, poeta, en el enunciado textual, con categoría de protagonista del mismo merced a la posición central-textual temática del estribillo, el fundamento de la tradicional unidad de conceptuación lírica de la letrilla y el soneto, que resuelve las discrepancias aparentes en la estructura superficial de ambos géneros constructivo-textuales.

En definitiva, la modalidad de examen crítico macrocontextual y tipológico de los millares de textos pertenecientes a la lírica española de los siglos XVI y XVII —que estamos extendiendo ya a sus correspondientes italianos y franceses— nos representa en el plano de la creación poética clasicista la innegable continuidad del espíritu de *retractatio* que habíamos ilustrado en obras anteriores a propósito de las ideas contemporáneas en teoría literaria. El resultado más llamativo es la sorprendente economía profunda de los sistemas culturales, aun los de apariencias más complejas como el de la lírica renacentista-barroca, donde la movilización de unas decenas de tópicos temáticos —hemos constatado escasamente unos treinta para el más cultivado de los géneros temáticos en España, el amoroso de tradición petrarquista y cortés— explica la combinatoria que producirá millones de piezas textuales diferentes. Y aún es quizá más restringido el número de estructuras básicas en el plano de la construcción macrocomponencial de esos mismos millones de textos que se extienden desde Dante y Petrarca hasta Marino y Góngora, por no hablar de sus epígonos. De ahí que hayamos subrayado con frecuencia la estrecha vinculación de este aspecto tipológico-textual de nuestras investigaciones sobre la creación lírica con nuestros trabajos sobre la teoría y la estética literarias de los períodos renacentista y barroco. Ambos, haz y envés de un mismo organismo vivo, documentan con exigente meticulosidad de una parte la afirmación de la hipótesis tópica de E. R. Curtius sobre el movimiento y progreso de la literatura, y en general del arte y la cultura clásicas; y en último término reclaman para el despreciado hecho de la tradición literaria como sistema de imitación de modelos interno a la serie artística, su condición de protagonismo en el complejo *contexto* de la obra literaria.

8. CALDERÓN

DOMINGO YNDURÁIN

Los estudios sobre Calderón y su obra se desarrollan coincidiendo con la revalorización general de la literatura española del Barroco, impulsada fundamentalmente por los románticos alemanes (véase vol. 5, cap. 1). Hasta 1881, fecha del segundo centenario de la muerte de Calderón, no se realiza un trabajo de entidad en España (Durán y González Echevarría [1976]); aunque los frutos de este segundo centenario hayan sido valorados de diversas maneras, lo cierto es que hubo contribuciones importantes en lo que respecta a los estudios bio- y bibliográficos (L. Romero [1981]); en cualquier caso, es todavía básica la interpretación que de Calderón realiza Menéndez Pelayo [1881], en cuanto plantea de manera directa la mayoría de los problemas que han ocupado hasta hoy a los estudiosos, si bien es cierto que las soluciones propuestas por el erudito santanderino suelen ser rechazadas por la crítica moderna (Wardropper [1965 a, 1982]).

Tras el fogonazo de 1881, la crítica española no vuelve a preocuparse de Calderón hasta fechas muy recientes en que, al hilo de la recuperación de Góngora por la generación del 27, se ensayan esporádicos acercamientos a Calderón por parte de unos pocos críticos, entre los que hay que destacar a Valbuena Prat y Valbuena Briones (los únicos que mantienen una dedicación especializada y sostenida), a Blanca de los Ríos, Cotarelo, Félix G. Olmedo..., y algunos artículos sueltos de José Bergamín [1979], D. Alonso, J. M. de Cossío, F. Ayala, y no mucho más. La situación resulta tanto más curiosa cuanto que la crítica extranjera, alemana (Wilhelm [1956], Flasche [1970, 1971]), italiana (Mancini [1955], Samoná [1960], Meregalli [1977]) o francesa (Martín [1960]), ha realizado importantes contribuciones, sobre todo en la interpretación, al estudio de Calderón. Por lo que respecta al último aspecto citado (y a otros muchos) destacan los trabajos con que los críticos ingleses han logrado crear una escuela más o menos coherente, caracterizada, en lo interpretativo, por una fuerte carga ideológica y moral (Rubio [en prensa]) y por la atención a la estructura del texto, como desarrollo argumental (Pring-Mill [1968]).

Aunque la biografía de Calderón (Pérez Pastor [1905], Lund [1963]) no es tan espectacular como la de Lope de Vega, no deja de ofrecer algunos aspectos notables. Don Pedro Calderón de la Barca (1600-1681) nació en Madrid, de una familia hidalga procedente de la Montaña santanderina. Destinado, como segundón (y por el testamento de su abuela materna, reforzado pronto por el de su padre), a la iglesia, comenzó los estudios en el Colegio Imperial (Simón Díaz [1952]) regido por los jesuitas, con los cuales siempre mantuvo estrechas relaciones y cuya educación ejerció gran influencia en el futuro dramaturgo, tanto en los aspectos doctrinales (B. Marcos Villanueva [1973]) como en la técnica teatral de sus obras (Roux [1968]). Hacia 1614, Calderón inicia estudios universitarios en Alcalá; pero la muerte de su padre, con quien mantenía tensas relaciones (Durán [1982]), quizá reflejadas en el conflicto padre-hijo tan frecuente en sus obras (Parker [1966]), le permite cambiar su rumbo, y en 1617 le encontramos ya matriculado en la Universidad de Salamanca (Rodríguez [1959]), probablemente para estudiar derecho civil. No sabemos si llegó a licenciarse, pero los planteamientos jurídicos, en lo que respecta a argumentaciones, controversias, etc., dejaron huella en su obra (Entwistle [1948]).

En esta época, Calderón no estaba mal preparado para comprender el mundo de las comedias de capa y espada: por no pagar el alojamiento en el Colegio de San Millán de Salamanca, fue excomulgado y encarcelado; en 1621, ya en Madrid, tuvo que refugiarse con sus hermanos en la embajada de Austria, acusados de haber dado muerte a un hombre. Y en 1629, persiguiendo al cómico Pedro de Villegas, quebrantó, espada en mano, el convento de las Trinitarias donde profesaba una hija de Lope, lo que le valió la enemistad de éste y sufrir los ataques del predicador trinitario fray Hortensio Paravicino: Calderón respondió ridiculizando al predicador en *El príncipe constante* (Wilson [1961]).

Desde 1620, Calderón compuso algunas poesías de circunstancias en certámenes poéticos de carácter religioso: beatificación de san Isidro, santa Teresa y san Ignacio; canonización de san Francisco de Borja (1671), etcétera. En Toledo compuso un largo poema, la más importante de sus obras no dramáticas, sobre el lema *Psalle et Sile* que figura en la catedral (Trénor [1945], Wilson [1959]). Pero su producción dramática se inicia con la comedia *Amor, honor y poder*, de título casi emblemático, representada en 1623 en el Real Palacio del Alcázar, lo que marca ya el rumbo que en el futuro había de seguir. En esta primera etapa escribe sobre todo comedias de enredo, aunque haya alguna excepción notable, como

El sitio de Bredá (1625), editada por Shrek [1957], y estudiada por Vosters [1973] y Whitaker [1978].

Integrado plenamente en la sociedad establecida, Calderón compondrá sus más célebres obras entre 1630 y 1640, aproximadamente, y con ellas logra su consolidación como dramaturgo, que se manifiesta, por ejemplo, en la publicación de su *Primera parte de comedias*; y de manera definitiva en 1634, el año después de la inauguración del nuevo palacio del Retiro, con un auto sacramental suyo, titulado significativamente *El nuevo palacio del Retiro*. Continúa el trabajo para la corte con la comedia mitológica *El mayor encanto, amor* (1635), representada en el estanque del Retiro con escenografía de Cosme Lotti; luego vendrá el estreno de *Los tres mayores prodigios* (1636), etc. (Brown y Elliott [1980]). Como premio a su labor, Felipe IV le concede el hábito de caballero de Santiago.

En esta época, Calderón alterna todavía las representaciones para palacio con las realizadas en corrales; es cuando escribe obras tan representativas como *La vida es sueño, El gran teatro del mundo, La cena del rey Baltasar, El médico de su honra* o *La devoción de la Cruz*. Sin embargo, su actividad literaria se interrumpe al participar entre 1640 y 1642 en las campañas de Cataluña (Wilson [1970 *a* y *b*]); después, la muerte de la reina, seguida de la del príncipe heredero, provocan el cierre de los teatros, lo que obliga a que nuestro autor se limite hasta 1647 o 1649 a escribir autos sacramentales, género que desde entonces monopoliza en la corte.

Tras ordenarse sacerdote, Calderón obtiene, en 1651, la capellanía que le legó su abuela, y en 1653 la de los Reyes Nuevos de Toledo, a pesar de la oposición de un clérigo desconocido, que consideraba indigno de tal desempeño a quien era autor de comedias (Wilson [1973]) y por este motivo se quejó al Patriarca de las Indias; después, la intervención del monarca resolvió el conflicto a favor del dramaturgo, que a partir de entonces se limitó a trabajar para palacio y continuó residiendo en Madrid.

En esta etapa sacerdotal, Calderón, siguiendo los gustos palaciegos, escribe óperas y zarzuelas (Subirá [1945, 1965], Querol [1981]), como *El golfo de las sirenas* (1656), *El laurel de Apolo, La púrpura de la rosa* o *Celos, aun del aire matan*; también compone comedias de tema mitológico, del tipo de *La estatua de Prometeo* (Aubrun [1965], Sage [1970]), *Fieras afemina amor* (Chapman [1954]). En 1680 escribe la comedia *Hado y divisa de Leónido y Marfisa* (Neumeister [1979]), y en 1681 el auto titulado *El cordero de Isaías*. Deja sin acabar *La divina Filotea*.

Calderón protagoniza un cambio en las condiciones escénicas comparable al ocurrido con Lope de Vega. Como han estudiado Varey y Shergold (véase cap. 2), las tramoyas, máquinas, música, etc., adquieren un desarrollo espectacular. Uno de los aspectos fundamentales es la integración de la música en el conjunto de las obras (Sage [1956, 1970]), donde es fundamental la influencia de la tradición italiana, que se manifiesta, por ejemplo, en la alternancia de canto y recitativo (A. Pulice [1982], Chase [1981]).

A su muerte, Calderón deja cerca de ochenta autos sacramentales, más de ciento veinte comedias y numerosos entremeses (Scholberg [1954], Granja [1981]), aparte textos ocasionales, como aprobaciones o poesías sueltas (Wilson [1963, 1969], Simón Díaz [1959]).

Dejando a un lado las impresiones de obras «sueltas» o en colecciones de «varios autores», generalmente poco de fiar, en vida de Calderón se publicaron cuatro *partes de comedias* que incluían doce obras cada una: las dos primeras fueron publicadas por José Calderón, hermano menor del dramaturgo (Wilson [1959 b]); la tercera la editó Sebastián Ventura de Vergara (Wilson [1962], Cruickshank [1970 a y b]), y la cuarta aparece con un prólogo de Calderón donde da una lista de obras falsamente atribuidas a su pluma (Hesse [1948]). Además, en 1677 publica Calderón un volumen que contiene doce autos sacramentales. Estos cinco tomos constituyen el *corpus* más autorizado de obras calderonianas. Ahora bien, don Pedro escribió muchas más obras, como consta por los ciento diez títulos que él mismo envió, pocos años antes de morir, al duque de Veragua. Es preciso, pues, acudir a otras fuentes: controvertido, pero generalmente aceptado, es el valor de las *Nueve partes* de comedias que, muerto ya Calderón, editó su gran amigo, Juan de Vera Tassis y Villarroel, a partir de 1685 (Shergold [1955], Hesse [1941]). Mejor parece la colección de *Autos sacramentales, alegóricos e historiales* (Madrid, 1717) preparada por Pando y Mier (Wilson [1959 c, 1960 a y 1962]).

En épocas más recientes, contamos con la edición de Hartzenbusch en la Biblioteca de Autores Españoles, que tuvo una gran difusión y todavía se sigue utilizando, aunque está llena de errores y versos del editor. Las ediciones modernas de obras completas dignas de tenerse en cuenta, aunque muy dependientes de las de Hartzenbusch, comienzan con las de Valbuena Prat [1926, 1927, etc.], continuadas por Valbuena Briones [1966, 1974]. Hoy disponemos de la utilísima edición facsímil realizada por Cruickshank y Varey [1973] en diecinueve volúmenes de los que el primero y el último contienen artículos críticos de gran importancia.

En cualquier caso, a menudo es conveniente acudir a ediciones sueltas bien trabajadas, entre las que podemos destacar, por ejemplo, *El príncipe constante* (Parker [1938] y, menos fidedigna, Porqueras Mayo [1975]), *No hay más Fortuna que Dios* (Parker [1949]), *Eco y Narciso* (Aubrun [1961]), *La estatua de Prometeo* (Aubrun [1965]), *La vida es sueño* (Sloman [1961]), *El alcalde de Zalamea* (Dunn [1966]), *El pleito matrimonial del alma y el cuerpo* (Engelbert [1969 a]), *La hija del aire*

(Edwards [1970]), *En la vida todo es verdad y todo mentira* (Cruickshank [1971]), *La cena del rey Baltasar* (Hofmann [1971]), *La dama duende* (Valbuena Briones [1976]), el drama burlesco *Céfalo y Pocris*, probablemente apócrifo (Navarro [1979]; véase Wilson y Sage [1964]), *Mística y real Babilonia* (Uppendahl [1979]), la importante impresión facsímil de *La humildad coronada*, con una introducción a cargo de Manuel Sánchez Mariana [1980], y *El primer blasón de Austria* (Rull y Torres [1981]).

Sin embargo, el trabajo está lejos de haberse agotado, pues todavía en fechas recientes se han descubierto y editado obras atribuidas a Calderón, como *El gran duque de Gandía* (Cerny [1963]), que hoy parece apócrifa (Iglesias Feijoo [en prensa]), o el auto sacramental *El primer blasón de Austria* (Rull y Torres [1981]), *El divino cazador* (Flasche y Sánchez Mariana [1981]), más algunos otros de los que se anuncia la edición. Y además de los impresos hay que contar con los autógrafos de Calderón, no muy abundantes, pero de gran interés (Wilson [1960 *b*], Cruickshank [1970]).

Este cúmulo de obras y de problemas ha generado una bibliografía muy amplia y no siempre asequible; por ello son de gran utilidad las obras que la repasan o bien reúnen artículos dispersos de diferentes autores. Así, por ejemplo, la bibliografía comentada de Parker y Fox [1971], referida a los trabajos publicados entre 1951 y 1969; Flasche edita regularmente las actas de los coloquios anglogermanos sobre Calderón [1969 ss.]. Durán y González Echevarría [1976] ensayan una muestra representativa de las diferentes escuelas y tendencias desde fines del siglo XIX (véase también Flasche [1971]); referida a una cierta comunidad metodológica es la excelente compilación de Wardropper [1965 *b*]. Para mayores precisiones se pueden consultar con provecho la citada bibliografía de Parker y Fox [1971] y las indicaciones de K. y R. Reichenberger [1979 ss.], que cuando esté completo será el repertorio fundamental.

La celebración del tercer centenario de la muerte de Calderón en 1981 ha propiciado la convocatoria de congresos, cuyas actas ya se están publicando. Entre otros, citaremos el patrocinado en Madrid por el Consejo Superior de Investigaciones Científicas, las terceras y cuartas jornadas de Almagro, los simposios organizados por F. A. De Armas [1982], McGaha [1982], M. Sito Alba [en prensa], etc. También se han realizado trabajos de otro tipo, entre los que destaca el realizado por Flasche y Hofmann, *Konkordanz zu Calderón*, todavía en curso de publicación [1980 ss.].

Los estudios de conjunto, dadas las dificultades del caso, no son muy abundantes. Señalaremos únicamente los de Valbuena Prat [1941], Sauvage [1959], Hesse [1967], J. Maraniss [1978], Ter Horst [1982], donde se abordan sintéticamente las dificultades y problemas que la crítica ha tratado de ir resolviendo. Muy aconsejable es también la recentísima panorámica de C. Morón [1982] sobre la conjunción de «pensamiento y teatro» en nuestro autor.

Uno de los problemas con los que, desde el primer momento, se enfrentaron los críticos fue el de la clasificación de las obras de Calderón, problema lleno de dificultades, máxime si tenemos en cuenta que una fijación amplia de su cronología no se ha intentado hasta fechas relativamente recientes: dejando aparte la tentativa infructuosa (Hilborn [1938]) de aplicar a la obra calderoniana el método ideado por Morley y Bruerton (véase cap. 1) para fijar mediante los cambios métricos la cronología de las comedias de Lope, la datación de los autos sacramentales la acomete Parker en [1969], y la general los Reichenberger [en prensa]. Desde una perspectiva temática, la clasificación más recibida sigue siendo la de Menéndez Pelayo que con criterios bastante arbitrarios divide las obras en los siguientes grupos: *autos* sacramentales, dramas *religiosos*, dramas *filosóficos*, dramas *trágicos*, comedias *de capa y espada*, géneros *secundarios*. Los críticos posteriores mantienen, con ligeras variantes, esta clasificación (Valbuena Prat [1941]) y tal vez establecen subdivisiones, por ejemplo en los autos sacramentales (Valbuena Prat [1924]), o se restringe o amplía alguno de los grupos, como hace Parker [1962] con las tragedias. La cuestión ha sido replanteada inteligente y tajantemente por Ter Horst [1982], y más extensamente en un libro en prensa.

Como es lógico, la fijación de los rasgos distintivos que definen y delimitan cada uno de los géneros resulta con frecuencia difícil y complicada. En este campo, que combina necesariamente el análisis pormenorizado de cada obra con la atención a los elementos comunes al género, son notables los resultados obtenidos por la crítica inglesa, según la cual, por ejemplo, los autos sacramentales de Calderón se diferencian de los anteriores y se distinguen entre los coetáneos por la utilización distintiva de la alegoría (Parker [1943]), de la misma manera que sus dramas no consisten en la sumisión del individuo al *fatum*, como ocurre en la tragedia clásica, pues la de Calderón (Edwards [1967], Watson [1963]) se basa en la responsabilidad, en la culpabilidad moral del hombre, concretamente «en el divorcio entre la imaginación y la realidad», en palabras de Parker; de esta manera, la naturaleza del mal moral sería trágica y no casuística (Hesse [1953]).

Se ha estudiado también la obra cómica con la finalidad de describirla de manera unitaria como género, sea considerando las de tema mitológico como un subgrupo (Chapman [1954]), sea englobando todas en un mismo conjunto (Muir [1970], Varey [1972]), pero en cualquiera de los dos supuestos, haciendo hincapié en que es la preocupación por la responsabilidad moral de los personajes lo que distingue las comedias calderonianas (Wardropper [1967]).

Los estudiosos, aunque reconocen la existencia de géneros en la obra calderoniana, no dejan de aspirar a una síntesis que dé cuenta de la totalidad y unidad del sistema teatral de Calderón, tanto en lo que respecta a los presupuestos ideológicos como en lo que se refiere a la construcción poética. Así, las anécdotas o temas concretos de las obras no serían más que ilustraciones o ejemplos de principios universales, que corresponden a abstracciones teológicas (Entwistle [1945]), lo cual refleja la aceptación de un orden universal unitario, según lo concibe la escolástica (Newman [1956], Frutos [1952]). Estos principios se manifestarían en cinco puntos formulados por Parker, en [1957] (véase arriba, cap. 2), que en realidad no son sino cinco formulaciones diferentes del argumento o de la actuación de los personajes juzgados como actos morales. Cada uno de estos aspectos plantea sus específicos problemas y dificultades, pero todos coinciden en poner de manifiesto el racionalismo calderoniano (Cossío [1934]); o bien la relación dialéctica se establece ya entre los valores que encarnan los personajes de las obras (Entwistle [1948]), ya entre el argumento de la obra, como caso individual, con el esquema abstracto al que representa de manera simbólica (Entwistle [1950], Wilson [1951]).

De esta manera, se establecen una serie de articulaciones en las que cabe distinguir dos ejes. Por una parte, el horizontal, esto es, el encadenamiento de causas y efectos que constituye el argumento de las obras, cuyo denominador común es el racionalismo lógico y la responsabilidad moral, y el libre albedrío solicitado por las pasiones y la gracia en cuanto motor de la acción. Por otra parte, tenemos el eje vertical, en que se integran las unidades mayores (ideología o teología) y menores (rasgos de estilo), de manera que el eje horizontal sería también un corte en la organización vertical. A este respecto hay que señalar cómo las conexiones estilísticas se establecen no tanto en relaciones de causas y efectos como en correspondencias formales de diseminación y acumulación (D. Alonso [1951]), lo cual es una manifestación característica del sistema de equivalencias basada en la semejanza o la contigüidad (Wilson [1936]). Es, pues, parte de un sistema que, desde la unidad de Dios, se manifiesta en capas descendentes, hasta el hombre, hasta la realidad material; o, dicho de otra manera, desde la unidad filosófica conceptual (Frutos [1952]) hasta el tema de las obras y hasta las imágenes y metáforas típicas del estilo calderoniano (F. Rico [1970], J. V. Bryans [1977]). Todo esto supone que la doctrina impregna y explica cada formulación, cada tesis parcial de nuestro autor. Las obras de Calderón, en definitiva, mostrarían el orden divino del universo en relación dialéctica con las disonancias que en ese orden introduce el hombre dotado de razón y voluntad libre.

Ahora bien —y con ello enlazamos con el planteamiento inicial de Parker—, el hombre es libre moralmente, pero está colocado (por el pecado original) en una situación precaria, solicitado por fuerzas contradictorias que limitan su libertad y, dentro de ella, su capacidad de juicio y elección, aunque, por supuesto, nunca las anulen completamente. Por ejemplo, el inmutable orden divino determina lo que físicamente puede ocurrir, pero el conocimiento de ese futuro (por la astrología, v. gr.) varía, modifica la actuación del hombre que ha accedido a él (Dunn [1953], Lorenz [1961]); situación que da lugar a que se plantee el conflicto entre hado (Valbuena Briones [1961]) y libre albedrío, como un juego entre determinismo y causalidad (Aubrun [1962]). Otra posibilidad son las influencias de las fuerzas ocultas que acechan al hombre y que le manejan al manejarlas (Maurin [1967]) y cuya última fuente es la intervención demoníaca, como concepto doctrinal y como recurso dramático (Parker [1958], Cilveti [1977]); por contra, recibe el auxilio de las fuerzas celestes, la Gracia, la Virgen María (Rubio Latorre [1967]), en un planteamiento de discutible raigambre contrarreformista (Gulsoy y J. H. Parker [1960]).

Por otro lado, cabe plantear la concepción del hombre en relación con su circunstancia social y política como se deduce de las obras calderonianas: sea, por ejemplo, el concepto de justicia (Truman [1964]) y, en estrecha dependencia de ella, el fundamental tema del honor, general en el Siglo de Oro (véase «Preliminar»), pero que en Calderón adquiere matices específicos (Honig [1972]) a causa de la magnificación de la venganza o de su inserción en un planteamiento doctrinal (Dunn [1960]) independiente, se dice, de las convenciones sociales del momento y basado, pues, en la dignidad humana (Jones [1965], Casanova [1968]). Próximo al tema de la honra están las relaciones sexuales, especialmente el incesto (Rank [1963], Honig [1972]), interpretado en ocasiones en clave psicoanalítica. De la misma manera se han visto otras relaciones familiares, basándolas en el ansia de poder y dominio, habitualmente referido al padre (Parker [1966]), aunque eventualmente aparezca la figura de la madre (Hesse [1960]). Estas y otras figuras, más o menos fantasmáticas, pueden ser vistas como claves ocultas del teatro calderoniano (Wardropper [1950, 1973], Hesse [1977]).

Otros temas y motivos se relacionan fundamentalmente, como veremos, con alguna de las grandes obras de don Pedro, y desde ellas han sido estudiados.

Un aspecto escasamente atendido es el de la versificación calderoniana (Hilborn [1938, 1942, 1943, 1948]), probablemente porque como ocurre, en menor medida, con el estilo, se considera que cumple, en general, las normas habituales de época y género, cosa que se manifestaría en el hecho de incluir con frecuencia composiciones ajenas en sus obras (Wilson y Sage [1964, 1977]). La lengua, desde criterios sintácticos o morfológicos, sólo ha sido estudiada en aspectos parciales (Flasche [1964, 1969, 1977], Engelbert [1969 b]). También se han estudiado el vocabulario culto, en relación con el de Lope (Hilborn [1958]), la función de la metáfora (Wardropper [1958 *b*], Cilveti [1973]), el humor (Leavitt [1956], Tejada [1974]), y poco más, aunque hay algún notable intento por alcanzar una visión de conjunto y superar el mero descriptivismo (Aubrun [1960], Herrero [1982]), y aunque un clásico estudio de Dámaso Alonso [1951] penetró admirablemente los arquetipos correlativos en el «pensamiento dramático» de Calderón (y véase Cilveti [1968] y M. Sito [en prensa]).

La comedia calderoniana puede considerarse, en una primera época, dentro de la escuela de Lope de Vega (Valbuena Briones [1977]); así, pues, son comedias de enredo en las que se combinan lances de amor y fortuna, con frecuentes confusiones de identidad, falsas apariencias, desapariciones imprevistas e inesperados encuentros, etc. Ahora bien, se suele señalar que Calderón posee, desde sus primeras obras, una técnica teatral más compleja y refinada, menos «espontánea» que la de Lope (Sloman [1958]); al mismo tiempo, sus obras resultan más convencionales y formalizadas en cuanto a tipos, caracteres y situaciones (Spitzer [1960], Tyler y Elizondo [en prensa]), lo que, probablemente, se explica por su tendencia a montar comedias de gran espectáculo, v. gr. *El mayor encanto, amor* (Shergold [1958]), aunque siempre haya una estrecha relación entre la construcción escénica y los contenidos ideológicos (Thomas [1925], Paterson [1973], entre muchos trabajos).

Quizá todos esos rasgos diferenciales se expliquen por el carácter reflexivo de Calderón, por su preocupación (visible en todas sus obras), por el problema del orden y su trasgresión, tanto en el ámbito de lo religioso como en el social y privado, pues para nuestro autor esos dos ámbitos no son sino manifestaciones, en distinto nivel, de un único principio. Así, incluso la figura del donaire se carga de profundidad y sentido (Güntert [1977]).

En las comedias de Calderón, por lo general, debajo de la peripecia aparece un segundo nivel, más profundo, en el que se plantean problemas de conciencia con una inequívoca intención didáctica y aleccionadora: por ejemplo, el conflicto de un individuo entre los impulsos disgregadores, pasionales, y la obligada sujeción a la ley como imperativo racional y moral (Wardropper [1966, 1967]). Cuando Calderón escribe para la corte, suele situar la acción no en un marco urbano convencional, a la manera de Lope, Tirso o Alarcón, sino en palacio, como centro dramático. Esto permite (y exige) desarrollar un factor relativamente nuevo, de gran rentabilidad teatral: la fidelidad debida al rey por parte de los galanes cortesanos, fidelidad que con frecuencia choca con la lealtad debida a la dama; ejemplo de este tipo de obras puede ser *El galán fantasma*, *Amigo, amante y leal* o *El postrer duelo de España*, piezas donde se plantean las implicaciones públicas de lo que era un conflicto privado entre personas particulares: amor y honor (R. Chang-Rodríguez [1980]).

El mismo conflicto, visto desde la perspectiva del señor, da lugar a comedias en las que el tema del poder y sus límites (el orden, en última instancia) es lo fundamental; en ellas las muertes no son fingidas, y los ejecutores son responsables. El tema puede desarrollarse en el ámbito de lo «familiar», como desviación de las comedias de enredo, lo que da lugar a obras como *El médico de su honra* (Sloman [1957], Rogers [1965], Cruickshank [1973]), *A secreto agravio, secreta venganza* (Wilson [1951], Soons [1966], Holzinger [1977]) o *El pintor de su deshonra* (Wardropper [1958 a], Watson [1963], Wilson [1970]).

La combinación de las dos perspectivas, la del vasallo situado entre sus pasiones (amorosas o no) y la fidelidad al rey, y la perspectiva del señor (legítimo o no, tirano) incapaz de refrenar sus impulsos, se produce en *La hija del aire* (Edwards [1966, 1967, 1970]). Es decir, la comedia calderoniana desemboca de manera natural en la tragedia a poco que se intensifiquen los planteamientos y siempre que el poder del rey legítimo (y cristiano) quede, en último término, a salvo. En *La hija del aire*, lo mismo que en las comedias de tema mitológico o del mundo pagano, es posible que el elemento trágico aflore directamente a la superficie, lo que, unido a la distancia histórica y al gran aparato escenográfico, produce obras muy refinadas y de gran efecto artístico, como ha demostrado la puesta en escena de Lluís Pasqual de una refundición de *La hija del aire*.

Fuera de esas situaciones concretas, se discute si Calderón podía escribir tragedias dado que la concepción católica impediría aceptar el mecanismo y los presupuestos de la tragedia clásica. Sin embargo, la escuela inglesa, con Parker a la cabeza, considera perfectamente posible la tragedia católica, por cuanto mostraría cómo la relación del hombre con la sociedad y el encadenamiento de actos culposos desembocan en un sufrimiento inevitable e inesperado. El planteamiento dista de ser invulnerable, en general, y se complica todavía más si relacionamos el género trágico con el desenlace basado en el concepto de justicia poética entendida según Parker. Pero veamos un ejemplo concreto y típico: *El príncipe constante*, obra estrenada en 1629 y editada por Parker en 1938. El tema era conocido (estaba determinado, pues), ya que se basa en un hecho histórico relatado en la crónica de Alfonso V de Portugal, y —quizás— en otra obra anterior hoy perdida y en elementos del *Abencerraje* (Sloman [1950]). La obra, construida, como es habitual en Calderón, a base de contrastes, opone el mundo cristiano al moro (Wardropper [1958 a]) y unos personajes a otros; de esos contrastes, el más significativo sin duda es el que enfrenta al príncipe don Fernando con Fénix (Spitzer [1960], Rivers [1969]), que representan los valores espirituales y la belleza material, respectivamente. Pues bien, la trayectoria del príncipe es la progresiva pérdida de bienes materiales, que le lleva desde su alto estado en la corte portuguesa a la prisión, primero, y al estercolero en que muere, ·

después. Sin embargo, esa progresiva pérdida de bienes materiales sirve para resaltar la progresiva adquisición de méritos espirituales que don Fernando obtiene venciéndose una y otra vez a sí mismo (Kayser [1957]). En el desenlace, el espíritu triunfante del príncipe conduce los ejércitos portugueses a la victoria; se recupera con todos los honores el cuerpo del santo... Es difícil, como señala A. G. Reichenberger [1960], considerar tragedia la vida de un santo, aunque sufra martirio y se presente de manera tan grandiosa que pueda impresionar todavía a Grotowsky.

En último término, las comedias (sean tragedias de santos o no) del mundo cristiano se pueden relacionar sin excesivas dificultades con los autos sacramentales: la peripecia de Cristo hecho hombre, triunfando de la muerte con la muerte, o la del Hombre doliente, redimido de sus culpas por la Gracia y la Penitencia, no es muy diferente de la tratada en las comedias de tema religioso.

Sin embargo, todos los críticos coinciden en establecer significativas diferencias entre comedias religiosas y autos sacramentales, y entre los autos de Calderón y los de su época. Aparte de diferencias circunstanciales (obra en un acto para ser representada el día del Corpus o su octava, etc.) y del carácter alegórico, propio a los autos sacramentales como género, Calderón organiza estas obras de manera particular. Como señala Valbuena Prat, Calderón reconcentra el tema al suprimir las acciones secundarias, lo que supone un alejamiento de la comedia lopesca y de los autos derivados de ella; esta condensación argumental se produce también en los autos que Calderón construye a partir de comedias preexistentes. Además, la figura del donaire no suele aparecer y, cuando lo hace, su importancia es mínima y no tiene pareja femenina: *Pensamiento*, *Albedrío* o *Apetito* pueden, en determinados momentos y obras, representar el papel de «gracioso», pero nunca de manera sistemática y continuada.

Frente a esa simplificación, suele suceder que en un auto se engarcen dos o más temas sucesivamente, o aparezca una *coda* más o menos integrada en el asunto principal; es el caso, por ejemplo, de *Los encantos de la culpa* (véase Egido [1982]) y *La hidalga del valle*, respectivamente. Los cambios de acción (argumento), de lugar o tiempo se marcan mediante procedimientos escenográficos, como puede ser la apertura y cierre de los globos que representan al mundo, cielo, etc., o mediante otros recursos mecánicos.

El distanciamiento doctrinal y catequístico, la intención didáctica, hace que Calderón lo explique todo: correspondencia alegórica de argumentos y figuras, significación de nombres propios, doctrina canónica sobre una cuestión, etc. En lo teatral esto lleva aparejado que el juego de los personajes, la acción escénica, sea mínima y poco significativa salvo, quizá, como ilustración de lo comunicado verbalmente (Gewecke [1974]).

En el aspecto estrictamente argumental, es posible distinguir aquellos autos que tratan directamente el misterio de la Redención (los mejores) y los que presentan aspectos parciales, centrándose en la institución de un sacramento, en algún problema de fe, etc. Tanto en un caso como en otro, la tendencia general consiste en establecer un esquema que desarrolle la «síntesis teológica de toda la historia de la humanidad: Creación-Caída-Redención» (Valbuena). Ahora bien, cuando Calderón utiliza, como soporte de la alegoría, una historia conocida (v. gr., la de José, en *Sueños hay que verdad son*), aumenta el recurso a los cultismos y juegos conceptuales lingüísticos (*annominatio*, paronomasia, figura etimológica, etc.), crece el papel del gracioso (que llega incluso a hacer chistes autónomos) y son más frecuentes las «adivinanzas» sobre el sentido de una figura o actuación, propuestas directamente al público. En estas historias disminuyen, por contra, las explicaciones alegóricas e historiales, y los parlamentos y monólogos son más cortos y no tan explicativos.

Todos los aspectos y facetas señalados hasta aquí, amén de otros no tenidos en cuenta, aparecen como concentrados y potenciados en unas pocas obras de Calderón, obras que constituyen el núcleo de su producción y como tales han sido atendidas por la crítica, tanto en lo que se refiere a extensión como a intensidad. Tres piezas nos parecen centrales, en cuanto polarizan la comprensión del conjunto de la obra calderoniana; evidentemente nos referimos a *El alcalde de Zalamea*, *El gran teatro del mundo*, y, sobre todas, a *La vida es sueño*.

En *El alcalde de Zalamea*, el primer problema es la fijación del texto y su relación con la obra homónima antes atribuida a Lope (Kersten [1972]). Como los autores clásicos no señalan los cambios de escena, la división de los actos y los efectos que dicha división produce en el sentido y la representación de la obra se prestan a variadas posibilidades (Sloman [1951], Varey [1980]).

Especial interés tiene la figura del «villano honrado» (Leavitt [1955]) en relación con el tipo tradicional de alcalde campesino y con el tratamiento que se le da en el primer *Alcalde*; pero, en cualquier caso, no sólo Pedro Crespo, sino todos los caracteres presentan una profundidad y unos matices psicológicos no habituales en la época (Soons [1960]); a ellos corresponde una estructura dramática también más compleja (Leavitt [1966], Parker [1972]). La relación que se establece entre civiles o campesinos, por un lado, y soldados, por otro (reflejada en la pareja equivalente *villano/noble*) plantea la condición del honor como cualidad intrínseca del hombre (Jones [1955], Dunn [1964], Casanova [1968], Honig [1972]), al mismo tiempo que los conflictos jurídicos y morales derivados del cruce de esos valores en el doble plano de la legalidad civil (Caso [1981]) y la justicia trascendente (Mallarino [1942]). Todo esto condiciona (y depende de) la relación entre realidad social y ficción teatral (Soons [1966]) y, en definitiva, de la interpretación de la obra como conjunto; al respecto son útiles los estudios que aparecen en los prólogos de las ediciones de Dunn [1966] y Díez Borque [1976].

Si en *El gran teatro del mundo* los problemas textuales no son de especial entidad (Hunter [1961]), sí plantea numerosas dificultades la reconstrucción del espacio escénico (Shergold [1970]), así como la organización o estructura interna de la obra (Pollman [1970], A. García [1979]). El tema central, la idea del mundo como teatro, cuenta con valiosos estudios dedicados a rastrear sus fuentes (Vilanova [1950], Jacquot [1957], H. G. Jones [1976]). El motivo del teatro dentro del teatro, que aparece en todo tipo de obras anteriores y contemporáneas, ha sido estudiado por Wardropper [1973] y Orozco [1969]. La relación del auto con la sociedad de su tiempo, lo mismo que la presentación de los personajes como figuras representativas de los estados del mundo, no impide ver en *El gran teatro del mundo* una obra en la que se propone una visión ontológica del hombre y un comportamiento ético trascendente. Las principales ediciones suelen tratar los problemas señalados, aportando diversas soluciones (Valbuena Prat [1942], Frutos [1976]), especialmente centradas en los aspectos doctrinales y filosóficos aunque en algún caso se atienda también al trasfondo social que la obra refleja (Ynduráin [1981]).

En *La vida es sueño*, dejando a un lado los problemas textuales (Joly [1965], Cruickshank [1973]) y de realización o montaje (Shergold [1968], Julien [1960]), los críticos han centrado sus esfuerzos en una serie de puntos concretos como las fuentes y sentido de la imagen que presenta la vida como un sueño, desde Farinelli [1916] hasta Olmedo [1928] y Praag [1968]; planteamiento que puede relacionarse con el tema del niño (príncipe o noble) que se cría oculto, ignorando su personalidad, ya sea para evitar el cumplimiento de una profecía o por otros motivos. Esto da lugar al estudio de los horóscopos y, en general, a la valoración del crédito que Calderón concede a la astrología (Dunn [1953], Pring-Mill [1968, 1970]; ed. Parker [1973]). También se ha tratado el sentido de la figura ejemplar del rey (Basilio) o príncipe (Segismundo) como propuesta ética y política (Hesse [1953], Honig [1976]) y en relación con ella se encuentra el debatido problema de la libertad humana; del otro lado está la influencia del Hado o la Providencia, cuestión teológica sobradamente conocida (Frutos [1952]). El supuesto pecado contraído por el hombre al nacer (Escribano [1962], Porqueras [1965, 1967]) puede verse en relación con el debate tradicional de la dignidad del hombre, frente a los animales y la naturaleza. Este sentido de la dignidad del hombre se centra en la figura de Segismundo, como representación arquetípica del ser humano en el sistema de Calderón (Ríos [1926], Vitse [1980]). De la libertad de los personajes, del cumplimiento del horóscopo, etc., depende que la obra pueda ser considerada tragedia o no.

Dentro ya de la organización de la obra, y sobre todo después de la influyentísima explicación de Wilson [1946], se discuten los nexos que se establecen entre la acción principal y secundaria, fundamentalmente en el papel que juegan Rosaura (Whitby [1960]), Clotaldo (Suárez-Galbán [1969], Merrick [1973]) y Astolfo (Suárez-Galbán [1969]). También se ha concedido gran importancia a la figura del gracioso, Clarín (Woodward [1976]), y al castigo del soldado rebelde al final de la obra (Hall [1968, 1969], Parker [1969], Suárez-Galbán [1971], Heiple [1973], T. E. May [1970], Rull [1975]). *La vida es sueño* ha sido vista asimismo como reflejo del orden del barroco (Valbuena Prat [1942], Vitse [1978]) y, en este sentido, puede estudiarse desde una perspectiva histórica o social (Bandera [1975], Alcalá Zamora [1978]). Son interesantes los símbolos que moviliza esta obra (Bodini [1968], Maurin [1967]), al igual que sus metáforas (Cilveti [1973]); unos y otras pueden llevar, en último término, a una interpretación psicoanalítica (García Barroso [1974]), o a relacionarlos con el pensamiento filosófico de Calderón. Menos estudiada, como ya advertimos al tratar del conjunto de la obra de Calderón, está la lengua poética de *La vida es sueño* (Aubrun [1960]). En general, se han ensayado numerosas interpretaciones de conjunto, desde las que consideran que a Calderón se le escapa el tema inicial y fundamental, es decir, el ser del hombre (Croce [1950]), hasta las que resaltan la gran profundidad filosófica del planteamiento (Wilson [1946], Casalduero [1961], Cilveti [1971], Hesse [1967 *b*]). Las ediciones son tan numerosas, que sólo citaremos la muy esmerada de Sloman [1961] y la de E. Rull [1980], una de las más recientes y completas.

BIBLIOGRAFÍA

Alcalá Zamora, Antonio, «Despotismo, libertad política y rebelión popular en el pensamiento calderoniano de *La vida es sueño*», Fundación Universitaria Española, *Cuadernos de investigación histórica*, II (1978), pp. 39-113.

Alonso, Dámaso, «La correlación en la estructura del teatro calderoniano», en D. A. y C. Bousoño, *Seis calas en la expresión literaria española*, Gredos, Madrid, 1951, pp. 109-175.

Aubrun, Charles V., «La langue poétique de Calderón (notamment dans *La vida es sueño*)», *Réalisme et poésie au théâtre*, J. Jacquot, ed., CNRS, París, pp. 61-76.

—, ed., P. C. de la B., *Eco y Narciso*, París, 1961.

—, «Le déterminisme naturel et la causalité surnaturelle chez Calderón», *Le Théâtre tragique*, CNRS, París, 1962, pp. 199-209.

—, ed., P. C. de la B., *La estatua de Prometeo*, París, 1965.

Bandera, Cesáreo, *Mimesis conflictiva*, Gredos, Madrid, 1975.

Bergamín, José, *Calderón y cierra España*, Planeta, Barcelona, 1979.

Bodini, Vittorio, *Segni e simboli nella «Vida es sueño»*, París, 1968.

Brown, Jonathan, y J. H. Elliot, *A palace for a king: the Buen Retiro and the court of Philip IV*, Yale University Press, New Haven, 1980; trad. cast.: Alianza, Madrid, 1981.

Bryans, John V., *Calderón de la Barca: Imagery, rhetoric and drama*, Tamesis, Londres, 1977.

Casalduero, Joaquín, «Sentido y forma de *La vida es sueño*», *Cuadernos del Congreso para la libertad de la cultura*, V (1961), pp. 3-13; reimpreso en *Estudios sobre el teatro español*, Gredos, Madrid, 1962, pp. 163-183.

Casanova, W. O., «Honor, patrimonio del alma y opinión social, patrimonio de casta en *El alcalde de Zalamea* de Calderón», *Hispanófila*, XI, n.º 33 (1968), pp. 17-33.

Caso González, José, «*El alcalde de Zalamea*, drama subversivo», *Actas del primer simposio de literatura española*, Salamanca, 1981, pp. 193-207.

Cerny, Vaclav, ed., P. C. de la B., *El gran duque de Gandía*, Praga, 1963.

Cilveti, A.' L., «Silogismo, correlación e imagen poética en el teatro de Calderón», *Romanische Forschungen*, LXX (1968), pp. 459-497.

—, *El significado de «La vida es sueño»*, Valencia, 1971.

—, «La función de la metáfora en *La vida es sueño*», *Nueva Revista de Filología Hispánica*, XXII (1973), pp. 17-38.

—, *El demonio en el teatro de Calderón*, Albatros, Valencia, 1977.

Congreso internacional sobre Calderón y el teatro español del Siglo de Oro, Madrid, 1981, Consejo Superior de Investigaciones Científicas, Madrid, en prensa.

Cossío, José María de, «Racionalismo del arte dramático de Calderón», *Cruz y Raya*, n.º 21, 1934, pp. 37-76.

Croce, Benedetto, *Letture di poeti*, II, Laterza, Bari, 1950, pp. 21-42.

Cruickshank, D. W., «Calderón's *Primera* and *Tercera partes*, the reprints of "1640" and "1664"», *The Library*, 1970, pp. 105-119.

—, «Calderón's Handwriting», *Modern Language Review*, LXVI (1970), pp. 66-77.

—, ed., P. C. de la B., *En la vida todo es verdad y todo mentira*, Londres, 1971.

—, «"Pongo mi mano en sangre bañada a la puerta". Adultery in *El médico de su honra*», en R. O. Jones, ed., *Studies in the Spanish literature of Golden Age*, Tamesis, Londres, 1973.

—, «The text of *La vida es sueño*», en *The textual criticism of Calderón's comedias*, Gregg & Tamesis, Londres, 1973, pp. 79-94.

— y John Varey, «The printing of Calderón's *Tercera Parte*», *Studies in Bibliography*, XXIII (1970), pp. 230-251.

— y —, *The comedias of Calderón. A facsimile edition prepared by ... with textual and critical studies*, Gregg & Tamesis, Londres, 1973 (19 volúmenes).

Chang-Rodríguez, Raquel, y Eleanor J. Martin, «Amor y honor en una olvidada obra de Calderón, *El postrer duelo de España*», *Modern Language Notes*, XCV (1980), pp. 295-311.

Chapman, W. G., «Las comedias mitológicas de Calderón», *Revista de Literatura*, V (1954), pp. 35-67.

Chase, Gilbert, *La música de España de Alfonso X a Joaquín Rodrigo*, Prensa Española, Madrid, 1981.

De Armas, F. A., D. M. Gitlitz y J. A. Madrigal, eds., *Critical perspectives on Calderón de la Barca*, University of Nebraska, Lincoln, 1982.

Díez Borque, J. M.ª, ed., P. C. de la B., *El alcalde de Zalamea*, Castalia, Madrid, 1976.

Dunn, Peter N., «The horoscope motif in *La vida es sueño*», *Atlante*, I (1953), pp. 187-201.

—, «Honor and the christian background in Calderón», *Bulletin of Hispanic Studies*, XXXVII (1960), pp. 75-105.

—, «Patrimonio del alma», *Bulletin of Hispanic Studies*, XLI (1964), pp. 78-85.

—, ed., P. C. de la B., *El alcalde de Zalamea*, Oxford, 1966.

Durán, Manuel. «Towards a psychological profile of Pedro Calderón de la Barca» en McGaha, ed. [1982], pp. 17-32.

—, y R. González Echevarría, *Calderón y la crítica: Historia y antología*, Gredos, Madrid, 1976.

Edwards, Gwynne, «Calderón's *La hija del aire* in the light of its sources», *Bulletin of Hispanic Studies*, XLIII (1966), pp. 177-196.

—, «Calderón's *La hija del aire* and the classical type of tragedy», *Bulletin of Hispanic Studies*, XLIV (1967), pp. 161-194.

—, ed., P. C. de la B., *La hija del aire*, Tamesis, Londres, 1970.

Egido, Aurora, *La fábrica de un auto sacramental: «Los encantos de la culpa»*, Universidad de Salamanca, Salamanca, 1982.

Engelbert, Manfred, ed., P. C. de la B., *El pleito matrimonial del alma y el cuerpo*, Hamburgo, 1969.

—, «Zur Sprache Calderóns: Das Diminutiv», *Romanistisches Jahrbuch*, XX (1969), pp. 290-303.

Entwistle, W. J., «Justina's temptation: An approach to the Understanding of Calderón», *Modern Language Review*, XL (1945), pp. 180-189.

—, «La controversia en los autos de Calderón», *Nueva Revista de Filología Hispánica*, II (1948), pp. 223-238.

—, «Calderón et le théâtre symbolique», *Bulletin Hispanique*, LII (1950), pp. 41-54.

Escribano, Francisco Sánchez, «Sobre el origen de "el delito mayor del hombre es haber nacido": *La vida es sueño*», en *Romance Notes*, III (1962), páginas 50-51.

Farinelli, Arturo, *La vita è un sogno*, Turín, 1916.

Flasche, Hans, «Problemas de la sintaxis calderoniana. (La transposición inmediata del adjetivo)», *Archivum Linguisticum*, XVI (1964), pp. 54-68.

—, éd., *Litterae Hispaniae et Lusitanae*, Max Hueber, Munich, 1968.

—, ed., *Hacia Calderón. Primer Coloquio anglogermano de Exeter, 1969*, Berlín, 1970; *Segundo ... Hamburgo, 1970*; *Tercer ... Londres, 1973*; *Cuarto ... Wolfenbüttel, 1976*, Berlín-Nueva York, 1979.

—, ed., *Calderón de la Barca*, Wissenschaftliche Buchgesellschaft, Darmstadt, 1971.

—, «La lengua de Calderón», *Actas del Quinto Congreso Internacional de Hispanistas*, Burdeos, 1977, pp. 18-48.

— y Sánchez Mariana, eds., P. C. de la B., *El divino cazador*, Dirección General de Bellas Artes, Madrid, 1981.

Flasche, Hans y Gerd Hofmann, eds., *Konkordanz zu Calderón*, Olms, Hildesheim y Nueva York, 1980, vol. I (autos sacramentales); la obra constará de cinco volúmenes.

Frutos Cortés, Eugenio, *La filosofía de Calderón en sus autos sacramentales*, Zaragoza, 1952; reimpreso: Institución «Fernando el Católico», Zaragoza, 1981.

—, ed., P. C. de la B., *El gran teatro del mundo. El gran mercado del mundo*, Cátedra, Madrid, 1976.

García, Ángel M., «*El gran teatro del mundo*: estructura y personajes», en H. Flasche, ed. [1979].

García Barroso, M., «*La vie est un songe*. Un essai psychanalitique», *Revue Française de psychanalise*, XXXVIII, 5-6 (1974), pp. 1.155-1.170.

Gewecke, Frauke, *Tematische Untersuchungen zum demm vor Calderonianischen «Auto Sacramental»*, Droz, Ginebra, 1974.

Granja, Agustín de la, *Entremeses y mojigangas de Calderón para sus autos sacramentales*, Universidad de Granada, 1981.

Gulsoy, Y., y J. H. Parker, «*El príncipe constante*: drama barroco de la Contrarreforma», *Hispanófila*, IX (1960), pp. 15-23.

Güntert, Georg, «El gracioso en Calderón: disparate e ingenio», *Cuadernos Hispanoamericanos*, n.º 324 (1977), pp. 1-14.

Hall, H. B., «Segismundo and the rebel soldier», *Bulletin of Hispanic Studies*, XLV (1968), pp. 189-200.

—, «Poetic justice in *La vida es sueño*: A further comment», *Bulletin of Hispanic Studies*, XLV (1969), pp. 128-131.

Heiple, D. L., «The tradition behind the punishment of the rebel soldier in *La vida es sueño*», *Bulletin of Hispanic Studies*, L (1973), pp. 1-17.

Herrero, Javier, ed., *Calderón: códigos, monstruo, icones*, Centre d'Études et Recherches Sociocritiques, Montpellier, 1982.

Hesse, Everett W., *Vera Tassis' text of Calderón's plays*, México, 1941.

—, «The first and second editions of Calderón's *Cuarta parte*», *Hispanic Review*, XVI (1948), pp. 209-237.

—, «La concepción calderoniana del príncipe perfecto en *La vida es sueño*», *Clavileño*, n.º 4 (1953), pp. 4-12.

—, «The first and second editions of Calderón's *Cuarta parte*», *Hispanic Review*, I (1960), pp. 1-4.

—, *Calderón de la Barca*, Twayne, Nueva York, 1967.

—, «El motivo del sueño en *La vida es sueño*», *Segismundo*, III (1967), pp. 55-62.

—, «A psychological approach to *El médico de su honra*», *Romanistisches Jahrbuch*, XXVIII (1977), pp. 326-340.

Hilborn, H. W., *A chronology of the plays of don Pedro Calderón de la Barca*, University of Toronto, Toronto, 1938.

—, «Calderón's *agudos* in Italianate verse», *Hispanic Review*, X (1942), pp. 157-159.

—, «Calderón's *silvas*», *Publications of the Modern Language Association of America*, LVIII (1943), pp. 122-148.

—, «Calderón's *quintillas*», *Hispanic Review*, XVI (1948), pp. 301-310.

Hilborn, H. W., «Comparative *culto* vocabulary in Calderón and Lope», *Hispanic Review*, XXVI (1958), pp. 223-233.

Hofmann, G., ed., P. C. de la B., *La cena del rey Baltasar*, De Gruyter, Berlín, 1971.

Holzinger, Walter, «Ideology, imagery and the liberalization of metaphor in *A secreto agravio, secreta venganza*», *Bulletin of Hispanic Studies*, LIV (1977), pp. 203-214.

Honig, Edwin, *Calderón and the seizures of honor*, Harvard University Press, Cambridge, Mass., 1972.

—, «El príncipe magnánimo y el precio de la conciencia moral en *La vida es sueño*», en Durán, ed. [1976], pp. 747-767.

Hunter, W. A., «Toward a more authentic text of Calderón's *El gran teatro del mundo*», *Hispanic Review*, XXIX (1961), pp. 240-244.

Iglesias Feijoo, Luis, «Sobre la autoría de *El gran duque de Gandía*», en *Congreso Internacional* [en prensa].

Jacquot, J., «Le Théâtre du monde de Shakespeare à Calderón», *Revue de Littérature comparée*, XXXI (1957), pp. 341-372.

Joly, Monique, «À propos d'une leçon erronée de *La vida es sueño*», *Les Langues Néo-Latines*, LIX (1965), pp. 69-72.

Jones, C. A., «Honor in *El alcalde de Zalamea*», *Modern Language Review*, L (1955), pp. 444-449.

—, «Spanish honor as historical phenomenon. Convention and artistic motive», *Hispanic Review*, XXXIII (1965), pp. 32-39.

Jones, Harold G., «Calderón's *El gran teatro del mundo*: two possible sources», *Journal of Hispanic Philology*, vol. I, n.º 1 (1976).

Julien, A. M., «La mise en scéne de *La vie est un songe*», *Réalisme et poésie au théâtre*, CNRS, París, 1960, pp. 67-82.

Kayser, W., «Zur Struktur des *Standhaften Prinzen* von Calderón», *Gestaltprobleme der Dichtung*, Bonn, 1957, pp. 67-82.

Kersten, R., «El alcalde de Zalamea y su refundición por Calderón», *Homenaje a J. Casalduero*, Gredos, Madrid, 1972, pp. 263-274.

Leavitt, S. E., «Pedro Crespo and the captain in Calderón's *Alcalde de Zalamea*», *Hispania*, XXXVIII (1955), pp. 430-431.

—, «Humor in the *autos* of Calderón», *Hispania*, XXXIX (1956), pp. 137-144.

—, «Cracks in the structure of Calderón's *El alcalde de Zalamea*», *Hispanic Studies in Honor of N. Adams*, Chapel Hill, 1966, pp. 93-96.

Lorenz, Erika, «Calderón un die Astrologie», *Romanistisches Jahrbuch*, XII (1961), pp. 265-277.

Lund, H.. *Pedro Calderón de la Barca. A biography*, Edimburgo, 1963.

Mallarino, V., «El alcalde de Zalamea y Fuenteovejuna frente al derecho penal», *Revista de las Indias*, XIV (1942), pp. 430-431.

Mancini, G., ed., *Calderón in Italia. Studi e ricerche*, Pisa, 1955.

Maraniss, James, E.. *On Calderón*, University of Missouri Press, 1978.

Marcos Villanueva, Balbino, *La ascética de los jesuitas en los autos sacramentales de Calderón*, Universidad de Deusto, 1973.

Martín, Ana M., «Ensayo bibliográfico sobre las ediciones, traducciones y estudios de Calderón de la Barca en Francia», *Revista de Literatura*, XVII (1960), pp. 33-34.

Maurin, M. S., «The monster, the sepulchre and the dark: Related patterns of imaginery in *La vida es sueño*», *Hispanic Review*, XXXV (1967), pp. 161-178; reeditado en Cruickshank, ed. [1973], t. XIX, pp. 133-149.

May, T. E., «Segismundo y el soldado rebelde», en H. Flasche, ed. [1970], pp. 71-75.

McGaha, M. D., ed., *Approaches to the theater of Calderón*, University Press of America, Washington, D. C., 1982.

Menéndez Pelayo, Marcelino, *Calderón y su teatro*, Madrid, 1881.

Meregalli, Franco, «Nuove tendenze della critica calderoniana», *Annali dell'Istituto Universitario Orientale*, XIX (1977), pp. 159-179.

Merrick, C. A., «Clotaldo's role in the structure of *La vida es sueño*», *Bulletin of Hispanic Studies*, L (1973), pp. 256-269.

Morón Arroyo, Ciriaco, *Calderón. Pensamiento y teatro*, Biblioteca de Menéndez Pelayo, Santander, 1982.

Muir, Kenneth, «The comedies of Calderón», *The drama of the Renaissance: Essays for Leicester Bradner*, Providence, 1970, pp. 123-133.

Navarro, Alberto, ed., P. C. de la B., *Céfalo y Pocris*, Almar, Salamanca, 1979.

Neumeister, Sebastian, «Los retratos de los reyes en la última comedia de Calderón (*Hado y divisa de Teónido y Marfisa*)», en Flasche, ed. [1979].

Newman, R., *Calderón and Aquinas*, Boston, 1956.

Olmedo, Félix G., *Las fuentes de «La vida es sueño»*, Voluntad, Madrid, 1928.

Orozco Díaz, Emilio, *El teatro y la teatralidad del Barroco*, Planeta, Barcelona, 1969.

Parker, Alexander A., ed., Pedro Calderón de la Barca, *El príncipe constante*, Cambridge, 1938, 1968³.

—, *The allegorical drama of Calderón. An introduction to the autos sacramentales*, Dolphin, Oxford, 1943, 1961²; trad. cast.: *Los autos sacramentales de Calderón*, Ariel (Studia, 1), Barcelona, 1983.

—, ed., Pedro Calderón de la Barca, *No hay más Fortuna que Dios*, Manchester, 1949, 1962².

—, *The approach to the Spanish drama of the Golden Age*, The Hispanic and Luso-Brazilian Councils, Londres, 1957, 1964³.

—, «The theology of the Devil in the drama of Calderón», *Aquinas Paper*, XXXII (1958).

—, «Towards a definition of Calderonian tragedy», *Bulletin of Hispanic Studies*, XXXIX (1962), pp. 222-237.

—, «The father-son conflict in the drama of Calderón», *Forum for Modern Language Studies*, II (1966), pp. 99-113.

—, «Calderón's rebel soldier and poetic justice», *Bulletin of Hispanic Studies*, XLVI (1969), pp. 120-127.

—, «The chronology of Calderón's *autos sacramentales* from 1647», *Hispanic Review*, XXXVII (1969), pp. 164-188.

—, «La estructura dramática de *El alcalde de Zalamea*», en *Homenaje a Casalduero*, Gredos, Madrid, 1972, pp. 411-417.

—, «Prediction and its dramatic function in *El mayor monstruo los celos*»,

Studies in the Spanish Literature of the Golden Age, Jones, ed. [1973], pp. 173-191.

Parker, Jack H., y Arthur M. Fox, eds., *Calderón de la Barca Studies, 1951-1969. A critical survey and annotated bibliography*, University of Toronto, Toronto, 1971.

Paterson, Alan K. G., «El local no determinado en *El príncipe constante*», en H. Flasche, ed. [1973], pp. 171-184.

Pérez Pastor, Cristóbal, *Documentos para la biografía de D. Pedro Calderón de la Barca*, Madrid, 1905.

Pollmann, Leo, «Análisis estructural comparado de *El gran teatro del mundo* y *No hay más Fortuna que Dios*», en H. Flasche, ed. [1970], pp. 85-92.

Porqueras Mayo, Alberto, «Más sobre Calderón "Pues el delito mayor del hombre es haber nacido": contribución al estudio de un topos literario en España», *Segismundo*, I (1965), pp. 275-299.

—, «Nuevas aportaciones al topos "No haber nacido" en la literatura española», *Segismundo*, III (1967), pp. 63-73.

—, ed., P. C. de la B., *El príncipe constante*, Espasa-Calpe, Madrid, 1975.

Praag, J. A. van, «Otra vez la fuente de *La vida es sueño*», *Studia philologica. Homenaje ofrecido a D. Alonso*, Madrid, 1968, III, pp. 551-562.

Pring-Mill, R. D. F., «Los calderonistas de habla inglesa y *La vida es sueño*: métodos de análisis temático estructural», en H. Flasche, ed. [1968], pp. 369-413.

—, «La victoria del hado en *La vida es sueño*», en H. Flasche, ed. [1970], pp. 53-69.

Pulice, Alicia A., «El *stile rappresentativo* en la comedia de teatro de Calderón», en McGaha, ed. [1982], pp. 215-229.,

Querol Gavaldá, Miguel, *Música barroca española*, VI: *Teatro musical de Calderón*, Consejo Superior de Investigaciones Científicas, Barcelona, 1981.

Rank, Otto, «The incest of Amon and Tamar», *Tulane Drama Review*, VII (1963), pp. 38-43.

Reichenberger, Arnold G., «Calderón's *El príncipe constante*, a tragedy?», *Modern Language Notes*, LXXV (1960), pp. 668-670.

Reichenberger, Kurt y Roswitha, *Bibliographisches Handbuch der Calderón-Forschung*, Thiele und Schwarz, Kassel, I, 1979; III, 1981.

— y —, «Problemas de cronología. Fechas de redacción de las obras calderonianas», *Congreso internacional* [en prensa].

Rico, Francisco, *El pequeño mundo del hombre*, Castalia, Madrid, 1970, pp. 242-259.

Ríos, Blanca de los, *«La vida es sueño» y los diez Segismundos de Calderón*, Madrid, 1926.

Rivers, Elias L., «Fénix's sonnet in Calderón's *Príncipe constante*», *Hispanic Review*, XXXVII (1969), pp. 452-458.

Rodríguez, Florencio Marcos, «Un pleito de D. Pedro Calderón de la Barca, estudiante en Salamanca», *Revista de Bibliotecas, Archivos y Museos del Ayuntamiento de Madrid*, LXVII (1959), pp. 717-731.

Rogers, Daniel, «"Tienen los celos pasos de ladrones": Silence in Calderón's *El médico de su honra*», *Hispanic Review*, XXXIII (1965), pp. 273-289.

Romero, Leonardo, «Calderón y la literatura española del siglo XIX», *Letras de Deusto*, 11, 22 (1981), pp. 101-124.

Roux, Lucette Elyane, «Cent ans d'expérience théâtrale dans les colléges de la Compagnie de Jésus en Espagne: Deuxième moitié du XVI⁰ siècle-première moitié du XVII⁰ siècle», *Dramaturgie et Société*, CNRS, París, 1968, páginas 479-523.

Rubio, Isaac, «El teatro español del Siglo de Oro y los hispanistas de habla inglesa», *Segismundo*, en prensa.

Rubio Latorre, R., «Mariología en los autos sacramentales de Calderón», *Segismundo*, 5-6 (1967), pp. 75-113.

Rull, Enrique, «La literalidad del soldado rebelde en *La vida es sueño*», *Segismundo*, 21-22 (1975), pp. 117-125.

—, ed., P. C. de la B., *La vida es sueño*, Alhambra, Madrid, 1980.

— y J. C. de Torres, eds., P. C. de la B., *El primer blasón de Austria*, Consejo Superior de Investigaciones Científicas, Madrid, 1981.

Sage, Jack W., «Calderón y la música teatral», *Bulletin Hispanique*, LVIII (1956), pp. 275-300.

—, «Textos y realización de *La estatua de Prometeo* y otros dramas musicales de Calderón», en H. Flasche, ed. [1970], pp. 37-52.

Samoná, Carmelo, *Calderón nella critica italiana*, Milán, 1960.

Sánchez Mariana, Manuel, ed., P. C. de la B., *La humildad coronada*, Espasa-Calpe, Madrid, 1980.

Sauvage, Micheline, *Calderón dramaturge*, Arche, París, 1959.

Scholberg, Kenneth, R., «Las obras cortas de Calderón», *Clavileño*, n.⁰ 25 (1954), pp. 13-19.

Shergold, N. D., «Calderón and Vera Tassis», *Hispanic Review*, XXIII (1955), pp. 212-218.

—, «The first performance of Calderón's *El mayor encanto, amor*», *Bulletin of Hispanic Studies*, XXXV (1958), pp. 24-27.

—, «*La vida es sueño*: ses acteurs, son théâtre et son public», *Dramaturgie et Société*, CNRS, París, 1968, pp. 93-109.

—, «*El gran teatro del mundo* y sus problemas escenográficos», en H. Flasche, ed. [1970], pp. 77-85.

Shrek, J. R., ed., P. C. de la B., *El sitio de Breda*, Instituto de Estudios Hispánicos, Utrecht, 1957.

Simón Díaz, José, *Historia del Colegio Imperial de Madrid*, vol. I, Consejo Superior de Investigaciones Científicas, Madrid, 1952.

—, «Textos dispersos de clásicos españoles: II, Calderón de la Barca», *Revista de Literatura*, XV (1959), pp. 121-124.

Sito Alba, Manuel, «Mimemática en Calderón», en *Coloquium Calderonianum Internationale*, Instituto Español de Cultura, L'Aquila-Roma, en prensa.

Sloman, A. E., *The sources of Calderón's «El príncipe constante»*, Blackwell, Oxford, 1950.

—, «Scene division in Calderón's *Alcalde de Zalamea*», *Hispanic Review*, XIX (1951), pp. 66-71.

—, «*El médico de su honra* and *La amiga de Bernal Francés*», *Bulletin of Hispanic Studies*, XXXIV (1957), pp. 168-169.

Sloman, A. E., *The dramatic craftmanship of Calderón. His use of earlier plays*, Dolphin, Oxford, 1958.

—, ed., P. C. de la B., *La vida es sueño*, Manchester University Press, Manchester, 1961.

Soons, C. A., «Caracteres e imágenes en *El alcalde de Zalamea*», *Romanische Forschungen*, LXII (1960), pp. 104-107.

—, *Ficción y comedia en el Siglo de Oro*, Estudios de literatura española, Madrid, 1966.

Spitzer, Leo, «Die Figur der Fénix in Calderón's Standhaftem Prinzen», *Romanisches Jahrbuch*, X (1960), pp. 305-335; trad. cast. en Durán, ed. [1976], pp. 598-628.

Suárez-Galbán, E., «El conflicto de Clotaldo: visión psicológica», *La Torre*, 65 (1969), pp. 69-83.

—, «Astolfo: la moral y su ilustración dramática en *La vida es sueño*», *Hispanófila*, 38 (1970), pp. 1-12.

—, «Vuelta a Segismundo y el soldado rebelde», *Romance Notes*, XIII (1971), pp. 143-146.

Subirá, J., *Historia de la música teatral en España*, Barcelona, 1945.

—, «La "ópera castellana" en los siglos XVII y XVIII», *Segismundo*, 1 (1965), pp. 23-42.

Tejada, Amelia, *Untersuchungen zum Humor in den Comedias Calderóns unter Ausschluss der «Gracioso» — Gestalten*, De Gruyter, Berlín, 1974.

Ter Horst, Robert, «A new literary history of don Pedro Calderón», en McGaha, ed. [1982].

Thomas, Lucien-Paul, «Les jeux de scène et l'architecture des idées dans le théâtre allégorique de Calderón», *Homenaje a Menéndez Pidal*, II, Madrid, 1925, pp. 501-530.

Truman, R. W., «The theme of justice in Calderón's *El príncipe constante*», *Modern Language Review*, LIX (1964), pp. 43-52.

Trénor, Leopoldo, ed., P. C. de la B., *Discurso métrico-ascético sobre la inscripción «Psalle et Sile» que está grabada en la verja del coro de la Santa Iglesia de Toledo*, Castalia, Valencia, 1945.

Tyler, R. W., y S. D. Elizondo, *The characters, plots and settings of Calderón's comedias*, The University of Nebraska, Lincoln, en prensa.

Uppendahl, Klaus, ed., P. C. de la B., *Mística y real Babilonia*, De Gruyter, Berlín, 1979.

Valbuena Briones, A., «El concepto del hado en el teatro de Calderón», *Bulletin Hispanique*, LXIII (1961), pp. 48-54.

—, ed., P. C. de la B., *Obras completas*, Aguilar, Madrid, 1966, vols. I y II.

—, ed., P. C. de la B., *La dama duende*, Cátedra, Madrid, 1976.

—, *Calderón y la comedia nueva*, Espasa-Calpe, Madrid, 1977.

—, ed., *Primera parte de comedias de D. P. Calderón de la Barca*, Consejo Superior de Investigaciones Científicas, Madrid, vol. I, 1974; vol. II, 1981.

Valbuena Prat, A., «Los autos sacramentales de Calderón: clasificación y análisis», *Revue Hispanique*, LXI (1924), pp. 1-302.

—, ed., *Autos sacramentales*, Espasa-Calpe (Clásicos Castellanos), Madrid, 1926, 1927.

Valbuena Prat, A., *Calderón*, Juventud, Barcelona, 1941.

—, «El orden barroco en *La vida es sueño*», *Escorial*, VI (1942), pp. 167-192; reimpreso en Durán, ed. [1976], pp. 249-276.

—, ed., P. C. de la B., *Autos sacramentales. Obras completas*, III, Aguilar, Madrid, 1952.

Varey, J. E., «*Casa con dos puertas*: Towards a definition of Calderón's view of comedy», *Modern Language Review*, LXVII (1972), pp. 83-94.

—, «[El] espacio escénico [en *El alcalde de Zalamea*]», *II Jornadas de teatro clásico español, Almagro, 1979*, Madrid, 1980, pp. 17-34.

Vilanova, A., «El tema del gran teatro del mundo», *Boletín de la Real Academia de Bellas Artes de Barcelona*, XXIII (1950), pp. 341-372.

Vitse, Marc, «L'ordre de *La vida es sueño*», en *Ordre et révolte dans le théâtre espagnol du Siècle d'Or*, Toulouse, 1978, pp. 119-131.

—, *Segismundo et Serafina*, Université de Toulouse-Le Mirail, Toulouse, 1980.

Vosters, S. A., *La rendición de Bredá en la literatura y el arte de España*, Tamesis, Londres, 1973.

Wardropper, Bruce W., «The Unconcious Mind in Calderón's *El pintor de su deshonra*», *Hispanic Review*, XVIII (1950), pp. 285-301.

—, «Christian and Moor in Calderón's *El príncipe constante*», *Modern Language Review*, LIII (1958), pp. 512-520.

—, «Poetry and drama in Calderón's *El médico de su honra*», *Romanic Review*, XLIX (1958), pp. 3-11.

—, «Menéndez Pelayo y Calderón», *Criticism*, VII (1965), pp. 363-372.

—, ed., *Critical essays on the theatre of Calderón*, New York University Press, Nueva York, 1965.

—, «Calderón's comedy and his serious sense of life», en *Studies in Honor of Nicholson B. Adams*, University of North Carolina, Chapel Hill, 1966, pp. 179-193.

—, «El problema de la responsabilidad en la comedia de capa y espada de Calderón», en *Actas del Segundo Congreso Internacional de Hispanistas*, Nimega, 1967, pp. 689-694.

—, «La imaginación en el metateatro calderoniano», *Studia Hispanica in Honorem R. Lapesa*, Gredos, Madrid, 1973, II, pp. 613-629.

—, «The standing of Calderón in the twentieth century», en McGaha, ed. [1982], pp. 1-16.

Watson, I. A., «*El pintor de su deshonra* and the neo-Aristotelian theory of tragedy», *Bulletin of Hispanic Studies*, XL (1963), pp. 17-34.

Whitaker, Shirley B., «The first performance of Calderón's *El sitio de Bredá*», *Renaissance Quartely*, XXXI (1978), pp. 515-531.

Whitby, W. M., «Rosaura's role in the structure of *La vida es sueño*», *Hispanic Review*, XXVIII (1960), pp. 16-27; trad. en Durán, ed. [1976], pp. 629-646.

Wilhelm, J., «La crítica calderoniana en los siglos xix y xx en Alemania», *Cuadernos Hispanoamericanos*, XXVI (1956), pp. 47-56.

Wilson, E. M., «The four elements in the imagery of Calderón», *Modern Language Review*, XXXI (1936), pp. 34-47; trad. en Durán, ed. [1976], pp. 277-298.

Wilson, E. M., «La vida es sueño», Revista de la Universidad de Buenos Aires, 3.ª época, IV, n.ᵒˢ 3 y 4 (1946), pp. 61-78; reimpreso en Durán, ed. [1976], pp. 300-328.

—, «La discreción de D. Lope de Almeida», Clavileño, 9 (1951), pp. 1-10.

—, «A key to Calderón's Psalle et Sile», en Hispanic studies in honour of I. González Llubera, Oxford, 1959, pp. 429-440.

—, «The two editions of Calderón's Primera parte of 1640», The library, 1959, pp. 175-191; reimpreso en Comedias of Calderón, Cruickshank, ed. [1973], vol. I.

—, «On the Pando editions of Calderón's autos», Hispanic Review, XXVII (1959), pp. 324-344.

—, «Calderón's Primera parte de autos sacramentales and D. Pedro de Pando y Mier», Bulletin of Hispanic Studies, XXXVII (1960), pp. 16-28.

—, «Notas sobre algunos manuscritos calderonianos en Madrid y en Toledo», Revista de archivos, bibliotecas y museos del ayuntamiento de Madrid, LXVIII (1960), pp. 447-487.

—, «Fray Hortensio Paravicino's protest again El príncipe constante», Ibérida, VI (1961), pp. 245-266.

—, «An early list of Calderón's comedias», Modern Philology, LX (1962), pp. 95-102.

—, «On the Tercera parte of Calderón, 1664», Studies in Bibliography, XV (1962), pp. 223-230; reimpreso en Cruickshank, ed. [1973], vol. I.

—, «Seven aprobaciones by D. P. Calderón de la Barca», Studia philologica: Homenaje a D. Alonso, III, Madrid, 1963, pp. 605-618.

—, ed., P. C. de la B., Obras menores (siglos XVII y XVIII), El ayre de la almena, XXIV, Cieza, 1969.

—, «Hacia una interpretación de El pintor de su deshonra», Ábaco, III (1970), pp. 49-85.

—, «De un memorial a Felipe IV de D. P. Calderón de la Barca», en H. Flasche, ed. [1970], pp. 9-12.

—, «Un memorial perdido de D. P. Calderón», Homenaje a W. L. Fichter, Madrid, 1971, pp. 801-817.

—, «Calderón y el patriarca», Studia Ibérica, Festschrift für H. Flasche, Berna-Munich, 1973, pp. 697-703.

— y W. J. Entwistle, «Calderón's Príncipe constante: Two appreciations», Modern Language Review, XXXIV (1939), pp. 207-222.

— y J. Sage, Poesías líricas en las obras dramáticas de Calderón, Tamesis, Londres, 1964.

— y —, «Addenda to Poesías líricas en las obras dramáticas de Calderón, citas y glosas», Revista canadiense de estudios hispánicos, I (1977), pp. 199-208.

Woodward, L. I., «El sueño de Clarín», en Flasche, ed. [1976], pp. 75-83.

Ynduráin, Domingo, ed., P. C. de la B., El gran teatro del mundo, Alhambra, Madrid, 1981.

José Bergamín

CALDERÓN: SUEÑO Y LIBERTAD

La vida quieta de Calderón se puebla de sueño, de sueños, de vivas imágenes creadas, de vivísimas figuraciones. Conocemos al hombre por estos sueños: por su sueño conocemos su vida. Vida oscura la del poeta que nos expresa en la libre animación de lo soñado esta verdad humana de poder crear, de poder creer, de ser o de poder hacerse sueño. Sueño de vida. Al soñador lo llamará Rubén Darío «imperial meditabundo». El imperio meditabundo de la noche estrellada de los tiempos ofrece a Calderón su manto, su gran telón de fondo, para el «gran teatro del mundo», de la vida; para el maravilloso retablo teatral de su pensamiento. Y sueña la vida en él, o por él, lo que sea; sueña lo que es: vida. Piensa, luego sueña, Calderón. Transmuta el pensamiento en sueño, como hizo Dante. Transmutación mágica, prodigiosa. Hay que entrar, hay que enterarse, adentrarse en esta noche cerrada del pensamiento transmutado en sueño de Calderón, para entender, para saber su vida; que no es otra cosa, en definitiva, más que un saber entender el sentido y la razón de la vida; lo que es la verdad de su sueño, de su creación o figuración más humana, por más divina; la verdad, en definitiva, de una fe, de una viva fe, que se hace, que se hizo en nuestro poeta, una viva voz, una voz en grito. Y así nos ha llegado hoy a nosotros la vida del poeta, como un sueño, en la creación, de un teatro que vive aún para nosotros por su voz: la voz popular y divina que supo poner tan claramente su pensamiento en el cielo, como un grito. El teatro con que cierra España Calderón es un grito puesto en el cielo; una

José Bergamín, *Calderón y cierra España*, Planeta, Barcelona, 1979, pp. 10-13.

voz que todavía, para nosotros, hoy, enuncia su palabra maravillosa, la palabra de aquella fe española; la palabra mágica, prodigiosa, de libertad. La palabra del cristianismo.

El cierra España de Calderón es el de la eterna aventura viva de una España libertadora, revolucionaria. Aventura que la decadencia histórica, la degeneración viva española, la corrupción —por el costumbrismo— de aquellas virtudes esenciales de lo español, vino convirtiendo en «cerrazón» espiritual, es decir, en «cerrazón» antiliberal. Con su correspondiente «cerrilidad»; sus «cerrilidades» consiguientes. Y esta «cerrazón» ha venido haciendo con nuestro poeta el falso símbolo de una especie de estatua de sal que fijará su espanto de vivir en el empeño paralizador de no volver los ojos, de no separar los ojos de lo pasado. Que ni aun huyendo de la quema, divina justicia del cielo siempre, se atreviera a mirar el porvenir. Estatua de sal de un caballo blanco de Santiago congelado de miedo. Cerrazón simbólica, en efecto, que continúa todavía entre nosotros la tradicional picardía de una seudoaristocracia ya desde entonces fracasada, secularmente fracasada; la que, como en el mundo calderoniano —no el del sueño de Calderón, sino el de la vida que le rodeaba—, pagaba cobarde al espadachín sus aventurados empeños; como ahora se los paga al pistolero. Que «aquel vivir al acaso y fiarlo todo de la fortuna —nos dice Menéndez Pelayo— puso en más de una ocasión al caballero a dos dedos del pícaro, aventurero también y conquistador a su modo». La desvergüenza en España se hizo caballería, dirá Tirso. Vive aún para nosotros hoy este aventurerismo picardeado o apicarado, casticista, costumbrista, de lo español, contra el que cerraba su sueño, su vida, su España, Calderón. Vive esquinado, agazapado y sombrío, como entonces, en acecho, como la serpiente, del libre vuelo de los hijos del aire. De quienes para luchar con la fortuna, con el destino, como la «hija del aire» de Calderón, quieren tener entendimiento de la vida, viva inteligencia racional.

Esta vida soñada en su teatro por Calderón, si se nos cierra por un lado, es para abrírsenos por el otro, como un cucurucho de mago con su pintada noche estrellada de cielo. Imperio cónico, piramidal, del sueño, de los sueños.

«Donde una puerta se cierra otra se abre», dice un proverbio muy español. La puerta que Calderón cerraba, muy a la española, dando un fuerte portazo mortal —e inmortal—, se abría por otro lado a la noche temporal celeste de la estrellada. A esa «primavera fugitiva» de los astros, de la que nos dice un personaje calderoniano que «ya nuestro mal, ya nuestro bien se infiere»; siéndonos por eso el permanente «registro» de nuestra vida; «registro es nuestro / o muera el sol o viva», dice el poeta; «registro» que, precisamente por serlo, registra nuestra libertad. Pues ya antes de Calderón lo había expresado claramente el inventor de todo este teatro, el vivísimo Lope, diciéndonos: «No porque tengan fuerza las estrellas / contra la libertad del albedrío; / mas porque al bien o al mal inclinan ellas / y no ponemos fuerza en su desvío». El poner fuerza en el desvío, en desviarnos de la inclinación natural de nuestro destino, es lo propio, intangible del hombre: su libertad. Como de los pueblos. La libertad del albedrío humano hace posible la inmortalidad espiritual de la vida. A todas sus consecuencias vivas lleva Calderón en su teatro, en su sueño de verdad, este principio; hasta, a veces, parecernos desatinado en el orden social o familiar al verificarlo. Y, sin embargo, no lo es. Porque la afirmación de la libertad humana contra toda determinación, ni siquiera divina, es lo único que hace humana verdaderamente la figura del hombre. Y por esto nos enseña Calderón que sólo la sangre vertida por la libertad y para la libertad es fecunda. La del martirio. La popularidad del teatro calderoniano radica en esto, y así, a través del andamiaje, del esqueleto de su figuración teológica, se nos transparenta la voz divina de lo popular tan claramente. Calderón es tan pueblo como Lope. Cuando se ha llevado su voz por España, de veras, por todos esos pueblos de Dios, se le ha entendido así. Como al «soñador imperial meditabundo» de la libertad; que es la justicia de que pueda haber sueño, poesía, creación, vida para todos en la vida.

Cerrando España contra la muerte y por la fe, por el sueño, por la vida, corrobora y afirma Calderón la misma popularidad de la España abierta por Lope, por santa Teresa, por fray Luis, por Guevara, por Cervantes... España abierta a todos los vientos del espíritu: a todo sueño, a toda vida. España a riesgo y ventura de la libertad.

La vida, el sueño de Calderón, es esta conciencia de la libertad.

ÁNGEL VALBUENA PRAT Y BRUCE W. WARDROPPER

«CAPA Y ESPADA»: ENTRE LA COMEDIA Y LA TRAGEDIA

I. Nada más típico de Calderón que su comedia costumbrista. Cuando se piensa en la frase del aprobador de su teatro, de que «elevó la comedia a ciencia en perfecto silogismo» pensamos inmediatamente en el género de capa y espada. Su especial aspecto de la intriga y de los arquetipos o personajes, los recursos de la acción, el estilo, las figuras de graciosos y criadas respecto a las andanzas y diálogos de galán y dama son tan exclusivos de Calderón, que la confusión no es posible. *La dama duende* o *Casa con dos puertas* son tan exclusivamente obras calderonianas como la más acusada comedia filosófica o drama de celos y venganza.

[De ahí] la frecuencia de puntadas irónicas sobre los procedimientos usuales en el mismo autor. «Es comedia de Don Pedro / Calderón, donde ha de haber / por fuerza amante escondido / o rebozada mujer», se nos dice en una de ellas; y en otra obra, que aunque de tema histórico corresponde en la forma peculiar del enredo y del diálogo al género a que nos referimos, dice una dueña al quedarse sola en la escena: «Yo estoy en notable aprieto, / pues sola me vengo a ver, / y un soliloquio he de hacer / o he de decir un soneto». Igualmente, en otra obra, dice el criado Simón: «Ahora bien, solo he quedado. / Discursos, *soliloquiemos*». En otra se dice que «hablan en algarabía» el galán y dama que se lanzan metáforas culteranas en diálogo típico; y en otra el criado dice a la sirvienta de la primera dama: «y nos hemos de casar / en la tercera jornada ...». Indudablemente, este mostrar el envés del cañamazo escénico es propio de una actitud de juego e ironía, de intrascendencia artística capaz de hacer arrugar el ceño al dómine pedante o al preceptista rígido. [...]

Otras veces, pensando en el público familiarizado con tal o cual recurso, un personaje alude a una situación de otra obra, de figuras y asunto distinto. Sin duda había sido de gran efecto ante el público la escena en

I. Ángel Valbuena Prat, *Calderón*, Juventud, Barcelona, 1941, pp. 152-157, 162-168.
II. Bruce W. Wardropper, «El problema de la responsabilidad en la comedia de capa y espada de Calderón», en *Actas del Segundo Congreso Internacional de Hispanistas*, Nimega, 1967, pp. 689-694 (689-693).

que al comentar su amor el galán Federico, en *Las manos blancas no ofenden*, sale de pronto Lisarda celosa y le arrebata una joya, prenda de aquella pasión, y, ante él, atónito, la arroja por un balcón a las aguas del Po. «¿Qué has hecho, tirana?», el galán dice asombrado. Pues bien, en *Mujer, llora y vencerás* se insinúa una situación parecida entre Margarita y Enrique sobre el retrato de otra dama. Enrique, aludiendo a lo ocurrido en la otra comedia que el público conocía, habla de este modo, y con palabras análogas, como si Margarita hubiese sido la autora de aquel recurso, «Pues, ¿qué has de hacer de él, tirana, / que si ya en otra ocasión / echaste al río una alhaja / que te ofendió, aquí no hay río?». Así, para sostener la atención del público, se le deja con la sorpresa del nuevo recurso original: «—¿Qué importa que no le haya, / si no me faltará otro / elemento que me valga? / —¿De qué suerte? —De esta suerte. / Y pues a falta de agua, / el aire es quien te le lleva, / di al aire que te le traiga». Y acota el autor: «Pone el retrato en una flecha, dispárala al viento, y vase». La sorpresa del público había de ser grande ante esta solución inesperada, y el autor ha sabido prepararla y graduarla. [...] Hay comedias en que a lo largo de toda la acción encontramos la notas constantes de la reflexión irónica sobre los propios recursos. El gracioso, y su mundo, ofrecen en paralelismo de contraste y de parodia, los lados grotescos del horizonte ideal, que el galán y su aventura representan. Así ocurre en *Cada uno para sí*. [...]

Dentro del tipo especial de la «comedia de capa y espada», Calderón ofrece una verdadera variedad de modalidades. Comienza por tratar el género, a base del predominio de los rasgos comicopsicológicos, que recuerdan la malicia satírica de un Tirso, como en *El astrólogo fingido* o en *Hombre pobre todo es trazas*. Aun en obras de desarrollo más peculiar del estilo calderoniano, aparece algún tipo de «figurón», como el Toribio de *Guárdate del agua mansa*, alguno de cuyos caracteres hace pensar también, aunque con sello distinto e inconfundible, en el Tirso de *Marta la piadosa*. Una audaz concesión a lo escabroso, en la parte bufa del criado grotesco, presenta un carácter especial en *Dar tiempo al tiempo*. El predominio de caracteres femeninos da una nota *sui generis* a comedias como *No hay burlas con el amor* y *¿Cuál es mayor perfección?* En esta última obra la técnica de paralelismo entre las dos damas principales hace pensar en efectos calculados por el poeta en su género dramático.

La forma más peculiar de esta comedia urbana tiende a un juego más pensado y exacto que fruto de una penetración vital de la sociedad y sus individuos en la escena, que retratara el mundo exterior.

Calderón, al espejar tipos, costumbres y actitudes, estiliza de ta. forma que llegamos a una solución, que podríamos llamar matemática, del conjunto de discreteos, intriga y ademanes de las figuras de dama y de galán. *La dama duende* y *Casa con dos puertas mala es de guardar* son el fiel ejemplo de este teatro en que la argumentación escolástica se ha puesto al servicio de la galantería, y la intriga de corte se ha alambicado, entre ironía, poema y sabiduría de los trucos teatrales. Síntesis de poesía y de trama perfectamente desenvuelta, el género marca una perfección, una pauta, un modelo. Pero hay en la comedia de corte, aun muchas otras posibilidades.

Del lado sentimental puede aproximarse el poeta al drama en obras como *No siempre lo peor es cierto* [o bien] *No hay cosa como callar*, en que la honda emoción se suma a bellezas líricas considerables, y a una destreza técnica, sin caer en amaneramiento ni en truco simplista. La terminación del acto primero de esta obra es un caso sobresaliente de interés cortado, que produciría una gran impresión en el ánimo del espectador. Su poesía penetra hasta en motivos que recuerdan la comedia filosófica, del tipo de *La vida es sueño*, al decir don Juan ante Leonor dormida, en una delicada escena: «Y puesto que sueños son / las dichas y los contentos, / soñémoslos de una vez ...». Leonor, la mujer que «morirá de un secreto / por no vivir de una voz», es un carácter de resignada feminidad, original y finamente humano. El desenlace de la obra con un solo matrimonio —el necesario para que la solución de la dolorosa intriga sea feliz—, denota un momento menos amanerado que la solución usual en estas piezas.

Una modalidad es la comedia que podríamos llamar *palaciega* como en la bella creación de *Dicha y desdicha del nombre*. El delicado ambiente eleva a un plano poético la intriga de *Mujer, llora y vencerás*, en que el motivo cortesano se une a la delicadeza de las metáforas. Escenas y situaciones de una gran finura aparecen en obras de este carácter, como en *Amor, honor y poder*. Las escenas 2 y 12 del acto II de esta obra poetizan una situación de personajes ante una fuente, que hace pensar en la pintura de fondos de paisaje de los cuadros de Martínez del Mazo. *Las manos blancas no ofenden* es para mí una *poética danza de salón*, y *Dicha y desdicha del nombre, una rica mascarada palaciega*. Calderón en estos casos no sólo ha trazado una intriga con sabiduría de maestro, sino que a la vez ha sabido fundir los escondites de los galanes, y las carreras ágiles de las damas en un fondo de jardín ideal, en las líneas elegantes de un salón del barroco arquitectónico del XVII. [Las figuras se borran en los jardines en sombra, o débilmente iluminados con las últimas luces crepusculares.] Es un detalle finísimo, el momento en que —en *El acaso*

y el error—, el galán Carlos adivina, en la luz incierta, la proximidad de
la dama por «el mudo / brillar de telas y gasas». [La melodía de los
instrumentos es muchas veces el fondo adecuado a las escenas de dama
y galán en el jardín en sombra, o en la calle y en la reja.]

En el ambiente palaciego se dan modalidades singulares. Una lo es la
comedia en que aparece el tipo del hombre reconcentrado y estudioso,
que hace pensar en creaciones de más envergadura, como el Cipriano de
El mágico prodigioso, sin llegar a la altura del drama. En la comedia
palaciega *De una causa, dos efectos*, [la superación, por acto de voluntad,
del carácter] don Fadrique recuerda la transformación gradual del Segismundo de *La vida es sueño*. Fadrique dice en un curioso soliloquio que
da la clave de su sublimación: «Tarde llego / al desengaño de que / el
mejor, el más supremo / aplauso, no es de la sangre / sino del entendimiento». Así en la comedia de «capa y espada» surge hasta un horizonte
de pensamiento trascendental.

II.   En *Casa con dos puertas mala es de guardar* Lisardo está
pasando una temporada en casa de su amigo Félix. Se enamora de
Marcela, hermana de Félix, sin saber quién es ella y sin saber que
vive en la misma casa. Félix ama a Laura, amiga de su hermana. Esta
situación sencilla, si bien artificiosa, se transforma en una confusión
complicadísima, de resultas de identificaciones erróneas, ofuscaciones
deliberadas, tretas y ardides, trueques de casa, malas interpretaciones
de lo sucedido, celos mal fundados, actos amistosos descarriados.
Añádase a estos datos el hecho de que la casa de Laura tiene dos
puertas; y la de Félix, no sólo un cuarto con dos puertas, sino también
otro, secreto, aislado, para Marcela. Se comprende que el poeta ha
hecho todo lo posible por contrariar a las criaturas de su imaginación.
Tanto se dificulta la vida de los personajes principales que al final
de la comedia tienen que contraer dos matrimonios forzados para
evitar una sangrienta muerte. Como Lisardo y Félix se casan con las
damas a quienes aman, el desenlace es feliz. Pero lo es casi por milagro. La comedia se acerca a los límites de la tragedia antes de recobrar su esencia alegre. Sólo la intención del dramaturgo o el artificio
del género impide un desenlace trágico.

La comedia presenta, pues, una visión artificiosa y exagerada de
la confusión laberíntica que habitualmente descubre Calderón en el
mundo humano temporal.

Las puertas duplicadas simbolizan el engaño a que está sujeto el
hombre y, por extensión, la apariencia falsa de la realidad. «El haber

tenido / dos puertas ésta y tu casa —explica Félix en el último parlamento de la comedia— causa fue de los engaños / que a mí y a Lisardo pasan.» El hombre, pues, interpreta mal la realidad que le rodea. Pero es más: identifica mal a las personas que le rodean. ¿Quién es la dama misteriosa —velada y desconocida— a quien ama Lisardo? ¿Será la enamorada de su amigo Félix? Sólo cuando se entera de que no es sino la hermana de éste, son posibles la boda con Marcela y la amistad con Félix, dos bienes inseparables que tanto desea Lisardo. El ambiente —tanto las cosas materiales como las personas— complica y confunde la vida de los personajes. Toda resistencia al ambiente es inútil. El personaje es víctima del mundo del dramaturgo: lo cual equivale a decir que el dramaturgo presenta al hombre como víctima del mundo en que tiene su ser.

También es víctima el hombre de sí mismo, de su propia insuficiencia moral. Los enredos de la intriga dependen en gran parte de los celos infundados. Félix tiene celos de Laura; Laura, de Félix y de su antigua enamorada Nise; Lisardo, de Félix y de Marcela. Se teje una telaraña de celos en donde se enredan todos. Los celos tienen su origen en el engaño de los sentidos y en la desconfianza. Para convertir a la dulce Laura en una bestia rabiosa le basta la presencia en casa de Félix de una mujer velada (a quien ve con sus ojos), y el conocimiento del amor que antes tenía Félix por Nise (que se niega a creer terminado). Los celos y un sentido demasiado vivo del honor despiertan lo subhumano que está latente en el hombre. Acarrean riesgos muy graves.

Dice Félix que, lo mismo que una mariposa que «sobre la llama flamante / las alas de vidrio mueve, / las hojas de carmín bate», el hombre «ronda el peligro sin ver / quién al peligro le trae». El peligro de que se habla repetidas veces en *Casa con dos puertas* no es el empacho de verse sorprendido en el acto de coquetear. No se trata aquí de la comedia social de Molière, en la que el castigo normal es la exclusión de la sociedad. Lo que temen Félix y Laura, Lisardo y Marcela, es la posibilidad de la muerte. Si no mueren, es que tienen a mano el remedio de su deshonra, que es el matrimonio. Se ve que las comedias de capa y espada, a pesar de su desarrollo cómico, tienden hacia una solución trágica, que se evita sólo al último momento, por la intervención del dramaturgo. Estas comedias son de esencia trágica. Nos vemos obligados a cotejarlas, pues, con los llamados dramas de honor y todo el teatro problemático de Calderón.

[Calderón es el poeta de la responsabilidad moral. ¿Cómo hay, pues, que explicar la aparente inconsistencia que hay en la obra de un poeta-teólogo ortodoxo, que nos presenta una serie de asesinos sangrientos, de maridos equivocadamente celosos, de cristianos incapaces de perdonar —personajes cuyos actos violentos exculpa luego un rey que se supone ser la fuente de la justicia y vicerregente de Dios? ¿Es posible que Calderón sea un poeta esquizofrénico que aprueba al mismo tiempo la moral cristiana y el código anticristiano del honor? Nuestros colegas ingleses —Wilson, Parker, y otros— nos han enseñado a ver en los dramas de honor, no la sanción de la barbarie, sino un examen de los grados de prudencia con que el protagonista actúa frente a un problema de honor.[1]]

1. [Vale la pena recoger algunas de las conclusiones de E. M. Wilson [1951], p. 9: «El argumento principal de *A secreto agravio, secreta venganza* contrasta la conducta y los motivos de cuatro personas. Don Lope de Almeida cree en el honor, supedita sus pasiones al honor y es discreto en asegurarse que su honor ha sido, en efecto, ultrajado, y, después de eso, procura que su venganza quede en secreto. Su fe en el honor controla sus sentimientos; su discreción controla su juicio y sus acciones: es como un místico del honor. Don Juan de Silva cree en el honor; pero su discreción es menor, no puede protegerlo completamente: es algo inferior a don Lope. Doña Leonor cree en el honor, pero es arrebatada por sus pasiones: es una pecadora del honor. Don Luis de Benavides rechaza deliberadamente el honor y cree solamente en la satisfacción de su apetito: es un apóstata del honor. En este análisis no he dudado considerar el drama como una especie de disfrazada "comedia de santos". Esta consideración bien puede parecer paradójica; sin embargo, así es como, yo creo, la concibió Calderón. En *A secreto agravio*, Calderón parece decir: tomemos un código seglar de conducta y desarrollémoslo en sus conclusiones lógicas; excluyamos rigurosamente todos los puntos de vista religiosos que puedan chocar con él; veamos cómo es el código y qué envuelve; imaginemos un hombre que cree en él y que lo cumple al pie de la letra, otro que la sigue menos perfectamente, una mujer que cree en él, pero que no tiene fuerza para vivir con arreglo a él, y un hombre que lo rechaza completamente. Son: don Lope, don Juan, doña Leonor y don Luis. ¿Cuáles son los valores morales aceptables del código? Fidelidad y generosidad en la amistad, sumisión de los sentimientos sensuales y personales a cierta clase de orden, cortesía, seriedad para descubrir la verdad a toda costa, discreción en la averiguación y en la acción que le sigue. Estas cualidades son bastante admirables en sí mismas. En la otra parte hay disimulación, venganza y asesinato. La disimulación no es siempre necesariamente mala, y la venganza, en este caso, no es del tipo corriente del "ojo por ojo y diente por diente" de la vida diaria, y se justifica en tanto que forma parte del código del honor. Calderón muestra, si se acepta mi interpretación del drama, cómo la venganza va seguida de la muerte del vengador. Que esta interpretación no es completamente arbitraria se demuestra, creo, en el hecho de que Calderón nunca acentúe que don Luis y doña Leonor sean pecadores. Las únicas menciones que hace de tipo religioso son puramente incidentales; no hay

¿En qué términos, pues, se plantea el problema de la responsabilidad en las comedias de capa y espada? En la parte cómica de su producción teatral Calderón parece dejar a un lado esta cuestión. Un galán y su dama se portan con el máximo de imprudencia, sin preocuparse ni por los preceptos morales del cristianismo ni por las prescripciones del código profano del honor. Su amor no admite restricción alguna. No es que sea una pasión desenfrenada a lo Calisto-y-Melibea. Hay más cálculo que ceguera en estos amores. Los amantes quedan perfectamente enterados del ambiente social. Saben el riesgo que corren a causa de sus indiscreciones. Pero, en el sistema de valores que rige sus acciones, el amor lo supera todo —el amor, es decir, en el sentido de un deseo innegable del estado matrimonial—. Dicho de otra manera, en el cortejo todo es lícito. El principio que dicta la conducta de estos amantes es el oportunismo práctico. La dama quiere cautivar a su galán; y él, a ella. Ni el uno ni la otra se preocupan por el coste probable de su determinación. Ni el uno ni la otra cuentan con la reacción previsible de la sociedad. La acción dramática, por las convenciones de la comedia de capa y espada, siempre termina felizmente, es decir, con la prosperidad de los indiscretos. El dramaturgo recompensa con la felicidad a sus personajes desatendidos, imprudentes, irresponsables. La comedia de capa y espada parece disociarse de la tendencia coherente de los dramas serios, en los que siempre triunfa la responsabilidad. El lector se queda, pues, frente al mismo problema del dualismo moral que se

intención de situar en la otra vida las palabras o acciones de los que participan en este drama. Calderón es exacto en esta delimitación, si no hubiera estado sermoneando que todos los hombres que se encontrasen en la posición de don Lope deberían comportarse como don Lope hizo, que las leyes del código del honor eran universales, válidas y verdaderas, y habría añadido, seguramente, que el adulterio era un pecado mortal y el matrimonio un sacramento. Tal idea no está expresada en ninguna parte del drama. La idea fundamental que hay detrás del argumento es la necesidad de tener prudencia en el cotidiano vivir. Si don Lope y doña Leonor hubieran considerado con más cuidado su matrimonio antes de embarcarse en él, nunca hubiera tenido el fin que tuvo. Don Lope adquiere prudencia a través de la intensidad de las circunstancias; don Juan y doña Leonor intentan, vanamente, ser prudentes, y don Luis tira por la ventana la prudencia y todos los otros valores morales. La prudencia es una de las virtudes cardinales, y todo cristiano debe cultivarla. En *A secreto agravio, secreta venganza*, Calderón subraya principalmente la prudencia, adaptada al código de honor más que los ambiguos preceptos morales del código mismo».]

creía ver en Calderón antes de emprendida la nueva interpretación de sus dramas de honor.

Para aclarar el problema vamos a examinar parte de la acción de otra comedia de capa y espada.

A cierta dama, Leonor (de sobrenombre «la bella») la ve un caballero, cuyo nombre es preciso callar por el momento. «Luego —dice Leonor— el deseo sucedió a los ojos, / el amor al deseo, y de manera / mi calle festejó, que en ella vía / morir la noche, y espirar el día.» Al principio, la dama desdeña a su galán; pero pronto se siente obligada a amarle: «De obligada pasé a agradecida, / luego de agradecida a apasionada; / que en la universidad de enamorados, / dignidades de amor se dan por grados». Correspondido su amor, el caballero promete ser el esposo de Leonor. Ésta —«liberal de amor, y escasa de honor», según dice después— le facilita la entrada a su casa, indiscreción de que llega a enterarse la vecindad. Estando en este punto delicado los amores, el galán se niega de súbito a casarse con Leonor. Se sabe que la quería de verdad, que pensaba sinceramente casarse con ella, que no era ningún «burlador de mujeres». La razón por que anula su promesa de matrimonio es que una noche, estando en casa de Leonor, oyó un ruido en un cuarto contiguo. «Llegué —explica el galán— y al mismo tiempo que ya / fui a entrar, pude el bulto ver / de un hombre, que se arrojó / del balcón; bajé tras él / y, sin conocerle, al fin / pudo escaparse por pies.» Se trata aquí de un elemento imprescindible de las comedias de capa y espada: el famoso «bulto» que despierta los celos del galán que ha recibido favores de su dama. En este caso los celos no tienen motivo: Leonor no ha engañado a su amante. El hecho es que, estando entreteniendo en su casa a una amiga —acto social legítimo—, se decide el amante de ésta a perseguirla hasta el cuarto de Leonor. «Atrevimiento de enamorado», dice este segundo galán para explicar su acción imprudente e injustificable. Llega el amante de Leonor. Ella, reaccionando ante la crisis como todas las damas en las comedias de capa y espada, hace que su atrevido visitante se esconda en el cuarto adyacente. El amante de Leonor concibe sospechas; y, como ya vimos, el bulto, desconocido de él, se escapa por el balcón.

Parecen rutinarias estas escenas de capa y espada. Llegados a este punto en el desarrollo de la acción, contamos con que un suceso seguirá a otro hasta que se resuelvan los embrollos con un desenlace dichoso. Suponemos que Leonor ha de conseguir satisfacer las dudas de su amante. Se casarán. Igualmente se casarán la amiga de Leonor y el galán suyo. Pero las escenas que se acaban de describir no terminan así. La amiga, cuya identidad no llegamos a saber, se muere misteriosamente. El amante de Leonor se casa con otra mujer. ¿Cómo explicar la desviación de la intriga?

Ahora no conviene más ocultar el secreto de esta comedia de capa y espada fragmentaria. El amante de Leonor se llama Gutierre; la dama con quien se casa, Mencía. Los sucesos de capa y espada que se han descrito anticipan, y causan, la tragedia de *El médico de su honra*.

De este análisis experimental se sacan tres conclusiones: 1) que el mundo poético de la comedia de capa y espada es esencialmente idéntico al del drama de honor; 2) que el drama de honor es, en cierto sentido, una secuela de la comedia de capa y espada, y 3) que, si el drama de honor trata del destino de los casados con sus problemas de «honor» y de «celos de honor», la comedia de capa y espada trata del destino de los solteros con sus problemas de «amor» y de «celos de amor». No hay solución de continuidad entre uno y otro género dramático. Lo que se interpone entre ellos es el matrimonio. Los galanes y las damas de la comedia de capa y espada viven en la sociedad urbana, en el «mundo» en el sentido ascético de la palabra. Los esposos del drama de honor viven en el mismo mundo profano, pero su vida en él queda santificada, sacramentalizada; por consiguiente, se le ha añadido una potencial dimensión trágica.

EDWARD M. WILSON Y JOAQUÍN CASALDUERO

LA VIDA ES SUEÑO

I. [Calderón no presenta a Segismundo como un carácter, como un personaje en el que predomina lo particular, sino que lo categoriza como un hombre en quien lo animal domina a lo racional. A lo largo de *La vida es sueño*, el protagonista es víctima de las pasiones, hasta que se ve obligado a dominarlas y a reconocer la inutilidad del

I. Edward M. Wilson, *La vida es sueño, Revista de la Universidad de Buenos Aires*, 3.ª época, IV, n.ᵒˢ 3 y 4 (1946), pp. 61-78 (66-71, 77).

II. Joaquín Casalduero, «Sentido y forma de *La vida es sueño*», *Estudios sobre el teatro español*, Gredos, Madrid, 1972³; pp. 163-183 (163-167).

orgullo en un mundo en el que todo es confusión. Entonces trata de regirse por normas morales, al principio por interés, luego por motivos infinitamente más elevados. Ese proceso de desengaño tiene varios momentos esenciales en el acto segundo.] Lleno de orgullo y de confianza, aunque impotente en realidad, Segismundo es llevado otra vez a la torre. Clotaldo entonces llega a persuadirle que todo lo del palacio le ha pasado en sueños. Con esta torre se asocian ciertas ideas que son muy importantes en el proceso de su conversión. [Para analizarlas, es preciso tener presente] que en Calderón cada metáfora se relaciona con un concepto cuidadosamente elaborado.

La impresión de la torre que nos da Rosaura al comienzo del drama no es una impresión demasiado grata. Después de describir su rústico aspecto termina diciendo: «La puerta / (mejor diré funesta boca) abierta / está y desde su centro / nace la noche, pues la engendra dentro». Al ver a Segismundo dentro de la torre exclama de este modo: «una prisión oscura / que es de un vivo cadáver sepultura». Más tarde va a hablar de *sus bóvedas frías*, mientras que Segismundo dice que «cuna y sepulcro fue / esta torre para mí». En esta misma escena habla de sí mismo como de un *esqueleto vivo* y *animado muerto*. Por eso al despertarse de nuevo en la torre la increpa diciendo: «¿no sois mi sepulcro vos, / torre? Sí». Es decir, que la torre se relaciona con la idea de la muerte, el temor a la cual es, para Calderón, el principio de una nueva vida. *Memoria de la muerte* es en muchos autos lo que salva al hombre del demonio: [En *La vida es sueño*] el temor a la muerte es algo que nunca llega a desarrollarse, pero cuyo influjo sobre Segismundo creo es evidente.

Fuera de esto, para Calderón la muerte representa el final del desequilibrio que ha dominado toda la vida de Segismundo hasta que despierta otra vez en la torre. Los presagios que precedieron a su nacimiento, los portentos que lo acompañaron y la muerte de su madre enunciaron al rey tan claramente como el horóscopo lo que podía esperarse del príncipe. En el primer acto Segismundo quiere matar a Rosaura por leve motivo y, aunque suspira por la libertad, su conducta al ser separado de la que le atrae le muestra incapaz de usar discretamente de ella. En el palacio ofende a todo el mundo: a su padre, al criado cuyo buen consejo rechaza, a Astolfo, a quien trata ta descortésmente, y a Estrella, a cuyo decoro no guarda respeto. En su conducta con Clotaldo llegan a asomar impulsos francamente criminales. No sólo no se detiene ante nadie ni nada, sino que carece de prudencia. Libre, usa torcidamente de la libertad por que suspiraba. Por ello se despierta otra vez en la torre.

En esa torre, que es para él tumba, Segismundo habla entre sueños como si estuviera aún en el palacio, de modo que el sueño es aquí la continuación de la realidad. En esto se basa Clotaldo para persuadirle de que *todo* ha sido un sueño, sugerido por el águila de que habían hablado. Ahora bien, el hombre que sueña está privado de libertad, lo mismo que Segismundo al ser en el palacio esclavo y víctima de sus pasiones. Porque el hecho es que en la vida real hay leyes morales de carácter objetivo que no debemos transgredir. El conocimiento de estas leyes y el saber aplicarlas a los casos concretos es lo que da a la vida todo su sentido. Si prescindimos de ellas el hombre se convierte en esclavo de sus pasiones, hipoteca al hacerlo el libre albedrío y su vida no tiene más realidad que la de los sueños. De este modo vemos que lo que ha pasado en palacio ha sido un sueño para Segismundo por dos razones distintas. Hubo, sin embargo, un momento en que la parte noble de su alma llegó a entrar en juego. Segismundo amaba a una mujer; esto es lo único que es real.

Segismundo, al despertar, encuentra que lo que le pareció verdad no lo era, que lo que creyó vida era sólo un sueño. La explicación de Clotaldo llega a convencerle; pero cuando Clotaldo le dice que «aun en sueños / no se pierde el hacer bien», Segismundo le replica muy discretamente: «Es verdad; pues reprimamos / esta fiera condición, / esta furia, esta ambición / por si alguna vez soñamos». Lo que dicen el uno y el otro no deja en aquel momento de ser extraño: el consejo de Clotaldo no puede aplicarse a los sueños verdaderos, en los que el hombre no es responsable de sus acciones, aunque pueda aplicarse al de Segismundo; la respuesta de éste nos deja ver que ha comprendido bien a Clotaldo y que está persuadido de la necesidad de dominar sus impulsos para evitarse nuevos desengaños en el futuro. Aunque no se diga expresamente, parece claro que Segismundo ve ahora que la vida no es un fin en sí mismo y que él, como los demás, está sometido a las leyes morales que la gobiernan. Esto no quiere decir que esté ya convertido, sino simplemente que comprende que es necesario evitar el mal por temor a sus consecuencias. Tales sentimientos, aunque no sean aún de los más elevados, son, sin embargo, los que le preparan para su conversión. La muerte es el despertar del sueño de la vida: Segismundo se despierta otra vez en la torre que, por ser su sepulcro, trae a su espíritu la idea de la muerte; comprendiendo el error en que estaba, recita el famoso monólogo en el que demuestra que lo que le ha pasado es en sustancia lo que les pasa a todos los mortales: al rey, al rico, al pobre, a todas las personas, de cualquier clase o condición que sean. Ahora ya sabe que la vida es sueño; toda la vida y no sólo la suya. A pesar de ello sigue siendo víctima del engaño de que su padre ha querido valerse; sólo en el momento en que se dé cuenta de que no ha soñado se habrá consumado su conversión.

Quizá no sea inútil señalar que en el famoso monólogo se nos explica la clase de sueño que es esta vida: «Y la experiencia me enseña, / que el hombre que vive sueña / lo que es, hasta despertar. / Sueña el rey, que es rey, y vive / con este engaño mandando, / disponiendo y gobernando; / y este aplauso que recibe / prestado ...». Fijémonos en que el rey sueña que es rey, es decir, que lo que sueña no es su existir, sino simplemente su realeza. Hasta ahora Segismundo se había resistido a creer que soñó, porque tenía el sentimiento de la realidad del mundo en que se había movido; ahora se da cuenta de la diferencia que hay entre la realidad de su propio existir y la de la vana pompa de que por un instante se vio rodeado, distinción que no es en definitiva sino la estoica entre las cosas que nos son propias y las que no son más que prestadas. Si vivimos sólo para las cosas que no son nuestras y que no dependen de nosotros mismos no seremos más libres que el que está soñando, en cuanto serán ellas las que nos gobiernen y no nosotros quienes lo hagamos. La existencia del rey es por tanto real, pero su poder es sólo *prestado*. El estoico le aconsejaría renunciar a él; el cristiano le permite que lo siga usando, con tal de que obre como si no fuera. Los acontecimientos exteriores también están libres de la jurisdicción de nuestro albedrío, aunque Segismundo creyó erróneamente que él podría determinar su curso. Estos acontecimientos, sin embargo, fueron los que le devolvieron a la torre. Lo cual quiere decir que mientras soñaba había faltado al precepto que nos recomienda que no deseemos que las cosas sucedan según deseamos, sino que deseemos que sucedan como tienen forzosamente que suceder, así como al que nos enseñó a decir en el padrenuestro: *Fiat voluntas tua*.

En la última jornada Segismundo es un hombre que vacila en el cruce de dos caminos: por un lado, el camino de sus pasiones; por otro, el que la prudencia le señalaba. Cuando los soldados rebeldes le invitan a reinar, saliendo de la torre, en el primer momento los toma como fantasmas de un sueño a los que se esfuerza por ahuyentar. Sólo consiente en dirigirles al oírles decir que su sueño anterior fue como anuncio de su gloria presente. Y cuando, al aceptar, parece que va a ser de nuevo víctima de sus pasiones, triunfa la cautela que le es dictada por sus experiencias: «Mas si antes de esto despierto / ¿no será bien no decirlo / supuesto que no he de hacerlo?». Hasta la mitad del acto no sabe si está en verdad despierto o dormido. El viejo Segismundo lucha con el nuevo; las pasiones lo agitan, pero las reprime. Esto es, por ejemplo, lo que sucede cuando Clotaldo le dice: «Yo aconsejarte no puedo / contra mi rey, ni valerte. / A tus plantas estoy puesto; / dame la muerte». Y Segismundo le replica airado: «¡Villano, / traidor, ingrato! —Mas, cielos (*aparte*), / el reportarme conviene; / que aun no sé si estoy despierto». Se da entonces el caso de que Segismundo, resuelto a triunfar contra el rey su padre, está también resuelto a ser bueno por si todo ello sólo fuera sueño. Comete, es verdad, un acto de rebelión, pero sus palabras y sus acciones lo contradicen. Su actitud sigue siendo vacilante y aunque ya va aprendiendo a dominar el primer impulso, el interés es el que le empuja: «Mas, sea verdad o sueño, / obrar bien es lo que importa; / si fuere verdad, por serlo; / si no, por ganar amigos / para cuando despertemos». Lo mismo le sucede al ver a Rosaura.

Unos momentos antes de que ésta aparezca Segismundo, vestido de pieles, se enorgullece de ser una fiera. La entrada de ella le hace de nuevo reflexionar. Al decirle Rosaura que se habían visto otras dos veces, la venda cae del todo de sus ojos, ya «que no es posible que quepan / en un sueño tantas cosas». Con esto viene la lucha final, en la que el nuevo Segismundo derrota al viejo: toda su vida no ha sido más que un sueño en el que cada vez que ha visto a Rosaura la ha deseado, ¿por qué no aprovecharse de la ocasión que se le presenta? «Pues si es así, y ha de verse / desvanecida entre sombras / la grandeza y el poder, / la majestad y la pompa, / sepamos aprovechar / este rato que nos toca; / pues sólo se goza en ello / lo que entre sueños se goza. / Rosaura está en mi poder, / su hermosura el alma adora, / gozamos pues la ocasión... / Este es sueño; y pues lo es / soñemos dichas ahora, / que después serán pesares. / ¡Mas con mis razones propias / vuelvo a convencerme a mí! / Si es sueño, si es vanagloria, / ¿quién por vanagloria humana / pierde una divina gloria?». Después de lo cual llega el momento culminante de la comedia en que el protagonista expone de esta manera su desengaño: «¿Qué pasado bien no es sueño? / ¿Quién tuvo dichas heroicas, / que entre sí no diga, cuando / las revuelve en su memoria: / "sin duda que fue soñado / cuanto vi"?». De ahora en adelante va a realizar el ideal del príncipe cristiano. El *acudamos a lo eterno* va a ser su lema. Ha triunfado sobre sus pasiones y se ha impuesto como objetivo la restauración del honor de Rosaura. De esta manera queda resuelto el conflicto entre sus acciones y sus sentimientos. Rosaura es el instrumento de su conversión; por más que se critique la acción secundaria hay que admitir que no podríamos prescindir de ella sin menoscabo de la principal. Rosaura ha completado aquí el proceso que se inició en el segundo acto con las amonestaciones de Clotaldo. Después de esto Segismundo, que se ha sacrificado al honor de Rosaura, perdona a su padre.

[En cuanto a los restantes personajes,] Clarín es listo y está orgulloso de su listeza; por tener éxito en un principio llega a creer que con ingenio se puede todo. Desdeña las enseñanzas que podía sacar de su encarcelamiento y, por estar seguro de sí mismo, muere tratando de evitar la muerte. Basilio tiene el orgullo de su falsa ciencia; cree poder alterar lo dispuesto por las estrellas, prescindiendo del albedrío de la única persona que podría alterarlo; es derrotado en una batalla, pierde su reino y despierta al ver la muerte de Clarín. Astolfo confía en lo meramente temporal para eludir el cumplimiento de su promesa; pero la rebelión que depone a Basilio le pone en situación de tener que cumplir lo que había prometido. Todos ellos cayeron en el mismo pecado: en el de confiar demasiado en sí mismos, en su talento o habilidad; todos consideran como reales las grandezas del mundo, que son ilusorias, y todos creyeron que podrían hacer que el futuro se conformara con sus deseos; en una palabra, todos soñaron.

Clotaldo y Rosaura, por el contrario, están movidos por ciertos principios y se dan cuenta de las dificultades que habrá que dominar a fuerza de constancia, de prudencia y desinterés. Veían la confusión del mundo y trataban de orientarse en ella. Por estas razones su suerte es diversa de la de los demás personajes.

La acción principal y la secundaria nos muestran, por tanto, dos aspectos distintos de una misma realidad. Ambas están unidas por el papel que Rosaura tiene en el proceso de conversión del protagonista.

II. La acción transcurre en un tiempo imaginario: se habla de la «ley del homenaje» (v. 432); Basilio es un rey astrólogo. Polonia y Moscovia son lugares en correspondencia con ese tiempo, es decir, fuera de la experiencia geográfica de los espectadores. El medio tempo-espacial nos aleja de todo dato particularizador. Dentro de lo general, tenemos dos lugares: el monte y el palacio, el habitáculo de la fiera y la habitación del hombre. Los dos polos de la acción —dormir-despertar— tienen una correspondencia lumínico-temporal: anochecer (comienzo jornada I), amanecer (I, 475), sombras y luces. Es el mundo entreclaro del Barroco, el mundo de la «confusión» del *Quijote* de 1615. El héroe melancólico de esa época en el siglo XVII vive en un mundo visual y mental confuso. No es despertar para contemplar como en el gótico («Recuerde el alma dormida»), es el estado de duermevela, es el conflicto del hombre, es el proceso de la acción.

La vida es sueño no pertenece al llamado teatro de tesis o de ideas, pero tiene una teoría de la vida como fondo. De aquí que reconozcamos en la comedia todos los lugares comunes del cristianismo: la caída del hombre, su libertad, la temporalidad del mundo, la mentira de la vida. Sabemos de antemano que los bienes temporales hay que someterlos a los eternos, que por ser el hombre libre tiene el conflicto de la elección entre el bien y el mal; sabemos que la razón tiene que encadenar a los instintos.

No hay sorpresa, pues, en lo que se nos dice; el drama consiste en la manera de decirlo e imaginarlo, en el modo de sentirlo de nuevo, en cómo nos lo hace vivir. Segismundo deja oír su voz («¡Ay, mísero de mí! ¡Ay, infelice!», 78), es el sentimiento del hombre: nacer para morir, cuna-sepulcro, entrar en una cárcel. A Segismundo al nacer le han puesto en una torre. La torre es eso, la cárcel del mundo, la del cuerpo. El lugar común nos es conocido, su representación, no. Y la comedia termina con el soldado rebelde encerrado en la torre: los instintos, la parte baja del hombre, necesarios, por eso existen, pero a condición de estar encadenados. La torre no puede estar nunca deshabitada, pero a la torre no se puede ir para no hacer, para impedir que algo ocurra: el hombre libre debe tener encadenados los instintos.

Tiempo imaginario, pues, en el cual tiene lugar el conflicto entre lo temporal y lo eterno. Un espacio simbólico: monte-palacio; un edificio: torre de Segismundo-torre del rebelde. La acción polar: dormir-despertar, encadenado-libre. El debatirse entre el hombre y la fiera.

En *La vida es sueño*, como en toda obra del Barroco, nada es casual, nada es fortuito. El último período de esa época (Calderón, Zurbarán, Velázquez) es sumamente exigente por lo que se refiere a la composición. Nuestro autor llega a componer con un rigor extraordinario. Su arte tiene algo de algebraico; su boato, su sensualidad están trasladados a una zona mental. Es un arte de gran decorador (todo gran arte es siempre decorativo), su comedia es un drama-espectáculo, siendo Calderón precisamente quien insiste en que la vida no es espectáculo, sino drama. Clarín en la jornada II se dispone a «ver cuanto pasa» (1.170), es su error («escondido, desde aquí / toda la fiesta he de ver», III, 3.050-3.051), por eso muere.

Los rodeos de Calderón son siempre atajos. La imaginación se eleva, revolotea, planea para caer con más seguridad sobre la presa. Dice Rosaura: «Cuando pensé que alargaba, / citando aleves historias, / el discurso, hallo que en él / te he dicho en razones pocas / que mi madre, persuadida / a finezas amorosas, / fue, como ninguna, bella / y fue infeliz como todas» (III, 2.748-2.755). Todo el desorden y la confusión de la vida fijado en la claridad y precisión del mito —Dánae, Leda, Europa—, reducido a forma que cierra con ese doble cierre tan frecuente por necesario en el mundo y el estilo calderonianos: «como ninguna, bella», «infeliz como todas»; «cualquiera de las dos basta, / cualquiera de las dos sobra». Forma que es puro sentido.

La corriente mansa, alborotada, caudalosa, arrolladora de la vida yendo a parar al símbolo. De aquí la calidad de lo sensual, más cercana a La Tour que a Zurbarán. En Calderón, la luz, el movimiento no nos conducen al heroísmo de Zurbarán o a la densidad y levedad de Rembrandt o a las suaves y majestuosas armonías de Velázquez, es un análisis que se convierte en síntesis. Claro que es el mundo barroco captado tan precisa y certeramente por Cervantes: «orden desordenada», pero en el último período de esa época más que de orden y desorden se trata de confusión y claridad, de realidad y fe, de una descomposición, de un análisis que el hombre lleva a cabo para sintetizar y componer: «Cuando pensé que alargaba … te he dicho en razones pocas». El rodeo no tiene lugar por el placer de explorar, de acumular riquezas, de asombrarse ante la maravilla del mundo; es un ir examinando hilo a hilo el tejido de la vida, ver el haz y el envés, llegando a descubrir nuevas zonas de una nueva sensibilidad: «Que tanto gusto había / en quejarse, un filósofo decía, / que a trueque de quejarse, / habrían las desdichas de buscarse» (I, 37-40). El oxymoron en el arte de esta época no es una de tantas figuras retóricas: expresa la unidad de lo opuesto, la síntesis.[1]

Arte de un gran rigor, de una gran precisión, que goza del mundo de los sentidos al situarlo en una zona mental y sensualiza el mundo moral y el abstracto. Es siempre un traslado continuo, una constante metáfora. Ese duerme-vela, esa luz-sombra están poblados de

---

1. [Véase también más abajo, pp. 823-828, a propósito del lenguaje de la obra.]

un gran número de seres y cosas: plumas, peñas, cadenas, todo un desbordamiento y luego los animales y los elementos en todas sus formas. Pasamos de lo entrevisto y confuso a lo deslumbrante, de lo vago y dudoso a lo más exacto. Las comparsas son numerosísimas, pero la acción la llevan dos parejas jóvenes y dos viejos, Rosaura-Segismundo, Basilio (padre de Segismundo), Clotaldo (padre de Rosaura) y Astolfo-Estrella. Viejos, padres,[2] además el rey ha ordenado la prisión de Segismundo, Clotaldo es el que ejecuta las órdenes regias; si el uno ha dado el ser al príncipe, el otro es quien le cría; Basilio (el sabio) dirige la vida en palacio, Clotaldo (el pecador) en el monte. Las parejas se presentan igualmente enlazadas y como los viejos en correspondencia con el lugar. Para Rosaura-Segismundo el monte, para Astolfo-Estrella el palacio. Es la estructura del mundo en el Barroco, por lo menos en España. [Es la vida de las pasiones, la vida impulsiva de los instintos abriéndose camino para llegar a la vida social.] Todos llegan a palacio.

Hemos de partir de esta estructura esencial del mundo en el Barroco para captar en toda su rica plenitud *La vida es sueño*, comedia donde quizás aparece no con más claridad que en el Greco, o

2. [Al examinar el reparto del drama, N. D. Shergold [1968], observa que si a Clotaldo le correspondía obviamente el papel de «viejo» o «barbas» —como se le llamaba—, «Basilio, padre de Segismundo, es también un "viejo", lo que significa que *La vida es sueño* es una obra escrita para una compañía que cuente con dos "barbas". Además, Basilio proporciona al actor un papel magnífico, mucho más interesante que el de un "barbas" convencional, mientras que Clotaldo es el "padre": su papel, por importante que sea, resulta secundario comparado con el de Basilio. La explicación no es difícil. El actor que representa el papel de Basilio debe ser el "autor" [es decir, director] de la compañía, que ha superado la edad de representar el papel de "primer galán", pero que está poco dispuesto, por otra parte, a no ser más que el "barbas" de la compañía. Si esta interpretación es correcta, es muy probable que Calderón haya escrito *La vida es sueño* para el director de la compañía ... Hay otra obra de Calderón en la que se da esta combinación de un papel espléndido e inusual para un "barbas", y, al mismo tiempo, un viejo secundario que representa, sin embargo, un papel importante. Se trata de *El alcalde de Zalamea*, y los papeles, los de Pedro Crespo y Lope de Figueroa. ¿Sería excesivo suponer que los dos actores encargados de los papeles de Basilio y Clotaldo en *La vida es sueño* son los mismos que han representado en *El alcalde de Zalamea* los papeles de Pedro Crespo y don Lope? Si esto fuera así, tendríamos la clave que proporcionaría la identidad de la compañía, porque el 12 de mayo de 1636 *El alcalde de Zalamea* fue representado ante el rey, en palacio, por la compañía de Antonio García de Prado».]

en Mateo Alemán, o en Cervantes, o en los dos estilos de Góngora, pero sí de una manera más esquemática. Al descorrerse el telón se ve un «confuso laberinto» de peñas en un monte desierto y altísimo. Seguramente pasa un breve momento y en lo alto sale arrojada con violencia Rosaura, la cual permanece en la cumbre durante dieciséis versos y luego baja para decir en el centro del escenario: «Mal, Polonia, recibes / a un extranjero, pues con sangre escribes / su entrada en tus arenas; / y apenas llega, cuando llega a penas». Sus veinte primeros versos son la pictórica descripción de un caballo y del lugar en que se halla, además, enlazándolo íntimamente a la descripción, nos habla del estado físico y moral en que se encuentra. El primer heptasílabo está formado por dos palabras, un sustantivo, que nos coloca en el mundo de la imaginación, y un adjetivo: *violento*; los verbos de la retórica interrogación son: *desbocas, arrastras, despeñas*. El violento caballo se ha desbocado y despeñado. Clotaldo le dirá a Rosaura, al terminar la jornada I: «Y deja el ardiente brío / que te despeña» (953-954). Montura y temperamento son lo mismo y conducen a lo mismo: a despeñarse. Del despeñarse real hemos pasado al metafórico, pero el caballo aparece metafóricamente en el primero: *Hipogrifo*. El caballo como símbolo de las pasiones era frecuente: «Yo pienso ser / un caballo desbocado / que parar no he de saber / en el curso del pecado» (*El esclavo del demonio*). Frenarlo, atarlo es lo que hay que hacer en la vida.

J. E. Varey, Alexander A. Parker y Peter N. Dunn

EL ALCALDE DE ZALAMEA

I. El acto I de *El alcalde de Zalamea* ofrece un buen ejemplo de la manera en que el dramaturgo hace uso del espacio, como asimismo de la flexibilidad de la localización de la acción. El acto I pone en escena una acción continua, sin interrupciones de continuidad, poco frecuente en una comedia española. Lo normal es que el dramaturgo cambie la localización de la acción de un sitio a otro, sobre todo cuando la comedia combina una acción principal con una acción secundaria bien desarrollada. En el acto I de la *Fuenteovejuna*, de Lope de Vega, por ejemplo, la localización alterna entre la aldea de Fuenteovejuna —donde se localiza la acción principal— y la corte de los Reyes Católicos o bien el sitio donde se encuentra el comendador (ambos locales formando parte de la acción secundaria). La solución de continuidad entre cada segmento de la acción se indica al público en varias maneras: por los movimientos de un grupo de actores que entra, dejando vacío el escenario unos instantes, y luego sale otro grupo de otra puerta distinta; por la indumentaria de los actores; y por sus parlamentos. En años recientes, se ha denominado cada segmento separado de la acción un *cuadro*, término que evita la ambigüedad de la palabra *escena*, usada demasiado por los directores decimonónicos —y, es de lamentar, por algunos editores de nuestros días— que visualizaban la acción —si es que la visualizaban— siempre en términos de la escenificación realista del siglo pasado. En el acto I de *El alcalde de Zalamea*, la acción es continua y forma un solo cuadro extenso, aunque la localización de la acción cambia varias veces en el curso del acto.

I. J. E. Varey, «[El] espacio escénico [en *El alcalde de Zalamea*]», *II Jornadas de teatro clásico español, Almagro, 1979*, Madrid, 1980, pp. 17-34 (20-26, 32-34).
II. Alexander A. Parker, «La estructura dramática de *El alcalde de Zalamea*», en *Homenaje a Casalduero*, Gredos, Madrid, 1972, pp. 411-417 (413-416).
III. Peter N. Dunn, ed., P. Calderón de la Barca, *El alcalde de Zalamea*, Pergamon Press, Oxford, 1966, pp. 13-16.

Empieza el acto I con los soldados de un tercio español marchando
por una polvorienta carretera principal, o camino real; salen de una de
las puertas laterales del fondo, y el diálogo localiza la acción. Vislumbran
a lo lejos la población de Zalamea, y un soldado explica que «es necesario
que donde paremos sea» (117-118). Según el Capitán, se están acercando
a Zalamea; dice a su compañía que «de aquí no hemos de salir» (139).
Ya se están escogiendo los alojamientos de los soldados. Así que el lugar
de la acción ha cambiado imperceptiblemente desde un sitio en el camino
real, hasta los alrededores de Zalamea, y ahora están dentro de la población. El Sargento dice al Capitán que será alojado «en casa de un villano, / que el hombre más rico es / del lugar ...» (165-167), y manda que
lleven sus bagajes al alojamiento indicado (224). Con la salida de don
Mendo, caballero ridículo, y su criado Nuño, se localiza todavía más la
acción: «a la vuelta desa esquina / se apeó» (215-216). El diálogo entre
don Mendo y Nuño forma parte de una rudimentaria acción secundaria
que sirve de contrapunto a la acción principal. Profundiza la crítica social
inherente en la comedia, pero también sirve para distraer la atención del
público haciendo que olviden la cuestión de la localización de la acción.
Cuando amo y criado han discutido hambre e hidalguía, la conversación
versa sobre la bella Inés, y de súbito nos encontramos fuera de la casa de
Pedro Crespo, su padre. Nuño comenta que entran en la calle donde se
encuentra la casa (315-316), y entonces añade: «Albricias, que con su
prima / Inés a la reja sale» (347-348). La acotación reza: *Salen a la ventana Isabel e Inés, labradoras.* Es posible argüir que la ventana se encontraba al nivel del tablado, puesto que al final del episodio, Isabel dice a
su prima: «Inés, / éntrate acá dentro, y dale / con la ventana en los
ojos» (391-393). Sin embargo, es mucho más probable que se localizara
a un nivel más alto, en el balcón o *lo alto del teatro.* Episodios en los que
un personaje domina moral y físicamente a otro en un nivel inferior se
encuentran con frecuencia en la comedia, y la acción que pasa entre don
Mendo y las dos muchachas parece ser un ejemplo de este tipo de relación
espacial: los papeles en la sociedad están trastrocados, la villana aparece
en un nivel más alto que el caballero ridículo, dominándole físicamente
y al mismo tiempo asumiendo el mando de la acción; por el amor estúpido
de éste, estribado en el apetito más que en el afecto, también ella le domina moralmente.

La acción, pues, se ha localizado en la calle, frente a la casa de Pedro
Crespo, y la fachada interior del teatro ha llegado a ser la fachada exterior
de la casa suya. Ahora sale Pedro Crespo y, casi inmediatamente, su hijo
Juan. Evidentemente, salen de puertas distintas, y el equilibrio físico de
sus salidas se refleja en sus reacciones semejantes ante la escena que les
confronta, cada uno maldiciendo la manera en que don Mendo frecuenta
la calle frente a su casa. Sale el Sargento, preguntando si «¿Vive Pedro

Crespo aquí?» (465), e, imperceptiblemente, la escena exterior se ha vuelto en escena interior. Pedro Crespo acepta hospedar al Capitán con buena gana, diciendo: «Y en tanto que se le hace / el aposento, dejad / la ropa en aquella parte, / e ir a decirle que venga / cuando su merced mandare, / a que se sirva de todo» (476-481). Son los bagajes llevados dentro en el verso 224, que salen otra vez aquí. Que ya están dentro de la casa lo demuestra también la manera en que Pedro Crespo manda que venga su hija a su presencia, y les dice a ella y a su prima que se escondan de los soldados en los desvanes de la casa. Evidentemente, no las mandaría salir a la calle para darles este consejo, y así la acción está localizada en el patio de la casa de Pedro Crespo, y la fachada interior del teatro ha llegado a ser, de manera «realista», la fachada interior de la suya. El hecho de que este episodio, si lo pudiéramos ver nosotros en la manera en que se escenificó en el siglo XVII, nos parecería «realista», carece de importancia; lo que sí importa es el hecho de que el público de entonces hubiera aceptado los distintos cambios de localización de la acción sin pérdida de credibilidad. No va a haber más cambios en la localización de la acción en lo que queda del acto I.

Crespo manda a Isabel que se esconda en el desván: «Al punto has de retirarte / en esos desvanes donde / yo vivía» (538-540), dice, y ella contesta: «Mi prima y yo en ese cuarto / estaremos sin que nadie, / ni aún el sol mismo, no sepa / de nosotras» (545-548), descripción hiperbólica de su prudencia que inmediatamente se demuestra ser falsa. Entran, evidentemente al nivel del tablado. Más tarde van a salir en el balcón, al cual habrán llegado por una escalera interior, saliendo de nuevo a la vista del público desde dentro de la fachada del edificio. Mientras tanto, el Capitán sale en el tablado y le informa el Sargento que ha averiguado que las dos muchachas están escondiéndose escaleras arriba: «Pregunté a una criada / por ella, y respondióme que ocupada / su padre la tenía / en ese cuarto alto ...» (583-585), y es de presumir que indica hacia arriba, hacia los desvanes del edificio. Añade que «no había / de bajar nunca acá» (586-587), por ser muy celoso el padre. ¿Celoso, podemos preguntarnos, o prudente? El Capitán ahora planea la primera de las que serán tres tentativas de llegar a la presencia de Isabel, inventando un complot con el soldado Rebolledo. «Yo intento / —le dice— subir a ese aposento / por ver si en él una persona habita / que de mí hoy esconderse solicita» (637-640). Fingirá una riña con el soldado, y le perseguirá escaleras arriba: «... has de irte huyendo / por ahí arriba» (644-645). Pudiera entenderse este parlamento como indicación de que va a perseguirle hasta el balcón del teatro en vistas del público, pero acotación y texto indican que tanto Rebolledo como el Capitán desaparecen de vista del auditorio. *Entrale acuchillando*, reza la acotación (acotación 673), y que sea genuina lo demuestra el texto, según el cual Pedro Crespo, Juan y Chispa, la amante

de Rebolledo, discuten para dar tiempo a que Rebolledo suba arriba
dentro de la casa, y aparezca de nuevo en el balcón, al lado de Isabel e
Inés. Mientras tanto, Pedro Crespo y Juan desaparecen también de la vista
del público, y también reaparecen en el balcón. Antes de llegar ellos allí,
salen el Capitán y el Sargento al balcón, persiguiendo al parecer a Rebolledo, y éste se esconde tras las faldas de Inés. Que la escenificación no
sea realista lo demuestra el tiempo permitido para que el Capitán y Rebolledo lleguen al balcón desde el tablado (nueve versos), y el tiempo dado
a Pedro Crespo y Juan (treinta y nueve versos); la diferencia estriba en
la necesidad de permitir más tiempo para el importante primer encuentro
entre el Capitán e Isabel. Al salir Pedro Crespo y Juan, encontramos a los
personajes agrupados así en el balcón: *Rebolledo, Inés, Isabel / Capitán,
Sargento, Pedro Crespo, Juan*. Dice Crespo que «yo estoy / de por medio» (772-773), al proferirse mutuas amenazas el Capitán y Juan. Las
espadas han saltado de las vainas, y la situación es tensa.

En este momento crítico, aparece don Lope de Figueroa, comandante
general de las tropas. No sale al tablado, que pudiera parecer más en
consonancia con un supuesto «realismo» —como si entrase en la casa
desde la calle—, sino también al balcón. No sólo se queja de haber subido
escaleras arriba, a pesar de su pierna gotosa —«No me basta haber subido / hasta aquí ...» (789-790)—, pero les amenaza a todos con tirarles
abajo del balcón: «¡Hablad, porque, voto a Dios, / que a hombres, mujeres y casa / eche por un corredor!» (786-788). Al explicar la situación,
el Capitán dice que el soldado Rebolledo «Hasta aquí se entró huyendo;
entréme tras él / donde estaban esas dos / labradoras; y su padre / y su
hermano —o lo que son— / se han disgustado de que / entrase hasta
aquí» (800-806). Don Lope manda que todos se vayan, y todos entran
menos Crespo y él, que entablan en el balcón una discusión que revela el
paralelismo de los dos personajes. Los parlamentos y las reacciones subrayan la semejanza entre sus actitudes y sus personalidades, a pesar de las
diferencias de rango social que separan al labrador, por próspero que sea,
del alto oficial del ejército, diferencia demostrada por la indumentaria de
uno y otro.

Como queda demostrado, no hay solución de continuidad en todo el
primer acto de esta obra, a pesar de que cambia con frecuencia la localidad
en que se supone que la acción tiene lugar. El aparente «realismo» del
uso de la fachada interior no tendría significado para un público del siglo XVII, y no estaría consciente de ello. Todo es convencionalismo. Sin
embargo, Calderón ha hecho uso del edificio dentro del cual está construido el teatro para simbolizar la intención del Capitán de penetrar en
la casa e introducirse en la presencia de la bonita muchacha. El padre
prudente y la hija obediente han escogido el curso de acción que parece
el más prudente, pero la misma tentativa de evitar un disgusto ha traído

como consecuencia los mismos problemas que trataban de evitar: el hecho de que se escondan las muchachas excita la curiosidad del Capitán. Pero, ¿qué debería haber hecho el padre? En esta vida la prudencia no basta. Hemos visto también cómo el Capitán y el soldado Rebolledo asumen cada uno un papel, y la manera en que la pequeña «comedia-dentro-de-la-comedia» en que hacen estos papeles parece encaminada hacia un desenlace trágico. La riña fingida termina con espadas desenvainadas en verdadera ira, y la primera tentativa de parte del Capitán de introducirse en la presencia de Isabel produce el tipo de reacción que va a resultar en su muerte. Su acción violenta, que abusa del respeto que el huésped debe demostrar, produce una reacción igualmente violenta. A través de la obra, las acciones del Capitán se hacen todavía más violentas, así como las reacciones vienen a ser todavía más explosivas, hasta que el último acto imprudente del Capitán, al raptar a Isabel, conduce a su propia muerte.

[En las páginas anteriores], he concentrado la atención en el movimiento, y no he tratado de analizar la capa temática de la obra, ni de explicar las imágenes poéticas. La comedia trata de la naturaleza del honor verdadero y de la del honor falso, de la prudencia y la temeridad, de las relaciones entre las clases sociales y la definición de la justicia. El sencillo tablado se convierte fácilmente, por medio de las imágenes poéticas, y contando con la cooperación de la imaginación del espectador, en los locales distintos: la armonía y la discordia se crean por las descripciones poéticas, la naturaleza suave del jardín o de las soleadas eras haciendo un contraste con la aspereza del monte, el claro día oponiéndose a las confusiones y los peligros de la noche. Isabel puede dominar a don Mendo, pues es superior a él en lo moral, aunque más baja en la escala social. El que se esconda en el desván es un acto de prudencia por parte de ella y de su padre, pero atrae las tentativas del Capitán de penetrar en las celestiales regiones de su belleza, como otro Ícaro. La jactancia de Isabel —otro eco de la fábula de Ícaro— que nadie la verá nunca en su alto escondrijo pronto se desvalora, y las tentativas de parte del Capitán por ganar su presencia llevan a su muerte. El movimiento hacia arriba puede señalar la superioridad, o puede simbolizar una ambición peligrosa. El movimiento hacia abajo —la caída de Pedro Crespo y la de Juan, el caerse Isabel de rodillas ante su padre y la misma acción de Pedro Crespo en la presencia del Capitán, pueden simbolizar la sumisión, la humildad, o la manera en que los personajes se ven reducidos en categoría por lo que les ha pasado. La «escena interior»

—es decir, la parte del vestuario que se revela al correrse las cortinas centrales del fondo— pueden utilizarse para revelar los resultados de la violencia, o, como en el acto II, puede sugerir un jardín o un patio. Las dos puertas principales se emplean con gran efecto para subrayar el paralelismo que ha creado Calderón entre los dos personajes de don Lope y Pedro Crespo (papeles sin duda ideados para dos buenos actores de mediana edad). El volcar la silla y la mesa simboliza la discordia que también se revela en la disonancia de la serenata, lo que también contrasta con la música natural de la fuente y la brisa. Las cajas se emplean para proclamar la llegada de los militares, y en esta obra son símbolos de una discordia potencial. La vara de alcalde se utiliza con un propósito evidentemente simbólico, y durante toda la extensión de la obra la indumentaria de los personajes sirve para definir su rango social y así denotar las tensiones inherentes en la trama. La fluidez de la acción se demuestra a las claras en el acto I, así como en cuadros determinados de los actos II y III. Para apreciar del todo el mensaje del dramaturgo y los métodos que emplea para transmitirlo al público, es necesario tener en cuenta y visualizar las relaciones espaciales, los niveles de acción, los paralelismos de parlamentos y de movimientos, el uso que se hace de los descubrimientos y de la aparente oscuridad, la manera en que los personajes asumen otros papeles en determinadas circunstancias, y la íntima integración de las imágenes poéticas con la escenificación. Una comedia española del Siglo de Oro se puede definir, como espero haber demostrado, como la poesía en constante movimiento, proyectada en tres dimensiones.

II.   Además de la correlación estilística y de las simetrías y contrapesos tan bien estudiados por D. Alonso [1951] y P. N. Dunn [1966] la estructuración de las escenas dramáticas en *El alcalde de Zalamea* también puede demostrar que [el «realismo excepcional» que tan a menudo se ha elogiado en la obra] ni es realismo ni excepcional.

Al hablar de escenas no me refiero a la división de los actos según el aumento o disminución del número de personajes en la escena. Este sistema, copiado del francés, no tiene nada que ver con la estructura del teatro español del Siglo de Oro. Por lo general, tampoco tiene que ver la división de los actos en escenas según el cambio de lugar, sistema que por los supuestos cambios de tiempo que esto implica, muchas veces violenta el mismo diálogo, como ha demostrado Sloman, precisamente en el caso de *El alcalde de Zalamea*. El acto I de este drama suele dividirse en 18 «escenas», con 4 cambios de lugar: «campo cercano a Zalamea», «calle», «patio o portal de la casa de Pedro Crespo» y «cuarto alto en la misma casa». Los únicos cambios de escena en la comedia española ocurren cuando la acotación «Vanse todos» es seguida por la salida de uno o más personajes distintos de los que se fueron. Aquí sí quedaría vacío el tablado por algunos momentos, lo cual podía denotar o lapso de tiempo o cambio de lugar, o las dos cosas juntamente. Pero el que no haya esta división no implica que el lugar no cambie. Todo el acto I de *El alcalde de Zalamea* es una sola escena, es decir, una representación ininterrumpida, durante la cual la imaginación del público, siguiendo las indicaciones del diálogo, va pasando desde un lugar tan lejos de Zalamea que el pueblo no se ve, hasta subir la escalera de la casa de Crespo para entrar en la habitación de Inés. El diálogo nos lleva por todos los sitios intermedios sin que la duración de la representación (tres cuartos de hora, más o menos) tenga relación con el tiempo necesario para recorrer el espacio indicado (que llevaría unas horas).

No podemos, pues, en el análisis de la estructura de este drama atenernos a ningunas «escenas» que puedan dividir el texto y ser numeradas. Pero, naturalmente, existen momentos decisivos en el desarrollo de la acción, que la dividen. Si se examina el acto I desde este punto de vista se nota que la acción se desarrolla mediante la salida consecutiva de los personajes principales, dividiéndose en seis momentos dramáticos, o sea, en las siguientes «secciones».

1) *I, versos 1-137:* [1] *los soldados con Rebolledo y la Chispa.* Sirve esto de introducción. Son personajes secundarios en la acción, pero aparecen al principio para presentar el ambiente, el fondo contra el cual se desenvolverá el conflicto dramático: ambiente de vida militar, de vida despreocupada y revoltosa, de conducta desordenada. La Chispa, mujer alegre y de costumbres libres, servirá de contraste con la recatada Isabel. Contra este fondo los personajes principales aparecen consecutivamente, siendo ésta una estructura en que la exposición del tema se va completando mediante la adición de elementos nuevos. *La vida es sueño*, por ejemplo, sigue otro sistema: aquí la exposición (que en la fórmula española

---

1. [La numeración de los versos de cada acto se da de acuerdo con la edición de P. N. Dunn [1966].]

de los tres actos suele abarcar todo el primero) consiste en presentar dos
misterios, el de Segismundo y el de Rosaura; luego, en el acto segundo
aparecen los personajes que los aclaren. La aclaración se hace por medio
de narraciones que equivalen a *flashbacks*. Es decir, dos problemas han
llegado a «madurar»; hay que aclararlos y luego resolverlos. En *El alcalde
de Zalamea* el problema va a nacer ante los ojos del público, y hay que
presentar primero todos los elementos que aclaren la génesis y la naturaleza del problema. La presentación seguirá la ordenada lógica del raciocinio, no los vaivenes de la vida real.

2) *I, 137-224: el Capitán.* Es aristócrata y oficial. El diálogo con el
Sargento revela que, por pertenecer a la vida desordenada de la milicia,
es un cínico burlador de mujeres. Desprecia, como hidalgo, a los villanos;
una campesina, por hermosa que sea, no puede merecer ser esposa suya.

3) *I, 225-422: don Mendo.* Del cinismo del militar hidalgo pasamos
a la decadencia del hidalgo desocupado, la cual completa el cuadro de la
soberbia aristocrática. Don Mendo es una figura grotesca, porque lo es
quien crea que la nobleza estriba solamente en la posesión de una ejecutoria, y quien prefiera morir de hambre antes que humillarse a trabajar.

4) *I, 423-556: Pedro Crespo y su familia.* Crespo y Juan salen ahora
para que dos villanos contrasten con los dos hidalgos ya presentados. Don
Mendo es pobre; Crespo es rico porque trabaja. Don Mendo es noble y
honrado por la ejecutoria; Crespo se niega a comprarse una porque esto
sería «honor postizo», como una cabellera en un hombre calvo. El contraste
establece que el honor estriba en lo que se es, y que un villano tiene pleno
derecho a la estimación propia.

5) *I, 557-776: el conflicto se anuncia.* Se traba alrededor de dos
puntos temáticos: el respeto que deben tener los hidalgos para con los
villanos, y el respeto que todo hombre debe a las mujeres.

6) *I, 777 hasta el final: don Lope de Figueroa.* La contienda cesa
con la llegada del general, quien encarna la autoridad, y por eso el orden
social. Llega al final por dos razones. Primero, porque la autoridad y el
orden social serán los aspectos más importantes del tema. Es lo que impide el desorden, o es la justicia que lo castiga si no se ha impedido.
Segundo, porque presenta un contraste tanto con el Capitán como con
Crespo. Es aristócrata como aquél, pero es hombre justo y honrado y sabe
reconocer el honor de los villanos. Como representante de la autoridad
defiende el protocolo y la ley: por mal que se haya portado el Capitán,
Crespo no tiene derecho de castigarle. Mientras don Lope defiende las
formas externas de la justicia, Crespo defenderá su esencia interna.

Este conflicto, anunciado aquí al final del primer acto, estallará
al final del tercero. Habiendo resuelto un problema, tendrá Crespo
que enfrentar otro mucho más grave. Crespo sale en escena en el

centro del primer acto; el Capitán había salido antes, don Lope saldrá
después: Crespo, en medio de los dos enemigos de la clase villanesca,
el desprecio aristocrático y el fuero militar. La estructura de este acto
sigue paso a paso la lógica exposición del tema. Cada personaje aparece cuando hay que presentar lo que él aporta al tema, y la exposición es ascendente. Después de indicar que Crespo entrará en conflicto con el Capitán, pone en claro el peligro culminante, el que
después de eso no podrá evitar el conflicto con la ley, es decir, con
la autoridad del ejército y del estado.

El acto I, por consiguiente, se divide dramática y lógicamente en
seis secciones. Ahora bien, el acto II también se divide en seis momentos dramáticos. Y nos sorprende algo más todavía: el hecho de
que no sólo hay esta simetría entre el I y el II, sino que dentro del II
por sí solo hay una perfecta simetría. Esto lo aclarará el siguiente
esquema:

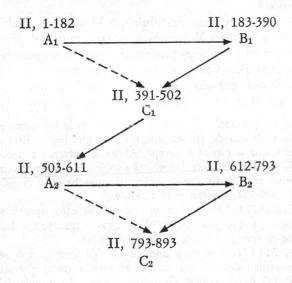

A = el desorden y los personajes que lo representan (don Mendo,
el Capitán y los soldados). B = el orden (Crespo, don Lope, Juan,
Isabel). Después de salir e irse el grupo A, aparece el grupo B. C denota una riña, que tiene lugar al volver A y unirse con B. La primera
riña, C, tiene lugar cuando vuelve la serenata y Crespo y don Lope
salen de casa para ahuyentar a los soldados.

En la segunda mitad del acto se repite la serie A-B-C. La segunda riña, C₂, es el rapto de Isabel; Juan, oyendo sus gritos, la sigue. Antes de irse él con don Lope, el padre le había dado consejos que él ahora pone en práctica al oír los gritos de Crespo e Isabel sin saber quiénes son:

Dos necesidades son   que así obedezco a mi padre
las que apellidan a gritos   en dos cosas que me dijo:
mi valor; y pues iguales   «Reñir con buena ocasión,
a mi parecer han sido,   y honrar la mujer», pues miro
y uno es hombre, otro mujer,   que así honro a la mujer,
a seguir ésta me animo;   y con buena ocasión riño (II, 882-893).

El final de este acto, estructurado con notable simetría, apunta de este modo al acto III, ya que la lucha del villano por la justicia, contra el desprecio del hidalgo y la ley del estado, será la «riña con buena ocasión».

Ya no nos sorprenderá descubrir que el acto III también se divide en seis secciones. Volvemos a la estructura del acto I en el sentido de que los personajes principales aparecen sucesivamente, uno después de otro. Pero Crespo está en la escena casi desde el principio, y la salida de cada personaje quiere decir que la acción avanza según Crespo se enfrenta con el problema que cada personaje le plantea.

1) *III, 1-78: Isabel.* El clímax del drama es la introducción al acto. Se revela la deshonra de Isabel: ella no sabe qué hacer. Éste es el problema general que le espera a Crespo. Ahora se enfrenta con él.

2) *III, 79-348: Crespo e Isabel.* La solución a este problema cambia completamente cuando Crespo se entera de que ha sido elegido alcalde.

3) *III, 349-634: Crespo y el Capitán.*

4) *III, 635-714: Crespo y Juan.* Constituye otro aspecto del problema de Crespo, ya que Juan busca el desagravio matando a Isabel, y ya que él corre peligro por haber herido al Capitán.

5) *III, 714-851: Crespo y don Lope.* Ya que Crespo se niega a acatar la autoridad del ejército, don Lope manda atacar el pueblo.

6) *III, 851 hasta el final: Crespo y el Rey.* La llegada del Rey impide la batalla y da la razón a Crespo.

No es sólo que el plan estructural del acto III es igual al I, sino que los finales son iguales también: en I la contienda se acaba con la llegada de la autoridad (don Lope); en III la contienda, que ya abarca no sólo una familia sino toda Zalamea, se acaba con la llegada de la autoridad suprema. Hay una simetría perfecta en toda la obra: el último acto repite el esquema del primero, y la segunda mitad del acto II repite el esquema de la primera. Es decir, que la obra entera tiene una especie de estructura circular.

Semejante estructura no puede llamarse realista. En el mundo, quizá por desgracia, no se ordenan los sucesos de la vida en series lógicas y simétricas. Es una estructura sumamente artificiosa, dominada por la rigidez de una fórmula séxtuple. Es imposible que esto sea accidente. Puede que la estructura no fuese consciente en toda su simetría, pero se debería en ese caso a un hábito no sólo de componer sino de pensar. La fórmula séxtuple se debe a la base de tres que es la que impone el tema: Crespo entre el Capitán y don Lope al principio; Crespo entre don Lope y el Rey al final. Para Calderón sería natural que, a partir de eso, la base tres fuese constitutiva de la familia Crespo (Crespo, Juan e Isabel) y del mundo exterior potencialmente hostil (don Mendo, el Capitán, don Lope). No cabe duda de que el sistema lógico y clasificador de la filosofía escolástica que dividía y subdividía un todo en sus partes, oponiendo a cada una su contraria y clasificando a base de cualidades análogas u opuestas, etc., llegó a ser en Calderón un hábito intelectual, una forma definitiva de pensar, y por eso, de componer.

¿Qué tiene que ver esto con el arte? No podría mantenerse que el valor dramático de *El alcalde de Zalamea* estribe en su estructura simétrica perfectamente equilibrada. Pero ¿no sería temerario afirmar que la vitalidad dramática existe *a pesar de* la simetría estructural? Todo el mundo ha admirado siempre en este drama la ordenación y coherencia de la materia dramática; pero estas cosas no existen, ni las podemos imaginar, fuera de esta estructura. La consistente progresión del tema, la marcha de la acción a pasos seguros y rápidos, existen en la forma en que Calderón nos las ha dado, y no en otra. A él seguramente le daría esta clase de estructura una satisfacción especial.

III. En *El alcalde de Zalamea* Calderón presenta una serie de variaciones sobre el tema de la honra, que contrastan con la actitud central, la más justa, adoptada por Pedro Crespo.

Rebolledo, el soldado cobarde y estrepitoso, cuando tiene que pedir un favor no tiene ningún reparo en presentarse a su capitán describiéndose con palabras que suenan a autoelogio: «que soy hombre cargado / de obligaciones, y hombre, al fin, honrado» (I, 625-626). El personaje es característico. De Vincenzino, en *El Gatopardo* de Giuseppe di Lampedusa, se nos dice que «con su frente baja, los mechones de pelo dejados crecer sobre las sienes, con el contoneo de su paso, con la perpetua hinchazón del bolsillo derecho de sus pantalones, comprendíase en seguida que Vincenzino era "hombre de honor", uno de esos imbéciles violentos capaz de cualquier barbaridad». El Capitán tiene el arrogante sentido del honor que acompaña a la categoría social, la convicción de que los demás están por debajo de él. En cambio, el General, don Lope de Figueroa, carece de arrogancia social, pero tiene un fuerte sentido de lealtad al ejército. Después de la escaramuza del acto primero, él y Pedro Crespo llegan a hablar de hombre a hombre, pero cuando Crespo, la autoridad civil, somete a juicio al Capitán, amenazando así los privilegios del ejército, el sentido del honor militar de don Lope está a punto de provocar la destrucción de todo el pueblo. Es un hombre recto y franco, prisionero de la institución a la que sirve. Don Mendo es una grotesca parodia del hidalgo empobrecido al que no queda más que su apellido y su vanidad. Corteja a Isabel desde lejos, pero se estremece ante la idea de casarse con ella, porque la considera de rango inferior. De sus nobles antepasados sólo conserva los títulos de nobleza, unas cuantas actitudes señoriales y cierta nostalgia por los vicios aristocráticos. Habla de su amor por ella en frases convencionalmente desesperadas y apasionadas, la seduce mentalmente e imagina con satisfacción cómo se refugiaría en un convento para ocultar su deshonra... el más encopetado y aristocrático de los conventos, ya que *él* la ha seducido (I, 314-338). Don Mendo y el Capitán tienen acciones curiosamente complementarias. Lo que don Mendo imagina a su cínica y vanidosa manera, el Capitán lo lleva a la práctica. Juan Crespo actúa impetuosamente movido por un prejuicio convencional, suponiendo que ha de matar a su hermana para borrar la mancha que ha caído en el honor de la familia. La propia Isabel acepta esta idea (III, 275-280). Desde su punto de vista la mayor de las deshonras consiste en que lo sucedido se sepa y se comente, y por ello queda desconcertada cuando su padre le hace hacer una declaración jurada como prueba contra el Capitán (III, 699-706).

Estos personajes sitúan su honra en la afirmación de unos derechos y el mantenimiento de unas apariencias, pero Pedro Crespo se opone a cualquier tipo de ocultamiento o disimulo. Cuando su hijo Juan sugiere que podría comprar un título de nobleza para librarse de la obligación de tener que alojar a soldados en su casa, replica con sensatez, ingenio y un profundo sentido de lo que significa la

superioridad y el rango (I, 488-521). Está orgulloso de su buen
nombre, de su limpio linaje y del respeto que los demás aldeanos
sienten por él. La suya es una noción del honor más humana y menos
hueca que la que representan los demás personajes. Sin embargo,
también para él cuenta en mayor o menor grado la opinión de las
gentes, y esta opinión a menudo no refleja debidamente el mérito y
la honradez, y se ve influida por los chismes y la malicia. [Juan
Crespo quiere matar a su hermana después de haber sido raptada, y
la misma Isabel supone que su padre va a darle muerte cuando ella
le desata las manos.] La reacción convencional de Juan y de Isabel
después del drama, indica que la situación de Crespo en la aldea no
va a ser cómoda una vez haya proclamado su propia deshonra apelando a la ley. (Por este motivo, el hecho de que el rey apruebe lo
que ha hecho Crespo y le confirme en su cargo es teatralmente hablando necesario, ya que de no ser así el público hubiese podido
imaginarle víctima de los insultos y humillaciones a los que en estos
casos se entregan los aldeanos españoles despiadadamente.) Por eso,
si la famosa frase de que «el honor es patrimonio del alma» [1] (I, 874-

---

1. [En «*patrimonio* del alma», subrayando el tecnicismo jurídico y sus
implicaciones, cabe entender 'cuanto el alma hereda (de Dios, incluyendo los
frutos de la Redención), en un conjunto —indivisible— de privilegios y obligaciones'. «Patrimonio del *alma* nos ofrece el único término jurídico de la obra,
porque Crespo es el único hombre que va mucho más allá de sus propios intereses, revelando inconscientemente en sus actividades la fuerte tensión que existe
entre la Ley, Dios y la Sociedad. Idealmente, la Sociedad encarna los principios
de la Ley Divina, e idealmente también la razón moral del hombre le impulsa
a obrar de acuerdo con esta ley, viendo en la Ley un principio actuante. Esta
Ley debe ser la imagen de la Ley de Dios en el Cielo, y la Sociedad también
una imagen ordenada por sí misma de la jerarquía celestial. Pero dado que el
mundo es como es, se necesita una coerción, los reyes ejercen un poder y hay
una justicia retributiva que suple los fallos (demasiado frecuentes) del amor.
En esta sociedad, la Naturaleza en vez de ser el faro que guía a la Razón, se
convierte en la sirena de las rocas. La Ley pasa a ser litigio y afirmación de
derechos, un instrumento que permite conservar lo que se tiene y adueñarse
de lo que se puede. No es que esas cosas hayan degenerado por sí mismas, sino
que muchos hombres han decidido que fueran así. El Honor participa de este
envilecimiento general. De ser algo que une a toda la familia universal cristiana,
pasa a significar sobre todo lo que divide a los hombres enfrentándolos unos
contra otros, armándolos en una agresiva discordia. Esto es lo que sugiere
Calderón cuando habla del "patrimonio del alma" y lo que implica el alegato
de Crespo ante el Capitán. Crespo es un catalizador que distingue los significados, pero el Capitán lleva la semilla de un nuevo positivismo, y ha olvidado los

875) ha de ser algo más que un argumento en la discusión con don Lope, debe aplicarse a la situación, tan distinta, del acto tercero, en el que Crespo renuncia a su buen nombre por el interés de la justicia e incluso presenta la otra mejilla al Capitán.

De ese modo en la obra Calderón muestra la honra no como un código, sino como las anteojeras de orgullo y de interés que llevan todos los hombres. Este tema es, pues, un aspecto de la interacción de la verdad y las apariencias, del engaño y la realidad que fascinaba a los artistas de todos los medios en el siglo XVII. El altivo y vanidoso, pero hambriento don Mendo, va acompañado por un criado cómico, Nuño, que glosa sus huecas frases y cree encontrar en todo lo que dice una alusión chistosa a la comida. Don Mendo es devuelto una y otra vez a las que él juzga groseras realidades materiales que no puede permitirse admitir. El Capitán mira con desprecio a las mozas labradoras. Llamarlas «damas» es rebajar la palabra (I, 205-212). Pero cuando se propone deslumbrar a Isabel y a su padre con afectadas cortesías, se refiere a Isabel como «esta dama», por lo cual es reprendido por Crespo (I, 730-735). El que rapte y viole a Isabel, hable apasionadamente sobre el amor, el honor y las «damas» e insista en el respeto que se les debe (III, 573) son rasgos que muestran aspectos de su indiferencia por la realidad de las personas. Es todo doblez vestida con hermosas palabras. El «honor» no es, pues, el tema central de la obra, sino una manifestación de la ansiedad que tienen los personajes por acomodar las apariencias a sus propios deseos. En cambio, para Crespo, que proclama

> Al Rey la hacienda y la vida
> se ha de dar; pero el honor
> es patrimonio del alma,
> y el alma sólo es de Dios (I, 873-876),

el honor es sin duda alguna una cuestión de obediencia, obediencia a algo que está más allá de la sociedad y por encima del rey, que tiene derecho a exigir sus bienes e incluso su vida.

---

sentidos antiguos. A través de las diferencias en lo que Crespo y los demás personajes dicen y hacen, se hace ver al público que pertenecen a mundos diferentes. La plena conciencia de ello no aparece de un modo inmediato, pero se invita al público a seguir las implicaciones del "patrimonio del alma" antes de que Crespo se vea obligado a vivirlas» (P. N. Dunn [1964], p. 82).]

ALEXANDER A. PARKER

PRESUPUESTOS DEL AUTO SACRAMENTAL

El propio Calderón nos dio la definición del auto sacramental, de suerte que no hay necesidad de buscarla en otra parte. En la loa a *La segunda esposa* un pastor llega a Madrid el día de Corpus Christi y queda sorprendido de lo que ve en torno suyo:

> PASTOR: ... decidme, aquellas torres
> o triunfales carros que
> el aire ocupan disformes,
> ¿para qué fin aquí están?
> LABRADORA: A fin de hacer las mejores
> fiestas que pudo la idea
> inventar.
> PASTOR: ¿Qué son?
> LABRADORA: Sermones
> puestos en verso, en idea
> representable cuestiones
> de la Sacra Teología,
> que no alcanzan mis razones
> a explicar ni comprender
> y el regocijo dispone
> en aplauso de este día.

Los temas de los autos son «cuestiones de la Sacra Teología»; su fin es el «aplauso de este día». Son parte de los festejos públicos del día y no una parte separada. No celebran la festividad a la manera en que los estudiantes de una universidad hubieran celebrado una visita real por medio, por ejemplo, de la representación de una obra de Séneca, sino que son parte de la festividad religiosa, su asunto tiene una conexión íntima con el festejo celebrado y constituye, por así decir, una contribución a la liturgia de la Iglesia. Su fin específico

Alexander A. Parker, *The allegorical drama of Calderón. An introduction to the autos sacramentales*, Dolphin, Oxford, 1943, pp. 62-67, 73, 78-82 (trad. cast. de Francisco García Sarriá: *Los autos sacramentales de Calderón*, Ariel, Letras e ideas: Studia, 1, Barcelona, 1983).

es el «aplauso» del Sacramento. [Son, pues, principalmente litúrgicos, o semilitúrgicos.] Aunque no constituían una forma directa de culto, representaban la contribución del pueblo a las celebraciones litúrgicas, manifestación popular que corría paralela al culto oficial que practicaba la Iglesia. Así se explica un pormenor de la representación notado por los visitantes extranjeros con cierto regocijo: los cirios que se hallaban en el escenario o a su fondo, a pesar de que las representaciones tenían lugar en pleno día. De aquí proviene también la suntuosidad de la representación, la música, la intensa nota de regocijo que Calderón intensifica constantemente. La presencia de este espíritu festivo, y el que se pusieran todos los recursos del arte al servicio de la religión, hacía que los autos estuvieran en concordancia con un elemento esencial de la tradición católica. [Cuando se leen los autos,] no sólo hace falta reconstruir con la imaginación, como Calderón nos lo pide, el lado artístico de la representación, «lo sonoro de la música» y «lo aparatoso de la tramoya», sino que también hace falta recrear la atmósfera litúrgica de que los autos formaban parte integrante. No sólo son teología puesta en escena sino también obras de devoción. [...]

El aspecto litúrgico, o el piadoso, es la primera característica de los autos que se deduce de la definición de Calderón. La segunda es su carácter de sermones: son una forma de instruir. Procuran instrucción moral e instruyen también en «cuestiones de la Sacra Teología», dan instrucción dogmática; pero no son sermones ordinarios, ya que se hallan «puestos en verso», y por tanto se dirigen al público según los recursos apropiados a este medio artístico. Más aún, son poesía dramática, «en idea representable», y, por consiguiente, nos llegan no sólo por el oído, sino también por la vista. Finalmente, es imposible representar los dogmas ateniéndose al principio de verosimilitud: no pueden incorporarse a una acción dramática representativa de una posible experiencia humana con la cual los espectadores puedan identificarse.[1] La creencia en los dogmas puede influir en el com-

_____

1. [«La verosimilitud que los neoclásicos pedían a la obra teatral exige que ésta se base en la experiencia real o histórica. Pero el auto de Calderón no es de este tipo: se trata de una "representación fantástica", y en consecuencia goza de toda la libertad con la que la imaginación derrumba las barreras de la experiencia ordinaria. Se trata de una "confusa idea" que posee todo el poder imaginativo de la "confusión": es decir, el poder de "fundir juntos" objetos y acontecimientos que en la experiencia ordinaria se hallan separados por el espa-

·portamiento, pero éstos se hallan, en cuanto dogmas que son, fuera del horizonte de la experiencia y no existen más que como ideas. Ya que la intención confesada de Calderón era la de enseñar teología por medio del teatro, tenía que dar una versión dramática de ideas y no de acciones humanas.

Los dogmas se basan en acontecimientos históricos, la caída del hombre, el nacimiento y la pasión de Cristo, etc., pero son ideas abstraídas de los acontecimientos con el fin de explicar su verdadero significado. Los acontecimientos no constituyen dogmas de por sí y por tanto no se infiere de ellos una enseñanza teológica. Si el dramaturgo se dedicara a reproducir en la escena, como hicieron sus predecesores medievales, los acontecimientos de la vida de Cristo, entonces no brindaría a su público la instrucción dogmática deducible de la Redención. Para conseguir tal no había más remedio que hacer que alguno de los personajes comentara los acontecimientos presentados en la escena dándoles su significado. Calderón trata de evitar este procedimiento, en la medida de lo posible, ya que, de otro modo, el sermón quedaría separado de la acción dramática. El sermón hablado se oye, el sermón representado se ve tanto como se oye. Como Calderón declara a menudo: «perciben menos / los oídos que los ojos». [...] El dogma de la Redención comprende varias ideas: la

cio y el tiempo. Pero aunque posee la libertad de la fantasía, no es obra de fantasía ilimitada, ya que es conceptual y por tanto limitada por el alcance de sus conceptos. En este plano metafísico la imaginación se halla, bien seguro, limitada por lo que es posible. Al seleccionar los conceptos imaginativos la mente ha de preguntarse si la agrupación de los "fantasmas" [es decir, 'las imágenes mentales formadas en la percepción de los objetos'] que lleva a cabo es metafísicamente posible, es decir, si es verdadera y consistente. Esta restricción ante los límites impuestos por la consistencia y la verdad metafísica es la única disciplina a la cual deben los temas de los autos someterse. El problema del anacronismo histórico queda así (con todo respeto para Moratín) descartado. En *Las órdenes militares* pueden verse juntos en la escena, con toda razón, personajes tales como Josué, Moisés, Job, David, Isaías, Santiago y san Bernardo, pues todas estas figuras históricas sirven de modo diferente para ilustrar la idea de que el auto trata. En esta asociación no hay inconsistencia metafísica. El carácter conceptual de los autos permite, por tanto, a Calderón el que junte diferentes tiempos y lugares en una acción dramática y es el asunto el que le compele a hacerlo. La Eucaristía, el *symbolum unitatis*, reúne en su unidad intemporal la totalidad del destino y la historia espiritual del género humano» (p. 76).]

caída del hombre de la gracia; su sujeción al pecado; la imposibilidad en que se halla de volver a conseguir el favor de Dios por sus propios esfuerzos y, en consecuencia, la incapacidad sea del judaísmo, sea de cualquier otra religión precristiana, de ofrecer medios de salvación; la encarnación; el sacrificio propiciatorio de Cristo. Para llevar a la escena los dogmas era necesario por consiguiente que la Humanidad, la Gracia, Satán, la Culpa, el Judaísmo, el Paganismo y el mismo Dios, se convirtieran en personajes dramáticos.

[Calderón explica a menudo la adecuación de su fin y sus medios]: «sé que quiere Dios / que, para rastrear lo inmenso / de su Amor, Poder y Ciencia, / nos valgamos de los medios / que, a humano modo aplicados, / nos pueden servir de ejemplo. / Y pues lo caduco no / puede comprender lo eterno, / y es necesario que, para / venir en conocimiento / suyo, haya un medio visible / que en el corto caudal nuestro / del concepto imaginado / pase a práctico concepto: / hagamos representable / a los teatros del tiempo ...». Lo divino y lo eterno no pueden comprenderse más que, aunque imperfectamente, por medio de una analogía con lo humano y temporal. Ya que la obra de teatro puede presentarnos esta analogía con especial viveza, es legítimo poner el teatro al servicio de la teología.

La relación entre el asunto y la forma artística es así bien clara. Calderón no se dedicó a la creación de una forma artística independiente a la que luego se añadía un sentido religioso del que podría prescindirse sin perjuicio para el fin y la calidad artísticos. Procede de arriba abajo, del «concepto imaginado» al «práctico concepto» de su medio artístico; el lector, si quiere apreciar su arte, tiene que proceder en sentido inverso, yendo de la forma al significado.

[En cierta ocasión, Calderón pone en marcha la acción de un auto anunciando]: «Y pues ya la fantasía / ha entablado el argumento, / entable [a] la realidad / la metáfora ...». Se distingue aquí entre dos esferas o planos diferentes: el mental y el de la representación teatral en el escenario. Al primero corresponde el tema (*argumento*), al segundo la acción dramática visible (*realidad*). El tema está sacado de la imaginación (*fantasía*), la acción procede del arte literario (*metáfora*) que opera sobre el tema. En la composición de un auto existe, pues, una progresión ordenada, cuatro etapas diferentes, y cada una, menos la primera, depende de la que le precede: *fantasía > argumento > metáfora > realidad*. [...]

El *argumento* toma ser gracias a que la mente usa de la imaginación y selecciona de entre sus *fantasmas* [véase n. 1] las formas en las cuales incorpora sus conceptos. Los *conceptos imaginados* que así resultan se hacen «visibles» entonces gracias a los recursos dramáticos utilizados. La obra dramática usa de la retórica en cuanto arte auxiliar, y la retórica es un arte al que se le permiten ciertas licencias, o figuras de dicción. Una de ellas es la prosopopeya, que consiste en la personificación de abstracciones. Ya que es licencia permitida al orador y al poeta, proclama Calderón que también debe permitírsele al dramaturgo. Es posible, pues, personificar abstracciones en la escena y permitirles que hablen. [Pero esto no basta.] La obra de teatro ha de contener una acción narrativa; los *conceptos imaginados* del *argumento*, materializados en los personajes dramáticos, tienen, por consiguiente, que representar esta acción. Así llegamos a otra «retórica licencia» que tiene aquí su papel: la alegoría o metáfora (los dos términos se usan como sinónimos). De ésta nos da Calderón la definición siguiente: «soy / (si en términos me defino) / docta Alegoría, tropo / retórico, que expresivo, / debajo de una alusión / de otra cosa, significo / las propiedades en lejos, / los accidentes en visos, / pues dando cuerpo al concepto / aun lo no visible animo ...». La Alegoría es el medio por el cual el «concepto» adquiere «cuerpo», transformando «lo no visible» en «lo animado»; es decir, es el medio por el cual el orden conceptual adquiere la expresión concreta que lo hace más directamente accesible a la experiencia humana (teniendo en cuenta que esta expresión concreta —o visible, «realidad» viva— es la acción dramática).

Las «ideas fantásticas» se transforman en drama al ser expresadas en términos de lo que constituye de por sí una narración. Narración que, por tanto, está ya lista para su transposición a la escena: uno o varios acontecimientos recogidos en la historia (p. e. en la Biblia), o que tenían lugar en aquel entonces (p. e. las bodas de Felipe IV con Mariana de Austria). O, también, una leyenda (p. e. de la mitología), una narración que da ejemplos del acontecer diario (p. e. una disputa entre esposos, la representación de una comedia, las compras en el mercado, la caza), o que procede de fuentes literarias (p. e. parábolas evangélicas, temas de comedias). Esta narración que sirve de cimiento para la acción dramática es lo que Calderón llama *la letra* o *lo historial*. De por sí no basta para expresar el *argumento* pues, si fuese dramatizado directamente y no indirectamente, el autor se vería sometido a los límites impuestos por la verosimilitud y se hallaría desprovisto para operar con los *conceptos imaginados* de tan gran valor: «a dos visos, guardando / los retóricos preceptos / de decir uno y ser otro; / pues fuera, a correr sin velos, / historia y no alegoría, / en cuyos tropos es cierto / que, anteponiendo los unos / y los otros posponiendo, / puede la imaginación / variar lugares y tiempos ...». La imaginación se ocupa de «lo no visible», la escena requiere «lo animado».

La alegoría es el único vínculo de unión entre ambos pue pueda satisfacer los requerimientos de la escena sin que la imaginación pierda su libertad, o el tema el valor que adquiere gracias a esta libertad.

Por tanto la acción dramática tiene siempre que entenderse «a dos luces», [posee siempre dos sentidos.] De este modo la *metáfora* produce la *realidad*. Llegamos así a la última etapa de la evolución del auto que se inicia en la imaginación y termina en la escena. Se alcanza «la realidad» cuando los conceptos cobran vida y se hacen visibles en los personajes dramáticos y en la acción. Éste es el sentido atribuido a *realidad* en contraste con *fantasía*, sentido al que considero de carácter primario: «Rásguese, pues, el centro / de esta prisión obscura, / representando reales / las que ahora son fantásticas figuras». Pero el segundo sentido de *realidad* no es de menos importancia. La alegoría es el vínculo existente entre dos diferentes planos de «realidad»: por un lado la realidad visible de la escena, por el otro la realidad invisible de la categoría del ser de la que la acción escenificada no es más que la representación o reflejo. En relación con la visión que tiene el público la acción es «real», pero en relación con la realidad que refleja es «irreal». Nos hallamos, pues, ante una segunda definición de alegoría diferente de la primera: «la alegoría no es más / que un espejo que traslada / lo que es con lo que no es, / y está toda su elegancia / en que salga parecida / tanto la copia en la tabla / que el que está mirando a una / piense que está viendo a entrambas; / corre ahora la paridad / entre lo vivo y la estampa ...». Los objetos del pensamiento (p. e. seres de orden sobrenatural) constituyen, en su existencia fuera de la mente humana, «lo que es» y «lo vivo»; cuando existen en la mente humana en forma de imágenes y cuando se proyectan en la escena gracias a la acción dramática no son más que «la copia» o «la estampa», «lo que no es». La segunda función de la alegoría consiste, pues, en asegurarse de que los «prácticos conceptos» tengan una correspondencia analógica clara con la realidad de la que proceden los iniciales «conceptos imaginados». Del mismo modo que el tema tiene que ser verdadero de acuerdo con la metafísica y la teología, así la alegoría tiene que conformarse con los hechos de la experiencia. Tiene que haber «paridad entre lo vivo y la estampa». Si el Diablo aparece «en metáfora de fiera», hace falta no sólo que la teología acepte la adecuación de la metáfora sino que la experiencia humana reconozca que de hecho existe en el mundo una fuerza con poder de destrucción feroz. *Realidad* y *real*, por tanto, cuando se contrastan con alegoría, indican que las implicaciones deducibles de la presentación metafórica de un personaje corresponden apropiadamente con la persona o concepto representados. En un auto Dios aparece bajo la alegoría de un *paterfamilias*, el padre de la familia humana y el dueño de las tierras del mundo: «soy / o alegórica o realmente / (ignórelo el que lo ignora, / o entiéndalo el que lo entiende) / el agrícola más rico / del orbe». El auto contiene, pues, una doble «realidad»: sus conceptos se hacen visibles y la forma metafórica en que toman cuerpo se halla en conformidad analógica con la verdad.

EMILIO OROZCO DÍAZ Y DOMINGO YNDURÁIN

EL GRAN TEATRO DEL MUNDO

1. En la época del Barroco, la representación teatral estaba presente en todas partes, en toda clase de festividades y preferida por toda clase de gentes. Así es cómo se produce un verdadero desbordamiento de lo teatral, no sólo de su sentido y expresividad, sino también de sus mismas formas. Las funciones teatrales tienen lugar, no sólo en los lugares construidos o dedicados a ello —que precisamente surgen y se multiplican entonces—, sino en todas partes, como plazas, salones de nobles o claustros de conventos y monasterios. En las grandes fiestas de corte la representación lo invade todo: salas, patios, jardines, parques, lagos y ríos, se convierten en escenario que enlazan y confunden a los espectadores con la ficción teatral. Por otra parte, las solemnes funciones religiosas y procesiones, lo mismo que las cabalgatas, mascaradas y desfiles en las fiestas públicas, le hace también a la gente sentirse personaje de una representación.

Todo ese desbordamiento de lo teatral debió llevar a la conciencia de todos el sentimiento de que, el mismo vivir, es una representación, de que el mundo es un teatro. La metáfora era muy vieja y por distintos medios llegaba a los oídos de todos; pues corría no sólo entre los doctos en la tradición literaria [desde el mismo Platón], sino también en boca de las gentes, en el mismo teatro, y, en especial, en boca de los predicadores. El entusiasmo que todos sentían por el teatro, la importancia que éste había alcanzado en la vida como centro

---

1. Emilio Orozco Díaz, *El teatro y la teatralidad del Barroco*, Planeta, Barcelona, 1969, pp. 172, 213-216.

II. Domingo Ynduráin, ed., Pedro Calderón de la Barca, *El gran teatro del mundo*, Alhambra, Madrid, 1981, pp. 56-59, 71-74.

de toda clase de diversiones, debió impulsar a los predicadores a
repetir la vieja comparación, con la conciencia de que era, para la
imaginación de las gentes, no una fría abstracción, sino el recuerdo
de algo vivo y concreto que podía conmover a una sociedad en la que
nobles y humildes, seglares y religiosos participaban del mismo entusiasmo por la fiesta teatral, que era, además, centro y causa de otras
diversiones. El lugar común del *theatrum mundi* se renueva y vivifica con la referencia concreta y directa al tipo de teatro que se está
contemplando todos los días; y, especialmente, en España, donde se
había impuesto una comedia que mezclaba, como en la vida, lo trágico y lo cómico, lo elevado y lo vulgar, y con hechos extraordinarios,
pero que sucedían en el mismo plano y ambiente de la realidad cotidiana. [...]

Viendo la continua presencia de la idea del *theatrum mundi* en
la obra de Calderón, y la utilización del recurso de introducir la
ficción teatral dentro de la comedia, no extraña sea él el que llegue
a crear el drama síntesis y símbolo de esa concepción de la vida como
teatro, tan gustada por el pensamiento barroco. Porque en *El gran
teatro del mundo* no se trata de intercalar la ficción teatral, entrelazada más o menos íntimamente con la acción central y pensamiento
de la obra, sino que casi toda ella entera es la ficción, aunque precisamente es lo que corresponde al plano real y terreno, mientras que
el comienzo y final —lo que se presenta directamente como real—
es lo sobrenatural, esto es, la definitiva realidad de la que depende
nuestra vida, la cual queda así concreta y tangible, pero totalmente
fugaz y falta de consistencia.

Calderón no sólo hace drama de la idea, sino que insiste y se recrea
en aludir con expresión figurada mantenida, a la técnica, aspectos y recursos concretos de la representación de una comedia. En este mantener a
través de la obra la correspondencia sistemática de sentido real y sentido
figurado el poeta era maestro, y, así, en este caso, llega a pormenores y
sutilezas que habían de producir gran efecto en el público.

Dios es el Autor, pero no sólo en el sentido general de ser el autor
del *concepto* o idea que se va a representar, sino también en el más concreto, con referencia al teatro, de 'director de la compañía' y organizador
de la función teatral. El Mundo, como personificación de la naturaleza
toda, es el teatro, esto es, la materialidad de la escena, con todos sus
efectos de decorado, apariencias y vestuario. Toda la doctrina teológica
cristiana se condensa en un sistema figurado de referencias a lo teatral.

[El sentido figurado de la Creación se pliega al sentido material de la representación escénica.]

Todo ese cúmulo de continuas referencias al mundo concreto de la escena, al mundo en que está teniendo lugar la representación, viene a reforzar la eficacia emotiva y persuasiva del auto sacramental. Sobre el hacer sensible y corpóreo, el mundo de lo sobrenatural, de lo abstracto y lo genérico, este situar la obra alegórica en relación con su comedia teatral, venía a reforzar la idea dramatizada que se representaba y que se quería comunicar.

A través de los varios personajes que intervienen en la representación —el rico, el pobre, el labrador o trabajador, la hermosa o el rey—, todos y cada uno de los que asistían se sentían llamados a considerarse representando un papel en el teatro. La voz de la Ley, que una y otra vez avisa a los personajes, «obrar bien que Dios es Dios», no ya por reflejo o repercusión, sino directamente, está avisando a todo el público que asiste a la representación. Calderón, con su arte complejo, pero de extraordinaria fuerza sensorial, llega hasta donde no podía llegar el tratado ascético ni aún la expresión viva del predicador. Considera su pieza como un *sermón*, pero haciendo *representable* la *idea*, poniéndola en acción; y no rechazando en su realización las galas y seducciones del mundo de los sentidos, sino, por el contrario, utilizándolos como medios: los efectos escénicos, la riqueza del *atrezzo* y del decorado, las músicas, las voces que cantan, todo ello coadyuvaba a la intención central. Hay que hacer fiesta teatral.[1] En este caso, el sentido de fiesta y recreo supone también la representación de las seducciones del teatro del mundo. El público encontraba en el teatro el esencial modo de divertirse y de emocionarse: veía vivir en él todo lo que sentía, lo que pensaba y lo que creía. El poeta, a través de este goce teatral, halagando ojos y oídos, pronuncia su ascético sermón que convierte el teatro, en su esencia y en su materialidad, en el gran símbolo de la vida humana. Fuerza a los espectadores a sentirse personajes que están viviendo una comedia en *el gran teatro del mundo*.

II. Creo que *El gran teatro del mundo* debe dividirse, caso de hacerlo, en cuatro partes. Los límites vienen dados por lo que en estas obras sustituye a la expectativa argumental: la escenografía y

1. [Sobre los problemas escenográficos de *El gran teatro del mundo*, así como sobre la «fiesta teatral» de los autos, véase más abajo, pp. 814-818.]

la maquinaria. A mi entender, los límites están marcados por la apertura y cierre de los globos [véase abajo, p. 816], efecto no lingüístico y suficientemente llamativo como para romper el desarrollo de la línea argumental. El esquema de la organización del auto podría ser como sigue:

I. v. 1   Principio del auto   627 versos
   v. 627 Ábrense los dos globos

II. v. 627   Ábrense los dos globos   627 versos
    v. 1.254 Ciérrase el globo celeste

Entre el verso 1.250 (ciérrase el globo de la tierra) y el verso 1.254 (ciérrase el globo celeste y, en él, el Autor) se encuentran estos versos: «Castigo y premio ofrecí / a quien mejor o peor / representase / y verán / qué castigo y premio doy». Para mí, éste es el eje —en todos los sentidos— del auto.

III. v. 1.254 Ciérrase el globo celeste   182 versos
     v. 1.436 Ábrese el globo celeste

IV. v. 1.436   Ábrese el globo celeste   136 versos
    v. 1.572   Fin del auto

La primera y segunda parte tienen exactamente el mismo número de versos —exactitud que debe de ser casual—; la tercera es mayor que la cuarta, aunque la diferencia no sea grande. Ahora bien, entre las dos primeras y las dos últimas partes el desequilibrio es evidente: sumados los versos de la tercera y cuarta partes, sobrepasan ligeramente la extensión de una sola de las otras. Tenemos, pues, cuatro partes, semejantes dos a dos; y desequilibradas si comparamos las parejas, como conjuntos o en sus componentes. No estamos ante una obra organizada simétricamente o cuya construcción sea equilibrada; tampoco el contenido conceptual que propone lingüísticamente lo es.

La interpretación del esquema es reveladora, en primer lugar, de la coherencia calderoniana y, después, de una cierta simetría constructiva.

En la primera parte tenemos la Historia del mundo, desde el principio de la Creación hasta el Último Día, la adjudicación de papeles y la entrega de insignias. Como es lógico en el medio en que se produce, la Historia del mundo es una historia sagrada: el Mundo cuenta los tres momentos culminantes para la salud de los hombres; el último es la Ley de Gracia, con lo que finaliza realmente esa historia: la descripción del Fin del Mundo se hace en futuro y como realidad imaginada. En cualquier caso, no es un paso más en el camino descrito, sino su acabamiento. Por otra parte, la conversación del Autor con los personajes que están en su *concepto*, o la entrega de atributos, son realidades generales, abstractas y, en cuanto tales, fuera de lo que los hombres conocen por experiencia. Así, en la primera parte se exponen hechos que sabemos por fe; fuera de la realidad presente y fuera de la experiencia sensible o inmediata. Los datos esenciales son los que se refieren al pasado, tomando como presente el de los espectadores —es decir, la vida—, presente que coincide con la presencia en el mundo de los personajes. Hay que tener en cuenta que la atribución de papeles no es presentada como algo previsible socialmente, sino como disposición libre del Autor. Calderón señala esto mediante el Niño, muerto al nacer; además, en el auto, los personajes son ya adultos y están instalados en sus papeles; al suprimir los antecedentes (la historia de los personajes), sus situaciones aparecen como resultado directo de la decisión divina, no de la circunstancia humana.

En la segunda parte se desarrollan aquellos hechos que tienen lugar en el mundo, mientras dura la vida del individuo. Es el momento de la libertad, en que el Autor queda de espectador, y es, también, el momento presente de los espectadores reales, el caso que se les propone para que reflexionen sobre él y les sirva de norma de conducta. Si en la primera parte se exponían las condiciones —el pasado— de la vida de cualquier hombre, ahora se presentan unas actuaciones concretas: de hechos ya inmutables o determinados por la voluntad divina, hemos pasado a actuaciones libres, elegidas por la voluntad humana. Con la salida del último actor se cierra el globo celeste; la actuación de los hombres es, precisamente, lo contemplado por el Autor, sus elementos de juicio; lo que suceda a partir de este momento depende otra vez de las disposiciones divinas, no es libre, sino determinado.

Como conjunto, las dos primeras partes ofrecen la vida del Hombre: la historia y el presente; lo general y sabido frente a lo particular e imprevisible.

En la tercera parte, tras la muerte de los personajes y el acabamiento de la *comedia*, vemos el expolio de los actores. Como se habrá notado, la escena tiene lugar ya en el *carrillo*, pues el globo terrestre se ha cerrado también; parece indicar esto que —en el auto— el mundo se identifica con la sociedad, esto es, con uno de los enemigos del hombre, no con la realidad material. Sea como fuere, la destrucción de la belleza, la pérdida de bienes y honores, es algo conocido por experiencia directa que se realiza ante los ojos del cuerpo y está referido a las realidades materiales. Al mismo tiempo, y por lo que se refiere a los espectadores, esto pertenece ya al futuro, a *su futuro*, lo que separa con claridad esta parte de la anterior. Como en la primera parte, lo que vemos ahora tiene validez general, es independiente de las actuaciones concretas o de los papeles representados. Las dos partes centrales coinciden en tratar el tema de la realidad verificable, conocida por la experiencia humana.

Por último, en la cuarta parte, volvemos a encontrarnos, como en la primera, fuera de la realidad material: la existencia de Infierno, Purgatorio y Gloria, lo mismo que el Juicio particular con sus premios y castigos, es artículo de fe, no resultado de una experiencia. Como en la segunda, también aquí se expone un caso particular en relación con y dentro de la norma de validez general.

Resumiendo, tenemos que *El gran teatro del mundo* organiza sus cuatro partes en una simetría abrazada en lo que respecta al tema de la fe y la experiencia; la simetría es alterna en lo que se refiere a lo general frente a lo particular. Por supuesto, la simetría se da en los grupos y entre los temas, no en el número de versos. El auto expone, en dos grupos cuantitativamente semejantes, la historia del Hombre y de los hombres; al acabar esta última, los acontecimientos se precipitan hacia el fin, que es el origen y motivo de la obra. La vida, historia o momento presente, contrastan entre sí de manera dramática, al equiparar la duración de la vida del individuo a la historia del mundo: lo efímero de aquélla se hace más evidente por contraste. También ahora contrasta la extensión de los grupos o partes con su importancia real en la aventura de los hombres: la unidad más corta es el Juicio del Autor y el subsiguiente premio o castigo eterno. *El gran teatro del mundo* reduce a unidad la variedad de las partes, logra que no mezcladas se mezclen y, permaneciendo muchas, no lo sean. En la obra admiramos los pasos desiguales y, en proporción concorde, tan iguales. [...]

El gran teatro del mundo presenta una serie de actuaciones posibles y representativas, a la manera de los *exempla*, con sus correspondientes valoraciones y juicio, con relación a una norma. [Es particularmente significativa la manera en que se presenta y actúa cada uno de los personajes.]

El Rey viene siempre a la cabeza de todas las series de personajes, siempre es nombrado en primer lugar; así, pues, también es el primero a quien se asigna papel (o el primer papel adjudicado, si respetamos la ficción teatral); la ceremonia de investidura se realiza sin comentarios:

la decisión del Autor ocupa un verso; cuatro, la entrega de atributos por el Mundo. Primero también en ser llamado por la Voz, el Rey ha tenido tiempo de negarle pan al Pobre, desear ciencia como Salomón, dar la mano a la Discreción y arrepentirse en última instancia.

Tras el Rey, y ocupando siempre este segundo puesto, es asignado el papel de hermosa en dos y veintitrés versos. La persistencia del Rey y la Hermosura a la cabeza de todas las series no debe ser mera coincidencia, sobre todo si tenemos en cuenta que todos los demás personajes alternan sus puestos. La Hermosura, aparte de presumir y de negarle pan al Pobre, en lo que coincide con su predecesor, no hace sino intentar deslumbrar al Rey y arrepentirse, también en el último momento.

El Rico ocupa el tercer lugar en la entrega de papeles por el Autor (tres versos) y de atributos por el Mundo (doce versos). Salvo negar la limosna al mendigo y tratar de vivir lo mejor posible, no hace absolutamente nada, ni arrepentirse.

Uno de los personajes más completos es el Labrador: su papel es asignado en treinta versos, y el Mundo le dedica veinte. Desde su posición de villano juzga la situación, protesta, discurre sobre su actuación profesional, aislada y en relación con los otros hombres, critica al Rey y al pordiosero, etc. Todo esto es único, como también lo es el hecho de que no cometa falta al negar la limosna cuando el Pobre se la pide. Por lo demás, su arrepentimiento se realiza cuando oye ya que la Voz le llama, aunque, poco antes, ha dado gracias a Dios por los frutos recibidos de la tierra.

Despachada en dos versos por el Autor y ocho por el Mundo, la Discreción dará pan —eucarístico— al Pobre, casi caerá (no sabemos por qué, aunque sí para qué) y mostrará pertenecer a otro plano al no ser llamada por la Voz ni tener necesidad de arrepentirse, todo ello explicado en el texto.

El nombramiento del Pobre se hace en 58 versos, y la investidura, en 38. Es, con mucho, el personaje a quien en estos momentos se dedica mayor atención. Esto es —en parte— así porque, al responder a sus objeciones, el Autor justifica la asignación de papeles a todos los demás actores, en bloque, y sin necesidad de detenerse en cada uno de ellos, lo que hubiera creado problemas de difícil solución. El Pobre se limita a pedir pan, lamentarse resignadamente a la manera de Job, y no tiene, al parecer, necesidad de arrepentirse.

Por último, al Niño le corresponden seis y diez versos. Naturalmente, no actúa, y su presencia sólo parece impuesta para ilustrar una de las postrimerías.

De este rápido repaso al nacimiento, vida y muerte de los personajes es posible sacar algunas conclusiones. Parece que así como necesita justificación y comentario la existencia del pobre o del trabajador, no ocurre lo mismo con la del rey, discreción o rico. En efecto, cuanto más importante y amplia es la función del personaje en la sociedad, menos razones son aducidas para su nombramiento; de esta forma podríamos hacer una clasificación, basada en el total de versos dedicados a cada personaje en este momento, que coincidiría con el orden teórico medieval: Rey (5 vv.), Discreción (10 vv.), Rico (12 vv.), Niño (16 vv., aunque éste no está dentro de la clasificación social), Hermosura (25 vv., que, como veremos, presenta una distribución especial), Labrador (50 vv.) y Pobre (96 vv.). Más revelador es, quizás, el confrontamiento del número de versos dedicados por el Autor y por el Mundo. La relación de estas magnitudes establece dos grupos perfectamente diferenciados: 1. Aquellos cuya entrega de atributos supera en extensión al nombramiento (Rey, Rico, Hermosura, Discreción y Niño). 2. Aquellos cuya entrega de atributos es de extensión menor que la adjudicación del papel (Labrador y Pobre). No sé si se me admitirá interpretar los datos en el sentido de que a una mayor cantidad —relativa— de dones en el Mundo, corresponde una menor necesidad de discutir su existencia, su derecho a ellos; o una mayor aceptación irracional del hecho.

N. D. SHERGOLD y AURORA EGIDO

LA PUESTA EN ESCENA
DE LOS AUTOS SACRAMENTALES

I. [*El gran teatro del mundo* es un auto de dos carros.] Estos dos carros, llamados en los documentos *medios carros* y sobre los que se montaba todo el aparato escénico, se utilizaban con un tablado rectangular que servía de escenario, o bien con una especie de tablado portátil sobre ruedas, a veces denominado *carrillo*. No tenemos dibujos de los carros del *Gran teatro*, pero sí de un carro modelo, dibujo que se hizo en 1646, por razones que no nos interesan ahora.

I. N. D. Shergold, «*El gran teatro del mundo* y sus problemas escenográficos», en H. Flasche, ed., *Hacia Calderón*, Berlín, 1970, pp. 77-85 (78-82).
II. Aurora Egido, *La fábrica de un auto sacramental: «Los encantos de la culpa»*, Universidad de Salamanca, 1982, pp. 29, 62-63, 126-128 y 130-133.

[Véase figura.] Este carro es de un diseño enteramente distinto al de los carros del *Gran teatro*, pero tiene la misma estructura básica. Tiene dos pisos, alto y bajo, y un balconcillo por donde se vincula al tablado, o al *carrillo* que servía de tablado. En el lado que da al pequeño balcón había en el piso bajo una puerta que daba entrada al escenario y que permitía entrar y salir a los actores. Es decir, entraban y salían del carro mismo. En el lado que hace frente al público se ven ventanas, a las cuales, es de suponer, podían aparecer personajes del auto —aunque este carro, por ser modelo, es un poco ideal, y no se relaciona con ninguna pieza específica. Para formarse, pues, una idea exacta de lo que es un escenario de auto, tanto para el *Gran teatro* como para otra pieza de esta misma época, hay que imaginar dos de estos carros, uno al lado izquierdo del tablado, y otro semejante al lado derecho. Se vinculaban por su lado corto al tablado de la representación, o al *carrillo*, y sabemos además que el *carrillo* por lo menos tenía barandillas semejantes a las que se ven en el mismo carro.

Para comprender la escenografía, y el efecto estético, de *El gran teatro del mundo* la posición de los carros es básica. Si el auto se representó en Madrid en 1633 o 1634 no veo inconveniente en que los carros ocupasen su posición acostumbrada y tradicional; pero si la fecha es 1635 o 1636, y se escribió para Madrid, la situación es muy otra. En 1635, todos los Consejos de Estado tuvieron que ir juntos, por orden del Rey, a ver los autos en la Plazuela de la Villa, en lugar de pedir representaciones separadas en casa de sus respectivos Presidentes, como había sido costumbre en años anteriores. Para acomodarlos se construyeron tablados especiales, cuya disposición puede verse en un plano que se hizo, y que se utilizó también en 1636. Este dibujo muestra que los carros no están a los lados, sino detrás del tablado. Tuvieron que ser mudados a este nuevo sitio porque, por haber muchos Consejos, y miembros de Consejos, y poco espacio, no había más remedio que poner tablados de espectadores no sólo frente al escenario, sino también a los lados; de modo que no quedaba espacio para los carros. Por lo tanto, y excepcionalmente en estos dos años, tuvieron que ir detrás. De este modo, si *El gran teatro del mundo* se representó en Madrid en 1635 o 1636, tuvo que ser en este teatro, con los dos carros ocupando la posición que tienen en el dibujo. Lo que, como voy a tratar de demostrar, hubiera cambiado y, a mi parecer, destruido el efecto teatral de la obra tal como Calderón lo concibió.

[Cada carro mide unos diez pies de ancho por veinte de largo (el pie castellano no llega a los 28 cm.).] La plataforma es grande: tiene 54 pies de largo y 19 de ancho. Permite sin dificultad alguna que los carros se coloquen detrás; pero el efecto hubiera sido distinto empleando un *carrillo* como escenario. Si el *carrillo* es más o menos del tamaño de los *carros*, sus 20 pies de largo no permiten que éstos se pongan detrás. Se notará además que, con el lado corto hacia el público, si el carro ha de abrirse en el curso del auto para descubrir escenas dentro, el espacio disponible queda limitado a diez pies solamente. [La salida del Autor y del Mundo se hace por puertas distintas, en el piso de abajo, que corresponden al carro del Cielo y al del Mundo; los mortales salen, como *conceptos* de Dios, de su carro, y, tras recibir los papeles, vuelven a entrar, quedando sólo en escena el Mundo.] La acotación que sigue al discurso del Mundo (vv. 608-627) es la más importante del auto: «Con música se abren a un tiempo dos globos: en el uno estará un trono de gloria, y en él el Autor sentado; en el otro ha de haber representación con dos puertas: en la una pintada una cuna y en la otra un ataúd». La puerta de la cuna y la puerta del ataúd forman uno de los rasgos más característicos y conocidos de este auto, y parecen copiar las dos puertas que se veían al fondo del escenario en los corrales de comedias del siglo XVII. Es muy probable, por lo tanto, que hubiera entre ellas una cortina, por encima de la cual la Ley de Gracia asoma la cabeza para apuntar. [Ahora bien, un documento de 1641] coincide muy fielmente con los requisitos de la acotación, tal vez por reminiscencia de lo que se hizo en Madrid algunos años antes. Dice el documento, describiendo el «carro del Mundo»: «El medio carro ha de ser un globo que a su tiempo se abre y cae el medio de modo que quede hecho teatro tan capaz que toda la compañía represente en él todo lo más del auto.» Del «carro de Dios» dice que «el otro medio carro es un globo de gloria y ha de tener desde el tablado a él una escalera ancha y capaz por donde suben arriba hombres y mujeres». El documento, pues, indica que los dos globos que se abren se encuentran en el piso alto del carro, y especifica la presencia de una escalera para la escena final del auto cuando, concluida la comedia de la vida, los «hombres y mujeres» que han representado en ella son invitados, los que se salvan a subir a la mesa del Autor, para participar de la comedia sacramental. [...]

El gran teatro del mundo no es el único auto que requiere globos. Los hay, celeste y terrestre, en otras piezas, donde las «memorias de apariencias» de Calderón describen su pintura por de fuera, y este efecto de abrirse en dos mitades. De estos documentos resulta que eran verdaderos globos esféricos, y que una mitad quedaba fija y en posición, mientras que la otra caía en oposición «sobre el tablado». [La orientación de estos globos y la posición de los carros son esenciales para] demostrar que, en su parte visual, este auto es un conjunto armónico y coherente, ilustrando el tema del *theatrum mundi* con una destreza y habilidad muy profesional.

[Hay que hacerse cargo del desarrollo del auto, del paso de los personajes de su globo al escenario y, de aquí, al del Autor. En este teatro en el teatro, el Mundo —solo en escena, situado entre los dos globos— hace el papel de espectador de a pie o mosquetero, contemplándose a sí mismo en la representación del pequeño teatro], como los espectadores de verdad, Felipe IV, el Consejo de Castilla, el ayuntamiento, el pueblo, debían verse a sí mismos, reflejados en la acción del auto. [Teniendo en cuenta el movimiento del auto y el sentido del texto,] el problema se puede formular muy sencillamente: si los carros están a los lados, la alegoría alcanza más éxito. La *línea de comunicación* va desde el *teatro en miniatura* en lo alto del carro del personaje del mundo, que es espectador, y se ve reflejado en la comedia, donde los personajes, Rey, Labrador, Pobre, etc., son, en su colectividad, *los tres estados del mundo*; y va además a Dios, que se encuentra en lo alto del otro carro. El teatro, así, figura visualmente un teatro de verdad, con el Mundo en el *patio*. El inconveniente, sin embargo, es que el *teatro en miniatura* en el carro está en ángulo recto a la plataforma de los espectadores, de modo que se ve muy mal lo que allí pasa, y además no se distinguen bien los importantes símbolos de la cuna y el ataúd, pintados en las puertas. El inconveniente es grande. Por otro lado, si los carros están detrás del tablado, se ve perfectamente bien el *teatro del mundo*; pero entonces se pierde el efecto de *teatro* o *corral*. En el otro carro, Dios hace frente al público y, por lo tanto, se encuentra al lado del escenario que se supone que está mirando. Mundo, si tiene también que mirar la acción para comentarla, tiene que ponerse de espaldas al público, o desviarse hacia una esquina del tablado. El efecto estético y dramático queda muy reducido, para no decir malparado, y las *líneas de comunicación* se rompen. Además, es más teatral que los personajes salgan de una puerta, pasando, al final del auto, al otro lado del escenario para subir la escalera, que no que lo hagan por una puerta del fondo y que, para subir la escalera, den la espalda al público. Yo, por lo tanto, soy partidario de la solución que pone los carros a los lados, aunque veo el inconveniente de las líneas visuales. Voy a apoyar esta opinión con un argumento más, que es que el público de estas representaciones no se limitaba al consejo y ayuntamiento, ni al rey en su palacio. Tanto en palacio como en otras partes, los autos se representaban en medio de una muchedumbre de gente, todo el pueblo de Madrid, que permanecía en pie, y que podía andar de una parte a otra en el transcurso de la representación. [El rey estaba sentado en el centro de su propia plataforma, equidistante de los dos carros, y en posición perfecta en cuanto a líneas de comunicación, especialmente entre él y el Mundo. Todos los demás cortesanos son de menor importancia.] El teatro que he tratado de reconstruir, con los carros a los lados, a pesar de tener ciertos defectos, es, a mi parecer, no solamente mucho mejor, sino esencial para el buen logro y éxito de *El gran teatro del mundo*.

II.   Instalada Circe como personificación de toda fiesta cortesana en la que el agua era el centro de las mutaciones, no será extraño que ella siga siendo el eje de las piezas teatrales que dentro de los salones reflejaban, gracias a la invención de las maquinarias, el boato y la grandiosidad marinas entre *telari* y olas de cartón-piedra. Calderón, de la mano de Cosme Lotti, incorporará a la escena española el mito de Circe con toda la galanura de la fiesta cortesana en la comedia *El mayor encanto, amor* (1635). Ésta tuvo [como la naumaquia o fiesta acuática] esa amplitud que le prestaban los espacios abiertos y las aguas del estanque del Buen Retiro. El auto sacramental *Los encantos de la culpa* reducirá la alegoría a una finalidad bien distinta, pero conservará por medio del artificio escénico, a pequeña escala, la grandiosidad que el tema había suscitado en todos los escenarios cortesanos de Europa. [...]

Los poderes de Circe (la Culpa) no son otros que los propios que el poeta y el escenógrafo tienen, emulando en el teatro cuanto naturaleza ofrece. Los movimientos escénicos se dan en todas las direcciones, pero tienen dos ejes fundamentales: el vertical, con tres niveles de acción: celeste, terrestre y subterráneo; y el horizontal, que hace moverse de un lado a otro no sólo a los personajes, sino a la maquinaria por la que aparece Penitencia en el aire, y a la nave de Ulises (el Hombre), para que éste y los suyos entren y salgan de la isla.

El texto del auto hace pensar en un teatro formado por dos carros laterales que sostendrían la plataforma escénica. En uno, posiblemente el de la derecha, se situaría la montaña que en su interior albergaba el palacio de Culpa. El otro carro, a la izquierda, escondería la nave tras sus dos apariciones. La plataforma o tablado lógicamente constaría de diversos *telari* o bastidores en perspectiva que dibujarían la isla con sus jardines y un fondo, todo o en parte, con olas móviles para acompañar los movimientos del bajel. El ciprés, a cuya sombra sueña el Hombre, debería estar en lugar destacado. De un carro a otro las nubes cubrirían lo alto, escondiendo los mecanismos por los que Penitencia-Iris debía sobrevolar con su arco, descender, ascender y esconderse por medio de pescante. Un escotillón en el suelo haría ascender la mesa. Cada carro tendría, como era usual, su puerta, para las entradas y salidas de los personajes. Sabido es que los autos copian las dos puertas del corral de comedias y así lo exige el texto de *Los encantos*. Los carros servirían como vestuarios. Uno, para el Hombre, los Sentidos, el Entendimiento y la Penitencia; otro, antitético, para la Culpa y su cortejo. Los ruidos de cajas, los efectos sonoros del terremoto y las voces tendrían lugar tras los vestuarios y es muy posible que unos y otros se oyesen desde el carro de Culpa o del Hombre, dependiendo de su función en la obra.

En este teatro del mundo todo acontece a pequeña escala, pero como en tantas obras de Calderón, el nivel escénico tiene también un simbolismo mental, espiritual. Todo cuanto acontece se libra en el ámbito personal del hombre, como representante de todos los de su especie. En cuanto cuerpo, también está intelectualizado, al desglosarse de forma alegórica sus cinco sentidos. En cuanto alma, es el Entendimiento quien le asiste. Con ello, todo el escenario queda trascendido, pues se trata de una *psychomaquia* y ésta sólo acontece en los espacios interiores anímicos. Si como decimos, todo parece incidir en la necesidad de dos carros para su puesta en escena, la fecha de *Los encantos* puede perfilarse con cierta precisión hacia 1645, o incluso antes. [...]

Calderón plasmó en este auto tanto la idea de *peregrinatio vitae* como la de *bellum intestinum* que son consustanciales a toda formalización alegórica, estableciendo la continuidad de la saga de la humanidad en términos relacionados con la búsqueda de la salvación a través del sacramento de la Eucaristía. El Hombre-Ulises aparece en escena con un historial de viajero consumado y avezado en las lides del arte de prudencia. Sorteador de peligros, es aquí sometido a los que invita la isla de Circe. En este sentido, la obra delimita los formalismos de las pruebas a que todo héroe se ve sometido en la proyección mítica [reduciéndolas a dos y demostrando con ello el carácter renovable del sacramento de la Penitencia, gracias a cuyos auxilios el protagonista se defiende de los peligros que le tiende la maga.]

Un drama sacramental ofrece en sí su propia paradoja al convertir en favores del cielo lo que debían ser efectos de causas naturales al desarrollo de la acción dramática. La alegorización transforma los resortes de la fábula imitada al proponerlos bajo especies eternas y describe visualmente la evolución de unos personajes que no encarnan individuos, sino que desglosan los problemas morales del hombre en un escenario mental en el que se pasean abstracciones.

El ritual eucarístico permitía en su cañamazo alegórico la tradición de la *Psycomachia,* por lo que a la batalla entre opuestos se refiere, y de la *Odisea* en lo referido a la idea de progresión o peregrinación del héroe. Mezclando ambas, Calderón encaminaba al Hombre hacia un fin determinado, previamente conocido, aunque dejase margen al albedrío. La batalla de los sentidos estaba de antemano perdida, como en tanta poesía de *Cancionero.* El héroe sagaz y astuto sabría llegar al puerto de salvación, por encima de cuantos obstáculos se le ofreciesen en «el mar de la vida» (v. 20). [...]

El hombre, protagonista único, se desglosaba en parcelas, mostrando en el tapiz escénico del gran teatro del mundo la lucha interior entre su cuerpo y su alma, entre su destino eterno y su vida pasajera. Las fuerzas contrarias del bien y del mal debatían en contienda dramática problemas morales. El argumento odiseico, consustancial a la tradición alegórica, prestaba campo abonado para un cabal desarrollo que se ofrecía aún más completo para el autor, ya diestro en el manejo del tema en la comedia mitológica. El itinerario de la peregrinación del Hombre va a ser hilo conductor y eje estructurante en torno al cual se ofrece la lectura alegórica. Pero su coordenada es la batalla interior y ésta vector fundamental de la obra al detenerla en esos dos momentos clave que configuran las dos pruebas y el subsiguiente perdón divino. En ambas, se da una simétrica

proyección de teatro en el teatro, mucho más desarrollada en la escenificación cortesana del jardín que lleva implícita la desmitificación de la
alabanza del campo y el hilo poético de las silvas gongorinas. Y entre
una y otra, el largo monólogo de Culpa (vv. 757 ss.) desarrolla, como
centro, la retórica del encantamiento y de las ciencias diabólicas.

Todo transcurre en lucha verbal, en palabras que se vocean, dicen
o cantan, y en movimientos de ascensión-descensión. Poco hay de
batalla abierta y sí mucho de danza alegórica, de visualización, de sonido. La teología no ahoga el texto. Éste se conforma poéticamente,
dentro de unos márgenes plagados de conceptismo, en los que priva
el ornato de corte gongorino. [Pero ello no empaña su claridad.]
Nada parece gratuito en el marco de la alegoría. En ella, todo cobra
nuevo sentido, incluso los fragmentos más líricos de las escenas del
jardín que tienen una función desmitificadora de la belleza caduca
que se encuentra en la tierra. Pues las voces de la magia de Culpa
están predicando los engaños de la Naturaleza que se tiene como fin
en sí misma.

La proyección de la fiesta del Corpus en el auto es evidente.
El sermón se prolonga hasta el escenario, porque no en vano los
autos, como recuerda el propio Calderón en la loa a *La segunda
esposa*, son «sermones puestos en verso». La procesión se continúa
y culmina con sus carros en forma de barca, la presencia de animales
en deuda con la tradición de los bestiarios, los emblemas, la utilización de la música y la adoración de la Hostia. Calderón ofrecía a los
sentidos más avisados para la fe —la vista y el oído— el recreo del
día del Corpus, dicho con voz de siempre y a la vez nueva: contra
Los encantos de la culpa, los cantos de Penitencia ofrecían el refugio
eucarístico a cuantos escuchaban entre chirimías el final del auto.
Tampoco la sustancia teológica era nueva, y en cuanto a la escenografía, no distaba mucho del lujo de la fiesta cortesana. Y por lo que
se refiere a la fábula, ésta gozaba de una tradición de siglos. Sólo la
motivación, el asunto, engranaba los más diversos materiales en un
género autóctono, no comprendido en preceptiva alguna y, por lo
mismo, capaz de generar la suya propia. Era precisamente la alegoría
y su carácter sacramental la que unificaba y daba sentido al conjunto.
El espectáculo plural del auto integraba, gracias a ella, todas las artes
en síntesis armónica, enlazando la poesía épica con el drama. [Por
otro lado, las músicas contrastadas explicaban a los espectadores la
necesidad de huir de las voces tentadoras que son llamada perniciosa

de maléfico «encantamiento» a los sentidos, así como reclamaba la salvación por el Oído, puesto como personaje simbólico, al servicio de la música y la voz divinas.] Dios mismo gozaba en la tradición neoplatónica de significación demiúrgica, dirigiendo la obra de la humanidad en el teatro del mundo. Y era también jardinero, arquitecto, pintor, poeta, músico y acabada suma de las ciencias. En la propia obra divina se cifraba el modelo del que el microcosmos teatral pretendía ser reflejo. Calderón ordenaba con pretendida igualdad cuantas posibilidades le ofrecía el teatro de su tiempo, poniendo número y letra capaces de representar a escala óptica humana, y en algo más de mil versos, los problemas del hombre en el universo. Y lo hacía aprovechando cuantos recursos le proporcionaba la invención y el aparato escénico. Pues su «interior artificio», su «fábrica», como decía Bances Candamo en su *Teatro de los teatros*, atendía a captar la atención de los espectadores con el efectismo de las tramoyas y apariencias.

La tragedia de la humanidad se convertía en fiesta gracias al misterio de la Redención que daba en apoteosis eucarística con las luchas y peregrinaciones del hombre en la tierra. Una vez más, el «concepto imaginado» se había hecho «práctico concepto» a través del lenguaje alegórico, pero la lección moral dejaba en el espectador las secuelas de la *vanitas*.

CHARLES-V. AUBRUN, HANS FLASCHE Y DÁMASO ALONSO

SOBRE LENGUA Y ESTILO

I. La lengua poética del Calderón dramaturgo está condicionada por el extraordinario uso que de ella se hace en el trampolín de una escena teatral. [No digamos que este lenguaje es falso.] Digamos más bien que este lenguaje únicamente suena a verdadero en el universo cerrado de la tragedia, y que llega incluso a constituir el fondo de la singular verdad de ésta. [...]

«Hipogrifo violento, / que corristes parejas con el viento, / ¿dónde rayo sin llama, / pájaro sin matiz, pez sin escama, / y bruto sin instinto / natural, al confuso laberinto / desas desnudas peñas / te desbocas, te arrastras y despeñas? ...» Evidentemente, este mundo no es nuestro mundo, ni este lenguaje nuestro lenguaje. Los caballeros son mujeres, los caballos hipogrifos, las fieras faetones, las montañas tienen un rostro, Polonia lleva un registro de entrada en el que el nombre de los viajeros se escribe con su sangre. Y los lacayos más corrientes se convierten en bufones que expresan en verso grotescos pensamientos. Nada de todo eso nos es habitual, y ello debido a la magia del verbo nuevo, cuyos elementos están curiosamente emparentados con aquellos de los que nos servimos ordinariamente, pero que en su conjunto es algo completamente distinto tanto de la lengua hablada como de la lengua escrita. Es *otra categoría*: la lengua poética declamada en escena. [...]

Calderón tiene una visión dual del mundo. Esta visión dual se expresa por medio del ritmo binario de su frase y por la organización de las palabras en contraste y oposición, de dos en dos, una contra

I. Charles-V. Aubrun, «La langue poètique de Calderón (notamment dans *La vida es sueño*)», en J. Jacquot, ed., *Réalisme et poésie au théâtre*, CNRS, París, 1960, pp. 61-76 (61-72).

II. Hans Flasche, «La lengua de Calderón», *Actas del Quinto Congreso Internacional de Hispanistas*, Burdeos, 1977, pp. 19-48 (24-28, 30, 34-38, 43-45).

III. Dámaso Alonso, «La correlación en la estructura del teatro calderoniano», en su libro (en colaboración con C. Bousoño), *Seis calas en la expresión literaria española*, Gredos, Madrid, 1956², pp. 121-191 (122-124, 173, 183-185 y, para los cuatro últimos párrafos, 178-181).

la otra. Recíprocamente, la organización dual de su lenguaje determina su concepción dicotómica del mundo. La vida juega con la muerte, la muerte con la vida; la luz juega con la sombra y la noche con el día; Dios conduce al hombre y el hombre escapa a Dios.

He aquí un pasaje en el que la voluntad de cadencia fuerza la expresión: «Mi honor es el agraviado, / poderoso el enemigo, / yo vasallo, ella mujer. / Cuando en tan confuso abismo / es todo el cielo un presagio, / y es todo el mundo un prodigio». El paralelismo y la ambigüedad son también procedimientos habituales de este lenguaje. Todas las cosas adoptan dos aspectos, toda palabra adopta dos sentidos, todo signo se inscribe a la vez en dos planos. No obstante, cuando las verdades son totales o absolutas, se describen como trinidades. El hombre integral es: «libertad, vida y honor». En cuanto al amor: «Tu voz pudo enternecerme, / tu presencia suspenderme / y tu respeto turbarme». El triple aspecto de la voluntad divina, en sí misma, en su acontecer (la conversión de la idea en realidad) y en su influencia sobre el hombre, se expresa de esta forma: «Dura ley. Fuerte caso. Horror terrible». La tragicomedia ofrece precisamente un terreno privilegiado para esas combinaciones del ritmo ternario, propio del género sublime, heroico o trágico, con el ritmo binario, propio del género ínfimo, humano o cómico.

Estas dos mismas inspiraciones animarán el verso y la estrofa. Desde fines del siglo XVI, los dramaturgos españoles habían elegido la forma versificada, rechazando todo uso de la prosa. Hacia el año 1600 era una manera de calzarse coturnos, un procedimiento muy necesario en los ruidosos corrales o en los patios de vulgares posadas.

En tiempos de Calderón, cuando el teatro que aspira a la dignidad se instala en el palacio real, cuando recurre al arte del ingeniero, del inventor de efectos ópticos, del pintor y del carpintero, la ondulante versificación pierde una de sus funciones principales: anunciar la tonalidad dramática. Hubo un tiempo en el que, a falta de un decorado significativo, el rey tenía que hablar en endecasílabos y el gracioso en octosílabos. En Calderón los metros no se vinculan a los talantes ni a los personajes, ninguna forma métrica tiene la exclusiva de la expresión lírica o del relato, de la descripción o de la acción violenta. La regla es más sutil y más flexible. Es la siguiente. El noble verso largo se usa en las escenas amplias y lentas, tanto si son majestuosas como galantes; combinado con el heptasílabo, puede expresar también la respiración irregular en la acción más violenta; así, cuando Segismundo trata de asesinar a Clotaldo, su ayo, y se bate en duelo con Astolfo, su rival. El verso corto y asonantado del romance ocupa dos tercios de *La vida es sueño*. Es tan adecuado para el monólogo como para el diálogo, para la conversación como para el relato, para la acción y la reflexión, para la exposición y el desenlace; el verso corto dispuesto en cuartetos o en quintillas tal vez sea el preferido para las escenas patéticas; en décimas triunfa en los dos grandes monólogos de Segismundo, verdaderos alardes de lucimiento. [...]

Decididamente, Calderón aísla su lenguaje de cualquier impuro contacto con el habla cotidiana. Los objetos vulgares se levantan por encima de las palabras vulgares que los designan. «... O aquesta pistola, áspid / de metal, escupirá / el veneno penetrante / de dos balas, cuyo fuego / será escándalo del aire.» Pero cometeríamos un error aislando esta imagen, dado que pierde su función situándola fuera de su contexto. Y este contexto no es nada menos que la visión del mundo que Calderón toma abiertamente, declara tomar de Ovidio. Sus metáforas son una simple etapa en el camino de las metamorfosis. Los mismos personajes son equívocos: Rosaura es una diosa humana. Segismundo es un híbrido de hombre y de fiera. «Soy un hombre de las fieras, / y una fiera de los hombres.»

La atmósfera mitológica confunde las especies animales: así el hipogrifo. Mezcla los reinos: los pájaros son alados clarines, y los clarines pájaros de metal. Difumina los contornos. «Mas si la vista no padece engaños / que hace la fantasía, / a la medrosa luz que aún tiene el día, / me parece que veo / un edificio.» Desde luego, este edificio sólo puede ser irreal, es decir, sólo es real en este mundo trágico y aparte. Es una prisión, una mazmorra, de la que se ve o se cree ver la puerta. «La puerta / (mejor diré funesta boca) abierta / está, y desde su centro / nace la noche, pues la engendra dentro.» Los hechos mismos tienen un significado doble: «¿Qué confuso laberinto / es éste, donde no puede / hallar la razón el hilo? / Cuando en tan confuso abismo / es todo el cielo un presagio, / y es todo el mundo un prodigio». Pero este mundo está regido por leyes intrínsecas tan exactas, tan claras, que nosotros, el público, aceptamos su validez.

Como ya puede imaginarse, el vocabulario de Calderón es bastante pobre. Son pocos los objetos que pueden someterse a una doble interpretación. Por otra parte, las abstracciones y los términos genéricos sustituyen a los detalles innumerables y sin interés. El rey Basilio da a Clotaldo la orden de llevar al dormido Segismundo desde su mazmorra hasta el palacio real. «Hasta tu cuarto te llevan, / donde prevenida estaba / la majestad y grandeza / que es digna de su persona.» No obstante, el mundo ambiguo en que viven los semidioses no carece de referencias fijas, absolutas: el destino, la estrella, el sol, los cielos, invocados por ellos en lo más profundo de sus dudas.

Hay otras palabras cuya insólita repetición no puede explicarse ni siquiera dentro del marco de la obra. Parecen traslucir verdaderas obsesiones reveladoras de la misma psiquis del autor. En primer lugar el *laberinto,* y otras imágenes de confusión, como la *torre de Babel, tinieblas, abismos, sombra, duda* sobre todo. Aparecen también *razón, derecho, justicia, ley, verdad.* A continuación, *destino, presagio, augurio, eclipse, prodigio.* Asimismo, *ficción, ilusión, mentira, engaño.* Por último, *violencia* bajo todas sus formas: bofetón, duelo, puñal, corazón arrancado, entrañas abiertas, sangre vertida. [...]

Su sintaxis se confunde con la estructura del mundo que construye.

El caso más frecuente es el de la yuxtaposición de proposiciones principales, reducidas a su expresión más simple. «Yo ofendida, yo burlada, / quedé triste, quedé loca, / quedé muerta, quedé yo, / que es decir que quedó toda / la confusión del infierno / cifrada en mi Babilonia.» Esta yuxtaposición da un aire muy abrupto a las imágenes, que no se anuncian por ningún término comparativo (como, al igual que, a modo de). Largas letanías acumulan los objetos con sus aspectos, los aspectos con sus semejanzas, las semejanzas con sus ecos incluso lejanos. «El mayor, / el más horrendo / eclipse que ha padecido / el sol, después que con sangre / lloró la muerte de Cristo, / éste fue, porque, anegado, / el orbe entre incendios vivos, / presumió que padecía / el último parosismo. / Los cielos se oscurecieron, / temblaron los edificios, / llovieron piedras las nubes, / corrieron sangre los ríos.»

En las raras ocasiones en que la razón consigue establecer un vínculo entre los hechos, los acontecimientos, procede según los principios de causa y de finalidad. De ahí la abundancia relativa de los *pues, porque, ¿por qué?, para que.* Pero de ordinario el mundo es absurdo y difícilmente explicable. Sólo las verdades morales están sometidas a reglas estrictas, las mismas reglas del silogismo, a la escolástica.

En las premisas se establecen unos hechos: «Hay que ella está regalada ... / y hay que viniendo con ella, / estoy yo muriendo de hambre». Luego se emiten hipótesis: «si», se enlaza el caso con otros casos, el hecho con otros hechos: «ahora bien, puesto que por otra parte, dado

que». Se limita el campo de la verdad: «por más que». Finalmente se
saca la conclusión: «luego, el resultado es que, por lo tanto».

Esta sintaxis de Calderón es común a la lengua de la filosofía moral
y a la lengua jurídica, ambas familiares a ese alumno de los jesuitas y de
la Universidad de Alcalá. En realidad, procede de la lógica escolástica.
«¡No es mi hijo, no es mi hijo! / ¡Mi hijo es, mi sangre tiene...! /
Y así entre una y otra duda, / el medio más importante / es irme al rey
y decirle ...» [...]

A medida que los personajes renuncian a su voluntad, a sus afectos,
a su sensibilidad, en una palabra, a su personalidad, su vocabulario se
hace más abstracto; la sintaxis, sencilla y limitada, no hace más que
yuxtaponer proposiciones al sujeto indeterminado, en las que abunda el
verbo ser con frases exclamativas o interrogativas, propias del estilo pa-
tético. «Es verdad; pues reprimamos / esta fiera condición, / esta furia,
esta ambición / por si alguna vez soñamos. / Y sí haremos, pues estamos ...», etc., etc.

Hasta aquí no hemos hecho más que enumerar hechos de lenguaje y clasificarlos en un orden arbitrario. Ahora bien, la lengua
poética del dramaturgo Calderón no es tan sólo un objeto curioso de
disertaciones eruditas. Nos concierne en la medida en que el poeta
nos enseña con su ejemplo a plantear nuestros propios problemas.

En primer lugar, el lenguaje teatral es algo tan diferente del lenguaje cotidiano en su naturaleza, en sus efectos, en su consistencia,
como el árbol pintado en la tela del decorado es distinto de un árbol
de verdad en su bosque. Tanto en el lenguaje como en la puesta en
escena, el realismo es el más evidente y por lo tanto el menos eficaz
de los simulacros engañosos.

Por otra parte, el lenguaje dramático es el resultado de una serie
de tensiones. La primera es la que precisamente le deja desgarrado
entre el público y el autor. El público aspira a comprender, a seguir
la acción. Más aún, quiere reconocer en este lenguaje, en los objetos
que designa y en los vínculos que establece entre ellos, su propio
lenguaje, los objetos que le rodean y el sistema del mundo en que
vive. Ahora bien, el poeta no quiere conocer esa realidad común y
cotidiana, ni siquiera para enaltecerla. Es idealista, parte de su intuición del absoluto, de las esencias eternas, y propone de ellas una
imagen virtual al menos tan plausible como la otra, la llamada real,
mucho más imprecisa y cambiante, que es el entorno de nuestra vida
en este mundo. No ignora que hay puntos en común entre su ficción
y la que vivimos, entre su «virtualidad» y nuestra realidad, e incluso

se aprovecha de ello para atraer la atención de su auditorio. Pero su voluntad de ser comprendido no llega hasta el extremo de desnaturalizar su lenguaje. De ahí la tensión, el esfuerzo y la sensación del esfuerzo subyacente: el lenguaje dramático es un lenguaje imperioso, autoritario. Calderón se niega a hablar como su público; si en alguna ocasión parece ceder, en seguida se corrige: «aquesta pistola, áspid de metal ...».

II. Si analizamos las manifestaciones sobre la lengua en las obras de Calderón, podríamos hablar, con toda seguridad, de «exposiciones metalingüísticas», en las que a la «lengua» se le hace *objeto* de los pensamientos y de las ideas. Incluso los títulos elegidos por el gran dramaturgo, como por ejemplo, *Dicha y desdicha del nombre*, *El secreto a voces*, *Basta callar*, *No hay cosa como callar*, nos demuestran la exactitud de lo que acabamos de indicar. Calderón (a saber, Félix, en *Dicha y desdicha del nombre*), refiriéndose a las palabras, dice, por ejemplo: «las (palabras) del callar». Y en *La hija del aire* encontramos la pregunta de Semíramis: «¿No hubiera un estilo como / hablar callando?». A menudo aparece también en él la acción de hablar *confrontada con otra acción* cualquiera, o sea, que el poeta tiene en la mente la antítesis de «hablar/ejecutar». [En las acotaciones nos encontramos también con el paralelismo entre el «hacer» y el «decir».] El filólogo observador se preguntará si las personas de un espectáculo teatral tienen o no, en cada caso, su propia lengua, como sucede, por ejemplo, en Marcel Proust. En *El secreto a voces*, Laura dice que la conocen por *su* lengua. Aparte de la función de examinar a cada personaje por el carácter de la lengua que habla, el calderonista tiene además otra misión, la de examinar también muy exactamente la función que ejerce la lengua en la conducta o comportamiento de los personajes.

Muchas veces, nos encontramos con el fenómeno de que los textos de Calderón contienen una caracterización de las declaraciones que se usan en cada caso. Por ejemplo, en el *Saber del mal y del bien*, Laura alaba «las palabras tan limadas». [Aquella expresión que Fabio, en *El secreto a voces*, introduce para decir algo a la duquesa, «regalar aquesta lengua», puede ser aplicada muy bien al mismo Calderón.] En *La dama duende* la palabra «estilo» caracteriza el modo o manera de expresarse en una carta que había sido redactada en un español exquisito y bien labrado. [...] En *También hay duelo en las damas*, Violante dice: «Pues

¿no sabes que el idioma / de amor tan corto es, tan breve, / que a cuatro voces no más / se reduce?». «Porque tiene cosas de música amor.» Calderón tiene a veces observaciones de carácter lingüístico-sociológico, sobre lo desmedido de las expresiones fuertes y violentas lanzadas por un noble o aristócrata, sobre la esfera del lenguaje correspondiente a la nobleza (por ejemplo en *El escondido y la tapada*). En *La dama duende*, el lenguaje que aparece es el «idioma del desdén». [...]

Es propio de la peculiar psicología lingüística de Calderón introducir o interponer, en el discurso de una persona, una petición dirigida a una actividad espiritual. Así, por ejemplo, Semíramis pide a Friso, en *La hija del aire*, que se prepare para experimentar su asombro o admiración, diciendo: «... dile a tu admiración que no se pare». Aquí se ve claramente una congruencia de la acción del hablar con la reacción deseada del asombro o admiración. En *Dicha y desdicha del nombre*, Calderón llega incluso a apostrofar al discurso cuando Lisardo dice: «Aunque de paso, / discurso, entremos en cuentas». [...]

En *De un castigo tres venganzas* dice una persona, después de usar una comparación, a otra: «(... he de valerme también / de comparaciones yo)». En *La gran Cenobia*, la protagonista habla del acto de fe, y añade inmediatamente a la palabra «creyera» la pregunta «(¿qué es creer?)». [...] El fenómeno de considerar la lengua en sí como un objeto de descripción aparece también allí donde Calderón nos habla de la significación de los nombres. [...] Por ejemplo, en *La dama duende* se dice que no quiere la suerte que la *cortesía* tenga nombre de favor. En *Origen, pérdida y restauración de la Virgen del Sagrario* se explica el término «La Virgen de la O», «por ser la O una letra / que duración e integridad penetra, / jeroglífico siendo a su pureza / letra que nunca acaba y nunca empieza».

[Tampoco cabe olvidar] el hecho, muy significativo, de que se dirija la palabra a las fuerzas de las almas. Uno de los ejemplos más hermosos de ese fenómeno nos lo brinda de nuevo *La hija del aire* cuando Semíramis dice: «Altiva arrogancia, / ambicioso pensamiento / de mi espíritu, descansa / de la imaginación, pues / realmente a ver alcanzas / lo que imaginaste». [...]

Al lector de Calderón, le choca mucho la afición que demuestra por pluralizar los nombres abstractos, que además se encuentran en él a cada paso. Ésta suele tener lugar con el artículo o con los pronombres y también sin artículo. Sobre esto último vamos a citar como ejemplo el de la pieza *Amor, honor y poder*: «¿Así imposibles se allanan?». [Igualmente debe observarse la continua sustantivación del infinitivo.]

Quisiéramos subrayar también aquí la opinión de que el entretejimiento de nombres exóticos, por ejemplo, nombres antiguos, no es sólo una señal de la erudición o cultura del dramaturgo. Creemos que se trata más bien de un acto de relevar los nombres, para conseguir así el encanto de la magia del lenguaje por la eufonía, y de prestar además visibilidad a la palabra mediante un cuerpo especial que llama la atención. Entre los innumerables textos de que disponemos vamos a elegir solamente el de *La hija del aire*. La descripción que hace Nino de Semíramis nos muestra ya el *foregrounding* de los nombres, y en la última línea o verso un juego de palabras de extraordinaria fascinación, realizado, sin embargo, con medios muy sencillos: «Mas, ¿qué mucho, / si es de estas selvas la Venus, / la Diana de estos bosques, / la Amaltea de estos puertos, / la Aretusa de estas fuentes, / y la ella de todos ellos?». [...]

En la terminología lingüística tradicional se puede hablar del «atributo predicativo» o también del «adjetivo atributivo adverbial». Un ejemplo de especial relieve aclarará a continuación lo que con ello queremos decir. En *La dama duende* se dice: «... cortés me darás licencia». [...] Es posible que a Calderón le pareciera muy propio y adecuado el lenguaje de los Salmos, tan rico en dichas formas sintácticas. Queda sin resolver definitivamente si se trata de un tal «adjetivo atributivo adverbial» o sólo de un adjetivo atributivo (esta solución nos parece ser más lícita) en la frase de *Dicha y desdicha del nombre*: «... un criado anciano mío / cruel pensando que clemente, / rompió la puerta del cuarto». [...] Dentro de la *pars orationis* «adjetivo», ocupa un gran espacio la colocación apositiva, o sea el adjetivo como complemento predicativo. Conviene subrayar aquí que tal vez se emplean los participios como adjetivos en virtud de su brevedad. En *La hija del aire*, Menón llama al celo amoroso del modo siguiente: «(¿Celos, / qué efecto haréis sucedidos, / si pensados matáis, celos?)». Es importante también el fenómeno de la sustantivación del adjetivo primeramente sin artículo, luego con artículo indeterminado, en tercer lugar con artículo determinado, o sea, con «lo», y en el cuarto caso con los pronombres demostrativos. A este respecto nos llama la atención lo referente a la primera posibilidad, y particularmente el empleo de la palabra «imposible». En *La hija del aire* se llama a Semíramis «hermoso *imposible* mío». [...] Se ha caracterizado a Calderón, con razón, como un poeta amante de la abstracción. Esto podría demostrarse muy bien si tenemos en cuenta las formas que emplea como «lo igual» designando un dominio especial abstracto. «Lo tal», también «lo más», «lo» seguido de oración de relativo introducida por que y finalmente lo + de + artículo + sustantivo son formas muy corrientes en Calderón. (Designando a personas aparece también la expresión ya mencionada «este divino imposible».) En vez de incluir un sustantivo el filósofo alemán Hegel realiza también la sustantivación de los adjetivos en una forma que recuerda mucho la del español con «lo», y la realiza además con mucha frecuencia, hecho interesante que quisiéramos hacer constar aquí.

Se consiguen también formas nominales claras, poniendo el artículo determinado en otras partes de la oración. La sustantivación del infinitivo en Calderón la hemos ya mencionado. También aparecen en Calderón las composiciones o combinaciones «el como» y «el todo». [...] La frecuente omisión que se hace del artículo determinado en la palabra «naturaleza», podría incitar a pensar en la costumbre dominante en la antigua literatura francesa, en la que se decía «nature» sin artículo. Es decir, allí se interpreta la «naturaleza» como algo que no necesita ser determinado o individualizado por un artículo. Calderón, a veces, consigue un efecto poético sobremanera especial, sofocando o reprimiendo el artículo. En *La gran Cenobia*, Aureliano exclama: «Ten, Cenobia, prudencia, / que esto es mundo». Si no queremos, en algunos versos, atribuir la omisión del artículo determinado a imperativos de la métrica —cosa que no queremos hacer, a ser posible—, se nos ofrece tal vez como explicación la voluntad de Calderón de hacer aún más resaltante el misterio del acontecer escénico. En *El príncipe constante* intenta el amor de don Fernando descifrar «causa de un melancólico accidente» y no «la causa». En *La gran Cenobia* pronuncia «voz temerosa y triste», no «la» o «una» voz, un presagio o augurio. [...]

Calderón siente una inclinación por interrumpir, con un adverbio, por ejemplo, «en fin» o incluso con oraciones de relativo, oraciones o frases que empiezan con un pronombre demostrativo. Así se lee en *La gran Cenobia*: «Éstos, que ya edificios levantados / sufren, de gente y poblaciones llenos ... / ... / ... / ... / imperios de Cenobia son ...». [...]

El adverbio de grado «tan» lo encontramos precediendo a otros adverbios, como «tan ahora», delante de adjetivos, «tan extraño caso», delante de participios negativos, como «tan no vista traición» y delante de otras partes de la oración. «Hasta» aparece a veces reforzado por una «y» conjuntiva. De acuerdo con el pensamiento sumamente lógico de Calderón aparecen siempre de nuevo las formas «tan que» y «tan como». [...]

Podría llamarse *étimo psicológico* la combinación «y así», usada muchísimas veces en los textos calderonianos. En *El médico de su honra* (se trata aquí de un texto que *no* contiene con frecuencia la mencionada forma de expresión) hemos contado «y así» hasta 18 veces. Aunque no sea en realidad fácil llevar a cabo una exacta clasificación, puede afirmarse,

sin embargo, que se ha intentado hacer una vez un «alargamiento» de la
oración o de la frase y otra vez una «consecuencia», o una conclusión
lógica. A veces, son muy difíciles de separar la consecuencia de la conclusión, pero se puede reconocer a veces su peculiaridad propia. La combinación «y así» nos trae en seguida a la memoria el *itaque* tomista.

III. Cualquier lector de Calderón habrá observado, más o menos
conscientemente, un procedimiento de plurimembración correlativa
que ofrece las siguientes particularidades: todos los primeros miembros (A_1, B_1, C_1, etc.) son pronunciados por un personaje (al que
llamaremos «personaje 1»); todos los segundos (A_2, B_2, C_2, etc.),
por otro personaje (el «2»); todos los terceros (A_3, B_3, C_3, etc.), por
otro personaje (el «3»), etc. La índole del diálogo dramático hace
que los casos más frecuentes sean los bimembres; pero hay muchos
de tres, de cuatro y aun de cinco miembros («miembros», es decir,
«personajes») en obras mitológicas, y sobre todo en los autos.

La siguiente escena pertenece a *Las manos blancas no ofenden*. Federico y Carlos contemplan, respectivamente, un caballo desbocado que se
despeña y arrastra a su generoso jinete de risco en risco; y un batel zozo-
brante que baja por el río llevando una hermosa dama, de ola en ola:

FEDERICO y CARLOS:	A lo que se deja ver ...
FEDERICO:	desbocado allí un caballo ... (A_1)
CARLOS:	zozobrado allí un batel ... (A_2)
FEDERICO:	por el monte a despeñarse ... (B_1)
CARLOS:	por el río a perecer ... (B_2)
FEDERICO:	con un generoso joven ... (C_1)
CARLOS:	con una hermosa mujer ... (C_2)
FEDERICO:	vaga de uno en otro risco. (D_1)
CARLOS:	va de uno en otro vaivén (D_2).

La pluralidad básica es *caballo-batel*, y en esa base existen las condiciones necesarias para una buena bimembración: un género próximo, 'medio de transporte'; y una última diferencia que implica el contraste entre
tierra (caballo) y agua (batel). Además, las sucesivas parejas de correlatos
van tendiendo vinculaciones, exactamente iguales en cada par, con relación
a esos dos polos:

caballo desbocado (A_1)	batel zozobrado (A_2)
se despeña por el monte (B_1)	baja por el río (B_2)
con un generoso joven (C_1)	con una hermosa dama (C_2)
de uno en otro risco (D_1)	de una en otra ola (D_2).

Se trata, pues, de cuatro perfectas pluralidades de correlación progresiva bimembre. [...] Pero si ahora escudriñamos los dos primeros miembros, vemos que no son simples, que hay en ellos dos pares de correspondencias: *Desbocado* (A_1) / *Zozobrado* (A_2) y *caballo* (B_1) / *batel* (B_2). Un análisis sencillo nos descubriría una complejidad parecida en todos los miembros, y la formulación de ese fragmento habría tomado un aspecto muy distinto, [que, hasta *vaga* (G_1) *de uno en otro risco* (H_1) y *va* (G_2) *de uno en otro vaivén* (H_2), cabría representar así:]

$$\begin{array}{cc} A_1 & B_1 \\ C_1 & D_1 \\ E_1 & F_1 \\ G_1 & H_1 \end{array} \qquad \begin{array}{cc} A_2 & B_2 \\ C_2 & D_2 \\ E_2 & F_2 \\ G_2 & H_2 \end{array}$$

Hemos descubierto, pues, que la verdadera ordenación del fragmento es híbrida de correlación y paralelismo.

[Sin embargo], recordemos que los dos personajes están narrando lo que ven, y cada uno está viendo una cosa distinta: los dos parlamentos se ignoran mutuamente. Son dos cauces paralelos que no entremezclan sus aguas. Serafina, neutra entre ambos caudales, preside la escena. Y es ella quien da origen a la bimembración con su pregunta: «¿Qué dos voces escuché / en el monte y en el río?». Es ahora cuando Federico y Carlos comienzan sus parlamentos: «Desbocado ...», «Zozobrado ...». Esta narración bimembre es, en realidad, contestación a la pregunta doble de Serafina. Federico le aclara el origen de las voces que salían del monte; Carlos, el de las que procedían del río. Después de la explicación, se oyen de nuevo las voces. Y dice Serafina: «¡Qué desdicha tan cruel! / ¡Quién sus dos vidas pudiera / piadosa favorecer!». Inmediatamente Federico se lanza a salvar al supuesto joven del caballo; Carlos, a salvar a la supuesta dama [1] del batel: la dualidad narrativa ha dado paso a una dualidad accional. Y entonces son dos damas de Serafina, llamadas Clori y Laura, las que continúan narrando la dual acción: el salvamento del supuesto joven, de la supuesta dama, por Federico, por Carlos.

La escena puede representarse así:

	Serafina	
1		**2**
Federico		Carlos
Clori		Laura
Lisarda		César
(vestida de hombre)		*(vestido de mujer)*

1. Recuérdese que la náufraga del batel es en realidad hombre (César), disfrazado de dama; y el precipitado del caballo, mujer (Lisarda), vestida de hombre.

Mientras dura la escena correlativa ni los personajes 1 hablan con los 2, ni viceversa; lo mismo los 1 que los 2 hablan o con Serafina, o con personajes de su mismo grupo.

[Pues bien: los esquemas de plurimembración, correlación, paralelismo y recolección —análogos o afines a los señalados en *Las manos blancas no ofenden*— están en las raíces de todo el teatro de Calderón.] No cabe duda alguna de que la construcción de los autos sacramentales, sobre todo los menos realistas o más conceptuales, es fundamentalmente correlativa. Los personajes simbólicos aparecen y actúan por parejas o ternas o cuaternas, o quinas..., que no son sino los grados y clases de una clasificación total del cosmos, la cual unas veces actúa por dicotomía, otras por tricotomía, etc. La correlación será aquí, en estos pasajes, continua; allá, en aquéllos, más o menos discontinua. En *Los encantos de la culpa* los cinco sentidos aparecen una y otra vez como compacta pluralidad pentamembre, que da origen a largas escenas correlativas. Pero cuando todo va regido por el *Entendimiento*, la correlación cesa. [Es que éste, como otras veces el *Alma*, el *Hombre*, etc., representa lo unitario; pero cuando lo unitario está analizado en sus elementos, cuando aparecen, por ejemplo, las tres *Potencias* del alma o los cinco *Sentidos* del hombre, etc., la fluencia dramática se hace correlativa.] Y apenas hay un auto en que tal fenómeno no ocurra. En algunos toda la estructura dramática (con intermitencias) se puede considerar atravesada por esa fluencia correlativa.

Sí, ocurría que la distribución ordenada del mundo en clases (que forman verdaderas pluralidades plurimembres), la necesidad de neta especificación conceptual entre esos miembros, la voluntad pedagógica de reiteración de lo específico diferencial (para que delgados conceptos entraran en la mollera del público de las plazas), la tradición literaria de correlación en que Calderón se había criado, todo, todo empujaba a que los autos fueran piezas correlativas; y ganada para este sistema, la misma decoración plurimembre de los carros (cada carro un miembro), reobraba a su vez para fortalecer la estructura correlativa y hacer necesario su uso.

Algo semejante se puede decir de las comedias mitológicas y cortesanas y, en general, de aparato. También Calderón forma plurimembraciones por asociación de seres mitológicos, y también la decoración y la distribución de personajes por la escena favorece toda clase de juegos correlativos, que llegan a la mayor continuidad y al más alto número de miembros en las escenas musicales. Y no es muy distinto lo que ocurre en las obras de historia lejana (como *La hija del aire*), en varias de santos y filosóficas (*El mágico prodigioso, La vida es sueño*, etc.).

[No se suele encontrar en las comedias que (usando de enorme latitud conceptual) podríamos llamar realistas] correlación de cuatro o más miembros, porque la vida no la suele ofrecer en acciones y pasiones humanas. Pero un personaje puede estar atormentado por tres deberes, y el autor puede estribar sobre los tres una correlación básica para toda una obra (así en *Amigo, amante y leal*). Pero lo que aparece por todas partes es la correlación bimembre. Quien dijo que la vida humana era lucha, dijo que era bimembración: toda la vida es emparejamiento. Y, en correspondencia, el teatro español es dual y todo teatro tiende a serlo. Todo nuestro teatro es, en síntesis, este conflicto: un galán ama a una dama; otro galán (contragalán) ama a la misma dama; otra dama (contradama) ama al primer galán. Un tercer galán puede estar enamorado de la contradama (o de la dama), y una tercera dama, del contragalán (o del galán). Dama y contradama tienen sendos guardadores de honra (padres o hermanos). Galán y contragalán tienen, respectivamente, criado y contracriado; dama y contradama tienen, a su vez, criada y contracriada [Todas esas parejas (y otros personajes) establecen infinitos juegos de correlación bimembre.]

9. HITOS DEL TEATRO CLÁSICO

LUCIANO GARCÍA LORENZO

Pocos capítulos de una historia literaria del Siglo de Oro resultarán tan difíciles como el que pretenda dar una idea de la producción dramática desde el arranque de la actividad lopeveguesca hasta la posteridad inmediata de Calderón. Si el espacio asignado a ese capítulo es, además, de pocas páginas, el intento ha de considerarse desesperado, incluso si, por razones didácticas, quedan al margen el Fénix (caps. 1 y 3), su contexto teatral (cap. 2) y la figura también excepcional de don Pedro (cap. 8), e incluso si se prescinde de autores cuya condición de dramaturgos es sólo secundaria: aunque se trate de nombres tan señeros como Góngora (cap. 4) o sor Juana Inés de la Cruz (cap. 7). La razón de esa dificultad o, quizás, imposibilidad no estriba únicamente en la copiosa nómina de escritores que es necesario considerar, sino, esencialmente, en que la calidad de sus logros no pertenece al orden de cosas que se deja resumir sencillamente: definir la singularidad de un comediógrafo en el panorama de la escena de su tiempo, o la peculiaridad de una obra en el conjunto de un quehacer dramático, exige una atención a los matices y una demora en el análisis que están vedados en un espacio brevísimo. Por fortuna, HCLE no responde al esquema de los manuales al uso, sino que se concibe en gran medida como una guía al manejo directo de la bibliografía más pertinente sobre cada cuestión. Por ahí, la introducción a este capítulo se ha planeado a su vez como una rápida y descarnada presentación de datos y autores que sirviera como hilo para remitir en cada caso a las monografías más indispensables y a un cierto número de trabajos cuya valía o fecha reciente los hace de particular interés para quien desee una información más completa (que, en todo caso, siempre podrá mantener actualizada gracias al benemérito *Bulletin of the Comediantes*).

Nuestro punto de partida bien puede fijarse en 1588. En ese año llegó Lope de Vega por vez primera a Valencia y en esta ciudad encontró una rica tradición teatral, manifestada desde muchos años antes: dramaturgos, impresores, compañías y locales para la representación de comedias, hacían de la capital del Turia uno de los centros más importantes del acontecer teatral español (Mérimée [1913 *a* y *b*]). Y si Lope dejó su impronta entre los jóvenes autores valencianos, bien es cierto que también pudo recibir no poco de la actividad dramática allí existente, hasta el punto de que algunos estudiosos afirman la mutua influencia, e incluso algunos de ellos llegan a reconocer una cierta prioridad en las experiencias dramáticas de los autores valencianos (Froldi [1962], García Lorenzo [1976], Weiger [1976, 1978]; y arriba, cap. 2).

El más importante de los dramaturgos de este grupo es Guillén de Castro (1569-1631), capitán de caballos de la costa, gobernador de Scigliano en Nápoles y secretario del marqués de Peñafiel, en Madrid, ciudad en la que murió en la pobreza. Las características fundamentales del teatro de Guillén (García Lorenzo [1976]) se aprecian no sólo en una obra maestra como *Las mocedades del Cid*, sino también en un buen número de otras piezas menos celebradas (Juliá [1925-1927]): así las que tienen asuntos cervantinos —*Don Quijote de la Mancha* (García Lorenzo [1971]), *El curioso impertinente* (Weiger [1978]) y *La fuerza de la sangre*—; las desarrolladas sobre motivos del Romancero, como *El conde Alarcos* (García Lorenzo [1972]); varias de tema mitológico (*Progne y Filomena, Los amores de Dido y Eneas*) y esa joya de comedia de enredo que es *Los malcasados de Valencia* (García Lorenzo [1976]). Pero los dos logros que hacen de Guillén un dramaturgo de excepcional importancia en nuestro teatro clásico son *Las mocedades del Cid* y su segunda parte, más conocida como *Las hazañas del Cid*. En la primera, Castro, haciendo uso de los romances sobre los amores de Rodrigo y Jimena, la ofensa recibida por el padre del primero y la muerte del padre de la dama a manos del Cid, construye un drama de tono épico, con el amor, la honra y las razones de estado entrelazándose en su desarrollo (Sebold [1968], Floeck [1969], García Lorenzo [1982ª]). *Las hazañas del Cid*, por su parte, dramatiza el cerco de Zamora y la muerte de Sancho II, con las circunstancias del suceso; Rodrigo pierde protagonismo en esta pieza, y de ahí que no esté justificado el título con que habitualmente se la designa (Leavitt [1971]). Una producción dramática en buena parte de gran originalidad y cuatro o cinco obras de indudable calidad hacen de Guillén de Castro uno de los autores de mayor vigencia entre los clásicos, a pesar de que las dos obras cidianas hayan oscurecido el resto de su labor. Y en torno a él, en la Valencia de su tiempo, palidecen un poco nombres en sí tan estimables como los de Gaspar de Aguilar (1561-1623), con sus comedias de santos e históricas (Cañas [1980], Valladares [1981]), el huidizo Ricardo del Turia (1578-1639?), Carlos Boyl y otros de menor cuantía (Juliá [1922], Weiger [1976]; y véase arriba, pp. 204, 234-238).

El dramaturgo más relevante de la denominada «escuela» de Lope de Vega, y también el de mayor importancia de los reseñados en este capítulo, es sin duda quien para las tablas quiso llamárse Tirso de Molina. La fecha de nacimiento de Gabriel Téllez ha presentado y sigue presentando problemas, aunque investigaciones recientes parecen señalar el año 1579 como definitivo (Vázquez [1981]); y no menos oscuros y debatidos son otros aspectos de su biografía, desarrollada entre Madrid, Sevilla, Trujillo, Cuenca —donde estuvo confinado—, Soria, y muchos otros lugares, hasta parar en Almazán, donde muere en 1648, después de tres años en América (Santo Domingo) y haber entrado en la Orden de la Merced (véase Cioranescu [1962] y los varios trabajos de fray M. Penedo, en la revista *Estudios*, desde 1945).

La obra de Tirso (Hesse [1949], Williamsen y Poesse [1979]), sin alcanzar la cantidad y los resultados geniales de Lope, ni tampoco globalmente la densidad y la calidad de Calderón, ocupa una posición de excepcional significado en la historia dramática española, y no pocos estudiosos la consideran como el puente entre la labor del Fénix y la del autor de *La vida es sueño*. De Lope lo separa su preocupación por la construcción dramática de la comedia, para ofrecer unidas la acción principal de las obras y las acciones secundarias que redondean a aquélla; en el mismo sentido —y en esto se encuentra muy cerca de Calderón—, Tirso se centra en el personaje protagonista, para convertir en complementarios de éste a los restantes. La crítica ha insistido en señalar en su teatro la preferencia por los tipos femeninos como protagonistas o figuras fundamentales y, en fin, el humor muy particular que late en sus obras (McClelland [1948], Vossler [1965], Palomo [1968 y 1970], Maurel [1971], Kennedy [1974], Sullivan [1976], M. Wilson [1977], Ter Horst [1980], Darst [1980]).

El teatro de Tirso —según la vieja metodología— ha sido clasificado en varios apartados (siempre con el recuerdo de los que Menéndez Pelayo estableció para el de Lope): teatro simbólico y religioso (autos sacramentales), comedias hagiográficas, dramas bíblicos, comedias y dramas históricos, comedias mitológicas, comedias bucólico-palaciegas y comedias de enredo (Ríos [1946-1962]); capítulo aparte, sin embargo, ha solido dedicarse a sus dos obras maestras: *El burlador de Sevilla* y *El condenado por desconfiado*.

Entre las obras de tipo amoroso, prácticamente todas ellas comedias de enredo, es inevitable destacar *El vergonzoso en palacio*, donde Mireno, el protagonista, conforma con Magdalena una de las parejas más deliciosas del teatro tirsiano (Casalduero [1967], Ayala [1971]); *Marta la piadosa*, con la hipocresía como centro de la acción dramática; *Don Gil de las calzas verdes*, y en ella el tópico recurso dramático de la mujer disfrazada de hombre, que ya Lope llevara a la escena (Wade [1973]); y la finísima *Por el sótano y el torno* (Zamora [1949], Dolfi [1973]). La veta de lo histórico o histórico-legendario aflora, por su parte, en *Las quinas de Portugal* y, fundamentalmente, en *La prudencia en la mujer*, excelente pieza dramática que tiene por heroína a doña María de Molina, a través de los reinados de su esposo Sancho IV, su hijo Fernando IV y su nieto Alfonso XI (Kennedy [1949]). La trilogía de *Santa Juana* (X. A. Fernández [1978]) y *El caballero de Gracia* ilustran bien la categoría de las comedias de santos, como entre las bíblicas merecen citarse *La mejor espigadera*, que dramatiza la historia de Ruth (Sorensen [1978]), y *La venganza de Tamar* (Paterson [1969]).

Pero las dos obras de mayor trascendencia en la producción de Tirso son, obviamente, *El burlador de Sevilla y convidado de piedra* y *El condenado por desconfiado*. La primera, iniciadora del mito donjuanesco (Casalduero [1975], Molho [1978]) y con una universal descendencia literaria, es una de las comedias más leídas y representadas de nuestro teatro clásico (Rogers [1977] ofrece un adecuado repertorio de la inmensa bibliografía pertinente, y ahora cabría ampliarlo, entre otros, hasta Wade [1979], Trubiano [1980], Hesse [1981] y Casalduero [1981]); la segunda desarrolla dramáticamente el problema del libre albedrío y transparenta los conocimientos teológicos de Tirso y su preocupación por algunos de los temas más candentes en el mundo intelectual de la época: en estas páginas sólo es posible recordar que entre las copiosas aportaciones sobre la pieza son particularmente recomendables los trabajos de Hornedo [1940 *a* y *b*], Maurel [1971], Morón-Adorno [1974], Fernández Turienzo [1977], Touron [1981].

En una órbita cercana a Tirso suele situarse al andaluz Antonio de Mira de Amescua (1574?-1644), de temperamento difícil y existencia en consonancia con su neurasténico carácter (Greeg [1974]), cuya obra, un tanto descuidada y poco lograda formalmente, posee, sin embargo, no poco interés, sobre todo porque, sin abandonar las fórmulas expresivas más populares de Lope, hay en su teatro abundantes rasgos de estilo que anuncian al mejor Calderón (Cotarelo [1930-1931], Dietz [1974], Castañeda [1977]).

Sobre un motivo del Romancero compuso *El conde Alarcos* (García Lorenzo [1971]) y también cultivó el teatro histórico —*La desgraciada Raquel*, en torno a los amores de Alfonso VIII y la judía toledana— y las tópicas comedias de capa y espada como *La Fénix de Salamanca*, una de las más logradas por el color local que respira, y *No hay burla con las mujeres*, de trágico desenlace y con el repetido motivo de la honra como móvil fundamental de la intriga.

A Mira de Amescua se deben estimables autos sacramentales, como *Pedro Talonario*, sobre el avariento arrepentido (Valbuena [1960]), o el *Auto del heredero* en torno a la parábola de la viña; autor también de obras de tema bíblico —*El arpa de David*— y de comedias de santos, alcanza una buena cota, entre estas últimas, con *La mesonera del cielo*, basada en la historia del ermitaño Abraham y de la conversión de su sobrina, acontecimientos que ya desarrollara la monja Rhoswita (Bella [1972]). Pero su obra más memorable es *El esclavo del demonio*, también una comedia de santos, en este caso dramatizando la leyenda de san Gil de Portugal. De intriga complicada y densa en problemas de carácter moral, la pieza se inserta en la tradición de Fausto, con un don Gil que vende su alma para conseguir a una mujer, aunque a quien abraza realmente, después de vender su alma, es a un esqueleto y no a Leonor, la hermosa que ha sido motivo de su pecado (Valbuena [1960], Moore [1979 *a*], Castañeda [1980]).

El dramaturgo habitualmente considerado por la crítica como más próximo a los postulados teatrales de Lope de Vega es el ecijano Luis Vélez de Guevara (1579-1644), también valioso como prosista (véase cap. 5) y hombre siempre con apuros económicos que le hacían solicitar favores de continuo. Ensalzado por Cervantes, Quevedo y Lope, Vélez fue sobre todo un fecundo dramaturgo (Hauer [1975]), amigo de llevar a los escenarios a personajes históricos y escasamente aficionado a la comedia de ambientes y personajes contemporáneos (Cotarelo [1916-1917], Spencer-Schevill [1937], Profeti [1965]). Efectivamente, Guzmán el Bueno, Pedro el Cruel, Inés de Castro, los Reyes Católicos, don Juan de Austria, entre otros, aparecen como protagonistas de obras suyas. No faltan, sin embargo, excepciones como *La luna de la sierra*, de ambiente rural y con el recuerdo de Peribáñez patente en los personajes y en diversas situaciones, o como *La serrana de la Vera* (Menéndez Pidal-Goyri [1916], McKendrick [1974], Delpech [1979], Rodríguez Cepeda [1982]).

Al dominio histórico, no obstante, sí pertenece la más afortunada de sus obras, *Reinar después de morir*, dramatización de la tragedia histórica de Inés de Castro, asesinada por orden de su suegro, el rey, y coronada póstumamente reina de Portugal (E. Asensio [1974]): pieza de alta calidad poética, con adecuada utilización de elementos melodramáticos (M. Sito [1981], pp. 147-170), sin duda ilustra lo más valioso de la producción de Vélez, original en no pocos aspectos y, sobre todo, en esos desenlaces que, como él mismo proclamó, no acaban en tópicas bodas o en muerte. (Harto más adocenado fue, en cualquier caso, su hijo Juan Vélez de Guevara, recordado hoy mayormente porque su zarzuela *Los celos hacen estrellas*, gracias a la valiosa edición de Varey y Shergold [1970], con estudio de la música por J. Sage, nos da un perfecto testimonio de una representación cortesana en 1672.)

Conocido especialmente por la *Fama póstuma* que compiló en tributo a Lope de Vega, así como por su obra miscelánea *Para todos*, Juan Pérez de Montalbán (1602-1638) murió tempranamente, y su existencia, dramática en tantos acontecimientos, tuvo un epílogo trágico con la enfermedad mental que padeció en los últimos años. Montalbán, a pesar de su corta vida, compuso numerosas comedias (Dixon [1961], Profeti [1976]) tanto de tema bíblico —*El valiente nazareno*— como de santos —*El divino portugués san Antonio de Padua*—, pero sus logros principales están también en las que presentan acontecimientos y personajes históricos: así *El segundo Séneca de España*, en torno a Felipe II, *El señor don Juan de Austria* y, sobre todo, *La monja alférez* sobre la figura de doña Catalina de Erauso (J. H. Parker [1975]).

Juan Ruiz de Alarcón (1581?-1639), dramaturgo de un interés excepcional entre los que se juzgan seguidores de Lope, nació en México —entonces la capital de Nueva España— y en 1600 llegó a la Península, donde permaneció algunos años, y después de cinco en México de nuevo, regresó definitivamente a Madrid, para desarrollar una actividad a menudo menos atendida en sus valores literarios que en las anécdotas que la acompañaron (Alarcón debió soportar las burlas de sus contemporáneos, a costa de sus pretensiones aristocráticas, King [1970] y, sobre todo, debido a sus limitaciones físicas: era de pequeña estatura y jorobado). Se trata de uno de los dramaturgos más estudiados de nuestro teatro clásico (Poesse [1964]), en buena parte gracias a la excelente aportación de los eruditos mexicanos. En todo caso, su labor (ed. Millares [1957-1968]) reúne una serie de rasgos que la particularizan y diferencian de la de sus contemporáneos: en primer lugar, es patente la acusada intención moral que persiguen los dramas de Alarcón; y ese designio, a su vez, conduce a la creación de unos caracteres abstractos que representan los vicios y defectos de la sociedad en la que vivió y a la cual zahiere y censura. En relación directa con tales planteamientos, el tono de este teatro es de mayor gravedad que el de Lope y sus discípulos más fieles, el elemento cómico se encuentra mucho más debilitado que en éstos (Silverman [1952]) y su lengua dramática carece de la preocupación lírica que podemos observar en la mayor parte de las piezas de la línea lopeveguesca. Por ahí, el contenido de las obras de Alarcón es, en general, de una trascendencia no habitual en la práctica dramática del período y en gracia a esa dimensión peculiar la crítica no ha vacilado en estimarlo como uno de los dramaturgos más importantes del Barroco (Castro Leal [1943], Claydon [1970], Poesse [1972], Parr [1972]). Aunque cultivó el teatro de carácter histórico o legendario —*El tejedor de Segovia*— y la comedia de enredo —*Los empeños de un engaño, El semejante a sí mismo*—, Alarcón destaca fundamentalmente por dos obras: *La verdad sospechosa*, con la mentira como motivo dramático (Fothergill [1971], Ebersole [1976], Ara [1979]), y *Las paredes oyen*, en la cual la murmuración, la maledicencia, inspiran un sagacísimo retablo de la sociedad de la época, con un protagonista que parece autorretrato del propio dramaturgo (Ebersole [1959], Dilillo [1979]).

Otros autores considerados discípulos de Lope, aunque de menor entidad que los citados hasta aquí, son el sevillano Diego Jiménez de Enciso (1585-1634), algunas de cuyas comedias se representaron en la corte; quizá las más importantes de las suyas son *La mayor hazaña de Carlos V*, en torno al retiro de este monarca en Yuste (Cotarelo [1914]), y *Juan Latino* (Williamsen [1981]). Otro dramaturgo nada desdeñable es el también sevillano Felipe Godínez (1585-1659), autor de obras profanas y religiosas, entre las cuales *Judith y Olofernes* suele considerarse la más representativa (Menéndez Onrubia [1977], y cf. Rauchwarger [1978]); y de Sevilla es asimismo Juan de Belmonte y Bermúdez (1577-1640?), gran viajero por América y Oceanía y de quien conservamos una treintena de comedias, entre las que destacan *El diablo predicador*, de asunto sobrenatural y con un tratamiento fantástico (Kincaid [1928]), y *El sastre del Campillo* (De Armas [1975]). Junto a ellos cabría alinear a Miguel Sánchez (Williamsen [1980]), Damián Salucio del Poyo (García Soriano [1926]), Andrés de Claramonte...

Se ha denominado «escuela de Calderón» a una serie de autores —la nómina es elevada— que siguen en algún sentido las pautas impuestas por el autor de *La vida es sueño*, aunque pocos llegan a igualar los mejores títulos de don Pedro, y por más que muchos mueren antes que él y la edad de algunos tenidos por discípulos no está muy lejos de la del maestro. Estos dramaturgos, aun dentro de la diversidad de su práctica dramática —de talante trágico en Rojas Zorrilla, de «tono menor» en Moreto, etc.—, poseen unas notas comunes que podrían caracterizarlos en un primer examen de conjunto: 1) preocupación por el «decoro», precepto que respetan y al que procuran atenerse, sobre todo en los desenlaces de sus obras; 2) preocupación formal, que conduce al predominio de una sola acción dramática y, con Calderón y Góngora como modelos, al empleo de diversos recursos de carácter lingüístico; 3) gusto por el detalle, la «elegancia del matiz», la miniatura, el tono delicado; 4) concepción cortesana del teatro, como consecuencia de que muchas de las obras se escribían para ser representadas en palacio, lo cual no quiere decir que el público del corral (el público de Lope) hubiera prescindido del espectáculo teatral; 5) tendencia a la refundición de obras famosas precedentes, que en ocasiones conducen a la parodia de dichas piezas (Wilson y Moir [1974]).

En la obra de Francisco de Rojas Zorrilla (1607-1648) ha advertido la crítica dos vertientes, una predominantemente trágica y otra más convencional, más en la línea de la comedia practicada hasta entonces, aunque los aciertos de la primera señalados por algunos estudiosos (MacCurdy [1958, 1968, y cf. 1965], Valbuena [1969]) han sido más recientemente limitados por otros críticos (Ruiz Ramón [1967], Hermenegildo [1973]). De todas maneras, Rojas fue un autor muy respetado en su tiempo por el público cortesano y palaciego, a pesar de que el auditorio más popular rechazara en varias ocasiones sus obras (Cotarelo [1911]) como consecuencia de las innovaciones que se dan, sobre todo, en las obras de asunto conyugal y en las cuales la mujer adquiere un papel no reconocido hasta entonces por los dramaturgos, o, al menos, no tan constantemente como se observa en este escritor (Rodríguez-Puértolas [1967], Testas [1975], Leavitt [1977], MacCurdy [1979]).

Como autor trágico, Rojas escribió una serie de obras que MacCurdy ha agrupado bajo diversos epígrafes (en especial, tragedias de tema clásico, de venganza sangrienta, basadas en el motivo de Caín y Abel, y de historia nacional) y entre cuyos títulos más representativos se cuentan, respectivamente, *Lucrecia y Tarquino*, *Morir pensando matar*, *El Caín de Cataluña* y *Numancia cercada*. Como autor de comedias, Rojas Zorrilla consigue recrear con gran acierto al tipo denominado «figurón» en *Entre bobos anda el juego*; y, por otro lado, especial valor se ha concedido siempre a *García del Castañar o del Rey abajo ninguno*, drama de honor profundamente humano y en el cual se funden el popularismo de Lope, latente en Rojas en no pocas ocasiones, y la profusión barroca con la metáfora como elemento fundamental (Wardropper [1961], Valbuena [1969], Testas [1971], Wittmann [1980], González [1980]) en el ámbito de las comedias de capa y espada, sobresale *Donde ay agravios no ay zelos* (Wittmann [1962]), testimonio de una preocupación formal notable en este tipo de obras.

Nacido en Madrid (1618-1669), en el seno de una familia de comerciantes italianos, Agustín Moreto y Cavana asistió a la Universidad de Alcalá de Henares y se ordenó sacerdote, como tantos otros escritores de su tiempo. El teatro de Moreto tiene como particularidades diferenciales su preocupación por la arquitectura y el sentido cómico de las obras (donde el gracioso adquiere una importancia excepcional; Exum [1978]) y unas inquietudes moralizantes que le acercan a Ruiz de Alarcón. De no menor relieve es la capacidad de refundidor que tuvo Moreto, ya reconocida por sus contemporáneos (Kennedy [1932], Caldera [1960], Casa [1966], Castañeda [1974]).

La producción dramática de Moreto, muy diversificada por su temática, está compuesta por obras llenas de agilidad y gracia, y con un concepto y desarrollo de la intriga como pocos dramaturgos clásicos lograron (compárese, por ejemplo, Moore [1979 *b*]). De «Terencio español» fue calificado por Gracián, y demuestra efectivamente una envidiable maestría en la estructuración de las distintas situaciones de las comedias (baste recordar *El poder de la amistad*, *San Franco de Sena*, *El infanzón de Illescas*, *Primero es la honra*, *El licenciado Vidriera* —excelente adaptación de la novela cervantina— o *El parecido en la corte*). Dos piezas, sin embargo, destacan sobre el resto de su producción: *El desdén, con el desdén* y *El lindo don Diego*. La primera, de ágil y divertida trama, es también una obra donde el juego intelectual se convierte en protagonista de un logrado enredo (Rico [1971]); *El lindo don Diego*, por su parte, es quizás el mejor ejemplo de «comedia de figurón» de nuestro teatro del XVII y acertadísima refundición de *El Narciso en su opinión* de Guillén de Castro (Casa [1966, 1977], García Lorenzo [1976]).

Un interesante dramaturgo, tanto por la concepción como por la práctica, es Álvaro Cubillo de Aragón (1596?-1661), al cual el profesor Valbuena Prat [1928] dedicó un amplio estudio que sigue hoy teniendo vigencia en muchos aspectos. Propugna Cubillo un teatro alegre y entretenido, frente a las comedias de muertes y castigos, y, efectivamente, consigue una obras de evidente frivolidad y agradecido pasatiempo que en ocasiones roza lo burlesco y donde casi siempre se viene a parar en el cómico e intrascendente juguete. *El Señor de Noches-Buenas* —de nuevo con el tipo de «figurón» acertadamente desarrollado—, *La perfecta casada* —habilidosa comedia representada ante el rey Felipe IV en diciembre de 1636— y, sobre todo, *Las muñecas de Marcela*, calificada ya por Menéndez Pelayo como «primorosa miniatura», pueden ser los títulos más significativos de un autor sobre el que se han escrito algunos trabajos puntuales (así Avalle [1953] y Glaser [1956]) y, hace pocos años, una monografía desigual, pero útil (Whitaker [1975]).

Entre los nombres de cierta importancia de este denominado ciclo calderoniano y que merecen destacarse, por sus aciertos parciales al igual que por la contribución prestada al mantenimiento y desarrollo de la comedia nacional, cabe recordar a Juan de Matos Fragoso (Di Santo [1980]), cuyo mejor texto es una refundición de *El villano en su rincón*, de Lope; Juan de la Hoz y Mata (1622-1714), autor de *El castigo en la miseria* y de una comedia legendaria sobre el rey don Pedro: *El montañés Juan Pascual y primer asistente de Sevilla* (Valbuena [1969]); Agustín de Salazar y Torres (1642-1675), escasamente estudiado hasta muy recientemente (O'Connor [1975, 1977, 1978]) y con una obra de no poco interés: *El encanto en la hermosura* (O'Connor [1978]); Jerónimo de Cáncer, especializado en refundiciones, obras en colaboración y comedias burlescas, y autor, entre estas últimas, de *Las mocedades del Cid*, parodia de la comedia de Guillén de Castro (García Lorenzo [1977]); Antonio de Solís (1610-1686), secretario real y cronista de Indias, a quien se deben estimables obras de capa y espada, como la satírica *El amor al uso* (Serralta [1979 *a* y *b*]); Antonio Coello y Ochoa (1611-1652), recordado fundamentalmente por su peculiar tragedia *El conde de Sex*, atribuida a veces a Felipe IV; Juan Bautista Diamante (1625-1687), autor de comedias y zarzuelas, y hábil refundidor de obras de Lope, Guillén de Castro y otros, como en el caso de *El honrado de su padre*, nueva versión de *Las mocedades del Cid;* «Fernando de Zárate» (1600-1663), seudónimo de

Antonio Enríquez Gómez (Gitlitz [1975]; véase también cap. 5), o el muy estimable Francisco de Bances Candamo (1662-1704), reivindicado particularmente por D. Moir [1970] (y véase Villar [1979] y C. Díaz Castañón, M. T. Cattaneo y M. Moli, en M. Sito [1981], pp. 387-432).

A los dramaturgos que, siguiendo la inspiración y el estilo poético y dramático de Calderón, realizaron su labor en el siglo XVII, conviene, sin embargo, sumar otros autores cuya actividad entra ya con largueza en la centuria siguiente. A grandes rasgos, son autores que abusan de los recursos escenográficos, subordinando a ellos la palabra dramática; que en no pocas ocasiones convierten al «figurón» en marioneta, y que a menudo desembocan en las representaciones de las denominadas «comedias de magia» que entusiasmaban a los espectadores (Caro Baroja [1974]). Entre los nombres que podrían citarse, dos destacan por sus parciales aciertos: Antonio de Zamora (1660?-1728), recordado, sobre todo, por su refundición de *El burlador de Sevilla* bajo el título *No hay plazo que no se cumpla ni deuda que no se pague y convidado de piedra* (Casalduero [1975]), y José de Cañizares (1676-1750), muy inferior a Zamora, pero hábil y prolífico refundidor (Ebersole [1974], Johns [1981]).

En el anterior capítulo 2 se ha tratado ya de uno de los logros más interesantes de todo nuestro teatro clásico: el entremés, y con él todo el cortejo de géneros menores (la mojiganga, el baile, etc.), con piezas de un valor escénico y documental en ocasiones fuera de lo común (Cotarelo [1911], Bergmann [1970]). Desde Cervantes hasta una innumerable nómina de dramaturgos de tercera fila (y cientos de piezas anónimas), el espectáculo teatral siempre se vio enriquecido por el humor y la comicidad de unos textos con una rica gama de procedimientos en las situaciones, con un lenguaje lejos del habitual de la comedia y con unos tipos, más que personajes, que hicieron las delicias de los espectadores del XVII (Asensio [1965]). En este capítulo, y como testimonio de tal quehacer, es imprescindible subrayar un nombre: Luis Quiñones de Benavente (1593?-1651), de cuyo prolífico repertorio han llegado hasta nosotros más de ciento cincuenta obras, con una variedad temática y una comicidad que, en la mayoría de las ocasiones, lleva aparejada la sátira de tipos y costumbres de su tiempo. *Las alforjas, La puente segoviana, El Martinillo* o *La maya*, son algunos títulos representativos de Quiñones (Bergmann [1965, 1968]), autor que si en la práctica del género fue acompañado de ingenios como Francisco Bernardo de Quirós, Luis de Belmonte, Jerónimo de Cáncer o Moreto (Castañeda [1981]), en la categoría de su producción no cede ante ninguno de ellos, ni ante el mismísimo Francisco de Quevedo (véase cap. 6).

BIBLIOGRAFÍA

Ara, Jesús Antonio, «El engañoso desenlace de *La verdad sospechosa*», *Revista de Estudios Hispánicos*, XIII (1979), pp. 91-98.

Asensio, Eugenio, *Itinerario del entremés desde Lope de Rueda a Quiñones de Benavente*, Gredos, Madrid, 1965.

—, *Estudios portugueses*, Fundação C. Gulbenkian, París, 1974, pp. 37-58.

Avalle-Arce, Juan B., «Lope y Álvaro Cubillo de Aragón», *Nueva Revista de Filología Hispánica*, VII (1953), pp. 429-432.

Ayala, Francisco, ed., Tirso de Molina, *El vergonzoso en palacio*, Castalia, Madrid, 1971.

Bella, José M., ed., Mira de Amescua, *La mesonera del cielo y Auto sacramental de la jura del príncipe*, Espasa-Calpe (Clásicos Castellanos), Madrid, 1972.

Bergmann, Hannah E., *Luis Quiñones de Benavente y sus entremeses*, Castalia, Madrid, 1965.

—, ed., L. Quiñones de Benavente, *Entremeses*, Anaya, Madrid, 1968.

—, ed., *Ramillete de entremeses y bailes nuevamente recogido de los antiguos poetas de España. Siglo XVII*, Castalia, Madrid, 1970.

Caldera, Ermanno, *Il teatro di Moreto*, Goliardica, Pisa, 1960.

Cañas Murillo, Jesús, «Gaspar de Aguilar. Estado actual de sus estudios», *Anuario de Estudios Filológicos*, Cáceres, III (1980), pp. 31-49.

Caro Baroja, Julio, *Teatro popular y magia*, Revista de Occidente, Madrid, 1974.

Casa, Frank P., *The dramatic craftsmanship of Moreto*, Harvard University Press, Cambridge, 1966.

— y Berislav Primorac, ed., A. Moreto, *El lindo don Diego*, Cátedra, Madrid, 1977.

Casalduero, Joaquín, *Estudios sobre el teatro español*, Gredos, Madrid, 1967, 1972³ (aumentada).

—, *Contribución al estudio del tema de don Juan en el teatro español*, Porrúa, Madrid, 1975 (la primera edición es de 1938).

—, «*El burlador de Sevilla*: sentido y forma», en M. Sito Alba [1981], pp. 215-224.

Castañeda, James A., *Agustín Moreto*, Twayne, Nueva York, 1974.

—, *Mira de Amescua*, Twayne, Nueva York, 1977.

—, ed., A. de Mira de Amescua, *El esclavo del demonio*, Cátedra, Madrid, 1980.

—, «Una veta inexplorada de la *brava mina* de Moreto: su teatro menor», *Studies in honor of Everett W. Hesse*, ed. de William C. McCrary y José A. Madrigal, Society of Spanish and Spanish-American Studies, Lincoln, 1981, pp. 49-61.

Castro Leal, A., *Juan Ruiz de Alarcón. Su vida y su obra*, Ediciones Cultura, México, 1943.

Cioranescu, Alexandre, «La biographie de Tirso de Molina. Points de repère et points de vue», *Bulletin Hispanique*, LXIV (1962), pp. 157-189.

Claydon, Ellen, *Juan Ruiz de Alarcón, baroque dramatist*, Castalia, Madrid, 1970.

Cotarelo y Mori, Emilio, *Don Francisco de Rojas Zorrilla. Noticias biográficas y bibliográficas*, Imprenta de la Revista de Archivos, Madrid, 1911.

Cotarelo y Mori, Emilio, *Colección de entremeses, loas, bailes, jácaras y mojigangas desde fines del XVI a mediados del XVIII*, Nueva Biblioteca de Autores Españoles, Madrid, 1911.

—, «Don Diego Jiménez de Enciso y su teatro», *Boletín de la Real Academia Española*, I (1914), pp. 209-248, 385-415, 510-550.

—, «Luis Vélez de Guevara y sus obras dramáticas», *Boletín de la Real Academia Española*, III (1916), pp. 621-652; IV (1917), pp. 137-171, 269-308 y 414-444.

—, «Mira de Amescua y su teatro», *Boletín de la Real Academia Española*, XVII (1930), pp. 467-505, 611-658; XVIII (1931), pp. 7-90.

Darst, David H., «Tirso de Molina's self-plagiarism, constructed forms, and compositional procedures in the Renaissance», *Bulletin of the Comediantes*, XXXII, n.º 1 (1980), pp. 29-38.

De Armas, Fredrick, ed., L. de Belmonte Bermúdez, *El sastre del Campillo*, Artes Gráficas Soler (Estudios de Hispanófila, 3), Madrid, 1975.

Delpech, François, «La leyenda de la Serrana de la Vera; las adaptaciones teatrales», en *La mujer en el teatro y la novela del siglo XVII*, Toulouse, 1979, pp. 23-38.

Dietz, Rolf, *Antonio Mira de Amescua: Studien zum Werk eines spanischen Dichters des «Siglo de Oro»*, Herbert Lang, Berna; Peter Lang, Frankfurt, 1974.

Dilillo, Leonard M., «Characterization and ethics in Ruiz de Alarcón's *Las paredes oyen*», *Hispania*, LXV (1979), pp. 31-41.

Di Santo, Elsa Leonor, «Noticias sobre la vida de Juan de Matos Fragoso», *Segismundo*, XIV (1980), pp. 217-231.

Dixon, Victor, «Juan Pérez de Montalbán, segundo tomo de sus Comedias», *Hispanic Review*, XXIX (1961), pp. 91-119.

Dolfi, Laura, *Studio della commedia de Tirso de Molina «Por el sótano y el torno»*, Università degli Studi, Florencia, 1973.

Ebersole, Alba V., *El ambiente español visto por Juan Ruiz de Alarcón*, Castalia, Valencia, 1959.

—, *José de Cañizares, dramaturgo olvidado del siglo XVIII*, Ínsula, Madrid, 1974.

—, ed., Juan Ruiz de Alarcón, *La verdad sospechosa*, Cátedra, Madrid, 1976.

Estudios, XXXVII (1981), número especial dedicado a Tirso de Molina.

Exum, Frances, «Moreto's playmakers: The roles of four *graciosos* and their plays-within-the-play», *Bulletin of Hispanic Studies*, LV (1978), pp. 311-320.

Fernández, Xavier A., «La tercera de la *Santa Juana*. Precisiones textuales a un autógrafo de Tirso», *Estudios*, XXXIV (1978), pp. 483-508.

Fernández Turienzo, Francisco, «*El convidado de piedra*: Don Juan pierde el juego», *Hispanic Review*, XLV (1977), pp. 43-60.

Floeck, Wilfried, «*Las mocedades del Cid» von Guillén de Castro und «Le Cid» von Corneille, Ein neuer Vergleich*, Romanischer Seminar der Universität, Bonn, 1969.

Fothergill-Payne, Louise, «La justicia poética de *La verdad sospechosa*», *Romanischen Forschungen*, LXXXIII (1971), pp. 588-595.

Froldi, Rinaldo, *Lope de Vega y la formación de la comedia*, Anaya, Salamanca, 1968.

García Lorenzo, Luciano, ed., Guillén de Castro, *Don Quijote de la Mancha*, Anaya, Salamanca, 1971.

—, *El tema del conde Alarcos. Del Romancero a Jacinto Grau*, Consejo Superior de Investigaciones Científicas, Madrid, 1972.

—, *El teatro de Guillén de Castro*, Planeta, Barcelona, 1976.

—, ed., Guillén de Castro, *Los mal casados de Valencia*, Castalia, Madrid, 1976.

—, «La comedia burlesca en el siglo XVII: *Las mocedades del Cid* de Jerónimo de Cáncer», *Segismundo*, XIII (1977), pp. 131-146.

—, ed., Guillén de Castro, *Las mocedades del Cid*, Cátedra, Madrid, 1982².

García Soriano, Justo, «Damián Salucio del Poyo», *Boletín de la Real Academia Española*, n.º 13 (1926), pp. 269-282 y 474-506.

Gitlitz, David M., «La angustia vital de ser negro, tema de un drama de Fernando de Zárate», *Segismundo*, XI (1975), pp. 65-85.

Glaser, Edward, «Álvaro Cubillo de Aragón's *Los desagravios de Cristo*», *Hispanic Review*, n.º 24 (1956), pp. 306-321.

González, Cristina, «Sobre *Del rey abajo, ninguno*», *Bulletin of the Comediantes*, XXXII, n.º 1 (1980), pp. 49-53.

Greeg, Karl C., «A brief biography of Antonio Mira de Amescua», *Bulletin of the Comediantes*, XXVI (1974), pp. 14-22.

Hauer, Mary G., *Luis Vélez de Guevara. A critical bibliography*, University of North Carolina, Chapel Hill, 1975.

Hermenegildo, Alfredo, *La tragedia en el Renacimiento español*, Planeta, Barcelona, 1973.

Hesse, Everett W., «Bibliografía de Tirso de Molina (1648-1948)», *Bulletin Hispanique*, LI (1949), pp. 317-333 (el profesor Hesse ha seguido publicando suplementos periódicamente en la revista *Estudios*).

—, «Tirso's don Juan and the opposing self», *Bulletin of the Comediantes*, XXXIII, n.º 1 (1981), pp. 3-7.

Hornedo, Rafael M.ª de, «*El condenado por desconfiado* no es una obra molinista», *Razón y Fe*, CXX (1940), pp. 18-34.

—, «*El condenado por desconfiado*. Su significación en el teatro de Tirso», *Razón y Fe*, CXXX (1940), pp. 170-191.

Johns, Kim L., *José de Cañizares, traditionalist and innovator*, Albatros, Valencia, 1981.

Juliá Martínez, Eduardo, ed., *Poetas dramáticos valencianos*, Madrid, 1922.

—, ed., *Obras de Guillén de Castro*, Real Academia Española, Madrid, 1925-1927.

Kennedy, Ruth Lee, *The dramatic art of Moreto*, Smith College Studies in Modern Languages, Northampton, 1932.

—, «*La prudencia en la mujer* y el ambiente que la produjo», *Estudios* (1949), pp. 223-293.

—, *Studies in Tirso. I: The dramatist and his competitors, 1620-1626*, University of North Carolina, 1974.

Kincaid, W. A., «Life and works of Luis de Belmonte Bermúdez, 1587?-1650?», *Revue Hispanique*, LXXIV (1928), pp. 1-260.

King, Willard F., «La ascendencia paterna de Juan Ruiz de Alarcón y Mendoza», *Nueva Revista de Filología Hispánica*, XIX, n.º 1 (1970), pp. 50-86.

Leavitt, Sturgis E., «Una comedia sin paralelo. *Las hazañas del Cid*», *Homenaje a William L. Fichter*, Castalia, Madrid, 1971, pp. 429-438.

—, «Juan Ruiz de Alarcón en el mundo del teatro en España», *Hispania*, 60 (1977), pp. 1-12.

MacCurdy, Raymond R., *Francisco de Rojas Zorrilla and the tragedy*, University of Alburquerque, 1958.

—, *Francisco de Rojas Zorrilla. Bibliografía crítica*, Cuadernos bibliográficos, XVIII, CSIC, Madrid, 1965.

—, *Francisco de Rojas Zorrilla*, Twayne, Nueva York, 1968.

—, «Women and sexual love in the plays of Rojas Zorrilla: Tradition and innovation», *Hispania*, LXII (1979), pp. 255-265.

Maurel, Serge, *L'univers dramatique de Tirso de Molina*, Université de Poitiers, 1971.

McClelland, Ivy L., *Tirso de Molina: Studies in dramatic realism*, Liverpool, 1948.

McKendrick, Malveena, *Woman and society in the Spanish drama of the Golden Age. A study of the «Mujer varonil»*, Cambridge University Press, 1974.

Menéndez Onrubia, «Hacia la biografía de un iluminado judío: Felipe Godínez (1585-1659)», *Segismundo*, XIII (1977), pp. 89-130.

Menéndez Pidal, Ramón, y María Goyri de Menéndez Pidal, eds., L. Vélez de Guevara, *La serrana de la Vera*, Madrid, 1916.

Merimée, Henri, *L'art dramatique à Valencia, dépuis les origins jusqu'au commencement du XVIIe siècle*, Toulouse, 1913.

—, *Spectacles et comédiens à Valencia (1580-1613)*, Toulouse-París, 1913.

Millares Carlo, Agustín, ed., J. Ruiz de Alarcón, *Obras completas*, 3 vols., México, 1957-1968.

Moir, D. W., ed., F. Bances Candamo, *Theatro de los theatros de los passados y presentes siglos*, Londres, 1970.

Molho, Mauricio, «Trois mythologiques sur don Juan», *Les cahiers de Fontenay*, n.os 9-10 (1978), pp. 9-75.

Moore, Roger, «Leonor's role in *El esclavo del demonio*», *Revista canadiense de estudios hispánicos*, III (1979), pp. 275-286.

—, «Ornamental and organic conceits in Moreto's *El lego del Carmen*», *Bulletin of the Comediantes*, XXXI, n.º 2 (1979), pp. 135-143.

Morón, Ciriaco, y Rolena Adorno, eds., Tirso de Molina, *El condenado por desconfiado*, Cátedra, Madrid, 1974.

O'Connor, Thomas, «Don Agustín de Salazar y Torres», *Bulletin of bibliography and magazine notes*, XXXII (1975), pp. 158-162, 167 y 180.

—, «The mythological world of Agustín de Salazar y Torres», *Romance Notes*, XVIII (1977), pp. 221-229.

—, «Language, irony and death. The poetry of Salazar y Torres: *El encanto en la hermosura*», *Romanische Forschungen*, XC (1978), pp. 60-69.

Palomo, María del Pilar, ed., Tirso de Molina, *Obras*, Vergara, Barcelona, 1968.

—, ed., Tirso de Molina, *Obras* (Biblioteca de Autores Españoles), Madrid, 1970.

Parker, Jack Horace, *Juan Pérez de Montalbán*, Twayne, Nueva York, 1975.

Parr, James A., ed., *Critical essays on the life and work of Juan Ruiz de Alarcón*, Dos Continentes, Madrid, 1972.

Paterson, A. K. G., ed., Tirso de Molina, *La venganza de Tamar*, Cambridge, 1969.

Poesse, Walter, *Ensayo de una bibliografía de Juan Ruiz de Alarcón*, Castalia, Valencia, 1964.

—, *Juan Ruiz de Alarcón*, Twayne, Nueva York, 1972.

Profeti, Maria Grazia, *Note critiche sull'opera di Vélez de Guevara*, Miscellanea di Studi Ispanici, Pisa, 1967, pp. 47-174.

—, ed., L. Vélez de Guevara, *Hijos de la Barbuda*, Università di Pisa, 1970.

—, *Per una bibliografia di Juan Pérez de Montalbán*, Università degli Studi di Padova, 1976.

Rauchwarger, Judith, «Comedic transformation of Biblical and legendary sources in Felipe Godínez *Los trabajos de Job*», *Romanistisches Jahrbuch*, XXIX (1978), pp. 303-321.

Rico, Francisco, ed., Agustín Moreto, *El desdén con el desdén, Las galeras de la honra, Los oficios*, Castalia, Madrid, 1971, 1978² (corregida y aumentada).

Ríos, Blanca de los, ed.. Tirso de Molina, *Obras dramáticas completas*, Aguilar, Madrid, 1946-1962.

Rodríguez Cepeda, Enrique, ed., L. Vélez de Guevara, *La serrana de la Vera*, Cátedra, Madrid, 1982.

Rodríguez Puértolas, Julio, «Alienación y realidad en Rojas Zorrilla», *Bulletin Hispanique*, XLIX (1967), pp. 325-346; reimpreso en *De la Edad Media a la edad conflictiva*, Gredos, Madrid, 1972, pp. 339-363.

Rogers, Daniel, *Tirso de Molina. «El burlador de Sevilla»*, Grant and Cutler, Londres, 1977. (Dada la cantidad de estudios publicados sobre esta obra, remitimos a este repertorio bibliográfico hasta la fecha de su aparición.)

Ruiz Ramón, Francisco, *Historia del teatro español. Desde sus orígenes hasta 1900*, Alianza Editorial, Madrid, 1967.

Sebold, Russell P., «Un David español, o "galán divino". El Cid contrarreformista de Guillén de Castro», en *Homage to J. M. Hill*, Castalia, Valencia, 1968, pp. 217-242.

Serralta, Frédéric, «Amor al uso y protagonismo femenino», en *La mujer en el teatro y la novela del siglo XVII*, Toulouse, 1979, pp. 95-109.

—, «El testamento de Antonio de Solís y otros documentos biográficos», *Criticón*, VII (1979), 59 pp.

Silverman, Joseph H.. «El gracioso de Juan Ruiz de Alarcón y el concepto del donaire tradicional», *Hispania*, XXXV (1952), pp. 64-69.

Sito Alba, Manuel, ed., *Teoría y realidad en el teatro español del siglo XVII*, Instituto Español, Roma, 1981.

Sorensen, Jorge E., «*La mejor espigadora*: una glosa dramática del Libro de Rut», *Romanische Forschungen*, XC (1978), pp. 70-77.

Spencer, F. E. y Rudolph Schevill, *The dramatic works of Luis Vélez de Guevara*, Berkeley, 1937.

Sullivan, Henri W., *Tirso de Molina and the drama of the counter Reformation*, Rodolpi, Amsterdam, 1976.

Ter Horst, Robert, «The sacred and the profane in the plays of Tirso de Molina: A preliminary sketch for Ruth Lee Kennedy», *Bulletin of the Comediantes*, XXXII, n.º 2 (1980), pp. 99-107.

Testas, Jean, ed., F. de Rojas Zorrilla, *Del rey abajo, ninguno o El labrador más honrado*, *García del Castañar*, Castalia, Madrid, 1971.

—, «Le féminisme de Francisco de Rojas Zorrilla», en *Mélanges offerts à Charles Vincent Aubrun*, París, 1975, pp. 303-322.

Tourón del Pie, Eliseo, «Aproximación a las fuentes e interpretaciones de *El condenado por desconfiado* de Tirso de Molina», *Estudios*, XXVII (1981), pp. 407-424.

Trubiano, Mario F., «*El burlador*, herejía y ortodoxia de una existencia desdoblada», *Revista de Literatura*, XLII (1980), pp. 41-62.

Valbuena Prat, Ángel, ed., Álvaro Cubillo de Aragón, *Las muñecas de Marcela. El Señor de Noches-Buenas*, CIAP, Madrid, 1928.

—, ed., Mira de Amescua, *El esclavo del demonio. Pedro Talonario.* Espasa-Calpe (Clásicos Castellanos), Madrid, 1960.

—, *El teatro español en su Siglo de Oro*, Planeta, Barcelona, 1969.

Valladares de Reguero, Aurelio, *Vida y obra de Gaspar de Aguilar*, Universidad Complutense, Madrid, 1981.

Varey, J. E. y N. D. Shergold, eds., Juan Vélez de Guevara, *Los celos hacen estrellas* (con edición y estudio de la música por Jack Sage), Tamesis Books, Londres, 1970.

Vázquez, Luis, «Gabriel Téllez nació en 1579. Nuevos hallazgos documentales», *Estudios*, XXXVII (1981), pp. 19-36.

Villar Castejón, Caridad, «Valoración histórica de Francisco Antonio de Bances Candamo *El Austria en Jerusalén*», *Boletín del Instituto de Estudios Asturianos*, XXXIII (1979), pp. 545-565.

Vossler, Karl, *Lecciones sobre Tirso de Molina*, Taurus, Madrid, 1965.

Wade, Gerald E., «La comicidad de *Don Gil de las calzas verdes* de Tirso de Molina», *Revista de Archivos, Bibliotecas y Museos*, LXXVI (1973), pp. 475-486.

—, «The character of Tirso's don Juan of *El burlador de Sevilla*», *Bulletin of the Comediantes*, XXXI (1979), pp. 33-42.

Wardropper, Bruce W., «The poetic world of Rojas Zorrilla's *Del rey abajo, ninguno*», *The Romanic Review*, LII (1961), pp. 161-172.

Weiger, John G., *The Valencian dramatists of Spain's Golden Age*, Twayne, Nueva York, 1976.

—, *Hacia la comedia. De los valencianos a Lope*, Planeta, Barcelona, 1978.

Whitaker, Shirley, *The dramatic works of Álvaro Cubillo de Aragón*, North Carolina Studies in the Romance Languages and Literatures, Chapel Hill, 1975.

Wilson, Edward M. y Duncan Moir, *Historia de la literatura española. Siglo de Oro: Teatro*, Ariel, Barcelona, 1974, pp. 191-225.

Wilson, Margaret, *Tirso de Molina*, Twayne, Nueva York, 1977.

Williamsen, Vern G., «El teatro de Miguel Sánchez, *el divino*», *Actas del Sexto Congreso Internacional de Hispanistas*, University of Toronto, 1980, páginas 803-807.

Williamsen, Vern G., «Women and blacks have brains too: A play by Diego Ximénez de Enciso», en *Studies in honor of Everett W. Hesse*, ed. de William C. McCrary y José A. Madrigal, Society of Spanish and Spanish-American Studies, Lincoln, 1981, pp. 199-206.

— y Walter Poesse, *An annotated, analytical bibliography of Tirso de Molina studies, 1627-1977*, University of Missouri Press, 1979.

Wittmann, Brigitte, ed., F. de Rojas Zorrilla, *Donde ay agravios no ay zelos*, E. Droz, Ginebra-Menard, París, 1962.

—, ed., Francisco de Rojas Zorrilla, *Del rey abajo, ninguno*, Cátedra, Madrid, 1980.

Zamora Vicente, Antonio, ed., Tirso de Molina, *Por el sótano y el torno*, Buenos Aires, 1949.

LUCIANO GARCÍA LORENZO

LAS MOCEDADES DEL CID

La mejor comedia de Guillén de Castro, *Las mocedades del Cid*, se abre con una escena fundamental para el desarrollo de toda la obra y presentando en ella, bien en las acotaciones o bien en boca de los personajes, la personalidad de cada uno de ellos y el conflicto que conforma la comedia. Por medio de la primera acotación el autor nos muestra a Diego Laínez «decrépito», anticipando con el adjetivo la debilidad física del personaje y por ella la actitud a adoptar después de recibir la ofensa del conde Lozano. En otra acotación, también de esta primera escena, Guillén describe el escenario y de él solamente tres objetos: un altar de Santiago, una espada y unas espuelas; si los tres son necesarios para la jura que Rodrigo tendrá que realizar, los dos últimos, como veremos más tarde, juegan un papel preponderante en el conflicto convirtiéndose en elementos paraverbales con una función significativa muy determinada. [...]

Toda esta primera escena de la pieza de Guillén es una exaltación del Cid, anticipo de la exaltación, amplia y diversamente elaborada, que va a ser la obra. *Las mocedades* está compuesta por dos acciones perfectamente interrelacionadas y unidas y protagonizadas por los mismos personajes: por una parte, Rodrigo es el héroe —valor, fuerza, caballerosidad, honor...—, por otra, Rodrigo es el galán. Efectivamente, el Cid es armado caballero por el rey, regalándole éste sus propias armas —esa espada que antes mencionábamos—;

Luciano García Lorenzo, *El teatro de Guillén de Castro*, Planeta, Barcelona, 1976, pp. 104-118.

son padrinos la reina y el infante don Sancho, futuro monarca, y doña Urraca le calza las espuelas, unas espuelas que la pronto señora de Zamora recordará a Rodrigo cuando éste colabore en el cerco de la ciudad heredada del padre. Los adjetivos son continuos cuando se habla del Cid: «leal», «honrado», «valeroso», «fuerte», «lucido», «robusto», «bien hecho»..., y hasta tal punto es enaltecido el joven caballero, que los nobles, testigos del acto, llegan a afirmar: «Extremo ha sido», y más adelante: «Ya estas honras son extremos», intervenciones sin ningún matiz de exageración, pues el mismo Rodrigo se enorgullece diciendo: «¿Qué vasallo mereció / ser de su rey tan honrado?». El héroe, el futuro héroe Rodrigo, convertido en el Cid por sus propios enemigos, está, desde la primera escena, en primer plano; él es ya, por derecho propio, pero sobre todo por honor de su propio rey, el personaje épico por excelencia.

Pero la obra es también el desarrollo de un conflicto amoroso unido a un conflicto de honra mancillada; amor y honra, amor y celos, motivos sin los cuales el rico caudal de obras barrocas desaparecería casi por completo. Porque, como hemos dicho, si Rodrigo es héroe, también es galán, y las intervenciones de los tres personajes femeninos de la obra en esta primera escena tienen como función, precisamente, completar, pero por otro camino, las declaradas por el rey y el resto de los personajes masculinos, antes citadas: la reina dice en su primera intervención, refiriéndose a las armas de Rodrigo: «¡Qué bien las armas te están! / Bien te asientan»; doña Urraca pide al héroe que recuerde quién le está calzando las espuelas («Pienso que te habré obligado / Rodrigo, acuérdate de esto»), mientras que, a una pregunta de doña Urraca («¿Qué te parece, Ximena / de Rodrigo?»), Ximena, de una manera directa, responde así: «Que es galán. / [Aparte] Y que sus ojos le dan / al alma sabrosa pena».

Ximena y Urraca, las dos enamoradas del Cid; una, la infanta, poniendo, alegre, unas espuelas que «pican» el corazón de Ximena, y ésta, testigo pasivo del acto, anticipando con las dos palabras que conforman la rima de la última redondilla citada (Ximena-pena) un inmediato futuro, del que será, al lado del Cid, protagonista. La obra, ya enmarcada en un tiempo y en un espacio concretos, ha iniciado su curso: Rodrigo Díaz de Vivar comenzará a hacer su camino y dos mujeres rodean su figura: «XIMENA [Aparte]: "Rodrigo el alma me lleva". URRACA [Aparte]: "Bien me parece Rodrigo"».

Pero si toda comedia exige un conflicto y éste ser conformado por una oposición de contrarios, en la primera escena de *Las moce-dades del Cid* la oposición aún no ha aparecido de una manera directa, ya que la lucha de Ximena y Urraca por el amor de Rodrigo quedará pronto relegada a un segundo plano, superando así Guillén lo que podía convertirse en una comedia amorosa con el clásico triángulo (en este caso dos mujeres y un hombre) protagonizando un enredo. Esta oposición tendrá su partida en la escena segunda de la comedia, escena de gran belleza y que pudiendo el dramaturgo haberla convertido en un intercambio declamatorio de reproches y ofensas nos es ofrecida de una manera equilibrada aun dentro de su grandiosidad. El contraste entre la brillantez y la positiva adjetivación precedente y los alegatos de orgullo y consecuente enfrentamiento es manifiesto. El rey Fernando reúne a cuatro de los grandes de su reino —conde Lozano, Diego Laínez, Arias Gonzalo y Peransules— con el fin de nombrar ayo de su hijo a Diego Laínez y pedir el parecer de esas cuatro columnas de su corona, como él mismo los define. El conde Lozano, sintiéndose humillado por el nombramiento, reprocha al rey la decisión y a las palabras de Diego Laínez responde con una bofetada. El conflicto, pues, ha comenzado; las horas felices de vela de armas y la posterior ceremonia de armar caballero a Rodrigo han quedado lejos y en su lugar hay una ofensa y el honor de un noble y de una familia agraviados.

Tradicionalmente, la crítica se ha detenido, al analizar esta escena, precisamente en la ofensa, pero nuestro interés se centrará (sin, claro está, restar importancia a lo que resulta motivo generador de la discordia) en la actitud del monarca y con ella en la actitud de los cuatro personajes protagonistas o testigos del agravio. Peransules, primo del conde, se pondrá al lado de éste y en su busca irá, siguiendo la orden del rey; Arias Gonzalo, pariente de Diego Laínez, mostrará mayor objetividad ante los hechos, pero irá tras el padre de Rodrigo. Y el monarca promete hacer justicia pues en su presencia se ha cometido el agravio.

En nuestro teatro clásico el monarca es el espejo del estado, y de más —creemos— está repetir aquí el carácter de su autoridad. El rey justo de nuestro teatro barroco, rey maduro en edad e incluso viejo (Fernando I es presentado por Guillén con barba blanca), debe guardar la concordia en su reino y si premia o castiga al villano, de la misma manera tiene como deber premiar o castigar a los nobles, aunque, en estos casos, una de las virtudes que los tratadistas políticos del Barroco señalan como fundamental para el monarca debe ser tenida en cuenta y ejercida: la *prudencia*. Fernando I ha visto perdido su respeto al ser abofeteado

Diego Laínez en su presencia; el monarca da la razón de los hechos al
padre de Rodrigo, pero el rey no puede hacer preso al conde Lozano,
como le dice Arias Gonzalo, por dos razones: primera, porque el hacerlo
(«es poderoso, / arrogante, rico y bravo») pone en peligro su estado y
con él la concordia que es necesario exista entre sus vasallos; en segundo
lugar, porque el agravio sólo ha tenido como testigos a ellos y si se mantiene en secreto y no se prende al conde, la ofensa ya no será pública.
De ahí que ordene el rey: «Decid de mi parte a entrambos / que, pues
la desgracia ha sido / en mi aposento cerrado / y está seguro el secreto, / que ninguno a publicallo / se atreva, haciendo el silencio / perpetuo
y que yo lo mando, / so pena de mi desgracia». «Rey soy mal obedeci-
do; / castigaré mis vasallos.» Antes era la prudencia, y con estas últimas
palabras es otra la virtud que luce el monarca: la *autoridad*. El rey desea
llevar a buen término la discordia nacida y desea hacerlo por medio del
entendimiento mutuo, pero nunca olvidando que la autoridad está en sus
manos. Si antes premió y honró a Rodrigo y en él a su sangre, ahora no
olvida que también está obligado a castigar si el estado peligra... Pero
el agravio ya es público y Rodrigo conoce la ofensa. El conflicto, definitivamente, está en marcha.

Dos situaciones, dos escenas, faltan para completar y cerrar el
acto primero de *Las mocedades*: en la primera, Rodrigo —simultáneamente, nos imaginamos, a la conversación del rey con Peransules
y Arias Gonzalo— conoce la afrenta y es puesto a prueba para ven-
garla; en la segunda, la venganza se lleva a cabo y el conde Lozano
es herido de muerte por Rodrigo, por un recién armado caballero
que es humillado por el padre de Ximena («rapaz», «novel caballero», tienes «la leche en los labios», «di a tu padre un bofetón, / te
dé a ti mil puntapiés»...), pero cuya soberbia sucumbe ante el valor
y la nobleza del Cid. Es la primera prueba del nuevo Rodrigo, ya
caballero; es su primer combate ganado y a través de él la exaltación
del héroe será aún más manifiesta; la «caduca edad cansada» de Diego
Laínez ha sido suplida por la vitalidad, la fuerza y el sentido del
honor del hijo.

Y en el centro, otra vez, una espada y dos espuelas, elementos
ejecutores de una venganza, y en la primera todo un pasado, toda
una página de trágicos acontecimientos: es la espada de Mudarra
que repite ahora venganza haciendo justicia, que lava manchas de
honra y limpia con sangre afrentas. La espada que el rey Fernando
regalara a Rodrigo era testigo de la admiración de Ximena por el Cid;
la espada heredada de Mudarra será el elemento que separe a la hija

del conde Lozano del asesino de su padre, pues Rodrigo, matando al conde, recobra su honor pero pierde a Ximena. El monólogo, contraponiendo los sentimientos que dan origen a la comedia, es significativo: por una parte, el amor; por otra, la honra («En dos balanzas he puesto / ser honrado y ser amante»); Diego Laínez es el *alma* que dio *vida* a Rodrigo, el conde es el padre de Ximena, «*vida* que me tiene el *alma*»; el conde es «*sangre* que quiere *verter*», pero Ximena es «*sangre* que quiero *mezclar*». La elección, sin embargo, es inmediata: «Mas ya ofende esta duda / al santo honor que mi opinión sustenta; / razón es que sacuda / del amor el yugo, y la cerviz esenta / acuda a lo que soy; que habiendo sido / mi padre el ofendido, / poco importa que fuese, ¡amarga pena!, / el ofensor el padre de Ximena». Y al lado de la espada, las espuelas, aquellas espuelas que Urraca pusiera en los pies de Rodrigo, espuelas que tienen ahora como misión picar al caballo que conduce al Cid a la venganza y espuelas que pican otra vez el corazón de Ximena, todavía ignorante del fin que persigue Rodrigo:

URRACA: ¡Con qué brío, qué pujanza
gala, esfuerzo y maravilla,
afirmándose en la silla,
rompió en el aire una lanza!
Y al saludar, ¿no le viste
que a tiempo picó el caballo?
XIMENA: Si llevó para picallo
la espuela que tú le diste,
¿qué mucho?
URRACA: ¡Ximena, tente!
porque ya el alma recela
que no ha picado la espuela
al caballo solamente.

Guillén, como dijimos, no ha creado fundamentalmente una comedia de enredo amoroso a la manera convencional, pero tampoco olvida el conflicto planteado, desde el comienzo de la obra, con Ximena y Urraca frente a frente. Una espada y unas espuelas separan ya definitivamente a Rodrigo de la hija del conde Lozano, mientras Urraca, que le ha ayudado librándole de los ataques de los hombres del conde, cierra el acto con un adjetivo que al comienzo de la obra sólo estaba en boca de los nobles y no de las damas: «¡Oh valiente castellano!». Efectivamente, Castilla ya tiene su héroe.

Si cuatro eran las situaciones importantes del primer acto, seis creemos que son en el segundo los núcleos de interés de *Las mocedades*. El acto se abre y se cierra pidiendo justicia Ximena ante el rey tres meses después de la muerte de su padre, para, en el centro, y en cuatro escenas, ofrecer, primero, Rodrigo a Ximena su propia cabeza y con ella su amor, y luego presentándonos Guillén al Cid con el fin de demostrar que es buen guerrero y buen vasallo, continuando así la exaltación del héroe, que tiene en Urraca y en Sancho sus máximos valedores.

Efectivamente, Rodrigo ofrece a Ximena con su amor o, mejor, por su amor su propia vida a la hija del conde Lozano, pero esto, dentro del curso de la comedia, es sólo el hermoso «pie» que da origen al diálogo —importante, directo, lleno de ternura y de verdad— de dos almas que se desnudan confesando su dolor por la felicidad —la concordia— perdida. Y es que Rodrigo comprende perfectamente el conflicto y con él la decisión de Ximena, como ésta comprende la íntima lucha de Rodrigo, expuesta ya en el monólogo antes comentado. Y en esa lucha —ahora Ximena también testigo de ella— entre el amor y el honor (*hermosura-afrenta*), ese honor que condiciona, obligando, a todos nuestros personajes barrocos, vence el segundo sin ceder el primero por ello. Ximena nunca podría amar a quien, obligado a limpiar una ofensa, huyera de la venganza; pero la hija del conde Lozano tampoco puede corresponder al amor del hombre que ha matado a su propio padre. Rodrigo ha perdido a Ximena matando, pero también la hubiera perdido olvidando el agravio. De ahí que la joven reconozca, desesperada e impotente: «Rodrigo, Rodrigo, ¡ay, triste!, / yo confieso, aunque lo sienta, / que en dar venganza a tu afrenta / como caballero hiciste». El conflicto de Rodrigo se repite ahora en Ximena: no puede aborrecer al Cid, pero su honor le exige ir contra él: «¿Que la opinión pueda tanto, / que persigo lo que adoro? / ... ¡Ay, enemigo adorado!». Es la barroca lucha de contrarios, es el personaje en tensión desgarradora, es el debate entre el amor filial, y con él el honor, y el amor al hombre héroe y galán («que la mitad de mi alma / ha muerto la otra mitad»); de ahí que la última intervención de Ximena en la conversación de los dos amantes sea, de nuevo, repetir la misma palabra que antes citábamos como semánticamente definidora de su actitud, y la de Rodrigo, metafórica y retóricamente, condense su estado de ánimo y las consecuencias del hecho ya consumado: «XIMENA: "Vete y déjame *penando*". RODRIGO: "Quédate; iréme *muriendo*"». Como muy bien resume Casalduero [1967], Guillén de Castro va directamente «a lo esencial de la situación: el dolor horroroso que fue para Rodrigo descubrir que debía matar al padre de su amada tiene, ahora, su paralelo en el dolor de Jimena».

El Cid, nos dice el *Cantar* y Manuel Machado recrea, parte con los suyos al destierro después de la Jura de Santa Gadea, comenzando sus hazañas. Pero las «mocedades» son también hazañas, son pruebas de valor, son testimonios de fuerza y de brío, de amor a una mujer y de respeto y sumisión a un monarca. Rodrigo es ya caballero, pero Rodrigo tendrá que convertirse en Cid, y a hacer realidad hazañas parte de Burgos, desterrado por el rey Fernando. El de Vivar prometió repetir victorias con la espada que el rey le otorgara (*espada-honrada*) y ante el monarca y el pueblo demostrará que es buen vasallo por ser buen guerrero. Por eso, de la misma manera que en el *Cantar* Minaya vuelve a Castilla ofreciendo al rey Alfonso treinta caballos y con ellos respeto y sumisión al monarca, Guillén, en su obra, envía por delante al rey moro con el fin de que doble su rodilla ante Fernando y sirva de heraldo de sus hazañas. Rodrigo, que ha sido buen guerrero venciendo, es ahora buen vasallo presentándose ante el rey. Espadas y espuelas tenían una misión en la comedia, convirtiéndose, como hemos señalado, en elementos significativos de importancia, pero en aquel altar de la primera escena de la obra había también una imagen del Apóstol y al grito de «¡Santiago y cierra España!» Rodrigo cumple lo que jurara. Tres veces repitió que quería ser caballero y dos pruebas ya ha dado de ello: matando al ofensor de su padre y ganando su primera batalla a los moros; lo primero, como dice Ximena, hace arrastrar lutos, lo segundo arrastra banderas y levanta trofeos. La antítesis continúa y el contraste sigue, pues mientras Ximena pide justicia recordando al rey que un «rapaz» mató a su padre, la hija del conde Lozano es testigo del nuevo destierro de Rodrigo, al cual despide el monarca diciendo «Dios te me guarde, el mío Cid». La figura ya heroica del de Vivar está muy lejos de los puntapiés amenazadores del conde Lozano, de aquella leche en los labios, que Ximena, en íntima tensión, evoca.

Creemos interesante destacar, aunque no se refiera al significado de la comedia y sí a su composición dramática, un aspecto digno de tenerse en cuenta. Ya sabemos que en muchas ocasiones, y para relatar acontecimientos que suceden fuera de escena, nuestros dramaturgos barrocos han utilizado el recurso de un narrador presente en el escenario y testigo de unos sucesos de los que el espectador sólo recibe ruidos, palabras, etc. Esto es lo que Guillén ha hecho por medio del pastor que describe la lucha de Rodrigo con los moros al presenciar la batalla desde lo alto de una peña y mientras suenan trompetas, cajas de guerra y golpes. Pero de mayor interés, por su originalidad, es el papel de narrador, y haciendo funciones de acotación, que cumple don Diego en este segundo acto de la comedia (p. 188). Ximena, al final del acto, pide otra vez justicia al rey reproduciendo Guillén, en gran parte, un romance tradicional. En el romance, y antes de que Ximena comience su intervención, hay unos versos de tipo narrativo que Guillén ha hecho decir al padre de Rodrigo, cual si fuera el juglar que introduce la acción: «Arrastrando luengos lutos, / entraron de cuatro en cuatro / escuderos de Ximena, / hija del conde Lozano. / Todos atentos la miran, / suspenso quedó palacio, / y para decir sus quejas / se arrodilla en los estrados». Como puede apreciarse, desde la tercera persona del plural y en pasado y hasta la tercera del singular y en presente, Guillén hace uso de un recurso narrativo cuya originalidad es manifiesta en la dramaturgia del valenciano, como en nuestro teatro del XVII.

Si el feliz desenlace es norma casi general de nuestro teatro barroco, *Las mocedades del Cid* no es una excepción, y hacia el matrimonio de Rodrigo y Ximena camina el tercer acto de la obra con el Romancero al fondo. Precisamente en este tercer acto, que se abre de nuevo con las quejas de la hija del de Orgaz ante el rey y donde éste muestra ya directamente su simpatía hacia el Cid y su cansancio ante la actitud de la mujer («Tiene del conde Lozano / la arrogancia y la impaciencia. / Siempre la tengo a mis pies, / descompuesta y querellosa»), en este tercer acto, repetimos, Guillén pone en boca de Ximena un hermoso romance, que puede ser testimonio de los indudables retazos líricos existentes en la comedia, pero romance que nada tiene que ver con los que componen el ciclo del Cid, pues Ximena repite versos que cantara doña Lambra [véase *HCLE*, vol I, cap. 7]. Dice así:

Cada día que amanece
veo quien mató a mi padre,
caballero en un caballo,
y en su mano un gavilán;
a mi casa de placer,
donde alivio mi pesar,
curioso, libre y ligero,
mira, escucha, viene y va,
y por hacerme despecho
dispara a mi palomar
flechas, que a los vientos tira,
y en el corazón me dan;
mátame mis palomicas,
criadas y por criar;
la sangre que sale de ellas
me ha salpicado el brial;
envíeselo a decir,
envíome a amenazar

con que ha de dejar sin vida
cuerpo que sin alma está.
Rey que no hace justicia
ni debería reinar,

ni pasear en caballo,
ni con la reina folgar.
¡Justicia, buen rey, justicia!

Ximena, que repetidamente y de una manera directa solicita justicia ante el monarca, que debe demostrar ser noble, luchando por su honor y a pesar del amor que tiene hacia Rodrigo, esta Ximena en continua tensión consigo misma —sentimiento, venganza, amor, muerte—, no expresa ahora su dolor con el lenguaje poético-dramático convencional, sino sirviéndose de una tradicional composición llena de imágenes y donde el contraste «gavilán-palomas» hace nacer el poema. Y una vez más, la sangre como barrera.

En una mano la espada y en la otra una cruz bajo la invocación de Santiago es escena frecuente; con la espada en una mano y en la otra un rosario nos presenta Guillén al Cid para completar su imagen. Ha sido buen vasallo y buen guerrero en los tiempos escénicos anteriores, y Rodrigo —en el tercer acto—, será también ejemplo de cristianismo peregrinando a Santiago y sobre todo compartiendo su comida con el gafo que acude, providencialmente, a ponerlo a prueba. Si en Cervantes se unen las armas y las letras, Guillén va a unir en su héroe la fuerza y el espiritualismo; si sus hazañas hasta ahora han sido bélicas, uno de los núcleos fundamentales de esta última parte de la obra será, precisamente, para mostrarnos su espíritu religioso, su caridad, su cristiana piedad. La vida, hace decir Guillén a Rodrigo recordando a Manrique, es una corta jornada, y el camino, de los muchos que Dios ofrece, ha de ser elegido y elegirlo bien «porque al cielo caminando, / ya llorando, ya riendo, / van los unos padeciendo / y los otros peleando». El gafo, en realidad san Lázaro, velará el sueño de Rodrigo y premiará la actitud del héroe, un héroe al que únicamente faltaba el aliento divino y que recibe en una hermosa escena donde la vigilia y el sueño se mezclan a la manera de la comedia de santos. Las palabras finales de san Lázaro cierran definitivamente el retrato del héroe y anticipan las hazañas, y ya no de mocedad, que conformarán la mítica figura del Cid:

San Lázaro soy, Rodrigo;
yo fui el pobre a quien honraste,
y tanto a Dios agradaste
con lo que hiciste conmigo,

que serás un imposible
en nuestros siglos, famoso,
un capitán milagroso,
un vencedor invencible;

y tanto que sólo a ti
los humanos te han de ver
después de muerto vencer.
Y en prueba de que es así,
en sintiendo aquel vapor,
aquel soberano aliento
que por la espalda violento

te pasa al pecho el calor,
emprende cualquier hazaña,
solicita cualquier gloria,
pues te ofrece la victoria
el Santo Patrón de España;
y ve, pues tan cerca estás,
que tu rey te ha menester.

Y el Cid, con Santiago detrás, acudirá ante el rey, que le pide defender su reino de Martín Antolínez y contra los aragoneses. Es su primer gran trofeo, solicitado por el monarca, a él ofrecido y ganando también con la cabeza de Antolínez el corazón de Ximena. Como dice Casalduero, de la discordia (de los padres) se llega a la armonía, a la concordia, de una boda y —añadimos nosotros— a la concordia del reino. Queda únicamente, en melancólica soledad, una mujer llamada Urraca frente a un futuro que es su hermano Sancho y es también la ciudad de Zamora.

MARÍA DEL PILAR PALOMO

LOS ENREDOS DE TIRSO

Todos aquellos elementos literarios que tradicionalmente se han venido atribuyendo a Tirso de Molina —fuerza cómica y satírica, dominio de los caracteres, vigor realista y costumbrista— tienen en las comedias de enredo su más expresiva representación. En los otros géneros, que se podrían denominar dentro de su producción géneros nobles o de altura o elevación intelectual y espiritual, los matices satíricos y cómicos —son proverbiales la malicia y socarronería de Tirso de Molina— se ven atemperados por el carácter idealista del tema y de la factura de la obra. La representación en ellos está casi únicamente encomendada a la figura del donaire —hilo esencial que atraviesa *todo* el teatro de Tirso— y al recurso de las escenas villa-

María del Pilar Palomo, ed., Tirso de Molina, *Obras*, Vergara, Barcelona, 1968, pp. 63-75.

nescas. Por el contrario, en las comedias de enredo van a triunfar tan plenamente, que en algunos casos determinarán una inversión de planos, y así la figura cómica saltará del plano inferior de los lacayos, villanos o criados, para figurar en el plano noble de los caballeros o señores —el caso, por ejemplo, de *Desde Toledo a Madrid*, o *Marta la piadosa*—. En cuanto a los caracteres, al estar expresados por el valor de ellos mismos, o puramente al servicio de una acción, no se sujetan a más normas que las derivadas de la pura observación del alma humana. Así, al presentar al personaje como el resultado de movimientos espirituales —buenos y malos— muy distintos, no alcanzará la grandeza *unilateral* de los caracteres dramáticos de su restante producción, pero se desarrollarán, sin embargo, con una riqueza inigualable de matices psicológicos. Y en lo que concierne al realismo de estas obras, al extremar la observación y situar sus personajes, por lo general, en un tiempo coetáneo, deriva inevitablemente al costumbrismo, mostrándonos, en un sector de sus comedias, un cuadro vivísimo de la sociedad y las costumbres españolas de la primera mitad del siglo XVII, cuadro que en los otros géneros queda casi únicamente reducido —aparte, naturalmente, del sentir de época que deriva de la ideología misma de Tirso— a observaciones casuales y a las escenas villanescas que, junto con la figura del donaire, son el otro elemento que atraviesa toda la obra tirsista.

[Dentro de la comunidad espiritual del período de Felipe III y Felipe IV], la argumentación de estas comedias de enredo es siempre una derivación del tema amoroso en cualquiera de las múltiples circunstancias y matices que la amplitud del tema puede originar. El amor, en la trama, estará siempre secundado por los celos, como partes integradoras del tema. Ambas pasiones, inseparables en el sentir de nuestros dramaturgos, serán los resortes humanos y psicológicos fundamentales que motivarán la acción dramática, utilizados siempre bajo una valoración idéntica, sin que jamás sean empleados para una fundamentación trágica, que escaparía al nivel intrascendente de la comedia de enredo. Por el contrario, amor y celos se mantienen siempre dentro de los imperativos de la *cortesía* y de la *galantería* —nunca frivolidad—, sujeción que no excluye el que estén utilizados por los grandes dramaturgos como Tirso bajo una complejidad psicológica en la que a la pura observación del alma humana viene a unirse una tradición filosófico-amorosa, de origen renacentista y platónico, en la que ya el lejano eslabón de Castiglione ha ido reforzando y extremando sus ideas, a la par que se extrema y refuerza el simbolismo barroco.

Esta conjunción celos-amor, que engendra el conflicto de la trama, verá incrementado su interés con otros elementos, como el histórico, el costumbrista, el satírico, etc., pero sin que estos elementos alcancen jamás un valor más allá de lo puramente accesorio. Esta restricción determina que la trama, únicamente sostenida en una temática amorosa, acuda a una serie de situaciones que acrecientan su valor en la comedia, de tal suerte que diversos incidentes o episodios escénicos logran, con frecuencia, tanta o más importancia que la, a veces, débil línea argumental. Esta *compensación* origina que cuando el desarrollo argumental no posee en sí mismo una importancia escénica, los episodios o situaciones se acumulen o adquieran un valor independiente, cuya accidentalidad menoscaba o *distrae* el ritmo escénico y la exposición de los hechos que definen el argumento.

Técnicamente, la comedia de enredo —en sus tres apartados de comedia *palaciega*, *cortesana* o *villana*— está delimitada por dos planos estructurales, cuyo paralelismo afectará notablemente al desarrollo de la acción: el plano superior, elevado y noble, de los protagonistas, entre los que se desenvuelve la trama amorosa, y el plano inferior, popular, de los personajes más o menos accesorios que les ayudan en su empresa, como una derivación innegable de los mundos contrapuestos de *La Celestina,* aunque sin la tajante delimitación entre ambos, porque el popularismo del plano inferior en Tirso —como en los demás dramaturgos coetáneos— no alcanza nunca la grandeza trágica del mundo portentoso de Celestina, ni su crudo realismo; ni el plano noble de los hidalgos está tan empapado de sentir renacentista, ni jamás se le otorga a su amor el sentido telúrico de inexorable motivación trágica, que en los jóvenes amantes del siglo xv. La distancia entre ambos planos ha disminuido; pero si se atenuaron sus diferencias no han perdido, sin embargo, su papel delimitador, su exposición en dos planos, en dos grupos de personajes con *resortes psicológicos totalmente diferentes*, motivo diferencial más fuerte que el derivado de una condición social que engendra a su vez usos, costumbres y lenguajes distintos.

Si al plano superior está encomendado el desarrollo de la trama amorosa, al plano popular están encomendadas en la comedia, en líneas generales, los efectos cómicos. Y de entre los personajes que lo integran, a aquel que tiene más importancia en el desarrollo de la trama se le encomienda uno de los papeles primordiales de la obra: el representar la *figura del donaire*. Normalmente este personaje es el lacayo o criado del galán. Pero no faltan comedias en que este papel aparece encomendado a una mujer, como la Tomasa de *La huerta de Juan Fernández* y, acaso, la Quiteria de *El amor médico*. Siempre la réplica a esta figura del donaire se la da la criada de la dama o, en los casos citados, el criado del galán, que mantienen, con su trama amorosa, el paralelismo argumental de los dos planos.

Las diferencias esenciales en los dos planos estructurales de la comedia —resortes psicológicos distintos, diferencia de clase social y sus derivaciones, y funciones delimitadas en el desarrollo de la obra— marcan entre ambos el efecto buscado de un fuerte contraste. Ahora bien, este contraste está en función de otro de los elementos puramente técnicos que integran la estructura interna de la comedia de enredo, y más especialmente de la cortesana: el paralelismo de acción. De tal suerte, que se darán dos tipos de paralelismo: el de *contraste* y el *argumental*. En el primero se sitúan las acciones paralelas y análogas entre los dos planos: señores y criados, y en él es en el que, por virtud de ese contraste, las de éstos serán la caricatura, con efectos cómicos, de los primeros. A los amores de dama y galán se contraponen, contrastados en sus radicales diferencias, los amores de lacayo y criada, en una plástica expresión dramática de una de las notas esenciales del Barroco: la burla deformada de los ideales renacentistas. Y ante la expresión idealizada a veces, y siempre sutilmente poética, de unos amantes representantes aún de una teoría amorosa impregnada de petrarquismo, surge la caricatura barroca, saturada de elementos realistas, de oposición a todo literario idealismo.

La obra, tal vez, en donde este paralelismo de *contraste* adquiere una supremacía innegable es *La huerta de Juan Fernández*. En esta obra corren paralelamente las acciones de los dos planos: la acción representada y desarrollada por doña Petronila, marchando disfrazada en busca de don Hernando, de quien está enamorada, y Tomasa, con análogo disfraz, marchando en seguimiento de Mansilla, el criado de éste, que prometió ser su esposo. Ambas se transforman en amo y criado —bajo su disfraz de galán y lacayo— y unen sus esfuerzos para lograr cada una su propósito. El contraste, dentro de una casi idéntica línea argumental, se expresa de modo elocuente en la relación del nacimiento del amor de Petronila (III, 1), contada por ella misma en una exquisita e idealizada exposición de sus sentimientos, y en la graciosísima descripción que hace Mansilla a su señor (IV, 11) de sus amores con la labradora burlada, al pie de una chimenea. Naturalmente, este contraste se intensifica en los encuentros que las dos parejas tienen entre sí a lo largo de la obra.

En cuanto al puro paralelismo argumental, está mucho menos delimitado, e interferido, además, por otros resortes estructurales. Sin ningún valor de contraste, sirve únicamente como refuerzo del interés de la trama y como medio para embrollar la acción. Es también, a veces, promotor de efectos cómicos, pero solamente de aquellos que derivan de las situaciones, propio, como ya dije, del plano en que se mueve. Me refiero exactamente al paralelismo de acción que se desarrolla entre los personajes nobles, contraponiendo un galán a otro galán, y una dama a otra dama, aunque no por parejas.

Naturalmente, esto no es sino la utilización, más o menos matizada, de la fórmula lopesca de la comedia, con tan pleno paralelismo que podría reducirse a una fórmula matemática expresada en una regla de tres. Esta dualidad de parejas está casi siempre opuesta: o dos damas enamoradas del mismo galán, más el desdeñado amante de una de ellas, que completa el cuarteto, o viceversa. De esa rivalidad, como observó P. Muñoz Peña (1889), nacerá el conflicto de la obra.

Pero así como nace del paralelismo contrapuesto de la acción el conflicto de la trama, el desarrollo de ésta estará motivado por una causa eminentemente centralista: el ingenio, inteligencia y recursos de un personaje, el central. Adquiere de este modo la comedia un carácter radial, en donde el foco de la motivación de la acción y a su vez del argumento —ya que, generalmente, deriva éste de aquélla— reside en la voluntad de un personaje —generalmente femenino— que, como en un teatrillo de títeres, tira de los hilos de la trama, a cuyo impulso se mueven los demás personajes. Características de esta estructuración son *Don Gil de las calzas verdes, Bellaco sois, Gómez, Amar por señas*, o tantas otras comedias. Pero, a veces, este foco de actividad no reside únicamente en el ingenio y voluntad del personaje central —no carente, por otra parte, de una psicología específica—, sino en su particular carácter o temperamento. En este caso, Tirso se esmera en la exposición y desarrollo de la psicología de este tipo, centrándolo en una faceta de su carácter, para que ella sea el promotor especial de la acción. No se trata, en el primer caso, de un predominio de la acción sobre el carácter, ni, en el segundo, del carácter sobre la acción, como apuntaba P. Muñoz Peña. En ambos casos se ejerce la supremacía del personaje central sobre la acción de la obra. Lo que varía es el planteamiento literario de la comedia sobre una base *novelesca* (acumulación de episodios enlazada por la *voluntad* del protagonista) o sobre una base *caracteriológica* (desarrollo más armónico de episodios, derivados del carácter del personaje rector).

Ejemplo del segundo caso lo tenemos, excepcionalmente claro, en *La celosa de sí misma*, y en parte en *Marta la piadosa* —ya que su hipocresía es un recurso más de su ingenio—[1] y en *Por el sótano y el torno*, donde la avaricia de doña Bernarda, sobre motivar el conflicto, imprime su sello al desarrollo de la trama.

Un análisis más detenido de alguna de estas comedias aclarará mejor esta idea. En el primer grupo, junto a las obras citadas, podría situarse *La villana de Vallecas*. ¿Es que carece la protagonista, doña Violante, de un perfil psicológico? En modo alguno. Pocas figuras femeninas mejor dibujadas han salido de la pluma de Tirso. Pero esta figura, que mueve toda la acción, no lo hace impulsada por un resorte psicológico de su carácter, sino por una causa externa a toda su psicología: el engaño de que ha sido víctima y el deseo de solucionar su problema al tiempo que se une con su galán, profundamente amado, pese a su traición. La trama está movida por su *voluntad*, su *deseo*, a cuyo servicio están su *ingenio* y·su *inteligencia*.

Pero si nos fijamos en la motivación de *La celosa de sí misma*, veremos sus diferencias. El origen, el conflicto, también es algo extrínseco al carácter de doña Magdalena: su prometido llega a Madrid y, sin conocerla, le hace el amor. Desde este momento el conflicto nace no del hecho externo —que terminaría con declarar la dama su personalidad—, sino de una matización especial de su psicología: los celos de ella misma, sus dudas, sus encontrados sentimientos, en una palabra, de su *hipersensibi-*

---

1. [«... En realidad, en *Marta la piadosa* el fingimiento caracteriológico, con lo que puede tener de hipocresía, no es sino un ardid del personaje para cumplir unos propósitos que vienen ya determinados por el argumento. Pero lo que confiere al personaje su validez caracteriológica —lo mismo que al Rogerio de *El melancólico*— es la habilidad del autor para mostrar en las primeras escenas una faceta psicológica del personaje, cuya voluntaria y consciente aplicación posterior convierte a la protagonista en un falso arquetipo de esa psicología. Ahora bien, no ha de olvidarse al valorar el personaje que la falsa virtud de Marta es un recurso *obligado* por una acción o circunstancias momentáneas, no por una imperiosa propensión al fingimiento. De ahí que la presentación del tipo de hipócrita beata no creo que suponga en Tirso de Molina una intencionalidad de sátira social, como opina Juliá, ni una intencionalidad moral como afirmó Hartzenbusch. Esa sátira social habría de verse reforzada por una presentación antipática del personaje —como en sus herederas literarias— y una ejemplarización final de tipo alarconiano. Y ambas cosas faltan en la comedia de Tirso. Marta se convierte así en un tipo de hipócrita individualizado, personal, sin valor de símbolo o abstracción humana. El paso de este valor individual a lo genérico, y de la intencionalidad puramente cómica a la sátira social ejemplificadora, se marcará posteriormente en el *Tartuffe* de Molière, y más tarde —en la trasmutación de la noción barroca del individuo por la neoclásica de sociedad— en su último descendiente, la doña Clara moratiniana ...»]

lidad, que ha de provocar la sutileza de sus reacciones. A esos «celos de sí misma» se mezclará, desde luego, el temor a la liviandad del galán, pero a este temor va a sumarse algo que ya afecta muy particularmente a su sensibilidad femenina: don Melchor la adora cuando la *imagina* tras su manto, pero la aborrece cuando la *ve.* Por lo tanto, tiene la certeza de que, injustificadamente si le quiere, no le agrada.

Herida en su sensibilidad, y por un refinamiento de ésta, se pasa de este punto al de tener celos de esa dama «imaginada» que es ella misma. Se matizará sutilmente esa hipersensibilidad al examinar los contradictorios sentimientos y resoluciones que empujan el alma de doña Magdalena, en perfectos monólogos introspectivos, de cuya derivación y no únicamente de la voluntad del personaje nacerá el planteamiento y desarrollo de la trama.

Ahora bien, tanto parta el planteamiento argumental de un resorte novelesco o caracteriológico, seguirá siempre en su desarrollo una estructura similar que repercutirá en una cierta monotonía de los argumentos, como ya observaba Menéndez y Pelayo:

Después de todo, tampoco hay muchos más recursos en las comedias de Tirso de Molina, que se mueven casi siempre entre dos argumentos obligados: el de la dama que va buscando la reparación de su perdido honor, y el de la princesa caprichosa que, con artificios, coqueterías y discreteos, va enredando en los lazos de su amor a un español aventurero.

En este juicio, además, Menéndez y Pelayo, al marcar los dos argumentos, ha diferenciado en realidad dos géneros de comedias de enredo, ya que el segundo argumento apuntado cuadra de una manera general con las palaciegas, y el primero con las cortesanas. Pero en cuanto al desarrollo, tres son las fases que en líneas generales, y siguiendo el desenvolvimiento normal de toda intriga, se suceden en la trama: el planteamiento del conflicto, con la presentación y esbozo caracteriológico de los personajes, fase o momento que corresponden al primer acto. Desarrollo de los medios empleados por el personaje rector, que tienden a la solución del conflicto, con la siguiente complicación escénica, en el acto II, y desarrollo en el acto III de las consecuencias de los episodios anteriores, con la aparición de otros nuevos que, unidos, alcanzan la cima de complicación argumental y dramática en las últimas escenas, para resolverse de una manera precipitada, bien por la disolución rápida de la intriga, bien por el expreso deseo de un personaje. La mayor o menor perfección en el desarrollo de este cuadro general estará marcada, naturalmente, por la mayor o menor preparación de situaciones y desenlace.

En este sentido, una de las comedias de más acabada técnica es *La villana de Vallecas*, por la preparación minuciosa de todos los episodios que integran la trama, no yuxtapuestos, como a veces es frecuente, sino en una progresiva y eslabonada derivación unos de otros, desde el momento en que una circunstancia casual pone en manos de Violante y don Gabriel las armas respectivas con que van a penetrar en la acción.

En esta comedia, al acabar el acto I todas las sendas sobre las que se va a deslizar la intriga están marcadas: la noticia de la deshonra de Violante; el propósito de su hermano de salir en persecución del burlador; tras una traslación de lugar, la historia de don Pedro de Mendoza, el joven y acaudalado indiano que viene a casarse a Madrid; el encuentro con don Gabriel, el burlador; el cambio involuntario de maletas, con lo que se vislumbra ya el futuro fingimiento de personalidad de don Gabriel; conocimiento de los propósitos de doña Violante de descubrir a don Gabriel en Madrid, vestida de labradora, y sospecha de los propósitos de su amante. Con todo ello, al finalizar el acto, queda totalmente planteado el conflicto en sus líneas generales.

A partir del segundo, y durante él, se desarrollarán las acciones de los personajes que vislumbrábamos en el acto anterior, al tiempo que Violante, manejando los hilos de la trama, va preparando su desenlace. En el tercer acto, va tensando esos hilos hasta lograr en un momento dado, al final del acto, tenerlos todos bien sujetos a su antojo y descubrir su truco, al tiempo que logra su propósito.

Excepto las vacilaciones en el planteamiento psicológico de don Gabriel, está cuidada la obra en sus mínimos detalles. Incluso se nos explicarán las reacciones de los personajes —doña Violante sacando a don Pedro de la cárcel, por ejemplo—, y desde el comienzo del acto III, en que se empiezan a realizar las consecuencias de los sucesos del segundo, todo tiende a un desenlace que ni se precipita ni se adelanta, sino que, por el contrario, sigue en todo momento el ritmo escénico de una armonía plena, que domina la comedia.

Muy distinta, en este sentido, es, por ejemplo, *La huerta de Juan Fernández* —o tantas comedias del grupo palaciego—, con los primeros actos de una lentitud extraordinaria, ocupados por interminables relaciones en que se nos detallan los antecedentes de la acción —en *La villana de Vallecas* no se *narra* nada, siendo toda exposición sustituida por su equivalente acción dramática—, relaciones que sólo salva el inimitable estilo tirsista, y con un tercer acto en que se agolpan los episodios y el ritmo escénico se acelera hasta desarticularse la armonía de la obra.

CIRIACO MORÓN ARROYO

LA DOCTRINA DE *EL CONDENADO POR DESCONFIADO*

En la segunda mitad del siglo XVI, surgió en España una controversia entre los teólogos sobre el modo de actuar la gracia de Dios en la salvación o condenación de los hombres. [*El condenado por desconfiado* ha tendido a interpretarse como testimonio de alguna de las posiciones que se contrastaron en esa larga y difícil polémica *de auxiliis divinae gratiae*. Pero, de hecho, parece más exacto olvidarse de las actitudes que entonces se debatieron —y que, en todo caso, de reflejarse en el drama, estarían sólo en forma implícita— y enfrentarse con la obra en un plano puramente ascético-moral, que parece ser el que Tirso pretendía cuando se dirigía al pueblo. A juzgar por los elementos teológicos identificables en su teatro, Tirso parece haber sido tomista convencido. Por otra parte], como todos los autores de su tiempo, de cualquier género que sean, usa constantemente aforismos escolásticos y, tratándose de comedias en que la materia fundamental es la intriga amorosa, es lógica la presencia de la doctrina escolástica de las pasiones y las relaciones entendimiento, voluntad, deseo, imaginación, etc. Ahora bien, cuanto más se le lee, más se convence uno de que él usa la teología ya vulgarizada y que su afán no es dramatizar opiniones particulares de escuela, sino aprovechar al pueblo con las grandes verdades de la religión, al mismo tiempo que le deleita con la intriga teatral. En el caso concreto de *El condenado por desconfiado*, nos ayuda mucho mejor a entender la obra el relacionarla con la literatura mística que con la disputa *de auxiliis*.

Paulo es un ermitaño; lleva diez años en el desierto y ha sido su propio maestro. Mal modo de comenzar en un tiempo en que se había impuesto la vida conventual con regla, con superior y dirección espiritual. Aparece orando con una visible complacencia y seguridad en su camino; poco lógico también con el temor reverencial que siempre debe tener quien a Dios ama. Comienza regodeándose en las criaturas, a las que considera correctamente como vestigios de la pisada divina; pero es

Ciriaco Morón Arroyo y Rodela Adorno, eds., Tirso de Molina, *El condenado por desconfiado*, Cátedra, Madrid, 1974, pp. 33-41.

probable que ese gozar del vestigio le impida elevarse al Creador. San Juan de la Cruz y santa Teresa piden la total desnudez de los goces sensibles; por fin, en ese monólogo se presenta una concepción egoísta del cielo y el infierno, incompatible con la desnudez de quien dice: «No me mueve, mi Dios, para quererte / el cielo que me tienes prometido ...». Desde ese comienzo egoísta, da un paso hacia la soberbia espiritual y tentación de Dios, pidiéndole revelaciones especiales: «Aqueste bien, Señor, habéis de hacerme: / ¿qué fin he de tener, pues un camino / sigo tan bueno? No queráis tenerme / en esta confusión, Señor eterno». Si Paulo, en vez de retirarse a la montaña, hubiera hecho su noviciado en Pastrana [y leído a san Juan de la Cruz], hubiera aprendido que «el demonio gusta mucho cuando una alma quiere admitir revelaciones» [y] «justamente se enoja Dios con quien las admite, porque ve es temeridad del tal meterse en tanto peligro y presunción y curiosidad, y ramo de soberbia y raíz y fundamento de vanagloria, y desprecio de las cosas de Dios, y principio de muchos males en que vinieron muchos; los cuales tanto vinieron a enojar a Dios, que de propósito los dejó errar y engañar y escurecer el espíritu y dejar las vías ordinarias de la vida ... les mezcló Dios en medio espíritu de entender al revés ... los dejó desatinar no dándoles luz en lo que Dios no quería que se entremetiesen, y así dice que les mezcló aquel espíritu Dios privativamente. Y desta manera es Dios causa de aquel daño, es a saber, causa privativa que consiste en quitar Él su luz y favor; tan quitado que necesariamente vengan en error. Y desta manera da Dios licencia al demonio para que ciegue y engañe a muchos, mereciéndolo sus pecados y atrevimientos; y puede y se sale con ello el demonio, creyéndole ellos y teniéndole por buen espíritu» (*Subida del monte Carmelo*).

El texto de san Juan de la Cruz habla sin interpretaciones; e incluso en qué medida Dios es causa de la condenación de esos hombres, pero, de nuevo, al margen de ninguna posición de escuela; Dios se ofende de los que se apegan a revelaciones especiales, porque proceden de vanagloria —pecado— y fomentan la vanagloria.

De todas formas, si Paulo hubiera tenido director espiritual o hubiera leído a san Juan de la Cruz, hubiera sabido que aquella figura angélica era demonio. Cuando la visión desaparece, a Paulo le quedan los efectos descritos por nuestros místicos: «En mi pecho ciego labras / quimeras y confusiones». Lo mismo siente Enrico cuando el diablo le habla en el acto III, escena 7: «No me conozco a mí mismo / y el corazón no reposa». Escribe san Juan: «De estas visiones que causa el demonio, a las que son de parte de Dios hay mucha diferencia; porque los efectos que éstas hacen en el alma no son como los que hacen las buenas, antes hacen sequedad de espíritu acerca del trato con Dios y inclinación a estimarse y a admitir y tener en algo las dichas visiones, y en ninguna manera causan blandura de humildad y amor de Dios».

Creo que este texto ilumina profundamente la creencia total de Paulo en el mensaje diabólico; su vanagloria al considerar que Enrico será algún divino varón; y luego, la falta de amor de Dios que le decide a cambiar de vida. Por fin, si atendemos al contenido de la revelación, el demonio no le engaña; le da una respuesta equívoca a su pregunta; es Paulo el que interpreta más de lo que se le ha dicho, concluyendo cuando ve la vida de Enrico, lo que no estaba en las premisas, y sobre todo en la Providencia y Misericordia divina: que Enrico se va a condenar. En san Juan de la Cruz hubiera encontrado: «Las revelaciones o locuciones de Dios no siempre salen como los hombres las entienden o como ellas suenan en sí ...». [Doctrina de san Juan que luego le enseña el propio Enrico]: «Las palabras que Dios dice / por un ángel, son palabras, / Paulo amigo, en que se encierran / cosas que el hombre no alcanza».

De este análisis se deduce que todo el acto primero de la obra sigue de cerca la doctrina de la vida espiritual que se había hecho bien común de los mejores místicos. Paulo, abandonado de Dios, por sus errores culpables en el desarrollo espiritual, concluye que Dios le ha reprobado de antemano; inferencia falsa de todo punto. Ahora bien, ¿cuál debiera haber sido su conducta desde entonces?

Aunque don Ramón Menéndez Pidal estudió magistralmente los orígenes de la leyenda en cuanto a la comparación del hombre superior e inferior ante Dios, la leyenda india o de los Padres no contiene el elemento del cambio de conducta que se opera en el que era mejor. Paulo decide vivir como Enrico, porque se siente condenado como él; este aspecto en que entra la conciencia de predestinación, ausente de la leyenda india y árabe, es típicamente cristiano, y fue tratado por multitud de teólogos durante la Edad Media. Tirso estructura su drama conforme a un problema teológico que no se tocaba en el tratado de la predestinación, sino al hablar de la virtud de la esperanza.

[En ese contexto, en efecto, escribía Francisco Suárez]: «Podemos preguntarnos si la desesperación es tan intrínsecamente mala que nunca pueda ser lícita. La razón de esta pregunta es el *caso popular* (*vulgaris casus*) según el cual, si Dios le revelase a alguno que estaba reprobado, a éste le sería lícito desesperar. Algunos niegan que esto sea posible incluso para la potencia absoluta de Dios (san Buenaventura, Gregorio de Rímini); y santo Tomás dice que este supuesto es casi (*quasi*) imposible. Lo mismo dice Dionisio Richel en el diálogo *Sobre el juicio del alma*, quien a su vez refiere las opiniones de Alejandro de Hales y Guillermo

Altisidoriense». Como se ve, el «caso popular» había ocupado a los teólogos desde antiguo; pero no tenía que ver nada con la posición de ninguna escuela en la cuestión concreta de la gracia.

Suárez apura el caso imaginando la hipótesis de que Dios revelara a uno su condenación, y sigue preguntando: ¿cuál debe ser su comportamiento posterior?, [hasta concluir que de ningún modo puede desesperar de la misericordia divina, «por tres razones:] a) porque no tiene ninguna necesidad de desesperar; por consiguiente puede abstenerse de realizar tal acto; b) porque debe creer que, aunque se va a condenar, no ha sido por falta de la Divina Misericordia, sino por culpa suya; por tanto no le es lícito el desesperar de Dios; c) nunca le será lícito el odiar la bienaventuranza y a Dios, y el no desearlos; debe, pues, desearlos y hacer cuanto esté de su parte para conseguirlos».

Este texto de Suárez demuestra que el Tirso teólogo efectivamente usa en su teatro la doctrina de las escuelas; pero no es la de la predestinación, sino la doctrina de la esperanza. En la misma página que he resumido dice el teólogo jesuita: «Dirás que a san Pablo le había sido revelada su salvación y, sin embargo, temía condenarse; luego de manera opuesta podría uno tener la revelación de estar reprobado y no desesperar; se confirma porque, de hecho, todo hombre puede siempre salvarse, luego puede esperar». La aparición del nombre de Paulo en este contexto nos ayuda a pensar que Tirso pensó a su Paulo como una conversión inversa a la que tuvo lugar en el camino de Damasco. Pero esto no quiere decir que Tirso tuviera concretamente el texto de Suárez ante los ojos, ya que san Pablo aparece constantemente en la literatura espiritual del tiempo, precisamente para hacer ver cómo la gracia de Dios puede convertirle a uno instantáneamente de perseguidor en predicador.

Especialmente aparece esto claro en la fuente explícita de Tirso: en el cardenal san Roberto Belarmino. El final de la obra es la condenación de la desconfianza y apoteosis de la esperanza en la misericordia divina. El último epifonema de la obra es: «Amigo / quien fuere desconfiado / mire el ejemplo presente»; y termina Pedrisco: «Y porque es esto tan arduo / y difícil de creer, / siendo verdadero el caso, / vaya el que fuere curioso / (porque sin ser escribano / dé fe de ello) a Belarmino; / y si no, más dilatado / en la Vida de los Padres / podrá fácilmente hallarlo». Como don Ramón Menéndez Pidal en 1902 buscó solamente el cuento tradicional que contenía la comparación entre los dos modos de vida que encarnan Paulo y Enrico, no encontró en la obra de Belarmino la versión que hubiera explicado el drama; sin embargo, Tirso no era un filólogo tradicionalista, y al final podía citar a Belarmino sencillamente como autoridad en cuanto al mensaje de esperanza y confianza en Dios que nuestro fraile quería transmitir al pueblo. Una vez estudiado el contenido del drama en la conexión teológica y moral en que nosotros lo hemos hecho, resulta más claro que Tirso se refiere al escrito *De arte bene moriendi* (Roma, 1620) del famoso cardenal.

La obra se divide en dos libros; el primero estudia cómo se ha de vivir siempre para morir bien, y el segundo da consejos de conducta cuando la muerte se acerca. El segundo libro contiene, sin contar los ejemplos bíblicos, diecisiete historias de milagros, salvaciones o condenaciones por el modo de comportarse en el momento de la muerte. Comenzando por la parte dogmática, Belarmino establece una luminosa distinción entre *fe* y *confianza*: la fe es la virtud intelectual por la cual asentimos a los dogmas revelados —ésta no la pierde Paulo nunca—, mientras la confianza —*fiducia*— es una esperanza arraigada —*spes roborata*—; Paulo pierde esa confianza. En el capítulo 10 del libro segundo, toma un ejemplo de san Beda que es probablemente la historia de Paulo: «Conocí yo a un fraile, ojalá no le hubiese conocido, cuyo nombre podría incluso decir si nos sirviera de algo; estaba en un noble monasterio, pero él vivía innoblemente. Herido por la enfermedad y llegado al peligro de muerte, llamó a sus hermanos y, con gran angustia y semejante a un condenado, les contó que veía el infierno abierto, y a Satanás inmerso en lo más profundo; a su lado estaban Caifás y todos los que mataron a Cristo, todos entregados a las vengadoras llamas; y a su lado, dijo, ay mísero de mí, veo el lugar de condenación eterna que me está preparado. Al oír esto los hermanos empezaron a exortarle que hiciera penitencia mientras estaba vivo; pero él respondía desesperado: ya no tengo tiempo de mudar de vida, cuando he visto que mi juicio ya está fallado. Esto diciendo, murió sin viático, y su cuerpo fue enterrado en el lugar más excusado del monasterio». Después de contar el caso, añade san Roberto: «Lo que decía este miserable monje, que ya no tenía tiempo de mudar de vida, no lo decía desde la verdad, sino por persuasión diabólica; pues el Espíritu Santo nos dice clarísimamente por el profeta Ezequial que Dios está siempre preparado a abrazar a aquellos que se convierten del pecado a la penitencia».

Bruce W. Wardropper y Ángel Valbuena Prat

DE *EL BURLADOR DE SEVILLA* AL MITO DE DON JUAN

I. En 1604 Christopher Marlowe creó en un drama la primera de las dos grandes figuras míticas de la edad moderna, el doctor Fausto. Unos años más tarde, Tirso de Molina creó, también en un drama, la segunda, el libertino don Juan Tenorio. Ni el dramaturgo inglés ni el español sabían que inauguraban un mito. Los mitos aparecen casualmente. Lo que a plena conciencia hicieron Marlowe y Tirso fue crear personajes, personajes adecuados para ilustrar un tema dramático. En este ensayo voy a ocuparme exclusivamente del tema central que señala y ejemplifica el don Juan premítico. Este tema lo constituyen la falibilidad de la justicia humana y las consecuencias sobrehumanas de dicha falibilidad. Sólo después de emanciparse de la obra de Tirso, el personaje don Juan adquirió el sentido mítico que en la Antigüedad pertenecía a Venus: llegó a encarnar la fuerza incontrastable del amor. Mientras quedaba aprisionado en el drama de Tirso, significaba otra cosa: el hombre privilegiado que está fuera del alcance de la justicia, porque ésta, siendo imperfecta, no castiga con igual mano a todos los delincuentes. Veamos, pues, el perfil de este don Juan premítico, de este don Juan que no es más que personaje de comedia; y veamos sobre todo el ambiente sociopolítico en que vivía y los efectos que tuvieron sus acciones en este ambiente.

¿Cuál es el móvil principal de don Juan? No cabe duda de que es la traición. Según el *Diccionario de Autoridades*, la traición es la 'falta de fidelidad, y lealtad debida al Príncipe, ó Soberano, ó á la confianza de algún amigo'. Don Juan es un traidor voluntarioso. Cuando le vemos por primera vez, acaba de engañar a la duquesa Isabela. Este acto supone dos traiciones por parte del Burlador: una, de lesa majestad, contra el rey de Nápoles, puesto que se cometió el

---

I. Bruce W. Wardropper, «El tema central de *El burlador de Sevilla*», *Segismundo*, IX (1973), pp. 9-16.

II. Ángel Valbuena Prat, *El teatro español en su Siglo de Oro*, Planeta, Barcelona, 1969, pp. 207-212.

crimen en el palacio real; la otra, contra su amigo Octavio, el novio de Isabela. Más tarde, don Juan comete una traición parecida contra otro amigo suyo, el marqués de la Mota, abusando de su confianza en el intento malogrado de seducir a doña Ana. Ésta le llama «traidor», y su padre, don Gonzalo de Ulloa, quiere matarle por «traidor». El letrero grabado después en su tumba proclama que don Gonzalo muerto está esperando «la venganza de un traidor». Catalinón también califica de «traición» lo hecho por don Juan contra Octavio y Mota. Las burlas practicadas por don Juan son, pues, de dos clases: las de Tisbea y Aminta son engaños de mujeres y hombres desconocidos; las de Isabela y Ana son engaños realizados contra los que por las leyes que rigen la conducta humana tienen el derecho de creerse exentos de tales engaños, un rey y dos amigos. Es evidente que las burlas que implican traición son más graves.

Ahora bien: volviendo a la escena primera, notamos que el embajador de Castilla en la corte de Nápoles (don Pedro, el tío de don Juan) también actúa con traición.

A él le confía el rey de Nápoles la administración de su justicia en el caso de la seducción de Isabela. Oyendo decir al acusado «caballero soy / del embajador de España», don Pedro se aparta con él para evitar un escándalo de dimensiones internacionales, y también para proteger a uno de los suyos. En vez, pues, de imponer la justicia real, se vale de una estratagema, de una «industria». Al enterarse de que el culpable no es sólo un caballero de su séquito, sino su sobrino, renuncia a castigarle, como es su deber, remitiendo la pena a Dios: «¡Castígueme el cielo, amén!». Esta plegaria es la primera de una serie que pronuncian fervorosamente varios personajes de la comedia: ante la supuesta imposibilidad de castigar humanamente a don Juan, los encargados de la justicia se consuelan con la certeza de que hay una justicia final y absoluta, la divina, que según la creencia cristiana se impone después de la muerte. Don Pedro —su conciencia ya tranquilizada por la idea de que se ha de castigar a su sobrino en la ultratumba— no sólo permite escapar a don Juan, sino que le invita a escoger el método de su fuga: «mira qué quieres hacer. / ... Pues yo te quiero ayudar». Después de huido don Juan, vuelve don Pedro al palacio donde miente descaradamente al rey: «Ya ejecuté, gran señor, / tu justicia justa y recta / en el hombre». Basando su mentira en datos proporcionados por don Juan, denuncia injustamente a Octavio: «La mujer, que es Isabela, ... / dice que es el duque Octavio / que, con engaño y cautela, / la gozó». Con su mentira, pues, el embajador engaña al rey y a Octavio. No puede decirse que engañe a Isabela, ya que ésta, con un cinismo que desdice de sus pretensiones de mujer virtuosa, se agarra de la oportunidad brindada por esta mentira para poder casarse con Octavio. Pero don Pedro traiciona una vez más al rey: como antes a don Juan, ahora induce a Octavio a escaparse de Nápoles. (Se trata de algo que en inglés hemos aprendido a llamar *coverup*.) El embajador infiel, pues, desobedece dos veces las órdenes del rey.

Diríase que entre los españoles ubicados en la corte de Nápoles la traición es un modo de conducta natural. Don Juan no es más traidor que su tío, alevoso por instinto.

Muy distinto de este embajador indigno es don Gonzalo de Ulloa —otro representante diplomático del rey don Alonso—, cuya lealtad es incondicional. Víctima él también de la traición de don Juan, será el agente de Dios en el castigo final del burlador. La comedia empieza con la liberación injusta de don Juan por decisión de un embajador infiel; termina con el castigo justo del mismo a manos de un embajador fiel.

Ahora nos cumple considerar la justicia de los dos reyes. El de Nápoles quiere ser justo: manda que se indague secretamente un caso de honor. Pero en la confusión del momento se comporta imprudentemente al encargar su justicia a la persona menos indicada para ejecutarla: a un extranjero que resulta ser, además, pariente del delincuente. Poco después condena a Isabela sin dejarla hablar en su defensa. La suya es una justicia imperfecta, porque el rey de Nápoles carece de prudencia. La del rey de Castilla, en cambio, es imperfecta porque vacila ante el amontonamiento de los crímenes cometidos por don Juan.

Vamos a seguirle a través de sus dudas y cambios de parecer. Al principio de la jornada II se entera el rey castellano de los sucesos ocurridos en Nápoles. Se propone tomar las medidas necesarias para rectificar la injusticia: le comunicará al rey de Nápoles lo que sabe; casará a don Juan con Isabela, «volviendo —opina— a su sosiego al duque Octavio, / que inocente padece»; desterrará a don Juan a Lebrija. En seguida se da cuenta de que estas medidas «justas» crean una injusticia más, puesto que ha prometido a don Gonzalo que casará a don Juan con su hija doña Ana. Sin comprender que lo que se propone hacer es sobornar a un súbdito leal, piensa ahora nombrar a don Gonzalo su «mayordomo mayor» para suavizar el efecto de la nueva injusticia. En este momento llega Octavio dispuesto a desafiar a don Juan. Temiendo por la vida de su hijo, don Diego —el privado del rey— pide que no se permita el duelo. El rey, atendiendo «al merecimiento de su padre», recurre a una estratagema pragmática, prometiendo casar a Octavio con doña Ana, con el motivo de evitar la deshonra de su embajador al mismo tiempo que granjea la buena voluntad de Octavio, ofreciéndole una alternativa a su antigua prometida. El efecto de esta decisión, sin embargo, es facilitar la muerte de don Gonzalo a manos de don Juan, aunque no puede preverla el rey. El marqués de la Mota, el cual quiere a Ana, le dice a don Juan que «El rey la tiene casada, / y no se sabe con quién». De resultas de esta declaración, don Juan se resuelve a engañar a su amigo «gozando a Ana», decisión que le impele a matar al padre de ella. El rey don Alonso, creyendo que fue Mota quien mató a su embajador, está dispuesto a ajusticiarle sin demora: cuando no hay un intercesor que pida clemencia, la justicia real es rápida... pero ¡injusta! También es ineficaz. Pensando todavía ser justo, el rey otorga a don Juan el título de conde de Lebrija, «que si Isabela a un duque corresponde, / ya que ha perdido un duque, gane un conde». Se ve a las claras que la realidad de la justicia del rey es que galardona a un delincuente.

Titubea el rey aún más. Si antes pensaba casar a don Juan con Isabela y a Octavio con Ana, ya es el marqués de la Mota quien ha de casarse con Ana. Por este motivo Octavio quedará afrentado y sin casarse. Pero el rey se consuela con el pensamiento impertinente: «Desdichado es el duque con mujeres». El rey, por fin, comprende que su ministro predilecto está contagiado por los delitos de su hijo, pero a pesar de ello sigue protegiéndole. Después que ha prometido a Octavio cualquier cosa que sea justa, vuelve a pedir éste el desafío con don Juan. Otra vez se lo niega el rey, quebrando así la promesa libremente dada. Octavio se vengará incitando a los aldeanos —Gaseno, Aminta, Tisbea— a reclamar justicia al rey: ante la imposibilidad de casar a don Juan con tantas víctimas, el rey queda perplejo. Por fin, reconociendo la enormidad de los excesos de don Juan, actúa como el justiciero mayor del reino: «¿Hay desvergüenza más grande? / Prendelde y matalde luego». Pero ya es tarde. Ha intervenido otra justicia, la de Dios, impaciente a causa de la tardanza y la imperfección de la justicia humana. Al oír la relación que hace Catalinón de la muerte de su amo, acepta el rey con ecuanimidad la usurpación divina de su jurisdicción, exclamando: «¡Justo castigo del cielo!». Pero en seguida trata de restablecer su propia justicia inepta: «que se casen / todos». Apenas le importa ya quién ha de casarse con quién.

La justicia del rey de Castilla no vale para enmendar los efectos de los delitos de don Juan. El rey, instrumento de su propia justicia, no tiene la voluntad, la inteligencia, la resolución para ser un monarca justo. Su justicia, además, queda embargada por la traición de su privado. «De sus labios —ha dicho don Juan de su padre— pende la muerte o la vida.» De tanto poder no es digno don Diego, porque antepone sus propios intereses —los de su familia— a los del reino.

La base de su privanza son los servicios que *anteriormente* ha prestado al rey, servicios que ciegan al soberano ante el comportamiento *actual* del favorito: «Merecéis mi favor tan dignamente, / que si aquí los servicios ponderamos, / me quedo atrás con el favor presente». Se refiere el rey al ennoblecimiento de don Juan. Notemos de pasada que no sólo don Juan («tan largo me lo fiáis»), sino también el rey se olvidan del curso inexorable del tiempo. El padre sabe que la carrera criminal de su hijo «la causa de tanto daño ha sido». Pero no quiere que sea castigado por la justicia humana. «Traidor —le dice—, Dios te dé el castigo / que pide delito igual.» No piensa más que en conservar sus propios intereses. Al final, asombrado y enojado, exclamará el rey: «¡Esto mis privados hacen!». «Esto» no es menos que subvertir la justicia real.

En fin de cuentas, don Juan hace sus burlas creyendo que la justicia humana le dejará inmune a causa de la privanza de su padre y que la justicia divina tampoco le castigará porque piensa arrepentirse de sus pecados antes de morir. Los actos de don Juan son a la vez delitos y pecados porque se mofa tanto de la ley humana como de la divina. Si es un *traidor* contra la majestad real, es un *blasfemo* contra la majestad divina. En el orden espiritual la blasfemia equivale a la traición en el orden político o social. El delito y la traición deben castigarse en este mundo; el pecado, el más grave de los cuales es la blasfemia, el profanar el nombre de Dios, se castiga sin lugar a dudas en el otro mundo. Ordinariamente Dios espera la muerte natural del pecador para castigarle. ¿Por qué no quiere esperar, por qué interviene milagrosamente en el caso del pecador don Juan?

Dios recurre al milagro en este caso porque la justicia humana no funciona. Los encargados de la justicia humana rezan repetidas veces que se remita la pena de don Juan al cielo. Irónicamente añade don Juan su voz a las de sus parientes y víctimas. Cuando promete casarse con Aminta, blasfema, desafiando a Dios a intervenir. Lo hace inconscientemente, pero la mirada de Dios penetra su corazón. La reserva mental que hace no es ningún secreto para un Dios omnisciente. Jura a Aminta: «Si acaso / la palabra y la fe mía / te faltare, ruego a Dios / que a traición y alevosía / me dé muerte un hombre», y aquí entra su reserva mental porque añade hablando para sí 'muerto'; «que, vivo, ¡Dios no permita!». Dios acepta el desafío implícito.

El embajador leal, ya muerto, ya convertido en estatua de piedra, le mata «a traición y alevosía», sin brindarle la oportunidad de confesarse, para que tenga que aceptar la responsabilidad de sus pecados. Y, al mismo tiempo que se venga Dios de don Juan, los espectadores sabemos que se está vengando de sus parientes —del embajador y del privado traidores—, porque Catalinón, el portavoz del cielo, ya nos ha dicho: «De los que privan / suele Dios tomar venganza, / si delitos no castigan». Los ministros de la justicia humana han obligado a Dios a hacer algo que no suele hacer con frecuencia, a obrar un milagro, para realizar algo que ellos con medios humanos normales hubieran podido conseguir: el castigo de un facineroso notorio.

Para Tirso, don Juan no es más que un gran criminal y un gran pecador. En el crimen, como observa indirectamente Catalinón, es un «gigante». En el pecado quebranta el tercer mandamiento del Decálogo: «No tomarás en vano el nombre del Señor tu Dios; porque no dejará el Señor sin castigo al que tomare en vano su nombre» (*Éxodo*). Sin saber exactamente lo que está haciendo, desafía a Dios. Es, pues, sin saberlo, una figura titánica. Por este acto el personaje se asocia con los titanes mitológicos, pasando a ser, él también, un mito. Pero en la comedia de Tirso no es más que un criminal gigantesco que sirve a ilustrar la paralización de la justicia humana en manos de ministros traidores.

II.   Lo mejor del *Burlador* está, acaso, en la originalidad del argumento, en el contraste entre el amor desenfrenado y la muerte —que se adelanta al pensamiento de Schopenhauer—, y en la agilidad y naturalidad de algunas escenas, o en ciertas frases aisladas. Con esta obra comienza una serie de categoría universal en que se eslabonan los nombres de Molière, Mozart, Byron, Lenau, Bernard Shaw, Lenormand, etc., para no citar los autores españoles continuadores de Tirso. El *Burlador* es como el brillo de una llamarada, como la aparición de un símbolo. El *Don Juan*, de Molière, probablemente basado en una fuente italiana intermedia, es más razonado y elaborado. A la lección teológica del fraile creador sustituye un racionalismo escéptico que anuncia el mundo de la Ilustración; a su improvisación barroca una galería de descripciones decorativas, en que se adivina el mundo del Rococó. Tras Goldoni, moralizador, pasa el *Don Giovanni*, de Mozart (libreto de Da Ponte), en que lo frívolo de la letra contrasta con la música ágil o solemne, poderosa o elegante de una cumbre del teatro lírico. Personal y difuso en Byron, pensador en Lenau, materialista histórico en Bernard Shaw, freudiano en Lenormand, el galán de las burlas a las mujeres y el convite a la estatua de piedra, cierra, hasta cierto punto, un ciclo inagotable volviendo a acercarse a su punto de origen.[1]

1. [Julio Caro Baroja, *Comentarios sin fe*, Nuestra Cultura, Madrid, 1979, pp. 115-119, ha repasado con tanta perspicacia como ironía algunos avatares de don Juan en las apreciaciones contemporáneas. «De 1920 a 1930 —así, escribe—, hubo en España una verdadera inundación de artículos, ensayos y libros sobre don Juan. Lo en apariencia más nuevo fue lo que escribieron los médicos, describiendo a don Juan como a posible cliente. Según uno se trataba de un señor, valiente, viril, al que le gustaba ir a misa por la mañana y a las casas de lenocinio por la noche. [...] Pero frente al médico ilustre que nos daba esta visión y versión, hubo otro, no menos ilustre, que descubrió que don Juan era un joven, grácil, más bien barbilampiño, atenorado de voz, con ciertas insuficiencias glandulares. El espíritu de fornicación no impedía que, según los descubrimientos de su ciencia, don Juan fuera un poco marica. [...] Otto Rank describió también algo curioso: el descrédito, la caída, el achabacanamiento de don Juan a partir de ciertas fechas. [...] Don Juan es un hombre o que engaña a las mujeres, o se las lleva de calle por sí. En la literatura el primer don Juan, suplantador, infamador, es el más antiguo. El segundo más moderno. Si lo de suplantar supone maldad y engaño, carece, en cambio, de prestigio. [...] Don Juan es un arquetipo literario, basado en una sociedad: la del Antiguo Régimen. Su figura se deshace si dejan de existir las convicciones y convenciones sociales y religiosas que se dieron cuando se creó. No nos imaginamos a don Juan en el estado llano o plebeyo, retozando con mozas de figón, o maritornes de mesón, o aldeanas. Sí, si es caballero de alcurnia. Eliminemos el elemento caballeresco. No nos imaginamos a don Juan en una sociedad libre en que las mujeres no están metidas en un estrecho ámbito en que funcionan ciertas ideas sobre el honor y la vergüenza femeniles, sean los de princesa, sean los de pescadoras de "ruin barca". Eliminemos los temas del honor y estatuto femeniles. No nos imaginamos a don Juan en una sociedad donde hay filósofos agnósticos, hombres de ciencia ateos, banqueros que compran y venden todo, con una moral o una falta de moral relativista. Eliminemos el medio social masculino donde no hay "barbas" venerables, criados fieles y cínicos, jóvenes calaveras que cortejan monjas y monjas que se dejan cortejar. No nos imaginamos a don Juan en una sociedad donde no se crea en las penas del infierno, inexorables, como castigo a culpas públicas y privadas. [...] ¿Qué nos queda —por otra parte— de don Juan, si no ve su propio entierro, si no invita al comendador, si no es soldado en Flandes, Italia o donde sea? Muy poco. El de Tirso no es todavía don Juan, el de Molière parece un señor libertino del París del XVII, el de Zamora un estudiante español poco prestigioso, el de Da Ponte un precipitado sin seguridad cuando llegan las horas duras. El de Zorrilla está dentro de una línea vieja: pero llega tarde a la escena. No. Don Juan no tiene glándulas. Es un reflejo de las costumbres, y éstas no son los médicos los llamados a estudiarlas. ¿Qué harán con él los poetas del futuro?»]

En el *Burlador* se junta la aventura agreste (Tisbea), con la intriga palaciega, más o menos «cortesana». Frente a este mundo, brota don Juan como una defensa del sexo contrario. Viene a ser el «vengador de los hombres», como Lope llamó a una exquisita feminidad «la vengadora de las mujeres». Pero Tirso lo sabe todo. La pobre mujer en el fondo no hace más que seguir la voz de la naturaleza, que sin definirse, como en Schopenhauer, tiene algo de inmensa Celestina que busca el fin de la especie, la continuación, la maternidad. [...] Este aspecto domina toda la concepción del *Burlador*. Don Juan fue un destructor y embustero que merece un ejemplar castigo. Pero, ¿cómo eran sus víctimas? Mujeres que permiten las deshonre su pretendiente, creyendo así asegurar su matrimonio, y que ni siquiera encienden una luz para gozar de su rostro. Apenas dudan por su voz. O aldeanas ingenuas y ardientes, que cambian de novio por interés, o se encandilan ante el náufrago-señorito. ¿Cómo podían pensar en serio, Aminta o Tisbea, dada la discriminación usual de clases sociales de la época, en la boda con un caballero de la corte? Iban de pícara y pícaro, aun cuando él lo era más. La única digna, doña Ana de Ulloa, no permite se consume su seducción. Ante los gritos, acude su padre, y en el desafío muere el viejo. Al morir, éste llama, al Tenorio, «cobarde». Realmente el duelo, en la diferencia de edades, resultaba bien desigual. Y es precisamente el comendador, el padre de la única no deshonrada, el que asume la venganza por todas las víctimas. No puede ser más significativo. [...]

Don Juan es a la vez una inmensa aventura humana y uno de los dos grandes símbolos dramáticos del momento crucial entre el Renacimiento y el Barroco. El amor sin medida, la rebeldía de la carne; y la ambición demoníaca, la insatisfecha hambre de sabiduría rodando por la torre de Babel de la ambición, tenían que ser los dos mitos del hombre de la aurora del XVII o finales del XVI. Los dos símbolos se definieron en el teatro español: Fausto y don Juan. Fausto, en otros autores coetáneos. El desenfrenado don Juan Tenorio exclama: «Sevilla a voces me llama / el Burlador, y el mayor / gusto que en mí puede haber / es burlar una mujer / y dejarla sin honor». Si asoma en don Juan la mirada rufianesca a los barrios *non sanctos* de Sevilla, es con la curiosidad del señorito juerguista, y no con el ambiente propio de las Celias de Enrico. Tenorio y el marqués de la Mota hablan de las cortesanas de Sevilla, como los libertinos habituales, desde el elevado plano de la discriminación. ¿Mujeres? Cosa juzgada. Juegos de palabras con ciudades, alusiones a su envejecer o a sus afeites, a sus achaques en el mundo quevedesco de lo feo. Asoma la gracia satírica de la picaresca, en la línea de las Justinas y Elenas: «¿Julia la del candilejo? / Ya con sus afeites lucha. / ¿Véndese siempre por trucha? / Ya se da por abadejo». Don Juan tiene a su lado a Catalinón, el gracioso. Interviene mucho en el diálogo. Por eso ya recortó Antonio de Zamora su papel equivalente en el dieciochesco *Convidado de piedra*, obra de un aire prerromántico, que se acerca al *Don Álvaro*. En Zorrilla, Ciutti es casi sólo un pretexto y un eco para hacer reír en algunos momentos al superficial público del «gallinero». [...]

Don Juan encarna una rebeldía frente a su sociedad, contra la vida patriarcal española, en que la mujer es, más que guardada, escondida. G. Delpi interpreta el desenlace como el castigo por engañar a los padres y prometidos de las mujeres deshonradas, más que por la seducción de ellas mismas. Las mujeres vienen a ser una «propiedad» de sus padres o inmediatos maridos. El máximo delito está al haber querido burlar al comendador, penetrando en la casa con nombre supuesto e intentando engañar a su hija, y haberle dado muerte. Pierden a don Juan tanto su impiedad y rebeldía como su instinto sexual incontenido. La estatua del comendador significa el concepto primitivo del padre. La escuela freudiana lo interpretaba como un eco del complejo de Edipo. No olvidemos que también aparece el propio padre de don Juan, en posición desairada; y que en Zorrilla, donde toda la temática se hace más compleja, el hijo llega involuntariamente a abofetear a su progenitor al quitarle la careta, claro símbolo de la afrenta, en la España en que la acción se sitúa. Planteada su neurosis como eco del *Aedipus-complex*, se comprende la gran paradoja de don Juan: a la vez busca la mujer y la teme; la goza y la abandona; tras un momento de amor, huye de ella como del demonio. Lo diabólico de la mujer puede explicar muchas cosas, incluso la condenación del seductor, para la cual ella ha sido el cebo del anzuelo. Realmente la mujer que se deja deshonrar es tan culpable como el seductor; obedecen ambos a un impulso diabólico; y en multitud de comedias los padres o hermanos quieren también castigar a ella con la muerte. No digamos si se trata de una mujer casada.

LOUISE FOTHERGILL-PAYNE

LA JUSTICIA POÉTICA DE *LA VERDAD SOSPECHOSA*

Bien conocida es la mala suerte del joven don García, recién llegado a Madrid, que se enamora de la primera dama que ve en la corte y quien, a través de toda una serie de equivocaciones de personajes, nombres y situaciones, al final se ve forzado a casarse con otra. ¿Por qué este final frío y desconsolador? ¿Se lo merece don García, estudiante de Salamanca, cuyo único defecto es «no dezir siempre la verdad»?

La mayoría de las comedias del teatro español acaban bien: es decir, estamos satisfechos en cuanto al premio o castigo que cada uno de los personajes acaba por recibir. Ahora, en *La verdad sospechosa* tenemos un problema en cuanto al desenlace: o bien se nos antoja simpático don García y hablamos de la «rigidez del castigo» que contrasta con «la gracia y vivacidad del personaje» (Valbuena), o bien damos grande importancia a esa «costumbre fea» suya, la cual, por consiguiente, calificamos de «el vicio de mentir». Unos críticos condenan a García porque «sus embustes ... no sirven más que para ... labrar su desgracia» (Castro y Calvo); otros justifican el castigo porque «su concepción errónea de la vida demanda una amarga experiencia a título de corrección» (Brooks). [...] El presente ensayo trata de demostrar que *La verdad sospechosa* ni es una mera «*comedy of errors*» ni una grave condenación de un vicio. Según nosotros, la obra, sin dejar de tener un propósito didáctico, contiene unas verdades más profundas, aunque encubiertas, de las que admite la interpretación tradicional. Y es que el joven e imprudente protagonista no merece un castigo sino una amonestación que le despabile y le enseñe a tener más discreción y prudencia, ya que su destino en la vida es la corte.

El escarmiento que sufre García, por un tiempo, le parecerá grave, pero los años y la mayor experiencia le enseñarán que el aparente castigo acabará por tornarse en una merced, puesto que su esposa Lucrecia, amiga de la Jacinta preferida, es infinitamente preferible a

Louise Fothergill-Payne, «La justicia poética de *La verdad sospechosa*», *Romanischen Forschungen*, LXXXIII (1971), pp. 588-595.

ésta y a cuantas damas en la corte «son, con almas livianas, / siendo divinas, humanas» (I, 3). Es la Lucrecia callada quien, a pesar de las apariencias desfavorables, empieza a dar crédito a las palabras de García y, lo que es más, amarle de un amor sincero. Por otra parte, los que quedan criticados son los cortesanos ociosos y, sobre todo, las damas frívolas. Ya al principio de la comedia, a título de introducción, están expuestos los vicios de la sociedad madrileña en que abundan los que «enseñan a mentir» (I, 2). No nos parece casualidad que en la tercera escena del primer acto, el «moço soy» (I, 3) de García vaya seguido de 75 líneas de la más acerba crítica de «las damas bellas en el cortesano suelo». Desde las bellas casadas hasta las niñas que procuran, casi todas son estrellas mudables, «que son estables muy pocas, / por más que un Perú les den» (I, 3). La «filípica» contra las damas introduce la primera confrontación de García con Jacinta y, teniendo en cuenta la rigidez temática de la comedia española, no se puede menos de sentir que el encuentro acabará mal para el protagonista ya que éste es demasiado ignorante, mozo e indiscreto ante tal «esplendor cortesano». Sin embargo, al lado de la estrella brillante que es esta Jacinta, se asoma ya la figura callada de Lucrecia, la que al final será su esposa y salvación. [...]

A fin de tentar de probar verdad tan «sospechosa» como la de la buenaventura de don García en conseguir la mano de Lucrecia, es necesario detenernos en el carácter de aquél, el porqué de su «costumbre tan fea», la actitud del padre, la reacción de Jacinta, la opinión en que le tienen los criados, y la evolución de los sentimientos de Lucrecia.

Importa tener presente la situación de don García, hijo segundo de un padre cortesano. Al hermano mayor «que honor y vida / dava a la sangre y las canas» del padre (III, 9) se le había llevado la muerte, y ahora a García, estudiante brioso de Salamanca, le incumbe suceder al hermano modelo. Con este fin vuelve al hogar paternal e inmediatamente nos damos cuenta que el padre tiene bien pocas ilusiones en cuanto al hijo segundo. Sorprende la insistencia con que el padre se empeña en averiguar cuál vicio tiene este hijo, «que, ya que el mejor no sea, / no le noten por peor» (I, 2). Cuando el ayo le revela que es «no dezir siempre la verdad» (I, 2), parece desmesurada la rabia del padre: «si se muriera, en efecto, / no lo llevara tan mal» (I, 2). Con razón concluye el ayo esta escena con las palabras «Dolor extraño / le dió al buen viejo la nueva» (I, 2). [...]

El protagonista, ya desde un principio, se presenta inseguro de sí mismo: viene «bisoño» y necesita a su amigo y consejero Tristán, antiguo cortesano y «diestro en la corte». Recordamos las preguntas de García: «¿Úsase en la corte?» y su admiración que «la primer dama que vi / en la corte me agradó» (I, 3). Confrontado con esta dama desconocida, se refugia en unas mentiras «para ganar en su casa o en su pecho las puertas» (I, 8); se finge indiano rico y pretende que ya hace más de un año que «anda fuera de sí». [La condición de don García, su complejo de inferioridad, su afán por ser rico, notado y reconocido, le impiden escoger a una mujer sincera y comprensiva que le crea y quiera.] La primera dama que encuentra es Jacinta, joven prudente y calculadora. Ya tiene pretendiente en la persona de don Juan de Sosa quien, por lo visto, tiene algunas dificultades en obtener el hábito de una orden militar, requisito indispensable para las bodas. Por consiguiente, Jacinta ya admite a otros pretendientes y no está adversa a la idea de casarse con el hijo de don Beltrán (el mismo García). [...] Su padre la alaba como «espejo de prudencia»; a nosotros sus observaciones nos parecen interesadas y oportunistas, sobre todo cuando, en la escena siguiente, confiesa a su criada que, aunque tiene por perdido el intento de casarse con don Juan, «no quiero, hasta saber / que de otro dueño he de ser, / determinarme a perdello» (I, 10). ¡Qué contraste más significativo se nota en la figura de su suave amiga! Ésta se llama Lucrecia —nombre con que, equivocadamente, se dirige García a Jacinta—. A creer a los criados, Lucrecia se le lleva la palma a Jacinta: «que bastó para juzgalla / más hermosa aver callado» (I, 7). Es persona que «muestra en qualquier ocasión / ser tu verdadera amiga» (I, 8), y quien «En quanto a ser principal, / no ay que hablar: Luna es su padre / y *fue Mendoça* su madre, / tan finos como un coral. / Doña Lucrecia, en efeto, / *merece un rey por marido*» (II, 2). [...]

¿Es posible que aquí hablara Alarcón mismo, por boca de los criados, de la mujer ideal? ¿Será arriesgada la suposición de que para Alarcón, infeliz en amores a causa de su deformidad física, el ideal femenino fuera, no una Jacinta habladora y calculadora, sino una Lucrecia amiga verdadera? También sabemos la obsesión de Alarcón por su alta alcurnia, su locura caballeril y su orgullo de que su propia madre era una Mendoza. Es significativo que en *Las paredes oyen* el héroe se llame «don Juan de Mendoza» y que volvamos a encontrar los mismos apellidos favoritos en el nombre de Lucrecia. Aparte de estas posibles indicaciones del verdadero intento de Alarcón es de admirar la manera sutil en que éste pinta la evolución en los sentimientos de Lucrecia. Al principio, Lucrecia participa en la burla que Jacinta le ha trazado a don García; pero, paulatinamente, al oírse nombrar objeto (aunque equivocado) de su ardiente pasión juvenil, se despiertan en ella, sucesivamente, la duda, [la vigilancia y una confusión.] Profunda es la conversación que tienen Jacinta y Lucrecia en el convento de la Magdalena, cuando ésta le confiesa a Jacinta que «está por creerle» a García. Le contesta su amiga que «Obligaráte el creer / y querrás, siendo obligada, / y, assí, *es corta la jornada que ay de creer a querer*» (III, 3). Verdad de gran alcance para quien, siendo forastero —tal como García, tal como Alarcón—, tiene dificultades en adaptarse al nuevo ambiente, y, en particular, para uno que sufre de un complejo de inferioridad. Cuando se tiene en cuenta cuánto le importa a García ser reconocido, incluso creído, entonces es patente que la mujer que mejor le conviene es la que, ante todo, cree en él. [...]

Con todo, si Alarcón intentaba que el casamiento de don García fuera un matrimonio feliz, es decir, por amor y no por castigo, entonces dicta la justicia poética que el héroe salga, si no virtuoso, por lo menos disculpado de sus errores. En el primer acto quedaban explicados los motivos que tenía García por pretenderse más importante de lo que era. En el segundo acto, por huir de unas bodas concertadas por su padre y para quedarse fiel a su amor recién despertado, finge ya ser casado. [Pero], a causa de la furia paterna, por fin se despabila el hijo reconociendo su error. Porque error fue, creer que el desobedecer al padre sería vicio mayor que el engañarle. Así se lo dice García: «Parecerme que sería / *respetar poco tus canas* / *no obedecerte, pudiendo,* / me obligó a que te engañara. / *Error* fue, no fue delito; / no fue culpa, fue *ignorancia*» (III, 9). En efecto, para nosotros es aquí donde reside el apogeo dramático de la obra: la tardía comprensión por parte del hijo de que por ignorancia y no por mala intención erró el camino. El que, según la conciencia juvenil, la desobediencia filial fuera peor que una ficción bien trabada, enternece más que indigna. [...]

Tal vez Alarcón, de una manera sutil y encubierta, ha querido condenar algo más que el vicio de la mentira en esta comedia. Para nosotros, los que quedan criticados son los cortesanos ociosos que se arrojan al joven forastero indefenso: ciegos ante sus propias faltas proclaman en alta voz los defectos innocuos del estudiante, usándole como objeto de sus burlas y aprovechándose de la ocasión para afirmarse superiores a él. La única salvación para esta víctima de la corte parece residir, no en la mano dura de un padre implacable, ni en el escarnio de la juventud dorada de Madrid, sino en un casamiento feliz con mujer sincera, callada y amorosa. Ahora, ¿qué posibilidades hay de que García, dado su carácter cándido, ignorante e impetuoso, sepa escoger él mismo a una buena esposa entre tantas damas «corruptibles, siendo estrellas»? (I, 3). Es necesario que aquí intervenga nada menos que la providencia, la buena fortuna, o, simplemente, el cielo, agencia matrimonial de tantas nupcias armoniosas.

Una lectura detenida de las últimas escenas de la comedia pudiera ofrecer la llave para una interpretación feliz del final. Importa pararnos algunos momentos en una sentencia proferida por el padre de Lucrecia, al felicitar a don Juan de Sosa por haber conseguido, por fin, el hábito de su tan deseada orden: «... Por cierta cosa / tuve siempre el vencer, que *el Cielo ayuda / la verdad más oculta, y premiada / dilación pudo aver, pero no duda*» (III, 11). La sentencia, por su misma vaguedad enigmática, parece expresar algo más que un simple parabién. Sería posible que aquí Alarcón sugiriera otra verdad, no tan obvia como la que concluye la obra («en la boca del que mentir acostumbra, / es la verdad sospechosa»), sino una, más encubierta y, al mismo tiempo, más positiva por dejar abierta la intervención benévola del cielo que, en su sabiduría insondable, puede tornar un mal en un bien o un castigo en una merced.

Así, ¿podemos admitir una «verdad oculta» en *La verdad sospechosa* o sea que «pudo aver una premiada dilación pero no duda»? ¿Se podría aplicar la sentencia al caso de García, es decir que su simplicidad, como rara virtud en la corte, merecerá su premio, dilatado sí, pero no por eso menos seguro? ¿Resultará premio, y no castigo, la mano de Lucrecia, y se dará cuenta García, con la edad y la mayor experiencia, de las virtudes superiores de «la que merece un rey por marido»?

Para nosotros es éste el mensaje positivo de la obra que por lo demás abunda en dardos críticos contra una sociedad llena de cortesanos ociosos, de damas brillantes y engañosas, de padres ambiciosos y de consejeros cínicos. Nuestra interpretación de *La verdad sospechosa* también está más conforme con la justicia poética que tantas veces determina el desenlace de la comedia española y es que cada uno acaba por obtener lo que merece: Jacinta, cortesana por excelencia, se merece a su cortesano acabado don Juan de Sosa; el padre, con sus ideas inflexibles sobre el «qué dirán» y su adherencia excesiva al código de honor, queda algo ridículo a los ojos de la sociedad madrileña, mientras que don García mismo, gracias a su ignorancia simpática, escapa con una «amonestación» que resultará en un *enlace feliz.*

HANNAH B. BERGMAN

QUIÑONES DE BENAVENTE Y SUS ENTREMESES

Cuando Luis Quiñones de Benavente empezaba a componer breves juguetes para alegrar los entreactos de la comedia, ya había desarrollado el teatro menor cuatro pequeños géneros: entremés, loa, jácara y baile. El poeta toledano acerca los géneros, y en su madurez acaba por borrar las fronteras entre ellos, jactándose en *Las manos y cuajares* (1637) de ofrecer al público una forma mixta: «Y aquí acaban tres engertos / que os hemos dado a comer; / una jácara en un baile / y un baile en un entremés». La compenetración de géneros no es, sin embargo, ni completa ni constante, y en la práctica benaventiana cada uno tiene sus rasgos distintivos. [Compárese arriba, pp. 256-259.]

Todos los entremeses de Quiñones de Benavente, así los cantados como los representados, interpretan en el fondo una realidad concreta; en algunos el poeta se vale de una técnica realista, en otros de la pura fantasía. Por manera realista no debe entenderse una exactitud fotográfica; ni siquiera en los entremeses representados se pinta la vida como es, sino a través de ciertas convenciones de género, con la exageración acostumbrada del satírico. Las consultas ridículas, las burlas y los demás engaños que forman el núcleo de tantas piezas no se conciben fuera de las tablas, ni tampoco la rapacidad y descaro de las damas busconas. Habrá menos exageración en las piezas que describen o escenifican costumbres, sea que se trate de fiestas especiales, sean cuadros de la vida diaria, pero aun éstas se nos escapan en algún momento hacia la caricatura o hacia la fantasía. En los entremeses cantados predomina la manera fantástica. Los interlocutores pueden ser calles, planetas, ríos, vinos, puentes, los meses del año. En un grupo importante de obras, son figuras simbólicas, que, en calidad de juez, doctor o loquero, sentencian a representantes de

Hannah B. Bergman, *Luis Quiñones de Benavente y sus entremeses*, Castalia, Madrid, 1965, pp. 93-97, 100-101, 109, 111 (pero los tres primeros párrafos se dan según el resumen de la propia autora en su antología de Luis Quiñones de Benavente, *Entremeses*, Anaya, Salamanca, 1968, pp. 9-14).

vicios morales o sociales. Hasta animales y objetos inanimados cobran vida y hablan en la exuberante imaginación de Quiñones. [...]

Claro está que hay piezas en que la sátira moralizadora se limita a unos cuantos dichos agudos, pero tanto entre las realistas como entre las fantásticas predominan las obras cuya concepción central descansa en un propósito didáctico. Del mismo modo que las grandes comedias de carácter, algunos entremeses representados subordinan el argumento a la revelación de un tipo moralmente defectuoso: el pedante, el avaro, el murmurador, el celoso. Y no cabe discutir la intención de aquellas piezas de la manera fantástica donde comparecen entes viciosos o necios ante una figura alegórica (Mundo, Tiempo, Muerte, Verdad). Pero a diferencia de otros moralistas más encopetados, Quiñones dirige sus dardos contra la gente menuda, contra los pequeños vicios sociales, contra las pequeñas flaquezas morales. No son grandes pecadores dignos de castigos trascendentales el tahur, la alcahueta, la cortesana de *La paga del mundo*, sino gentuza que se merece prosaicamente cárcel, azotes, hospital. La vanidad no se condena en abstracto, ni se nos pinta un vanidoso de proporciones sobrenaturales, sino que se desmenuza el concepto entre muchas figurillas, cada una con su pequeña vanidad absurda (como la mujer que se precia de llevar buenos guantes aunque ande descalza). La lente del satírico pasa sobre una sociedad imperfecta y se detiene un momento en el alegre carnicero a quien «no le conocen pesar», en la dama que escamotea la flaqueza con faldas ahuecadas, en la verdulera que da por espárragos un haz de palos, en el Manzanares que quiere pasar por río. En el cuadro de la familia no distingue ni verdadero afecto ni lealtad: están de sobra tías, cuñados y suegras, hasta padres e hijos se niegan. Enfocando los claros rayos del ridículo sobre las mil necedades humanas, las deja aplastadas por la risa. En el mundo que observa reinan por dondequiera el engaño y los falsos valores, pero gracias a la dulzura de su personalidad y al optimismo de su espíritu, Luis Quiñones de Benavente sabe esbozar este panorama en tintes risueños, sin hiel alguna. El tono, decididamente, es distinto: no obstante, en su condena sin tregua a cuantos falsifican valores sociales o morales, nuestro poeta está en perfecta armonía con los grandes moralistas de la época. [...]

Benavente es, ante todo, conceptista; no cede ni a Quevedo en su caudal infinito de agudezas, equívocos, chistes y juegos de palabra de toda clase. A veces la elaboración de un concepto requiere todo un párrafo: [...] «—¿Dónde vas, fiera? / —A buscar quien me quiera, / y siquiera me dé unas aceitunas. / —Harto te quiero yo. / —Yo a ti en ayunas; / que por eso me aparto, / porque en ayunas yo, me quieres harto» (*Turrada*). Otras veces se reduce a una réplica rápida de pocas palabras: «—Es mi justicia clara. / —La mía yema» (*Los alcaldes encontrados I*). [...] Hay tiradas en que se amontonan los chistes a base de un juego fundamental de significado: «—El herrador acertó / a comer de un garrafal. / —Ahórquenlo, porque acierta / cuando está obligado a errar. / —¿Quién ha de herrar en el pueblo / si al herrador ahorcáis? / —En casa el doctor acuda, / que mejor que él herrará» (*Al cabo de los bailes mil*). Forman otro tipo de serie, equívocos sobre palabras diferentes: «—¿Ésta es sangría o es susto? / que no me han dejado apenas / gota de sangre. / —¿Qué dice? / ¿no hay sangre? pues venda, venda. / —¿Qué venda, si no hay que atar? / —Pésame que no me entienda; / en faltando sangre, venda, / venda, venda usté una prenda. / —Fullerita, no pretendas / comer a costa de mi caudal, / que con ser tan principal, / aun no soy hombre de prendas» (*La barbera de amor*). El juego que se inclina más a la forma de la palabra que a su sentido puede darse suelto o en serie: «Yo sé de un confitero / tan afamado, / que vendiendo mil dulces, / hace milagros» (*Los muertos vivos*). [...] El juego puramente auditivo es raro y sólo se halla suelto: «—Para el ánima deste hombre, / que sin confesión le han muerto. / —¿Quién le mató? / —Un hombre. / —Una hambre» (*Los muertos vivos*). [...] Los equívocos y los conceptos más o menos complicados, de los cuales no he destacado más que estos pocos ejemplos típicos para ilustrar las diferentes formas que adoptan, son un aspecto constante y fundamental de la comicidad lingüística en las obras de Benavente.

Otro medio verbal para despertar la risa —quizá más la de los mosqueteros que la de los señores— es el empleo de un castellano deformado, sea dialecto vulgar, sea remedo de idiomas extranjeros. En esto el entremés de Benavente continúa una tradición escénica ya antigua. [...] En su búsqueda de siempre nuevos juegos idiomáticos, Benavente no vacila en traspasar las fronteras del lenguaje. Su fértil inventiva crea todo un vocabulario inédito de combinaciones silábicas sin el menor contenido semántico. Retahílas de estas «palabras» de capricho se usan como estribillos en el canto o para figurar el habla de personajes fantásticos. Algunas se insertan en las bernardinas con que un pícaro distrae al vejete mientras otros le roban hija o hacienda. Las consultas ridículas ya caen en la provincia de la comicidad en el juego escénico, pero mencionemos de paso que a veces la víctima hace grandes esfuerzos por interpretar en castellano las sílabas que oye: «—Cuchina, cuchini, cuchiha, cuchihi, / titirite, garrote, garroti, / que titirite, cuchina, cuchini. / —¿Qué cochinos son aquestos?» (*El talego-niño*). El empleo decoroso de dialectos y jergas especiales realza la caracterización de los personajes a la par que satisface el concepto de superioridad propia del espectador. Hasta el mosquetero más humilde se cree superior a las figuras que ve en el tablado en cuanto a su dominio del castellano; el amor propio satisfecho le dispone a la franca risa pretendida por el entremesista. Malas inteligencias entre los personajes, debidas a su inferioridad lingüística, refuerzan el potencial risible del lenguaje deformado. Pero el vocabulario especializado ofrece otras posibilidades de gracia al aplicarse fuera de su contexto normal. Los entremeses de Benavente nos brindan abundantes ejemplos de efectos cómicos conseguidos al injerir términos técnicos propios de varias esferas intelectuales en la conversación general.

[La sátira literaria es también motivo importante en las obras del poeta toledano. En particular,] el lenguaje afectado llega a tan graciosa exageración que se condena a sí mismo, sin intervención del autor: «Detén el paso, mira que me matas, / labradora, colérica de patas; / córrele al frontispicio el negro velo, / y no me des por brújula tu cielo». [...] En la sátira contra el lenguaje afectado ya no impera la ley del decoro dramático. Lo hablan, no sólo los galanes a la moda, sino también personajes de esfera social muy otra. En *La melindrosa* es una pícara quien interpela así al sastre: «¿Quién es aquí el archisastre, / el verdugo de las lanas, / el sayón de los tabíes / y de las sedas la Parca?». Un mensajero, en *Los alcaldes encontrados VI*, habla en superlativos («yo soy un correísimo ...»); una dama, en *Los sacristanes burlados*, rompe a hablar en esdrújulos; un mayordomo tiene la manía de abreviar todos los nombres propios (*El mayordomo*).

Raymond R. MacCurdy

TRAGEDIA Y COMEDIA EN ROJAS ZORRILLA

La generación de dramaturgos posterior a Lope y sus discípulos tuvo que hacer frente a una difícil tarea: no podía competir con sus predecesores en productividad, sólo podía intentar mejorar sus productos. Calderón, cabeza de la nueva generación, marcó la pauta al perfeccionar la estructura y unidad dramática de la comedia, enriquecer los personajes, pulir el estilo y profundizar el contenido temático. Hasta qué punto logró mejorar los aspectos formales y sustanciales del teatro español, lo demuestran sus refundiciones de obras anteriores. Rojas Zorrilla, al igual que Calderón, fue esencialmente un dramaturgo cortesano cuyas obras se escribieron principalmente para un público aristocrático. Este hecho determinó en gran parte no sólo los materiales que eligió, sino también el tratamiento que les dio. Ambos dramaturgos alcanzaron la madurez después de que la poesía de vanguardia de Góngora se pusiera de moda entre los entendidos, y uno y otro estuvieron muy influidos por las brillantes innovaciones que don Luis introdujo en el lenguaje poético. Pero Rojas fue un artista mucho menos consciente que Calderón, menos intelectual y filosófico. Carecía también del discernimiento y equilibrio de su amigo. Si asimismo mejoró la estructura de la antigua comedia, fue debido, más que a la reflexión, a un gran instinto teatral. En su mejor momento, éste le llevó a crear situaciones trágicas de una intensidad emocional rara vez igualada en el Siglo de Oro; como le llevó a crear escenas cómicas dignas de los más grandes maestros del género.

Sin embargo, a Rojas no sólo le movía el instinto: deliberadamente intentó aumentar el atractivo popular de sus obras mediante la búsqueda de efectos y situaciones llamativamente emocionantes. Su pretendida originalidad y audacia se debe, las más de las veces, a un esfuerzo consciente por ser diferente. Es cierto, como señala

Raymond R. MacCurdy, *Francisco de Rojas Zorrilla*, Twayne, Nueva York, 1968, pp. 135-140 (pero los párrafos relativos a *Entre bobos anda el juego* se toman de las pp. 131-134). [Trad. de Lourdes Mañé.]

Cotarelo, que en el ámbito del teatro serio su osadía le llevó a idear situaciones que iban más allá de lo trágico (fratricidios, infanticidios, violaciones) y a presentar insólitos conflictos de honor. Pero es difícil evitar la impresión de que dramatizó tales motivos no para presentar una más rica imagen de la realidad, sino más bien para llamar la atención del público. Por otra parte, también es cierto, como señala Valbuena Prat, que en el ámbito de la comedia Rojas fue «el más intenso cómico del ciclo de Calderón». Afortunadamente, transigimos mejor con la distorsión de la realidad para conseguir un efecto cómico, porque la comedia, a diferencia de la tragedia, no nos pide que le prestemos fe.

En mi monografía sobre las tragedias de Rojas (MacCurdy [1958]), expuse ciertas conclusiones respecto a sus aportaciones a la tragedia española que quizá vale la pena resumir aquí. La mayoría de los temas que aparecen en las tragedias de Rojas (honor, venganza, conflictos entre padre e hijo, amor no correspondido) no son nuevos. Es el modo en que los trata y resuelve —o deja sin resolver— lo que tiene un carácter innovador. A diferencia de muchos de sus contemporáneos, Rojas trató estos temas no con un enfoque social o religioso, sino como causas de sufrimiento para el individuo. Los vio, no como impedimentos a ninguna meta social o espiritual, sino como trabas insolubles a la felicidad humana. En las tragedias de Rojas, salvo raras excepciones, la solución nunca está en ceder a ninguna autoridad más alta que uno mismo. No hay salida.

Al lado de su insistencia sobre la fatalidad del motivo trágico, encontramos en sus tragedias un énfasis singular en lo que al protagonista se refiere. Los personajes de Rojas, la mayoría de las veces, sólo siguen los impulsos del corazón; pero tanto si dichos impulsos son nobles como si son infames, llevan inevitablemente al fracaso. Los héroes arriesgan sus vidas a fin de conseguir lo que ambicionan, sabiendo de antemano —o por lo menos debiendo saberlo— que no pueden ganar. La victoria más grande, dice Segismundo en *La vida es sueño*, es la victoria sobre uno mismo. «No es posible», parece responder Rojas; mientras los hombres sean como son, la razón no puede dominar nunca las pasiones. En esto reside su tragedia.

Las heroínas de Rojas, tanto en las tragedias como en los dramas de honor, son particularmente dignas de atención, dentro del teatro del Siglo de Oro. Se niegan a aceptar la idea de que sus agravios sirven sólo para mover a los hombres a la acción. Cuando Lucrecia, Progne y Filomena,

Medea, Rosimunda, e Isabel en *Cada cual lo que le toca*, son tratadas injustamente, se ven incitadas a la acción para enderezar el tuerto, pero no en busca de lo que se considera correcto en el mundo de los hombres, sino en el suyo propio. Lo que les ocurre a estas mujeres y la acción que emprenden no son sólo aspectos secundarios; al contrario, constituyen la esencia misma de las obras en cuestión. No es necesario, pues, esperar hasta el siglo XVIII para encontrar heroínas trágicas en el teatro español (como ha afirmado algún crítico), ya que abundan en las tragedias y en los dramas de honor de Rojas.

En buena medida, el arte trágico de Rojas representa una vuelta a la tragedia española según se había cultivado medio siglo antes por los dramaturgos neosenequistas, antes de que Lope de Vega creara la comedia nueva. En las tragedias de Rojas aparece, igual que en las de Juan de la Cueva y sus seguidores, la misma preocupación por dos temas tratados por Séneca: la venganza y la fortuna, la misma inquietud por los tipos trágicos exagerados, el mismo culto a la violencia, las mismas emociones desenfrenadas. La mayoría de estos temas y prácticas senequistas pervivieron en el teatro de Lope de Vega y sus discípulos, donde se modificaron y refinaron, pero rara vez se les dejó con entidad para constituir de por sí una tragedia. Llegaron a ser también uno de los elementos que constituían la comedia nueva. Heredero de ambas escuelas, la de Cueva y la de Lope, Rojas se vale del senequismo de Cueva, pero envuelve sus tragedias con los refinamientos técnicos y la sofisticación teatral de Lope y Calderón. [...]

Los críticos seguirán discutiendo los méritos de Rojas como autor de tragedias y encontrando muchos fallos en sus obras religiosas y novelescas, pero hasta ahora ninguno ha mostrado intención alguna de discutir su talento como autor de comedias. De hecho, uno de los principales defectos que algunos críticos encuentran en sus obras serias es su inclinación a distorsionar el clima con largas y a menudo grotescas intervenciones cómicas. No hay duda de que su vigoroso verbo cómico y el gusto por lo burlesco le llevaron a menudo a sacrificar la coherencia en aras de lo jocoso, como le llevaron a crear algunas de las escenas más divertidas del teatro español.

[La veta cómica de Rojas] tiene su máxima representación en *Entre bobos anda el juego* (escrita probablemente en 1638, aunque no impresa hasta la *Segunda parte* de 1645). De esta obra se ha dicho a menudo que es la primera comedia de figurón, pero le precedió la de Alonso de Castillo Solórzano *El marqués de Cigarral* (1634), a la que debe, entre otras cosas, el apellido de su protagonista don Lucas de Cigarral.

[Don Lucas] es un rico terrateniente de los alrededores de Toledo, cuya monomanía es el dinero, que se guarda muy bien de hacer circular. Hasta tal punto llega su avaricia, dice un criado al describirle, que no tiene excrementos de lo poco que come. Ésta, se nos dice, es su única gracia. Está prometido a Isabel, compromiso arreglado por el codicioso padre de ésta, en contra de su deseo. [...] Aunque don Lucas lo sabe todo en cuestiones de dinero, no entiende de asuntos del corazón. Debido a ello, comete el error de pedirle a su primo don Pedro, que está secretamente enamorado de Isabel, que exprese los sentimientos y halagos que de él se esperan. En presencia de don Lucas, Pedro e Isabel debaten si puede existir verdadero amor entre dos personas sin un trato frecuente y prolongado. Rojas, que gustaba de la repetición como elemento cómico, pone en su boca el siguiente diálogo:

> ISABEL: —Para el agrado es de esencia
> que haya trato: luego el trato
> es el que el amor engendra.
> DON PEDRO: —Con trato, amor yo confieso
> que es perfecto; mas se entienda
> que amor puede haber sin trato.
> ISABEL: —Pero en fin, amor se acendra
> en el trato.
> DON PEDRO: —Decís bien...
> DON LUCAS (*aparte*): —No me agradan estos tratos. [...]

Don Lucas se da cuenta, en el mesón, de que a sus espaldas su prometida y su primo están llevando a la práctica el «trato» del que hablaban. A pesar de que al figurón se le caracteriza como antigalán, ello no significa que no tenga sentido del honor o que no pase a la acción cuando se le ofende. Al contrario: cuando don Lucas ve que su honor ha sido ultrajado, jura tomar una venganza que recordarán toda su vida, ya que matarlos sería, como él mismo dice, sólo una «venganza venial», y precisamente la que ellos desean. Así, hace todo lo posible para que se casen, y luego les deja sin una perra, a fin de que vivan en la miseria sin otro sustento que sus palabras de amor: «Y sabrán presto lo que es / sin olla una voluntad».

A pesar de que don Lucas domina la obra con sus rarezas, de ningún modo es el único personaje extravagante. Su hermana Alfonsa, que se desmaya a voluntad a fin de conseguir sus propósitos, no se diferencia mucho de él. Y don Luis, otro pretendiente de Isabel que la acosa a todas horas, es una perfecta caricatura del cultiparlista exagerado. Rojas, al que a menudo se le ha criticado su poesía gongorina, no se cansa nunca de satirizar el discurso afectado de los ridículos culteranos.

Además de los personajes grotescos, las situaciones cómicas y la burla alegre, lo que hace de *Entre bobos...* una obra especialmente agradable es el dominio que Rojas tiene del lenguaje. Con su estilo, Rojas quiere expresar uno de los principales propósitos de la obra: ridiculizar a aquellos que reducen los valores humanos a términos monetarios. A pesar de que las convenciones del teatro español exigían que las obras fueran escritas en verso, Rojas se dio cuenta de que el lenguaje de los negocios es la prosa. De acuerdo con esto, la carta de don Lucas a Isabel (carta de negocios en el sentido más estricto) y el acuse de recibo por parte de su padre cuando le concede su mano están escritas en prosa. Y cuando don Lucas se ve obligado a hablarle a su esposa en verso, sus palabras son poco más que prosa rimada, ya que para él el matrimonio es simplemente otro negocio. Por otra parte, don Pedro, cuyo amor por Isabel es «poético», se pierde por vericuetos declamatorios al hablar de su amada. Se enamoró mientras contemplaba cómo se bañaba en el río Manzanares (al igual que David queda impresionado por la hermosa figura de Betsabé, los héroes de Rojas a menudo se enamoran de mujeres que se bañan desnudas) y sus sentidos se inflaman cuando describe el baño en 230 versos de *striptease* verbal. En resumen, la comedia reúne dos niveles de lenguaje perfectamente utilizados, uno para don Lucas y su mundo materialista, y otro para don Pedro y su reino de pasión.

A pesar de que *Entre bobos anda el juego* critica a los padres codiciosos que arreglan los matrimonios de sus hijas para obtener un provecho personal; a pesar de que satiriza los triviales valores de los nuevos ricos salidos de la clase media, se trata sobre todo de una parodia de las comedias románticas en las cuales el amor siempre triunfa. Don Lucas quizá sea un bobo excéntrico, pero su venganza, propia de su peculiar idea de los valores, aunque inexistente en los cánones del código del honor, es una acertada réplica a los convencionales finales de las comedias de capa y espada que se olvidan de decirnos si los corazones felices pueden sobrevivir con los estómagos vacíos.

La contribución más importante de Rojas a la comedia española, en mi opinión, abarca dos aspectos distintos. Por una parte, sin cambiar o añadir nada sustancialmente en las características del gracioso (según habían sido establecidas por Lope de Vega y sus contemporáneos), dio a éste un papel más destacado, al construir bien ideadas tramas cómicas secundarias, en las cuales ese personaje convencional se convertía necesariamente en protagonista, o al hacer de él un personaje central (y no simple comparsa) en la intriga principal de la trama. Por otra parte, Rojas creó una serie de obras, las comedias de costumbres, en las cuales el humor no depende del gracioso (que en algunas ni siquiera aparece), sino de la variedad de personajes cuyas manías y excentricidades conducen a gran diversidad de situaciones e incongruencias cómicas.

Como ejemplos de la primera tendencia citemos las dos comedias de capa y espada *No hay amigo para amigo* y *Donde hay agravios no hay celos*. En la primera, la trama cómica secundaria no domina la obra (como ocurre en la adaptación de Paul Scarron *Le Jodolet duelliste*), pero la enemistad entre Moscón y Fernando, que les lleva a desafiarse en duelo, les sitúa en papeles destacados e independientes de la trama principal. Aunque la cobardía de Moscón (según el rasgo convencional de los graciosos de Lope) le impide llevar a cabo el duelo, la extensión de la trama secundaria le ofrece (a él o a Rojas) la oportunidad de burlarse del código de honor más concienzudamente que los graciosos anteriores, cuya cobardía también les movía a repudiar las exigencias del honor.[1]

En *Donde hay agravios*, en la cual toda la trama gira alrededor del intercambio de papeles entre amo y criado, el gracioso se convierte necesariamente en personaje prominente de la acción. Aunque otros comediógrafos de la generación de Rojas dieron importancia al gracioso, especialmente Agustín Moreto, cuyo Polilla en *El desdén, con el desdén* es indispensable para la trama, en ninguna otra obra española de la época, aparte *Donde hay agravios*, el gracioso se convierte, por así decirlo, en el primer galán. Desde luego, las posibilidades humorísticas que ofrecía el intercambio de papeles eran muchas y Rojas no deja de explotarlas cuando Sancho se pavonea por el escenario escandalizando a las gentes bien con su grosera conducta. Sin embargo, hay que resaltar que en realidad en *No hay amigo para amigo* y *Donde hay agravios* el humor es a costa del gracioso y no del público. La parodia, a diferencia de la sátira, no obliga al público a reírse de sí mismo.

El humor de las comedias de costumbres es más profundo y complejo, lisa y llanamente, porque es fruto de la exposición de debilidades y vanidades humanas creíbles, y no de la mera ridiculización de un personaje notoriamente grotesco. *Entre bobos anda el juego* representa un caso especial, ya que el figurón es caricaturizado más hábilmente que cualquier otro gracioso que jamás haya pisado un

---

1. [«Resulta irónico que a Rojas, conspicuo por su anticonvencional tratamiento del tema del honor, se le recuerde principalmente por un drama de honor, *Del rey abajo, ninguno*, que desde antiguo se considera una de las obras maestras del teatro español. Existe alguna duda sobre el verdadero autor de la obra, que al editarse por primera vez, en la *Parte cuarenta y dos de comedias de diferentes autores* (Zaragoza, 1651), aparece atribuida a Calderón» (p. 75).]

escenario español. De todos modos, en su mayor parte, los personajes que intervienen en estas obras son seres humanos normales y es mérito de Rojas el intuir que el humor se podía conseguir tratándolos con simpatía artística, y no simplemente satirizándolos. Son éstas obras que hacen pensar que Rojas estaba creando un nuevo modo de comedia, pero desgraciadamente, como observa Brenan, «no se dejó llevar totalmente por donde su intuición le guiaba».

Por supuesto, sólo debemos juzgar a Rojas por lo que escribió, no por lo que podría haber escrito si las circunstancias hubieran sido diferentes. Únicamente caben conjeturas respecto a si hubiera continuado desarrollando una concepción del teatro más amplia y moderna, si su carrera no se hubiera visto interrumpida por el cierre de los teatros españoles en 1644 y su muerte prematura en 1648.

RUTH LEE KENNEDY

LOS PERSONAJES DE MORETO

El mismo amor a la armonía y al decoro que se advierte en la versificación y el diálogo de Moreto, al igual que en la elección de las situaciones y en el desarrollo de la intriga, se observa aun con mayor claridad en el modo de caracterizar a los personajes. [Frente a la infinita variedad y los contrastes de los héroes de Lope], el protagonista de Moreto es el caballero cortés cuya moralidad es tan irreprochable como sus modales, sea cual fuere el papel que representa. Es leal con sus amigos, fiel a su monarca, constante en su devoción a su dama. Si el dramaturgo sintió alguna vez fuertes tentaciones de ambición mundana, sus héroes en modo alguno manifiestan semejantes deseos. En ellos hay una unidad de objetivo, una carencia de conflictos que parece reflejo de una exigencia ajena a los desgarramientos emocionales, a las preocupaciones económicas o a los sueños de encumbramiento social. Son esforzados y generosos de espíritu, pero no tienen propensión a la vanagloria ni les gusta exhibirse como

Ruth Lee Kennedy, *The dramatic art of Moreto*, Northampton, Massachusetts, 1931-1932 (Smith College Studies in Modern Languages, XIII, 1-4), pp. 76-82, 88-90, 93-94.

suelen hacer los héroes lopescos. Son capaces de luchar cuando la ocasión lo exige, pero matamoros como el Horacio de *El honrado hermano*, de Lope, son inimaginables como héroes dentro del teatro de Moreto.

Por otra parte poseen una tranquila dignidad que proclama su independencia espiritual, rasgo que por lo común se pone de manifiesto incluso en el papel protagonista del enamorado. En el conflicto que se crea entre su independencia espiritual por un lado y por otro su generoso deseo de darlo todo al objeto de su amor, a mi juicio hay que ver una explicación parcial de la predilección que siente Moreto por el tema del desdén. Alejandro (*El poder de la amistad*) ha arriesgado la vida y ha perdido su fortuna en un intento de agradar a Margarita, pero sólo ha conseguido hastiarla. Sólo cuando se afirman su dignidad y su independencia, la conmueve. Carlos (*El desdén, con el desdén*) es lo suficientemente perspicaz para comprender que nunca derribará el muro de la indiferencia de Diana con una humilde sumisión. [...]

Aun cuando los héroes de Moreto muestran una gran dignidad en las cuestiones amorosas, el «amor omnia vincit» es la bandera bajo la cual todos ellos marchan a la victoria. Pueden ser pobres, pero los motivos de su amor nunca son indignos, y [con alguna mínima excepción], no hay alegres seductores ni enamorados frívolos en el teatro profano de Moreto. En el estudio de sus fuentes advertimos una y otra vez que el dramaturgo juzgó necesario transformar los protagonistas mercenarios y ambiciosos de Lope o de Tirso en paradigmas de la más absoluta lealtad. Una comparación entre Sancho (*Hasta el fin nadie es dichoso*) y Félix (*No puede ser*) con los prototipos de sus fuentes muestra los conscientes esfuerzos que hace Moreto en este sentido. Además, el don Rodrigo de *El castigo del penseque* o el Ricardo de *El perro del hortelano*, capaces de renunciar a sus amores verdaderos para seguir la inclinación de una dama noble y caprichosa, son personajes que no pueden encajar dentro de la noción de la fidelidad que tiene Moreto. [Finalmente, el héroe de Moreto es discreto.]

El protagonista ideal de Moreto tiene su mejor síntesis en la conversación que sostienen Margarita y Luciano en *El poder de la amistad*. Respondiendo a la pregunta que formula la dama, «¿qué tiene ese hombre de bueno?», Luciano contesta: «No tener nada de malo. / ¿No es en sus galanterías / discreto sin presunción, / galán sin afectación, / cortesano sin porfías, / liberal sin vanidad, / pues lograr sabe esta gloria, / sin que sepa la memoria / lo que da la voluntad? / ¿No usa prudencia y virtud, / sin ser sufrido su aliento? / Que hay caso en que el sufrimiento / hace infame la virtud. / ¿No tiene en su cortesía / mesura sin gravedad, / agrado sin humildad, / llaneza con bizarría? / ¿Todos por esto a su nombre /

mil aplausos no le dan? / Pues para ser buen galán / ¿qué ha menester más un hombre?».

[Sin embargo, hay otros que aunque de virtud inferior, tienen más interés.] El protagonista de *El lindo don Diego* es un figurón, una caricatura pintada con trazos tan fuertes y con colores tan intensos que llena el centro del cuadro y relega a la sombra a todos los demás personajes de la comedia. Es la personificación de una única característica: la vanidad humana. Para él el yo es un culto, y con todo el celo de un fanático religioso interpreta el mundo que le rodea según su propia fe, en realidad adaptando el mundo a esa fe. No puede imaginar que haya quien niegue a su dios; de ahí su inquebrantable convicción de que todas las mujeres quedan prendadas de sus encantos desde el mismo momento en que posan sus ojos en su divina apariencia. Es tacaño en su trato con los demás, pero despilfarrador en todo lo que se refiere al objeto de su adoración. No le preocupa lo más mínimo que debido al tiempo que necesita para su cuidado personal, pierda la misa; lo cierto es que al vestirse con tanto esmero ya considera haber hecho sus devociones. Cuando don Mendo le reprende por la exagerada importancia que atribuye a su indumentaria, y el mal gusto que representa elogiarse a sí mismo, don Diego exclama: «... si veis la perfección / que Dios me dio sin tramoya, / ¿queréis que trate esta joya / con menos estimación? / ¿Veis este cuidado vos? / Pues es virtud más que aseo / porque siempre que me veo / me admiro y alabo a Dios». Es como Mahoma ante Alá.

Carlos (en *El desdén, con el desdén*) es un joven atractivo y egoísta que ha tenido todo lo que se le ha antojado sin más que pedirlo, y en consecuencia sólo le atrae aquello que se resiste a su posesión. Recientes aún sus victorias en la guerra, la curiosidad le mueve a participar en los torneos y justas que los pretendientes de la desdeñosa Diana han iniciado para conquistar su amor. Su primera impresión de la princesa no fue favorable: «de una hermosura modesta, / con muchas señas de tibia». Sin embargo, cuando ella no muestra el menor interés por las victorias que consigue sobre los demás rivales, su amor propio se siente herido, su sentido de la conquista estimulado, y por fin surge la pasión. Es una experiencia humillante para alguien que se enorgullece de su racionalidad; como confía a Polilla: «Yo mismo soy de las iras / de mi dolor alimento; / mi pena se hace a sí misma, / porque más que mi deseo / es rayo que me fulmina, / aunque es tan digna la causa, / el ser la razón indigna; / pues mi ciega voluntad / se lleva y se precipita / del rigor, de la crueldad, / del desdén, la tiranía; / y muero, más que de amor, / de ver que a tanta desdicha, / quien no pudo como hermosa, / me arrastrase como esquiva». Conserva, pues, suficiente sentido del equilibrio como para enfurecerse por su propia incongruencia, y suficiente claridad de visión como para analizar su estado, planear su método de ataque y ejecutar sus planes con la energía y la precisión de un experimentado oficial. Como vemos, Carlos es esencialmente un personaje cerebral, y si Diana consigue atraer su interés y su afecto, es porque ella es también una intelectualista, lo bastante hábil como para no entregarse nunca del todo, y ganarle así jugando su propio juego.

«Recato», «decoro», «respeto», «discreción»: éstos son términos tan indispensables para describir la heroína de Moreto, como lo es «brío» en la descripción de la de Lope. [...] Este mismo ideal le conduce a evitar ciertas situaciones, como la rivalidad entre la madre y la hija, el triángulo de la esposa infiel, la heroína en busca de un amante que ha incumplido su promesa, y lo que suele ser su consecuencia, la mujer disfrazada con ropas de hombre, recurso tan frecuente en las heroínas de Tirso. Las mujeres de Moreto despliegan este decoro en todas las relaciones de la vida: como prometidas y como esposas, como hijas y como hermanas, incluso como rivales femeninas. Lo cierto es que esa noción de las conveniencias es tan inherente a las protagonistas femeninas de su teatro, que me inclino a dudar que sea suya cualquier obra en la que la protagonista no se comporte así.

No se trata primordialmente de un código convencional que obliga desde el exterior; es algo personal. Es un decoro que tiene sus raíces en esa misma dignidad innata y respeto de sí mismo que explica los ideales y los comportamientos de sus protagonistas masculinos. Las premisas esenciales son las de que el hombre es dueño de su destino y el hecho de que para imponer respeto a los demás primero hay que imponerse a sí mismo. Así pues, la humanidad ha de ser digna. La razón ha de predominar sobre la emoción; el decoro sobre el amor. Astrea (en *Amor y obligación*), al encontrarse ante este dilema, se pregunta: «... pero ¿cómo al sentimiento / rindo mi entendimiento? / ¿No soy yo más que todas mis pasiones? / ¿Yo mis obligaciones / por un dolor olvido? / ¡Arrastre mi razón a mi sentido!». [La heroína de Moreto es en consecuencia muy circunspecta en sus relaciones con su enamorado. De la batalla que se libra en su corazón, habitualmente no sabe nada. Lo cierto es que apenas consiente en admitir que se esté librando tal combate.]

En las mujeres de Moreto esa circunspección se lleva a menudo a los extremos del desdén, y bajo esa forma es difícil decir cuáles son las proporciones de dignidad y de vanidad que mueven a la heroína a tratar de aquel modo a su galán. Está persuadida de que unas mercedes conseguidas con demasiada facilidad significan una mengua de su propia dignidad y una pérdida del interés del enamorado: «... si no le tratan mal / no hay hombre que quiera bien» (*La gala del nadar*). La humanidad es tan perversa que sólo desea lo que no tiene; muchos personajes de Moreto ilustran esta tesis. Y, sin embargo, como indicó Martinenche (1900), la belleza de la mujer es su honor, y cualquier afrenta a esa belleza ha de ser vengada. La vanidad de Diana (*El desdén, con el desdén*) es lo que la hace ser prisionera en la trampa del amor; el orgullo herido de Casandra (*Hacer remedio el dolor*) es lo que la espolea en su decisión de reconquistar al desagradecido enamorado. Fenisa, ofendida porque el duque no demuestra apreciar debidamente sus encantos, saca la conclusión de que «Las damas con su hermosura / han de tener el estilo / que los hombres con la honra, / que probarla es desatino». [...]

En las heroínas, al igual que en los héroes que pueblan el teatro de Moreto, no puedo dejar de ver un reflejo de la personalidad del autor. En ellos vemos el inmenso respeto que Moreto sentía por la femineidad, el gran valor que concedía a las virtudes de la cortesía, la generosidad, la lealtad, las buenas maneras, la dignidad y el dominio de sí mismo. En ellos se reflejan su propia bondad, su amor al equilibrio y a la mesura, su aversión a la discordia, su conservadurismo, su visión esencialmente aristocrática.

Esa aversión a las posturas extremas, acompañada por una sal ática, por una parte le salvó de un sentimentalismo al que su actitud idealista podía haberle conducido, y por otra le evitó también las extremosidades del «pundonor» que hubiera podido sustituir un código convencional por otro personal. Como escribió N. Alonso Cortés, no hay nada «tumultuoso» en las obras de Moreto. El suyo es un teatro «reflexivo» propio de un autor que se interesa por la concepción ética del hombre. De ahí su tendencia a acentuar el didactismo en obras como *El licenciado Vidriera*, *De fuera vendrá* y *Cómo se vengan los nobles*.

10. GRACIÁN Y LA PROSA DE IDEAS

GONZALO SOBEJANO

Para la prosa de ideas no es enteramente válido el esquema que J. M. López Piñero [1979] aplica a la producción científica: 1) prolongación de la ciencia desarrollada en el siglo anterior, durante el tercio inicial del XVII; 2) tradicionalismo —ya «moderado», ya «intransigente»— en los cuarenta años centrales de la centuria; 3) crítica del saber tradicional y programa de asimilación de la ciencia moderna, por parte de los «novatores», durante el último cuarto del siglo (véase arriba, pp. 116-121). En ciertos casos puede darse coincidencia, pero en general la prosa de ideas con valor literario evoluciona de un modo que obliga a proponer otro esquema: 1) desde principios del siglo hasta poco más allá de su mitad, prolongación del humanismo adaptado a la ideología contrarreformista y precipitado hacia una crisis oscurecedora de sus orígenes (Gracián muere en 1658); 2) a lo largo de los cuarenta años últimos, inercia o diluido descenso de la fuerza ideativa y de la voluntad de estilo.

Como Quevedo, Gracián cultivó casi todas las modalidades en que la prosa de ideas del siglo XVII se ramifica. A ellas se dedican aquí sendos sumarios, colocando en el centro la obra de Gracián y tomando ésta (y la de Quevedo, pero casi siempre implícitamente) como puntos de referencia.

Un primer grupo de prosistas didascálicos es el de los filólogos, tratadistas de retórica y poética y humanistas en sentido amplio. Cuatro son las cuestiones principales que ocupan a los filólogos: los orígenes del castellano, la fijación de su ortografía, la codificación de su léxico y el estudio de su gramática. En todas opera la conciencia de que el castellano es un idioma de igual o mayor rango que el latín, al que puede superar (Bahner [1966]). El problema de los orígenes se debate entre la tesis del castellano como latín corrompido, que halla su mejor expositor en Bernardo José de Aldrete (1560-1641), cuya obra, exaltada por el mismo Bahner, ha sido editada y ampliamente descrita por Nieto Jiménez [1975], y la hipótesis del protocastellano, sostenida por Gregorio López Madera y que, aunque inverosímil, sedujo a muchos. Entre los tratadistas de ortografía descuellan Mateo Alemán (T. Navarro [1950], Piñero Ramírez [1967]), Jiménez Patón y Gonzalo Correas, y también en este campo hay conflicto: entre los partidarios de la ortografía etimológica (Patón, por ejemplo) y los defensores del fonetismo, ya moderado (Alemán), ya extremoso (Correas). La gran obra de lexicografía se debe al enciclopédico humanista Sebastián de Covarrubias (1539-1613): *Tesoro de la lengua castellana, o española*, cuya consulta facilitó la edición de M. de Riquer [1943]. La gramática, en fin, culmina en el magistral *Arte de la lengua española castellana* de Gonzalo Correas (1571-1631), editado y estudiado por Alarcos García [1954]. Debe verse además la ejemplar edición de Combet [1967] del *Vocabulario de refranes* del mismo Correas, la otra mina de conocimiento léxico, junto al *Tesoro*. Si el *Arte* de Correas es la mejor gramática de la época, en algunos criterios y particularidades inspírase, sin mencionar la obra, en las *Instituciones de la gramática española* de Jiménez Patón (Quilis y Rozas [1965]). Defensores del «uso» y perspicaces observadores del habla, tanto Patón como Correas perciben la madurez del castellano y, deseosos de enfrentarlo al latín, llegan a aceptar la teoría primitivista de López Madera. Siempre que puede, Correas aproxima el castellano al griego, idioma que tiene por el mejor, en actitud parecida a la que movía a Quevedo, años antes, a considerar el castellano óptimo retrato de la lengua hebrea.

La retórica, en cuanto arte de la oratoria religiosa y profana, se expone mayormente en latín, y los pocos tratados en castellano ofrecen escasa originalidad. Aunque haciendo las distinciones debidas, los estudios sobre esta disciplina se refieren a los siglos XVI y XVII, ya en relación con el desenvolvimiento de la oratoria sagrada desde el vigor renacentista, a través del practicismo postridentino, hasta la decadencia culto-conceptista, y en conexión con la poética (A. Martí [1972]), ya desde el punto de vista de la enseñanza universitaria de la retórica, sus nociones fundamentales y la terminología pertinente (J. Rico Verdú [1973]).

En su forma teórica menos sumaria, la poética aparece a fines del siglo XVI y se explaya en el XVII estimulada por la contienda entre poetas culteranos y poetas llanos y por el triunfo del arte nuevo de hacer comedias. A gran distancia cronológica de la *Historia de las ideas estéticas* de Menéndez Pelayo, la exposición más lúcida y condensada de la teoría literaria de esta época sigue siendo la de A. Vilanova [1953]; y a Antonio García Berrio [1977-1980] se debe el estudio más exhaustivo y profundo, muy rico, además, en observaciones sociológicas y en referencias críticas. Las anotaciones a Garcilaso, del Brocense y sobre todo de Herrera, abren paso a dos géneros predominantes en el XVII: el comentario de la obra de un poeta español (Góngora desplaza a Garcilaso) y el tratado en forma de diálogo o de discurso. En ambos géneros, y con pocas excepciones de signo platónico (Carvallo en su *Cisne de Apolo*, 1602, Carrillo o González de Salas) la teoría se fundamenta en la poética de Aristóteles auxiliada por Horacio, sobre todo a partir de la *Philosophía antigua poética* de Alonso López Pinciano (cf. *HCLE*, vol. 2, *s. v.*), que, si bien publicada en 1596, influye mucho en el XVII. A su vez, las artes poéticas desde Herrera son impensables sin la influencia de los comentaristas y teóricos italianos del siglo XVI.

En el presente contexto importa advertir que, luego de aparecer unas artes métricas de utilidad pedagógica, como el manual de Rengifo, tan desfigurado en el siglo XVIII (Martí [1977]), la poética alcanza su insuperada cima en la obra de López Pinciano: facultad imaginativa, deleite asociable a la doctrina pero distinguible de ella, imitación de la naturaleza, verosimilitud, primacía de la fábula. Esta poética infunde dignidad a las nuevas formas épicas en prosa (Cervantes) y actúa como contraste clasicista ante los usos de la comedia barroca triunfante. No mucho después, el *Libro de la erudición poética* (1611) de Luis Carrillo y Sotomayor (véase cap. 7) señala el comienzo de un largo debate sobre el derecho del poeta a alejarse de la claridad y exhibir una dificultad docta. En estas obras tan desiguales —el profundo tratado dialogal de Pinciano y el alentado discurso de Carrillo— la poética del XVI, más practicada que codificada, pasa a un nuevo plano, el de la licitación de géneros y estilos a través de los cuales la literatura española emule a la griega y la latina: narrativa en prosa («romance» y novela), y un lenguaje poético elevado y culto. Sólo en el teatro hallan estas teorías la resistencia de la comedia nueva, a la que no dejan de reconocer sus valores algunos teorizadores aristotélico-horacianos.

Después de López Pinciano, el otro tratadista de más amplio objetivo es Francisco Cascales (1564-1642) en sus también dialogadas *Tablas poéticas*, de 1617. A la vida y la obra de este humanista consagró un libro J. García Soriano [1924], editor asimismo de sus *Cartas filológicas* de varia y amena erudición [1930]. Las *Tablas* han merecido una edición exhaustivamente comentada de A. García Berrio [1975] y otra más manual (B. Brancaforte [1975]). El cotejo de ambos editores con las fuentes italianas (Robortello, Tasso y especialmente Minturno) revela un mosaico de plagios literales; pero tanto en las *Cartas* como en estas *Tablas*, sin duda anacrónicas, pueden apreciarse ciertas cualidades: el clasicismo de Cascales, su equilibrio, su práctica exposición, el respeto que otorga a la verdad histórica como objeto de imitación y la atención que, siguiendo a Tasso, concede a la lírica, nunca hasta entonces, en España, tan claramente deslindada de la épica y la dramática: aquélla, basada en el concepto; éstas, en la fábula.

Las poéticas de Pinciano, Carvallo y Cascales abarcan todo. Otros preceptistas se limitan a la poesía o al teatro. Carrillo abre camino al tratamiento particular del lenguaje poético, y más de un apologista de Góngora recurrió al libro de aquél para justificar la dificultad de éste, que a partir de 1613 desencadena fecunda controversia. A. Reyes, M. Artigas, D. Alonso y otros, en torno a 1927, revaloraron la poesía de Góngora sirviéndose ampliamente de la comentarística coetánea del cordobés. Aunque se sigue echando de menos una colección cronológica, crítica y completa de los comentarios sobre Góngora, la falta queda compensada por el sabio empleo que de ellos ha hecho Dámaso Alonso y por la publicación, entera o parcial, de algunos (E. J. Gates [1960], A. Martínez Arancón [1978]; véase cap. 4).

Entre los numerosos estudios sobre el gongorismo se destaca el libro de A. Collard [1967], donde se demuestra que la crítica del culteranismo incluye tanto la dificultad u oscuridad verbal como la conceptual («conceptismo» es término posterior al siglo), pero que de ésta se hizo una ortodoxia mientras a la primera se la vio como una heterodoxia ante la cual había que tomar partido. El *Discurso poético* de Juan de Jáuregui (M. Romanos [1978]) ha sido considerado por algunos como el manifiesto del conceptismo por oponer el «concepto ingenioso» al «sonido estupendo», y representa desde luego un diagnóstico (cauto y lúcido, a diferencia del mordaz *Antídoto* que Jáuregui compusiera antes) en el que se critican las demasías del nuevo estilo, pero postulando un lenguaje rico, elevado y difícil en la sentencia, lejos de la llaneza. Puede establecerse, en teoría literaria, una línea de aristocrática exigencia que tiene sus puntos principales en el *Libro* de Carrillo (1611), la «Carta de don Luis de Góngora, en respuesta de la que le escribieron» (1615), declaración breve y definitoria, el *Discurso* de Jáuregui (1624) y la *Agudeza* de Gracián (1642 y 1648). Como corona de la poética aristocraticista debe mirarse el *Panegírico por la poesía* (1627) de Fernando de Vera y Mendoza (A. Pérez y Gómez [1968]), estudiado por Curtius [1939] dentro de la tradición de los elogios de las artes y como poética teocéntrica. Exalta la divinidad de la poesía y menciona innumerables poetas, desde Jesucristo hasta Felipe IV con todos sus cortesanos titulados.

Por obra de Góngora y de los humanistas que comentando sus dificultades tanto impulso dieron a la crítica erudita y estilística, Lope de Vega perdió la batalla del lenguaje poético (del lenguaje «heroico» sobre todo); pero la ganó, en cambio, en la práctica teatral y, hasta cierto punto, en la teoría dramática. Son muy abundantes los textos en verso y prosa a través de los cuales se desarrolló la polémica en torno al teatro de fundamento aristotélico-horaciano frente a la comedia barroca (Sánchez Escribano y Porqueras [1965]; véase cap. 2). Especial recuerdo merece aquí la *Nueva idea de la tragedia antigua* (1633) de Jusepe Antonio González de Salas (1588-1654), sólido explanador de la poética de Aristóteles, pero tolerante respecto a la tragicomedia española por estar convencido

de que la autoridad debe ceder a la naturaleza y adaptarse a los tiempos
(Riley [1951]); y casi del todo conciliador es el breve discurso del pintoresco José Pellicer: *Idea de la comedia de Castilla* (ms. 1635, publicado 1639, en segunda versión; véase Canavaggio [1966]). Los ataques no procedían sólo de los clasicistas, sino también de quienes, juzgando inmoral la comedia, solicitaban su prohibición (véase arriba, pp. 276-283). Contra el más radical ataque teológico de un jesuita escribió Francisco de Bances Candamo, entre 1689 y 1694, sin llegar a publicarlo, su inconcluso *Theatro de los theatros de los passados y presentes siglos,* una de cuyas fuentes es la obra de González de Salas y que, más que como ensayo de una historia universal del teatro, vale como razonada defensa de la comedia española a la luz del decoro moral y la perfección artística de las obras de Calderón, a la vez que contiene argumentos en pro de la función política del teatro (Moir [1970]). Calderoniano fervoroso, Bances no defiende la comedia en nombre del gusto del vulgo, sino que trata de racionalizar las cualidades de la comedia ya perfeccionada y darle preceptos desde una concepción relativamente moderna, laica, histórica y enciclopédica, en el límite que mira hacia el siglo XVIII (Rozas [1965]).

La crítica literaria se moldeó en diálogos y discursos como los aludidos, pero también en prólogos, sermones, memoriales, vejámenes, parodias y ensayos epistolares (J. M. Blecua [1971]). Un importante tratado de retórica, al reducir ésta a la «elocutio», dejando a la dialéctica lo demás, se distingue como excelente compendio del lenguaje literario y en particular de las «figuras»: la *Eloquencia española en arte* del fervoroso admirador de Lope Bartolomé Jiménez Patón (1569-1640), cuya primera versión de 1604 (E. Casas [1980]) merecería ser reeditada en compañía de la segunda, de 1621.

A continuación de los gramáticos y teorizadores nombrados, hay que destacar a algunos humanistas ejemplares. Baltasar de Céspedes (m. 1615), helenista en Salamanca, yerno del Brocense, protector de Correas y maestro eficacísimo, fue uno de los mejores transmisores del humanismo del siglo XVI a la centuria siguiente, en cuyo umbral (1600) compuso el *Discurso de las letras humanas* (G. de Andrés [1965]), luminosa síntesis de las funciones que competen al humanista digno de tal título. Definido por Céspedes el programa enciclopédico del buen humanista, puede notarse el contraste entre el humanismo plenario del XVI, vital, asimilativo, progresivo, y el humanismo refractado del siglo XVII, obsesionado por la realidad nacional y regional, la historia y la política. Falto del hálito erasmiano y sujeto a normativas contrarreformistas y jesuíticas (L. Gil [1981]), el humanismo va derivando hacia una concepción anticuaria y erudita; de ahí, el florecer de la genealogía y la heráldica, corografía, arqueología y bibliografía (García Martínez [1965]), y la tendencia conservadora de la política paradigmática. Todavía en Jiménez Patón se da, después de su labor filológica (vertida ya hacia la lengua española y los poetas de su tiempo), un atento cultivo de temas de actualidad (Quilis y Rozas [1965]). Rodrigo Caro (1573-1647) es, en cambio, el humanista arqueólogo por excelencia, ya explore las antigüedades de Utrera y de Sevilla, o indague en los orígenes y precedentes paganos de juegos, cantares y costumbres de los muchachos, como hace en los serenos diálogos de sus *Días geniales o lúdicros* (Etienvre [1978]). La transformación del humanista en erudito tiene su caricatura en el farragoso y alardoso José Pellicer, y dos ejemplares muy respetables en Juan Francisco Andrés de Uztarroz (1606-1653), polígrafo, cronista de Aragón y amigo de Lastanosa y de Gracián (Del Arco [1950], Egido [1979]), y en Nicolás Antonio (1617-1684), debelador de los falsos cronicones (Alonso [1979]) y fundador de la historiografía y bibliografía literarias con su *Bibliotheca Hispana Vetus* y *Nova* (Roma, 1672-1696).

El enlace entre la literatura económico-social y la sociopolítica es lógico en cualquier época, pero en el siglo XVII ambas se hallan fuertemente vinculadas a la moral por obvias razones. Aunque los economistas no pretendan calidad «literaria» en sus escritos, el esfuerzo novador de la mayoría de ellos, su valeroso empeño en remediar crisis y tensiones proponiendo soluciones más o menos practicables a errores de toda especie justifica la atención que se les viene otorgando. En muchos de ellos se perfila una conciencia burguesa, de transformación y modernidad. No es extraño, así, que la primera *Historia social de la literatura española* (Madrid, 1978) incluya en unas páginas a «ideólogos y arbitristas», resaltando para el XVII la importancia de los poblacionistas Martín González de Cellorigo y Francisco Martínez de Mata, del mercantilista Sancho de Moncada (J. Vilar [1974]) o del agrarista Miguel Caja de Leruela. La literatura económica de los siglos de oro debe contribuciones muy destacadas a J. Larraz, P. Vilar, A. Domínguez Ortiz, y ha sido objeto de estudio y aprovechamiento por J. A. Maravall [1972 *a* y *b*; 1975 *a* y *b*; 1979]. Indispensable es la monografía de J. Vilar [1973] acerca de los arbitristas. Por su relación con la picaresca de Mateo Alemán, demostrada por E. Cros y F. Rico en 1967, merece recuerdo especial aquí el humanitario médico Cristóbal Pérez de Herrera (1556-1620), autor del *Amparo de pobres* (Cavillac [1975]).

Con muy pocas excepciones, los tratadistas de política del XVII han sido considerados en forma panorámica. La obra crítica fundamental en este campo es la de Maravall [1944], generosa exposición sinóptica de la teoría política de ese siglo en sus rasgos formales e intencionales, ante toda la problemática del gobierno y según las líneas de pensamiento que se dibujan: contra Maquiavelo, contra Bodino e indirectamente contra Tácito (Rivadeneyra, Márquez, Quevedo), a favor de una ciencia política experimental (el tacitista Álamos de Barrientos), y aquellos teorizadores que diferenciando, como Botero, la razón de estado independiente de la ética y la limitada por los preceptos morales, recurren a Tácito como psicólogo, maestro de prudencia y hondo observador de los hechos, pero lo cristianizan y oponen la política histórica a la natural del «impío» florentino (Alvia, Barbosa, Saavedra, Gracián). Una concisa monografía acerca de Álamos de Barrientos y una sagaz exposición del tacitismo en España es la tesis doctoral de E. Tierno Galván [1949] (y sobre el tema se anuncia ahora un libro de Charles Davis); y no sólo en la política sino en la historiografía se estudió después muy eruditamente el magisterio de Tácito (F. Sanmartí [1951]).

Se desarrolla en la primera mitad del siglo, pues, una tensión entre el tradicionalismo «intransigente» y otro de carácter «moderado», necesariamente abierto al giro maquiavelista (Maravall [1969 b]) y muy sensible al modelo ético y formal de Tácito. Editor de éste y de Séneca —el otro latino que más huella imprime en los españoles barrocos— fue Justo Lipsio, con quien mantuvieron correspondencia algunos de ellos. Sobre los mediadores más eficaces de Tácito —Alciato, Lipsio, Boccalini— entre los teorizadores españoles de política y sobre la confluencia del historiador romano y de Séneca, es de indispensable consulta otro estudio de Maravall [1969 a] que, entre otras cosas, relaciona la tesis de Álamos de Barrientos sobre el valor científico de la historia con los diagnósticos de los economistas reformadores.

Prologando una utilísima antología del pensamiento político del Siglo de Oro (P. de Vega [1966]), observaba Tierno Galván todas las deficiencias de aquél (escolasticismo teológico, escasa originalidad, antimaquiavelismo exacerbado), pero reconocía en Saavedra y Gracián ciertas actitudes modernas: en Saavedra, el espíritu crítico, la identificación entre virtud y saber, y la europeidad; en Gracián, la política del triunfo y la pedagogía del sobreaviso; sin embargo, concluía Tierno que en la segunda mitad del siglo nada se publicó que no fuese el tópico de la conducta virtuosa, sin esfuerzo ni ingenio por parte de los autores.

Quevedo y Saavedra Fajardo pertenecen a la generación penúltima del Barroco que, ante la debilitación de la monarquía española, trata de remediar la decadencia, pero subordina aún la política práctica a la moral religiosa (Tierno [1948]), polemizando con ardor patriótico ante la declaración de guerra de Francia, en 1635 (Jover [1949]). Quevedo es el escritor de esa generación más apegado a las creencias tradicionales y, como artista, el único genial, incluso en su parenética *Política de Dios* (1626), y no digamos en las refulgentes glosas de la *Vida de Marco Bruto* (1644).

El murciano Diego Saavedra Fajardo (1584-1648), nada genial, es no obstante un escritor político de excepcional clarividencia, aunque fiel a la idea austrohispana del imperio como veterano diplomático a su servicio. Son accesibles en ediciones de clásicos sus obras más celebradas: *Repú-*

blica literaria (Dowling [1967]), *Idea de un príncipe político cristiano representada en cien empresas* (García de Diego [1927-1930]) y el tardío diálogo lucianesco *Locuras de Europa* (J. M. Alejandro [1965]). La primera y única edición de sus obras completas (González Palencia [1946]) habría de renovarse y completarse tras el descubrimiento de nuevos textos y copiosos fondos epistolares, de todo lo cual obtendrá el lector precisa información en el más reciente resumen de la vida y obra de Saavedra (Dowling [1977]; agréguese Q. Aldea [1975]). De carácter principalmente biográfico es la más vasta exposición que se ha hecho de la actividad diplomática de Saavedra en Italia, Centroeuropa y España (M. Fraga [1955]), coincidente en su mayor parte con la guerra de los Treinta Años (1618-1648).

F. J. Díez de Revenga [1977] recoge una bibliografía general de y sobre Saavedra Fajardo, como antes había hecho, más detenidamente por ser su objeto más parcial, A. Muñoz Alonso [1958]. Sobre la *República literaria* como reflexión acerca de la literatura y las artes ha escrito Entrambasaguas [1973ᵃ], sobre su composición y técnica Díez de Revenga [1970], y A. Vilanova [1953] subrayó el platonismo de esa alegoría, su ironía erasmista y su burla de los pedantes especulativos; pero tales contribuciones habrán de revisarse sustancialmente si se acepta la tesis sólidamente argumentada por Alberto Blecua [en prensa], según el cual ninguna de las dos redacciones de la *República* puede atribuirse a Saavedra. En *Locuras de Europa* se ha señalado la confusa percepción del ocaso del imperio cristiano y el orto de la Europa del equilibrio de poderes, que tanto beneficiaría a Francia (L. Martínez-Agulló [1968]).

La obra mejor estudiada de Saavedra son sus *Empresas* (1640, 1642²). Se ha reconocido el método como culminación del proceso desde la emblemática humanística (retórica y moral) a la emblemática política barroca que expone la piadosa razón de estado, de carácter mayestático y defensivo (Maldonado de Guevara [1949], Sánchez Pérez [1977]), y la modernidad ensayística de la obra se ha inducido de la comparación con sus supuestos modelos (Gómez Martínez [1979]). Con la perspectiva de la decadencia política y económica de España expuso J. Dowling [1957] el contenido de la obra toda de Saavedra, conexionando su ideario con el de otros tratadistas que se esforzaban por superar los límites impuestos a sus aspiraciones y creencias. Pero el estudio más completo del pensamiento político de aquél se debe a F. Murillo Ferrol [1957], quien destacó en su obra cierto pesimismo antropológico ineludible, un tacitismo menos arriesgado que el de Álamos, el valor epistemológico y pedagógico del conjunto y su finalidad regio-política en trance de necesaria secularización, llegando a admitir algún maquiavelismo y «cartesianismo político» y notando, además, la atribución del decaimiento español a la empresa de las Indias, la política monetaria y la holganza. Maravall [1971] pondera la defensa saavedriana de las cortes en prevención de los excesos absolutistas, y Fernández-Santamaría [1979] la oscilación del escritor entre experiencia y conocimiento especulativo. El influjo de las *Empresas*, así como de varias obras de Gracián, en la obra del dramaturgo silesiano D. C. von Lohenstein inspira un competente estudio de K.-H. Mulagk [1973], que acentúa el significado de la fama y ansia de perpetuación en el pensamiento de ambos españoles. Y la cuestión del tacitismo de Saavedra ocupa la monografía póstuma de A. Joucla-Ruau [1977], minuciosa exploración de la que se deduce que aquél, aunque distante de los «tacitistas» de su época, leyó al historiador romano, en el texto fijado y comentado por Lipsio, con maduradora asiduidad, impregnándose de su estilo y de sus ideas hasta asimilarlos en forma muy original.

Saavedra Fajardo combinó en sus *Empresas* la emblemática, el tratado de educación principesca y el discurso integrado por reflexiones, sentencias e ilustraciones bíblicas e históricas. Gracián, aunque buen conocedor de la emblemática, recurre al más dinámico método de los aforismos. Y a Quevedo, Saavedra y Gracián, en línea de menor a mayor progreso, se refiere el libro de M. Z. Hafter [1966] cuyo subtítulo, «moralistas españoles del siglo XVII», define el intento más clarificador que se ha hecho de interpretar en relacionada sucesión a los mayores prosistas de ideas de la época: Quevedo toma como punto de partida la imperfección humana y como norma de virtud a Cristo; Saavedra, partiendo de la misma imperfección, no postula más virtud que la que del hombre puede esperarse; Gracián propone el uso diligente de medios humanos para alcanzar fines humanos, pasando de la inicial perfección abstracta a la observación crítica de la necedad generalizada. Los tres autores, pero en mayor medida Gracián, ejercitan la moralística, ese arte de la conducta o filosofía cortesana que cala en varios géneros hasta especializarse en el ensayo y en el aforismo.

Es copiosa la bibliografía sobre Baltasar Gracián (1601-1658) que, tras el interés despertado hacia su obra por Azorín y Alfonso Reyes, se vio favorecida por la revaloración general del Barroco y por el tricentenario de la muerte del jesuita aragonés. Su reseña se reducirá aquí a lo indispensable. Útil orientación auxiliar encontrará el curioso en una serie de trabajos parciales: sucesivos balances del estado de la investigación (M. Batllori [1958; 1965; 1973], V. R. Foster [1967]) y trabajos de tipo comparatista sobre Gracián en relación con Alemania, con Francia y con Italia, de todo lo cual informa E. Correa Calderón [1970²].

A la primera edición de *Obras completas* de Gracián (Correa Calderón [1944]) sucedió una segunda, muy lograda (A. del Hoyo [1960]), y una tercera, excelente aunque inconclusa (M. Batllori y C. Peralta [1969]), en cuyo estudio preliminar desembocan y se conciertan la mayoría de los trabajos de Batllori (la mejor biografía) completados por sendos capítulos sobre las obras a cargo de Peralta.

Son de especial interés algunas ediciones sueltas: *El héroe* (Coster [1911], y el estudio del autógrafo de esta obra por Romera-Navarro [1946]); *El político* (F. Ynduráin [1953]: ed. de 1646; Correa Calderón [1961 b], con introducción de Tierno; Batllori-Peralta [1969]: ed. de 1640, descubierta por Eugenio Asensio); *Agudeza y arte de ingenio* (Correa Calderón [1969]; y la del *Arte de ingenio*, de 1642, como apéndice en A. del Hoyo [1960]); *El discreto* (Romera-Navarro y J. M. Furt [1960]); *Oráculo manual* (Romera-Navarro [1954]); *El criticón* (Romera-Navarro [1938-1940], A. Prieto [1970], Correa Calderón [1971]), y *El comulgatorio* (Correa Calderón [1977]).

El primer estudio de carácter general sobre la vida y la obra del gran moralista, con lo que ello supone de labor roturadora en todos los aspectos, fue el libro de A. Coster [1913]. De utilidad considerable, sobre todo para el deslinde de las alegorías de *El criticón,* es el volumen misceláneo de uno de los más laboriosos gracianistas (M. Romera-Navarro [1950]). Útil en mayor grado, por lo completo, el manual de E. Correa Calderón [1961], otro gracianista de entusiasmos y méritos constantes; y para el hispanista foráneo, el resumen de V. R. Foster [1975]. A Castro [1972²] explicó el personalismo aristocrático de Gracián como refugio frente a la estéril política centralista, y K. Vossler [1935] interpretó su inclinación a la soledad, o a una sociedad muy selecta, y su relativo pesimismo, como producto de una sensibilidad agudísima para la mengua de las energías morales, tan patente en la España que le tocó vivir.

En un muy docto libro de Batllori [1958] se estudia a fondo la relación de la persona de Gracián y de su pensamiento y su retórica con la Orden de san Ignacio. La moral de Gracián, entre la salvación por la fama y el nihilismo, en contraste con la busca de un sentido inmanente a la vida, propuesta por su emulado y oculto modelo, el *Quijote,* ocupa un sugestivo ensayo de Aranguren [1976²], quien observa también la honda reflexión sobre el tiempo en *El criticón.* Relacionando la filosofía de Gracián con la forma de vida postulada o puesta en práctica, W. Krauss [1962²] examinó ambas a la luz de la psicología de las naciones y del individuo, arte de vivir y convivir, e ideal de perfección; y K. Heger [1960] lo hizo desde el punto de vista de la íntima conexión del conceptismo (y del perspectivismo funcional que rige *El criticón*) con la valoración moral y el estilo de vida (fortuna, probabilismo, casuística, discreción).

De la lectura del mejor diccionario de conceptos gracianos (H. Jansen [1958]), ordenados en tres campos nocionales (normativo, táctico y contemplativo), se puede derivar una clasificación de sus obras que los mismos títulos sugieren (aunque los tres aspectos puedan complicarse). Lo primero fue el modelo abstracto del *héroe* integral; después, ese modelo en la realidad de un personaje *político*; luego, importó a Gracián el juicio selectivo del *discreto*; más adelante, la inteligencia práctica, la *prudencia* en el mundo; redujo todas las virtudes, en el plano literario, a la *agudeza*; y, finalmente, cansado de paradigmas y reglas, contempló la existencia en su decurso desde el mirador del desengaño *crítico*. Todas las obras de Gracián quieren enseñar a vivir, a convivir, a pervivir. El que sabe vivir y convivir bien y logra perdurar en la memoria de los hombres, es la «persona» (lo opuesto: el «necio»).

El héroe (1637; 1639) expone, mediante una abstracción ejemplificada en numerosos individuos, los «primores» del hombre ínclito, proporcionando una «razón de estado» de la persona, de sentido moral pero orientada ya al triunfo, e influida por Maquiavelo, Plinio el Joven y Botero. Se ha notado el relieve innovador que adquiere aquí la cualidad, más política que moral, del disimulo (Schulz-Buschhaus [1979]). Y en efecto, la política prevalece en la más diminuta y más difundida obra de Gracián: *El político* (1640; 1646), síntesis de la interpretación española de la razón de estado en su siglo. Tratado y biografía a un tiempo, este discurso, que refleja la lectura de Tácito, intenta conciliar la moral pragmática y la católica al servicio del ideal de gobierno, erigiendo en Fernando el Católico el arquetipo de príncipe, antisemejante al delineado por Maquiavelo, a base de tres esquemas quíntuples (virtudes, partes del cuerpo, perfecciones biográficas) cuyo funcionamiento estudió A. Ferrari [1945]. Tierno Galván [1961] ve el sentido de tal discurso en la aplicación a la política del ocasionalismo moral de los jesuitas.

Pero no es la política el territorio predilecto de Gracián, sino la moralística. En *El discreto* (1646), cuyos «realces» corresponden a los rasgos del hombre eminente en la esfera social cortesana, expuestos en moldes de alabanza, vituperio, razonamiento, problema y ficción, se dibuja el antiguo dechado del cortesano de Castiglione, pero imbuido de notas tácticas y cautelosas, obligado a conocerse a sí mismo para prevalecer sobre los otros, avisado y prudente. Por la variedad de experimentos literarios, narrativos y satíricos algunos, esta obra preludia *El criticón*.

Más resonancia encontró el *Oráculo manual y arte de prudencia* (1647), analizada en el barroquismo de sus agudezas y juegos idiomáticos por H. Hatzfeld [1958]. Quien mejor ha profundizado en las consecuencias del aforismo 251 sobre la separación entre los medios humanos y los divinos, ha sido Maravall [1958], poniendo de relieve la modernidad del autor: antropocentrismo, plasticidad reformable del hombre y desdén hacia las utopías, secularización metódica del héroe, explicación racional de la dignidad del hombre y de su sentimiento religioso, interpretación vital del «cogito» (punto tratado también por Maldonado de Guevara [1958]), mitos adánico y prometeico en Andrenio y Critilo, valor de la ocasión y de la elección, aristocratismo no estamental sino individualista... El arte de prudencia que despliegan los trescientos aforismos del *Oráculo* consiste, desde luego, en adaptar el individuo al mundo y éste a aquél, con sagacidad y con dureza.

De 1642 es el *Arte de ingenio* y de 1648 la *Agudeza y arte de ingenio*, versión ampliada que se ha comparado con la primera (A. Navarro González [1948]). Ni retórica ni poética, sino teoría y antología de la estética de la agudeza, fue obra menos estimada en su tiempo que en el nuestro. E. Sarmiento [1932, 1935] analizó las modalidades y el valor relacional de los conceptos y reivindicó a Gracián contra malentendidos de Croce y de Coster. Otro crítico inglés, T. E. May [1948, 1950], evaluó el arte de la agudeza en su fecundidad creativa y en su complejidad sistematizada. Como una proeza nacional de entronque del manierismo de Góngora y otros coetáneos en el manierismo latino, sobre todo de Séneca y Marcial, interpretó Curtius [1948] la teoría del «ingenio» gracianesca; pero H. H. Grady [1980] quiere ver en *Agudeza* más bien un paso hacia delante en la vía que conduce a la libertad imaginativa moderna y al arte por el arte. Menéndez Pidal [1942] había distinguido la dificultad conceptista del recargamiento y la ornamentación gongoristas. Lázaro Carreter [1956] probó después la base conceptista anterior en que radica el movimiento culterano, y a conclusión semejante llega F. Monge [1966] al examinar cómo Gracián recomienda las figuras retóricas sólo cuando van acompañadas del concepto, reprobando aquéllas cuando de medios pasan a fines, lo cual engendra una reacción contra el culteranismo que le hace parecer un estilo distinto y aun opuesto, no siéndolo (véase «Preliminar»). Precisando las relaciones entre el conceptismo italiano y el español, A. García Berrio [1968] puntualiza la deuda de Gracián a Pellegrini y la de Tesauro a Gracián y advierte que para Gracián el concepto no fue mero objeto de codificación, como para ambos italianos, sino afloración necesaria del alma, la tradición y la historia en un estilo apasionadamente sentido.

Muchas de las contribuciones hasta aquí aludidas se ocupan de *El criticón* (1651, 1653 y 1657), la gran novela alegórica que narra el viaje del hombre a lo largo de la vida y a través de la tierra en busca de la felicidad, la cual consiste en la virtud, cuyo premio es la inmortalidad de la fama (aunque en este desenlace haya podido ver Maldonado de Guevara [1945] la resignada ironía de quien reconocía extinta la era de la heroicidad singular). Pero hay otros estudios más especiales sobre el estilo, la estructura, el contenido y el valor novelístico de la obra.

Una buena y primera exploración estilística se debe a J. M. Blecua [1945], que especifica todos los procedimientos de «intensión» de la novela. Referido menos a ésta que a los tratados de Gracián, el estudio de F. Ynduráin [1958] pone de manifiesto el arte quizás excesivamente simétrico y perfeccionista que supedita lo moral y aun lo racional a lo artístico. Desde el punto de vista de la retórica aborda M. Welles [1976] la estructura alegórica y satírica de *El criticón*, temas como el tiempo y la edad de oro, y símbolos apocalípticos y demoníacos. Pring-Mill [1968] compara las técnicas de representación de los *Sueños* de Quevedo y de ciertas crisis de *El criticón*, deduciendo una más refinada eficacia ilusoria y perspectivista en las crisis; y en otro estudio estilístico, analizando pasajes de la novela en que se deplora la fuga del tiempo, se ha intentado percibir en la prosa presuntamente cerebral de Gracián valores líricos (Sobejano [1980]).

Aspectos principalmente semánticos han sido atendidos en otros trabajos: la visión grotesca del hombre-monstruo y del hombre-títere (P. Ilie [1971]); el pesimismo de la parte última de la novela (J. B. Hall [1975]); el hombre como microcosmos (Rico [1970]); el «mundo al revés» y la conciencia de la crisis (A. Redondo [1979], Senabre [1979]). En el libro de G. Schröder [1966] se estudia la alegoría manierista como un complejo a veces más verbal que figurativo y la libertad ensayística de ciertas alegorías, teniendo en cuenta la dualidad ser/parecer, el valor senequista de la «persona», la teoría graciana del procedimiento alegorizante y la forma de las «crisis». A mostrar el valor táctico de la virtud, el aislamiento del sabio respecto de la sociedad y el individual aislamiento de Gracián en los últimos años de su vida se endereza el análisis que hace T. L. Kassier [1976] de la alegoría como principio constructivo de *El criticón* en sus líneas generales, en la articulación emblemática de sus capítulos y en la calidad oblicua o especular de sus conceptos. Ricardo Senabre [1979] ha dedicado, en fin, un excelente estudio a los paradigmas últimos de la obra maestra. Como novela, *El criticón* no oculta su procedencia de la *Atalaya de la vida humana* que es el *Guzmán de Alfarache*, entre otros modelos. El celebrado ensayo de Montesinos [1933] parte de ahí para considerar la obra de Gracián como «picaresca pura»: el alegorismo jesuítico despoja el relato de concreción y estímulo cordial, resume la amargura frente al mundo y aísla al hombre en el desengaño.

El comulgatorio (1655), único libro religioso de Gracián, ha sido menos leído y estudiado en nuestros tiempos. Lo mejor acerca de estas cincuenta meditaciones sacramentales para los domingos del año, ajustadas a las Escrituras, modeladas a ejemplo de los *Ejercicios* ignacianos y labradas en un lenguaje sobriamente conceptista y serenamente exhortativo, son las páginas de Batllori y Peralta [1969], aunque no resulte fácil admitir con Batllori que ésta sea «la obra más sincera de Gracián» ni con Peralta que sólo en ella aparezca «el Gracián auténtico y real». Se trata, en todo caso, de uno de los libros religiosos más bellos del siglo, quintaesencia devocional digna de la poesía eucarística de Calderón.

La literatura religiosa del XVII, orientada por la militancia jesuítica, es más doctrinal que contemplativa. Una exposición clara de ella es la trazada por M. Herrero García [1953], autor del mejor panorama histórico de la oratoria sagrada [1942], en el cual distingue, para el siglo XVII, sucesivas etapas: artística, crítica, del Barroco triunfante, y decadente.

En la etapa crítica, es el trinitario fray Hortensio Félix Paravicino (1580-1633) el orador de dotes artísticas más destacadas: su biografía y bibliografía han sido laboriosamente esclarecidas por F. Cerdan [1979]; y a la interpretación de sus sermones, difíciles pero no oscuros, consagró E. Alarcos García [1937] un estudio no superado en el que se justifica que Gracián le considerase el Góngora del púlpito. Otra figura notable, el jesuita Juan Eusebio de Nieremberg (1595-1658), dejó abundantísima producción latina y castellana. H. Didier [1976] le ha dedicado una monografía erudita y más bien apologética en la que pone de relieve el neoplatonismo cristiano del prolífico padre, inspirado en Plotino, revisando a esa luz el descrédito de lo temporal frente a lo eterno, el menosprecio del cuerpo y la exaltación de la muerte, el sufrimiento y el desengaño. Abundante fue también la obra escrita de sor María de Jesús de Ágreda (1602-1665), monja concepcionista, autora de una *Mística ciudad de Dios*, vastísima biografía de la Virgen a lo largo de la cual hace la autora las composiciones de lugar que le inspiran su fantasía, su sentido realista y su fervor por promover a dogma la Concepción Inmaculada. La correspondencia secreta de sor María con Felipe IV entre los años 1643 y 1665 (C. Seco Serrano [1958]), tan reveladora de la simplicidad práctica de aquélla como de la endeblez y conciencia de culpa del monarca, posee más riqueza psicológica e histórica que el panegírico marial. Bastará remitir aquí a un último estudio sobre la no canonizada pero venerable madre (T. Kendrick [1967]). Mirada con aprensiva cautela en este siglo, como en el anterior, la mística no halló proyección trascendental más que en la *Guía espiritual* del quietista Miguel de Molinos (véase *HCLE*, vol. 2, pp. 491-492).

Molinos tuvo sus lectores y prosélitos fuera de España, pues dentro de ella el pensamiento religioso y el filosófico discurrieron principalmente por el cauce del tomismo. Los materiales para elaborar una historia de la filosofía española del siglo XVII los indicó y ordenó R. Ceñal [1962] y, dado que la inmensa mayoría de los escritos filosóficos se publicaron en latín, baste remitir a dicho estudio, en el que se marcan como corrientes capitales el escolasticismo (con la importante novedad de Francisco Suárez), el estoicismo (a consecuencia de la labor de Lipsio), el lulismo (que así llegó a Leibniz), el atomismo (con la obra del judeoportugués Isaac Cardoso) y la filosofía política (en general, antimaquiavelista). A fines del siglo penetra, despacio y con retraso, el cartesianismo y doctrinas afines, y entre los que se abren a éstas merece recuerdo Juan Caramuel, que conoció y elogió la obra de Descartes. La impregnación neoestoicista de toda la obra de Quevedo ha sido demostrada en forma óptima por H. Ettinghausen [1972].

.En las ciencias de la naturaleza se da en España, desde 1687, un movimiento renovador (López Piñero [1979]). En ese final de siglo admirablemente redibujado por H. Kamen [1981], tampoco faltan innovadores por lo que respecta al pensamiento filosófico, moral, político y socioeconómico. Al estudio del eclecticismo como transición desde la escolástica, a través de la incorporación de la física, del probabilismo jesuítico y del suarismo, hacia la moderna filosofía europea dedicó un libro, más interesante para el siglo XVIII que para el XVII, O. V. Quiroz-Martínez [1949]. J. L. Abellán [1981], incluyendo en el «pensamiento» no sólo las ciencias de la naturaleza y del espíritu, sino también la literatura, intenta una visión integradora del Barroco y la Ilustración, y cuida de reconocer la renovación en proceso entre 1680 y 1724.

A lo largo del siglo va cobrando presencia un tipo de literatura que, caracterizada por el subjetivismo y la digresividad, la temática varia y la composición suelta, puede considerarse miscelánea y ensayística. Cristóbal Suárez de Figueroa (¿1571?-d. 1644) escribió en diálogos su miscelánea autobiográfica *El pasajero* (1617; ed. R. Selden Rose [1914]), donde el procedimiento «alivio de caminantes» enmarca algunos relatos, pero sobre todo disquisiciones sobre España y los españoles, prosa y poesía, la comedia, los sermones, el amor; milicia, justicia y comercio; la soledad, la vejez y la muerte; ricos y pobres, el ocio y los negocios. La obra ha sido alineada a veces con el precedente de Agustín de Rojas, quien inaugura con su *Viaje entretenido* (1602) el género impuro de las «misceláneas dialogadas» (Ressot [1972], Joset [1977], Avalle-Arce [1978]). Se conoce la vida de Suárez (Crawford [1907]) y se ha escrito una breve etopeya de este español frustrado (Dowling [1953]), pero está por precisar la medida de su independencia y la sazonada personalidad de su lenguaje. A Figueroa se parece bastante el portugués Antonio López de Vega, autor de ensayos filosóficos dialogados: *Heráclito y Demócrito* (1641) y *Paradoxas racionales* (manuscrito de 1655; ed. E. Buceta [1935]). El filósofo que ilustra al cortesano sobre la vanidad del linaje, la incomodidad de los honores, la brutalidad de la profesión militar, la tiranía de la honra y los perjuicios de la modestia, no se limita a prolongar la vieja tradición de las paradojas, sino aprovecha el método para racionalizar sobre unos fundamentos liberales, de tono utilitario y burgués. En esta línea están los *Errores celebrados* (1653) de Zabaleta (D. Hershberg [1972]), donde se refutan casos aplaudidos por los antiguos, invirtiendo paradójicamente su valor desde actitudes ilustradas y partiendo de la convicción de que el vulgo no sabe descubrir una verdad sino seguir una opinión. Maravall ha recurrido con frecuencia a Suárez, López de Vega y Zabaleta en sus estudios sobre la idea de progreso, la nueva estimación del trabajo y el cambio de mentalidad en los siglos de oro.

Como un preilustrado presenta el mismo Maravall [1978] a Francisco Gutiérrez de los Ríos (1644-1717), sobre quien había llamado la atención R. P. Sebold en un artículo de 1967 (*Hispanic Review*, 35, p. 247). En *El hombre práctico*, cuya primera fecha de publicación parece ser 1686 y de cuyo texto se ha hecho una útil selección (J. Gutiérrez [1981]), el aristócrata cordobés propone un modelo que ya no es ni heroico, ni discreto, en el sentido de Gracián, sino «práctico»: un hombre formado en el conocimiento de las matemáticas, antiescolástico, experto en lenguas vivas, urbano, sociable, amigo del trabajo y de la utilidad profesional, despierto a la «novedad».

Si se considera literatura costumbrista la que describe las formas de vida habituales y los tipos representativos de una sociedad determinada, tal literatura no aparece de un modo relativamente autónomo sino en el siglo XVII, favorecida por la novela picaresca y la cortesana, así como por la moralística. A diferencia del costumbrismo histórico-geográfico del XIX, el del siglo XVII es acentuadamente moral y cortesano (la corte como centro de la ociosidad). Misceláneas ensayísticas como *El mundo por de dentro*, de Quevedo, o *El discreto*, de Gracián, son menos costumbristas que ficciones morales como *La hora de todos*, del primero, o *El criticón*, del segundo; pero la relación entre ensayo misceláneo y costumbrismo es patente ya en *El pasajero*, aunque el costumbrismo en su mayor pureza aparece en otros autores (Correa Calderón [1950]).

La *Guía y avisos de forasteros* (1620), firmada por Antonio Liñán y Verdugo, obra bien caracterizada por J. Sarrailh [1919-1921], combina la conversación entre cuatro interlocutores, al igual que en *El pasajero*, con la relación de novelas destinadas a escarmiento (Simons [1980]). Revélase aquí la motivación generadora de este costumbrismo: el «aviso», prevención que el experimentado hace al inexperto acerca de las gentes con que éste tropezará en la corte, cuyos lugares admirables se le alaban de paso. Últimamente se ha insistido en que el verdadero autor pudo ser el dramaturgo Alonso Remón (Fernández Nieto [1974]). En 1646 B. Remiro de Navarra produjo una imitación con *Los peligros de Madrid* (Amezúa [1956]).

Dejando a un lado ficciones alegóricas entre morales y costumbristas como las de Rodrigo Fernández de Ribera, quien preludia a Gracián, o de Luis Vélez de Guevara (véase cap. 5), el costumbrismo más original del siglo es el que construye, sin componente novelístico, Juan de Zabaleta (¿1610?-¿1670?) en su díptico *El día de fiesta por la mañana*, de 1654 (Doty [1928], Sanz Cuadrado [1948]) y *El día de fiesta por la tarde*, de 1660 (Doty [1938], Díez Borque [1977]). Se ha estudiado la posición más bien avanzada de Zabaleta en su aprecio del honor como virtud y en su rechazo de la venganza y del duelo (Werner [1933]), y se ha justificado el valor de la reflexión moralizadora adjunta al cuadro pintoresco en *El día de fiesta* (Stevens [1966]). El sentido de este costumbrismo, edificante y profundamente cristiano aunque transido de razón y de arte, ha sido expuesto en certera síntesis por C. Cuevas García [1975]. Y la manera descriptiva, en presente, detallada, de las escenas de Zabaleta sugirió a J. M. Valverde [1971] agudos párrafos acerca de su efecto en la óptica y en el estilo de Azorín. Zabaleta gobierna una prosa de soberana elegancia, cuyas excelencias están por valorar debidamente, en la dirección hacia el laconismo que señalan Alemán, Figueroa, Quevedo y Gracián. Si el laconismo de Gracián impresiona por su densidad conceptuosa, el de Zabaleta produce la sugestión de una visualidad diáfana, ingrávida.

El más pródigo costumbrista de este tiempo, Francisco Santos (1623-1698) imita y a veces plagia, en forma un tanto chapucera, las fantasías de Ribera o Vélez, las alegorías de *El criticón* (Hammond [1950]), el artificio sómnico de Quevedo y las series de tipos y de escenas de Zabaleta. Entre sus obras más puramente costumbristas, de tono didáctico-moral demasiado obvio, *El no importa de España* ha sido objeto de edición e interpretación como testimonio de la decadencia desde una ideología católico-monárquica anticuada e impotente, dócil a todos los mitos casticistas e incapaz de racionalizar la protesta (Rodríguez Puértolas [1973]). Con *Día y noche de Madrid* y *Las tarascas de Madrid* se ha formado un primer tomo de obras selectas de Santos precedido de compendiosa introducción biográfica y crítica (Navarro Pérez [1976]).

Otra clase de «avisos», en el sentido de noticias que se dan a otros acerca de lo que sucede, origina una literatura periodística que no describe costumbres: las revela. Su estilo narrativo, su condición noticiera («Avisan que...»), su anecdotismo recuentan sucesos históricos y evocan la realidad cotidiana; son relaciones, cartas o avisos: de L. Cabrera de Córdoba (1599-1614), de algunos jesuitas (1634-1648), de J. Pellicer (1639-1644), de Jerónimo de Barrionuevo (1654-1658). Pertenecen al nivel más modesto —pero no menos interesante— de la historiografía: una buena muestra es la selección de Pellicer preparada por Tierno Galván [1965]. Quevedo practicó el género en sus *Grandes anales de quince días*, como Saavedra la vasta crónica del pasado en su *Corona gótica* y Gracián la biografía en *El político*. Y no cabe olvidar que en el siglo XVII adquieren notable desarrollo la biografía y la historia regional.

Estamos así en el terreno de la historiografía, que aquí no es posible incluir (sobre la autobiografía, véase el cap. 5). Baste, por un lado, remitir a los estudios generales reseñados en *HCLE*, vol. 2, cap. 4, y, para el período más tardío, al preciso examen de García Martínez [1965]; y, por otra parte, recordar simplemente los nombres de fray Prudencio de Sandoval, historiador del reinado de Carlos V; Luis Cabrera de Córdoba y fray José de Sigüenza (para el reinado de Felipe II); Carlos Coloma (sobre las guerras de los Países Bajos) (Avalle-Arce [1979]); y, por encima de todos, Francisco de Moncada (sobre catalanes y griegos), Francisco Manuel de Melo (movimientos y separación de Cataluña) (Colomes [1969]) y, ya en 1709, los *Anales de Cataluña* de Narcís Feliu de la Peña (Kamen [1975]). Junto a ellos piden mención igualmente las cuatro figuras mayores de la historiografía indiana: Antonio de Herrera y Tordesillas y Gil González Dávila, que intentaron abarcar todo el complejo americano; el Inca Garcilaso de la Vega, historiador del Perú (J. Durand [1968], Varner [1968], Avalle-Arce [1978]), y Antonio de Solís y Rivadeneyra, autor de la *Historia de la conquista de México* (1684), panegírico de Hernán Cortés y distanciada exposición ordenadora escrita en un lenguaje que, cerca ya del siglo XVIII, no es trivial calificar de primoroso.

BIBLIOGRAFÍA

Abellán, José Luis, *Historia crítica del pensamiento español*, III: *Del Barroco a la Ilustración (Siglos XVII y XVIII)*, Espasa-Calpe, Madrid, 1981.

Alarcos García, Emilio, «Los sermones de Paravicino», *Revista de Filología Española*, XXIV (1937), pp. 249-319.

—, ed., Gonzalo Correas, *Arte de la lengua española castellana*, CSIC, Madrid, 1954.

Aldea Vaquero, Quintín, «Un consejero de Indias en la Dieta Imperial de Ratisbona (1640-1641): Don Diego Saavedra Fajardo», *Homenaje a don Agustín Millares Carlo*, Las Palmas, 1975, I, pp. 567-590.

Alejandro, José M., ed., Diego de Saavedra Fajardo, *Locuras de Europa*, Anaya, Salamanca, 1965.

Alonso, Carlos, *Los apócrifos del Sacromonte. Estudio histórico*, Estudio Agustiniano, Valladolid, 1979.

Amezúa, Agustín G[onzález] de, ed., Baptista Remiro de Navarra, *Los peligros de Madrid*, Sociedad de Bibliófilos Españoles, Madrid, 1956.

Andrés, Gregorio de, *El maestro Baltasar de Céspedes, humanista salmantino y su «Discurso de las letras humanas»*, La Ciudad de Dios, Madrid, El Escorial, 1965.

Aranguren, J. L. L., «La moral de Gracián», *Revista de la Universidad de Madrid*, VII (1958), pp. 390-394 (y en *Estudios literarios*, Gredos, Madrid, 1976, pp. 113-150).

Arco y Garay, Ricardo del, *La erudición española en el siglo XVII y el cronista de Aragón Andrés de Uztarroz*, CSIC, Madrid, 1950, 2 vols.

Avalle-Arce, Juan Bautista, *Dintorno de una época dorada*, Porrúa, Madrid, 1978 (con estudios sobre Agustín de Rojas, el Inca Garcilaso y Carlos Coloma).

Bahner, Werner, *La lingüística española del Siglo de Oro*, trad. de J. Munárriz Peralta, revisada y corregida por el autor, Ciencia Nueva, Madrid, 1966.

Batllori, Miquel, *Gracián y el Barroco*, Storia e Letteratura, Roma, 1958.

—, «Un lustro de estudios gracianos: 1959-1963», *Archivum Historicum Societatis Iesu*, XXXIV, 1965, pp. 162-171.

—, «En torno a Baltasar Gracián», *Archivum Historicum Societatis Iesu*, XLII (1973), pp. 355-364.

—, y Ceferino Peralta, eds., *Baltasar Gracián, Obras completas*, I, Atlas (Biblioteca de Autores Españoles, 229), Madrid, 1969.

Blecua, Alberto, ed., Diego Saavedra Fajardo, *República literaria*, Crítica (Lecturas de «Filología»), Barcelona, en prensa.

Blecua, José Manuel, «El estilo de Gracián en *El criticón*» (1945), en *Sobre el rigor poético en España y otros ensayos*, Ariel, Barcelona, 1977, pp. 119-151.

—, «Estructura de la crítica literaria en la Edad de Oro» (1971), en [1977], pp. 57-72.

Brancaforte, Benito, ed., Francisco Cascales, *Tablas poéticas*, Espasa-Calpe (Clásicos Castellanos, 207), Madrid, 1975.

Buceta, Erasmo, ed., Antonio López de Vega, *Paradoxas racionales*, Centro de Estudios Históricos, Madrid, 1935.

Canavaggio, Jean, «Réflexions sur l'"Idea de la comedia de Castilla"», *Mélanges de la Casa de Velázquez*, II, París, 1966, pp. 199-223.

Casas, Elena, ed., *La retórica en España*, Editora Nacional, Madrid, 1980 (B. Jiménez Patón, *Eloquencia española en arte*, pp. 217-373).

Castro, Américo, «Gracián y los separatismos españoles», en *Teresa la Santa y otros ensayos*, Alfaguara, Madrid, 1972, pp. 249-307 (art. de 1929 revisado y muy ampliado).

Cavillac, Michel, ed., Cristóbal Pérez de Herrera, *Amparo de pobres*, Espasa-Calpe (Clásicos Castellanos, 199), Madrid, 1975.

Ceñal, Ramón, «La filosofía española del siglo XVII», *Revista de la Universidad de Madrid*, XI (1962), pp. 373-410.

Cerdan, Francis, «Bibliografía de fray Hortensio Paravicino», *Criticón*, n.º 8 (1979), pp. 1-149.

Colomes, J., *La critique et la satire de don Francisco Manuel de Melo*, Presses Universitaires de France, París, 1969.

Collard, Andrée, *Nueva poesía: Conceptismo, culteranismo en la crítica española*, Castalia, Madrid, 1967.

Combet, Louis, ed., Gonzalo Correas, *Vocabulario de refranes y frases proverbiales (1627)*, Institut d'Études Ibériques, Burdeos, 1967.

Correa Calderón, Evaristo, ed., Baltasar Gracián, *Obras completas*, Aguilar, Madrid, 1944.

—, ed., *Costumbristas españoles*, I, Aguilar, Madrid, 1950.

—, *Baltasar Gracián. Su vida y su obra*, Gredos, Madrid, 1961, 1970².

—, ed., Baltasar Gracián, *El político*, Anaya, Salamanca, 1961.

—, ed., Baltasar Gracián, *Agudeza y arte de ingenio*, Castalia, Madrid, 1969, 2 vols. (Clásicos Castalia, 14-15).

—, ed., Baltasar Gracián, *El criticón*, Espasa-Calpe, Madrid, 1971. 3 vols. (Clásicos Castellanos, 165-167).

—, ed., Baltasar Gracián, *El comulgatorio*, Espasa-Calpe, Madrid, 1977 (Clásicos Castellanos, 216).

Coster, Adolphe, ed., Baltasar Gracián, *El héroe*, Lester, Chartres, 1911.

—, «Baltasar Gracián (1601-1658)», *Revue Hispanique*, XXIX (1913), pp. 347-754 (trad. de R. del Arco y Garay, Instituto Fernando el Católico, Zaragoza, 1947).

Crawford, J. P. Wickersham, *The life and works of Christóbal Suárez de Figueroa*, Philadelphia, Pa., 1907 (trad. de N. Alonso Cortés, Valladolid, 1911).

Cuevas García, Cristóbal, «Juan de Zabaleta y la funcionalidad moral del costumbrismo», *Homenaje a don Agustín Millares Carlo*, Las Palmas, 1975, II, pp. 497-523.

Curtius, Ernst Robert, «Theologische Kunsttheorie in der spanischen Literatur des 17. Jahrhunderts», *Romanische Forschungen*, LIII (1939), pp. 145-184 (y en *Europäische Literatur und lateinisches Mittelalter*, Francke, Berna, 1948, pp. 532-542).

—, «Baltasar Gracián» (en [1948], pp. 295-303).

Didier, Hughes, *Vida y pensamiento de Juan E. Nieremberg*, trad. de M. Navarro Carnicer, Fundación Universitaria Española, Madrid, 1976.

Díez Borque, José M.ª, ed., Juan de Zabaleta, *El día de fiesta por la tarde*, Cupsa, Madrid, 1977.

Díez de Revenga, Francisco Javier, «Espíritu y técnica de la *República literaria* de Saavedra Fajardo», *Murgetana*, XXXIII (1970), pp. 65-87.

—, *Saavedra Fajardo*, Academia Alfonso X el Sabio (Cuadernos Bibliográficos, 2), Murcia, 1977.

Doty, George Lewis, ed., Juan de Zabaleta, *El día de fiesta por la mañana*, *Romanische Forschungen*, XLI (1928), pp. 147-400.

—, ed., Juan de Zabaleta, *El día de fiesta por la tarde*, Jena, 1938 (Gesellschaft für Romanische Literatur, 50).

Dowling, John C., «Un envidioso del siglo XVII: Cristóbal Suárez de Figueroa», *Clavileño*, n.º 22 (1953), pp. 11-16.

—, *El pensamiento político-filosófico de Saavedra Fajardo*, Academia Alfonso X el Sablo, Murcia, 1957.

—, ed., Diego Saavedra Fajardo, *República literaria*, Anaya, Salamanca, 1967.

—, *Diego de Saavedra Fajardo*, Twayne, Boston, 1977.

Durand, José, ed., G. de la V., el Inca, *Comentarios reales*, Universidad de San Marcos, Lima, 1968, 3 vols.

Egido, Aurora, «*Retratos de los Reyes de Aragón* de Andrés Uztarroz y otros poemas de academia», Zaragoza, Diputación Provincial, 1979.

Entrambasaguas, Joaquín de, «La crítica estética en la *República literaria* de Saavedra Fajardo» (en *Estudios y ensayos de investigación y crítica*, CSIC, Madrid, 1973, pp. 141-165; art. publ. en 1938, en 1943 y aquí).

Etienvre, Jean-Pierre, ed., Rodrigo Caro, *Días geniales o lúdicros*, Espasa-Calpe, Madrid, 1978, 2 vols. (Clásicos Castellanos, 212-213).

Ettinghausen, Henry, *Francisco de Quevedo and the Neostoic movement*, Oxford University Press, Oxford, 1972.

Fernández Nieto, Manuel, *Investigaciones sobre Alonso Remón, dramaturgo desconocido del siglo XVII*, Retorno, Madrid, 1974.

Fernández-Santamaría, J. A., «Diego Saavedra Fajardo: Reason of State in the Spanish Baroque», *Il Pensiero Politico*, XII (1979), pp. 19-37.

Ferrari, Ángel, *Fernando el Católico en Baltasar Gracián*, Espasa-Calpe, Madrid, 1945.

Foster, Virginia Ramos, «The status of Gracián criticism: A bibliographic essay», *Romanistisches Jahrbuch*, XXVIII (1967), pp. 296-307.

—, *Baltasar Gracián*, Twayne, Boston, 1975.

Fraga Iribarne, Manuel, *Don Diego de Saavedra Fajardo y la diplomacia de su época*, Ministerio de Asuntos Exteriores, Madrid, y Academia Alfonso X el Sabio, Murcia, 1955.

García Berrio, Antonio, *España e Italia ante el conceptismo*, CSIC, Madrid, 1968.

—, *Introducción a la poética clasicista: Cascales*, Planeta, Barcelona, 1975.

—, *Formación de la teoría literaria moderna*, vol. I, Cupsa, Madrid, 1977; vol. II, Universidad de Murcia, 1980.

García de Diego, Vicente, ed., Diego Saavedra Fajardo, *Idea de un príncipe político-cristiano representada en cien empresas*, Espasa-Calpe, Madrid, 1942-1946, 4 vols. (Clásicos Castellanos, 76, 81, 87, 102) (1.ª ed., La Lectura, Madrid, 1927-1930).

García Martínez, Salvador, «Las ciencias históricas y literarias en la España de Carlos II (1665-1700)», *Actas del II Congreso Español de Historia de la Medicina*, vol. I, Salamanca, 1965, pp. 293-301.

García Soriano, Justo, *El humanista Francisco Cascales. Su vida y sus obras*, Real Academia Española, Madrid, 1924.

—, ed., Francisco Cascales, *Cartas filológicas*, La Lectura, Madrid, 1930, 3 vols. (Clásicos Castellanos, 103, 117-118).

Gates, Eunice Joiner, ed., *Documentos gongorinos*, El Colegio de México, México, 1960.

Gil Fernández, Luis, *Panorama social del humanismo español (1500-1800)*, Alhambra, Madrid, 1981.

Gómez Martínez, José Luis, «Los supuestos modelos de las *Empresas* de Saavedra Fajardo y su carácter ensayístico», *Nueva Revista de Filología Hispánica*, XXVIII (1979), pp. 374-384.

González Palencia, Ángel, ed., Diego Saavedra Fajardo, *Obras completas*, Aguilar, Madrid, 1946.

Grady, Hugh H., «Rhetoric, wit, and art in Gracián's *Agudeza*», *Modern Language Quarterly*, XLI (1980), pp. 21-37.

Gutiérrez, Jesús, «Modernidad y tradición en *El hombre práctico* del conde de Fernán Núñez», *Dieciocho*, 4 (1981), pp. 51-84.

Hafter, Monroe Z., *Gracián and perfection. Spanish moralists of the seventeenth century*, Harvard University Press, Cambridge, Mass., 1966.

Hall, J. B., «The wheel of time: Gracián's changing view of history», *Bulletin of Hispanic Studies*, LII (1975), pp. 371-378.

Hammond, J. H., *Francisco Santos' indebtedness to Gracián*, University of Texas Press, Austin, 1950.

Hatzfeld, Helmut, «The baroquism of Gracián's *El oráculo manual*», *Homenaje a Gracián*, Instituto Fernando el Católico, Zaragoza, 1958, pp. 103-117 (y trad. en *Estudios sobre el Barroco*, Gredos, Madrid, 1964, pp. 346-363).

Heger, Klaus, *Baltasar Gracián. Estilo lingüístico y doctrina de valores*, Instituto Fernando el Católico, Zaragoza, 1960.

Herrero García, Miguel, *Sermonario clásico. Con un ensayo histórico sobre la oratoria sagrada española de los siglos XVI y XVII*, Escelicer, Madrid, 1942.

—, «La literatura religiosa», en G. Díaz-Plaja, ed., *Historia general de las literaturas hispánicas*, vol. III, Barna, Barcelona, 1953, pp. 3-78.

Hershberg, David, ed., Juan de Zabaleta, *Errores celebrados*, Espasa-Calpe, Madrid, 1972 (Clásicos Castellanos, 169).

Hoyo, Arturo del, ed., Baltasar Gracián, *Obras completas*, Aguilar, Madrid, 1960.

Ilie, Paul, «Gracián and the moral grotesque», *Hispanic Review*, XXXIX (1971), pp. 30-48.

Jansen, Hellmut, *Die Grundbegriffe des Baltasar Gracián*, Droz-Minard, Ginebra-París, 1958.

Joset, Jacques, ed., Agustín de Rojas, *El viaje entretenido*, Espasa-Calpe, Madrid, 1977 (Clásicos Castellanos, 210-211).

Joucla-Ruau, André, *Le tacitisme de Saavedra Fajardo*, Éditions Hispaniques, París, 1977.

Jover, José María, *1635. Historia de una polémica y semblanza de una generación*, CSIC, Madrid, 1949.

Kamen, Henry, ed., N. Feliu de la Peña, *Fénix de Cataluña*, Barcelona, 1975.

—, *La España de Carlos II*, Crítica, Barcelona, 1981.

Kassier, Theodore L., *The truth disguised: Allegorical structure and techniques in Gracián's «Criticón»*, Tamesis, Londres, 1976.

Kendrick, Thomas, *Mary of Ágreda. The life and legend of a Spanish nun*, Routlege and Kegan Paul, Londres, 1967.

Krauss, Werner, *La doctrina de la vida según Baltasar Gracián*, trad. de R. Estarriol, Rialp, Madrid, 1962 (original alemán, 1947).

Lázaro Carreter, Fernando, «Sobre la dificultad conceptista» (1956), en *Estilo barroco y personalidad creadora*, Cátedra, Madrid, 1974, pp. 13-43.

López Piñero, José María, *Ciencia y técnica en la sociedad española de los siglos XVI y XVII*, Labor, Barcelona, 1979.

Maldonado de Guevara, Francisco, «El ocaso de los héroes en *El criticón*» (1945), en *Cinco salvaciones*, Revista de Occidente, Madrid, 1953, pp. 63-102.

—, «Emblemática y política. La obra de Saavedra Fajardo» (1949), en *Cinco salvaciones*, pp. 103-150.

—, «El *cogito* de Baltasar Gracián», *Revista de la Universidad de Madrid*, VII (1958), pp. 271-330.

Maravall, José Antonio, *La teoría española del Estado en el siglo XVII*, Instituto de Estudios Políticos, Madrid, 1944.

—, «Las bases antropológicas del pensamiento de Gracián», *Revista de la Universidad de Madrid*, VII (1958), pp. 403-445; y en [1975 *b*], pp. 197-241.

—, «La corriente doctrinal del tacitismo en España», *Cuadernos Hispanoamericanos*, n.º 238-240 (1969), pp. 645-667; y en [1975 *b*], pp. 77-105.

—, «Maquiavelo y el maquiavelismo en España», *Boletín de la Real Academia de la Historia*, CLXV (1969), pp. 183-218; y en [1975 *b*], pp. 107-123.

—, «Moral de acomodación y carácter conflictivo de la libertad (Notas sobre

Saavedra Fajardo)», *Cuadernos Hispanoamericanos*, n.º 257-258 (1971), páginas 663-693; y en [1975 *b*], pp. 161-196.

—, *Estado moderno y mentalidad social (Siglos XV a XVII)*, II, Revista de Occidente, Madrid, 1972.

—, *La oposición política bajo los Austrias*, Ariel, Barcelona, 1972.

—, *La cultura del Barroco*, Ariel, Barcelona, 1975.

—, *Estudios de historia del pensamiento español. Serie tercera. Siglo XVII*, Madrid, 1975.

—, «Novadores y pre-ilustrados: la obra de Gutiérrez de los Ríos, tercer conde de Fernán Núñez (1680)», *Cuadernos Hispanoamericanos*, n.º 340 (1978), pp. 15-30.

—, *Poder, honor y élites en el siglo XVII*, Siglo XXI, Madrid, 1979.

Martí, Antonio, *La preceptiva retórica española en el Siglo de Oro*, Gredos, Madrid, 1972.

—, ed., J. Díaz Rengifo, *Arte poética española*, Ministerio de Educación, Madrid, 1977.

Martínez-Agulló, Luis, «Saavedra Fajardo y Europa», *Revista de Estudios Políticos*, n.º 161 (1968), pp. 97-108.

Martínez Arancón, Ana, ed., *La batalla en torno a Góngora (Selección de textos)*, Antoni Bosch, Barcelona, 1978.

May, Terence E., «An interpretation of Gracián's *Agudeza y arte de ingenio*», *Hispanic Review*, XVI (1948), pp. 275-300.

—, «Gracián's idea of the *concepto*», *Hispanic Review*, XVIII (1950), pp. 15-41.

Menéndez Pidal, Ramón, «Oscuridad, dificultad entre culteranos y conceptistas» (1942), en *Castilla: la tradición, el idioma*, Espasa-Calpe, Madrid, 1945, pp. 217-230.

Moir, Duncan W., ed., Francisco de Bances Candamo, *Theatro de los theatros de los passados y presentes siglos*, Tamesis, Londres, 1970.

Monge, Félix, «Culteranismo y conceptismo a la luz de Gracián», *Homenaje: Estudios de Filología e Historia literaria ... de la Universidad Estatal de Utrecht*, La Haya, 1966, pp. 355-381.

Montesinos, José F., «Gracián o la picaresca pura», *Cruz y Raya*, IV (1933), pp. 37-63 (y en *Ensayos y estudios de literatura española*, De Andrea, México, 1959, pp. 132-145).

Mulagk, Karl-Heinz, *Phänomene des politischen Menschen im 17. Jahrhundert*, Erich Schmidt, Berlín, 1973 (sobre Saavedra Fajardo y Gracián en su mayor parte).

Muñoz Alonso, Alejandro, «Revisión bibliográfica de Saavedra Fajardo», *Revista de Estudios Políticos*, n.º 99 (1958), pp. 236-245.

Murillo Ferrol, Francisco, *Saavedra Fajardo y la política del Barroco*, Instituto de Estudios Políticos, Madrid, 1957.

Navarro, Tomás, ed., Mateo Alemán, *Ortografía castellana*, El Colegio de México, México, 1950.

Navarro González, Alberto, «Las dos redacciones de la *Agudeza y arte de ingenio*», *Cuadernos de Literatura*, IV (1948), pp. 201-213.

Navarro Pérez, Milagros, ed., Francisco Santos, *Obras selectas*, I, Instituto de Estudios Madrileños, Madrid, 1976.

Nieto Jiménez, Lidio, ed., Bernardo José de Aldrete, *Del origen, y principio de la lengua castellana o romance que oi se usa en España*, CSIC, Madrid, 1972-1975, 2 vols. (I, edición facsimilar; II, Ideas lingüísticas de Aldrete).

Pérez y Gómez, Antonio, ed., Fernando de Vera y Mendoza, *Panegýrico por la poesía* (Montilla, 1627), Cieza, 1968.

Piñero Ramírez, Pedro M., «La *Ortografía castellana* del sevillano Mateo Alemán», *Archivo Hispalense*, n.° 46-47 (1967), pp. 179-239.

Prieto, Antonio, ed., Baltasar Gracián, *El criticón*, Iter, Madrid, 1970.

Pring-Mill, R. D. F., «Some techniques of representation in the *Sueños* and the *Criticón*», *Bulletin of Hispanic Studies*, XLV, pp. 270-284.

Quilis, Antonio, y Juan Manuel Rozas, eds., Bartolomé Jiménez Patón, *Epítome de la ortografía latina y castellana. Instituciones de la gramática española*, CSIC, Madrid, 1965.

Quiroz-Martínez, Olga Victoria, *La introducción de la filosofía moderna en España. El eclecticismo español de los siglos XVII y XVIII*, El Colegio de México, México, 1949.

Redondo, Augustin, «Monde à l'envers et conscience de crise dans le *Criticón* de Baltasar Gracián», en J. Lafond y A. Redondo, eds., *L'image du monde renversé...*, Vrin, París, 1979, pp. 83-97.

Kessot, Jean Pierre, ed., A. de Rojas, *El viaje entretenido*, Castalia, Madrid, 1972.

Rico, Francisco, *El pequeño mundo del hombre*, Castalia, Madrid, 1970, pp. 236-242.

Rico Verdú, José, *La retórica española de los siglos XVI y XVII*, CSIC, Madrid, 1973.

Riley, Edward C., «The dramatic theories of don Jusepe Antonio González de Salas», *Hispanic Review*, XIX (1951), pp. 183-203.

Riquer, Martín de, ed., Sebastián de Covarrubias Orozco, *Tesoro de la lengua castellana, o española*, Horta, Barcelona, 1943.

Rodríguez-Puértolas, Julio, ed., Francisco Santos, *El no importa de España y la Verdad en el potro*, Tamesis, Londres, 1973.

Romanos, Melchora, ed., Juan de Jáuregui, *Discurso poético*, Editora Nacional, Madrid, 1978.

Romera-Navarro, Miguel, ed., Baltasar Gracián, *El criticón*, University of Pennsylvania Press, Filadelfia, 1938-1940, 3 vols.

—, *Estudio del autógrafo de «El héroe» graciano (Ortografía, correcciones y estilo)*, CSIC, Madrid, 1946.

—, *Estudios sobre Gracián*, University of Texas Press, Austin, 1950.

—, ed., Baltasar Gracián. *Oráculo manual y arte de prudencia*, CSIC, Madrid, 1954.

—, y Jorge M. Furt, eds., Baltasar Gracián, *El discreto*, Academia Argentina de Letras, Buenos Aires, 1960.

Rozas, Juan Manuel, «La licitud del teatro y otras cuestiones literarias en Candamo, escritor límite», *Segismundo*, I (1965), pp. 247-273.

Sánchez Escribano, Federico, y Alberto Porqueras Mayo, eds., *Preceptiva dramática española del Renacimiento y el Barroco*, Gredos, Madrid, 1965.

Sánchez Pérez, Aquilino, *La literatura emblemática española*, SGEL, Madrid, 1977.

Sanmartí Boncompte, Francisco, *Tácito en España*, CSIC, Barcelona, 1951.

Sanz Cuadrado, María Antonia, ed., Juan de Zabaleta, *El día de fiesta por la mañana*, Ediciones Castilla, Madrid, 1948.

Sarmiento, Edward, «Gracián's *Agudeza y arte de ingenio*», *Modern Language Review*, XXVII (1932), pp. 280-292 y 420-429.

—, «On two criticisms of Gracián's *Agudeza*», *Hispanic Review*, III (1935), pp. 23-35.

Sarrailh, Jean, «Algunos datos acerca de don Antonio Liñán y Verdugo, autor de la *Guía y avisos de forasteros*, 1620», *Revista de Filología Española*, VI (1919), pp. 346-363, y VIII (1921), pp. 150-160.

Schröder, Gerhart, *Baltasar Graciáns «Criticón». Eine Untersuchung zur Beziehung zwischen Manierismus und Moralistik*, W. Fink, Munich, 1966.

Schulz-Buschhaus, Ulrich, «Über die Verstellung und die ersten Primores des *Héroe* von Gracián», *Romanische Forschungen*, XCI (1979), pp. 411-430.

Seco Serrano, Carlos, ed., Sor María de Jesús de Ágreda, *Cartas de ——— y de Felipe IV*, Atlas, Madrid, 1958, 2 vols. (Biblioteca de Autores Españoles, 108 y 109).

Selden Rose, R., ed., Cristóbal Suárez de Figueroa, *El passagero*, Sociedad de Bibliófilos Españoles, Madrid, 1914.

Senabre, Ricardo, *Gracián y «El criticón»*, Universidad de Salamanca, 1979.

Simons, Edison, ed., Antonio Liñán y Verdugo, *Guía y avisos de forasteros*, Editora Nacional, Madrid, 1980.

Sobejano, Gonzalo, «Prosa poética en *El criticón*: Variaciones sobre el tiempo mortal», *Romanica Europaea et Americana*, Festschrift für H. Meier, Bouvier, Bonn, 1980, pp. 602-614.

Spitzer, Leo, «*Betlengabor*, une erreur de Gracián?», *Revista de Filología Española*, XVII (1930), pp. 173-180.

Stevens, J. R., «The *costumbrismo* and ideas of Juan de Zabaleta», *PMLA*, LXXXI (1966), pp. 512-520.

Tierno Galván, Enrique, «Saavedra Fajardo, teórico y ciudadano del Estado barroco», *Revista Española de Derecho Internacional*, I (1948), pp. 467-476.

—, *El tacitismo en las doctrinas políticas del Siglo de Oro español*, Nogués, Murcia, 1949.

—, «Introducción» a *El político* de B. Gracián (ed. Correa Calderón, Anaya, Salamanca, 1961, pp. 5-14).

—, ed., J. de Pellicer, *Avisos históricos*, Taurus, Madrid, 1965.

—, «Introducción» a *Antología de escritores políticos* (ed. P. de Vega, Taurus, Madrid, 1966, pp. 7-20).

Valverde, José M.ª, *Azorín*, Planeta, Barcelona, 1971 («Influjos del Barroco español. Juan de Zabaleta», pp. 124-131).

Varner, I. G., *El Inca: The life and times of Garcilaso de la Vega*, University of Texas Press, Austin, 1968.

Vega, Pedro de, ed., *Antología de escritores políticos del Siglo de Oro*, Taurus, Madrid, 1966.

Vilanova, Antonio, «Preceptistas de los siglos XVI y XVII», en G. Díaz-Plaja, ed., *Historia general de las literaturas hispánicas*, vol. III, Barna, Barcelona, 1953, pp. 567-692.

Vilar, Jean, *Literatura y economía. La figura satírica del arbitrista en el Siglo de Oro*, trad. de F. Bustelo García del Real, Selecta de Revista de Occidente, Madrid, 1973.

—, ed., Sancho de Moncada, *Restauración política de España (1619)*, Instituto de Estudios Fiscales, Madrid, 1974.

Vossler, Karl, «Introducción a Gracián», *Revista de Occidente*, n.° CXLVII (1935), pp. 330-348.

Welles, Marcia L., *Style and structure in Gracián's «El criticón»*, University of North Carolina, Chapel Hill, 1976.

Werner, E., «Ehre und Adel nach der Auffassung des Juan de Zabaleta», *Revue Hispanique*, LXXXI, 2.ª parte (1933), pp. 261-281.

Ynduráin, Francisco, ed., Baltasar Gracián, *El político don Fernando el Católico*, Alfaro, Zaragoza, 1953.

—, «Gracián, un estilo», *Homenaje a Gracián*, Zaragoza, 1958, pp. 163-188 (y en *Relación de clásicos*, Prensa Española, Madrid, 1969, pp. 215-253).

Francisco Murillo Ferrol y Monroe Z. Hafter

EMBLEMÁTICA Y RAZÓN DE ESTADO
EN SAAVEDRA FAJARDO

I. Junto a los tratados de *Regimiento de príncipes*, probablemente derivados del *De regimine principum*, de santo Tomás; junto a los múltiples *Espejos de príncipes*, se extiende por Europa en los siglos XVI y XVII un peculiar género de libros, que utilizan la representación simbólica para los asuntos morales. A los *Emblemas* de Alciato, que llegan a ser uno de los libros más populares de su tiempo, sucede una incontable legión de ellos que, con más o menos fortuna, utilizan este específico medio de expresión, tan en boga. [...] La emblemática, en su más lato sentido, prescindiendo de las diferencias entre sus diversas especies, consiste en utilizar un dibujo, que acompañado o no de una lema o mote, declare a medias el pensamiento del autor; por manera que actúe en parte como jeroglífico, incitando a desentrañar completamente su sentido y en parte como argucia mnemotécnica que grabe fuertemente la moraleja literaria, moral o política que se postula. Mas, claro está, por grande que sea el poder expresivo de los símbolos utilizados en el dibujo, nunca podrán llegar a la matización de las ideas complejas. Por ello, los libros del género no pueden ser una colección de dibujos y motes, a semejanza de las «aleluyas» de nuestro siglo XIX, que se trivializan por falta de poder expresivo, sino que el emblema va acompañado

I. Francisco Murillo Ferrol, *Saavedra Fajardo y la política del Barroco*, Instituto de Estudios Políticos, Madrid, 1957, pp. 25-35 y 196-199.

II. Monroe Z. Hafter, *Gracián and perfection. Spanish moralist of the seventeenth century*, Harvard University Press, Cambridge, Mass., 1966, pp. 49-57.

o de una explicación amplia y detallada, o de un tratamiento del mismo asunto por los medios corrientes de la expresión literaria. Creo, pues, que debe verse en el género un doble sentido. En primer lugar, uno que llamaríamos epistemológico; a saber, llegar a lo desconocido a través de lo conocido y su interpretación jeroglífica. No cabe olvidar a este respecto la posible pervivencia de la concepción medieval de las cosas como «vestigios de Dios», huellas divinas donde Dios se nos hace patente; las cosas interesan en cuanto medios para vislumbrar el rostro del Señor.

[Juan de Orozco y Covarrubias subraya el punto de partida de la consideración del universo como *vestigium Dei*, y la reducción última de todas las especies al jeroglífico.] La identificación del género con muchos pasajes simbólicos de la Escritura, se encuentra también expresamente en Saavedra. «A nadie podrá parecer poco grave el asunto de las *Empresas*, pues fue Dios autor dellas. La sierpe de metal (*Núm.*, 21), la zarza encendida (*Éxod.*, 3), el vellocino de Gedeón (*Judic.*, 6), el león de Sansón (*Judic.*, 14), las vestiduras del Sacerdote (*Éxod.*, 28), los requiebros del Esposo (*Cant. Cantic.*), ¿qué son sino *Empresas?*» (*Al lector*). [...]

La táctica de declarar en parte la verdad para incitar a su total descubrimiento, por medio del simbolismo jeroglífico, encaja muy bien en el carácter general del arte y la literatura barrocos, que, en frase de Pfandl, están señalados en conjunto por «la tendencia conceptista hacia una intelectualización complicada de la transmisión del pensamiento». Y así, cuando el lenguaje llega a hacerse profundamente conceptista será posible prescindir de toda la parte gráfica, permaneciendo rigurosamente, sin embargo, en los moldes del género emblemático. Empresas son, según el modelo de Orozco y Saavedra, la *Política de Dios* y el *Marco Bruto* de Quevedo; y con mucha mayor razón, el *Oráculo manual* de Gracián. Respecto a éste, dice Pfandl: «Si una figura simbólica precediera a cada aforismo, tendríamos una *empresa* completa. Sólo falta el efecto visual al estímulo intelectual; en lo demás, la manera de comunicar las ideas es la misma que en la escritura simbólica. Por esto el *Oráculo* no es formalmente otra cosa que una variada colección de empresas de una tendencia determinada a las cuales de sus tres elementos constitutivos (imagen, sentencia y comentario) sólo falta el primero. Y conviene recordar que las cien empresas de un príncipe de Saavedra Fajardo eran un libro del gusto de Gracián, quien lo leyó con afición y lo citaba y, en algunos pasajes, supo desarrollar sus ideas (por ejemplo en el juicio de las distintas naciones en el *Criticón*). Y no olvidemos tampoco que el mismo Gracián, en la *Agudeza y arte de ingenio*, considera la *empresa* como uno de los numerosos recursos artísticos del estilo y la define como las piedras preciosas del aderezo de un hermoso discurso». Ferrari [1945] sostiene incluso que ni los alciatistas ni los moralistas de emblemas influyen gran cosa en Gracián, mientras que desde Saavedra Fajardo, «el emblemista tipólogo primero propiamente dicho», hasta Núñez de Cepeda, a finales del siglo, la influencia del jesuita «se hace cada vez más notoria, en tanto que dicho género va ganando sistemática y unidad tipológica».

El segundo sentido de la emblemática es el de su eficacia. No se trata sólo de escribir, sino de escribir enseñando; será preciso, por tanto, extremar el cuidado en los recursos pedagógicos del libro. De su eficacia nos da idea el hecho de que aún hoy, cuando ha perdido su vigencia la mayoría de los elementos simbólicos utilizados, algunas de las *empresas* de Saavedra se nos graban tan fuertemente que nos basta ver su dibujo o escuchar su mote, para recordar su contenido, sin necesidad de más explicaciones. [...]

Cuanto a las diferentes formas que puede adoptar el género, Orozco Covarrubias comienza el libro primero de sus *Emblemas morales* con un capítulo, «en que se declara qué cosas son emblemas, empresas, insignias, divisas, símbolos, pegmas y jeroglíficos». Para él, todas, a la postre, vienen a tener carácter jeroglífico. Con su excepcional conocimiento de la época, Maravall [1944] ha ido tratando de perfilar los rasgos de cada una de estas formas, que, desde luego, no tienen un sentido unívoco en todos los autores. Respecto a la forma, la empresa parece apuntar a un mayor grado de abstracción en el simbolismo que el emblema. En el dibujo, aquélla se caracteriza por la ausencia de la figura humana total (sólo se admiten, por ejemplo, brazos saliendo de nubes), que atraería sobre sí la atención, desviándola del verdadero núcleo enigmático de la composición. Además, por lo general, el breve mote de la empresa acentúa su carácter jeroglífico, frente a la mayor extensión declarativa del emblema. Basta comparar, para advertirlo, los *Emblemas* paradigmáticos de Andrea Alciato y, en España, los *Emblemas morales* de Orozco y Covarrubias (1589) y los del mismo nombre de Sebastián de Covarrubias y Orozco (1591), con las *Empresas* de Saavedra. En realidad, pudiera hablarse de un proceso en que el género se hace cada vez más abstracto y enigmático. Maldonado señala tres etapas. Una etapa humanística, que llenan los comentadores españoles de Alciato. Una etapa moralizante y barroca de emblemas, cuyos típicos representantes son Juan de Borja (1581) y Juan de Orozco y Covarrubias. Y una última etapa política, con el predominio de las empresas sobre los emblemas, presidida por Saavedra y Solórzano Pereira (1651). Es decir, que a la vez que una evolución en la forma se produciría también un desplazamiento del interés hacia el campo político.

Orozco expone una curiosa serie de diez reglas muy detalladas para la composición de las empresas. Es preciso, ante todo, cuidar que exista la proporción debida entre el cuerpo y el alma, entendiendo por cuerpo la invención, y por alma el mote. [...] La empresa no debe ser «tan clara que cualquiera la entienda, ni tan oscura que sea menester quien la declare», y ello para mantener en su punto debido el interés por su descifrado. No deben tener las empresas figuras humanas, debe cuidarse mucho que tengan buena vista y el mote ha de ponerse con gracia y donde conviniere. La empresa ha de tener «buen intento y propósito» y ser de «cosa que está por venir, porque de cosas pasadas es memoria y recuerdo solamente, y no tiene que ver con empresa». Por último, debe ser original, por manera que se muestre el ingenio en la invención y no en usar de la invención ajena. [...]

Saavedra cumple rigurosamente los cánones del estilo en sus *Empresas*, que bien pueden pasar por ejemplares. La figura humana completa no aparece jamás en sus dibujos. O el brazo saliendo de unas nubes (2, 73) o el cuerpo de cintura para arriba (75, 78) o, en fin, el cuerpo de cintura para abajo (89). Los motes suelen ser muy concisos, y en algunos casos el descifrado es difícil, aun contando con el hecho de que ya nosotros no estamos familiarizados con los elementos simbólicos que se utilizan. La ausencia de la figura humana produce un mundo de paisajes, edificios y barcos desiertos, que sobrecoge a veces por su seca frialdad; tanto más cuanto que, por lo general, no se trata de fantasías abstractas, sino que la pintura tiene perspectiva y, siguiendo el consejo de Orozco, las cosas pesan sobre la tierra. Es de advertir también el gran número de artefactos mecánicos que aparecen en las *Empresas*, indicando con ello no sólo la posible afición técnica del autor, sino sobre todo, el que se les considera ya dotados de más poder simbólico expresivo que muchas de las cosas naturales. Recordemos la expresiva frase de Orozco, de «que algunas veces lo que es natural no da tanto contento como lo que se ve con propiedad imitado». Saavedra utiliza, por ejemplo, una escuadra, para medir el ángulo de tiro de un cañón (4), un anteojo (7), unas tijeras (14), un freno (30), una brújula (29), un compás (56), un reloj (57), un espejo cóncavo para incendiar las naves (66) y una máquina hidráulica para mover el fuelle y el martillo de una fragua (84), artilugio este último que muestra ya cierta moderna complicación en su traza.

Producido por un tipo de hombre como el del Barroco, que siente al máximo la presión de los elementos culturales, con preferencia sobre los naturales, el estilo emblemático significa tal vez la culminación de una concepción demasiado «cultural» del mundo, que traspone al plano de lo artificioso los medios de expresión, convirtiéndolos en virtuosismo y torneo de ingenio. Pensemos en la peculiar operación mental, como de segundo grado, que se da en las *Empresas*. El texto literario no trata sólo de decir lo que haya de decirse, sino que, antes que esto, importa explicar la *empresa*, justificándola. La ausencia del pensamiento especulativo y puramente teórico, sustituido por la preocupación pedagógico-moral, es también una expresión del mismo fenómeno. [...] Cuando Saavedra Fajardo se enfrenta con la «razón de Estado», el concepto se encuentra ya muy depurado y plenamente inserto en la órbita del saber político. Innúmeras veces aparece la expresión en sus obras, dando por supuesto, al utilizarla en cada caso, que será entendida sin dificultad por sus lectores. Es posible señalar en Saavedra, implícita, la distinción entre buena y mala «razón de Estado», que en su momento era ya generalmente aceptada. Así, dice, que «las sombras de la razón de Estado suelen ser mayores que el cuerpo, y tal vez se deja éste y se abrazan aquéllas». O sea, la razón de Estado y su sombra, lo cual es tanto como referirse a una verdadera y otra aparente. [...]

Aunque Saavedra no se preocupa con exceso de aclarar lo que entiende por «razón de Estado», acaso porque no lo creyó muy necesario, son muy interesantes los datos que nos ofrece para ello, la empresa 7 (*Auget et minuit*). [...] El hombre es un ser cuya vida se desenvuelve en el juego de los afectos y pasiones por un lado, y la razón, por otro. «Nacen con nosotros los afectos, y la razón llega después de muchos años, cuando ya los halla apoderados de la voluntad, que los reconoce por señores, llevada de una falsa apariencia de bien, hasta que la razón, cobrando fuerzas con el tiempo y la experiencia, reconoce su imperio, y se opone a la tiranía de nuestras inclinaciones y apetitos.» Aquí, utiliza la metáfora política (tiranía, imperio) para asentar un principio antropológico. Los afectos deforman por tal manera las cosas, que, aún permaneciendo éstas sin alteración, podemos verlas de distinta magnitud, de acuerdo con el cristal que interpone nuestro subjetivismo. Por ello, la empresa figura un anteojo, en el que, según miremos por un extremo o por otro, nos parecerán las cosas más grandes o más pequeñas de lo que son en realidad. [Por tanto], conviene que la razón domine y señoree las pasiones, haciéndonos mirar por entrambos lados las cosas para apreciarlas como realmente son. Pues bien, de igual suerte, la deformación afectiva de las cosas políticas debe corregirse con el dominio de la razón. Los afectos y pasiones del príncipe, en cuanto tal, deben dominarse, todavía más que en el hombre ordinario, por una especie de la razón que se llamará «de Estado». En esta esfera es más preciso que en ninguna otra considerar las cosas por todas sus caras, a fin de llegar a su más cabal conocimiento. Por ello, conviene que el príncipe «no se gobierne por sus afectos, sino por la razón de Estado». [...] Como el príncipe tiene una esfera especial de acción y unas cosas peculiares que conocer, así deberá existir también una clase de razón destinada a moderar sus afectos, en el trato con ellas. «Con el imperio se muda de naturaleza, y así también se ha de mudar de afectos y pasiones.» Para esta peculiar naturaleza que da el imperio, ha de existir, por tanto, también una peculiar manera de razón: la «razón de Estado». En el fondo de estas afirmaciones está la cuestión de que una es la naturaleza del hombre y otra la del príncipe, cuestión a la que Maquiavelo dio forma, exageradamente, con su concepto de *virtú*.

II. [En la obra maestra de Diego Saavedra Fajardo, *Idea de un príncipe político-cristiano*, el conflicto estriba en la armonía o divergencia de los dos adjetivos con los que se califica en su título al gobernante ideal. En efecto, ¿qué debe hacer un príncipe consciente cuando juzga que lo más político no está enteramente de acuerdo con la doctrina cristiana? Por lo común, la obra de Saavedra es un intento de adaptar las prudentes enseñanzas de la literatura tradicional de suerte que quepa disponer de instrumentos más flexibles y eficaces, resistiendo a la tentación de crear una política para el mundo tal como es, y no tal como debería ser.] El arte de Saavedra es una elaboración del lenguaje diplomático y se guarda mucho de proponer medidas que puedan sonar a sospechosas, y mucho menos a algo abiertamente cínico o audaz. Sólo cuando el lector compara fragmentos que pertenecen a diferentes partes del libro o analiza un pasaje crucial, frase a frase, descubre entonces los puntos en los que se insiste y el planteamiento de los dos aspectos opuestos de una misma cuestión.

El alcance de sus opiniones en materia de ética política puede comprenderse analizando cuatro textos, tomados de la *Idea de un príncipe*, que tratan del concepto del príncipe como un ser superior o como un mortal cualquiera. Lo que separa los adjetivos de «político» y «cristiano» se advierte con toda claridad en el primero de estos fragmentos: «Entonces más es el príncipe una idea de gobernador que hombre; más de todos que suyo ... En los particulares es doblez disimular sus pasiones; en los príncipes razón de Estado» (p. 199).* Aquí Saavedra, al situar al príncipe aparte del resto de la humanidad, sugiere que la moral que se exige a todos puede no ser la que se le exige a él. Un segundo texto subraya orgullosamente la diferencia: «Es común a todos la muerte, y solamente se diferencia en el olvido o en la gloria que deja a la posteridad. El que muriendo sustituye en la fama su vida, deja de ser, pero vive ... Nacer para ser número es de la plebe; para la singularidad, de los príncipes. Los particulares obran para sí; los príncipes, para la eternidad. La cudicia llena el pecho de aquéllos, la ambición de gloria enciende el de éstos» (p. 238).

En la tercera cita lo único que diferencia al monarca de los particulares es el hecho de que su Creador les haya asignado un papel distinto para representar en la vida: «Muchas cosas hacen común al príncipe con los demás hombres, y una sola, y ésa accidental, le diferencia; aquéllas no le humanan, y ésta le ensoberbece. Piense que es hombre y que gobierna hombres; considere bien que en el teatro del mundo sale a representar un príncipe, y que en haciendo su papel entrará otro con la púrpura que dejare, y de ambos solamente quedará después la memoria de haber sido» (p. 255). «La memoria de haber sido» es bastante menos que la ambición de alcanzar la eternidad y la gloria. Finalmente, en el lúgubre soneto con que se remata el libro, desarrolla el archiconocido tema de la muerte, la gran igualadora: «¿Qué os arrogáis, ¡oh príncipes!, ¡oh reyes!, / si en los ultrajes de la muerte fría / comunes sois con los demás mortales?» (p. 681). No existen dos normas morales distintas, sino una sola conducta y un solo fin comunes a todos los hombres que un día han de comparecer ante el mismo Juez. De una cita a otra ha cambiado sensiblemente la imagen del príncipe; primero Saavedra le ve desde un punto de vista político, finalmente le ve como moralista.

[Un nuevo aspecto de la interpretación que hace Saavedra de la política cristiana aparece en su comentario a los consejos de Jesucristo a los apóstoles cuando les instruye para su misión evangelizadora: «Os envío como ovejas en medio de lobos; sed, pues, prudentes como serpientes y sencillos como palomas» (Mat. 10, 16). Un buen ejemplo de cómo Saavedra adapta esa cándida prudencia lo encontramos en la empresa 45, en

---

* [Las citas remiten a la edición de A. González Palencia (1946).]

la que usa como emblema] la imagen del rey de los animales, que duerme
con los ojos abiertos. Astucia y disimulo, nos dice, que puede llamar a
engaño a otros, sin que el astuto león incurra en nada censurable. Su
razonamiento continúa del modo siguiente: «Ni indigna esta prevención
de su corazón magnánimo, como ni tampoco aquella advertencia de borrar
con la cola las huellas para desmentillas al cazador ... El mayor monarca con
mayor cuidado ha de coronar su frente, no con la candidez de las palomas más sencillas, sino con la prudencia de las recatadas serpientes»
(p. 375). No parece probable que Saavedra distinga entre palomas más o
menos cándidas, y al parecer lo que se propone es recomendar fundamentalmente el proceder de la serpiente, al margen de las modificaciones
que pueda tener en él el simbolismo del ave. La empresa 44 tiende a
apoyar esta argumentación y desarrolla el consejo de que la cola borre
las propias huellas. Empieza así: «Dudoso es el curso de la culebra, tor-
ciéndose a una parte y otra con tal incertidumbre, que aun su mismo
cuerpo no sabe por dónde le ha de llevar la cabeza; señala el movimiento
a una parte, y le hace a la contraria, sin que dejen huellas sus pasos ni se
conozca la intención de su viaje. Así ocultos han de ser los consejos y
desinios de los príncipes» (p. 370). Cuando a continuación recomienda
ese proceder tortuoso y engañoso como una imitación de Dios, el lector
ya comprende que semejante táctica no tiene nada que ver con la pureza
de conciencia ni con la absoluta candidez. Éstas son sus palabras: «Nadie
ha de alcanzar adónde van encaminados [sus "desinios"], procurando
imitar a aquel gran Gobernador de lo criado, cuyos pasos no hay quien
pueda entender». En este texto resulta mucho más claro que en el ejemplo anterior que la referencia religiosa no es más que un piadoso envoltorio de unos consejos para engañar. [...]

Ello no significa que don Diego sea un maquiavélico disfrazado
de cristiano. La autenticidad de su adhesión a los principios religiosos
es indiscutible. La agudeza de su inteligencia y su formación católica
le permitían distinguir perfectamente los límites de la prudencia política. Sin embargo, lo que hemos observado es su deliberada expresión de la necesidad de un proceder político más flexible; su intento
de bosquejar un arte de gobierno que aproveche los márgenes de lo
tolerable hasta sus últimos límites, y que trate en todas las ocasiones,
pero especialmente en las equívocas, de mantener la integridad del
principio moral y las apariencias de rectitud.

KARL VOSSLER

INTRODUCCIÓN A GRACIÁN

El peculiar mérito de Gracián no consiste en haber usado el estilo conceptista, tan en boga en la España de entonces, ni en que intente justificarlo y lo elogie y describa y lo analice con designio clasificador, respaldándolo con numerosos ejemplos y muestras, sino en haber logrado adueñarse por completo de este estilo literario, en sí tan lleno de artificio. En la mayoría produce el conceptismo un efecto de desmesura y afectación, o bien un efecto divertido y cómico, fatigoso siempre a la larga. En Gracián, por el contrario, es siempre sugestivo y se convierte, al cabo, en la natural y necesaria andadura de su pensamiento. Quien quiera comprender este milagro, en cuya virtud un modo de estilo se hace naturaleza, ha de pararse a considerar las particulares circunstancias en que la obra de Gracián se sitúa.

Era una situación de apuro y recurso. El resguardo y asilo que para el individuo suponía la formidable comunidad mundanal y religiosa del Imperio hispano, era aún, benéficamente, para Lope de Vega, el poeta más grande de aquellos tiempos, la cosa más natural. Para Gracián, treinta y nueve años más joven, y mucho más crítico por idiosincrasia, se había convertido en algo problemático en sumo grado. No se le escapaba que el Imperio universal de los Habsburgos se cuarteaba por todos sus flancos. Con ávido mirar contemplaba el desmoronamiento de las provincias, la rebeldía de los catalanes, el derrumbamiento económico, y tenía una sensibilidad agudísima para la mengua de las energías morales. No alzaba la mirada sobre la miseria y ruindad del presente, como su noble contemporáneo Calderón de la Barca. Su novela satírica *El criticón* está llena de presentimientos y ecos sombríos, incluso de honda desconfianza frente a toda la grandeza y magnificencia del mundo, frente a todo el señuelo y la belleza de la vida terrenal. Sólo ante los umbrales del más allá se detiene. Poner en tela de juicio o criticar de algún modo las doctrinas de la Iglesia, de eso se guarda muy bien, por mucho que censure sus

Karl Vossler, «Introducción a Gracián», *Revista de Occidente*, n.° CXLVII (1935), pp. 330-348 (333-339).

deslices en las cosas profanas. Así, pues, su pensamiento se encara con dos mundos de diversa índole: el terrenal, en cuya reprobación no se cansa y el del más allá, ante el que se postra mudo y creyente y al que de buena gana deja reposar en su propio centro. «Hanse de procurar los medios humanos, como si no hubiese divinos, y los divinos, como si no hubiese humanos: regla del gran maestro; no hay que añadir comento.»

Como omite o evita el poner en claro fundamentalmente las relaciones entre lo cotidiano y el más allá, como no supone un ascenso gradual o una acción histórico-evolutiva de un mundo respecto del otro o dicho de otra manera: como no es una cabeza filosófica, las desazones de la existencia le chocan, siempre de nuevo, a cada nuevo caso, y lo que en lo perecedero de lo temporal más le preocupa, especialmente dentro de las circunstancias españolas, es el enigma de cómo sobre un terreno tan movedizo y agrietado ya y tan lleno de asechanzas, podrá mantenerse e incluso imponerse con fortuna el individuo. Como según su convicción y experiencia aquí abajo impera lo vil y la ruina y el olvido son nuestro destino común, ¿cuál será el modo de maniobrar con las cosas naturales para que la humana grandeza, la verdadera personalidad, el éxito auténtico y la gloria duradera puedan prevalecer? En la inmediatez del milagro, en divinas intervenciones a favor del justo o el elegido entre los humanos, no es ya capaz de creer de modo rotundo y cordial. Sólo una hética fe en la fortuna, en días propicios y aciagos, en el fénix y el ave agorera, consiente en acatar ocasionalmente como un auténtico hijo del tardío Renacimiento. Pero en lo principal, sin embargo, se esfuerza por llegar a un esclarecimiento y ordenación racionales de las alternativas de la vida humana en el psicológica y sociológicamente natural curso de las cosas. Buscar la excepción de la regla, lo excelente en el término medio, la magna personalidad de divina semejanza, el portento en lo mismo naturalmente dado, buscar esto en sus mudanzas varias, es el tema cardinal de su pensamiento. No es asunto para el investigador que inquiere, sino enigma para el espíritu que barrunta y tarea para la voluntad que maquina. Podría llamarse a Gracián técnico de las artes morales, si en realidad fuese la moral un arte, lo que se estaba muy a punto de aceptar en aquellos tiempos de la general «razón de Estado». Diríase que se había propuesto encontrar aún y allanar sendas de fortuna y valimiento, por lo menos en lo que se refiere al individuo extraordinario, en lo que se refiere a la personalidad universal, el hombre del mundo, al que suele llamar el «héroe», después que la causa de la comunidad, de los muchos —de los demasiados—, o le parecía más o menos perdida, o le había llegado a ser indiferente.

Quien quiere adecuarse para este oficio de ductor, de preparador y guía y consejero de preparadores de la razón transidos por las alturas, en el ámbito de un mundo necio, ha de matar la pasión, por lo que a su propia persona se refiere, y ha de estar casi libre de deseos. Lo estaba Gracián, puede decirse, en parte por natural disposición y en parte por espiritual ejercicio. Ni los impulsos sensuales, ni la ambición del mundo parecen haber desempeñado jamás un papel decisivo en la línea de conducta de su vida, de la que, en total, sabemos bien poco, por cierto. Por atender a la comedia del mundo, cuyo jaleo abigarrado le absorbe por completo, olvida los propios estados de ánimo y ya sólo una necesidad siente: descubrir el juego y evidenciarle, dar con las reglas de su pronóstico, dominarle con la razón, por lo menos, y asegurarse la imperturbabilidad de ánimo. A este modo interesado, en tensión siempre, receloso de su superioridad, le va bien el estilo conceptista. Es tanto expresión como instrumento de la inteligencia en acecho apostada, de la reflexión casuística, de la duda suspicaz, de la cauta experiencia y de la osada decisión; un estilo sentencioso, abstracto y ambiguo, preciso y, no obstante, oscuro, jironado y oracular, dispuesto al salto siempre en el cambio de los temas.

Como en la temporalidad confusa las veredas de la propia afirmación siguen, a su vez, distinto rumbo en cada individuo, ya que lo uno no para todos conviene, intenta Gracián, por lo pronto, establecer una tipología del hombre de señorial carácter, del perfecto hombre de mundo. En 1637 escribe su *Héroe*; en 1640, su *Político*; en 1646, su *Discreto*, y aún proyecta un *Atento* y un *Galante*, y probablemente otros retratos ideales de semejante índole, figuras de grandeza de ánimo y vital sabiduría práctica. Y no se crea que, al hacerlo, tiene presente un desvaído esquema: también le sirven, generalmente, de modelo grandes figuras históricas, como Salomón, Alejandro, César, o bien el rey Fernando el Católico para el político consumado, el conde de Aranda para el «galante» —para la generosidad de corazón—, Lastanosa para la virtud de adaptación flexible, el duque de Nocera y virrey de Aragón Francisco María Carrafa para la presencia de ánimo, Luis Méndez de Haro para la *integritas*, para la «entereza» o lealtad, etc. Por tal manera fundamenta su tipología en los hechos y se hace grato, al mismo tiempo, a los grandes de la época y a sus protectores. Acaso obstáculos exteriores impidieron que el proyecto se realizase en su integridad, pero es seguro que también influyó el hecho evidente de que para cada uno de estos tipos —ya figurasen más en la vida estatal y pública o en la vida social— habían de darse siempre situaciones semejantes, haciendo inevitables en el consejero numerosas repeticiones. En el fondo, el «héroe», el «político», el «discreto», el «galante», el «atento», a los que podrían añadirse el «agudo», el «bizarro», el «culto», el «sabio», el virtuoso», el «dichoso», el «despejado», no eran otra cosa que denominaciones especiales características, o, como Gracián diría, «primores» o «realces», de una y la misma personalidad universal dentro del mundo. Por mucho que las coyunturas cambiasen, se evidenciaba, por tanto, el riesgo de monotonía en la naturaleza de la empresa de Gracián. La tipología del hombre de mundo perfecto se cruzaba con la tipología de las situaciones vitales. Por eso se decidió Gracián, a requerimientos de su benemérito amigo Lastanosa probablemente —de acuerdo con él en todo caso—, a reunir en un solo cuerpo doctrinal ambas tipologías. Ésta vino a ser la génesis del *Oráculo manual* (1647), cuyos trescientos párrafos, si son entendidos *cum grano salis*, pueden tener validez para todo género de hombre de mundo, ya se incluya entre los que mandan y ejercen, o entre los de más espiritual carácter, consagrados más a la reflexión y al discurso. Así, pues, el *Oráculo manual* es un florilegio de sentencias y máximas espigadas en los demás tratados del autor, sacadas especialmente de *El héroe* y de *El discreto*, de los que se reproducen los pensamientos cardinales, en parte literalmente, y en parte limados con mayor audacia, con más acabado primor y más sutil agudeza. Ha de suponerse que los otros tratados, proyectados por Gracián o empezados e inconclusos, quedaron, por así decirlo, recogidos en el colector del *Oráculo*.

WERNER KRAUSS Y ENRIQUE TIERNO GALVÁN

ÉTICA Y POLÍTICA EN GRACIÁN

I. Gracián quiere ayudar a sus lectores a llegar al «éxito». Sus consejos aparecen reflejados en la siguiente máxima: «Atención a que le salgan bien las cosas. Algunos ponen más la mira en el rigor de la dirección que en la felicidad de conseguir intento; pero más prepondera siempre el descrédito de la infelicidad que el abono de la diligencia. El que vence no necesita dar satisfacciones ..., y así nunca se pierde reputación cuando se consigue el intento». De las palabras anteriores se deduce naturalmente el principio que ha sido reprochado a los jesuitas hasta la saciedad: el fin justifica los medios. Sin embargo, para Gracián el éxito no sólo es el fin de los esfuerzos, sino un medio para llevar a cabo de la forma más comprensiva posible el análisis de la vida (o «la anatomía de la vida», como le gusta llamarle): con la tensión provocada por el éxito se podrán apreciar todas las leyes de la vida. Con el éxito parece como si la vida se abriera al vencedor.

Con esto, los sucesos de la vida acaparan toda la atención. La postura cristiana con respecto a la búsqueda de un sentido de la vida permanece siendo la misma. Pero precisamente los acontecimientos que determinan al hombre en una época concreta impulsan a considerarlos desde un punto de vista estrictamente natural antes de ser examinados a la luz de lo eterno: «De la luna arriba no hay mudanza. En materia de cordura todo altibajo es fealdad. Crecer en lo bueno es lucimiento, pero crecer y decrecer es sutileza, y toda vulgaridad, desigualdad». Lo eterno es un punto de referencia para las partes racionales del alma, las mantiene en su dirección. Pero, en cambio, no da ninguna directriz para el mundo cambiante, en cuyo constante mudar se encuentra abandonado el hombre. Por eso dice Gracián: «El saber vivir es el verdadero saber», y viceversa: «No vive si no se sabe». Pero el saber se determina precisamente en el vivir: «Que harto sabe quien sabe vivir». En tales frases se traiciona la base de

I. Werner Krauss, *La doctrina de la vida según Baltasar Gracián*, trad. de R. Estarriol, Rialp, Madrid, 1962, pp. 137-144.

II. Enrique Tierno Galván, «Introducción» a *El político* de Baltasar Gracián, ed. E. Correa Calderón, Anaya, Salamanca, 1961, pp. 5-14 (8-14).

todos los moralistas que, desde Montaigne hasta Joubert y Schopenhauer, tienden un puente entre dos siglos filosóficos.

Las ideas de sabiduría, de verdad y de moralidad, e incluso la imagen del santo, han perdido su vigencia y su capacidad de ser comprendidas. «Está desacreditado el filosofar, aunque es ejercicio mayor de los sabios.» Con la especulación sola no se consigue nada: «No todo sea especulación, haya también acción. Los muy sabios son fáciles de engañar». La sequedad de las ideas metafísicas atormenta y aburre al hombre. La práctica tiene su propia sabiduría, una sabiduría «conversable, que valióles a algunos más que todas las siete (artes), con ser tan liberales».

Más importante que saber usar el silogismo en su más depurada forma, hoy día lo es «escribir una carta» o «acertar a decir una razón». Aquí parece como si se opusiera la práctica al saber. Pero la práctica se adorna con el nombre de una ciencia, una ciencia «conversable». Si se tiene en cuenta la forma en que se reparten los momentos importantes a lo largo de la vida («la mitad de la vida se pasa conversando»), se llega a la conclusión de que este campo de la vida práctica, ignorado hasta ahora, va a cobrar un valor decisivo.

El arte de la vida no queda limitado por la filosofía, es más bien ésta la que se ve acorralada por una frontera impuesta desde fuera. La simple experiencia limita el saber teórico; incluso las operaciones del espíritu se ven obligadas a seguir la ley de su tiempo. El que sólo tiene el concepto de las cosas, pero no sabe valerse de ellas «no es filósofo, sino gramático». Éste es el giro característico de la teoría de Maquiavelo: de la teoría al obrar. Gracián relaciona esta postura con la cuestión de la gracia perdida (en la cual el saber y el obrar se realizaban al unísono): «Califícase ya el decir verdades con el nombre de necedades». La llaneza queda superada por la malicia. La época dorada de la humanidad ha pasado ya. Pero Gracián conserva todavía un concepto mítico-humanista del mundo. Si Lope de Vega presenta en su último poema, «La edad de oro», cómo la verdad se retira silenciosa al cielo después de la caída de los hombres, Gracián le reservó todavía un pequeño rincón de la tierra en donde, «acatarrada y aun muda», espera a que se la invite a salir. La verdad se parece a un río como el Guadiana, que tan pronto se hunde y desaparece como de repente vuelve a salir a la luz del día. Su antiguo cauce es, aun ahora, reconocible.

[En lugar de la verdad aparece un nuevo ente: la verosimilitud.] La nueva ciencia es una ciencia de la vida: «Un modo de ciencia es éste que no lo enseñan los libros ni se aprende en las escuelas; cúrsase en los teatros del buen gusto y en el general tan singular de la discreción». Este arte práctico de la vida se llama «lo político», sus tesis deben tener una especie de fondo filosófico: muchas veces entran en contradicción con la filosofía de las escuelas; poseen la audacia de una opinión formada libremente al compás de las exigencias de la vida. Esto se comprueba cuando se concede al deseo y a los apetitos una categoría que antes les había sido negada, o bien cuando Gracián pone de relieve su nueva aportación a la doctrina de las potencias anímicas, según la cual «agudeza» e «ingenio» —es decir, todo el complejo de las potencias inferiores del alma— ascienden a un rango superior y con ello obtienen por primera vez una nueva claridad.

II.   El arquetipo *héroe-político* está vinculado por Gracián a un personaje histórico concreto, el rey don Fernando el Católico. Gracián lo llama «Oráculo mayor de la razón de Estado», con lo que es fácil concluir que el héroe-político es el héroe de la razón de Estado, pues, según nuestro autor, «la eminencia real no está en pelear, sino en gobernar».

Fundamentalmente, el problema de la «razón de Estado» descansa en el de las relaciones entre ética y política. Se suele afirmar que Maquiavelo fue el introductor de la expresión «razón de Estado» —«ragione di Stato»—, aunque es afirmación inexacta, pues en sus obras no aparece la expresión. No obstante, la idea está sin duda planteada con rigor en *El príncipe* y en los *Comentarios a las Décadas de Tito Livio*. Sobre todo, en *El príncipe* es muy claro que se postula el reconocimiento de que en el orden de los hechos la justificación o legitimidad de la política está en el éxito político y no en los principios morales. De este modo, la moral no es ni el límite ni el subsuelo de la actividad política. Son dos mundos aparte con sus propias justificaciones. A la razón de la moral se opondrá la razón de Estado o razón política. Las consecuencias de este planteamiento son obvias. Si se acepta, es incuestionable que la conducta humana ha de medirse con valores que no son los de bondad o maldad, sino los de éxito o fracaso; y, a su vez, este nuevo «baremo» puede llevar a una nueva concepción del orden político, es decir, a un orden político construido según la relación poder-sumisión, sin que el poder ni la sumisión tengan justificaciones ajenas o exteriores al puro hecho del mando y la obediencia. [...] El triunfo intelectual de Maquiavelo, que se convirtió en oráculo de los políticos renacentistas, creó graves problemas a los teóricos políticos católicos. De una parte, el político católico tiene que defender la supremacía de la moral que legitima continuamente la relación poder-obediencia. Pero, por otra parte, la práctica cotidiana, la naturaleza humana en el ejercicio de sus facultades y la historia como suma de experiencias, atestiguan que, en el ejercicio de la política, los principios morales se conculcan sistemáticamente.

[El político gracianesco es un político de la política con moral, y por lo tanto cifra de lo que en el tiempo se llamaba la «buena razón de Estado».] ¿Cómo es la buena razón de Estado? Esta pregunta equivale a esta otra: ¿Quién es y cómo actúa el héroe político gracianesco? ¿Es un héroe de la buena razón de Estado? A mi juicio, Gracián eligió precisamente a Fernando el Católico por su sobrenombre de «católico», por sus innegables servicios en favor de la Iglesia Romana, y al mismo tiempo por su astucia tan elogiada por Maquiavelo: [...] «La verdadera y magistral política fue la de Fernando, segura y firme, que no se resolvía en fantásticas quimeras. Útil, pues le rindió reino por año; honesta, pues le mereció el blasón de católico. Conquistó reinos para Dios, coronas para tronos de su cruz, provincias para campos de la fe, y al fin, él fue el que supo juntar la tierra con el cielo». En estas frases está compendiada la idea de Gracián de la «buena razón de Estado».

Gracián afirma que al héroe ha de enseñarle política Tácito. Es una alusión al «tacitismo» o doctrina política fundada en los juicios del historiador romano. El «tacitismo» aparece como una corriente muy fuerte en Italia y de allí pasó a la totalidad del área cultural de la Contrarreforma e incluso a sectores protestantes. Tanto en Italia como en España el «tacitismo» aparece para satisfacer la misma necesidad: la de encontrar una teoría que hiciera de la política con moral, según la buena razón de Estado, un instrumento eficaz en la práctica.

Tácito, descubierto en el Renacimiento, reunía condiciones excepcionales para agradar al gusto barroco. Es aforismático, conceptual, oscuro, se fundamenta continuamente en supuestos antropológicos, y su punto de partida para enfocar los problemas es el de la política como inmoralidad. De aquí sin duda el enorme prestigio que alcanzó. [...] Sin embargo, en el área concreta de la Contrarreforma, Tácito era enfrentado a Maquiavelo. El «tacitismo» aparece como un sucedáneo. Los dos teóricos más conocidos del «tacitismo» en Italia son Traiano Boccalini, en sus *Avisos del Parnaso*, y el conde Virgilio de Malvezzi, autor de unos famosos *Discursos* sobre Cornelio Tácito. Pese a todos los esfuerzos, el «tacitismo» caía inexorablemente en un cierto maquiavelismo. [...] En España, el «tacitismo» adquirió carta de naturaleza por los comentarios, aforismos y traducción de Tácito de un privado cortesano, de nombre Álamos Barrientos, que publicó en este sentido una obra clave en Madrid, en 1614. Álamos Barrientos llevó al máximo la dramática tensión entre la buena razón de Estado y las exigencias de la política de la Contrarreforma; y la solución que encuentra fue una vía, iniciada también en los políticos italianos, que él desarrolla con evidente originalidad; que la política es una ciencia y que como tal ciencia está subordinada a la moral, pero que no se ha de confundir con la moral. En el fondo, un subterfugio más en la disyuntiva político-moral, dentro de la que se mueve el teórico barroco.

Gracián es heredero de esta disyuntiva, y de acuerdo con los supuestos de su tiempo, piensa en Tácito como base para resolver la cuestión. Pero en Gracián hay, a mi juicio, una innovación que no aparece ni en Saavedra Fajardo ni en ninguno de los conspicuos políticos tacitistas. Tal innovación es el casuismo. Gracián introduce la moral casuística en la política, limitándose simplemente a seguir el espíritu de la Compañía de Jesús a la que perteneció. Pascal cita en *Las provinciales* (los ejemplos que pongo proceden de la carta séptima) párrafos de los teóricos del casuismo que son aplicables a la mentalidad política gracianesca. Así, uno de los teóricos casuistas, el más conocido, Escobar, dice: «Si tu enemigo procura hacerte daño no debes desear su muerte por un sentimiento de odio, pero sí para evitar tu propio perjuicio». [...] A mi juicio, el aparente maquiavelismo de Gracián es tan sólo la aplicación de este mismo método a la política. En otras palabras: es un precursor de la política con «intención dirigida», un casuismo moral contemporáneo al de los grandes teóricos del casuismo de la Compañía, que nada tiene que ver con Maquiavelo y que estaba incoado de antiguo en el clima espiritual de la Contrarreforma, particularísimo en España por la especial valoración de la conexión entre las ideas de gracia y naturaleza. Gracián no es, pues, tacitista, sino que utiliza a Tácito para aplicar su singular casuismo político-moral. [...] Hay una relación innegable entre casuismo y ocasión. El casuismo es una teoría de la ocasionalidad moral y en el ámbito que nos preocupa, una teoría de la ocasionalidad político-moral. Gracián, siguiendo a la mayoría de los escritores políticos de su tiempo, cree que la política ha de vencer la ocasión. El político como vencedor de la ocasión es, en el orden de la moralidad, necesariamente un casuista. Exagerando, quizá pudiéramos decir que el héroe político-moral es para Gracián el casuista mejor de la ocasión.

RICARDO SENABRE

DE LA *AGUDEZA* AL *CRITICÓN*

Al redactar de nuevo las palabras «Al lector» para la versión definitiva (1648) de la *Agudeza y arte de ingenio*, Gracián indicaba ya con toda claridad cuál era el lugar del tratado en el conjunto de su obra: «He destinado algunos de mis trabajos al juicio, y poco ha al *Arte de prudencia*; éste dedico al ingenio, la agudeza en arte». La misma conexión vuelve a recalcarse en el párrafo postrero de la obra: «Corone al juicio el arte de prudencia, lauree al ingenio el arte de agudeza». Aunque no pueda establecerse una distinción tajante entre estas facultades —ni Gracián lo hubiera pretendido jamás—, es obvia la progresión juicio-prudencia-ingenio, y el propio autor se encarga de precisar en varias ocasiones cuál es la función del ingenio y de su instrumento fundamental, la agudeza. En el discurso I advierte ya que «entendimiento sin agudeza ni conceptos es sol sin luz, sin rayos». Además, «esta urgencia de lo conceptuoso es igual a la prosa y al verso. ¿Qué fuera Augustino sin sus sutilezas y Ambrosio sin sus ponderaciones, Marcial sin sus sales y Horacio sin sus sentencias?». En el fondo hay una intención didáctica, ya que la agudeza constituye un vehículo para transmitir eficazmente las doctrinas: «Son las verdades mercadería vedada; no las dejan pasar los puertos de la noticia y desengaño, y así han menester tanto disfraz para poder hallar entrada a la razón, que tanto la estima» (LVI). Pero la agudeza no posee tan sólo este carácter instrumental; Gracián no olvida su vertiente estética cuando escribe: «No se contenta el ingenio con sola la verdad, como el juicio, sino que aspira a la hermosura. Poco fuera en la arquitectura asegurar firmeza, si no atendiera al ornato».

Estas breves calas parecen suficientes para delinear los rasgos fundamentales de la teoría literaria gracianesca, que mantiene, como es lógico, una estrechísima correlación con su proyecto de escritor: tras la redacción de dos libros dedicados a enseñar las reglas del juicio, Gracián compone (1642) el *Arte de ingenio*, teniendo a la vista el reciente tratado *Delle acutezze*, de Pellegrini. Aunque el ciclo

Ricardo Senabre, *Gracián y «El criticón»*, Universidad de Salamanca, 1979, pp. 57-67.

parece concluso, Gracián sigue profundizando y reelaborando, e introduce el nuevo tema de la prudencia, que llegará a ser un componente esencial de su obra posterior y que, muy probablemente, deriva de una lectura tardía y detenida de fray Luis de Granada. Nacen así *El discreto* y el *Oráculo manual*. Las consideraciones teóricas sobre el juicio y la prudencia están ya completas. Es necesario reelaborar el *Arte de ingenio* para distanciarlo más de su modelo, pero, sobre todo, para introducir —muy significativamente— nuevos tipos de recursos, como las «máximas prudenciales» que se incorporan al discurso XLIII de la *Agudeza*. Se tienen ya catalogados unos contenidos —los preceptos necesarios para hacer varones eminentes— y unas formas, que dotarán de belleza y variedad a los contenidos, ya que «si *per troppo variar natura è bella*, mucho más el arte» (LX). Falta la obra que subsuma ambas líneas teóricas: una gran reflexión moral de conjunto que recoja, además, en su composición todos los recursos ingeniosos codificados en la *Agudeza*.* Y nace *El criticón*.

La obra culminante de Gracián parece escrita, en efecto, teniendo a la vista la *Agudeza y arte de ingenio*, como una magna ejemplificación, ahora con textos propios, de todos y cada uno de los procedimientos que allí se apoyaban en autores diversos. Teoría y práctica se aúnan con total coherencia. Gracián, seguro ya de su misión como escritor, realiza algo insólito en la historia literaria: escribir una obra que, a la vez que se apoya en otra suya anterior —por incorporar todo el repertorio de figuras de la *Agudeza*—, le sirve también de demostración. Ninguno de los poetas y escritores de los que Gracián extrae sus ejemplos para la *Agudeza* ofrecen modelos para todos los casos inventariados. *El criticón*, en cambio, sí, y esta circunstancia, que hace de la novela una rigurosa aplicación práctica del tratado teórico, convierte *El criticón* en la *summa* de la poética barroca. Admirable caso de fidelidad literaria el del escritor aragonés, cuya actitud, al convertirse en modelo de sí mismo, traduce un espíritu reconcentrado e introvertido, al mismo tiempo que compensa una frustración que sin duda le hirió profundamente: la de no haber sido objeto de una estima «oficial» y sí, por el contrario, haber soportado recelos, coacciones y ataques incesantes dentro de su propia orden.

---

* [Para otras observaciones sobre la *Agudeza* y las doctrinas literarias de Gracián, aparte los textos del presente capítulo, véase también «Preliminar», pp. 103-112, y en el índice alfabético, *s. v.*]

Las consideraciones anteriores no deben hacer olvidar que la elaboración de la *Agudeza* está presidida, además, por ideas afines a las que una y otra vez afloran en los restantes tratados. Recuérdese que el discurso LXII —que en el *Arte de ingenio* de 1642 coincidía con el final de la obra— concluye con estas palabras: «¡Oh tú, cualquiera que aspiras a la inmortalidad con la agudeza y cultura de tus obras, procura de censurar como Tácito, ponderar como Valerio, reparar como Floro, proporcionar como Patérculo, aludir como Tulio, sentenciar como Séneca, y todo como Plinio!». La dualidad «agudeza y cultura» parece equivaler con bastante exactitud al binomio forma-contenido, y la índole de las autoridades invocadas lo corrobora. Por otra parte, la referencia a la inmortalidad es inequívoca, y ayuda a interpretar sin dificultades otra alusión, ya menos nítida, con que se inicia el discurso II: «Si el percibir la agudeza acredita de águila, el producirla empeñará en ángel; empleo de querubines y elevación de hombres, que nos remonta a extravagante jerarquía». [...] Por una u otra vía, mediante la discreción o el ingenio, los sujetos gracianescos —y, claro está, el mismo autor cuando cumple aplicadamente sus propios preceptos— son aspirantes a la inmortalidad. Un cotejo riguroso entre la *Agudeza* y *El criticón* —tarea que aún está por hacer— revelaría las constantes conexiones entre los fenómenos descritos en el tratado y su puesta en acción a lo largo de la novela. No sólo puede afirmarse que cada recurso catalogado tiene múltiples ocurrencias en *El criticón*, sino que, en ocasiones, se reiteran o desarrollan los mismos ejemplos. Examinemos algunos casos.

En el discurso XVII («De las ingeniosas transposiciones») señala Gracián: «Explicó uno con el equívoco la contraposición, convirtiendo en risa un afectado llanto, y dijo: *Río de las lágrimas que lloro*. Debajo la palabra *Río* exprimió a dos luces, que era tanto su llanto que se podía hacer un río, y que era tan poco el sentimiento que era risa». Pues bien: esta «ingeniosa transposición» se aprovecha en *El criticón* (II, iii) al hablar de la muerte del avaro, por la que nadie se entristece: «Todos bailan en ella al son de las campanas: la viuda rica con un ojo llora y con el otro repica; la hija, desmintiendo sus ojos hechos fuentes, dice: "Río de las lágrimas que lloro"». Y todavía hallaremos una variante al comienzo de la crisi ix de esta misma parte: «Pasaba un río (y río de lo que pasa) entre márgenes opuestas ...». De igual modo, en el discurso XXXII señala Gracián que «una sola tilde basta para dar fundamento a un gran decir», y acude a unos versos de Juan Rufo: «A Rui González decilde / que mire mucho por sí, / porque el punto de la *i* / se le va haciendo tilde» [volviéndose, pues, abreviatura de *ruin*]. En *El criticón* (II, vii) se habla de un soldado hipócrita, que «desde que tomó capa de valiente es un Rui Díaz atildado». Y en el pasaje de la puente de los peros (II, xi): «A un cierto Rui, le echó un malicioso una tilde, y bastó para que rodase».

Otro de los recursos que se integran en el vasto repertorio de la *Agudeza* es el que Gracián explica así (XXXII): «Múdase la significación con mudar alguna letra, y cuando es con propiedad grande y muy conveniente al sujeto, es sublime el concepto». Y cita una traducción del canónigo don Manuel Salinas: «Que has de llamarle, lector, / al amante, amente, siento, / pues nada de entendimiento / tiene un insano amador». Aparte de los numerosos juegos de vocablos basados en idéntico mecanismo que aparecen en la novela, Gracián no resistió siquiera la tentación de repetir el mismo en la crisi final de la segunda parte: «Señor, que estén aquí los amantes, vaya, que no va sino una letra para amentes».

Los versos de Horacio sobre las cuatro edades del hombre, ejemplo de «crisis juiciosa» aducido en el discurso XXVIII, son aprovechados en multitud de ocasiones, y de modo especial al comienzo de la segunda parte de *El criticón*; el emblema «In Aulicos», de Alciato, invocado entre las «ingeniosas transposiciones» de que trata el discurso XVII, sirve de base a la prolongada alegoría de la cárcel de oro (II, iii); las palabras de Jerjes —basadas en Herodoto— a las que se alude con otros «hechos heroicos» en el discurso XXX, reaparecen, con un desarrollo más amplio, al comenzar la crisis postrera del libro. Hasta la sintética caracterización inicial de Critilo —«cisne en lo ya cano y más en lo canoro»— reitera la agudeza de «un orador» al que se alude en el discurso LVIII y que Gracián refiere así: «Quien oyere hoy un cisne blanco y puro, así en lo exterior de sus venerables canas ... como en lo interior de su conciencia ... cisne por lo canoro ...».

En el discurso XXXIV escribe Gracián acerca de los «conceptos por acomodación de verso antiguo, de algún texto o autoridad», para los cuales se requiere «sutileza y erudición», tanto para tener un repertorio de «textos plausibles» como «para saberlos ajustar a su ocasión». Y en *El criticón* recurre el autor más de una vez a estas adopciones. Así, Artemia se dirige al vulgo amotinado (I, x) con estas palabras: «¿Hasta cuándo, ¡oh canalla inculta!, habéis de abusar de mis atenciones?», donde el eco de Cicerón es palmario, lo mismo que en el parlamento de Salastano que comienza (II, ii): «¡Oh tiempos, oh costumbres!», palabras asignadas también a Critilo en III, ii. Y Critilo inicia la narración de su vida (I, iv) diciendo: «Mándasme renovar un dolor», verso de Virgilio puesto ya como ejemplo de concepto «por acomodación de verso antiguo» al principio del discurso XXXIV.

Las muestras podrían multiplicarse. Si Gracián trata pormenorizadamente de la «agudeza nominal» en el discurso XXXI, ilustrándola con juegos sobre nombres propios, en *El criticón* ofrece alardes constantes del procedimiento, como al hablar de Falsirena (I, xii): «Muda tantos nombres como puestos. En una parte es Cecilia, por lo Cila, en otro Serena por lo sirena, Inés porque ya no es, Teresa por lo traviesa, Tomasa por lo que toma y Quiteria por lo que quita». Al hablar de la paronomasia (XXXII), cita la «vana Venus» de Marcial —conservada por el canónigo Salinas en su traducción—, que reaparecerá, incluso con variantes y transformaciones en *El criticón*: «Las vanas Venus de la belleza» (II, iii); «de una Venus bestial hizo una virgen vestal» (I, viii); «la doncella (*dio*) de vestal en bestial» (II, xi). No es necesario insistir en la importancia que la paronomasia tiene en el peculiar estilo de Gracián (véase J. M. Blecua [1945]). Juegos como los establecidos entre *gusto / gasto, cosa / casa, aloja / aleja, despenado / despeñado* (I, xi), o entre *tantos / tontos, usan / husos, sol / solo, caso / casa, corta / corte* (III, iii) salpican incesantemente la novela. Párrafos enteros se apoyan en este procedimiento: «... Hacían en sonora competencia bulla el valle, brega la vega, trisca el risco y los bosques voces ...» (I, iii). Algo parecido cabría decir de los demás recursos catalogados en la *Agudeza*, aunque no se ha rastreado debidamente su aparición y su frecuencia de uso en *El criticón*.

La confrontación de ambas obras muestra su absoluta solidaridad; constituyen el haz y el envés —o, si se prefiere, la teoría y la práctica— de una misma concepción literaria. La *Agudeza* no ilustra únicamente acerca del plano de la *elocutio*, sino que ofrece también, minuciosamente caracterizada, la armazón estructural del «género» en que se inscribe la novela: lo que Gracián llama (LVI) «agudeza compuesta fingida», para citar a continuación, como ejemplos magnos, la *Odisea*, la *Eneida*, el *Teágenes y Clariquea*, de Heliodoro, el *Guzmán de Alfarache* y los libros de metamorfosis, como *El asno de oro*, de Apuleyo, cuyo artificio consiste «en la semejanza de lo natural con lo moral, explicada por transformación o conversión fingida del sujeto en el término asimilado». Entran en este campo las alegorías, «afectado disfraz de la malicia, ordinaria capa del satirizar»; en ellas, «las virtudes y los vicios se introducen en metáfora de personas» y «las cosas espirituales se pintan en figura de cosas materiales y visibles». Forma parte de la agudeza compuesta fingida, además, el uso de apólogos, jeroglíficos y emblemas, parábolas y noticias eruditas de toda índole. Todo ello, claro está, debe ir acompañado de la forma idónea, de las palabras adecuadas, porque «son las voces lo que las hojas en el árbol, y los conceptos el fruto» (LX). Y añade Gracián: «Son los conceptos vida del estilo, espíritu del decir, y tanto tiene de perfección cuanto de sutileza, mas cuando se junta lo realzado del estilo y lo remontado del concepto hacen la obra cabal». El ideal estilístico de la agudeza compuesta fingida no quedó sólo en el tratado de retórica, sino que se materializó en *El criticón*, que es, en este sentido, una tercera versión del *Arte de ingenio* de 1642, y el modo singularísimo que halló Gracián de alcanzar —«remando y sudando», como los peregrinos de su novela— el puerto de la vida feliz, la deseada inmortalidad.

EVARISTO CORREA CALDERÓN Y JOSÉ ANTONIO MARAVALL

LECTURAS DEL *CRITICÓN*

1.　No le bastaban a Gracián los estrechos moldes expresivos de que se había valido hasta entonces —el breve ensayo, el discurso, el apotegma— y acaso pensase que tan sólo podría dar libre curso a su fantasía valiéndose de la fabulación, género libérrimo que le permitiría ensartar, a base de una leve anécdota novelesca, alegorías y símbolos, entelequias y caprichos, eutrapelias y fantasías, burlas y veras, lucubraciones y pensamientos de la más varia índole, cuanto se le ocurriese imaginar e idear. «He procurado juntar lo seco de la filosofía con lo entretenido de la invención, lo picante de la sátira con lo dulce de la épica», dirá «A quien leyere», al frente de su obra.

Dándole vueltas al tema que se proponía desarrollar, pensó que la vida del hombre podía dividirse, al igual que el año, en cuatro ciclos que se correspondiesen a sus cuatro edades naturales, *La primavera de la niñez*, *El estío de la juventud*, *El otoño de la viril edad* y *El invierno de la vejez*, vasta concepción con la que podría abarcar todos los aspectos de la existencia.

Pero Gracián, espíritu exigente, que reacciona con pura intransigencia ante las humanas debilidades, no podía contemplarlas con complacencia,

---

1.　Evaristo Correa Calderón, ed., Baltasar Gracián, *El criticón*, Espasa-Calpe (Clásicos Castellanos, 165-167), Madrid, 1971, pp. 38-39 (para los cinco primeros párrafos), y *Baltasar Gracián. Su vida y su obra*, Gredos, Madrid, 1970², pp. 190-195.

11.　José Antonio Maravall, «Las bases antropológicas del pensamiento de Gracián», *Revista de la Universidad de Madrid*, VII (1958), pp. 403-445 (422-430).

describirlas con gratos colores. sino que tenía que ofrecernos su versión acerba y dolorida. Por ello, su sarcástica interpretación de la vida precisaba un título general suficientemente expresivo. Pensó, sin duda, en *El satiricón* de Petronio, y en la obra del mismo título de John Barclay, el escritor inglés que tanto admiraba —como ya había subtitulado un «realce» de *El discreto*—, y dará a la suya un título similar: *El criticón*.

No es original la arquitectura de su obra, que, en cierto modo, aparecía iniciada por Góngora en sus *Soledades*, aunque con propósitos muy diferentes. Asimilar la vida del hombre a los ciclos del año era lugar común en las literaturas clásicas, desde Pitágoras, Horacio y Ovidio, que tanto Góngora como Gracián conocían muy bien. Pero el tema, que en el poeta cordobés apenas se insinúa y sirve tan sólo de tenue esquema para un complicado ornamento, se convierte en Gracián en la osatura de una grandiosa representación moral y satírica de la existencia humana.

Dividido *El criticón* en tres partes —unidas *La primavera de la niñez* y *El estío de la juventud* en una sola— y a su vez cada una de ellas en capítulos o *crisis* —crisi, dirá él—, no es fácil sintetizar su asunto de no parafrasear todos y cada uno de sus episodios. El anciano Critilo, que vuelve de las Indias Orientales, náufrago en aguas de la isla de Santa Elena, es salvado por el joven Andrenio, el cual, criado por una fiera y conviviendo con sus hijos, se halla en estado salvaje. El anciano le enseña a hablar, y una vez que lo logra, Andrenio le cuenta su crianza en una cueva y cómo un terremoto le permitió contemplar la hermosa naturaleza, obra del Criador. Son salvados por unas naves que les conducen a España. Durante la travesía Critilo le cuenta su vida, sus desgraciados amores y matrimonio con Felisinda, su encarcelamiento en Goa, y la perfidia del capitán que le arroja al mar cuando volvía a España.

Gracián, creador multiforme, de mil facetas, no cabe en una definición. Es demasiado contradictorio, hay en él tantos y tan varios contrastes, que no bastaría un marbete, o muchos, para catalogarlo. *El criticón*, por ejemplo, habría de verse como si se tratase de un tapiz, por sus dos lados, por el haz y el envés, ya que Gracián ve la vida, cuando menos, desde la vertiente de la pura razón, que representa en Critilo, y desde la del instinto e intuición, personificados por Andrenio. No se produce la novela en los dos planos de realidad y fantasía, ni se yuxtaponen o entreveran ambos elementos, como en otras grandes creaciones poéticas de España, sino que aquí las vivencias filosóficas se logran por la antinomia vital que emana de los dos personajes principales. Así, por ejemplo, ante la muerte reaccionará cada uno de modo bien diferente: Critilo la hallará hermosa y grata. Andrenio, la inexperiencia, horrenda: «—¡Qué cosa tan fea! —¡Qué cosa tan bella! —¡Qué monstruo! —¡Qué prodigio! —De negro viene vestida. —No, sino de verde. —Ella parece madrastra. —No, sino esposa. —¡Qué desapacible! —¡Qué agradable! —¡Qué pobre! —¡Qué rica! —¡Qué triste! —¡Qué risueña!». Andrenio verá lo que el mundo tiene de halagador para los cinco sentidos. Para Critilo, varón desengañado, será corrupción, espectros, monstruosidad, polvo, ceniza, nada.

Con estos dos personajes vagabundos, de insaciable curiosidad, ¿querría representar Gracián sus dos formas de ver la vida, o acaso pretendía interpretar su propio carácter en el sagaz Critilo, el personaje experimentado, valiéndose del incauto Andrenio, el hombre de la naturaleza, como pretexto para exponer por contraste su enseñanza y su doctrina aplicable a todos los neófitos de la verdad, a la juventud irreflexiva y ciega? De cualquier modo que sea, el propósito se logra ampliamente, porque la lectura de su novela es una áspera lección de moral, que nos muestra al vivo lo grotesco de tantas cosas que nos parecen serias, lo amargo de lo que creemos dulce, la inanidad de lo terreno y lo verdadero de la muerte redentora.

Pero, para ello, aunque aplicándole al mundo su juicio severísimo, Gracián tendrá que partir de la falsedad de lo humano para deducir de ello sus consecuencias morales, habrá de describirlo con crudeza, como si los elementos reales en que se apoya fuesen el *humus* putrefacto en que ha de sembrar las semillas de su enseñanza. Es la suya una humanidad miserable, vociferante y contorsionada, que nos horroriza, porque, si bien lo miramos, el mundo es así y no como lo ven nuestros ojos ilusionados. «¡Oh, qué bien pintaba el Bosco!», se le escapa en una ocasión a Gracián. [...] Este realismo desorbitado de *El criticón*, que sirve de apoyatura a sus deducciones filosóficas ha hecho pensar a un sutil intérprete de nuestra literatura, José F. Montesinos, si este lado humano, demasiado humano, de la novela no sería una forma de picaresca pura, una picaresca sin pícaros, o mejor, depurada. [Véase arriba, p. 531.] Plantea esta interpretación cuestiones de interés. La primera, el preguntarnos si puede definirse con justeza *El criticón* como tal novela. En puridad, si se hace excepción de las cuatro *crisis* o capítulos, tan hermosos, con que se inicia, trabados por una anécdota argumental, de aquí en adelante, desde el instante en que los dos peregrinos entran en el mundo, el resto de la obra será una serie encadenada de alegorías, de sátiras sociales, unidas por el sutilísimo hilo de los dos personajes andariegos que recorren los caminos de la vida y que van contemplando a diestro y siniestro cuanto en ella existe o acontece.

En efecto, el temario de la novela picaresca se hallaría condensado en una réplica moral, ética, en sentencias y apotegmas, en diluidas sátiras genéricas, en las páginas alegóricas de Gracián, pero más que una novela propiamente dicha es una serie de cuadros sucesivos a los que dan cierta unidad los personajes centrales, un poco a la manera de los *Antojos de mejor vista*, de Fernández de Ribera; de *El diablo cojuelo*, de Vélez de Guevara; los *Sueños*, de Quevedo, y más todavía al modo de los costumbristas de la época, aunque con mayor densidad de pensamiento y más buida intención en el ingenio. [...] La alegoría de Gracián tiene de común con las novelas picarescas la vaga anécdota de su estructura, pero sus dos peregrinos de la vida, más que en los pícaros andariegos pueden hacernos pensar en los caballeros andantes que caminan tras un ideal propuesto o en los místicos que se esfuerzan en vencer los obstáculos de su camino de perfección. Si el pícaro, mozo de muchos amos, ha de reducir su visión a un aspecto parcial y desde abajo, desde su miseria, y su lucha por la vida será mezquina, limitada a subvenir a su precaria subsistencia, los caballeros han de verse precisados a vencer en singular batalla monstruos y endriagos, y los místicos deberán luchar denodadamente contra las tentaciones hermosísimas, del mismo modo que Critilo y Andrenio habrán de combatir hasta la muerte con unos y otras. Su victoria, la de los caballeros y la de los místicos, significa el vencimiento de lo abstracto sobre lo concreto, de lo general sobre lo particular, de la moral sobre la vida, de lo ideal sobre lo real, justamente lo contrario de las limitadas aspiraciones que sostienen las andanzas del pícaro.

II. A nuestro parecer, es esencial para la comprensión de *El criticón* y del pensamiento entero de Gracián, ponerlo en relación con el tema del «adanismo», según el sentido con que en el siglo XVII se nos ofrece. Gracián pretende dejar aparte, provisionalmente, claro está, lo que la historia, la sociedad y la cultura han depositado sobre el hombre, para buscar el estrato primario que ha permanecido en él, sin que aquéllas puedan nunca anularlo. Y no pretende con esto suprimir esas capas posteriores, sino penetrar mejor en su sentido y organizar más adecuadamente la vida humana y social. Gracián parte de las posibilidades adánicas que conservamos siempre en el fondo, para replantear el problema de nuestra vida personal y de nuestro puesto en la sociedad. Dada la esfera de autonomía moral de la persona en que se mueve el autor, ese hombre primario que en estado químicamente puro nos presenta, no es un Adán pecador, sino un Adán imperfecto. No hay en él —porque no le interesa, dado el plano en que se desenvuelve su análisis— un primer hombre al que se le haya de imputar una falta históricamente cometida, sino un hombre primario, que, en su pura humanidad, pasa por la necesaria y constante caída de su imperfección.

Andrenio, desde su imperfección —cualidad que no le abandona nunca, por lo menos como posibilidad de recaer en ella—, tiene la facultad de perfeccionarse, y la realización de esto es lo que Critilo representa a su lado. Pero ese perfeccionamiento no es un proceso inmanente —la moral, aunque autónoma, no es inmanente— y a ello se debe que ni siquiera Critilo se baste así mismo, sino que tiene que ir constantemente acompañado de guías. Critilo es la otra parte del hombre, uno de los dos elementos que hacen al hombre y por eso llama a Andrenio un «otro yo» —jugando también aquí con un doble sentido. Critilo, la razón humana, no es la perfección, pero sí, en el pensamiento gracianesco, es la facultad que el hombre tiene de perfeccionarse. Por eso, anda siempre tratando de conducir a Andrenio, pero cuando éste cae necesita Critilo que desde fuera, desde un plano de moral trascendente, alguien le ayude a «rescatar este otro yo, que queda mal cautivo, sin saber de quién ni cómo».

Andrenio, el hombre-Adán, el hombre de lo puramente dado, desde dentro de la caverna en que se inicia a la existencia, se pregunta por sí mismo, despertando con ello a la luz de la razón: preguntarse sería una actitud originaria del hombre según nuestro autor —y en esto Gracián se nos muestra muy próximo al racionalismo—. Así, pues, Andrenio no será movido por un asombro que despierte sus deseos de conocer, sino por la necesidad vital de saberse a sí mismo; que para Gracián, en forma muy intelectualista, consistirá en adquirir conciencia de su posición en relación con el mundo.

La necesidad de contestarse a esta pregunta le lleva a Gracián a aclararse qué es lo que encuentra a su alrededor, a pretender conocer su circunstancia, su mundo, para penetrar en el conocimiento de sí mismo. El mundo es como «un balcón del ver y del vivir» y por tanto si se asoma a él es para comprender esa realidad que en él contempla y que es su vivir propio. De ahí le viene el testimonio de las cosas, de su Creador, de los hombres y, lo que es más, de sí mismo. Hay en ello un «cuidado», una existencial preocupación del hombre que se pregunta por sí y por el mundo en torno. En la actitud de este hombre se da, no una curiosidad externa, sino una angustia íntima, una ansiedad vital —o mortal, que es lo mismo—: tenía «agonía de morir», confiesa alguna vez Andrenio, contando ésta su necesidad de preguntar que le «atormentaba». Ello nace de la necesidad de organizarse intelectualmente el mundo, de construir una interpretación que le dé cuenta de su sentido y a ello responde «un tan extraordinario ímpetu de conocimiento, un tan grande golpe de luz y de advertencia» que le asalta, que le impulsa hacia «un conato de ver y de saber», que en su interior se halla «violentado, insufrible».

Ese Adán de la conciencia que pasa a ser el personaje gracianesco, necesita imaginarse «el modo, la disposición, la traza, el sitio, la variedad y máquina de cosas»; aunque ese mundo que trata de aclararse —y que pretende aclararse para hacerse luz sobre su puesto en él— se le presenta desde el primer momento no como el desenvolvimiento de una legalidad racional-mecánica, al modo como será visto por los racionalistas, sino como un drama, al modo de los pensadores más propiamente barrocos. Cuando ya sus personajes, que en rigor no son más que un solo personaje desdoblado, han hecho muchas etapas de su peregrinación, Gracián muestra su desdén por aquellos que no son capaces de replegarse sobre sí, en una radical actitud interrogatoria. «Los más, nos dice, no saben dar razón de sí mismo.» La pregunta, pues, con que el hombre se abre hacia fuera, va dirigida a encontrarse a sí mismo. Los que esto no saben hacer acaban amontonándose en la vulgaridad. Cada uno de éstos, abandonando su cuidado «va a donde le lleva el tiempo», se deja arrastrar por éste, en lugar de hacer su tiempo, que es hacerse a sí mismo auténticamente —«no tenemos cosa nuestra sino el tiempo» (*Oráculo manual*). Este hombre auténtico es lo que Gracián llama *persona*. Pero fijémonos en el primer paso del hombre hacia el mundo y hacia sí mismo.

«¿Soy o no soy?», se pregunta Andrenio en el umbral de la conciencia de sí mismo, en términos que recuerdan el soliloquio shakespeariano. Pero la pregunta de Andrenio se diferencia de la de Hamlet, en que este último se orienta a un lado meramente valorativo de la cuestión; su dilema equivale a este otro: ¿es mejor seguir siendo o vale más dejar de existir? En cambio, la duda, en el originario arranque de la vida, según Gracián, afecta al problema del ser, se orienta hacia el lado ontológico de la cuestión. ¿Qué es lo que en realidad se pregunta Andrenio?: ¿qué soy yo, o bien, quién soy yo? Lo primero es una pregunta sobre el sujeto ontológico del existir; lo segundo, sobre el sujeto concreto, biográfico, de la existencia. En rigor, la pregunta que Gracián plantea comienza en el primero de estos planos, «¿soy o no soy?», esto es, ¿soy alguien que es?, ¿poseo esa realidad de las cosas que son? Sólo después, dando por resuelta esta cuestión afirmativamente, continúa Gracián con el segundo problema: «mas, si soy, ¿quién soy?, ¿quién me ha dado este ser y para qué me lo ha dado?». Esa experiencia radical de sentirse implantado, «tirado» en la existencia como podríamos decir con Quevedo, sumido en perplejidad sobre su propia procedencia, sobre sí mismo, sobre el mundo que se descubre en torno, es una situación del hombre moderno que empieza históricamente con éste, se dramatiza en el Barroco y Gracián es uno de los que la expresan con mayor claridad. Pero Gracián, como necesariamente tenía que acontecer en su fecha, la formula dándole por supuesto una respuesta finalista —un «para qué» a la existencia.

¿En qué se apoya Gracián para resolver positivamente la cuestión del ser? Como hombre moderno, en el testimonio de su propia experiencia: «¿Soy o no soy? Pero, pues, vivo, pues conozco y advierto, ser tengo». Según Coster, Gracián habría tomado de Descartes este razonamiento. [En todo caso], en Gracián ni siquiera hay tendencia, ni indicio de identificación entre el ser y el pensamiento. En ningún caso hay una reducción del ser humano a la conciencia racional. Y además, expresamente coloca Gracián la experiencia del propio ser en un plano diferente, previo, más radical. No sólo dice «pienso», «conozco», «advierto» —esto es, no sólo se refiere a operaciones que quedan dentro de la *cogitatio*—, sino «vivo». La primera experiencia con que cuento es, pues, mi vida. Desde mi vivir viene afirmado mi ser, que las operaciones intelectuales que desenvuelvo después, corroboran en segunda instancia. [...]

Gracián habla de la «entrada en el mundo» del viviente, a ciegas, a oscuras, lanzado a la existencia por la naturaleza, sin saber a qué atenerse, «sin advertir que vive y sin saber qué sea vivir». Por eso tiene que esforzarse en alcanzar la razón de sí mismo, partiendo de lo único que originariamente tiene: la propia experiencia de su vivir. Vivo, luego existo, tal es el entimema fundamental del pensamiento gracianesco. Según este último, todo lo demás se me da en esa base radical de mi existencia. El personaje de Gracián parte de esta experiencia liminar: «la primera vez que me reconocí y pude hacer concepto de mí mismo». La vivienda de Dios y del mundo se apoyan en esa base. También la del prójimo: el tú se reconoce como un autorretrato. El solitario salvaje, al ver por primera vez a otro hombre, le dice, «en ti me hallo retratado más al vivo que en los mudos cristales de una fuente» —lo cual confiere al tú un carácter derivado, como acontece en el pensamiento del racionalismo. Pero a diferencia de éste, en Gracián, anterior al testimonio de la conciencia del yo, habría otro plano más primario y radical: la propia vida —lo que, con expresión tan dramática, Gracián llama «la vida de cada uno». De modo confuso, desorientado, y aun con toda la contradicción que se quiera, lo cierto es que Gracián es el primer escritor en considerar la vida como una realidad radical e inexorable, en que las demás se apoyan.

Pero al entrar en el mundo, el hombre no se encuentra terminado. Con frase que tiene un aparente tinte orteguista, afirma Gracián: «No se nace hecho». Esta frase figura en *El oráculo manual.* En *El discreto* se lee también: «Los hombres ... no de repente se hallan hechos». La maduración, la perfección que el hombre alcanza, afecta a su ser, no es tan sólo un plausible mejoramiento de algo que ya poseía, sino verdadera incorporación de nuevo ser. Esa condición que acabamos de reconocer confiere a la vida una naturaleza dinámica, cambiante. «La definición de la vida es el moverse.» Pero esta idea, que responde a una tradicional fórmula aristotélica, Gracián la transforma, y del plano de la vida biológica y del movimiento físico, la traslada al plano de la vida humana y del movimiento espiritual: moverse es obrar, crear. Como en otros muchos casos, el escritor barroco dramatiza la herencia aristotélica y con sólo esto le basta para iniciar la apertura a una visión dinámica, histórica, de la vida. Por eso, Gracián habla de la «arriesgada peregrinación de la vida humana». Cuando a sus dos personajes Gracián los llama «peregrinos del mundo», la expresión no tiene gran cosa de particular. Responde fiel y únicamente a la imagen del *homo viator,* tradicional en toda antropología de base cristiana, para la cual Gracián encuentra en aquellas palabras una elegante versión literaria. Esos «peregrinos del mundo» aparecen con frecuencia en la literatura del xvi y del xvii. [Pero en Gracián se barrunta otra cosa, en la que late todo el dinamismo barroco y moderno de la existencia.] Si sus personajes no están hechos, quiere decirse que su cambio, su peregrinación, se produce, no sobre el mundo solamente, sino por dentro de la vida. Y de ahí que Gracián con mayor insistencia los llame «pasajeros de la vida», «peregrinos del vivir». Si no están hechos, si tienen que hacerse, ese hacerse es para ellos recorrer el interior camino de su propio vivir —«andantes de la vida» les llama en alguna ocasión nuestro autor—. [...]

Pero ese camino de la vida tiene en Gracián, a diferencia de algunas corrientes del pensamiento moderno, un modelo final: su plenitud. Eso que el hombre se ha de hacer consiste en «el ser persona». Si hombre es la mera naturaleza del existente en el momento de su «entrada en el mundo», «persona» es lo que alcanzará a ser éste si cumple con su cuidado. «Porque se reconoce hombre trata de ser persona», dice Gracián. Y esto quiere decir: primero, que el ser persona está de alguna manera dado, como posibilidad, al menos, en ese bosquejo de la vida humana que es el hombre originario: a éste le pertenece de algún modo llegar a ser persona; segundo, que en este cambio no se trata de una evolución forzosa, sino de algo que puede alcanzarse o que puede perderse, y que además puede, en caso afirmativo, lograrse con más o menos plenitud. En la fábula de Gracián, Critilo es la hipóstasis de la capacidad y facultad que el hombre tiene de hacerse persona, esto es, de hacerse propia y plenamente hombre. Es, por tanto, lo que de Prometeo hay en el mismo ser humano. Critilo es la simbolización del mito prometeico que completa y acaba el sentido del mito adánico, simbolizado en Andrenio. De este modo, Gracián articula, con original invención, los dos grandes mitos que desde el Renacimiento presiden el surgimiento del hombre moderno.

Moviéndose en la órbita de la herencia intelectual del aristotelismo, para Gracián ese «ser persona» consiste en alcanzar la plenitud del desarrollo racional. El hombre, sazonado por los años, se perfecciona, «así que nace bestia y muere muy persona». El camino de la vida es, pues, una marcha hacia la racionalidad, núcleo del ser personal, pero que no lo agota ni se confunde con él.

MIQUEL BATLLORI, FRANCISCO YNDURÁIN
Y JOSÉ MANUEL BLECUA

GRACIÁN, UN ESTILO

I. La retórica y la poética barrocas de la *Agudeza y arte de ingenio* están condicionadas por el ambiente español, y específicamente aragonés, en que la obra fue compuesta; y por la tradición literaria de los jesuitas, concretada en la *Ratio studiorum* de 1599 y en su

I. Miquel Batllori, «Gracián y la retórica barroca en España», en *Gracián y el Barroco*, Storia e Letteratura, Roma, 1958, pp. 107-114.

II. Francisco Ynduráin, «Gracián, un estilo», en *Relección de clásicos*, Prensa Española, Madrid, 1969, pp. 215-253 (242-249).

III. José Manuel Blecua, «El estilo de Gracián en *El criticón*» (1945), en *Sobre el rigor poético en España y otros ensayos*, Ariel, Barcelona, 1977, pp. 119-151 (134-148).

natural y vital adaptación a cada circunstancia histórica. Por sus raíces jesuíticas, la estética barroca de Gracián entronca con las corrientes europeas del último Renacimiento y del Barroco. Su raíz hispánica constituye, por el contrario, una nota diferencial. Gracián es sólo un caso —pero de altísimo significado— del problema más general de lo jesuítico en función de la Contrarreforma y del Barroco. [...]

En el trazo de las primeras líneas de su legislación escolar, san Ignacio, alumno él mismo de la universidad más renacentista de España, la de Alcalá, y de la de París en los momentos en que las críticas de Erasmo y de Vives comenzaban a dar sus frutos, tuvo la ayuda de hombres pertenecientes, por su formación, al segundo Renacimiento: el burgalés Polanco y el mallorquín Nadal, ambos plenamente europeizados. Diego de Ledesma, que tanta parte tuvo en la redacción de la primera *Ratio studiorum*, la de 1586, era ya un hombre de la primera Contrarreforma, alumno de París y Lovania en los años en que luteranos y calvinistas representaban ya una amenaza. Y más todavía lo eran los revisores que nombró Aquaviva: basten los nombres del español Maldonado, del italiano Gagliardi, del portugués Fonseca, del flamenco Coster. La segunda *Ratio*, de 1591, y la definitiva, de 1598-1599, van avanzando por ese camino.

En el aspecto literario, la última *Ratio* no representaba tanto el Renacimiento de los años de Erasmo y de Luis Vives, como el de Pedro Juan Perpinyà en el colegio romano. Su Retórica y su Poética eran también manierísticas. Aristóteles dominaba, vencedor de los primeros entusiasmos del humanismo por su maestro Platón. También en la *Ratio* de 1598-1599, como en toda la cultura europea del último siglo XVI, Aristóteles tendía una mano al Barroco que se avecinaba, con su nuevo triunfo de la dialéctica y de la retórica. Y la *Agudeza* de Gracián está dentro de la corriente retórica aristotélica. Interesante, por tanto, esa introducción de Aristóteles como retórico en la legislación escolar de la Compañía de Jesús, y, por su medio, en la mentalidad europea del siglo pleno de la Contrarreforma, el XVII.

En toda la documentación previa a la elaboración de la primera *Ratio studiorum* de 1586, aparece ya como una convicción general e inconcusa que Aristóteles ha de ser el maestro para las disciplinas filosóficas, como santo Tomás para la teología especulativa. Pero no así para la teoría literaria. [...] Aquella primera generación de humanistas jesuitas mostraba sus predilecciones por la epístola *ad Pisones* como arte poética, y por Cicerón y Quintiliano en lo que atañe a la preceptiva retórica. Entre los modernos, señalaba los escritos, más bien gramaticales y humanísticos, de Erasmo y de Vives, y la *Poética* de Escalígero. [...]

No vaya a creerse, sin embargo, que la retórica aristotélica cayese al margen de la primitiva pedagogía jesuítica. Se la siguió y se la comentó sobre todo a través de los *De arte rhetorica libri tres ex Aristotele, Cicerone et Quintiliano deprompti,* por el castellano P. Cipriano Suárez (Soarez en forma lusitanizante). Desde que apareció por primera vez en Coimbra el año 1561 y en segunda edición en Venecia, 1565, bajo el cuidado de Pedro Juan Perpinyà, se convirtió en el libro de texto de casi todas las escuelas de la Compañía. Suárez ofrecía una breve antología de textos retóricos clásicos, ordenados sistemáticamente, con un sentido, más que especulativo, practicista.

La primera *Ratio* de 1586, más humanística y más renacentista que la definitiva, prescribía para la *classis humanitatis* el texto de Suárez sólo como una introducción remota a la retórica, la cual en el curso siguiente había de estudiarse en los mismos textos de Aristóteles y de Cicerón. Tal prescripción pasó al texto último de la *Ratio studiorum* en la regla 1.ª de los profesores de retórica y en la 1.ª también de los profesores de humanidades. La imposición de Aristóteles no era tan taxativa como para las disciplinas filosóficas: «praecepta —decía— ... undique peti et observari possunt; explicandi tamen non sunt —continuaba— in quotidiana praelectione nisi rhetorici Ciceronis libri et Aristotelis tum Rhetorica, si videbitur, tum Poetica». En la práctica, esos textos literarios eran regulados por instrucciones particulares de cada provincia, y muy pronto a la breve Retórica de Cipriano Suárez vino a acompañarla la Poética, también ecléctica, del profesor de Dilinga Iacobus Pontanus (Jakob Spanmüller), bohemio de origen, *Poeticarum institutionum libri tres,* impresa por vez primera en 1595 y frecuentemente reeditada, si bien no tuvo una difusión ni tan constante ni tan universal como el librito de Cipriano Suárez.

Todo ello supuesto, el problema del paso de la retórica de la *Ratio* a la retórica jesuítica del pleno Barroco, es el mismo problema del tránsito de la retórica aristotélica a la retórica barroca en general. No son los principios clásicos de la mímesis y de la cátharsis los que permiten esa evolución. Los portillos de escape fueron los tópicos o figuras, el ingenio, la invención. Aristóteles los alaba y encomia, pero los recomienda con moderación, en proporción debida con las restantes partes del discurso. Lo mismo hace la *Ratio* jesuítica, tanto en la parte más general, como en el ejercicio de los «emblemas» en particular. Bastó perder el sentido de la medida —y en esto radica la esencia del Barroco— para desbocarse por el sendero del barroquismo.

Los que presentan el fenómeno barroco como una transposición de lo jesuítico, ignoran que, precisamente en lo que se refiere a la retórica en su sentido estricto de institución oratoria, los superiores de la orden no cesaron de perseguir y anatematizar los excesos barrocos, que convertían la predicación en pirotecnia, con poco fruto y edificación de los oyentes. En otra parte (Batllori [1958], pp. 35-36, etc.), he documentado este punto, en relación con la provincia jesuítica a la que perteneció Gracián.

En lo que toca a las artes plásticas, a los espectáculos y a la poética, no iba la Compañía tan a la mano a los espíritus barroquizantes, debido, sin duda, a que no entraban de por medio intereses espirituales de los fieles, antes al contrario, los jesuitas utilizaban aquellos medios como propaganda externa de sus ministerios y de sus escuelas. Pero no como mera propaganda. Tengo para mí que los jesuitas ni crearon el Barroco ni lo utilizaron como simple instrumento propagandístico. En todo el seiscientos, la cultura de los países católicos se identifica en gran parte con la cultura de los jesuitas. Cuando llegue el momento de la reacción antibarroca, ellos se pondrán también a la cabeza del neoclasicismo, por el mismo motivo de que también en el siglo XVIII ellos serán parte integrante de la cultura general europea.

La *Ratio studiorum* ofreció a Gracián la base aristotélica de su retórica y poética barrocas. También se la ofrecieron otros precedentes hispánicos, las Poéticas y Retóricas españolas de los siglos XVI y XVII, tanto en latín como en castellano. [...] Certeramente ha podido precisar Menéndez y Pelayo que así, «dando vueltas eternamente alrededor de los mismos textos, sin tomar de ellos el espíritu de creación y de libertad que había animado a los humanistas del Renacimiento, ... nació aquella filología, aquella oratoria y aquella poesía de colegio, que malamente llaman algunos *jesuítica*, puesto que los jesuitas (en cuyas manos vino a quedar finalmente la enseñanza de las letras clásicas en muchos países de Europa) antes contribuyeron a retardar que a acelerar la inevitable decadencia». Es lástima que Menéndez y Pelayo, aferrado con espíritu neoclásico a la incomprensión de todo el fenómeno barroco, no llegara a darse cuenta de que fue precisamente ese nuevo espíritu, que él tildaba siempre de «mal gusto» —como Croce puso siempre sus productos en la categoría de

lo feo—, el que insufló nueva vida a la retórica y a la poética manierísticas. [...]

Menéndez y Pelayo apellidó la *Agudeza* de Gracián una «retórica
conceptista», y estas dos palabras mágicas, como salidas de la baqueta
del «Maestro», se han venido repitiendo por la ingenua estupidez de
tantos pseudodiscípulos. Hablando con exactitud, la *Agudeza y arte
de ingenio* no es una retórica ni es, por su contenido, conceptista.
Es una estética literaria barroca. Sería una retórica si expusiese, esencialmente, los preceptos de la oratoria; una poética, si encaminase los
ingenios a la poesía. Pero la *Agudeza* es una teoría del estilo en su
más completo significado: estilo de pensar y estilo de escribir; que
sea en prosa o en verso, en español o en latín, en forma oratoria o
didáctica, todo eso es lo de menos para Gracián. La agudeza del
ingenio lo ha de abarcar todo. Sería una retórica conceptista si sólo
admitiese la agudeza en el concepto. Pero Gracián, conceptista y no
culterano en su propio estilo, no es un anticulterano como Cascales,
Jáuregui o Quevedo. No lo es en su teoría. Toda ella es una exaltación de la agudeza sobre la imitación —en suma, de lo barroco contra
lo renacentista—. Pero hay agudeza de perspicacia —portillo abierto
a la dialéctica y al casuismo— y agudeza de artificio, la cual puede
ser, a su vez, agudeza de concepto, agudeza verbal y agudeza de
acción (discurso 3). Cierto que las preferencias de Gracián se orientan hacia la primera de estas tres últimas agudezas, pero de todas ellas
discurre en su manual, de todas aduce ejemplos complacido. [...]

Como jesuita, él barroquizó la *Ratio studiorum*, superando la
imitación aristotélica por la agudeza. Y los mismos superiores de su
orden, que se desvivían por impedir los abusos barrocos en la oratoria sagrada y que consideraban peligrosos y ajenos de la Compañía
de Jesús los demás escritos de Gracián, aprueban sin dificultad la
Agudeza —señal de que la *Ratio* no fue considerada, en los dos primeros siglos de su vigencia, como un corsé incómodo, sino como un
vestido holgado, fácilmente adaptable.

Como preceptista español, explicó «todos los modos y diferencias de conceptos, con exemplares escogidos de todo lo más bien
dicho, assí sacro como humano», así en español como en latín, así
clásico como barroco, así conceptista como culterano, así en prosa
como en verso. Por eso, entre todos los tratadistas literarios de su
siglo, es él quien mejor representa la retórica barroca de España, con

sus cualidades y sus defectos —que no fueron éstos ni tantos ni tan graves como supuso Menéndez y Pelayo.

II. En el capítulo IX de la *Retórica* de Aristóteles se nos dice que el aprender es cosa dulcísima y que a ello tiende con máxima eficacia la metáfora, la cual proporciona enseñanza y conocimiento, al poner de manifiesto la relación que hay entre cosas distintas. Es una idea repetida en todos los tratadistas del seiscientos. La metáfora enseña y deleita; de ahí que si acumulamos y complicamos las metáforas, habremos intensificado y aumentado deleite y enseñanza. Es una interpretación más bien intelectualista del tropo, insistiendo en lo que tiene de grato superar la dificultad que la traslación nos ofrece, por el placer de aprender. [...]

Los que afirman al observar las metáforas y alegorías gracianescas que revelan una visualización de lo no sensible, sospecho que no han dado con la verdadera meta de sus traslaciones metafóricas. Algunos ejemplos: en el muy citado pasaje de *El criticón* (III, viii) donde aparece Venus como «una bellísima hembra, convirtiendo en azar con manos de jazmín cuanto tocaba», si no se lee con cuidado, nos quedamos con la metáfora embellecedora que hace de las manos «jazmín», y de lo que toca, «azahar», símbolo sensorial de indudable sentido erótico. Sin embargo, no debe pasarse por alto que «azar» —escrito así— es un equívoco buscado adrede para que signifique simultáneamente lo sensual no menos que lo moral, «azahar» más el «azar» que, para el moralista, lleva siempre la rendición amorosa. Que Gracián pensaba más, si no preferentemente en este plano moral, nos lo indica la continuación del texto: «Teníalas [las manos] de nieve ... tanto, que en tocando al mayor hombre ... le convertía en estatua, de pórfido o de mármol frío ...», y luego habla de una de las víctimas de Venus, de «aquel príncipe, que tiene asido con mano de nieve y garra de neblí». Sin duda muy bellas expresiones; la última, felicísima como sugestión predatoria hasta en los sonidos; pero ¿no hay en todo el texto un apuntar a valores de orden no sensible? Porque, además, «azar», equívoco, «nieve», «neblí» no están propuestos para que nos gocemos en sus bellas cualidades sensibles intuitivamente, sino para extraer de ellos una aplicación moral. Recuérdese el gozo de sensaciones que hay en la caza de cetrería de la *Soledad* segunda: nuestro neblí no tiene allí cabida. ¿Cómo establecer un parangón entre dos intenciones artísticas tan dispares? Gracián eleva, por decirlo así, la esfera sensorial a la espiritual, como medio de ilustración, de enseñanza. La dificultad era de su gusto, y la busca en la modesta adivinación metafórica, con lo que sigue igualmente un consejo de Aristóteles, que rechaza lo demasiado manifiesto, por vulgar. [...]

Uno de los más acreditados gracianistas, Romera Navarro, dejó escrito que Gracián acudió a los más peregrinos rincones de la naturaleza para dar cuerpo sensible a sus ideaciones: la lista de seres y cosas, realmente abruma. Si observamos más de cerca esa naturaleza ya no es ingenuamente sensible, sino libresca y cargada de aplicaciones morales. El oro, metáfora trivial por cabello femenino rubio, será en Gracián ejemplo de cómo «lo que mucho vale, mucho cuesta, que aun el más preciso de los metales es el más tardo y el más grave» (*Oráculo*), según lo que se sabía de su punto de fusión y peso, respectivamente. De la apacibilidad se dice que es «garavato de corazones», con lo que no tanto se nos invita a representarnos el gancho, como a pensar en su cualidad aprehensiva. El bestiario de la obra gracianesca, sean animales reales o fantásticos, es también un buen ejemplo de solicitación hacia su sentido simbólico, siempre de orden moral: «El león de un poderoso, el tigre de un matador, el lobo de un ricazo, la vulpeja de un fingido, la víbora de una ramera ...» (*Criticón*, I, vi) no están «vistos», sino entendidos como ejemplos de caracterizaciones morales. Y lo mismo hacen «los linces de discurso», «las xibias de interioridad», «los camaleones de la popularidad», o «fénix», «cisnes», «águilas». En ningún caso hay una vivencia directa, experiencia sensible transformada, sino saber libresco. Como en otro reino de la naturaleza, «el veneno de la pasión» o «la hierba de la envidia», que aprovecha la trilladísima expresión «herbolado», igual a «envenenado». En la obra magna de Gracián, en la vasta alegoría de *El criticón*, se nos lleva en viaje «por la hermosa naturaleza y la primorosa arte a la útil moralidad» («Al que leyere»), pero se trata de una naturaleza alegórica deliberadamente tal. Su prosa está pidiendo la figuración de emblemas y empresas como complemento, no nos traslada al aire libre. [...]

A la vista de las tendencias que acabamos de resumir en la metáfora gracianesca y de su orientación, hay que insistir en su carácter dominante, que es el intelectual, a la manera racionalista que señaló Aristóteles como premio del hallazgo de una relación. Y Gracián, parte por principios, parte por referencias personales —resultado de su gusto, capacidades e intenciones—, sitúa y busca el máximo valor del metaforizar en ese juego. [No otra cosa quiere decir con la definición de la «agudeza» y del «concepto»; véase arriba, p. 104.]

Cuando, al leerle, nuestra imaginación pudiera derivar hacia una sugestión de tipo sensible, el autor corrige la presunta frivolidad y nos lleva al plano didáctico. Recuérdese el caso, típico, de las manos de Venus. Donde no haya aplicación moral ocurre lo que «en los cultos y afectados escritores ... cuyas obras son tramoya, frases sin concepto, hojas sin fruto».

III. Gracián cultivó siempre un estilo breve y ceñido, lacónico, en el que las palabras, a fuerza de apurar sus posibilidades de expresión, vuelven a cobrar nueva vida. Como Quevedo, Gracián es uno de los escritores españoles que no retrocede ante ningún peligro. Su brevedad y concisión son ya proverbiales entre los investigadores o simples lectores. Es la primera nota que salta a la vista. ¿De qué medios se vale para producirla?

Es natural que el estilo lacónico, sentencioso se encierre en las menos palabras posibles. Jamás escribirá Gracián una oración compuesta, si puede exprimir su pensamiento en una simple, y aun en ésta procurará eliminar las palabras que él crea innecesarias. Véase este ejemplo: «Las sedas y damascos fueron ascos. Las piedras finas se trocaron en losas frías, las sartas de perlas en lágrimas. Los cabellos tan rizados, ya erizados. Los colores, hedores; los perfumes, humos». Observemos de qué manera Gracián va reduciendo elementos oracionales por medio de elipsis, que producen un *tempo* rapidísimo, para llegar a esas dos finales: «Los olores, hedores; los perfumes, humos».

Gracián no retrocede nunca ante las *elipsis* más violentas. Es muy frecuente la elipsis del verbo cuando se trata de sentencias. El ejemplo clásico: «Lo bueno, si breve, dos veces bueno; lo malo, si poco, menos malo», lo encontramos repetido con abundancia en El criticón: «Buen ánimo contra la inconstante fortuna, buena naturaleza contra la rigurosa ley, buen arte contra la imperfecta naturaleza y buen entendimiento para todo». [...] Otro de los recursos típicos de Gracián es el *zeugma*, figura muy frecuente en la prosa y en la poesía del siglo XVII. «El zeugma —dice Vossler—, consiste siempre en un apelar del que habla al que oye, en un acomodar del estilo al auditorio, un aguzar, citar y revelar los sentidos más íntimos de las palabras; en suma, es un conjuro, una evocación y un como encantamiento mágico.» Véase este ejemplo: «Extrañó ella que un varón discreto viniese, no ya solo, mas sí tanto». [...] La *intensión* expresiva la consigue por el empleo de los sustantivos sin adjetivos, característica que está en evidente relación con su manera de concebir el estilo y el mundo; [y, en especial, logra] los mejores efectos de intensión y dinamismo con el recurso de utilizar el verbo como iniciador de la oración. Al no iniciar la oración con el sujeto, se pone delante del lector el verbo, con todas sus posibilidades de expresión dinámica. Por otra parte, el sujeto tiene siempre cierto aire circunstancial, mientras que el verbo inicial eleva el plano intemporal e inespacial: [...] «No, replicó el cortesano: no lo entendéis. Perdóneme el autor y enseñe todo lo contrario. Diga, que sí, que *miren todos y vean lo que son en lo que echan.* Advierta el otro presumidillo de bachiller y conózcase que es un rapaz mocoso, que aún no discurre ni sabe su mano derecha: no se desvanezca. Entienda el otro, que se estima de nasudo, que no son sentencias ni sutilezas las que piensa; sino crasicies, que destila el alambique de su nariz aguileña. Persuádase la otra linda que no es tan ángel como la mienten ni es ámbar lo que alienta; sino que es un albañil afeitado. Desengáñese Alejandro que no es hijo de Júpiter; sino de la pudrición y nieto de la nada. Entienda todo divino que es muy humano». [...]

Otro de los aspectos característicos del estilo de Gracián, el más utilizado por él y el que responde mejor a su visión de la realidad y a su concepto del arte, [es] su gusto por la sentencia, por el advertir. La sentencia es para él «la operación máxima del entendimiento, porque concurren en ella la viveza del ingenio y el acierto del juicio ...». [A una intención análoga responde su tendencia a convertir los nombres de personas célebres en paradigmas universales.]

La sentencia la consigue utilizando los verbos en infinitivo, lo que les da esa potencia expresiva, abstracta e intemporal, que llama tan poderosamente la atención del lector. Para que la sentencia sea válida universalmente, tendrá que ofrecer siempre un carácter intemporal e inespacial, lo que se consigue perfectamente con el infinitivo: [...] «El no admirarse procede del saber en los menos; que en los más, del no advertir».

[La tendencia a crear paradigmas por *apelativización* es uno de sus procedimientos más peculiares]: «Piensas tú que valen poco unos ojos claros, una lengua verdadera, un hombre sustancial, un duque de Osuna, una persona que lo sea, un príncipe de Condé». Nótese en este ejemplo lo singular: un nombre propio se convierte en un apelativo, con lo que adquiere una acepción nueva, según la aguda observación de Leo Spitzer [1930]. Gracián piensa siempre en paradigmas, en modelos, pero al hacer que un nombre propio vaya precedido del artículo *un,* el nombre deja de ser espacial y temporal, para convertirse en esencial. Al decir *un César,* lo que hace Gracián es vaciar el contenido histórico de la figura, para rellenarlo de un nuevo sentido semántico.

[Gracián se apoya muchas veces en esa filosofía popular que es el refrán y la frase sentenciosa. Pero no siempre los utiliza sin manipularlos, porque, como dice una vez «hasta los refranes mienten o los desmienten». La expresión artística de la huida del refrán o de la frase hecha es bastante curiosa. Unas veces la cita es exacta, o aproximada: «Fuime entrando por ella, como Pedro por la suya»; otras, se traslada a otros conceptos: «que en la tierra de los necios, el loco es rey»; pero las más de las veces, se tratará de darle una vuelta, desconcertando la significación normal, con lo cual se logrará una expresividad mucho mayor.]

El uso sistemático de la contraposición, que tanto caracteriza a la literatura del Barroco, responde también a una ideología determinada. El contraste, el poner frente a frente dos ideas contrarias y antagónicas tiene su explicación en la filosofía de la época: [«Así es, respondió Critilo, que todo este universo se compone de contrarios y se concierta de desconciertos».] Aquí es donde hay que buscar la clave de esa insistencia en el uso de la contraposición. Probablemente es el prosista que lleva con más fidelidad a su estilo una ideología.

Casi no encontraremos una línea donde no se contrapongan dos ideas: «Verás unos pigmeos en el ser y gigantes de soberbia. Verás otros al contrario, en el cuerpo gigantes y en el alma enanos». «Mas no digo bien, pues lo que me acarreó de males las riquezas, me restituyó en bienes la pobreza.» Finalmente, como dice el mismo Gracián: «Todo va al revés, en consecuencia de aquel desorden capital: la virtud es perseguida, el vicio aplaudido; la verdad muda, la mentira trilingüe; los sabios no tienen libros y los ignorantes librerías enteras. Los libros están sin doctor y el doctor sin libros». [...]

Gracián es muy aficionado a utilizar cercanas dos voces, de las cuales, la segunda reafirma o niega lo dicho en la anterior, por medio de un prefijo: «El curso de tu vida es un discurso». «Espero que todo entendido se ha de dar por desentendido.» (A quien leyere.)

Tan frecuente como lo anterior es la paronomasia, el engendrar una voz nueva de otra, suprimiéndole o cambiándole alguna vocal o alguna consonante. Consigue así un efecto de dinamismo o intensión, de palabra recién inventada. Véase esta etimología tan sutil de la palabra amor: «desde entonces no te llaman Amor de amar; sino de morir, Amor a muerte, de modo que Amor y Muerte todo es uno». [...] En otros casos rompe un vocablo en dos, quedando con su significación ambas partes, como en el siguiente ejemplo: «Así lo entiendo: suave de día y su ave de noche». [No menos] le gustó jugar con el equívoco: «La primorosa equivocación es como una palabra de dos cortes, y un significar a dos luces. Consiste su artificio en usar de alguna palabra que tenga dos significaciones, de modo que deje en duda lo que quiso decir».

CRISTÓBAL CUEVAS

ZABALETA Y LAS ESTRATEGIAS DEL COSTUMBRISMO

Juan de Zabaleta busca remedios [para el uso desordenado que normalmente se hace de las fiestas] teniendo siempre muy en cuenta su eficacia, por lo que procura apoyarse en los resortes mismos que mueven el alma humana. Convencido de lo inmutable de nuestras tendencias íntimas, pide que los deseos, deshonestamente satisfechos el día de fiesta, se purifiquen mediante una vuelta «a lo divino» de sus objetivos: el pretendiente busque bienes celestiales en el palacio del templo, el agente de negocios acopie espirituales riquezas, el cazador fatíguese en la prosecución de las virtudes, el linajudo honre con caridad al prójimo, el tahur busque su lucro en las obras de piedad, el hipócrita convierta lo fingido en verdadero, el poeta ejercite su musa en materias edificantes, etc. De esta manera, sin violentar su naturaleza, cumplirá el hombre sobre la tierra los fines que Dios asignó a la sagrada efemérides. Este caudal de doctrina vertebra, en firme estructura ideológica, la arquitectura de *El día de fiesta* (1654 y 1660).

Sin embargo, parece claro que el libro, tal como ha llegado hasta nosotros, no fue concebido unitariamente desde el principio. Al decidir su redacción, parece que su autor quiso circunscribirse exclusivamente a las horas de la mañana, cuyo centro espiritual, de acuerdo con las normas litúrgicas de la época, lo ocupaba el sacrificio de la misa, precepto que las distracciones profanas dejaban inoperante o hacían que se cumpliera de forma inadecuada. Pero el éxito alcanzado por el original tratadillo indujo a Zabaleta a ampliar sus proyectos, como él mismo declara en el

Cristóbal Cuevas García, «Juan de Zabaleta y la funcionalidad moral del costumbrismo», *Homenaje a don Agustín Millares Carlo*, II, Las Palmas, 1975, pp. 497-523 (510-516).

prólogo de la segunda parte: «El agrado con que se recibió la *Mañana* del día de fiesta me solicitó para escribir la *Tarde*. Y no estoy muy fuera de escribir la *Noche*». Este último plan, sin embargo, no llegó a realizarse en su integridad, y así, el libro quedó reducido a las dos secciones que hoy conocemos.

Un análisis atento de ambas partes permite descubrir entre ellas, junto a su esencial unidad, algunas notables diferencias. Así, la *Mañana* ejemplifica sus doctrinas basándose en tipos y personajes genéricos —todos varones, excepto «La dama»—, encarnación de las diversas maneras con que se profanaba el día santo en el Madrid de Felipe IV. Cada uno de ellos, por lo demás, recibe atención adecuada en su correspondiente capítulo: «El galán», «el hipócrita», «el cortesano», «el dormilón», «el cazador», «el avariento»... «Galería de retratos», llamó Azorín a estos dibujos. La *Tarde*, por el contrario, que podría considerarse complementaria de la anterior, describe las diversiones, ambientes, lugares de reunión, usos y costumbres populares que estorban el cumplimiento de los deberes religiosos.

Tipos y escenas: he ahí la doble perspectiva en que se estructura en una primera visión el libro de Zabaleta. En la pintura de los tipos recorre nuestro escritor una amplia gama de posibilidades, concediendo especial atención a los elementos psicológicos y ambientales. Los personajes se retratan en sus acciones, vistas desde el prisma de la sátira y subrayadas en su frivolidad o malicia por el comentario moral. En el análisis de las relaciones humanas, de acuerdo con los propósitos del libro, el centro de referencia es siempre Dios, ante el cual todos los humanos tienen derechos iguales. «En consecuencia observa James R. Stevens [1966]— los tipos de Zabaleta parecen vivir en una sociedad sin clases, simplemente porque una concepción jerárquica de la sociedad aparece como irrelevante para sus fines.» Es la suya una humanidad vista con ojos de teología, enfocada desde perspectivas en última instancia ahistóricas, con desconocimiento de cualquier clase de dinamismo evolutivo. Zabaleta, siguiendo procedimientos aditivos paralelos a los de la picaresca, va enmarcando sus tipos en los límites rígidos de una serie de domingos, en los que la reiteración anula, a efectos prácticos, el discurso temporal implícito en el devenir de la jornada. Al final nos queda la sensación de un único domingo, abstracto y arquetípico. «Por la reiteración de tiempos idénticos, el tiempo acaba por borrarse», resume Stevens con acierto.

Las escenas de la segunda parte se presentan de forma distinta.

Tras una digresión introductoria de carácter doctrinal —filosófico, moral o teológico—, se hace una pintura genérica del ambiente, los protagonistas —que ahora son más variados y numerosos— y los hechos. Si en la *Mañana* se trazaba primero el tipo para luego incluirlo en un ambiente, ahora sucede al revés, primando el entorno sobre el pintoresco desfile de caricaturas. El campo de observación se ha ampliado, advirtiéndose un superior dinamismo, un plasticismo como de escenario, en que los actores se encuentran mejor distribuidos, y un adoctrinamiento más lógico e integrado. Desde el punto de vista artístico, a nuestro entender, también aquí falla el «nunca segundas partes fueron buenas». La *Tarde* supera incuestionablemente en varios aspectos a la divertidísima *Mañana*, pese a que en ésta hubiera ya capítulos —«El galán», «La dama», «El enamorador»...— muy difícilmente superables.

Primera y segunda partes —tipos y escenas—: tal es la que podríamos llamar «estructura horizontal» —para servirnos de un término grato al profesor Moreno Báez— del libro de Zabaleta. Pero hay todavía otra estructura, más profunda que la anterior y quizá de su misma importancia, que lo divide dicotómicamente de arriba abajo —«estructura vertical»— siguiendo un axis acorde con sus dos aspectos capitales: la doctrina moral y la ejemplificación esclarecedora y amenizadora, es decir, el elemento filosófico-moral y el tradicionalmente llamado costumbrista. Esta distinción ha inducido a más de un editor, a nuestro parecer en deplorable muestra de incomprensión del carácter del libro, a separarlos mutuamente, presentando tan sólo el segundo de dichos elementos como muestra auténtica de lo que Zabaleta quiso ofrecernos.

La mayoría de los críticos, buscando la genealogía de nuestra literatura de costumbres, en la que suele integrarse a Zabaleta, establece una línea de sucesión literaria cuya homogeneidad estética y conceptual no siempre es irreprochable. En general, suele reconocerse la veta generatriz de nuestro costumbrismo en la que, con discutible propiedad, se ha llamado corriente realista española, [desde el *Libro de buen amor* al *Diablo cojuelo*. Cabe hallar antecedentes más significativos en los *Problemas* de Villalobos (1543), los *Antojos de mejor vista* de Fernández de Ribera (hacia 1623) o el *Alejandro* de Salas Barbadillo (1634).] Pero, a nuestro parecer, el primer precedente inmediato del libro que estudiamos sería la *Guía y avisos de forasteros, a donde se les enseña a huir de los peligros que hay en la vida de la corte* —Madrid, Vda. de A. Martín, 1620—, de Antonio

Liñán y Verdugo, anterior en catorce años al *Sabio Alejandro*. En él, como en Salas Barbadillo, la sátira social se enmarca en un contexto narrativo, pero ya, al igual que en Zabaleta, predomina el elemento descriptivo, hay un explícito propósito de desengaño de incautos, se ofrecen «escarmientos disfrazados», ejemplos y moralidades, comienza el proceso de instrumentalización de los datos de observación, y los elementos costumbristas abarcan tipos y ambientes —el falso amigo, las calles de Madrid, los procuradores, las diversiones populares, los pegadillos, las prácticas religiosas, etc.

Más cercanos aun al *Día de fiesta* nos parecen *Los peligros de Madrid*, de Baptista Remiro de Navarra —Zaragoza, P. de Lanaja, 1646—, obra en que el cuadro descriptivo aparece ya libre de estructuras narrativas, y en que cada capítulo concreta independientemente los peligros que amenazan al incauto en la corte. Al igual que Zabaleta, Remiro de Navarra subordina el pasatiempo a la moralización, alertando al mozo forastero frente a los riesgos que le acechan «en la calle y Prado Alto», «en el Soto», y «en casa», «de noche», preocupándose, además, «de el Trapo», «de la Calle Mayor», «de la cazuela», «del Prado Bajo», «de los baños de julio» y «de la ausencia». La simple lectura de esta lista de capítulos, y mucho más la forma en que están concebidos, el léxico, la disposición de los cuadros, etc., hace pensar que Zabaleta leyó este librito, del que parece debieron quedarle muchas reminiscencias, aunque el discípulo superará al maestro en sentido de las proporciones, riqueza de vocabulario, capacidad de observación, sensibilidad artística y profundidad de ideas.

Recordemos, para terminar, el *Libro histórico-político. Sólo Madrid es corte y el cortesano en Madrid* —Madrid, A. García, 1658—, de Alonso Núñez de Castro, que, por su fecha, debió de inspirarse en el *Día de fiesta por la mañana* y pudo influir, a su vez, en el *Día de fiesta por la tarde*. Dividida en cuatro partes, la obra de Núñez de Castro comienza en una «laus Matriti», a la que sigue una serie de «dogmas» encaminados a ilustrar el entendimiento, fortalecer la voluntad y perfeccionar la memoria práctica del que ha de desenvolverse en el caos cortesano. Temas típicamente zabaletianos en este libro son el traje del varón cuerdo, los aliños corporales, la elección y trato de los criados, naturaleza y valor de la poesía, beneficios del estudio de la historia, reprobación del ocio, venganzas y duelos, riesgos de la glotonería, etc.

En el seno, pues, de esta corriente, y marcando su punto culminante, se sitúa la obra maestra de Zabaleta. En ella, al igual que en sus precedentes inmediatos, el costumbrismo adquiere un valor instrumental. Esto es lo que la distingue esencialmente del «cuadro de costumbres» decimonónico. Estamos ante una literatura de fines docentes y medios descriptivos, que algunos críticos han preferido llamar «cuadro satírico-moral de costumbres», ya que lo puramente artístico y literario se supedita a concretos propósitos ejemplarizantes. El costumbrismo zabaletiano es, al fin y al cabo, la puesta en práctica de una actitud tradicional de moralista, que consiste en reducir a lo particular los principios generales de la ética. Como pedía fray Luis de Granada, «no siendo el fin de la doctrina moral la especulación, sino la acción, la cual se versa en obras particulares, ciertamente el que desea tratar bien esta doctrina, cuanto dijere en común sobre este punto debe acomodarlo a las acciones en particular». Zabaleta utiliza masivamente elementos de carácter costumbrista, pero no puede considerársele, en el sentido moderno y técnico de la palabra, un escritor exclusivamente de costumbres. Es más bien un moralista que utiliza la pintura de ciertas formas de conducta de sus contemporáneos para transformarlas o desarraigarlas, negándoles su valor en nombre de la ética. En este sentido, su costumbrismo sería *praeter intentionem* —casi *malgré lui*—, lo que explica diáfanamente el frecuente sarcasmo que aborrasca sus páginas, y que tanto ha llamado la atención de algunos críticos. [...]

Zabaleta, con admirable lucidez, sabe calar la piel de los hechos y sorprender su realidad visceral. *El día de fiesta*, en un alarde de sagacidad que roza los límites del ensañamiento, denuncia la última verdad del alma humana, desnudando los móviles secretos de la conducta. Allí se descubren, cegadas de improviso en su madriguera por una inopinada iluminación, la angustia del pretendiente, la frustración del desairado, la ridícula pretenciosidad del poeta, las artimañas faunescas del profesional de la lujuria y el donjuanismo, la avidez del glotón, las tribulaciones de tahúres, mirones y gariteros, las murmuraciones y chismes del estrado, las rencorosas cavilaciones del vengativo, y las tribulaciones, entre risibles y patéticas, del cazador fanático. Tiene don Juan el don de captar la sintomatología del pequeño detalle, del gesto mecánico y apenas consciente, como si hubiera intuido lo que hoy nos enseñan eruditamente los estudiosos del paralenguaje y la «kinésica». Sus retratos, a la par velazqueños y quevedescos —por paradójico que ello pudiera parecer—, captan al mismo tiempo la fenomenología de los hechos y su más recóndito significado.

Presidiendo tan grotesco universo, la sombra del moralismo extiende sus alas, escorzando las figuras y confiriéndoles un perfil trascendente por su simbolismo. [Su procedimiento favorito es el recurso al ridículo, pero no con el despego pre-esperpéntico de un Quevedo, ni con el entrañable humorismo de Cervantes, sino con el rictus amonestador y desengañado del predicador.] Sería erróneo, sin embargo, figurarse *El día de fiesta* como un árido tratado moral en el que la nota sombría tuviera carácter privativo. Lejos de ello, al terminar su lectura nos queda una sensación de pintoresquismo divertido, como si hubiéramos convivido por unas horas con los personajes que Zabaleta nos ha presentado. Don Juan, extraordinario observador y espíritu agudísimo para descubrir el lado risible de las cosas, no puede sustraerse a la fascinación que le produce ese mundo abigarrado que por razones religiosas pretende condenar. Por ello, en multitud de ocasiones, la risa se sobrepone, pese a todos sus esfuerzos, al propósito aleccionador, entregándose con fruición subconsciente a la descripción de tipos, situaciones, ambientes, actitudes o vanidades de la más varia especie, que, tratados por la pluma de un caricaturista excelente, llenan su libro de jocundos pasajes y deliciosos bosquejos.

JOSÉ ANTONIO MARAVALL

PRELUDIO A LA ILUSTRACIÓN:
EL HOMBRE PRÁCTICO (1680)
DE GUTIÉRREZ DE LOS RÍOS

Las investigaciones del padre Ceñal —que abrió la nueva tarea— en el campo de la filosofía; las de Anes, en el de la economía; de V. Peset, de López Piñero, de Granjel —y ya van siendo cada día más—, nos hacen reconocer que en un período que Peset propone delimitar entre 1680 y 1720, se produce no sé si tanto como la correlativa «crisis de la conciencia española» —de que ha hablado François López—, pero lo menos sí un innegable despertar de ésta. De 1680 a 1725, en que va a empezar Feijoo su obra, se extiende un «período

José Antonio Maravall, «Novadores y pre-ilustrados: la obra de Gutiérrez de los Ríos, tercer conde de Fernán Núñez (1680)», *Cuadernos Hispanoamericanos*, n.° 340 (1978), pp. 15-30 (16, 18-27, 30).

de los novadores», preludio clarísimo, y sin duda fecundo, de lo que va a ser la Ilustración española. Precisamente me propongo hablar aquí de un testimonio de ese primer despegue, que nos sirve además de indicio para medir el radio social alcanzado por el citado fenómeno.

En 1680 se publicó en Bruselas una obra cuyo autor era Francisco Gutiérrez de los Ríos, tercer conde de Fernán Núñez, en la portada de la cual figura como título *El hombre práctico o Discursos sobre su conocimiento y enseñanza.* [La obra está formada por sesenta y un discursos, de muy desigual extensión, desde luego, sobre muy variados temas, y en cualquier caso su distribución no responde a orden alguno.] El autor se remite como fuente en la composición de sus discursos a Plutarco, pero creo que esto no va mucho más allá de lo que en sus páginas queda, como es obvio, de herencia barroca. Lo que nos interesa es lo que en ella aparece de nuevo o ha sido renovado bajo su pluma.

Gutiérrez de los Ríos, en una época que, de todos modos, vive, en muchos aspectos, sobre un nivel de trivialización del pensamiento galileano y cartesiano —por ejemplo, en los colegios jesuitas—, exalta «la suma utilidad que en todo el curso de la vida se sigue de los conocimientos mathemáticos». [Para él,] el conocimiento de las matemáticas aleja del mundo de la quimera y aproxima a la realidad. El invocar el mundo de lo quimérico parece acercarnos a la acusación de falseamiento de la realidad que los ilustrados lanzan contra la situación que presencian (Campillo: «en España falta realidad»); y el suponer que la matemática es la vía de acercamiento a ésta parece responder a un cierto grado de aceptación de la idea de que ciencia es un conocimiento que supone el carácter métrico, mensurable, de lo real.

Ese alejamiento de lo real que a Gutiérrez de los Ríos preocupa le lleva a plantear la gran empresa crítica del momento y del siguiente siglo: entre los daños difíciles de superar —entre otros motivos, por la mala instrucción en años infantiles— piensa que «uno de los mayores suele ser las supersticiones». La ignorancia en que se deja a las mujeres y mucho de lo que ellas tienen por piedad, resulta ser «lo que ordinariamente huele más a superstición». Rechaza —y este es uno de los pasajes más a destacar en la obra— la creencia en la magia, que es puro desatino, falacia, locura, y al mismo tiempo condena pretendidos y, en rigor, falsos saberes próximos: la astrología, la quiromancia, etc. [Es un planteamiento ya cercano al del XVIII.]

Estos aspectos se ligan a la terminante crítica contra «la *Philosophia* que sobre los principios de Aristóteles se sigue hoy en *las Escuelas*»: es dañosa para todos los útiles y verdaderos conocimientos humanos, porque éstos necesitan atenerse a «cosas physicas y reales», a «verdades sólidas y prácticas», sujetándose a la razón y huyendo de disputas vanas; mas la *filosofía aristotélica*, con su lógica, «consistiendo más en palabras y distinciones quiméricas que en cosas physicas y reales, no sólo hace adquirir un hábito adstraído de las cosas prácticas, sino de tenerlas todas por disputables».

[Es perfectamente coherente con esa crítica su afirmación] sobre que «la lengua francesa es preciso saber hoy con perfección, así por lo mucho y bueno que hay escrito en ella, como por lo general que es casi en toda Europa». La contraposición, planteada en diversas ocasiones durante el XVIII, entre el latín, lengua en la que se expresa la filosofía bárbara de la Escuela, vehículo de la ignorancia hinchada e inútil de los falsos sabios, y el francés, lengua en la que halla su expresión el saber verdadero y útil, tanto relativo a la sociedad como a la naturaleza, de la ciencia sencilla y auténtica, resulta bien clara: se encuentra, pues, puesta de manifiesto desde 1680, cerca de sesenta años antes de que Feijoo dé a conocer su carta en la que «disuade a un amigo suyo, el autor, al estudio de la lengua griega y le persuade el de la francesa» (14 de julio de 1759). La lucha entre la Europa del francés y la Europa del latín, de que alguna vez se ha hablado, se entabla en nuestro país mucho antes de lo que se pensaba.

Pasando a un segundo grupo de cuestiones que lógicamente siguen a las precedentes, Gutiérrez de los Ríos considera, en una buena proporción de sus páginas, los temas referentes a la condición humana, que él, como definido pre-ilustrado, contempla en su proyección social. [Sentando un principio que en él seguramente debe proceder de Hobbes,] afirma que «por lo general cada hombre parece un lobo contra el hombre». De ahí deduce que el papel de la filosofía es superar esa condición suya, reducirlo a sociedad e infundirle las dulces virtudes que lo hacen capaz de convivencia y de gozar de ella. Esto era una posición que se iba a proyectar ampliamente en el XVIII, y si tenemos en cuenta al Rousseau, no autor del «Discours sur les sciences et les arts», ante la Academia de Dijon, sino al que, mirándose hacia dentro, en tanto que «filósofo» escribió las *Les rêveries du promeneur solitaire* y las *Confessions*, comprenderemos que también en él tenía vigencia el planteamiento indicado. Rousseau, en una excursión a Versalles, observa la fuerza de la inhumanidad con que los hombres pueden dirigirse a sus semejantes. No contradice su predieciochismo que Gutiérrez de los Ríos nos diga que «si el hombre fuera sociable por naturaleza, como se supone generalmente, viéramos que todas sus inclinaciones naturales mirarían a la sociedad», y no es así, sino que prevalece el egoísmo de lo útil propio a la consideración del bien de los demás (ideas que, con unas u otras variantes y con mayor profundidad, van desde Hume hasta A. Smith). Lo interesante aquí es que Gutiérrez de los Ríos analiza la cuestión bajo los conceptos y exactamente bajo los términos —¡tan dieciochescos!— de *sociabilidad* e *insociabilidad*. Recordemos que estamos en 1680. Creo que es la primera vez que en lengua castellana se escriben estos vocablos y es probable que sea también la primera vez que tal hecho se produzca en otras lenguas cultas románicas. La «sociabilidad» o «espíritu de sociedad», virtud por excelencia reconocida por los benévolos «filósofos», es tema que llena toda la época. [...]

La fuerza de esa virtud de ser «sociable» lleva a Gutiérrez de los Ríos a proponer, en forma de un sencillo problema aritmético —lo que lo aleja de Hobbes, para acercarlo como curioso antecedente a Rousseau—, el establecimiento sobre base contractual de la sociedad: hay que persuadir a los hombres a que «les es más conveniente perder a cada uno aquella parte de imperio y de *libertad* con que se halla en el estado natural, donde falta la sujeción de leyes y magistrados, que padecer los daños que esta misma libertad queda visto ocasionarles, dexando expuesto cada uno a los injustos apetitos del otro». El carácter contractual, utilitario y negociable de la virtud, deriva claramente de un presupuesto como el que acabamos de enunciar: la observancia de las virtudes debe ser seguida por «interés y conveniencia de cada uno de nosotros»; es poco menos que axiomático que «el amor propio y deseo de nuestro bien debe por sí solo, dexadas las demás consideraciones aparte, obligarnos a abrazar enteramente las virtudes y huir enteramente los vicios, según la naturaleza, la religión y las leyes humanas».

El ejercicio, en su proyección cotidiana, de la sociabilidad, es resultado y, a su vez, estímulo de otra virtud social: la «urbanidad», término que se repite con cierta frecuencia en las páginas de *El hombre práctico*, sobre el cual Feijoo escribiría más tarde un largo discurso: «Verdadera y falsa urbanidad». [...] Esa moral de la vida sociable le impulsa a hacer el elogio de la conversación que aproxima y hace amables a los hombres, e incluso del juego, esto último en términos prudentes y en la medida en que pueda favorecer el solaz, el entretenimiento saludable y la convivencia. [...] Gutiérrez de los Ríos postula un programa en el que se alcance, dentro de ese marco social, «el sustento, comodidad, cultura y demás bienes de que es capaz la naturaleza humana».

[Para alcanzar el nivel de la que él llama «cultura civil», el hombre no puede reducirse al aislamiento de permanecer en su lugar y en su tiempo; de aquí el valor de «las *peregrinaciones* por otros pueblos». De manera similar hay que atender, en la formación de la persona, a la mutabilidad de las circunstancias de tiempo.] Hay que estudiar la historia, contra lo que se ha venido haciendo habitualmente en la vieja erudición, «sin cuidar mucho de retener precisamente los nombres propios y las genealogías de las personas de quien se trata..., es nimiedad y aplicación inútil el poner ahínco y estudio especial en ello, como cosa que no se puede sacar utilidad práctica». El repertorio de saberes que la historia, según Gutiérrez de los Ríos, tiene por objeto proporcionarnos sobre las sociedades, no puede ser más amplio y es fácil advertir en él la proyección de este anticipado concepto de civilización que creemos haber descubierto en sus páginas; a ella toca hacernos conocer: los orígenes y ruina de los imperios y dominaciones de los hombres; las expediciones militares, con su buen o mal suceso; los principios de las leyes y las causas por las que se reformaron; las opiniones de los filósofos; el florecimiento o decadencia de las artes liberales; los monumentos arqueológicos; la «historia y progreso» de la poesía, de la medicina, de la religión; «el origen y progreso de las creencias, fábulas o sectas que en cada pueblo han florecido»; «las noticias prácticas y útiles de todas las cosas humanas»; «la subsistencia y alimento de todos y los modos con que la agricultura, comercio o navegación los han buscado y adquirido». Un uso —con que nos hemos tropezado en los párrafos anteriores— de la voz «progreso», en singular, nos la revela expresiva de un sentido unívoco de marcha hacia delante, que prepara la ulterior concepción moderna del *progreso*, en lugar de la acepción del término en el siglo XVI, cuando aparece; esto es, cuando equivalía a mero movimiento de cambios. Tal vez lo interesante se descubra en esa exigencia de ocuparse de las actividades económicas en la línea de una historia civil económica que los ilustrados programarán y que Capmany intentará llevar a cabo. [...]

Pasamos ahora al principio que sobre el plano de la aplicación práctica rige todo el pensamiento de los ilustrados: el de *utilidad*. En la educación física, en la enseñanza de las artes, en la de las ciencias, en el estudio de la historia, etc., hay que estar siempre a lo que «nos puede ser útil o inútil para la sociedad, comodidades y culto de la vida, que son los fines a que se dirige todo el saber humano». Observemos la nueva enunciación de valores que en este pasaje se enuncia: vida social, comodidad, culto o cultura de la vida. Se repite con alguna frecuencia esa apelación a la «utilidad», medida y principio de todo el ulterior programa ilustrado: lo útil y práctico, la «utilidad»; las «calidades útiles a la sociedad»; en materia de moneda, tributos, etc., mirar «sólo a la utilidad»; «utilidades y comodidades», «las grandes utilidades públicas y privadas». Hay un pasaje que adelanta aquella declaración de Feijoo acerca de su veneración por los trabajos útiles a la república: «esta o aquella *profesión útil* a los hombres tiene en sí propia, y por esta misma razón de la utilidad ajena, una cierta solidez y sustancia physica y real que si hoy no aprovecha el que la posee, podrá aprovecharle mañana, por el provecho que los otros considerarán en ello». La polémica sobre los «oficios útiles» (sobre la que A. Elorza nos ha dado tan interesantes documentos) está ya preparada, tres cuartos de siglo antes. [...]

Sobre el debatido tema de la nobleza, naturalmente (en el discurso XXIV, dedicado a la nobleza hereditaria) hace referencia a su pretendido fundamento interno, convencionalmente consistente en que se heredan las virtudes de quienes se han mostrado superiores, de generación en generación, hasta el punto de hacerse reconocer como ejemplarmente virtuosos por siglos. Mas Gutiérrez de los Ríos hace recordar que «las cosas que generalmente conservan y aumentan entre los hombres toda la estimación de la nobleza, son la riqueza, los empleos públicos, los parentescos con poderosos y autorizados, etc.» —enunciación en la cual nada parece ser vehículo de virtud—. Según ello, dado que el principio para reconocerla es la herencia de unos predecesores beneméritos y nada más, «parece cierto que, como su mérito fue finito, también lo debería ser el término que se concediese a sus sucesores para gozar de él, y ya que las leyes no tengan esto determinado en nuestro hemisferio, a lo menos la derecha razón debe hacer a cada uno juez de sí mismo».

Por otra parte, se encuentra en las páginas que comentamos una severa crítica del sistema social de reserva de derechos sobre la propiedad de la tierra, unido al régimen nobiliario y derivado de la necesidad de llegar a mantener una concentración de bienes en manos de los privilegiados [dos «bienes muertos»] suponen, por un lado, disminución de ventas y compras, por tanto, de los tributos que por estos actos se paguen; por otro, desatención y, por tanto, deterioro de aquello de que no se puede disponer libremente; los que poseen bienes vinculados pierden iniciativa y actividad, quedan ociosos e inútiles; los demás hijos se ven reducidos a pobreza y a humillante dependencia; por lo que, además, instituciones así fomentan odio entre hermanos. Frente a esto hay que procurar aquel sistema que permita que los que no poseen sientan no obstante estímulo para obtener bienes «por medio del trabajo».

[El elogio del trabajo, la afirmación de los placeres corporales, de los bienes de la abundancia y, por encima de esto, de la «buena orden», nos presentan al conde de Fernán Núñez como un propagador de ideas sociales y económicas propias de burgueses ilustrados. En particular], Gutiérrez de los Ríos hace suyo uno de los principios axiológicos de la mentalidad burguesa ilustrada: la «felicidad» que aparece no sólo mundanizada, sino que, en la definición que da de ella, coincide con la que, en defensa de Epicuro y en aceptación de su doctrina ética, exponían otros novadores, hasta llegar a Feijoo, quien dedica un discurso al tema. «La entera fruición de la tranquilidad y alegría que explicamos con esta voz *felicidad*», dice Gutiérrez de los Ríos, es decir, según explica a continuación, la tranquilidad del espíritu y la indolencia (esto es, la ausencia de dolor) del cuerpo: hay una perfecta equivalencia entre esta fórmula y la definición epicúrea del deleite que dará Feijoo. Una concepción en tales términos de la felicidad lleva al autor a la defensa del gusto por la naturaleza y del placer de los divertimientos campestres.

ÍNDICE ALFABÉTICO

ÍNDICE